经纬度·原典系列

资治通鉴

全本全注全译

第十八册

唐纪

[宋]司马光　编著
张大可　韩兆琦　等　注译

浙江人民出版社

图书在版编目（CIP）数据

资治通鉴全本全注全译. 第十八册 / （宋）司马光编著 ; 张大可等注译. -- 杭州 : 浙江人民出版社, 2024. 10（2025. 6重印）. -- ISBN 978-7-213-11684-1

Ⅰ. K204. 3

中国国家版本馆CIP数据核字第2024BQ6961号

资治通鉴全本全注全译　第十八册

ZIZHI TONGJIAN QUANBEN QUANZHU QUANYI

［宋］司马光　编著　　张大可　韩兆琦　等　注译

出版发行：浙江人民出版社（杭州市环城北路 177 号　邮编　310006）
　　　　　市场部电话：（0571）85061682　85176516
选题策划：胡俊生
项目统筹：潘海林　魏　力
责任编辑：吴玲霞　诸舒鹏　金将将
特约编辑：褚　燕
营销编辑：杨　悦
责任校对：姚建国　杨　帆　王欢燕
责任印务：程　琳　幸天骄
封面设计：北京之江文化传媒有限公司
电脑制版：北京之江文化传媒有限公司
印　　刷：浙江新华数码印务有限公司
开　　本：710 毫米 ×1000 毫米　1/16　　印　　张：47.25
字　　数：922 千字　　插　　页：4
版　　次：2024 年 10 月第 1 版　　印　　次：2025 年 6 月第 2 次印刷
书　　号：ISBN 978-7-213-11684-1
定　　价：124.00 元

目　录

卷第一百九十八　唐纪十四

起旃蒙大荒落（乙巳，公元六四五年）六月，尽著雍涒滩（戊申，公元六四八年）三月，凡二年有奇。

【题解】

本卷记事起公元六四五年六月，迄公元六四八年三月，凡两年又十个月，当唐太宗贞观十九至二十二年。此时期唐太宗步入晚年，四夷归服，贞观之治达于鼎盛。贞观二十年（公元六四六年），唐军大败薛延陀，唐太宗亲临灵州刻石颂功。但使唐太宗心有不甘，亲征高句丽，无功而返。此后，唐太宗念念不忘伐高句丽，直到辞世，也未能实现第二次亲征，偏将出征，只获得小胜，高句丽始终未能臣服。唐太宗晚年有猜忌心，因小过而贬黜萧瑀、房玄龄，刘洎失言而被赐死，刑部尚书张亮因有人告密谋反而被诛，可以说是唐太宗毋庸讳言之过。

【原文】

太宗文武大圣大广孝皇帝下之上

贞观十九年（乙巳，公元六四五年）

六月丁酉[①]，李世勣攻白岩城西南，上临其西北。城主孙代音[②]潜遣腹心[③]请降，临城，投刀钺为信[④]，且曰："奴愿降，城中有不从者。"上以唐帜[⑤]与其使，曰："必·降者，宜建之城上。"代音建帜，城中人以为唐兵已登城，皆从之。

上之克辽东也，白岩城请降，既而中悔。上怒其反覆，令军中曰："得城当悉以人物赏战士。"李世勣见上将受其降，帅甲士数十人请曰："士卒所以争冒矢石[⑥]，不顾其死者，贪虏获[⑦]耳。今城垂拔，奈何更受其降，孤[⑧]战士之心！"上下马谢曰："将军言是也。然纵兵杀人而虏其妻孥[⑨]，朕所不忍。将军麾下有功者，朕以库物赏之，庶因将军

【语译】

太宗文武大圣大广孝皇帝下之上

贞观十九年（乙巳，公元六四五年）

六月初一日丁酉，李世勣攻打白岩城的西南角，太宗亲临西北角。城主孙代音暗中派遣心腹请求投降，约定兵临城下时，投刀斧作为信号，并且说："奴才本人愿意投降，但城中有不听从的。"太宗把唐朝的旗帜交给他的使者，说："若一定要投降，应该把这面旗竖在城墙上。"孙代音如约竖旗，城中的人以为唐兵已经登上城墙，便都跟随孙代音投降。

太宗攻克辽东时，白岩城守军请求投降，随后又中途反悔。太宗恼怒他们反复无常，下令军中说："得到这座城后，把城中的人口及财物全部赏赐给士兵。"李世勣看见太宗准备接受对方投降，就带领几十名身穿铠甲的士兵请战说："士兵们之所以争先冒着飞矢流石的袭击，不顾生死，是贪图俘获城中的男女财物。如今即将攻取城池，为什么又接受他们的投降，凉了士兵的心！"太宗下马对李世勣表示歉意说："将军所言是对的。然而纵兵杀人而俘虏他们的妻子儿女，朕实在不忍心。将军部下有功的，朕用府库里的财物赏赐他们，这样就可以从将军手中赎下这一座城。"

赎此一城。”世勣乃退。得城中男女万余口，上临水设幄⑩受其降，仍赐之食，八十以上赐帛有差⑪。他城之兵在白岩者悉慰谕，给粮仗⑫，任其所之⑬。

先是，辽东城长史为部下所杀，其省事⑭奉其[1]妻子奔白岩。上怜其有义，赐帛五匹，为长史造灵舆⑮，归之平壤。以白岩城为岩州，以孙代音为刺史。

契苾何力疮重，上自为傅⑯药，推求得刺何力者高突勃，付何力使自杀之。何力奏称：“彼为其主冒白刃⑰刺臣，乃忠勇之士也，与之初不相识，非有怨仇。”遂舍之。

初，莫离支遣加尸城⑱七百人戍盖牟城，李世勣尽虏之，其人请从军自效。上曰：“汝家皆在加尸，汝为我战，莫离支必杀汝妻子，得一人之力而灭一家，吾不忍也。”戊戌⑲，皆廪⑳赐遣之。

己亥㉑，以盖牟城为盖州㉒。

丁未㉓，车驾发辽东。丙辰㉔，至安市城㉕，进兵攻之。丁巳㉖，高丽北部耨萨延寿、惠真㉗帅高丽、靺鞨兵十五万救安市。上谓侍臣曰：“今为延寿策有三：引兵直前，连安市城为垒㉘，据高山之险，食城中之粟，纵靺鞨掠吾牛马，攻之不可猝下，欲归则泥潦为阻，坐困吾军，上策也。拔城中之众，与之宵遁㉙，中策也。不度智能，来与吾战，下策也。卿曹观之，彼[2]必出下策，成擒在吾目中矣。”

高丽有对卢㉚，年老习事，谓延寿曰：“秦王内芟㉛群雄，外服戎狄，独立为帝，此命世㉜之材，今举海内之众而来，不可敌也。为吾计者，莫若顿兵不战，旷日持久，分遣奇兵断其运道。粮食既尽，求战不得，欲归无路，乃可胜也。”延寿不从，引军直进，去安市城四十里。上犹恐其低徊㉝不至，命左卫大将军阿史那社尔将突厥千骑以诱之，兵始交而伪走。高丽相谓曰：“易与耳！”竞进乘之，至安市城东南八里，依山而陈。

上悉召诸将问计，长孙无忌对曰：“臣闻临敌将战，必先观士卒之情。臣适行经诸营，见士卒闻高丽至，皆拔刀结旆㉞，喜形于色，此必

李世勣于是退下。唐军得到城中男女一万多人，太宗靠近河边设立帐篷接受对方的投降，仍然赐予他们食物，八十岁以上的赏赐数量不等的绢帛。在白岩城的其他城邑的士兵，均加以抚慰，供给粮食与武器，听任所往。

此前，辽东城的长史被部下杀死，他的手下属吏护送长史的妻子儿女逃往白岩城。太宗怜悯属吏有义节，赐予五匹帛，为长史造灵车，把尸体送回平壤。把白岩城置为岩州，任命孙代音为刺史。

契苾何力伤口严重，太宗亲自为他敷药，追查抓获了刺伤契苾何力的人高突勃，把他交给何力，让何力自己杀死他。何力上奏说："他为了他的君主冒着白刃刺杀我，乃是忠诚勇猛之人，我与他原来并不相识，没有怨仇。"于是放掉了高突勃。

当初，莫离支派遣加尸城的七百人戍守盖牟城，李世勣全部俘虏了他们，他们请求从军效力。太宗说："你们的家都在加尸城，你们为我作战，莫离支必然要杀死你们的妻子儿女，得到一人的帮助而毁灭了他的一家，朕不忍心。"六月初二日戊戌，七百人都给予赏赐并遣送回去。

六月初三日己亥，把盖牟城置为盖州。

六月十一日丁未，太宗车驾从辽东出发。二十日丙辰，到达安市城，进兵攻城。二十一日丁巳，高句丽北部耨萨高延寿、高惠真率领高句丽兵、靺鞨兵十五万人援救安市。太宗对侍臣说："如今高延寿有三种策略：带兵马径直前进，与安市城连为堡垒，占据高山险要，食用城内的粮食，放出靺鞨的兵抢掠我们的牛马，让我们攻城不能很快攻下，想返回则有泥沼阻隔，坐等我军困窘，这是上策。他率城中的民众，与他们乘夜逃遁，这是中策。不估量自己的智慧与能力，来与我军交战，这是下策。你们看着，他一定出此下策，成为俘虏，就在眼前。"

高句丽有一位担任对卢官的人，年纪老熟悉世事，对高延寿说："秦王李世民在国内削平群雄，对外降服戎狄，只靠自己的力量成为皇帝，这是命世之才，如今率领天下的军队而来，是不可抵挡的。为我们考虑，不如屯兵不战，旷日持久，分路派遣奇兵截断他们的运粮通道。粮食已经没有了，求战又不成，想回去又无路可走，才可以取胜。"高延寿不听，率军直进，距离安市城四十里。太宗仍然担心敌军徘徊犹豫不来到安市，命令左卫大将军阿史那社尔率一千名突厥骑兵去引诱他们，双方士兵刚一交战，突厥兵就假装败逃。高句丽士兵互相说："很容易对付他们啊！"竞相进兵追击，到达安市城东南八里，依山布阵。

太宗召集全体将领询问计策，长孙无忌回答说："臣听说面对敌军将要战斗时，一定要先观察士兵的情绪。臣刚才走过各处军营，看见士兵们听说高句丽兵到了，全都拔出刀枪扎好军旗，喜形于色，这是必胜的军队。陛下未成年时，亲历战阵，

胜之兵也。陛下未冠㉟，身亲行阵，凡出奇制胜，皆上禀圣谋，诸将奉成算而已。今日之事，乞陛下指踪㊱。”上笑曰：“诸公以此见让，朕当为诸公商度。”乃与无忌等从数百骑乘高望之，观山川形势，可以伏兵及出入之所。高丽、靺鞨合兵为陈，长四十里。江夏王道宗曰：“高丽倾国以拒王师，平壤之守必弱，愿假臣精卒五千，覆其本根，则数十万之众可不战而降。”上不应。遣使绐延寿曰：“我以尔国强臣弑其主，故来问罪。至于交战，非吾本心。入尔境，刍粟㊲不给，故取尔数城。俟尔国修臣礼，则所失必复矣。”延寿信之，不复设备。

上夜召文武计事，命李世勣将步骑万五千陈于西岭，长孙无忌将精兵万一千为奇兵㊳，自山北出于狭谷以冲其后，上自将步骑四千，挟鼓角㊴，偃旗帜㊵，登北山上，敕诸军闻鼓角齐出奋击。因命有司张受降幕于朝堂㊶之侧。戊午㊷，延寿等独见李世勣布陈，勒兵欲战。上望见无忌军尘起，命作鼓角，举旗帜，诸军鼓噪并进，延寿等大惧，欲分兵御之，而其陈已乱。会有雷电，龙门人薛仁贵㊸著奇服，大呼陷陈，所向无敌。高丽兵披靡，大军乘之，高丽兵大溃，斩首二万余级。上望见仁贵，召[3]拜游击将军㊹。仁贵，安都㊺之六世孙，名礼，以字行。

延寿等将余众依山自固，上命诸军围之。长孙无忌悉撤桥梁，断其归路。己未㊻，延寿、惠真帅其众三万六千八百人请降，入军门，膝行而前，拜伏请命。上语之曰：“东夷少年，跳梁海曲㊼，至于摧坚决胜，故当不及老人，自今复敢与天子战乎？”皆伏地不能对。上简耨萨以下酋长三千五百人，授以戎秩，迁之内地，余皆纵之，使还平壤，皆双举手以颡顿地㊽，欢呼闻数十里外。收靺鞨三千三百人，悉坑之，获马五万匹，牛五万头，铁甲万领，他器械称是。高丽举国大骇，后黄城、银城㊾皆自拔遁去，数百里无复人烟。

凡是出奇制胜之战，都是陛下向高祖禀报了计谋，诸位将领只奉行既定的谋略而已。今天的战事，乞求陛下指示路线。”太宗笑着说：“诸位把这件事谦让于我，朕当为你们商量安排。”于是和长孙无忌等人带领几百骑兵登高眺望，观察山川形势，看好可以埋伏兵力以及进出的地点。高句丽、靺鞨合兵布阵，长四十里。江夏王李道宗说：“高句丽倾尽全国的兵力来抗拒大唐的王师，平壤的守备肯定虚弱，希望借给我五千精兵，捣毁他们的老巢，那么，几十万兵马可以不用作战就能降伏了。”太宗没有回答。派遣使者欺骗高延寿说：“我因为你们国家的强臣杀死你们的国王，所以前来兴师问罪。至于两军交战，不是我的本意。我军进入你们的境内，不供应粮草，所以攻取你们几座城池。等到你们国家奉行为臣的礼节，你们国家失去的几座城池就一定归还。”高延寿相信了太宗的话，不再设置防备。

太宗夜间召集文武大臣商议战事，命令李世勣率领一万五千名步兵、骑兵在西岭布阵，长孙无忌率领一万一千名精兵作为奇兵，从山的北面穿越峡谷冲击高句丽军队的背后，太宗亲自统率四千步兵、骑兵，挟带战鼓和号角，放倒旗帜，登到北山上面，敕令各路军队听到鼓声和号角声就一齐奋勇出击。又命有关部门在朝堂一侧设置接受投降的帷幕。六月二十二日戊午，高延寿等人只看到李世勣的部队布阵，部署士兵想要作战。太宗望见长孙无忌的部队尘土飞扬，就命令鼓角大作，举起旗帜，各路部队击鼓呐喊齐头并进，高延寿等十分恐惧，想要分兵抵御唐军，然而他的军阵已经混乱。适逢有雷电，龙门人薛仁贵身穿奇服，大声呼喊着攻入敌阵，所向无敌。高句丽士兵望风逃窜，唐朝大军乘胜追击，高句丽兵大溃，斩首二万余级。太宗看见薛仁贵，召见他拜为游击将军。薛仁贵，是薛安都的六世孙，名礼，以字行世。

高延寿等人带领残余士兵依山固守，太宗命令各路部队包围他。长孙无忌撤毁所有桥梁，断绝了敌军的归路。六月二十三日己未，高延寿、高惠真率领他们的部众三万六千八百人请求投降，进入唐军的营门，用膝盖前行，伏地叩拜请求饶命。太宗对他们说：“东夷的少年，上蹿下跳于海隅，至于摧毁强敌决胜疆场，本该不如老人，自今以后还敢与大唐天子交战吗？”高延寿等人都伏地不能回答。太宗挑出耨萨以下的酋长三千五百人，授给他们军队的官阶，把他们迁徙内地，其余的人全都释放，让他们返回平壤，大家都举起双手以额触地，欢呼声几十里外都能听到。收捕三千三百名靺鞨人，把他们全部活埋，俘获战马五万匹，牛五万头，一万套铁甲，各种器械也都有如此之多。高句丽全国大为惊恐，后黄城、银城的人都自己举众逃去，几百里内不再有人烟。

【段旨】

以上为第一段，写唐军在安市城下大破高句丽援军。

【注释】

①丁酉：六月初一日。②孙代音：两《唐书》之《高丽传》作“孙伐音”。③腹心：心腹；亲信。④信：信物；取信于人的凭据。⑤帜：旗帜。⑥矢石：箭和炮石，守城武器。⑦虏获：战利品；俘虏和缴获的物资。⑧孤：寒。⑨妻孥：妻子儿女。⑩幄：篷帐。⑪有差：各有差别；各有等级。⑫仗：兵器。⑬之：往；去。⑭省事：吏职；属吏。⑮灵舆：灵车；丧车。⑯傅：通“敷”。⑰白刃：刀锋。⑱加尸城：又作“嘉尸城”，在今朝鲜平壤西南。⑲戊戌：六月初二日。⑳廪：公家发给的粮米。㉑己亥：六月初三日。㉒盖州：又作盖牟州，治所在今辽宁抚顺。㉓丁未：六月十一日。㉔丙辰：六月二十日。㉕安市城：在今辽宁海城东南营城子。《旧唐书》卷八十三《薛仁贵传》作“安地城”。㉖丁巳：六月二十一日。㉗耨萨延寿、惠真：耨萨，高句丽官名，相当于唐朝都督。高句丽大城置耨萨一。延寿、惠真，均姓高，二人分别任高句丽北、南部耨萨。㉘垒：军营四周所筑堡寨。㉙宵遁：夜逃。㉚对卢：高句丽官名，大对卢相当于一品官，总知国事。㉛芟：削除。㉜命世：著名于世。㉝低徊：亦作“低佪”“低回”，迂回曲折。㉞旆：古代旗末状如燕尾的垂旒，亦泛指旌旗。㉟未冠：未成年。古代男子年

【原文】

上驿书报太子，仍与高士廉等书曰：“朕为将如此，何如？”更名所幸山曰驻跸[4]山㊿。

秋，七月辛未(51)，上徙营安市城东岭。

己卯(52)，诏标识战死者尸，俟军还与之俱归。

戊子(53)，以高延寿为鸿胪卿，高惠真为司农卿。

张亮军过建安城(54)下，壁垒未固，士卒多出樵牧，高丽兵奄至(55)，军中骇扰。亮素怯，踞胡床，直视不言。将士见之，更以为勇。总管张金树(56)等鸣鼓勒兵击高丽，破之。

二十举行加冠礼，表示成年。未冠即谓未成年的男子。㊱ 踪：谓野兽留下的踪迹。比喻对敌如打猎，先得掌握敌人的行踪。㊲ 刍粟：粮草。㊳ 奇兵：指出奇制胜的军队。㊴ 鼓角：古代军中用以报时、警众或发号施令的鼓和号角。㊵ 偃旗帜：放倒军旗。㊶ 朝堂：太宗出征，行营备宫省之制，亦有朝堂。㊷ 戊午：六月二十二日。㊸ 薛仁贵（公元六一四至六八三年）：唐名将，名礼，字仁贵，绛州龙门（今山西河津西）人，出身贫寒。应募从军后，以战功累擢右领军中郎将、右威卫大将军兼安东都护，封平阳郡公。传见《旧唐书》卷八十三、《新唐书》卷一百十一。㊹ 游击将军：武德七年（公元六二四年），承前朝旧制，始置游击将军。为武散官，从五品下。㊺ 安都：北魏时名将薛安都，以骁勇闻。封河东郡王。传见《魏书》卷六十一、《北史》卷三十九。㊻ 己未：六月二十三日。㊼ 跳梁海曲：跋扈于海边。跳梁，比喻跋扈状。海曲，海隅。㊽ 以颡顿地：叩首；以额触地。㊾ 后黄城银城：高句丽所置城池。据《读史方舆纪要》卷三十七，后黄城（盖州）在卫（今辽宁盖州）东。后黄、银山二城，均为高句丽东境城，与安市（今辽宁海城东南营城子）相近。

【校记】

［1］其：原无此字。据章钰校，十二行本、乙十一行本皆有此字，张敦仁《通鉴刊本识误》同，今据补。［2］彼：原无此字。据章钰校，十二行本、乙十一行本皆有此字，今据补。［3］召：据章钰校，此字下十二行本、乙十一行本、孔天胤本皆有“见”字。

【语译】

太宗用驿马送书信通报太子李治，又写信给高士廉等人说：“朕如此为将，怎么样？”把亲自驻扎的山改名为驻跸山。

秋，七月初五日辛未，太宗把营帐迁移到安市城东的山岭。

十三日己卯，太宗诏令为战死的将士尸首做出标识，等到军队返回时把他们一同带回。

二十二日戊子，任命高延寿为鸿胪寺卿，高惠真为司农寺卿。

张亮的部队经过建安城下，城的壁垒尚未修筑完整，士兵大多出城打柴放牧，高句丽兵突然来到，军中惊扰。张亮一向胆小，蹲坐在胡床上，眼睛直视不说话。将士们看见他，反以为张亮勇敢。总管张金树等人鸣鼓率兵攻打高句丽兵，打败了敌人。

八月甲辰㊼，候骑获莫离支谍者高竹离，反接㊽诣军门。上召见，解缚问曰："何瘦之甚？"对曰："窃道间行㊾，不食数日矣。"命赐之食，谓曰："尔为谍，宜速反㊿命。为我寄语莫离支，欲知军中消息，可遣人径诣吾所，何必间行辛苦也。"竹离徒跣[61]，上赐屩[62]而遣之。

丙午[63]，徙营于安市城南。上在辽外，凡置营，但明斥候[64]，不为堑垒[65]，虽逼其城，高丽终不敢出为寇抄，军士单行野宿如中国[66]焉。

【段旨】

以上为第二段，唐太宗自信，纵遣敌人间谍，心理胜敌。

【注释】

㊿驻跸山：本名六山。即太宗曾驻跸过的今辽宁辽阳西南马首山、北镇市西北医巫闾山、海城市西南平顶山。当时为了彰显战绩，在驻营过的海城县南山上勒石记功，后人也把南山称为驻跸山。[51]辛未：七月初五日。[52]己卯：七月十三日。[53]戊子：七月二十二日。[54]建安城：在今辽宁盖州东北青石关。[55]奄至：突然到来。[56]张金树：原为

【原文】

上之将[5]伐高丽也，薛延陀遣使入贡，上谓之曰："语尔可汗：今我父子东征高丽，汝能为寇，宜亟[67]来！"真珠可汗惶恐，遣使致谢，且请发兵助军，上不许。及高丽败于驻跸山，莫离支使靺鞨说真珠，啖以厚利，真珠慑服不敢动。九月壬申[68]，真珠卒，上为之发哀。

初，真珠请以其庶长子曳莽为突利失可汗，居东方，统杂种[69]，嫡

八月初八日甲辰，侦察的骑兵抓住了莫离支的间谍高竹离，反捆着他来到军营门前。太宗召见他，解开捆绑问道："为什么瘦得这样厉害？"回答说："偷偷地走小路，几天没有吃饭了。"太宗下令赐给他饭吃，对他说："你作为间谍，应当迅速回去复命。替我带话给莫离支，想知道我军中的消息，可以派人直接来到我们营地，何必走小路那么辛苦呢。"高竹离光着脚，太宗赐给他草鞋，让他走了。

八月初十日丙午，唐军把军营迁徙到安市城南。太宗在辽东一带，凡是设置军营，只派出巡逻兵，不挖沟筑垒，即使靠近高句丽人的城邑，高句丽人也始终不敢出来侵掠，士卒单人出行野外露宿好像在中原一样。

高开道部将，武德七年（公元六二四年）杀开道降唐，擢北燕州都督。事迹见《旧唐书》卷一《高祖纪》、卷五十五《高开道传》、卷六十九《张亮传》，《新唐书》卷八十六《高开道传》、卷九十四《张亮传》。㊼甲辰：八月初八日。㊽反接：反接两手缚绑。㊾间行：从小道走。㊿反：通"返"。(61)徒跣：赤脚。(62)屩：草鞋。(63)丙午：八月初十日。(64)斥候：侦察，亦指巡逻侦察兵。(65)堑垒：营地工事。即战壕和堡垒。(66)中国：中原。此指唐境。

【校记】

［4］骅：据章钰校，十二行本、乙十一行本皆作"跸"。

【语译】

太宗将要讨伐高句丽，薛延陀派使者到朝中进献贡品，太宗对使者说："告诉你们的可汗，如今我们父子东征高句丽，你们能来侵犯，就要赶快来！"真珠可汗惶恐不安，派出使者表示谢罪，并且请求调拨薛延陀的士兵协助唐军，太宗没有答应。等到高句丽军队在驻骅山战败，莫离支派靺鞨人游说真珠可汗，用丰厚的利益引诱他，真珠可汗慑服于大唐不敢有所举动。九月初七日壬申，真珠可汗去世，太宗为他致哀。

当初，真珠可汗请求让他的庶长子曳莽当突利失可汗，居住在东方，统率各个

子拔灼为肆叶护可汗，居西方，统薛延陀，诏许之，皆以礼册命。曳莽性躁扰[71]，轻用兵，与拔灼不协[71]。真珠卒，来会丧。既葬，曳莽恐拔灼图己，先还所部，拔灼追袭杀之，自立为颉利俱利薛沙多弥可汗。

上之克白岩也，谓李世勣曰："吾闻安市城险而兵精，其城主材勇，莫离支之乱，城守不服，莫离支击之不能下，因而与之。建安兵弱而粮少，若出其不意，攻之必克。公可先攻建安，建安下，则安市在吾腹中，此兵法所谓'城有所不攻[72]'者也。"对曰："建安在南，安市在北，吾军粮皆在辽东，今逾安市而攻建安，若贼断吾运道，将若之何？不如先攻安市，安市下，则鼓行而取建安耳。"上曰："以公为将，安得不用公策，勿误吾事。"世勣遂攻安市。

安市人望见上旗盖[73]，辄乘城鼓噪。上怒，世勣请克城之日，男女皆坑之。安市人闻之，益坚守，攻久不下。高延寿、高惠真请于上曰："奴既委身大国，不敢不献其诚，欲天子早成大功，奴得与妻子相见。安市人顾惜其家，人自为战，未易猝拔。今奴以高丽十余万众，望旗沮溃[74]，国人胆破，乌骨城[75]耨萨老耄[76]，不能坚守，移兵临之，朝至夕克，其余当道小城，必望风奔溃。然后收其资粮，鼓行[77]而前，平壤必不守矣。"群臣亦言："张亮兵在沙城[78]，召之信宿可至，乘高丽凶惧，并力拔乌骨城，渡鸭绿水，直取平壤，在此举矣。"上将从之，独长孙无忌以为："天子亲征，异于诸将，不可乘危徼幸[79]。今建安、新城之虏，众犹十万，若向乌骨，皆蹑吾后。不如先破安市，取建安，然后长驱而进，此万全之策也。"上乃止。

诸军急攻安市。上闻城中鸡彘声，谓李世勣曰："围城积久，城中烟火日微，今鸡彘甚喧，此必飨士[80]，欲夜出袭我，宜严兵备之。"是夜，高丽数百人缒城而下。上闻之，自至城下，召兵急击，斩首数十级，高丽退走。

江夏王道宗督众筑土山于城东南隅，浸逼其城，城中亦增高其城以拒之。士卒分番交战，日六七合，冲车炮石[81]，坏其楼堞，城中随立木栅以塞其缺。道宗伤足，上亲为之针[82]。筑山昼夜不息，凡六旬，用

不同的部族，让他的嫡生子拔灼当肆叶护可汗，居住在西方，统领薛延陀本部，太宗下诏同意了，都按照礼仪予以册封。曳莽性情暴躁好乱，轻易用兵打仗，与拔灼不和。真珠可汗去世，二人来参加丧礼。安葬了真珠可汗后，曳莽害怕拔灼图谋自己，就先返回本部，拔灼追上后偷袭杀死了曳莽，自立为颉利俱利薛沙多弥可汗。

太宗攻克白岩城时，对李世勣说："我听说安市城险要，而且部队精锐，他们的城主勇敢有才，莫离支作乱，城主不服，莫离支攻打他不能攻克，于是就把白岩城交给他。建安城兵弱粮少，如果出其不意地进攻，一定能攻克。你可先攻建安，攻下建安，那么安市就在我囊中了，这正是《孙子兵法》中所说的'城有所不攻'的道理。"李世勣回答说："建安在南面，安市在北面，我方军粮全在辽东，如今越过安市攻打建安，如果贼军切断我军的运粮通道，那该怎么办？不如先攻安市，攻下安市，就可以击鼓进军攻取建安。"太宗说："任命你为将领，怎能不用你的策略，不要延误了我的大事。"于是李世勣进攻安市。

安市人望见太宗的旗帜伞盖，就登上城墙敲鼓呐喊。太宗大怒，李世勣请求在攻下城池的那天，把城中男女全部活埋。安市人听到这话，更加坚守城池，唐军久攻不下。高延寿、高惠真向太宗请求说："奴才既然委身于大唐，不敢不呈献自己的忠诚，希望天子早日完成盛大的功业，奴才能与妻子儿女相见。安市人爱惜自己的家庭，人人各自为战，不容易很快攻克。如今奴才等带领高句丽兵十多万人，望见旌旗即遭溃败，高句丽人都吓破了胆，乌骨城的首领耨萨老迈，不能坚守城池，如果我们移兵临城，早晨到达晚上就可攻克，其余处于道路上的小城邑，肯定望风溃逃。然后收取他们的物资粮草，鸣鼓前进，平壤必定不能守住。"大臣们也说："张亮的部队在沙城，召唤他们，两夜可以到达，乘着高句丽人惊恐，合力攻克乌骨城，渡过鸭绿江，直取平壤，就在这一次的行动了。"太宗将要听从这个意见，只有长孙无忌认为："天子亲自征战，与将领们不同，不能冒着危险侥幸取胜。如今建安、新城的敌人，数量还有十万，如果移师乌骨城，他们都会追踪袭击我军的背后。不如先攻破安市，夺取建安，然后长驱直入，这是万全之策。"于是太宗取消了移师乌骨的计划。

各路军队紧急攻打安市城。太宗听见城中鸡和猪的叫声，对李世勣说："围城的时间很长了，城中的炊烟日渐稀少，如今鸡和猪叫得厉害，这一定是在用酒食款待士兵，想夜间出来偷袭我们，应该严密部署兵力加以防范。"这天夜里，高句丽兵数百人用绳索吊出城下。太宗听说后，亲自来到城下，召集士兵紧急攻击，杀死几十人，其余高句丽兵逃走了。

江夏王李道宗督率部众在城东南角修筑土山，渐渐逼近城墙，城里也增高城墙来抵抗城外唐兵。士兵们分批轮番交战，每天有六七个回合，使用冲车炮石，击毁了城楼和垛墙，城中随即竖立木栅栏堵塞缺口。李道宗伤了脚，太宗亲自为他针灸。唐军昼夜不停地修筑土山，总共六十天，用去人工五十万人次，土山顶部距离城墙

功五十万，山顶去城数丈，下临城中，道宗使果毅傅伏爱[83]将兵屯山顶以备敌。山颓，压城，城崩。会伏爱私离所部，高丽数百人从城缺出战，遂夺据土山，堑而守之。上怒，斩伏爱以徇，命诸将攻之，三日不能克。道宗徒跣诣旗下请罪，上曰："汝罪当死，但朕以汉武杀王恢[84]，不如秦穆用孟明[85]，且有破盖牟、辽东之功，故特赦汝耳。"

上以辽左早寒，草枯水冻，士马难久留，且粮食将尽，癸未[86]，敕班师。先拔辽、盖二州户口渡辽，乃耀兵于安市城下而旋，城中皆屏迹不出，城主登城拜辞。上嘉其固守，赐缣[87]百匹，以励事君。命李世勣、江夏王道宗将步骑四万为殿。

乙酉[88]，至辽东。丙戌[89]，渡辽水。辽泽泥潦，车马不通，命长孙无忌将万人翦草填道，水深处以车为梁，上自系薪于马鞘[90]以助役。冬，十月丙申朔[91]，上至蒲沟驻马，督填道诸军渡渤错水[92]。暴风雪，士卒沾湿多死者，敕然[93]火于道以待之。

凡征高丽，拔玄菟、横山、盖牟、磨米、辽东、白岩、卑沙、麦谷、银山、后黄十城[94]，徙辽、盖、岩三州[95]户口入中国者七万人。新城、建安、驻跸三大战，斩首四万余级，战士死者几二千人，战马死者什七八。上以不能成功，深悔之，叹曰："魏徵若在，不使我有是行也！"命驰驿祀征以少牢，复立所制碑，召其妻子诣行在，劳[96]赐之。

丙午[97]，至营州。诏辽东战亡士卒骸骨并集柳城[98]东南，命有司设太牢，上自作文以祭之，临哭尽哀。其父母闻之，曰："吾儿死而天子哭之，死何所恨！"上谓薛仁贵曰："朕诸将皆老，思得新进骁勇者将之，无如卿者。朕不喜得辽东，喜得卿也。"

几丈远，可以向下俯瞰城中，李道宗派果毅都尉傅伏爱带兵驻守山顶防备敌人。土山坍塌，压到城墙上，城墙崩毁。正赶上傅伏爱私自离开所辖部队，高句丽的几百名士兵从城墙缺口出来交战，便夺取占据了土山，挖沟防守。太宗大怒，斩了傅伏爱在军中示众，命令将领们攻城，三天未能攻下。李道宗光着脚到太宗的大旗下请罪，太宗说："你的罪过应当处死，但是朕认为汉武帝杀死大将王恢，不如秦穆公重用孟明，你又有攻破盖牟、辽东的战功，所以特赦你不死。"

太宗认为辽东冷得早，草枯水冻，兵马难以久留，而且粮食快要没了，九月十八日癸未，发布敕令班师还朝。先启动辽东、盖牟二城的百姓渡过辽水，又在安市城下炫耀兵力后凯旋，城中的人都藏身不出，城主登上城楼向唐军拜别。太宗嘉许他坚守城池，赐给他缣帛一百匹，来鼓励他侍奉高句丽国王。命令李世勣与江夏王李道宗率领步兵、骑兵四万人殿后。

九月二十日乙酉，唐军到达辽东城。二十一日丙戌，渡过辽水。辽泽一带道路泥泞，车马不能通行，太宗命令长孙无忌率领一万人割草填平道路，水深的地方用车做桥梁，太宗亲自把薪柴拴在马鞍上帮助铺路。冬，十月初一日丙申，太宗到达蒲沟停止行军，督促填草铺路的各路军队渡过渤错水。遇上狂风暴雪，士兵们衣服打湿很多人冻死，太宗命令在道路上点燃火堆来等候他们。

此次征伐高句丽，总共攻克玄菟、横山、盖牟、磨米、辽东、白岩、卑沙、麦谷、银山、后黄十座城，迁徙辽州、盖州、岩州的百姓进入中国共有七万人。新城、建安、驻跸三次大战役，斩杀高句丽兵四万多人，唐朝士卒死了近二千人，战马死了十分之七八。太宗因为没有大功告成，深自懊悔，感叹说："如果魏徵在世，不会让我有这次出兵！"命人乘驿马用猪羊祭祀魏徵，重新竖立太宗撰文书写的石碑，召来魏徵的妻子儿女到太宗的行宫，对他们慰问赏赐。

十月十一日丙午，唐军到达营州。太宗下诏令把在辽东阵亡的士兵尸骨一并集中在柳城东南，命令有关部门摆设牛羊猪进行祭祀，太宗亲自撰文祭奠亡灵，亲临灵堂痛哭，极尽悲哀。死者的父母听到后，说："我们的儿子死了，而天子为他们痛哭，死了还有什么遗憾！"太宗对薛仁贵说："朕的各位将领都老了，想得到新出的骁勇善战的人任命他为将领，没有人能像你一样。朕不喜欢得到辽东，喜欢的是得到了你。"

【段旨】

以上为第三段，写唐军受困安市城下，无功退军。

【注释】

⑥⑦亟：急；快。⑥⑧壬申：九月初七日。⑥⑨杂种：谓铁勒诸部居薛延陀东部者。⑦⑩噪扰：暴躁好乱。⑦①不协：不和。⑦②城有所不攻：语见《孙子兵法》。此指太宗活用《孙子兵法》中的攻城策略，即避强击弱，最后达到各个击破的军事目的。⑦③旗盖：旗帜、伞盖。⑦④沮溃：败逃溃散。⑦⑤乌骨城：高句丽城邑。在今辽宁凤城东南凤皇山上。⑦⑥老耄：老迈之人。八十、九十岁的人称"耄"。⑦⑦鼓行：鸣鼓而行；大张旗鼓地进军。⑦⑧沙城：卑沙城。⑦⑨徼幸：同"侥幸"，企图以意外成功免去不幸。⑧⑩飨士：以酒食款待士卒。⑧①冲车炮石：冲车，用以冲击敌城的战车。炮石，石炮所抛射出的石块。⑧②针：针灸；针刺。⑧③果毅傅伏爱：果毅，即果毅都尉，为折冲府（亦称军府）的副将。傅伏爱（？至公元六四五年），事迹散见《旧唐书》卷六十《李道宗传》、卷一百九十九上《高丽传》，《新唐书》卷七十八《李道宗传》、卷二百二十《高丽传》。⑧④王恢：西汉武帝

【原文】

丙辰[99]，上闻太子奉迎将至，从飞骑三千人驰入临渝关[100]，道逢太子。上之发定州也，指所御褐袍谓太子曰："俟见汝，乃易此袍耳。"在辽左，虽盛暑流汗，弗之易[101]。及秋，穿败，左右请易之。上曰："军士衣多弊，吾独御新衣，可乎？"至是，太子进新衣，乃易之。

诸军所虏高丽民万四千口，先集幽州，将以赏军士。上愍其父子夫妇离散，命有司平其直，悉以钱布赎为民，欢呼之声，三日不息。

十一月辛未[102]，车驾至幽州，高丽民迎于城东，拜舞号呼〔6〕，宛转于地，尘埃弥望。

庚辰[103]，过易州[104]境，司马陈元璹使民于地室蓄火种蔬而进之。上恶其谄[105]，免元璹官。

丙戌[106]，车驾至定州。

丁亥[107]，吏部尚书杨师道坐所署用多非其才，左迁工部尚书。

壬辰[108]，车驾发定州。十二月辛丑[109]，上病痈[110]，御步辇[111]而行。

时大臣。曾力主用兵匈奴，帝以恢为将军讨之。因恢未能主动出击，帝怒诛之。事迹见《史记》卷一百八《韩长孺列传》等。⑮秦穆用孟明：春秋时，秦国大将孟明东伐，为晋军所败。秦穆公复重用孟明，遂称霸西戎。⑯癸未：九月十八日。⑰缣：双丝织成的细绢。⑱乙酉：九月二十日。⑲丙戌：九月二十一日。⑳马鞘：马鞍。㉑丙申朔：十月初一日。㉒渤错水：与蒲沟并在辽泽中。㉓然：通"燃"。㉔横山句：横山，在今辽宁辽阳东。磨米、麦谷等城，亦当距今辽阳不远。㉕辽、盖、岩三州：辽州，太宗以辽东城置，治所在今辽宁辽阳老城区。盖州，治所在今辽宁盖州。岩州，太宗以白岩城置，治所在今辽宁辽阳东燕州城。㉖劳：慰劳。㉗丙午：十月十一日。㉘柳城：县名，县治在今辽宁朝阳。

【校记】

［5］将：原无此字。据章钰校，十二行本、乙十一行本、孔天胤本皆有此字，张敦仁《通鉴刊本识误》同，今据补。

【语译】

十月二十一日丙辰，太宗听说太子迎接大军即将到来，就让飞骑兵三千人随从驰入临渝关，途中与太子相逢。太宗从定州出发时，曾指着身上穿的褐色战袍对太子说："等到见到你，才换下这身战袍。"在辽东时，即使酷暑流汗，也不换下战袍。到了秋天，战袍穿坏了，身边的人请求换掉战袍。太宗说："战士们的衣服大多都破旧了，我独自一人穿新衣服，可以吗？"到这时，太子献上新衣，太宗才换下旧战袍。

各路军马俘虏的高句丽百姓有一万四千多人，先集中在幽州，准备用来奖赏将士。太宗怜悯他们父子、夫妻离散，命令有关官署算出他们的价格，全用朝廷府库的钱币、布帛赎为平民，欢呼之声，三天不止。

十一月初七日辛未，太宗车驾到达幽州，高句丽百姓在城东迎接，跪拜舞蹈，高声号呼，宛转于地，远近满目尘埃。

十一月十六日庚辰，太宗经过易州境内，易州司马陈元璹让当地百姓在地下室蓄火提高温度来种蔬菜，这时进献给太宗。太宗厌恶他的谄媚，免去了陈元璹的官职。

二十二日丙戌，太宗车驾到达定州。

十一月二十三日丁亥，吏部尚书杨师道因任用官吏大多不称职而获罪，降职为工部尚书。

十一月二十八日壬辰，太宗车驾从定州出发。十二月初七日辛丑，太宗患了痈

戊申⑫，至并州，太子为上吮痈，扶辇步从者数日。辛亥⑬，上疾瘳⑭，百官皆贺。

上之征高丽也，使右领军大将军执失思力将突厥屯夏州之北以备薛延陀。薛延陀多弥可汗既立，以上出征未还，引兵寇河南⑮。上遣左武候中郎将长安田仁会⑯与思力合兵击之。思力羸形伪退，诱之深入，及夏州之境，整陈以待之。薛延陀大败，追奔六百余里，耀威碛北而还。多弥复发兵寇夏州，己未⑰，敕礼部尚书江夏王道宗发朔、并、汾、箕、岚、代、忻、蔚、云⑱九州兵镇朔州，右卫大将军代州都督薛万彻、左骁卫大将军阿史那社尔发胜、夏、银、绥、丹、延、鄜、坊⑲、石、隰十州兵镇胜州，胜州都督宋君明、左武候将军薛孤吴⑳发灵、原、宁、盐㉑、庆五州兵镇灵州，又令执失思力发灵、胜二州突厥兵与道宗等相应。薛延陀至塞下，知有备，不敢进。

【段旨】

以上为第四段，写薛延陀犯边，知唐有备，至塞下而返。

【注释】

⑨丙辰：十月二十一日。⑩临渝关：又作临榆关、临闾关。即今河北抚宁东榆关镇。一说即今山海关。⑪弗之易：不更换它。弗，不。易，更换。⑫辛未：十一月初七日。⑬庚辰：十一月十六日。⑭易州：州名，治所在今河北易县。⑮谄：奉承；谄媚。⑯丙戌：十一月二十二日。⑰丁亥：十一月二十三日。⑱壬辰：十一月二十八日。⑲辛丑：十二月初七日。⑳痈：皮肤和皮下组织化脓性炎症。㉑步辇：类似人抬轿子的代步工具。⑫戊申：十二月十四日。⑬辛亥：十二月十七日。⑭瘳：病愈。⑮河南：此指黄河以南至唐夏州（治所在今陕西靖边）一带地。⑯田仁会（公元六〇二至六七九年）：唐初将领，雍州长安（今陕西西安）人，历任胜州都督、金吾将军、太常正卿等职。传见《旧唐书》卷一百八十五上、《新唐书》卷一百九十七。⑰己未：十二月

疮，坐上轿子行进。十四日戊申，到达并州，太子李治为太宗吮吸痈疮的毒脓，好几天扶着轿子步行跟随。十七日辛亥，太宗病愈，文武百官全体祝贺。

太宗征伐高句丽时，派右领军大将军执失思力率领突厥兵驻扎在夏州北面来防备薛延陀。薛延陀多弥可汗即位以后，认为太宗出征高句丽没有返回，率军侵犯黄河以南。太宗派遣左武候中郎将长安人田仁会与执失思力合兵攻打多弥可汗。思力装出兵力弱小的样子假装撤退，诱敌深入，到了夏州境内，整饬阵势等待薛延陀。薛延陀大败，唐军追赶逃兵六百多里，在沙漠以北耀兵扬威后回师。多弥可汗又发兵进犯夏州，十二月二十五日己未，太宗敕令礼部尚书江夏王李道宗征发朔州、并州、汾州、箕州、岚州、代州、忻州、蔚州、云州共九州兵力镇守朔州，命令右卫大将军代州都督薛万彻、左骁卫大将军阿史那社尔征发胜州、夏州、银州、绥州、丹州、延州、鄜州、坊州、石州、隰州共十州兵力镇守胜州，命令胜州都督宋君明、左武候将军薛孤吴征发灵州、原州、宁州、盐州、庆州共五州兵力镇守灵州，又命令执失思力征发灵州、胜州的突厥兵与李道宗等人相互呼应。薛延陀到达塞下，知道唐军有所防备，不敢进犯。

二十五日。⑱ 箕岚句：箕、云，皆为州名，箕州治所在今山西左权，云州治所在今山西大同。⑲ 银、绥、丹、延、鄜、坊：皆为州名，银州治所在今陕西榆林市横山区东党岔，绥州治所在今陕西绥德，丹州治所在今陕西宜川县，延州治所在今陕西延安东北，鄜州治所在今陕西富县，坊州治所在今陕西黄陵西南。⑳ 薛孤吴：唐初大将。《旧唐书》《新唐书》又作“萨孤吴仁”或“薛孤吴仁”。薛孤，原为少数民族复姓。吴仁颇有战功，官至左武候大将军。事迹见《旧唐书》卷二十七《礼仪志》,《新唐书》卷二百十五下《突厥传下》、卷二百十七下《回鹘传下》附《薛延陀传》、卷二百二十一上《吐谷浑传》。㉑ 灵、原、宁、盐：皆为州名，灵州治所在今宁夏灵武西南，原州治所在今宁夏固原，宁州治所在今甘肃宁县，盐州治所在今陕西定边。

【校记】

［6］号呼：原作“呼号”。据章钰校，十二行本、乙十一行本皆作“号呼”，今从改。

【原文】

初，上留侍中刘洎辅皇太子于定州，仍兼左庶子、检校民部尚书，总吏、礼、户部三尚书事。上将行，谓洎曰："我今远征，尔辅太子，安危所寄，宜深识我意。"对曰："愿陛下无忧，大臣有罪者，臣谨即行诛。"上以其言妄发，颇怪之，戒曰："卿性疏[122]而太健，必以此败，深宜慎之。"及上不豫[123]，洎从内出，色甚悲惧，谓同列曰："疾势如此，圣躬可忧。"或谮于上曰："洎言国家事不足忧，但当辅幼主行伊、霍故事，大臣有异志者诛之，自定矣。"上以为然。庚申[124]，下诏称："洎与人窃议，窥窬[125]万一，谋执朝衡[126]，自处伊、霍[127]，猜忌大臣，皆欲夷戮。宜赐自尽，免其妻孥。"

中书令马周摄吏部尚书，以四时选[128]为劳，请复以十一月选，至三月毕，从之。

是岁，右亲卫中郎将[129]裴行方[130]讨茂州叛羌黄郎弄[131]，大破之，穷其余党，西至乞习山[132]，临弱水[133]而归。

【段旨】

以上为第五段，写侍中刘洎因失言被赐死。

【注释】

⑫疏：粗疏；不周密。⑬不豫：旧称帝王有病。⑭庚申：十二月二十六日。⑮窥窬：窥伺可乘之隙。⑯朝衡：朝廷权柄。⑰伊、霍：伊尹、霍光。伊尹佐汤灭夏。汤亡，辅佐卜丙、仲壬二王。仲壬亡，太甲立，不理国政，伊尹放逐太甲，太甲悔过，伊尹把

【原文】

二十年（丙午，公元六四六年）

春，正月辛未[134]，夏州都督乔师望、右领军大将军执失思力等击薛

【语译】

当初，太宗留下侍中刘洎在定州辅佐太子，仍然兼任左庶子、检校民部尚书，总管吏部、礼部、户部的尚书事。太宗即将出发，对刘洎说："朕如今远征，你辅佐太子，国家安危寄托于你，应深知我的心意。"刘洎回答说："希望陛下不要担忧，大臣有罪的，我就当即处死。"太宗认为他的话妄自发出，颇为奇怪，告诫说："你的性情疏阔而过分刚硬，必会因此而败毁，应当深为谨慎。"等到太宗生了病，刘洎从内室出来，面容极为悲哀恐惧，对同僚说："病情到如此地步，皇上的身体值得担忧。"有人对太宗进谗言说："刘洎说国家的大事不足忧虑，只应辅助年幼的君主来做伊尹、霍光当年旧事，大臣当中有异图的就杀了他，自然就会安定了。"太宗认为事情是这样的。十二月二十六日庚申，太宗下诏说："刘洎与人私下议论，觊觎朕有万一，阴谋执掌朝柄，自居为伊尹、霍光，猜忌大臣，想把他们全部杀掉。应该赐他自尽，他的妻子儿女免死。"

中书令马周代理吏部尚书，认为一年四季选拔官吏过于劳累，请求还是从十一月选择官吏，到次年三月结束，太宗听从了这个意见。

这一年，右亲卫中郎将裴行方讨伐茂州反叛的羌族人黄郎弄，把他打得大败，穷追他的余党，西进到乞习山，到达弱水后返回。

他接回复位。霍光，汉武帝去世，昭帝年幼，霍光受遗诏辅政。昭帝死后，迎立昌邑王刘贺为帝，旋废，迎立宣帝。霍光前后执政二十年。⑫⑧四时选：隋朝选拔官吏，十一月集中，到来年春季结束。贞观元年（公元六二七年），采纳吏部侍郎刘林甫之议，朝廷于春、夏、秋、冬四季铨选人才，量才授官。⑫⑨右亲卫中郎将：武官名，亲卫府长官，掌宿卫宫禁。⑬⓪裴行方：唐初将领，字德备，解县（今山西运城解州镇）人，官至右卫将军。事迹见《旧唐书》卷六十九《薛万彻传》,《新唐书》卷七十一上《宰相世系上》、卷九十四《薛万均传》附《薛万彻传》。⑬①黄郎弄：茂州（今四川茂县）羌酋。⑬②乞习山：疑即今四川西邛崃山。⑬③弱水：今四川西大金川。

【语译】

二十年（丙午，公元六四六年）

春，正月初八日辛未，夏州都督乔师望、右领军大将军执失思力等人攻打薛延

延陀，大破之，虏获二千余人。多弥可汗轻骑遁去，部内骚然矣。

丁丑[135]，遣大理卿孙伏伽等二十二人以六条[136]巡察四方，刺史、县令以下多所贬黜，其人诣阙称冤者前后相属[137]。上令褚遂良类状以闻，上亲临决，以能进擢[138]者二十人，以罪死者七人，流[139]以下除免者数百千人。

二月乙未[140]，上发并州。三月己巳[141]，车驾还京师。上谓李靖曰："吾以天下之众困于小夷，何也?"靖曰："此道宗所解。"上顾问江夏王道宗，具陈在驻跸时乘虚取平壤之言。上怅然[142]曰："当时匆匆，吾不忆也。"

上疾未全平，欲专保养，庚午[143]，诏军国机务并委皇太子处决。于是太子间日听政于东宫，既罢，则入侍药膳[144]，不离左右。上命太子暂出游观，太子辞不愿出，上乃置别院于寝殿侧，使太子居之。褚遂良请遣太子旬日一还东宫，与师傅讲道义，从之。

上尝幸未央宫，辟仗[145]已过，忽于草中见一人带横刀[146]。诘之，曰："闻辟仗至，惧不敢出。辟仗者不见，遂伏不敢动。"上遽引还，顾谓太子："兹事行之，则数人当死，汝于后速纵遣之。"又尝乘腰舆[147]，有三卫[148]误拂御衣，其人惧，色变。上曰："此间无御史，吾不汝罪[149]也。"

陕人常德玄告刑部尚书张亮养假子[150]五百人，与术士公孙常语，云"名应图谶[151]。"又问术士程公颖曰："吾臂有龙鳞起，欲举大事，可乎?"上命马周等按其事，亮辞不服。上曰："亮有假子五百人，养此辈何为? 正欲反耳!"命百官议其狱，皆言亮反，当诛。独将作少匠李道裕言："亮反形未具，罪不当死。"上遣长孙无忌、房玄龄就狱与亮诀曰："法者，天下之平，与公共之。公自不谨，与凶人往还，陷入于法，今将奈何! 公好去。"己丑[152]，亮与公颖俱斩西市[153]，籍没其家。

岁余，刑部侍郎缺，上命执政妙择其人。拟数人，皆不称旨，既而曰："朕得其人矣。往者李道裕议张亮狱云'反形未具'，此言当矣。朕虽不从，至今悔之。"遂以道裕为刑部侍郎。

闰月癸巳朔[154]，日有食之。

戊戌[155]，罢辽州都督府及岩州。

陀，把薛延陀打得大败，俘虏二千多人。多弥可汗轻骑逃走，薛延陀内部骚乱。

正月十四日丁丑，太宗派大理寺卿孙伏伽等二十二人根据考察官员的六条诏书巡察全国各地，刺史、县令以下的官吏多有贬退，这些人到宫门前喊冤的前后相继。太宗令褚遂良按类写明情况上呈，太宗亲自裁决，其中因有才能提拔晋升的二十人，因罪论死的七人，流放以下免除官职的有数百上千人。

二月初二日乙未，太宗从并州出发。三月初七日己巳，太宗车驾返回京城长安。太宗对李靖说："我凭借全国兵力，却受困于小小的高句丽，为什么？"李靖说："对此李道宗能够解释。"太宗回头问江夏王李道宗，李道宗全面陈述了在驻跸山时提出的乘虚攻取平壤的话。太宗怅然若失，说："当时匆匆忙忙，我记不起来了。"

太宗的病并未痊愈，想要专心休养，三月初八日庚午，诏令军国机要大事一并委托皇太子李治处理。于是太子每隔一日在东宫处理政务，处理完毕，就进入皇宫侍奉太宗服药用饭，不离左右。太宗命令太子暂时出外游玩观览，太子推辞不愿出宫，太宗就在寝殿旁设置别院，让太子居住。褚遂良请求派遣太子每十天回东宫一次，与太师、太傅讲论道义，太宗同意了。

太宗曾临幸未央宫，清道的卫士已经过去了，忽然在草丛里看见一人带着横刀。质问他，他回答说："听见清道的卫士来了，心里害怕不敢出来。清道的卫士没有看见我，于是就趴着不敢动。"太宗马上带人返回宫中，对太子说："这件事追查起来，就会有几个人应当处死，你在后面快些把此人放走。"太宗又曾乘坐轿子，有属于三卫的一个人失手碰到了太宗的衣服，那人很恐惧，脸色都变了。太宗说："这里没有御史，我不治罪于你。"

陕州人常德玄告发刑部尚书张亮豢养义子五百人，与术士公孙常谈论，说："我的名字正与图谶相应。"又询问术士程公颖说："我的手臂上起了龙鳞，想做大事，可以吗？"太宗命令马周等人调查此事，张亮的供词不认罪。太宗说："张亮养有义子五百人，养这帮人做什么？正是想谋反罢了！"命令文武百官讨论他的案件，都说张亮谋反，罪当诛死。只有将作少监李道裕说："张亮谋反的证据还不具备，罪不当死。"太宗派长孙无忌、房玄龄到狱中与张亮诀别说："法律，是天下的天平，朕与你共同遵守。你自己不谨慎，与恶人往来，陷入法网，如今将有什么办法呢！你好好地离去吧。"三月二十七日己丑，张亮与程公颖全都在西市处斩，抄没了家产。

一年多后，刑部侍郎空缺，太宗命宰相好好挑选人选。宰相们提出几个人，都不合太宗心意，之后太宗说："朕得到这个人了。过去李道裕在讨论张亮的案子时说'谋反的证据还不具备'，这话说得对。朕虽然没有听从，到现在还后悔。"于是任命李道裕为刑部侍郎。

闰三月初一日癸巳，发生日食。

初六日戊戌，撤销辽州都督府及岩州。

夏，四月甲子[156]，太子太保萧瑀解太保，仍同中书门下三品。

五月甲寅[157]，高丽王藏及莫离支盖金遣使谢罪，并献二美女，上还之。金，即苏文也。

【段旨】

以上为第六段，写刑部尚书张亮被人诬告谋反而被唐太宗枉杀。

【注释】

⑬④ 辛未：一月初八日。⑬⑤ 丁丑：一月十四日。⑬⑥ 六条：借用汉武帝向全国十三个监察区分遣刺史时的“六条问事”。武帝所谓六条，一、强豪田宅逾制，凌弱暴寡；二、侵渔百姓，聚敛为奸；三、不恤疑狱，刑赏任性；四、苟阿所爱，蔽贤宠顽；五、子弟恃势，请托所监；六、通行货赂，割损政令。⑬⑦ 相属：相继不断。⑬⑧ 进擢：晋升。⑬⑨ 流：

【原文】

六月丁卯[158]，西突厥乙毗射匮可汗遣使入贡，且请昏，上许之，且使割龟兹、于阗、疏勒、朱俱波、葱岭[159]五国以为聘礼。

薛延陀多弥可汗性褊急，猜忌无恩，废弃父时贵臣，专用己所亲昵，国人不附。多弥多所诛杀，人不自安。回纥酋长吐迷度[160]与仆骨、同罗共击之，多弥大败。乙亥[161]，诏以江夏王道宗、左卫大将军阿史那社尔为瀚海安抚大使，又遣右领卫大将军执失思力将突厥兵，右骁卫大将军契苾何力将凉州及胡兵，代州都督薛万彻、营州都督张俭各将所部兵，分道并进，以击薛延陀。

上遣校尉宇文法诣乌罗护[162]、靺鞨，遇薛延陀阿波设之兵于东境，法帅靺鞨击破之。薛延陀国中惊扰，曰：“唐兵至矣！”诸部大乱。多

夏，四月初三日甲子，解除太子太保萧瑀的太保职务，仍然为同中书门下三品。

五月二十三日甲寅，高句丽国王高藏以及莫离支盖金派使者谢罪，并献上两个美女，太宗把美女退还了。盖金，就是盖苏文。

即五刑之一的流刑，放逐罪人至边远地区服劳役。⑭⓪乙未：二月初二日。⑭①己巳：三月初七日。⑭②怅然：懊恼恍惚状。⑭③庚午：三月初八日。⑭④药膳：药物及膳食；用药物配制的膳食。⑭⑤辟仗：指卫士在驾前清道，禁止行人，为天子开道。⑭⑥横刀：谓以皮带系刀并横置于腋下。⑭⑦腰舆：舆车的一种，类似轿子，因抬时举高齐腰而得名。⑭⑧三卫：武官署名，府兵制下的内府亲卫、勋卫、翊卫府称“三卫”，掌宿卫宫禁。⑭⑨汝罪：罪汝。⑮⓪假子：养子；义儿。⑮①图谶：即“谶书”。一种预言符命、吉凶的迷信书。图，图书。谶，预言、预兆。⑮②己丑：三月二十七日。⑮③西市：唐长安的商贸中心，在今陕西西安西南。⑮④癸巳朔：闰三月初一日。⑮⑤戊戌：闰三月初六日。⑮⑥甲子：四月初三日。⑮⑦甲寅：五月二十三日。

【语译】

六月初七日丁卯，西突厥乙毗射匮可汗派遣使者到唐朝进献贡品，并且请求通婚，太宗答应了他的请求，并且让他割让龟兹、于阗、疏勒、朱俱波、葱岭五国作为聘礼。

薛延陀多弥可汗性情褊狭急躁，猜疑忌恨，没有恩德，废掉了父亲时的尊贵大臣，专门重用自己亲近的人，国中百姓不肯归附。多弥多所诛杀，人们没有安全感。回纥酋长吐迷度与仆骨、同罗一起来攻打他，多弥大败。六月十五日乙亥，太宗下诏任命江夏王李道宗、左卫大将军阿史那社尔为瀚海安抚大使，又派右领卫大将军执失思力率领突厥兵，右骁卫大将军契苾何力率领凉州和胡人士兵，代州都督薛万彻、营州都督张俭各自率领所辖部队，分道齐头并进，进攻薛延陀。

太宗派校尉宇文法前往乌罗护、靺鞨，在薛延陀东部边境遇到薛延陀阿波设的军队，宇文法率领靺鞨兵打败了阿波设。薛延陀国内惊恐骚动，说：“唐朝的军队到

弥引数千骑奔阿史德时健[163]部落，回纥攻而杀之，并其宗族殆尽，遂据其地。诸俟斤互相攻击，争遣使来归命[164]。

薛延陀余众西走，犹七万余口，共立真珠可汗兄子咄摩支[165]为伊特勿失可汗，归其故地。寻去可汗之号，遣使奉表，请居郁督军山[166]之北。使兵部尚书崔敦礼就安集之。

敕勒九姓[167]酋长以其部落素服薛延陀种，闻咄摩支来，皆恐惧。朝议恐其为碛北之患，乃更遣李世勣与九姓敕勒共图之。上戒世勣曰："降则抚之，叛则讨之。"己丑[168]，上手诏，以"薛延陀破灭，其敕勒诸部，或来降附，或未归服，今不乘机，恐贻后悔，朕当自诣灵州招抚。其去岁征辽东兵，皆不调发"。

时太子当从行，少詹事张行成上疏，以为："皇太子从幸灵州，不若使之监国，接对百寮[169]，明习庶政[170]，既为京师重镇，且示四方盛德。宜割私爱，俯从公道。"上以为忠，进位银青光禄大夫。

李世勣至郁督军山，其酋长梯真[171]达官帅众来降。薛延陀咄摩支南奔荒谷，世勣遣通事舍人萧嗣业[172]往招慰，咄摩支诣嗣业降。其部落犹持两端，世勣纵兵追击，前后斩五千余级，虏男女三万余人。秋，七月，咄摩支至京师，拜右武卫大将军。

八月甲子[173]，立皇孙忠[174]为陈王。

己巳[175]，上行幸灵州。

江夏王道宗兵既渡碛，遇薛延陀阿波达官众数万拒战。道宗击破之，斩首千余级，追奔二百里。道宗与薛万彻各遣使招谕敕勒诸部，其酋长皆喜，顿首请入朝。庚午[176]，车驾至浮阳[177]。回纥、拔野古、同罗、仆骨、多滥葛、思结、阿跌、契苾、跌结、浑、斛薛[178]等十一姓各遣使入贡，称："薛延陀不事大国，暴虐无道，不能与奴等为主，自取败死，部落鸟散，不知所之。奴等各有分地[179]，不从薛延陀去，归命天子。愿赐哀怜，乞置官司[180]，养育奴等。"上大喜。辛未[181]，诏回纥等使者宴乐，颁赉[182]拜官，赐其酋长玺书[183]，遣右领军中郎将安永寿[184]报使。

了！”各部落大乱。多弥带领几千骑兵投奔阿史德时健部落，回纥进攻该部落杀死多弥，连他的宗族也被杀殆尽，于是占据了他的地盘。薛延陀的各个部落首领相互攻击，争相派使者前来归顺唐朝。

薛延陀剩余的部众向西溃逃，还有七万多人，共同拥立真珠可汗哥哥的儿子咄摩支为伊特勿失可汗，回到他们的故地。不久又去掉了可汗称号，派使者上表，请求居住在郁督军山北面。太宗派兵部尚书崔敦礼前去就地安置他们。

敕勒人九个姓氏的酋长因为他们的部落向来归附薛延陀种族，听说咄摩支要来到郁督军山北面，都很恐惧。朝廷大臣讨论时担心咄摩支为害漠北，便另派李世勣与九姓敕勒一起图谋咄摩支。太宗告诫李世勣：“咄摩支如果投降就安抚他们，如果反叛就讨伐他们。”六月二十九日己丑，太宗亲笔书写诏令，认为“薛延陀被消灭后，其下的敕勒各个部落，有的前来归降，有的没有归附，现今如果不抓住机会，恐怕日后留下悔恨，朕应当亲自前往灵州加以招抚。那些去年出征辽东的士兵，此次都不征发”。

当时太子应当跟随太宗一同出行，少詹事张行成上奏，认为：“皇太子跟随陛下临幸灵州，不如让他监理国事，接见应对百官，熟悉各种政务，既是为了京师重镇，又可向四方显示太子大德。陛下应该割舍私情，俯就天下的大公之道。”太宗认为张行成忠诚，进升官位为银青光禄大夫。

李世勣到达郁督军山，薛延陀的酋长梯真达官率领部众前来投降。薛延陀咄摩支南逃荒山野谷，李世勣派遣通事舍人萧嗣业前去招抚安慰，咄摩支前往萧嗣业处投降。他的部落还犹豫不定，李世勣纵兵追击，前后斩首五千多人，俘虏男女三万多人。秋，七月，咄摩支到达京城，拜官右武卫大将军。

八月初五日甲子，太宗立皇孙李忠为陈王。

初十日己巳，太宗行幸灵州。

江夏王李道宗的部队穿过沙漠后，遇到薛延陀阿波达官的数万部众的抵抗。李道宗打败了他们，斩首一千多人，追击逃跑的敌人二百里。李道宗与薛万彻各自派遣使者招抚敕勒各部，他们的酋长都十分高兴，向使者磕头请求入京朝见。八月十一日庚午，太宗车驾到达浮阳。回纥、拔野古、同罗、仆骨、多滥葛、思结、阿跌、契苾、跌结、浑、斛薛等十一姓部落各自遣使入贡，说道：“薛延陀不侍奉大国，暴虐无道，不能作为我们的主人，自取败亡，各部落作鸟兽散，不知所往。我们各有自己的地盘，不跟随薛延陀逃走，归附大唐天子。希望垂赐哀怜，乞请设置官署，养育我们。”太宗大为高兴。十二日辛未，太宗诏令宴请回纥等族使者，赏赐物品，封拜官职，把皇帝的玺书赐给各个酋长，派遣右领军中郎将安永寿到各部落回访。

壬申[185]，上幸汉故甘泉宫[186]，诏以"戎狄与天地俱生，上皇并列，流殃构祸，乃自运初[187]。朕聊命偏师[188]，遂擒颉利，始弘庙略[189]，已灭延陀。铁勒百余万户，散处北溟[190]，远遣使人，委身内属，请同编列，并为州郡，混元[191]以降，殊未前闻，宜备礼告庙[192]，仍颁示普天[193]"。

庚辰[194]，至泾州。丙戌[195]，逾陇山[196]，至西瓦亭[197]，观马牧。九月，上至灵州，敕勒诸部俟斤遣使相继诣灵州者数千人，咸云："愿得天至尊为奴等天可汗，子子孙孙常为天至尊奴，死无所恨。"甲辰[198]，上为诗序其事曰："雪耻酬百王，除凶报千古。"公卿请勒石[199]于灵州，从之。

【段旨】

以上为第七段，写唐军大破薛延陀，唐太宗亲赴灵州安抚余众，并刻石颂功。

【注释】

⑮⑧ 丁卯：六月初七日。⑮⑨ 于阗、疏勒、朱俱波、葱岭：均为西域国名，于阗国在今新疆和田一带，疏勒国在今新疆喀什地区，朱俱波在今新疆叶城一带，葱岭国在今帕米尔高原。⑯⓪ 吐迷度（？至公元六四八年）：回纥酋长，降唐后拜怀化大将军兼瀚海都督，后为其侄所杀。⑯① 乙亥：六月十五日。⑯② 乌罗护：民族名，一称乌罗浑，北魏时称乌罗侯。游牧于今嫩江西部地区。⑯③ 阿史德时健：东突厥阿史德部酋长。阿史德部于东突厥破亡后徙居云中（今内蒙古托克托东北）。⑯④ 归命：内附并接受朝命。⑯⑤ 咄摩支：事迹见《旧唐书》卷一百九十九下《铁勒传》、《新唐书》卷二百十七下《回鹘传下》附《薛延陀传》。⑯⑥ 郁督军山：或音译为"乞督军山""乌德犍山""都斤山"，即今蒙古国境内杭爱山的东支，先后为突厥、薛延陀、回纥诸族的活动中心。⑯⑦ 敕勒九姓：即漠北九姓铁勒。九姓为回纥、仆骨、浑、拔野古、同罗、思结、契苾、拔悉密、葛逻禄等铁勒部落。姓，谓以姓氏为部落称号。⑯⑧ 己丑：六月二十九日。⑯⑨ 百寮：朝中百官。寮，通"僚"。⑰⓪ 庶政：各种政事。⑰① 梯真：延陀部酋长，姓延陀，名梯真。梯真于高宗显庆

八月十三日壬申，太宗来到汉代的原甘泉宫，颁布诏令，认为“戎狄等族与天地一同生存，与上古帝王并列称雄，传播祸害，制造祸端，是从大唐建国之初开始的。朕暂且任命了一支部队进击，就活捉了颉利，刚刚发挥庙堂的谋略，已经消灭了薛延陀。铁勒族一百多万户，分散居住在北方最遥远的地方，从远方派遣使者，委身内附，请求同样编列为大唐民户，一起置为州郡，开天辟地以来，前所未闻，应当备齐礼仪祭告祖庙，并且颁示给普天之下”。

八月二十一日庚辰，太宗到达泾州。二十七日丙戌，越过陇山，到达西瓦亭，观看放牧。九月，太宗到达灵州，敕勒各部落首领俟斤相继派使者几千人前往灵州，都说：“希望得到上天至尊皇帝成为我们的天可汗，我们子子孙孙长久做上天至尊皇帝的奴隶，死无所恨。”十五日甲辰，太宗作诗记叙此事说：“雪耻酬百王，除凶报千古。”公卿大臣请求在灵州刻碑记事，太宗听从了。

中官至左武候将军。⑰萧嗣业：炀帝萧皇后侄孙。贞观九年（公元六三五年）降唐，官至单于都护府长史，封琅邪郡公。传见《旧唐书》卷六十三、《新唐书》卷一百一。⑰甲子：八月初五日。⑰忠：高宗李治长子李忠（公元六四三至六六四年），字正本，永徽三年（公元六五二年）立为太子，显庆元年（公元六五六年）废为梁王，麟德元年（公元六六四年）赐死。传见《旧唐书》卷八十六、《新唐书》卷八十一。⑰己巳：八月初十日。⑰庚午：八月十一日。⑰浮阳：据《旧唐书》卷三当作“泾阳”，泾阳县治在今陕西泾阳，时属京兆。⑰多滥葛、思结、阿跌、契苾、跌结、浑、斛薛：铁勒部族名。多滥葛分布于今蒙古国乌兰巴托北。跌结，又称“奚结”，分布于今俄罗斯红契科伊以东地区。浑，分布于今蒙古国土拉河东。斛薛在多滥葛北。⑰分地：世袭领地。⑱官司：政府机构。⑱辛未：八月十二日。⑱颁赉：颁发赏赐。⑱玺书：诏书。⑱安永寿：武德功臣安修仁子，凉州（治今甘肃武威）胡人出身，官至右领军将军。事迹见《新唐书》卷七十五下。⑱壬申：八月十三日。⑱甘泉宫：又名林光宫、云阳宫。秦置，在今陕西淳化西北甘泉山上。⑱运初：谓大唐兴运之初。⑱偏师：主力之外的部分军队。⑱庙略：帝王或朝廷在庙堂之上所规划的与军国大事攸关的谋略。⑲北溟：亦作“北冥”。古人想象中的北方最远的大海。这里用来指最遥远的地方。⑲混元：开天辟地之初。⑲告庙：帝王或诸侯出巡或遇有大事，例须向祖庙祭告，称“告庙”。⑲普天：普天之下。⑲庚辰：八月二十一日。⑲丙戌：八月二十七日。⑲陇山：山名，即今陕西、甘肃间的陇山。⑲西瓦亭：唐原州七关之一。在今宁夏隆德西北。⑲甲辰：九月十五日。⑲勒石：刻石立碑，颂扬功德。

【原文】

特进同中书门下三品宋公萧瑀性狷介[200]，与同寮多不合。尝言于上曰："房玄龄与中书门下众臣，朋党不忠，执权胶固[201]，陛下不详知，但未反耳。"上曰："卿言得无太甚！人君选贤才以为股肱心膂，当推诚任之。人不可以求备，必舍其所短，取其所长。朕虽不能聪明，何至顿迷臧否[202]，乃至于是！"瑀内不自得。既数忤旨[203]，上亦衔[204]之，但以其忠直居多，未忍废也。

上尝谓张亮曰："卿既事佛，何不出家？"瑀因自请出家。上曰："亦知公雅好桑门[205]，今不违公意。"瑀须臾复进曰："臣适思之，不能出家。"上以瑀对群臣发言反覆，尤不能平。会称足疾不朝，或至朝堂而不入见，上知瑀意终快快，冬，十月，手诏数其罪曰："朕于佛教，非意所遵。求其道者未验福于将来，修其教者翻受辜于既往。至若梁武穷心于释氏，简文锐意于法门，倾帑藏以给僧祇[206]，殚人力以供塔庙。及乎三淮[207]沸浪，五岭[208]腾烟，假余息于熊蹯[209]，引残魂于雀鷇[210]，子孙覆亡而不暇，社稷俄顷而为墟，报施之征，何其谬也！瑀践覆车之余轨，袭亡国之遗风，弃公就私，未明隐显之际，身俗口道，莫辨邪正之心。修累叶之殃源，祈一躬[211]之福本，上以违忤君主，下则扇习浮华。自请出家，寻复违异。一回一惑[212]，在乎瞬息之间，自可自否，变于帷扆之所[213]。乖[214]栋梁之体，岂具瞻[215]之量乎！朕隐忍至今，瑀全无悛改[216]。可商州刺史，仍除其封[217]。"

上自高丽还，盖苏文益骄恣，虽遣使奉表，其言率皆诡诞。又待唐使者倨慢，常窥伺边隙。屡敕令勿攻新罗，而侵陵不止。壬申[218]，诏勿受其朝贡，更议讨之。

丙戌[219]，车驾还京师。

冬，十月己丑[220]，上以幸灵州往还，冒寒疲顿，欲于岁前专事保摄。十一月己丑[221]，诏祭祀、表疏、胡客、兵马、宿卫[222]、行鱼契[223]给

【语译】

特进同中书门下三品宋公萧瑀洁身自守，与同僚大多都不和。他曾对太宗说："房玄龄与中书、门下省的众位大臣，私结朋党不忠于皇上，操持权柄固执己见，陛下不详知内情，只是还没有反叛罢了。"太宗说："你说的是不是太过分了！君王选择贤才作为股肱心腹之人，应当推诚任人。人不可以求全责备，一定要弃其短处，取其长处。朕虽然不能做到耳聪目明，何至于不识好坏，竟然到这种地步！"萧瑀心里很不自在。多次违背圣意后，太宗也衔怒于萧瑀，只是认为他忠诚直率之处居多，不忍心罢免他。

太宗曾对张亮说："你既然敬事佛祖，为什么不出家呢？"萧瑀于是请求出家做和尚。太宗说："朕也知道你素来喜好佛门，现在不违背你的意思。"过了一会儿萧瑀又进言说："我刚才考虑过了，不能出家。"太宗因为萧瑀当着群臣讲话反复无常，心里更加不平静。适逢萧瑀声称有脚病不能上朝，或者到了朝堂而不入见太宗，太宗知道他的心情始终快快不快，冬，十月，亲笔书写诏令列举他的罪过说："朕对于佛教，不是心里所能遵从的。追求佛道的人未能验证福禄于将来，修习它教理的人反而受罪于往昔。至于像梁武帝那样把全部心思放在佛教上，像梁简文帝那样执意于佛门，倾尽国家府库资财供给僧众，耗尽人力用来修筑塔庙。等到三淮大浪沸腾，五岭狼烟腾起，像楚成王临死前想靠煮熊掌来拖延时间，像赵武灵王获取幼雀来延长即将危亡的生命，子孙倾亡而无暇顾及，国家顷刻间化为废墟，佛教所说的因果报应的征兆，是何等的荒谬！萧瑀重蹈前人车子倾覆的余辙，承袭亡国之人的遗风，弃公就私，不明白显宦和隐逸之间的道理，身处俗世，口诵佛语，不能分辨邪恶与正义的心思所在。想靠佛教修行去掉累世的孽源，祈求自己一人的福根，对上违逆君王，对下则煽动习尚浮华。自己请求出家，马上又违背诺言。一会儿反复，一会儿昏惑，都在瞬息之间，自己认可，自己否定，改变于天子接见群臣的地方。这有违于作为国家栋梁的身份，难道是为众人所瞻仰之人的度量吗！朕一直隐忍到今天，萧瑀全未悔改。可以任商州刺史，免除他的封爵。"

太宗从高句丽回朝后，盖苏文更加骄横恣肆，虽然遣使上表，但言辞大都怪诞诡诈。还有，对待唐朝使者态度傲慢，经常窥测边界等待入侵的时机。太宗多次敕令盖苏文不要进攻新罗，而他侵陵不止。十月十四日壬申，太宗下诏不接受高句丽的朝贡，另外商议讨伐高句丽之事。

十月二十八日丙戌，太宗车驾返回京城。

冬，十月己丑日，太宗因行幸灵州往返于路，遭受严寒，疲劳困顿，想在年前专心保养身体。

十一月己丑日，诏令凡是祭祀之事、大臣所上表疏、四方异族朝贡的客人、军

驿、授五品以上官及除解㉔、决死罪皆以闻，余并取皇太子处分。

十二月己丑㉕，群臣累请封禅，从之。诏造羽卫㉖送洛阳宫。

戊寅㉗，回纥俟利发吐迷度、仆骨俟利发歌滥拔延、多滥葛俟斤末、拔野古俟利发屈利失、同罗俟利发时健啜、思结酋长乌碎及浑、斛薛、奚结、阿跌、契苾、白霫㉘酋长皆来朝[7]。庚辰㉙，上赐宴于芳兰殿㉚，命有司厚加给待[8]，每五日一会。

癸未㉛，上谓长孙无忌等曰："今日吾生日，世俗皆为乐，在朕翻成伤感。今君临天下，富有四海，而承欢膝下，永不可得，此子路所以有负米之恨㉜也。《诗》云：'哀哀父母，生我劬劳㉝。'奈何以劬劳之日更为宴乐乎！"因泣数行下，左右皆悲。

房玄龄尝以微谴归第。褚遂良上疏，以为："玄龄自义旗之始翼赞圣功，武德之季冒死决策，贞观之初选贤立政，人臣之勤，玄龄为最。自非有罪在不赦，搢绅㉞同尤，不可遐弃㉟。陛下若以其衰老，亦当讽谕使之致仕，退之以礼，不可以浅鲜之过㊱，弃数十年之勋旧㊲。"上遽召出之。顷之，玄龄复避位还家。久之，上幸芙蓉园㊳，玄龄敕子弟汛扫门庭，曰："乘舆且至！"有顷，上果幸其第，因载玄龄还宫。

【段旨】

以上为第八段，写唐太宗晚年的猜忌，因小过而谴谪旧时元老大臣萧瑀、房玄龄等人。

队的征调、皇宫的宿卫、向驿站发放铜鱼符、任命五品以上官员以及拜官解职、处决死罪等事，都要上奏皇帝知悉，其余事务一并听从皇太子处理。

十二月己丑日，众大臣多次请求举行封禅礼，太宗听从了。诏令制作封禅仪仗送到洛阳宫中。

十二月二十日戊寅，回纥的俟利发吐迷度、仆骨的俟利发歌滥拔延、多滥葛的俟斤末、拔野古的俟利发屈利失、同罗的俟利发时健啜、思结的酋长乌碎以及浑、斛薛、奚结、阿跌、契苾、白霫的酋长都来京朝见。二十二日庚辰，太宗赐宴芳兰殿，命令有关部门优厚招待，每五天举行一次宴会。

十二月二十五日癸未，太宗对长孙无忌等人说："今日是我的生日，世俗人们都在这天欢宴作乐，而对朕来说反而伤感。如今君临天下，富有四海，而儿子们承欢父母膝下，却永远不能得到，这就是子路有负米之恨的原因。《诗经》说：'可哀怜的父母，生我的时候多么辛劳。'为什么以父母辛劳的日子饮宴作乐呢！"于是流下数行眼泪，身边的人都很悲伤。

房玄龄曾因太宗对他稍有谴责而停职回家休息。褚遂良上疏，认为："房玄龄从高祖开始举起义旗反隋时就辅佐圣业，武德末年冒死决策，贞观初年为朝廷选拔贤才建立国家行政机构，大臣的辛勤，以玄龄为最。如果不是有不赦之罪，群臣共恨，就不能疏远抛弃。陛下如果认为他已衰老，也应当暗示，让他退休，以礼节让他离职，不能因为小小的过失，抛弃了几十年的勋臣故旧。"太宗急忙把房玄龄从家中召回。过了不久，房玄龄又离职回家。很长时间后，太宗幸临芙蓉园，房玄龄命家中的子弟洒扫门庭，说："皇上的乘舆就要到了！"不一会儿，太宗果然临幸他的宅第，于是让房玄龄登上乘舆返回宫中。

【注释】

⑳ 狷介：洁身自好，不肯同流合污。㉑ 胶固：巩固；结合紧密。㉒ 臧否：好坏；得失。㉓ 忤旨：违逆圣旨。㉔ 衔：衔怒；怀怒。㉕ 桑门："沙门"异译。出家的佛教徒的总称。㉖ 僧祇：梵语"阿僧祇耶"（即大众）的略称。㉗ 三淮：即淮水三河地区，在今江苏西部。淮水经此入大运河。㉘ 五岭：即湘赣与桂粤交界处的越城、都庞、萌渚、骑田、大庾五岭的总称。"三淮沸浪""五岭腾烟"，谓佞佛的梁武帝招致"侯景之乱"和岭南萧勃之乱。㉙ 熊蹯：熊掌。楚成王四十六年（公元前六二六年），欲废太子商臣，商臣发动兵变，围成王于宫，成王请食熊掌而死，用以拖延时间，商臣不许，成王自缢而死。事见《史记》卷四十《楚世家》。㉚ 雀鷇：雏雀；待哺的幼雀。赵惠文王四年（公

元前二九五年），主父（赵武灵王）游沙丘，太子章作乱，赵惠王发兵平叛，太子章兵败投武灵王，主父开门接纳，赵惠王将李兑兵围沙丘，主父乏食，靠取雀为食，三个多月后饿死沙丘宫。事见《史记》卷四十三《赵世家》。熊蹯、雀鷇，指楚成王、主父末年不得善终事。太宗借以喻梁武帝饿死于台城。㉑一躬：一身。㉑一回一惑：回，反复。惑，迷乱。㉑帷扆之所：朝堂；天子接见群臣的所在。㉑乖：违逆。㉑具瞻：为众人所瞻仰。㉑悛改：悔改过错。㉑封：封爵。㉑壬申：十月十四日。㉑丙戌：十月二十八日。㉒十月己丑：应为十一月己丑，即十一月初一日。㉒己丑：当作"乙丑"。即十二月初七日。㉒祭祀表疏胡客兵马宿卫：祭祀，祀神祭祖。表疏，上奏天子的表章。胡客，蕃人；蕃国使臣。兵马、宿卫，用于征讨及番上宿卫的将士。㉒鱼契：即鱼符和木契，唐朝授予臣下的信物。㉒除解：拜官授职和解除官职。㉒己丑：十二月无"己丑"，疑是"乙丑"。㉒羽卫：天子的仪仗。㉒戊寅：十二月二十日。㉒白霫：铁勒部族之一，分布于今图拉河东北一带。铁勒诸部酋长歌滥拔延等事迹并见《新唐书》卷二百十七下。㉒庚辰：十二月二十二日。㉓芳兰殿：胡三省注疑是"紫兰殿"，在大明宫

【原文】

二十一年（丁未，公元六四七年）

春，正月，开府仪同三司申文献公高士廉疾笃。辛卯[239]，上幸其第，流涕与诀。壬辰[240]，薨。上将往哭之，房玄龄以上疾新愈，固谏，上曰："高公非徒君臣，兼以故旧姻戚，岂得闻其丧不往哭乎！公勿复言！"帅左右自兴安门[241]出。长孙无忌在士廉丧所，闻上将至，辍哭，迎谏于马首曰："陛下饵金石[242]，于方不得临丧，奈何不为宗庙苍生自重！且臣舅临终遗言，深不欲以北首、夷衾[243]，辄屈銮驾。"上不听。无忌中道伏卧，流涕固谏，上乃还入东苑[244]，南望而哭，涕下如雨。及柩出横桥[245]，上登长安故城[246]西北楼，望之恸哭。

丙申[247]，诏以回纥部为瀚海府[248]，仆骨为金微府[249]，多滥葛为燕然府[250]，拔野古为幽陵府[251]，同罗为龟林府[252]，思结为卢山府[253]，浑为皋兰州[254]，斛薛为高阙州[255]，奚结为鸡鹿州[256]，阿跌为鸡田州[257]，契苾为榆溪州[258]，思结别部为蹛林州[259]，白霫为寘颜州[260]，各以其酋长为都督、刺

玄武门右玄武殿侧，乐宴胡客，率引入玄武门。㉛癸未：十二月二十五日。㉜此子路所以有负米之恨：子路，鲁国卞（今山东泗水县）人，孔子弟子，出身贫苦，尝从百里外背米以奉双亲。父母死后，子路贵显，积粟至万钟，但他并不快活，他说再无机会背米承欢于二老膝下。孔子赞美子路"事亲，可谓生事尽力，死事尽思者也"。事见《孔子家语·致思》。㉝劬劳：劳累；养育子女的劳苦。"哀哀父母，生我劬劳"出自《诗经·蓼莪》。㉞搢绅：亦作"缙绅"，官宦。㉟遐弃：疏远遗弃。㊱浅鲜之过：小而少的过错。㊲勋旧：功臣故旧。㊳芙蓉园：位于曲江池东，在今陕西西安东南。

【校记】

［7］皆来朝：此下原有十空格。据章钰校，十二行本、乙十一行本皆无空格，今从改。［8］厚加给待：原无此四字。据章钰校，十二行本、乙十一行本、孔天胤本皆有此四字，张敦仁《通鉴刊本识误》、张瑛《通鉴校勘记》、熊罗宿《胡刻资治通鉴校字记》同，今据补。

【语译】

二十一年（丁未，公元六四七年）

春，正月，开府仪同三司申文献公高士廉病情加重。初四日辛卯，太宗亲临他的宅第，流着泪与他告别。初五日壬辰，高士廉去世。太宗准备前往哭灵，房玄龄认为太宗的病刚好，坚决劝阻，太宗说："高公与我不仅是君臣，还兼为故旧姻亲，岂有听说他的丧事而不前去哭吊的呢！你不要再说了！"太宗带领身边的人从兴安门出宫。长孙无忌在高士廉的灵堂，听说太宗将要到来，停止哭泣，迎着太宗乘坐的御马劝谏说："陛下正在吃药，按照药方不能参加丧事，为什么不为宗庙社稷和天下百姓而自加珍重呢！而且臣的舅舅临终遗言，非常不愿意为安放尸体、奉尸入棺覆以夷衾等事，让陛下屈驾前来。"太宗不听他的劝告。长孙无忌卧倒在道路中间，涕泪交加，坚决谏阻，太宗这才返回来到东苑，望着南面痛哭，泪下如雨。等到灵柩走出横桥，太宗登上长安旧城的西北角楼，遥望恸哭。

正月初九日丙申，太宗诏令以回纥部为瀚海府，仆骨为金微府，多滥葛为燕然府，拔野古为幽陵府，同罗为龟林府，思结部为卢山府，浑为皋兰州，斛薛为高阙州，奚结为鸡鹿州，阿跌为鸡田州，契苾为榆溪州，思结的另一部为蹛林州，白霫为寘颜州，分别任命他们的酋长为都督和刺史，赐予金银缯帛以及锦袍。敕勒族非

史，各赐金银缯帛及锦袍。敕勒大喜，捧戴欢呼拜舞，宛转尘中。及还，上御天成殿宴，设十部乐㉖①而遣之。诸酋长奏称："臣等既为唐民，往来天至尊所，如诣父母，请于回纥以南、突厥以北开一道，谓之参天可汗道㉖②，置六十八驿，各有马及酒肉以供过使，岁贡貂皮以充租赋，仍请能属文人，使为表疏。"上皆许之。于是北荒悉平，然回纥吐迷度已私自称可汗，官号皆如突厥故事。

丁酉㉖③，诏以明年仲春有事泰山，禅社首㉖④，余并依十五年议。

二月丁丑㉖⑤，太子释奠㉖⑥于国学。

【段旨】

以上为第九段，写北方各少数民族接受唐官称号，示天下各族为一家。唐太宗平等对待的民族政策获得成功。

【注释】

㉓⑨辛卯：一月初四日。㉔⓪壬辰：一月初五日。㉔①兴安门：大明宫南面共五门，次西为兴安门，在大明宫的西南隅。㉔②金石：指道士以金液和丹砂炼制的所谓长生不死之药。㉔③北首夷衾：北首，尸体头部朝北放置。夷衾，据唐代诸臣丧礼，奉尸殓于棺后，乃加盖，覆以夷衾。夷，尸。衾，被。这里用"北首""夷衾"，代指丧礼的每一环节。㉔④东苑：西京三内苑之一。在大明宫的东南隅，南北二里，东西占地一坊。㉔⑤横桥：又称"渭桥""中渭桥""横门桥""石柱桥"，秦始皇建，在原长安故城横门外。在今陕西咸阳东北渭河上。㉔⑥长安故城：即汉长安城。在今陕西西安西北渭河南岸。㉔⑦丙申：一月初九日。㉔⑧瀚海府：治所在今蒙古国哈拉和林附近。㉔⑨金微府：治所在今蒙古

【原文】

上将复伐高丽，朝议以为："高丽依山为城，攻之不可猝拔。前大驾亲征，国人不得耕种，所克之城，悉收其谷，继以旱灾，民太半乏

常高兴，捧着穿着欢呼下拜跳舞，旋转在飞尘之中。等到各部落酋长要回去时，太宗亲临天成殿设宴，演奏十部乐后遣送他们。各部族的酋长上奏说：“臣等既为唐朝臣民，往来于京城上天至尊之处，就如同来到父母这里，请求在回纥以南与突厥以北地区开辟一条通道，称作参天可汗道，设置六十八个驿站，各有马匹及酒肉，供给路过的使者，我们每年进贡貂皮充作租赋，仍然延请能做文章的人，让他们撰写表章奏疏。”太宗全都答应了。在这时北部边疆全部平定了，但是回纥吐迷度已经私自号称可汗，官名称号皆同突厥旧制。

正月初十日丁酉，太宗诏令明年仲春之月封禅泰山，禅祭社首山，其余事项都按照贞观十五年议定的办理。

二月二十日丁丑，皇太子李治到国子学举行释奠礼。

国肯特省一带。㉕⓪燕然府：治所在今蒙古国乌兰巴托附近。㉕①幽陵府：治所在今蒙古国东方省一带。㉕②龟林府：治所在今蒙古国色楞格省。㉕③卢山府：治所在今蒙古国杭爱省南部地带。㉕④皋兰州：在今蒙古国图拉河东岸一带。后侨治凉州（今甘肃武威）。㉕⑤高阙州：疑置于高阙塞（今内蒙古国乌拉特中后联合旗西南）。㉕⑥鸡鹿州：在今俄国希洛克以南地带，后侨治于今宁夏境。㉕⑦鸡田州：在今蒙古国乌兰巴托西北，后侨治于今宁夏境。㉕⑧榆溪州：初在今内蒙古河套东北岸，后侨治今甘肃河西走廊。㉕⑨蹛林州：初在今蒙古国境内，后侨治凉州境。㉖⓪寘颜州：在今内蒙古呼省贝尔湖南、大兴安岭西。㉖①十部乐：系燕乐。唐高祖时沿隋旧制，设九部燕乐，有燕乐伎、清商伎、西凉伎、天竺伎、高丽伎、龟兹伎、安国伎、疏勒伎、康国伎。太宗平高昌，收其乐，始有十部乐。㉖②参天可汗道：此道约自今河套地区北行至瀚海都督府以北地带。这条贯通大漠南北的道路在后来发展为中受降城（在今内蒙古包头西南黄河北岸）入回纥道，为入四夷的七条大道之一。㉖③丁酉：一月初十日。㉖④社首：山名，在今山东泰安西南。㉖⑤丁丑：二月二十日。㉖⑥释奠：古代学校祭奠先师先圣的一种典礼。

【语译】

太宗准备再次讨伐高句丽，朝臣议论认为：“高句丽依山筑城，攻打它不能立刻攻克。以前御驾亲征，国中百姓不能耕种庄稼，所攻克的城邑，全部没收了他们的

食。今若数遣偏师，更迭扰其疆场，使彼疲于奔命，释耒[267]入堡，数年之间，千里萧条，则人心自离，鸭绿之北，可不战而取矣。”上从之。三月，以左武卫大将军牛进达[268]为青丘道行军大总管，右武候将军李海岸[269]副之，发兵万余人，乘楼船[270]自莱州泛海而入。又以太子詹事李世勣为辽东道行军大总管，右武卫将军孙贰朗[271]等副之，将兵三千人，因营州都督府兵自新城道入。两军皆选习水善战者配之。

辛卯[272]，上曰：“朕于戎狄，所以能取古人所不能取，臣古人所不能臣者，皆顺众人之所欲故也。昔禹帅九州[273]之民，凿山槎[274]木，疏百川注之海，其劳甚矣，而民不怨者，因人之心，顺地之势，与民同利故也。”

是月，上得风疾[275]，苦京师盛暑，夏，四月乙丑[276]，命修终南山太和废宫为翠微宫[277]。

丙寅[278]，置燕然都护府[279]，统瀚海等六都督、皋兰等七州，以扬州都督府司马李素立[280]为之。素立抚以恩信，夷落怀之，共率马牛为献。素立唯受其酒一杯，余悉还之。

五月戊子[281]，上幸翠微宫。冀州进士张昌龄[282]献《翠微宫颂》。上爱其文，命于通事舍人里供奉[283]。

初，昌龄与进士王公治[284][9]皆善属文，名振京师。考功员外郎[285]王师旦[286]知贡举，黜之，举朝莫晓其故。及奏第，上怪无二人名，诘之。师旦对曰：“二人虽有辞华，然其体轻薄，终不成令器[287]。若置之高第，恐后进效之，伤陛下雅道[288]。”上善其言。

壬辰[289]，诏百司依旧启事皇太子。

庚辰[290]，上御翠微殿[291]，问侍臣曰：“自古帝王虽平定中夏，不能服戎狄。朕才不逮古人，而成功过之，自不谕其故，诸公各率意以实言之。”群臣皆称：“陛下功德如天地，万物不得而名言。”上曰：“不然。朕所以能及此者，止由五事耳。自古帝王多疾[292]胜己者。朕见人之善，若己有之。人之行能[293]，不能兼备。朕常弃其所短，取其所长。人主往往进贤则欲寘[294]诸怀，退不肖则欲推诸壑。朕见贤者则敬之，不肖者

粮谷，接着发生了旱灾，百姓有一大半缺乏粮食。如今若是多次派出支队，轮番骚扰高句丽的疆域，让它疲于奔命，放下农具进入城堡，几年之内，千里萧条，人心自然离散，鸭绿江以北地区，可以不打仗就获取了。”太宗听从了他们的建议。三月，任命左武卫大将军牛进达为青丘道行军大总管，右武候将军李海岸做他的副手，征发兵力一万多人，乘着楼船从莱州航海进入高句丽。又任命太子詹事李世勣为辽东道行军大总管，右武卫将军孙贰朗等人做他的副手，率兵三千人，加上营州都督府的兵力从新城道进入高句丽。两支军队都选拔了熟悉水性善于作战的士兵配备到其部队中。

三月初五日辛卯，太宗说："朕对于北方戎狄，所以能够取得古人所不能取得的胜利，臣服古人不能使之臣服的戎狄，都是顺应了众人愿望的缘故。过去大禹率领九州的百姓，开山伐木，疏通百川流入大海，他们极为劳苦，而百姓无怨，就是因为顺应了民心，顺应了地势，与民同利的缘故。"

这个月，太宗得了风疾，被京城酷暑所苦，夏，四月初九日乙丑，命人修缮终南山废弃的太和宫为翠微宫。

四月初十日丙寅，设置燕然都护府，统辖瀚海等六个都督府和皋兰等七个州，任命扬州都督府司马李素立为都护。李素立用恩惠和诚信加以安抚，夷人部落感念他，都相率进献牛马。李素立只接受他们的一杯酒，其余的全部退还。

五月初三日戊子，太宗临幸翠微宫。冀州进士张昌龄进献《翠微宫颂》。太宗喜欢他的文章，命他在通事舍人班里供职。

当初，张昌龄与进士王公治都擅长写文章，名震京城。考功员外郎王师旦掌管贡举，废黜他们不予录用，全朝廷的官员都不明白其中缘故。等到奏上进士及第的名单，太宗奇怪没有这二人的名字，就质问王师旦。王师旦回答说："二人虽然有辞彩，然而他们的文体轻薄，终究不能成为美材。如果把他们放在进士等级里，恐怕后来的人仿效他们，有损陛下的雅正之道。"太宗认为他的话说得好。

五月初七日壬辰，太宗诏令文武百官依旧向皇太子奏报政事。

庚辰日，太宗亲临翠微殿，问侍从的大臣说："自古以来帝王虽然平定了中原，却不能臣服戎狄。朕的才能赶不上古代帝王，而功业超过了他们，我自己不明白其中的缘故，你们各自直率地据实说来。"众大臣都说："陛下的功德有如天地，万物不能用言辞说出来。"太宗说："不是这样。朕能达到这种地步，只因为五个事由罢了。自古以来帝王大多嫉妒能力超过自己的。朕看见别人的长处，就如同自己有这种长处。人的品行和能力，不能兼备。朕常常弃人所短，取人所长。君王往往进用有才能的人时，就喜欢得想把他放在怀里，罢黜无才之人时，就想把他推入深谷。朕看见有才能的人就敬重他，遇见无才的人就可怜他，有才能的和没有才能的人各得其

则怜之，贤不肖各得其所。人主多恶正直，阴诛显戮，无代无之。朕践阼[295]以来，正直之士，比肩于朝，未尝黜责一人。自古皆贵中华，贱夷狄。朕独爱之如一，故其种落皆依朕如父母。此五者，朕所以成今日之功也。”顾谓褚遂良曰：“公尝为史官，如朕言，得其实乎？”对曰：“陛下盛德不可胜载，独以此五者自与，盖谦谦[296]之志耳。”

李世勣军既渡辽，历南苏[297]等数城，高丽多背城拒战，世勣击破其兵，焚其罗郭[298]而还。

【段旨】

以上为第十段，写唐太宗自信，他治国超越前世君主有五长：一渴求贤才，二用人之长，三各任其能，四亲近直臣，五夷汉一家。

【注释】

㉖⁷耒：古代翻土农具耒耜的柄，这里用来代指农具。㉖⁸牛进达：唐初功臣，早年先后隶于瓦岗军和王世充，降唐后累擢将军、大将军，封琅邪郡公。事迹见《旧唐书》卷六十八《秦叔宝传》、卷一百九十六上《吐蕃传上》、卷一百九十九上《高丽传》,《新唐书》卷一百九十一《忠义传上》等。㉖⁹李海岸:《册府元龟·外臣部》等作“李海崖”。唐初将领，曾参与征讨高丽、龟兹等。事迹见《新唐书》卷一百十《阿史那社尔传》、卷二百二十《高丽传》、卷二百二十一上《龟兹传》。㉗⁰楼船：古代有楼的战船。㉗¹孙贰朗：唐初将领。事迹见《新唐书》卷二百二十。㉗²辛卯：三月初五日。㉗³九州：指上古我国中原的九个区域。据《尚书·禹贡》，九州为冀、兖、青、徐、扬、荆、豫、梁、雍州。㉗⁴槎：斫。㉗⁵风疾：中医学病症名，即痹病。㉗⁶乙丑：四月初九日。㉗⁷翠微宫：故址在今陕西西安南五十里终南山中。㉗⁸丙寅：四月初十日。㉗⁹燕然都护府：治所在今内蒙古乌拉特中旗西南。后移治今蒙古国哈拉和林附近，改名瀚海都护府。㉘⁰李素立：唐初良吏，赵州高邑（今河北高邑）人，累擢侍御史、绵州和蒲州刺史、太仆和鸿胪卿

所。君王大多讨厌大臣公正直率，暗中诛，明着杀，没有一个朝代没有这种情况。朕即位以来，正直的大臣，在朝中比肩而立，未曾贬黜斥责一人。自古以来的帝王都重视中原，贱视夷狄，只有朕爱护他们如同一体，所以他们各个种族部落都依赖朕像他们的父母一样。这五件事，使朕成就了今日的功业。”又回头对褚遂良说：“你曾做过史官，像朕的这番话，符合实际情况吗?”褚遂良回答说：“陛下的盛德不可胜记，只给自己说这五点，是陛下的谦逊之意。”

李世勣的部队渡过辽水后，经过南苏等几座城邑，高句丽兵大多背城抵抗，李世勣打败他们的军队，焚烧了他们的外城后回师。

等职，封高邑县侯，永徽初卒。传见《旧唐书》卷一百八十五上、《新唐书》卷一百九十七。㉘戊子：五月初三日。㉘张昌龄（？至公元六六六年）：唐初文学家，冀州南宫（今河北南宫西北）人，官至北门修撰，有文集二十卷。传见《旧唐书》卷一百九十上、《新唐书》卷二百一。㉘通事舍人里供奉：通事舍人为中书省属官，掌朝见引纳、承旨劳问等事，从六品上。因张昌龄资历浅，不得任正官，命于通事舍人班里供职。㉘王公治：王公谨本名公治，因避高宗讳改。事迹见《新唐书》卷四十四《选举志上》、卷二百一《张昌龄传》。㉘考功员外郎：吏部考功司长官之一，掌地方官考核和科举考试。考功员外郎掌贡举，乃唐初之制。开元间，以员外郎位低望轻，遂把贡举之责移于礼部，由侍郎职掌。㉘王师旦：事迹见《新唐书》卷四十四《选举志上》、卷二百一《张昌龄传》。㉘令器：犹言美材。㉘雅道：正道；雅正之道。㉘壬辰：五月初七日。㉘庚辰：五月无“庚辰”，据《旧唐书》之《太宗纪》，为“戊子”（五月初三日）之误。㉘翠微殿：翠微宫正殿。㉘疾：通“嫉”。妒忌。㉘行能：品行和能力。㉘寘：“置”的异体字。㉘践阼：帝王登基。㉘谦谦：谦逊。㉘南苏：在今辽宁抚顺东苏子河与浑河合流处。㉘罗郭：罗城（大城）和郭城（外城）。

【校记】

［9］王公治：严衍《通鉴补》改作“王公谨”。

【原文】

六月癸亥[299]，以司徒长孙无忌领扬州都督，实不之任。

丁丑[300]，诏以“隋末丧乱，边民多为戎狄所掠，今铁勒归化，宜遣使诣燕然等州，与都督相知，访求没落之人，赎以货财，给粮递还本贯，其室韦[301]、乌罗护、靺鞨三部人为薛延陀所掠者，亦令赎还”。

癸未[302]，以司农卿李纬[303]为户部[10]尚书。时房玄龄留守京师，有自京师来者，上问：“玄龄何言?”对曰：“玄龄闻李纬拜尚书，但云李纬美髭鬓。”帝遽改除纬洛州刺史。

秋，七月，牛进达、李海岸入高丽境，凡百余战，无不捷。攻石城[304]，拔之。进至积利城[305]下，高丽兵万余人出战，海岸击破之，斩首二千级。

上以翠微宫险隘，不能容百官，庚子[306]，诏更营玉华宫[307]于宜君[308][11]之凤皇谷。庚戌[309]，车驾还宫。

八月壬戌[310]，诏以薛延陀新降，土功屡兴，加以河北水灾，停明年封禅。

辛未[311]，骨利干[312]遣使入贡。丙戌[313]，以骨利干为玄阙州[314]，拜其俟斤为刺史。骨利干于铁勒诸部为最远，昼长夜短，日没后，天色正曛[315]，煮羊胛[316]适熟，日已复出矣。

己丑[317]，齐州人段志冲上封事，请上致政[318]于皇太子。太子闻之，忧形于色，发言流涕。长孙无忌等请诛志冲。上手诏曰：“五岳陵霄[319]，四海亘地[320]，纳污藏疾[321]，无损高深。志冲欲以匹夫解位天子，朕若有罪，是其直也，若其无罪，是其狂也。譬如尺雾障天，不亏于大，寸云点日，何损于明!”

丁酉[322]，立皇子明[323]为曹王。明母杨氏[324]，巢剌王之妃也，有宠于上。文德皇后之崩也，欲立为皇后。魏徵谏曰：“陛下方比德唐、虞，奈何以辰嬴[325]自累!”乃止。寻以明继元吉后。

戊戌[326]，敕宋州刺史王波利等发江南十二州[327]工人造大船数百艘，欲以征高丽。

冬，十月庚辰[328]，奴剌[329]啜匐俟友帅其所部万余人内附。

【语译】

六月初八日癸亥，任命司徒长孙无忌兼领扬州都督，实际上并不赴任。

六月二十二日丁丑，太宗下诏认为，“隋朝末年动乱亡国，边境居民大多被戎狄劫掠，如今铁勒归顺，应当派使者前往燕然等州，通知诸州都督，访求没入戎狄的内地百姓，用财物赎回，供给粮食送回原籍，室韦、乌罗护、靺鞨三部族的百姓被薛延陀掠去的，也下令把他们赎回”。

六月二十八日癸未，任命司农寺卿李纬为户部尚书。当时房玄龄留守京城，有从京城前来的人，太宗问他：“房玄龄说了什么话？”回答说：“玄龄听说陛下拜李纬为户部尚书，只是说李纬是个美髯公。”太宗马上改任李纬为洛州刺史。

秋，七月，牛进达、李海岸的部队进入高句丽境内，总共一百多次战斗，没有不获胜的。攻打石城，把它攻了下来。进军到积利城下，高句丽士兵一万多人出城迎战，李海岸打败了他们，斩首二千人。

太宗认为翠微宫环境险隘，不能容纳百官，七月十六日庚子，诏令在宜君县凤皇谷另建玉华宫。二十六日庚戌，太宗车驾返回皇宫。

八月初八日壬戌，诏令因为薛延陀新近投降，一再兴建土木工程，加上河北地区发生水灾，停止明年封禅。

八月十七日辛未，骨利干派遣使者来京进贡。九月初三日丙戌，把骨利干部设置为玄阙州，封拜他的俟斤为州刺史。骨利干在铁勒各部落中最为遥远，昼长夜短，太阳落山后，天色还有余亮，煮羊脾刚熟，太阳已经又出来了。

九月初六日己丑，齐州人段志冲密封上书言事，请求太宗把朝政交由皇太子处理。太子听说这事，面现忧色，说话时也流出眼泪。长孙无忌等人请求处死段志冲。太宗亲笔书写诏令说：“五岳凌云，四海延亘大地，纳污藏垢，无损它们的高深。段志冲想以匹夫的身份让朕解除皇位，朕如果有罪过，他就是正直的，如果没有罪过，他是狂妄的。好比一尺云雾遮住天空，不会有损天的广大，一寸云彩遮住太阳成为一个小点，何损于太阳的光明！”

九月十四日丁酉，立皇子李明为曹王。李明的母亲杨氏，原先是巢剌王李元吉的妃子，有宠于太宗。文德皇后死后，太宗想立她为皇后。魏徵劝谏说：“陛下正在用自己的德行与唐尧、虞舜相比，为什么效法晋文公纳娶晋国太子圉的老婆辰嬴来使自己的名声受到损害呢！”太宗便取消了立杨氏为皇后的打算。不久以李明为李元吉的后嗣。

九月十五日戊戌，太宗敕令宋州刺史王波利等人征发江南十二州的工匠建造大船几百艘，想用来征伐高句丽。

冬，十月二十七日庚辰，奴剌部落的啜匐俟友率领所部一万多人归附朝廷。

十一月，突厥车鼻可汗㉚遣使入贡。车鼻名斛勃，本突厥同族，世为小可汗。颉利之败，突厥余众欲奉以为大可汗。时薛延陀方强，车鼻不敢当，帅其众归之。或说薛延陀："车鼻贵种，有勇略，为众所附，恐为后患，不如杀之。"车鼻知之，逃去。薛延陀遣数千骑追之，车鼻勒兵与战，大破之，乃建牙于金山之北，自称乙注车鼻可汗，突厥余众稍稍㉛归之，数年间胜兵三万人，时出抄掠薛延陀。及薛延陀败，车鼻势益张，遣其子沙钵罗特勒㉜入见，又请身自入朝。诏遣将军郭广敬㉝征之，车鼻特为好言，初无来意，竟不至。

癸卯㉞，徙顺阳王泰为濮王。

壬子㉟，上疾愈，三日一视朝。

十二月壬申㊱，西赵㊲酋长赵磨帅万余户内附，以其地为明州㊳。

龟兹王伐叠㊴卒，弟诃黎布失毕立，浸㊵失臣礼，侵渔邻国。上怒，戊寅㊶，诏使持节㊷、昆丘道行军大总管、左骁卫大将军阿史那社尔、副大总管、右骁卫大将军契苾何力、安西都护郭孝恪等将兵击之，仍命铁勒十三州、突厥、吐蕃、吐谷浑连兵进讨。

高丽王使其子莫离支任武㊸入谢罪，上许之。

【段旨】

以上为第十一段，写四夷归服，仍有兵事，东伐高句丽，西讨龟兹。

【注释】

㉙癸亥：六月初八日。㉚丁丑：六月二十二日。㉛室韦：民族名，又作"失韦"。分布于今嫩江流域和黑龙江北岸地区。㉜癸未：六月二十八日。㉝李纬：常山（今河北正定）人，官至太子詹事。事迹见《旧唐书》卷六十六《房玄龄传》，《新唐书》卷七十二上《宰相世系二下》、卷九十六《房玄龄传》。㉞石城：在今辽宁庄河市西北。㉟积利城：在今辽宁瓦房店境。㊱庚子：七月十六日。㊲玉华宫：在今陕西铜川市东北印台。㊳宜君：县名，县治在今陕西宜君西南。㊴庚戌：七月二十六日。㊵壬戌：八月初八日。㊶辛未：八月十七日。㊷骨利干：铁勒诸部之一，在铁勒诸部中距离中原最为辽远，分布于今贝加

十一月，突厥车鼻可汗派使者进京献上贡品。车鼻的名字叫斛勃，本来与突厥同族，世代为小可汗。颉利可汗败亡后，突厥残余的部众想拥立他做大可汗。当时薛延陀正值强盛时期，车鼻不敢担任大可汗，率领他的部众归附薛延陀。有人对薛延陀说："车鼻是贵族血统，有勇有谋，为众人所依附，恐怕成为后患，不如杀掉他。"车鼻知道了这一消息，便逃走了。薛延陀派遣数千骑兵追赶他，车鼻部署兵力与追兵交战，大败薛延陀兵，就在金山北面建立牙帐，自称乙注车鼻可汗，突厥剩余的百姓渐渐归附他，几年之间拥有可以作战的士兵三万人，时常出兵掠夺薛延陀。等到薛延陀败亡，车鼻的势力愈加强大，派遣他的儿子沙钵罗特勒入朝谒见太宗，又请求亲自入朝。太宗下诏派将军郭广敬前去征召他入朝，车鼻只是说好听的话，当初本无前来的意思，最后也没有到来。

十一月二十一日癸卯，徙封顺阳王李泰为濮王。

三十日壬子，太宗病愈，三天一次上朝视事。

十二月二十日壬申，西赵蛮族的酋长赵磨率领一万多户归附唐朝，把他的地区设置为明州。

龟兹国王伐叠去世，他的弟弟诃黎布失毕即位，逐渐失去为臣的礼节，侵扰邻近国家。太宗大怒，十二月二十六日戊寅，诏令持有朝廷旌节的昆丘道行军大总管、左骁卫大将军阿史那社尔，副大总管、右骁卫大将军契苾何力，安西都护郭孝恪等人率军进攻龟兹，又命令铁勒族十三州、突厥、吐蕃、吐谷浑合兵进军讨伐。

高句丽王让他的儿子莫离支高任武入朝谢罪，太宗答应了他。

尔湖以北地区。⑬丙戌：九月初三日。⑭玄阙州：骨利干部落置，治所今地不详。⑮曛：落日余光。⑯羊脾：羊的脾脏。⑰己丑：九月初六日。⑱致政：交还政权。⑲五岳陵霄：五岳指中岳嵩山、西岳华山、东岳泰山、北岳恒山、南岳衡山。陵霄，又作"凌霄"，即直冲云霄。⑳四海亘地：四海，泛指中国四周的海疆。亘地，周绕陆地。㉑纳污藏疾：语出《左传》宣公十五年谚语，"高下在心，川泽纳污，山薮藏疾，瑾瑜匿瑕"。㉒丁酉：九月十四日。㉓皇子明：太宗第十四子李明，封为曹王。高宗时，历任都督、刺史，后贬黔州，自杀。传见《旧唐书》卷七十六、《新唐书》卷八十。㉔杨氏：本李元吉妃，元吉死，太宗纳之。事迹见《旧唐书》之《曹王明传》。㉕辰嬴：春秋时秦穆公女，先后嫁晋国二君。㉖戊戌：九月十五日。㉗十二州：谓宣、润、常、苏、湖、杭、越、台、婺、括、江、洪诸州。㉘庚辰：十月二十七日。㉙奴剌：部族名，居于吐谷浑、党项羌之间。㉚车鼻可汗：姓阿史那，名斛勃，东突厥突利部小可汗。颉利败，辗转窜金山（今阿尔泰山）以北，自称乙注车鼻可汗。永徽元年（公元六五〇年）为唐擒获，拜左武卫将军。传见

《旧唐书》之《突厥传》。㉛稍稍：渐渐。㉜沙钵罗特勒：据《旧唐书》之《突厥传上》作"沙钵罗特勤"。㉝郭广敬：唐初大将，冯翊（今陕西大荔）人，官至左威卫大将军。事迹见《旧唐书》卷一百九十四上《突厥传上》、《新唐书》卷七十四上《宰相世系表四上》。㉞癸卯：十一月二十一日。㉟壬子：十一月三十日。㊱壬申：十二月二十日。㊲西赵：民族名，即西赵蛮。分布于今贵州东部，以其酋姓赵得名。㊳明州：羁縻州名，治所在今贵州思南以南地区。㊴伐叠：姓白，世袭龟兹王。与其弟诃黎布失毕事迹并见《旧唐书》卷一百九十八与《新唐书》卷二百二十二上《龟兹传》。㊵浸：渐渐。㊶戊寅：十二月二十六日。㊷使持节：加官名，魏晋以后，地方军政长官加使持节的，拥有诛杀地方中下级官吏的大权。㊸任武：高任武。事迹见《新唐书》卷二百二十《高丽传》。

【原文】

二十二年（戊申，公元六四八年）

春，正月己丑[344]，上作《帝范》十二篇以赐太子，曰《君体》《建亲》《求贤》《审官》《纳谏》《去谗》《戒盈》《崇俭》《赏罚》《务农》《阅武》《崇文》，且曰："修身治国，备在其中。一旦不讳[345]，更无所言矣。"又曰："汝当更求古之哲王[346]以为师，如吾，不足法[347]也。夫取法于上，仅得其中；取法于中，不免为下。吾居位已来，不善多矣，锦绣珠玉不绝于前，宫室台榭屡有兴作，犬马鹰隼无远不致，行游四方，供顿烦劳，此皆吾之深过，勿以为是而法之。顾我弘济苍生，其益多。肇造区夏[348]，其功大。益多损少，故人不怨。功大过微，故业不堕。然比之尽美尽善，固多愧矣。汝无我之功勤，而承我之富贵，竭力为善，则国家仅安。骄惰奢纵，则一身不保。且成迟败速者，国也，失易得难者，位也，可不惜哉！可不慎哉！"

中书令兼右庶子马周病，上亲为调药，使太子临问。庚寅[349]，薨。

戊戌[350]，上幸骊山温汤。

己亥[351]，以中书舍人[352]崔仁师为中书侍郎[353]，参知机务[354]。

新罗王金善德[355]卒，以善德妹真德为柱国，封乐浪郡王，遣使册命。

【校记】

［10］户部：严衍《通鉴补》改作“民部”。［11］宜君：原误作“宜春”。据章钰校，十二行本、乙十一行本皆作“宜君”，当是，今据以校正。严衍《通鉴补》已改作“宜君”。

【语译】

二十二年（戊申，公元六四八年）

春，正月初八日己丑，太宗撰写《帝范》十二篇赐给太子，篇名是《君体》《建亲》《求贤》《审官》《纳谏》《去谗》《戒盈》《崇俭》《赏罚》《务农》《阅武》《崇文》，并且说：“修身治国，备载其中。我一旦逝去，再没有话可说了。”又说：“你应当另外寻求古代圣哲帝王作为自己的老师，像我这样的，不足效法。效法上等的，只能得到中等的；效法中等的，不免成为下等的。我即位以来，不善的事有很多，锦绣珠玉，眼前不断，宫室台榭，屡屡修建，犬马鹰隼，无论多远也要找来，巡游四方，宿止供应烦劳，这些都是我的重大过失，不要认为这是正确的而去效法。但我普济苍生，给百姓的好处很多。创建了大唐帝国，功业宏大。给天下带来的好处多而损害少，所以人们没有怨言。功业宏大而过失微小，所以王业没有堕毁。但是与尽善尽美相比，本来就有很多惭愧了。你没有我的功劳勤苦，而承继我的富贵，尽力为善，则国家只能获得安定。如果骄傲懒惰奢侈放纵，则自身不保。而且成功来得慢，败亡来得快的，就是国家，失去容易，得到困难的，就是皇位，能不珍惜吗！能不谨慎吗！”

中书令兼右庶子马周得病，太宗亲自为他调制药物，派太子亲临探问。初九日庚寅，马周去世。

正月十七日戊戌，太宗临幸骊山温泉。

十八日己亥，任命中书舍人崔仁师为中书侍郎，参知机务。

新罗王金善德去世，任命金善德的妹妹金真德为柱国，封为乐浪郡王，派遣使者前去册封。

【段旨】

以上为第十二段，写唐太宗作《帝范》以训导太子。

【注释】

㉞己丑：一月初八日。㉟不讳：死的婉辞。㊱哲王：才能识见超众的君王。㊲法：效法。㊳肇造区夏：谓创建大唐帝国。肇造，创建。区夏，中国。㊴庚寅：一月初九

【原文】

丙午[356]，诏以右武卫大将军薛万彻为青丘道行军大总管，右卫将军裴行方副之，将兵三万余人及楼船战舰自莱州泛海以击高丽。

长孙无忌检校中书令，知尚书、门下省事。

戊申[357]，上还宫。

结骨[358]自古未通中国，闻铁勒诸部皆服，二月，其俟利发失钵屈阿栈[359]入朝。其国人皆长大，赤发绿睛，有黑发者以为不祥。上宴之于天成殿，谓侍臣曰："昔渭桥斩三突厥首，自谓功多。今斯人在席，更不以为怪邪！"失钵屈阿栈请除一官，"执笏[360]而归，诚百世之幸"。戊午[361]，以结骨为坚昆都督府[362]，以失钵屈阿栈为右屯卫大将军、坚昆都督，隶燕然都护。又以阿史德时健[363]俟斤部落置祁连州[364]，隶营州[12]都督。

是时四夷大小君长争遣使入献见[365]，道路不绝，每元正[366]朝贺，常数百千人。辛酉[367]，上引见诸胡使者，谓侍臣曰："汉武帝穷兵三十余年，疲弊中国，所获无几，岂如今日绥[368]之以德，使穷发之地[369]尽为编户乎！"

上营玉华宫，务令俭约，惟所居殿覆以瓦，余皆茅茨[370]。然备设太子宫、百司，苞山络野[371]，所费已巨亿计。乙亥[372]，上行幸玉华宫。己卯[373]，畋于华原[374]。

中书侍郎崔仁师坐有伏阁自诉[375]者，仁师不奏，除名[376]，流连州[377]。

日。㊿戊戌：一月十七日。351己亥：一月十八日。352中书舍人：官名，中书省属官，掌侍奉进奏，参议表章。百官奏议、文武考课，亦预裁其中。正五品上。353中书侍郎：官名，为中书令之副，国家庶务，朝廷大政，皆得预议。正四品。354参知机务：贞观故事，以尚书省左右仆射各一人及侍中、中书令各二人为知政事官，他官预议国政者，云与宰相参议朝政，或云参知机务、专典机密、参议政事。355金善德：新罗女王，公元六三一至六四七年在位，卒后，妹真德袭王，公元六四七至六五四年在位。二女王事迹见《旧唐书》卷一百九十九上《新罗传》、《新唐书》卷二百二十《新罗传》。

【语译】

正月二十五日丙午，太宗下诏任命右武卫大将军薛万彻为青丘道行军大总管，右卫将军裴行方作为副手，率军三万多人以及楼船战舰，从莱州渡海攻打高句丽。

任命长孙无忌检校中书令，掌管尚书省、门下省的事宜。

正月二十七日戊申，太宗返回宫中。

结骨自古以来未与中原王朝来往，听说铁勒各部落都已归服唐朝，二月，结骨的俟利发失钵屈阿栈进京朝见。结骨国人都很高大，红头发绿眼睛，有黑头发的就认为不吉祥。太宗在天成殿设宴招待，对侍从的大臣说："过去在渭桥斩杀三名突厥人的首领，自认为功劳大。如今这个人也在席上，更不会认为奇怪了吧！"失钵屈阿栈请求封他一个官职，并说"手执官笏归国，实在是百代的荣幸"。初七日戊午，以结骨所在地设置为坚昆都督府，任命失钵屈阿栈为右屯卫大将军、坚昆都督，隶属于燕然都护。又以阿史德时健俟斤部落所在地设置祁连州，隶属于营州都督。

当时四方夷人的大小君主酋长争先恐后派遣使者入京进贡朝见，不绝于路，每年正月初一日来朝贺，经常是数百上千人。二月初十日辛酉，太宗召见各个胡族的使者，对侍从大臣说："汉武帝穷尽兵力作战三十多年，使中原凋敝，所获无几，哪里比得上今天用仁德来安抚，让极远的不毛之地全都成为朝廷的编户齐民呢！"

太宗修建玉华宫，命令务必节俭，仅自己居住的殿宇用瓦覆盖，其余都用茅茨做房顶。然而设置太子宫、百官衙署，遍布山野，所耗费的银两已经以亿万计。二月二十四日乙亥，太宗行幸玉华宫。二十八日己卯，在华原围猎。

中书侍郎崔仁师因有人伏在阁门自诉冤情，没有上奏而获罪，从官员的名籍中除名，流放到连州。

三月己丑[378]，分瀚海都督俱罗勃部[379]置烛龙州[380]。

甲午[381]，上谓侍臣曰："朕少长兵间，颇能料敌。今昆丘行师，处月、处密二部及龟兹用事者羯猎颠、那利[382]每怀首鼠，必先授首，弩失毕[383]其次也。"

庚子[384]，隋萧后卒，诏复其位号，谥曰愍，使三品护葬，备卤簿仪卫[385]，送至江都，与炀帝合葬。

充容[386]长城徐惠[387]以上东征高丽，西讨龟兹，翠微、玉华，营缮相继，又服玩颇华靡，上疏谏，其略曰："以有尽之农功，填无穷之巨浪；图未获之他众，丧已成之我军。昔秦皇并吞六国，反速危亡之基，晋武奄有三方[388]，翻成覆败之业，岂非矜功恃大，弃德轻邦，图利忘危，肆情纵欲之所致乎！是知地广非常安之术，人劳乃易乱之源也。"又曰："虽复茅茨示约，犹兴木石之疲[389]，和雇[390]取人，不无烦扰之弊。"又曰："珍玩伎巧，乃丧国之斧斤；珠玉锦绣，寔[391]迷心之鸩毒。"又曰："作法于俭，犹恐其奢，作法于奢，何以制后[392]！"上善其言，甚礼重之。

【段旨】

以上为第十三段，写隋炀帝萧后卒，诏令与炀帝合葬。唐太宗后宫徐惠亦进直言。

【注释】

[356]丙午：一月二十五日。[357]戊申：一月二十七日。[358]结骨：铁勒诸部之一，又作"坚昆""居勿""纥骨""黠戛斯""纥扢斯"。主要分布于今叶尼塞河上游地区，为柯尔克孜族和吉尔吉斯先民。[359]失钵屈阿栈：结骨酋长。事迹见《新唐书》卷二百十七下《回鹘传下》附《黠戛斯传》。[360]笏：即朝笏，又称手板。臣朝见君时手中所执狭长板子，以为指画或记事之用。[361]戊午：二月初七日。[362]坚昆都督府：羁縻府名，辖有今叶尼塞河上游一带。[363]阿史德时健：东突厥阿史德部酋长。[364]祁连州：羁縻州名，隶灵州（今宁夏灵武西南）都督府。[365]入献见：入朝贡献并朝觐天子。[366]元正：正月初一日。[367]辛酉：二月初十日。[368]绥：安抚。[369]穷发之地：不毛之地。[370]茅茨：茅草屋顶。[371]苞山络野：囿围和

三月初九日己丑，把瀚海都督之下的俱罗勃部设置为烛龙州。

三月十四日甲午，太宗对侍从的大臣说："朕年轻时生活在军队中，颇能预料敌人。如今昆丘道出兵作战，处月、处密两个部落以及龟兹的执政者羯猎颠、那利经常首鼠两端，一定会先被消灭，其次就是弩失毕。"

三月二十日庚子，隋朝的萧皇后去世，诏令恢复她的皇后称号，谥号为愍，按三品等级下葬，备办仪仗，护送到江都，与炀帝合葬。

充容长城县人徐惠认为太宗东征高句丽，西讨龟兹，翠微宫、玉华宫，相继修建，而且服装和器玩颇为华丽奢靡，就上疏劝谏，大略说："陛下以有限的农业收成，去满足无穷无尽的如同巨浪一样的欲望；想得到那些还未获得的他国部众，损失了已经成军的我朝军队。过去秦始皇吞并六国，反而加速形成了国家灭亡的基础，晋武帝占有了三国之地，反而造成了国家覆败之事，这难道不是自恃功业自恃强大，放弃德行轻视国家，贪图利益忘记危险，肆情纵欲所造成的吗！由此可知地域宽广并不是久安之术，百姓劳苦才是容易动乱的根源。"又说："虽然殿宇茅草为顶，以示俭约，却还是大兴土木使民劳累，官府出钱雇人，对百姓不无烦扰之弊。"又说："珍贵器玩和奇技淫巧，就是使国家沦亡的斧头；珠玉锦绣，实际上是迷乱心灵的毒药。"又说："立法节俭，还担心民风奢侈，以奢立法，用什么垂法后人！"太宗认为她的话说得好，对她非常礼敬和尊重。

美化山野。苞，通"包"。㊲ 乙亥：二月二十四日。㊳ 己卯：二月二十八日。㊴ 华原：县名，县治在今陕西耀州。㊵ 伏阁自诉：俯伏阁门自行陈诉。一般指亲自上诉冤情。㊶ 除名：除去名籍，取消原有的资格地位。㊷ 连州：州名，治所在今广东连州。㊸ 己丑：三月九日。㊹ 俱罗勃部：铁勒诸部之一，分布于今俄罗斯境石勒喀河上游北岸地带。㊺ 烛龙州：羁縻州名，在今俄罗斯赤塔东北地区。㊻ 甲午：三月十四日。㊼ 羯猎颠那利：龟兹将相。事迹见《旧唐书》卷一百九十八、《新唐书》卷二百二十一上。㊽ 弩失毕：即西突厥十姓部落中的五弩失毕部。㊾ 庚子：三月二十日。㊿ 卤簿仪卫：帝王、大臣外出时充当前导和后从的仪仗队。(386) 充容：唐制，昭仪、昭容、昭媛、修仪、修容、修媛、充仪、充容、充媛各一人，为九嫔，正二品。(387) 徐惠（公元六二七至六五〇年）：湖州长城县（今浙江长兴）人，被太宗纳为才人后，累迁婕妤、充容，于妃嫔中以好学敢谏著称，卒赠贤妃。传见《旧唐书》卷五十一、《新唐书》卷七十六。(388) 三方：魏、蜀、吴三国。(389) 木石之疲：因大兴土木工程而疲弊百姓。(390) 和雇：指官府出资雇用工匠，实际上是半强制征用。(391) 寔："实"的异体字。(392) 制后：以制度、成法遗留后人。

【校记】

［12］营州：据章钰校，十二行本、乙十一行本皆作“灵州”。

【研析】

本卷研析，评说唐太宗。虽然他还有两年才辞世，而本卷所载伐高句丽之役，无功而返，无疑是唐太宗的最大遗憾，也是他步入晚年后一次重大的决策失误。

唐太宗是一代英主，雄才大略的君主之一。在隋末丧乱中，唐太宗以慧眼卓识和雄韬武略，辅佐其父唐高祖建立了唐朝。晋阳起兵，胆略超群，东征西讨，战功显赫，伐灭薛举、薛仁果父子，抗击刘武周，歼灭王世充、窦建德，镇压刘黑闼复辟夏王政权，这些重大战役，不仅是唐太宗直接指挥，而且身临战阵，亲冒矢石，既是战将，又是统帅，在隋唐之际是第一流的军事家，无人能望其项背。唐太宗即位，又励精图治，开一代贞观治世，是一位杰出的政治家。

贞观之治最突出的特点是重视民生，这表现在两个方面。一是轻徭薄赋，劝课农桑，改善了民众的生活。唐太宗强调礼仪、狩猎、营造等政府活动安排在农闲之时，使农民不违农时，正常生产。诏令各州县设置义仓，以备凶年。又设置专门机构，制定立法，积极兴修和管理水利设施，为农业生产创造良好条件。贞观年间，农业生产得到迅速恢复，人民安居乐业，粮价由每斗米一匹绢，跌到四五钱。二是缓刑律。唐太宗主张“以宽仁治天下，而于刑法尤慎”（《新唐书》之《刑法志》）。在《武德律》的基础上，令房玄龄等人制定了《唐律》，集历代法律之大成，奠定了我国封建时代刑律的规范。唐太宗强调依法办案，任用宽平吏为法官 ，严禁重刑逼供，对死刑尤为重视，规定执行死刑要大臣共议覆按，“二日五覆奏”，并上报皇帝批准。贞观四年，全国判死刑仅二十九人，无一人冤者。

唐太宗认为，为政之要，一是选贤任能，二是虚己纳谏。唐太宗说：“为官择人，不可造次。用一君子，则君子皆至，用一小人，则小人竞相矣。”因此唐太宗任人唯贤，“内举不避亲，外举不避仇”。在他的大臣中，有皇亲高士廉、窦轨、长孙无忌；有原来的仇敌，如隋将屈突通、刘武周大将尉迟敬德，李建成部属魏徵、薛万彻。此外，还有关陇贵族李靖、于志宁、韦挺，出身寒微的马周、刘洎，农民起义军首领李世勣、秦琼、程知节，少数民族将领阿史那社尔、契苾何力，贞观年间人才济济。在用贤才的同时，唐太宗淘汰冗吏。贞观元年，中央职官二千余人，精减后仅留有六百四十三人，办事效率反而大大提高。唐太宗虚己纳谏，造成贞观年间开明的政治局面，这既是贞观之治的原因，也是贞观之治的重要内容。唐太宗视魏徵等谏臣为一面镜子。

步入晚年的唐太宗，奢纵矜夸，早年的勤俭谦恭，渐不克终。贞观初，唐太宗

“躬行节俭”，到了后期却大兴土木，不许人进谏，造成徭役繁重，许多百姓逃亡，有的甚至砍断手脚避役。马周进谏徭役太重，唐太宗竟然驳斥说：“百姓无事则骄逸，劳役则易使。”（《旧唐书》之《马周传》）最大的决策失误是兵伐高句丽，即使讨伐，也不应亲征。由于唐太宗亲征屯兵于坚城安市之下，失去了出奇兵乘虚袭击平壤的时机，因此无功而返。由于高句丽是农业国，与中国俗同，战守以池地为阵地，唐军远出，兵少不能取胜，兵多后勤供应不足。唐初户口经过贞观之治，到永徽初，户才三百八十万，不及隋开皇年间之半，所以大规模征高句丽是失策的。由于隋炀帝三征高句丽不胜，唐太宗心中较劲，结果无功而返，造成他终身的遗恨。此外唐太宗晚年猜忌，以虚有的谋反罪诛杀张亮，以失言赐死刘洎，因小过贬黜萧瑀、房玄龄，以民间传言枉杀李君羡，都是毋庸讳言的过失。但这些比起唐太宗的伟大成就，仍是大醇小疵。

卷第一百九十九　唐纪十五

起著雍涒滩（戊申，公元六四八年）四月，尽旃蒙单阏（乙卯，公元六五五年）九月，凡七年有奇。

【题解】

本卷记事起公元六四八年四月，迄公元六五五年九月，凡七年五个月，当太宗贞观二十二年至高宗永徽六年。此时期的惊天大事是太宗辞世，高宗即位。太宗贞观之治，四夷归服，盛极一时，但直到晚年，边塞仍有警，尤其是高句丽不臣服，是太宗的一大遗憾。太宗晚年猜忌心尤重，因民间《秘记》传言“唐三世之后，女主武王代有天下”，而欲杀尽后宫，虽被李淳风谏止，而大臣李君羡却因小名为“五娘”而被枉杀。高宗继位，初始勤政爱民，缓刑狱，优礼大臣，长孙无忌、褚遂良受太宗遗命，同心辅政，君臣和洽，百姓阜安，有贞观之遗风。可惜好景不长，王皇后妒忌萧淑妃得宠，引纳在感业寺为尼的武则天蓄发入宫以分萧淑妃之宠。武氏机巧善媚，入宫不久立为武昭仪，野心勃勃，谋夺皇后之位，扼杀亲生女以嫁祸王皇后，内赂宫中嫔妃为耳目，外结大臣李义府、许敬宗、崔义玄、袁公瑜为党羽，用以对抗顾命大臣长孙无忌、褚遂良为首的官僚集团。柳奭、褚遂良相继被贬黜出长安，长孙无忌已危如累卵，山雨欲来风满楼，唐朝政治将因武氏主政而发生大变化。

【原文】

太宗文武大圣大广孝皇帝下之下

贞观二十二年（戊申，公元六四八年）

夏，四月丁巳①，右武候将军梁建方②击松外蛮③，破之。

初，嶲州都督刘伯英④上言：“松外诸蛮暂⑤降复叛，请出师讨之，以通西洱⑥、天竺之道。”敕建方发巴蜀十三州⑦兵讨之。蛮酋双舍⑧帅众拒战，建方击败之，杀获千余人，群蛮震慑，亡窜山谷。建方分遣使者谕以利害，皆来归附，前后至者七十部，户十万九千三百。建方署其酋长蒙和⑨等为县令，各统所部，莫不感悦。因遣使诣西洱河，其帅杨盛⑩大骇，具船将遁，使者晓谕以威信，盛遂请降。其地有杨、李、赵、董等数十姓，各据一川[1]，大者六百，小者二三百户，

【语译】

太宗文武大圣大广孝皇帝下之下

贞观二十二年（戊申，公元六四八年）

夏，四月初七日丁巳，右武候将军梁建方攻打松外的蛮族，并打败了他们。

当初，嶲州都督刘伯英上奏说："松外的各部蛮族暂时投降后又反叛了，请求出兵讨伐他，以打通前往西洱、天竺的道路。"太宗敕令梁建方征发巴蜀地区十三个州的军队前去讨伐。松外的蛮族酋长双舍率众抵抗，梁建方打败了他，杀死和俘虏了一千多人，各部蛮族受到震慑，逃窜到山谷中。梁建方分别派出使者说明利害关系，于是蛮族全都前来归附，前后达到七十个部落，十万九千三百户。梁建方委任他们的酋长蒙和等人担任县令，各自统率所属各部，他们都感激喜悦。梁建方于是派遣使者前往西洱河，当地的首领杨盛大惊，准备好船只将要逃跑，使者申明威信，杨盛于是请求投降。这个地区有杨、李、赵、董等几十个姓，各自占据一川，大的有六百户，小的有二三百

无大君长，不相统壹，语虽小讹，其生业风俗，大略与中国同，自云本皆华人，其所异者以十二月为岁首。

己未[11]，契丹辱纥主曲据[12]帅众内附，以其地置玄州[13]，以曲据为刺史，隶营州都督府。

甲子[14]，乌胡[15]镇将古神感[16]将兵浮海击高丽，遇高丽步骑五千，战于易山[17]，破之。其夜，高丽万余人袭神感船，神感设伏，又破之而还。

初，西突厥乙毗咄陆可汗以阿史那贺鲁[18]为叶护，居多逻斯水[19]，在西州北千五百里，统处月、处密、始苏、歌逻禄、失毕[20]五姓之众。乙毗咄陆奔吐火罗[21]，乙毗射匮可汗遣兵迫逐之，部落亡散。乙亥[22]，贺鲁帅其余众数千帐内属，诏处之于庭州莫贺城[23]，拜左骁卫将军。贺鲁闻唐兵讨龟兹，请为乡导[24]，仍从数十骑入朝。上以为昆丘道行军总管，厚宴赐而遣之。

五月庚子[25]，右卫率长史[26]王玄策[27]击帝那伏帝王阿罗那顺[28]，大破之。

初，中天竺王尸罗逸多[29]兵最强，四天竺[30]皆臣之。玄策奉使至天竺，诸国皆遣使入贡。会尸罗逸多卒，国中大乱，其臣阿罗那顺自立，发胡兵攻玄策。玄策帅从者三十人与战，力不敌，悉为所擒，阿罗那顺尽掠诸国贡物。玄策脱身宵遁，抵吐蕃西境，以书征邻国兵，吐蕃遣精锐千二百人、泥婆国[31]遣七千余骑赴之。玄策与其副蒋师仁帅二国之兵进至中天竺所居茶镈和罗城[32]，连战三日，大破之，斩首三千余级，赴水溺死者且万人。阿罗那顺弃城走，更收余众，还与师仁战。又破之，擒阿罗那顺。余众奉其妃及王子阻干陀卫江[33]，师仁进击之，众溃，获其妃及王子，虏男女万二千人。于是天竺响震，城邑聚落降者五百八十余所，俘阿罗那顺以归。以玄策为朝散大夫[34]。

六月乙丑[35]，以白霫部为居延州[36]。

癸酉[37]，特进宋公萧瑀卒，太常议谥曰“德[38]”，尚书议谥曰“肃[39]”。上曰：“谥者，行之迹，当得其实，可谥曰贞褊[40]公。”子锐[41]嗣，尚上女襄城公主。上欲为之营第，公主固辞，曰：“妇事舅姑[42]，当朝夕侍侧。若居别第，所阙多矣。”上乃命即瑀第而营之。

上以高丽困弊，议以明年发三十万众，一举灭之。或以为：“大军

户，没有大的首领，互不统属，语言虽然稍有差异，但他们的物产和风俗习惯，大略与中原相同，自己说原本都是汉人，所不同的是以十二月为一年的第一个月。

四月初九日己未，契丹的辱纥主曲据率领部众归附唐朝，把他的地区设置为玄州，任命曲据为刺史，隶属营州都督府。

四月十四日甲子，乌胡镇守将领古神感率军渡海攻打高句丽，遇到高句丽步兵、骑兵五千人，在易山交战，打败了高句丽兵。当天夜里，高句丽一万多名士兵袭击古神感的船只，古神感布置伏兵，又打败了高句丽兵后回师。

当初，西突厥乙毗咄陆可汗任命阿史那贺鲁为叶护，居住在多逻斯河畔，在西州北面一千五百多里，统管处月、处密、始苏、歌逻禄、失毕五姓部众。乙毗咄陆投奔吐火罗时，乙毗射匮可汗派兵追赶他，咄陆的部落散失了。四月二十五日乙亥，阿史那贺鲁率领他的残余部众几千帐归附唐朝，太宗下诏让他们在庭州莫贺城居住，任命阿史那贺鲁为左骁卫将军。阿史那贺鲁听说唐朝军队讨伐龟兹，请求做向导，还率领几十名骑兵入京朝见。太宗任命他为昆丘道行军总管，盛宴款待，厚加赏赐，遣送他回去。

五月二十日庚子，右卫率长史王玄策袭击帝那伏帝王阿罗那顺，把他打得大败。

当初，中天竺国王尸罗逸多军力最为强盛，东、西、南、北四部天竺都臣服于他。王玄策奉使节到达天竺，各国都派使者进献贡品。适逢尸罗逸多去世，国内大乱，他的大臣阿罗那顺自立为王，调动胡族士兵攻打王玄策。王玄策率领随从三十人与他们交战，力不能支，全被对方擒获，阿罗那顺抢走了各国全部的贡品。王玄策趁夜脱身逃跑，到达吐蕃西部边境，用朝廷文书征召邻国的军队，吐蕃派遣精兵一千二百人、泥婆国派七千多名骑兵赶来。王玄策和他的副使蒋师仁率领两国的军队进军到中天竺所居住的茶傅和罗城，连续交战三天，大败天竺兵，杀死三千多人，跑到河中淹死的将近一万人。阿罗那顺弃城逃走，重新收拾残余力量，回来与蒋师仁交战。蒋师仁又打败了他，抓获了阿罗那顺。剩余的天竺人拥戴阿罗那顺的妃子和王子，依靠干陀卫江据守，蒋师仁进击天竺兵，天竺兵众溃败，抓获了妃子及王子，俘虏男女一万二千人。于是天竺震动，城邑和部落投降的有五百八十多处，王玄策等人抓获了阿罗那顺后返回朝廷。朝廷任命王玄策为朝散大夫。

六月十六日乙丑，以白霫部落所在地设置为居延州。

六月二十四日癸酉，特进宋公萧瑀去世，太常寺议定他的谥号为“德”，尚书省议定他的谥号为“肃”。太宗说：“谥号，是行为的踪迹，应当符合实际，可加谥号为贞褊公。”萧瑀的儿子萧锐承袭父爵，娶了太宗女儿襄城公主为妻。太宗想为他们建造宅第，公主坚决推辞，说：“儿媳侍奉公婆，应当早晚都在身边。如果住在另外的宅第，必然会有较多的缺失。”太宗便命令在萧瑀的住所为他们营建新居。

太宗认为高句丽穷困凋敝，议定明年调动三十万兵力，一举灭掉它。有人认为：

东征，须备经岁[43]之粮，非畜乘所能载，宜具舟舰为水运。隋末剑南独无寇盗，属者[44]辽东之役，剑南复不预及，其百姓富庶，宜使之造舟舰。”上从之。秋，七月，遣右领左右府长史[45]强伟于剑南道伐木造舟舰，大者或长百尺，其广半之。别遣使行水道，自巫峡[46]抵江、扬[47]，趣莱州。

庚寅[48]，西突厥相屈利啜请帅所部从讨龟兹。

———————————

【段旨】

以上为第一段，写唐太宗晚年，边境仍有兵事，东北讨高句丽，巴蜀兵伐西南夷，唐使征兵附属国伐中天竺等。

【注释】

①丁巳：四月初七日。②梁建方：唐初大将，曾参与征讨王世充、蛮僚、西突厥、高丽等，因功官至诸卫大将军。事迹见《旧唐书》卷三《太宗纪》等，《新唐书》卷八十九《尉迟敬德传》、卷二百二十二下《南蛮传下》等。③松外蛮：唐西南民族之一。今白族先民，分布于云南永胜、华坪一带。④刘伯英：唐初大将，官至左骁卫、右监门卫大将军。事迹见《旧唐书》卷四《高宗纪上》、卷一百八十六上《来子珣传》等，《新唐书》卷三《高宗纪》等。⑤暂：暂时。⑥西洱：即西洱河，今云南西部洱海。据《新唐书·地理志七下》，自西洱河地区的羊苴咩城（今云南大理）西行分数路均可至天竺（古印度）。⑦巴蜀十三州：益（治今四川成都）、眉（治今四川眉山市）、荣（治今四川荣县）、梓（治今四川三台）、利（治今四川广元）、绵（治今四川绵阳东）、遂（治今四川遂宁）、巴（治今四川巴中）、泸（治今四川泸州）、渠（治今四川渠县）、达（治今四川达州市达川区）、集（治今四川南江县）、渝（治今重庆市）等州。⑧双舍：松外蛮酋帅。事迹见《新唐书》卷二百二十二下《南蛮传下》等。⑨蒙和：松外蛮首领。事迹见《新唐书》卷二百二十二下《南蛮传下》。⑩杨盛：西洱河蛮首领。事迹见《新唐书》卷二百二十二下《南蛮传下》。⑪己未：四月初九日。⑫曲据：即李去闾，契丹大辱纥主（即大首领）。隋文帝时内附，至是再次内属。事迹见《旧唐书》卷三十九《地理志二》、《新唐书》卷二百十九《契丹传》。⑬玄州：羁縻州名，据《旧唐书》之《地理志二》，隋开皇初置玄州，初隶营州，后侨治范阳县（今河北涿州）鲁泊村。⑭甲子：四月十四日。⑮乌胡：又作“乌湖”，在今渤海湾中隍城岛上。⑯古神感：据《新唐书》卷二百

“大军东征，应该准备一年的粮食，不是牲畜所能运载的，应当备办舟船水运。隋朝末年只有剑南地区没有寇盗，近来辽东之战，剑南又没有参与，当地百姓富庶，应当让他们建造舟船。”太宗听从了这个建议。秋，七月，派遣右领左右府长史强伟在剑南道伐木建造舟船，大船有的长一百尺，宽是长的一半。另派使者驾新船走水路，从巫峡直抵江州、扬州，再前往莱州。

七月十一日庚寅，西突厥丞相屈利啜请求率领所辖部众随从唐军讨伐龟兹。

二十《高丽传》，当时古神感为右武卫大将军、青丘道行军大总管薛万彻副将。⑰易山：《新唐书》卷二百二十作“曷山”。⑱阿史那贺鲁（？至公元六五九年）：西突厥酋长。事迹见《旧唐书》卷一百九十四下、《新唐书》卷二百十五下。⑲多逻斯水：又作“多逻斯川”“都罗斯河”“曳咥河”，即今新疆额尔齐斯河。⑳始苏歌逻禄失毕：西突厥部落。始苏，《旧唐书》作“姑苏”。歌逻禄，居于今新疆准噶尔盆地。失毕，即“弩失毕”的略称。㉑吐火罗：中亚古国，地在今阿富汗北部。㉒乙亥：四月二十五日。㉓庭州莫贺城：庭州，治所在今新疆吉木萨尔北破城子。莫贺城在今新疆阜康东。㉔乡导：向导、带路人。乡，通“向”。㉕庚子：五月二十日。㉖右卫率长史：东宫置太子左右卫率府，率各一员，其下各有长史一人，正七品上，掌判诸曹。㉗王玄策：唐初派赴印度的使者，自贞观十七年（公元六四三年）至龙朔元年（公元六六一年）曾五次出使印度。著有《中天竺国行记》。㉘帝那伏帝王阿罗那顺：印度摩伽陀国王。《旧唐书》之《天竺国传》作“那伏帝阿罗那顺”。其与王玄策事迹并见《旧唐书》卷一百九十八、《新唐书》卷二百二十一上。㉙尸罗逸多：又称“戒日王”，自称“摩伽陀王”，中印度国王。事迹见《旧唐书》卷一百九十八、《新唐书》卷二百二十一上。㉚四天竺：指中天竺之外的南、北、东、西天竺国。天竺，古印度。㉛泥婆国：今尼泊尔王国。时泥婆罗国臣隶于吐蕃。㉜茶镈和罗城：中天竺都城，在今尼泊尔南部。㉝干陀卫江：今印度恒河。㉞朝散大夫：唐代从五品文散官。㉟乙丑：六月十六日。㊱居延州：在今内蒙古巴林左旗东北一带。㊲癸酉：六月二十四日。㊳德：据《唐会要》之《谥法上》，“刚塞简廉曰德”。㊴肃：《唐会要》之《谥法上》，“刚德克就曰肃”，“执心决断曰肃”。㊵贞褊：太宗以萧瑀性多猜忌，有失其真，遂据实谥曰“贞褊”。“直道不挠曰贞”，“心隘政急曰褊”。㊶子锐：萧瑀嗣子萧锐，尚太宗长女襄城公主，官至太常少卿。传见《旧唐书》卷六十三。㊷舅姑：公婆。㊸经岁：一年；全年。㊹属者：近时。㊺右领左右府长史：官名，掌左右千牛府内务。㊻巫峡：长江三峡之一，西起重庆市巫山县，东至湖北巴东县。㊼江扬：即江州（治所在今江西九江市）和扬州（治所在今江苏扬州）。㊽庚寅：七月十一日。

【校记】

[1]川：原误作“州”。据章钰校，十二行本、乙十一行本皆作“川”，当是，今据改。

【原文】

初，左武卫将军武连县公武安李君羡㊾直玄武门。时太白屡昼见，太史占云：“女主昌。”民间又传《秘记》云：“唐三世之后，女主武王代有天下。”上恶之。会与诸武臣宴宫中，行酒令㊿，使各言小名。君羡自言名五娘，上愕然，因笑曰：“何物女子，乃尔勇健！”又以君羡官称封邑皆有“武”字，深恶之，后出为华州刺史。有布衣员道信，自言能绝粒51，晓佛法。君羡深敬信之，数相从，屏人语。御史奏君羡与妖人交通，谋不轨。壬辰52，君羡坐诛，籍没其家。

上密问太史令李淳风：“《秘记》所云，信有之乎？”对曰：“臣仰稽天象53，俯察历数54，其人已在陛下宫中，为亲属。自今不过三十年，当王天下，杀唐子孙殆55尽，其兆56既成矣。”上曰：“疑似者尽杀之，何如？”对曰：“天之所命，人不能违也。王者不死，徒多杀无辜。且自今以往三十年，其人已老，庶几颇有慈心，为祸或浅。今借使57得而杀之，天或生壮者肆其怨毒，恐陛下子孙无遗类矣！”上乃止。

【段旨】

以上为第二段，写唐太宗听信谶语而枉杀李君羡。

【语译】

当初，左武卫将军武连县公武安人李君羡宿卫玄武门。这时金星多次在白天出现，太史占卜说："女主兴起。"民间又传说一本书叫《秘记》，里面说："唐朝三代之后，女君主武王取代李氏拥有天下。"太宗很厌恶这一传闻。正赶上太宗在宫中与众位武将饮宴，行酒令，让每个人各说小名。李君羡说自己小名为五娘，太宗非常惊讶，便笑着说："什么样的女子，竟然这样勇健！"又因为李君羡的官称、封邑都有"武"字，于是太宗极为厌恶他，后来将他调出京城担任华州刺史。有个平民员道信，自称能够断绝食物，通晓佛法。李君羡深为敬重并信任他，多次与他在一起，躲开别人说话。御史上奏说李君羡与妖人交往，图谋不轨。七月十三日壬辰，李君羡因此事入罪处斩，全家抄没。

太宗秘密地询问太史令李淳风："《秘记》所说的，确有其事吗？"李淳风回答说："我仰观天象，俯观历数，这个人已经在陛下宫里，是陛下的亲属。从今往后不过三十年，这个人应君临天下，把唐室子孙几乎杀光，其征兆已经形成了。"太宗说："凡是怀疑相似的人全部杀死，怎么样？"李淳风回答说："上天所命，人们不能违抗。要称王的人不会死，只是白白地杀死很多无辜之人。而且从今以后三十年，这个人也已经老了，那时也许颇有慈善之心，为害可能较少。现在即使得到此人杀了他，上天或许降生强壮的人肆行狠毒，恐怕陛下的子孙没有一个能留下来的了！"太宗这才罢休。

【注释】

㊾李君羡（？至公元六四八年）：唐初将领，初为王世充骠骑，投唐后，颇有军功。后为太宗诛杀，武则天称帝后为其昭雪。传见《旧唐书》卷六十九、《新唐书》卷九十四。㊿酒令：宴会中佐饮助兴的游戏。下云"使各言小名"，即为行酒令中的内容。(51)绝粒：道家修炼的一种方法。即摒除伙食，不进米谷。(52)壬辰：七月十三日。(53)天象：天文气象的各种现象。(54)历数：帝王继承的次第。(55)殆：几乎。(56)兆：预兆；征候。(57)借使：假如；假使。

【原文】

司空梁文昭公房玄龄留守京师，疾笃，上征赴玉华宫，肩舆入殿，至御座侧乃下，相对流涕，因留宫下，闻其小愈则喜形于色，加剧则忧悴[58]。玄龄谓诸子曰："吾受主上厚恩，今天下无事，唯东征未已，群臣莫敢谏。吾知而不言，死有余责。"乃上表谏，以为："《老子》曰：'知足不辱，知止不殆[59]。'陛下功名威德亦可足矣，拓地开疆亦可止矣。且陛下每决一重囚，必令三覆五奏，进素膳，止音乐者，重人命也。今驱无罪之士卒，委之锋刃之下，使肝脑涂地[60]，独不足愍乎！向使高丽违失臣节，诛之可也；侵扰百姓，灭之可也；他日能为中国患，除之可也。今无此三条而坐烦中国，内为前代雪耻，外为新罗报雠，岂非所存者小，所损者大乎！愿陛下许高丽自新，焚陵波之船，罢应募之众，自然华、夷庆赖，远肃迩[61]安。臣旦夕入地，傥蒙录此哀鸣[62]，死且不朽。"玄龄子遗爱[63]尚上女高阳公主，上谓公主曰："彼病笃如此，尚能忧我国家。"上自临视，握手与诀，悲不自胜。癸卯[64]，薨。

柳芳[65]曰："玄龄佐太宗定天下，及终相位，凡三十二年，天下号为贤相，然无迹可寻，德亦至矣！故太宗定祸乱而房、杜[66]不言功，王、魏[67]善谏诤而房、杜让其贤，英、卫[68]善将兵而房、杜行其道，理致太平，善归人主。为唐宗臣[69]，宜哉！"

【段旨】

以上为第三段，写房玄龄临终仍忧劳国家。

【语译】

司空梁文昭公房玄龄留守京城，病情加重，太宗征召他前往玉华宫，乘坐轿子进入殿内，到了太宗御座旁边才下轿，二人相对流泪，于是房玄龄留在宫中。太宗听说房玄龄病情稍有好转就喜形于色，病情加重就忧虑担心。房玄龄对他的儿子们说："我蒙受皇上厚恩，现今天下无事，只有东征高句丽事没有停止，群臣没有人敢于劝谏。我知晓而不说话，是死有余辜。"于是上表劝谏，认为："《老子》说：'知道满足就不会遭到屈辱，知道适可而止就不会遇到危险。'陛下的功名威德也可以满足了，开拓疆土也可以适可而止了。而且陛下每次判决一个死刑犯人，一定命令三次复议五次上奏，食用素食，停止音乐，这是重视人的生命。现今驱使无罪的士卒，把他们送到刀锋之下，让他们肝脑涂地，唯独他们不足以怜悯吗！假使高句丽违背臣属的礼节，诛杀他们是可以的；假若高句丽侵扰中原百姓，消灭他们也是可以的；以后能成为中原的祸患，除掉他们也是可以的。现今没有这三条而让中原坐受烦扰，对内为前代雪耻，对外为新罗报仇，岂不是所得到的很少，所损失的很大吗！希望陛下容许高句丽悔过自新，烧毁渡海的船只，撤回应募的兵众，自然华夏、东夷就会庆贺有了依靠，远方清静，近处安宁。臣旦夕之间就要入土了，倘若承蒙陛下采纳临死之人的哀鸣，死了也会不朽。"房玄龄的儿子房遗爱娶了太宗的女儿高阳公主为妻，太宗对公主说："他病情严重到如此程度，还能忧虑国家。"太宗亲自探视，握着房玄龄的手与他告别，悲痛得不能自禁。七月二十四日癸卯，房玄龄去世。

柳芳说："房玄龄辅佐太宗平定天下，等到终于相位，一共三十二年，天下人称之为贤相，然而没有事迹可以追踪，道德也达到至高境界了！所以太宗平定祸乱而房玄龄、杜如晦不说自己有功，王珪、魏徵善于谏诤而房玄龄、杜如晦辞让贤能的名声，英公李世勣、卫公李靖善于统率军队，而房玄龄、杜如晦践行他们的原则，治理国家达到太平，把美誉归之君主。房玄龄作为有唐一代的宗臣，是很适宜的！"

【注释】

㊽忧悴：忧愁。㊾知足不辱二句：语见《老子》第四十四。谓自知满足，安于所遇，则不会取辱于人；懂得适可而止，不作过分要求，则不会陷入险境。㊿肝脑涂地：形容惨死。(61)迩：近。(62)哀鸣：语本《论语·泰伯》："曾子有疾，孟敬子问之，曾子言曰：'鸟之将死，其鸣也哀；人之将死，其言也善。'"(63)遗爱：玄龄次子房遗爱（？至公

元六五三年），尚太宗女高阳公主。永徽中，遗爱与公主谋反，并赐死。遗爱传见《旧唐书》卷六十六、《新唐书》卷九十六，高阳公主传见《新唐书》卷八十三。⑭癸卯：七月二十四日。⑮柳芳：肃宗朝史官，河东（今山西永济）人，与吴兢等合撰《国史》一百三十卷，又别撰《唐历》四十卷。传见《旧唐书》卷一百四十九、《新唐书》卷一百三十二。⑯杜：贞观宰相杜如晦。⑰王魏：贞观宰相王珪和魏徵。⑱英卫：英国公李世勣和卫国公李靖。⑲宗臣：为世所宗仰之臣。

【原文】

八月己酉朔⑳，日有食之。

丁丑㉑，敕越州都督府㉒及婺、洪㉓等州造海船及双舫㉔千一百艘。

辛未㉕，遣左领军大将军执失思力出金山道击薛延陀余寇。

九月庚辰㉖，昆丘道行军大总管阿史那社尔击处月、处密，破之，余众悉降。

癸未㉗，薛万彻等伐高丽还。万彻在军中使气陵物，裴行方㉘奏其怨望，坐除名，流象州㉙。

己丑㉚，新罗奏为百济所攻，破其十三城。

己亥㉛，以黄门侍郎褚遂良为中书令。

强伟等发民造船，役及山獠，雅、邛、眉㉜三州獠反。壬寅㉝，遣茂州都督张士贵、右卫将军梁建方发陇右、峡中㉞兵二万余人以击之。蜀人苦造船之役，或乞输直雇潭州㉟人造船，上许之。州县督迫严急，民至卖田宅、鬻子女不能供，谷价踊贵，剑外㊱骚然。上闻之，遣司农少卿长孙知人㊲驰驿往视之。知人奏称："蜀人脆弱，不耐劳剧。大船一艘，庸绢㊳二千二百三十六匹。山谷已伐之木，挽曳未毕，复征船庸，二事并集，民不能堪，宜加存养。"上乃敕潭州船庸皆从官给。

冬，十月癸丑㊴，车驾还京师。

【语译】

八月初一日己酉，发生日食。

二十九日丁丑，敕令越州都督府以及婺州、洪州等州建造海船和双舫船一千一百艘。

二十三日辛未，派遣左领军大将军执失思力从金山道出发进攻薛延陀残余贼寇。

九月初二日庚辰，昆丘道行军大总管阿史那社尔攻打处月、处密，打败了它们，剩余的部众全部投降。

初五日癸未，薛万彻等人讨伐高句丽后返回。薛万彻在军中颐指气使，欺凌他人，裴行方奏报他有怨言，坐罪除名，流放到象州。

十一日己丑，新罗上奏说受到百济的进攻，攻克了十三座城。

二十一日己亥，任命黄门侍郎褚遂良担任中书令。

强伟等人征发民众建造船只，山獠人也被派做劳役，雅州、邛州、眉州三地獠民反叛。九月二十四日壬寅，朝廷派遣茂州都督张士贵、右卫将军梁建方调动陇右、峡中的士兵二万多人攻打獠民。蜀人苦于造船之役，有人请求出价钱雇佣潭州人造船，太宗答应了。州县官吏督促严厉急迫，民众甚至出售土地住宅、卖儿卖女也无法交足劳役的雇值，粮价猛涨，剑外骚动。太宗听说后，派司农寺少卿长孙知人乘驿站快马奔驰前往视察。长孙知人上奏说："蜀人身体虚弱，受不了繁重的劳动。大船一艘，雇人的价钱要绢二千二百三十六匹。山谷里砍伐的树木，没有拖拉完毕，又征收造船的庸钱，两件事合在一起，民众不能承受，应当加以存恤养护。"太宗便敕令雇潭州人造船的庸钱全由政府给付。

冬，十月初六日癸丑，太宗车驾返回京城。

【段旨】

以上为第四段，写蜀民困于造船之役。

【注释】

⑩己酉朔：八月初一日。⑪丁丑：八月二十九日。⑫越州都督府：治所在今浙江绍兴。⑬婺、洪：皆为州名。婺州治所在今浙江金华，洪州治所在今江西南昌。⑭双舫：双船体船只，即两个并列的瘦长船体在上部合成一个整体的船，其结构复杂，但稳定性好。⑮辛未：八月二十三日。⑯庚辰：九月初二日。⑰癸未：九月初五日。⑱裴

【原文】

回纥吐迷度兄子乌纥蒸⑩其叔母。乌纥与俱陆莫贺达官俱罗勃，皆突厥车鼻可汗之婿也，相与谋杀吐迷度以归车鼻。乌纥夜引十余骑袭吐迷度，杀之。燕然副都护元礼臣⑪使人诱乌纥，许奏以为瀚海都督。乌纥轻骑诣礼臣谢，礼臣执而斩之，以闻。上恐回纥[2]部落离散，遣兵部尚书崔敦礼往安抚之。久之，俱罗勃入见，上留之不遣。

阿史那社尔既破处月、处密，引兵自焉耆之西趋龟兹北境，分兵为五道，出其不意。焉耆王薛婆阿那支弃城奔龟兹，保其东境。社尔遣兵追击，擒而斩之，立其从父弟先那准⑫为焉耆王，使修职贡。龟兹大震，守将多弃城走。社尔进屯碛口⑬，去其都城⑭三百里，遣伊州刺史韩威帅千余骑为前锋，右卫将军曹继叔⑮次之，至多褐城⑯，龟兹王诃利布失毕、其相那利、羯猎颠帅众五万拒战。锋刃甫接，威引兵伪遁，龟兹悉众追之，行三十里，与继叔军合。龟兹惧，将却，继叔乘之，龟兹大败，逐北八十里。

甲戌⑰，以回纥吐迷度子前左屯卫大将军婆闰⑱为左骁卫大将军、大俟利发、瀚海都督。

十一月庚子⑲，契丹帅窟哥、奚帅可度者⑳并帅所部内属。以契丹

行方：唐初将领，字德备，绛州闻喜（今山西闻喜东北东镇）人，历官左卫将军、检校幽州都督，袭封怀义平公。事迹见《旧唐书》卷六十九《薛万彻传》、《新唐书》卷七十一上《宰相世系一上》等。⑲ 象州：州名，治所在今广西象州西北。⑳ 己丑：九月十一日。㉑ 己亥：九月二十一日。㉒ 雅、邛、眉：雅州治所在今四川雅安西，邛州治所在今四川邛崃，眉州治所在今四川眉山。㉓ 壬寅：九月二十四日。㉔ 峡中：指峡州一带。峡州治所在今湖北宜昌。㉕ 潭州：州名，治所在今湖南长沙。㉖ 剑外：谓今四川剑南关以南地区。㉗ 长孙知人：长孙无忌堂弟，《新唐书》卷一百五作"长孙知仁"。高宗初，以渝州刺史贬翼州司马。㉘ 庸绢：唐赋役的一种，即代替力役的赋税。据武德七年之规定：人丁每年服劳役二十日，不服役的每日折纳绢三尺。㉙ 癸丑：十月初六日。

【语译】

回纥吐迷度哥哥的儿子乌纥和他的婶婶通奸。乌纥和俱陆莫贺的达官俱罗勃，都是突厥车鼻可汗的女婿，二人一起谋划杀死吐迷度归附车鼻。乌纥夜里带领十多个骑兵袭击吐迷度，杀死了他。燕然副都护元礼臣派人诱骗乌纥，答应奏请太宗任命他为瀚海都督。乌纥率轻骑兵前往元礼臣处致谢，元礼臣把他抓起来杀了，上报朝廷。太宗担心回纥部落离散，派兵部尚书崔敦礼前往安抚他们。过了很久，俱罗勃入京拜见太宗，太宗留下他，不让回去。

阿史那社尔打败处月、处密后，率军从焉耆的西面奔赴龟兹北境，分兵五路，出其不意进兵。焉耆国王薛婆阿那支弃城逃往龟兹，守卫他的东部地区。阿史那社尔派兵追击，把他活捉后杀掉了，立他的堂弟先那准为焉耆王，让他向唐朝称臣进贡。龟兹深受震动，守将大多弃城逃走。阿史那社尔进兵屯驻碛口，距离龟兹都城三百里，派遣伊州刺史韩威带领一千多骑兵为前锋，右卫将军曹继叔随从其后。到达多褐城，龟兹国王诃利布失毕与丞相那利、羯猎颠率领部众五万抵抗。刀枪刚刚相接，韩威率军假装逃跑，龟兹全部士兵追击韩威部队，追了三十里，韩威与曹继叔的军队会合。龟兹兵害怕了，将要退却，曹继叔乘机攻击，龟兹大败，追击逃兵八十里。

十月二十七日甲戌，唐朝任命回纥吐迷度的儿子前任左屯卫大将军婆闰为左骁卫大将军、大俟利发、瀚海都督。

十一月二十三日庚子，契丹酋帅窟哥、奚族酋帅可度者都率领所辖部落归附唐

部为松漠府[101]，以窟哥为都督。又以其别帅达稽等部为峭落等九州[102]，各以其辱纥主为刺史。以奚部为饶乐府[103]，以可度者为都督。又以其别帅阿会等部为弱水等五州[104]，亦各以其辱纥主为刺史。辛丑[105]，置东夷校尉[106]官于营州[107]。

十二月庚午[108]，太子为文德皇后作大慈恩寺[109]成。

龟兹王布失毕既败，走保都城，阿史那社尔进军逼之，布失毕轻骑西走。社尔拔其城，使安西都护郭孝恪守之。沙州刺史苏海政[110]、尚辇奉御薛万备帅精骑追布失毕，行六百里，布失毕窘急，保拨换城[111]。社尔进军攻之四旬，闰月丁丑[112]，拔之，擒布失毕及羯猎颠。那利脱身走，潜引西突厥之众，并其国兵万余人，袭击孝恪。孝恪营于城外，龟兹人或告之，孝恪不以为意。那利奄至，孝恪帅所部千余人将入城，那利之众已登城矣，城中降胡与之相应，共击孝恪，矢刃如雨。孝恪不能敌，将复出，死于西门。城中大扰，仓部郎中[113]崔义超召募得二百人，卫军资财物，与龟兹战于城中。曹继叔、韩威亦营于城外，自城西北隅击之。那利经宿乃退，斩首三千余级，城中始定。后旬余日，那利复引山北[114]龟兹万余人趣都城，继叔逆击，大破之，斩首八千级。那利单骑走，龟兹人执之，以诣军门。

阿史那社尔前后破其大城五，遣左卫郎将权祗甫[115]诣诸城，开示[116]祸福，皆相帅请降，凡得七百余城，虏男女数万口。社尔乃召其父老，宣国威灵，谕以伐罪之意，立其王之弟叶护[117]为王，龟兹人大喜。西域震骇，西突厥、于阗、安国争馈驼马军粮，社尔勒石纪功而还。

戊寅[118]，以昆丘道行军总管、左骁卫将军阿史那贺鲁为泥伏沙钵罗叶护，赐以鼓纛，使招讨西突厥之未服者。

癸未[119]，新罗相金春秋及其子文王[120]入见。春秋，真德之弟也。上以春秋为特进，文王为左武卫将军。春秋请改章服[121]从中国，内出冬服赐之。

朝，把契丹本部改为松漠府，任命窟哥为都督。又把他的别部将领达稽等部设为峭落等九个州，各州任命他们的首领为刺史。把奚族的本部置为饶乐府，任命可度者为都督。又把他的其他将领阿会等部设为弱水等五个州，也各自任命他们部族的首领为刺史。二十四日辛丑，在营州设置东夷校尉官。

十二月二十四日庚午，太子李治为文德皇后建造的大慈恩寺竣工。

龟兹国王布失毕兵败后，逃往都城自卫，阿史那社尔进军逼近他，布失毕率轻骑西逃。阿史那社尔攻取龟兹的都城，让安西都护郭孝恪守卫此城。沙州刺史苏海政、尚辇奉御薛万备率领精锐骑兵追赶布失毕，行进六百里，布失毕处境困危，在拨换城防守。阿史那社尔进军攻城四十天，闰十二月初一日丁丑，攻取了城池，活捉布失毕和羯猎颠。那利脱身逃走，暗中勾引西突厥的部众，加上本国兵力共一万多人，袭击郭孝恪。郭孝恪扎营城外，有龟兹人告诉他那利的情况，郭孝恪不放在心上。那利忽然到来，郭孝恪率领本部一千多人将要进城，那利的士兵已经登上城墙，城内投降的胡兵与那利相呼应，共同攻打郭孝恪，刀箭如雨。郭孝恪抵挡不住，准备再次冲出，死在城西门。城中大为扰乱，仓部郎中崔义超招募到二百人，保护军需财物，与龟兹兵在城中激战。曹继叔、韩威也扎营城外，从城西北角进攻龟兹。过了一夜那利才撤退，杀死龟兹兵三千多人，城中才安定下来。后来十多天，那利又带领山北的龟兹人一万多奔赴都城，曹继叔迎击，把他打得大败，杀死八千人。那利一个人骑马逃走，龟兹人抓住他，送到军门。

阿史那社尔前后攻下龟兹的大城五座，派遣左卫郎将权祗甫前往各城，宣示祸福加以开导，各城相随请求投降，一共得到七百多城，俘虏男女几万人。阿史那社尔便召集他们的父老，宣示国家的威力和神明，把征伐有罪的用意告诉他们，立龟兹国王的弟弟叶护为国王，龟兹人非常高兴。西域震惊，西突厥、于阗、安国争相赠送骆驼、马匹和军粮，阿史那社尔刻石碑纪功后返回。

闰十二月初二日戊寅，任命昆丘道行军总管、左骁卫将军阿史那贺鲁为泥伏沙钵罗叶护，赐给大鼓和大旗，让他招抚讨伐西突厥没有归服的部落。

闰十二月初七日癸未，新罗丞相金春秋和他的儿子金文王进京朝见太宗。金春秋，是金真德的弟弟。太宗封金春秋为特进，金文王为左武卫将军。金春秋请求改变官员的礼服式样随同唐朝，宫中拿出冬服赐给他。

【段旨】

以上为第五段，写唐军平定龟兹，西域平静。东夷契丹归服。

【注释】

(90)蒸：通“烝”，与母辈通奸。(91)元礼臣：唐初边将。事迹见《旧唐书》卷一百九十五《回纥传》、《新唐书》卷二百十七《回鹘传上》。(92)先那准：焉耆王薛婆阿那支叔父。事迹见《旧唐书》卷一百九十八《焉耆传》。据《新唐书》卷二百二十一上，阿史那社尔斩阿那支，“立突骑支弟婆伽利为王”。(93)碛口：《旧唐书》之《龟兹传》作“碛石”。(94)都城：指龟兹王都伊逻卢城（今新疆库车）。(95)右卫将军曹继叔：据《旧唐书》卷一百九十八《龟兹传》、《新唐书》卷二百二十二下《南蛮传下》，曹继叔曾任右骁卫将军，此处当补“骁”字。继叔曾先后参与征讨高句丽、龟兹、后突厥等。(96)多褐城：在龟兹（今新疆库车）东。(97)甲戌：十月二十七日。(98)前左屯卫大将军婆闰：《旧唐书》卷一百九十五《回纥传》称“前左屯卫大将军、翊卫左郎将婆闰”。婆闰为回纥酋长，高宗时曾参与平定阿史那贺鲁之叛和征讨高句丽等战争，官至右卫大将军。事迹见《旧唐书》卷一百九十五、《新唐书》卷二百十七上《回鹘传》。(99)庚子：十一月二十三日。(100)契丹帅窟哥、奚帅可度者：两蕃酋长。窟哥内属后赐姓李氏，封无极县男，官至左监门大将军。可度者赐姓李氏，封楼烦县公，官至右监门大将军。二人事迹见《旧唐书》之《北狄传》。(101)松漠府：羁縻府名，治所在今内蒙古巴林右旗南。(102)峭落等九州：羁縻州名。峭落州，达稽部置。弹汗州，纥便部置。无逢州，独活部置。羽陵州，芬问部置。白连州，突便部置。徒河州，芮奚部置。万丹州，坠斤部置。匹黎、赤山二州，伏部置。隶于松漠府的契丹八部九州，散布于今辽河上游地带。(103)饶乐府：羁縻府名，治所在今内蒙古宁城境。(104)弱水等五州：羁縻州名。弱水州，阿会部置。祁黎州，处和部置。洛瓌

【原文】

二十三年（己酉，公元六四九年）

春，正月辛亥[122]，龟兹王布失毕及其相那利等至京师，上责让而释之，以布失毕为左武卫中郎将[123]。

西南徒莫祇[124]等蛮内附，以其地为傍、望、览、丘[125]四州，隶郎州[126][3]都督府。

上以突厥车鼻可汗不入朝，遣右骁卫郎将高侃[127]发回纥、仆骨等兵袭击之。兵入其境，诸部落相继来降。拔悉密[128]吐屯肥罗察降，以其地置新黎州[129]。

州，奥失部置。太鲁州，度稽部置。渴野州，元俟折部置。隶于饶乐府的奚五部、州在今西喇木伦河流域。⑩⑤ 辛丑：十一月二十四日。⑩⑥ 东夷校尉：官名，掌押奚、契丹、靺鞨、高句丽等，相当于后来的安东都护。⑩⑦ 营州：州名，治所在今辽宁朝阳。⑩⑧ 庚午：十二月二十四日。⑩⑨ 大慈恩寺：旧基为隋无漏寺，经太子李治倡议改建，为文德皇后祈福，更名大慈恩寺。寺在今陕西西安城南。⑪⓪ 苏海政：唐初大将，曾参与太宗、高宗时对高句丽、龟兹、西突厥等的征讨，官至飏海道行军大总管。事迹见《旧唐书》卷一百九十四下、《新唐书》卷二百十五下《突厥传下》等。⑪① 拨换城：又名威戎城，自安西府西出柘厥关，渡白马河四百余里至拨换城，在今新疆阿克苏。⑪② 丁丑：闰十二月初一日。⑪③ 仓部郎中：官名，户部仓部司长官，掌天下仓储之政令。⑪④ 山北：白山之北。白山又名阿羯田山，离龟兹都城伊逻卢城不远。山在今新疆库车北面。⑪⑤ 权祇甫：唐初边将。事迹见《新唐书》卷一百十《阿史那社尔传》。⑪⑥ 开示：开导；启发。⑪⑦ 叶护：龟兹王诃黎布失毕弟之官号，或系王弟以官称为名。⑪⑧ 戊寅：闰十二月初二日。⑪⑨ 癸未：闰十二月初七日。⑫⓪ 金春秋及其子文王：事迹并见《旧唐书》卷一百九十九上、《新唐书》卷二百二十《新罗传》。⑫① 章服：古代官员礼服。服上分别绣以日、月、星、辰、龙、蟒、鸟、兽等图文，以此作为官员等级的标志。

【校记】

［2］回纥：原作“迴纥”。据章钰校，乙十一行本作“回纥”，上文亦作“回纥”。又下文“甲戌，以回纥吐迷度”云云，“回纥”原亦作“迴纥”，今均据乙十一行本校改。

【语译】

二十三年（己酉，公元六四九年）

春，正月初六日辛亥，龟兹国王布失毕及其丞相那利等人到达京城，太宗责备他们后释放了，任命布失毕为左武卫中郎将。

西南地区徒莫祇等蛮族归附朝廷，把他们的地区设置为傍州、望州、览州、丘州，隶属郎州都督府。

太宗因突厥车鼻可汗不入京朝见，派遣右骁卫郎将高侃调发回纥、仆骨等部军队袭击突厥。军队进入突厥境内，各部落相继前来投降。拔悉密的吐屯肥罗察投降，把他的地区设置为新黎州。

二月丙戌[130]，置瑶池都督府[131]，隶安西都护。戊子[132]，以左卫将军阿史那贺鲁为瑶池都督。

三月丙辰[133]，置丰州都督府[134]，使燕然都护李素立兼都督。

去冬旱，至是始雨。辛酉[135]，上力疾至显道门[136]外，赦天下。

丁卯[137]，敕太子于金液门[138]听政。

夏，四月乙亥[139]，上行幸翠微宫。

上谓太子曰："李世勣才智有余，然汝与之无恩，恐不能怀服。我今黜之，若其即行，俟我死，汝于后用为仆射，亲任之，若徘徊顾望，当杀之耳。"五月戊午[140]，以同中书门下三品李世勣为叠州[141]都督。世勣受诏，不至家而去。

辛酉[142]，开府仪同三司卫景武公李靖薨。

上苦利[143]增剧，太子昼夜不离侧，或累日不食，发有变白者。上泣曰："汝能孝爱如此，吾死何恨！"丁卯[144]，疾笃，召长孙无忌入含风殿[145]。上卧，引手扪[146]无忌颐[147]，无忌哭，悲不自胜，上竟不得有所言，因令无忌出。己巳[148]，复召无忌及褚遂良入卧内，谓之曰："朕今悉以后事付公辈。太子仁孝，公辈所知，善辅导之！"谓太子曰："无忌、遂良在，汝勿忧天下！"又谓遂良曰："无忌尽忠于我，我有天下，多其力也。我死，勿令谗人间[149]之。"仍令遂良草遗诏。有顷，上崩。

太子拥无忌颈，号恸将绝。无忌揽涕，请处分众事以安内外。太子哀号不已，无忌曰："主上以宗庙社稷付殿下，岂得效匹夫唯哭泣乎！"乃秘不发丧。庚午[150]，无忌等请太子先还，飞骑、劲兵及旧将皆从。辛未[151]，太子入京城，大行[152]御马舆，侍卫如平日，继太子而至，顿于两仪殿[153]。以太子左庶子于志宁为侍中，少詹事张行成兼侍中，以检校刑部尚书、右庶子、兼吏部侍郎高季辅兼中书令。壬申[154]，发丧太极殿[155]，宣遗诏，太子即位。军国大事，不可停阙，平常细务，委之有司。诸王为都督、刺史者，并听奔丧，濮王泰不在来限。罢辽东之役及诸土木之功。四夷之人入仕于朝及来朝贡者数百人，闻丧皆恸哭，翦发、剺面、割耳[156]，流血洒地。

二月十一月丙戌，设置瑶池都督府，隶属安西都护。十三日戊子，任命左卫将军阿史那贺鲁为瑶池都督。

三月十二日丙辰，设置丰州都督府，让燕然都护李素立兼任都督。

去年冬季干旱，到这时才下雨。三月十七日辛酉，太宗力撑着病体来到显道门外，大赦天下。

二十三日丁卯，太宗敕令太子在金液门听政。

夏，四月初一日乙亥，太宗来到翠微宫。

太宗对太子说："李世勣才智有余，然而你对他没有恩德，恐怕不能敬服你。我如今把他降职，如果他立刻赴任，等我死了，你以后任用他为仆射，亲近并重用他，如果他徘徊观望，应当杀死他。"五月十五日戊午，任命同中书门下三品李世勣为叠州都督。李世勣接受诏令，没有回家就去上任。

五月十八日辛酉，开府仪同三司卫景武公李靖去世。

太宗的痢疾病情加重，太子昼夜不离身边，有时一连几日不吃饭，头发有的已变白。太宗哭泣着说："你能如此孝顺敬爱我，我死了还有什么遗恨!"五月二十四日丁卯，太宗病重，召长孙无忌进入含风殿。太宗躺着，伸出手抚摸长孙无忌的下巴，长孙无忌痛哭，悲伤得不能控制。太宗最终不能说出话来，便令长孙无忌出宫。二十六日己巳，又召长孙无忌和褚遂良进入卧室内，对他们说："朕如今把后事全都托付给你们。太子仁爱孝顺，你们是知道的，好好地辅导他!"对太子说："有无忌、遂良在，你不用担忧天下事!"又对褚遂良说："无忌尽忠于我，我拥有天下，大多靠他的力量。我死了，不要让谗言小人离间你们。"又令褚遂良草拟遗诏。不一会儿，太宗驾崩。

太子抱着长孙无忌的脖子，号啕得几乎气绝。长孙无忌擦去眼泪，请求太子处理众事以安定朝廷内外。太子哀哭不止，长孙无忌说："皇上把宗庙社稷交给殿下，怎么能效法一个普通人只知道哭泣啊!"于是保守秘密，不发布太宗去世的消息。五月二十七日庚午，长孙无忌等人请太子先返回皇宫，飞骑、劲卒和旧属将领全部相随。二十八日辛未，太子进入京城，已经去世的天子所用的车马、侍卫仪仗像平时一样，跟随太子到达京城，停留在两仪殿。任命太子左庶子于志宁担任侍中，少詹事张行成兼任侍中，任命检校刑部尚书、右庶子、兼吏部侍郎高季辅兼任中书令。二十九日壬申，在太极殿发丧，宣布太宗遗诏，太子即皇帝位。军国大事，不能停顿漏办，日常细事，委托给有关官署。诸王担任都督、刺史的都允许奔丧，濮王李泰不在前来奔丧的范围内。停止辽东的战役和各项土木工程。四夷之人在朝做官和前来朝见进贡的几百人，听说太宗去世全都痛哭，剪头发、用刀划脸、割耳朵，流出鲜血洒在地上。

六月甲戌朔[157]，高宗即位，赦天下。

丁丑[158]，以叠州都督李勣[159]为特进、检校洛州刺史、洛阳宫留守。

先是，太宗二名，令天下不连言者勿避。至是，始改官名犯先帝讳者。

【段旨】

以上为第六段，写唐太宗逝世，高宗即位。

【注释】

⑫辛亥：一月初六日。⑬左武卫中郎将：胡注据《唐六典》，认为左、右卫有亲、勋、翊三卫中郎将，其余诸卫府各有翊卫中郎将，此处“左武卫”下应有“翊卫”二字。左武卫翊卫中郎将为左武卫翊卫中郎将府长官，正四品下，掌宿卫宫禁。⑭徒莫祇：民族名，今彝族先民，分布于今云南楚雄地区。⑮傍、望、览、丘：皆为羁縻州名，傍州在今云南双柏，望州在今云南禄丰敦仁，览州在今云南禄丰、牟定间，丘州在今云南南华境。⑯郎州：武德八年（公元六二五年），以南宁州改名，治所在今云南曲靖西。⑰高侃：唐初大将，渤海蓨（今河北景县）人，高宗时官至安东都护，封平原郡公。卒后陪葬昭陵。见岑仲勉《唐史余沈》卷一。⑱拔悉密：民族名，亦名拔悉弥、弊剌，铁勒诸部之一，分布于今新疆吉木萨尔以北地带，后迁于今鄂尔浑河流域，唐后期其族并入回纥。肥罗察，拔悉密酋帅达官。吐屯，突厥号御史为吐屯。⑲新黎州：羁縻州名，州境在今蒙古国唐努山以南地区。⑳丙戌：二月十一日。㉑瑶池都督府：羁縻府名，治

【原文】

癸未[160]，以长孙无忌为太尉，兼检校中书令，知尚书、门下二省事，无忌固辞知尚书省事，帝许之，仍令以太尉同中书门下三品。癸巳[161]，以李勣为开府仪同三司、同中书门下三品。

阿史那社尔之破龟兹也，行军长史薛万备请因兵威说于阗王伏阇信[162]入朝，社尔从之。秋，七月己酉[163]，伏阇信随万备入朝，诏入谒梓宫[164]。

六月初一日甲戌，高宗即位，大赦天下。

六月初四日丁丑，任命叠州都督李勣为特进、检校洛州刺史、洛阳宫留守。

此前，太宗之名“世民”二字，命令天下二字不连写时不用避讳。到这时，开始更改犯了先帝名讳的官名。

所在今中亚巴尔喀什湖一带。⑬戊子：二月十三日。⑬丙辰：三月十二日。⑭丰州都督府：治所在今内蒙古五原西南黄河北岸。⑮辛酉：三月十七日。⑯显道门：为通内宫（此指大内，即太极宫）诸门之一。⑰丁卯：三月二十三日。⑱金液门：为通内宫诸门之一。⑲乙亥：四月初一日。⑭戊午：五月十五日。⑭叠州：州名，治所在今甘肃迭部。⑭辛酉：五月十八日。⑭利：通“痢”。⑭丁卯：五月二十四日。⑭含风殿：在翠微宫。⑭扪：抚摸。⑭颐：下巴。⑭己巳：五月二十六日。⑭间：离间。⑮庚午：五月二十七日。⑮辛未：五月二十八日。⑮大行：新崩天子之称。⑮两仪殿：隋称中华殿，在太极宫朱明门北，内朝所在。⑮壬申：五月二十九日。⑮太极殿：西内正朝。⑮剪发、剺面、割耳：古代西北民族风俗，尊长死，用剪发、剺面（割面流血）、割耳来表示对已故者的忠诚和哀思。⑮甲戌朔：六月初一日。⑮丁丑：六月初四日。⑮李勣：即李世勣。因避太宗讳去“世”字。传见《旧唐书》卷六十七、《新唐书》卷九十三。

【校记】

［3］郎州：原作“朗州”。胡三省注云：“当作‘郎州’。”据章钰校，孔天胤本正作“郎州”，今据校正。

【语译】

六月初十日癸未，任命长孙无忌为太尉，兼检校中书令，掌管尚书、门下二省事务，长孙无忌坚持辞退掌管尚书省的事务，高宗同意了，又命他为太尉同中书门下三品。二十日癸巳，任命李勣为开府仪同三司、同中书门下三品。

阿史那社尔打败龟兹后，行军长史薛万备请求借着军威劝说于阗国王伏阇信进京朝见，阿史那社尔听从了这一意见。秋，七月初六日己酉，伏阇信随从薛万备进京朝见，高宗下诏让他谒见太宗的灵柩。

八月癸酉[165]，夜，地震，晋州[166]尤甚，压杀五千余人。

庚寅[167]，葬文皇帝于昭陵[168]，庙号太宗。阿史那社尔、契苾何力请杀身殉葬，上遣人谕以先旨不许。蛮夷君长为先帝所擒服者颉利等十四人，皆琢石为其像，刻名列于北司马门[169]内。

丁酉[170]，礼部尚书许敬宗奏弘农府君庙应毁[171]，请藏主于西夹室[172]，从之。

九月乙卯[173]，以李勣为左仆射。

冬，十月，以突厥诸部置舍利等五州[174]隶云中都督府，苏农等六州[175]隶定襄都督府。

乙亥[176]，上问大理卿唐临系囚之数，对曰："见囚五十余人，唯二人应死。"上悦。上尝录系囚，前卿所处者多号呼称冤，临所处者独无言。上怪问其故，囚曰："唐卿所处，本自无冤。"上叹息良久，曰："治狱者不当如是邪！"

上以吐蕃赞普弄赞为驸马都尉[177]，封西海郡王。赞普致书于长孙无忌等云："天子初即位，臣下有不忠者，当勒兵赴国讨除之。"

十二月，诏濮王泰开府[178]置僚属，车服珍膳，特加优异。

【段旨】

以上为第七段，写唐高宗初即位，优礼大臣，轻刑狱，四夷安静。

【注释】

⑯⓪癸未：六月初十日。⑯①癸巳：六月二十日。⑯②伏阇信：姓尉迟。事迹见《旧唐书》卷一百九十八、《新唐书》卷二百二十一上《于阗传》。⑯③己酉：七月初六日。⑯④梓宫：皇帝的棺木。⑯⑤癸酉：八月初一日。⑯⑥晋州：州名，治所在今山西临汾西南。⑯⑦庚寅：八月十八日。⑯⑧昭陵：在今陕西礼泉县东北九嵕山。⑯⑨北司马门：在昭陵九嵕山的

八月初一日癸酉，夜间地震，晋州尤为严重，倒塌房屋压死五千多人。

八月十八日庚寅，把太宗皇帝葬于昭陵，庙号太宗。阿史那社尔、契苾何力请求自杀殉葬，高宗派人向他们说明先帝遗旨不允许殉葬。蛮夷的君主首领被太宗所擒服的如颉利等十四人，都雕刻他们的石像，刻上姓名排列在北司马门内。

八月二十五日丁酉，礼部尚书许敬宗奏请应毁掉弘农府君庙，请把供奉的神主藏在太庙的西夹室，高宗同意了。

九月十三日乙卯，任命李勣担任尚书左仆射。

冬，十月，把突厥各部设置为舍利等五州，隶属云中都督府，设置为苏农等六州，隶属定襄都督府。

十月初四日乙亥，高宗询问大理寺卿唐临关押的囚犯数目，回答说："现在囚犯五十多人，只有二人应该处死。"高宗很高兴。高宗曾讯问在押的犯人，前任大理寺卿处置的犯人大多呼喊说冤枉，唯独唐临所处置的犯人不说话。高宗感到奇怪，询问他们是什么缘故，犯人们说："唐卿所判处的，本来就没有冤枉。"高宗感叹了好一会儿，说道："治理刑狱的官员不应当如此吗！"

高宗任命吐蕃赞普弃宗弄赞为驸马都尉，封为西海郡王。赞普写信给长孙无忌等人说："天子刚刚即位，臣属有不忠诚的，应该率兵前往国内讨伐消灭他。"

十二月，高宗下诏濮王李泰开设府署设置僚属，车马服饰与珍宝膳食等，特别加以优待。

北坡。昭陵祭坛即在北司马门内，近年文物工作者清理祭坛，发现有蕃酋雕像残块及刻名。⑰⓪丁酉：八月二十五日。⑰①弘农府君庙应毁：弘农府君即魏弘农太守李重耳，高宗七世祖，亲尽庙毁，不再奉祀。⑰②夹室：太庙在太室两旁有东、西夹室。⑰③乙卯：九月十三日。⑰④舍利等五州：羁縻州。五州为以舍利吐利部所置舍利州，以阿史那部所置阿史那州，以绰部所置绰州，以突厥别部所置思辟、白登二州。⑰⑤苏农等六州：以阿史德部所置阿德州，以执失部所置执失州，以苏农部所置苏农州，以歌滥拔延部所置拔延州，以郁射部所置郁射州，以多地艺失部所置艺失州。⑰⑥乙亥：十月初四日。⑰⑦驸马都尉：唐代用来授尚主者，非实官。⑰⑧开府：指建立府署，自选僚属。

【原文】

高宗天皇大圣大弘孝皇帝[179]上之上

永徽元年（庚戌，公元六五〇年）

春，正月辛丑朔[180]，改元[181]。

丙午[182]，立妃王氏[183]为皇后。后，思政[184]之孙也。以后父仁祐[185]为特进、魏国公。

己未[186]，以张行成为侍中。

辛酉[187]，上召朝集使，谓曰："朕初即位，事有不便于百姓者悉宜陈，不尽者更封奏[188]。"自是日引刺史十人入阁，问以百姓疾苦，及其政治[189]。

有洛阳人李弘泰诬告长孙无忌谋反，上命立斩之。无忌与褚遂良同心辅政，上亦尊礼二人，恭己以听之。故永徽之政，百姓阜安，有贞观之遗风。

太宗女衡山公主[190]应适长孙氏，有司以为服既公除，欲以今秋成婚。于志宁上言："汉文立制，本为天下百姓。公主服本斩衰[191]，纵使服随例除，岂可情随例改，请俟三年丧毕成婚。"上从之。

二月辛卯[192]，立皇子孝[193]为许王，上金[194]为杞王，素节[195]为雍王。

夏，五月壬戌[196]，吐蕃赞普弄赞卒，其嫡子早死，立其孙为赞普。赞普幼弱，政事皆决于国相禄东赞。禄东赞性明达严重，行兵有法，吐蕃所以强大，威服氐、羌，皆其谋也。

六月，高侃击突厥，至阿息山[197]。车鼻可汗召诸部兵皆不赴，与数百骑遁去。侃帅精骑追至金山，擒之以归，其众皆降。

初，阿史那社尔虏龟兹王布失毕，立其弟为王。唐兵既还，其酋长争立，更相攻击。秋，八月壬午[198]，诏复以布失毕为龟兹王，遣归国，抚其众。

九月庚子[199]，高侃执车鼻可汗至京师，释之，拜左武卫将军，处其余众于郁督军山，置狼山都督府[200]以统之，以高侃为卫将军[201]。于是

【语译】

高宗天皇大圣大弘孝皇帝上之上

永徽元年（庚戌，公元六五〇年）

春，正月初一日辛丑，更改年号。

初六日丙午，高宗立妃子王氏为皇后。皇后是王思政的孙女。封皇后的父亲王仁祐为特进、魏国公。

十九日己未，任命张行成为侍中。

正月二十一日辛酉，高宗召见各地的朝集使，对他们说："朕刚刚即位，有对百姓不方便的事情你们应该全部上奏陈述，没有说尽的可以另外密封上奏。"从此每天引见十名刺史，进入阁中，询问民间百姓疾苦，以及政务治理情况。

有洛阳人李弘泰诬告长孙无忌谋反，高宗命令立刻把他处斩。长孙无忌和褚遂良同心辅政，高宗也尊重礼遇二人，谦恭地听从二人的意见。所以永徽年间的政治，百姓富庶安宁，有贞观年间的遗风。

太宗的女儿衡山公主应出嫁长孙氏，有关官员认为为太宗服丧既然除服，想让公主在当年秋季成婚。于志宁上书说："汉文帝立下制度不必穿丧服三年，本来是为了天下的百姓。公主的丧服本应是粗麻布的丧服，纵使丧服援照汉代旧例已经脱下，哀痛的心情岂能随着旧例改变，请等到三年服丧期满后成婚。"高宗听从这一建议。

二月二十二日辛卯，立皇子李孝为许王，李上金为杞王，李素节为雍王。

夏，五月二十四日壬戌，吐蕃赞普弃宗弄赞去世，他的嫡长子早死，就立他的孙子为赞普。赞普幼弱，政事全由国相禄东赞裁决。禄东赞性情明智通达而且严肃稳重，用兵有方，吐蕃之所以强大，威服氐、羌，都是他的谋略。

六月，高侃攻打突厥，到达阿息山。突厥车鼻可汗征召各部士兵都没有前来，他和几百名骑兵逃走了。高侃率领精锐骑兵追到金山，活捉车鼻可汗然后返回，他的部众全都投降了。

当初，阿史那社尔俘虏了龟兹国王布失毕，立他的弟弟为国王。唐朝军队返回后，各部落酋长争夺王位，相互攻击。秋，八月十六日壬午，高宗下诏还是任命布失毕为龟兹国王，派遣他回国，安抚民众。

九月初四日庚子，高侃押送车鼻可汗到京城，释放了他，任命为左武卫将军，把突厥剩余民众安置在郁督军山，设置狼山都督府来统率他们。任命高侃为卫将军。

突厥尽为封内之臣，分置单于、瀚海⑳二都护府。单于领狼山、云中、桑乾㉓三都督，苏农等一十四州㉔，瀚海领瀚海、金徽、新黎等七都督㉕，仙萼等八州㉖，各以其酋长为都督、刺史[4]。

癸亥㉗，上出畋，遇雨，问谏议大夫昌乐谷那律㉘曰："油衣若为则不漏?"对曰："以瓦为之，必不漏。"上悦，为之罢猎。

李勣固求解职。冬，十月戊辰㉙，解勣左仆射，以开府仪同三司、同中书门下三品。

己未㉚，监察御史阳武韦思谦㉛劾奏中书令褚遂良抑买㉜中书译语人㉝地，大理少卿张睿册以为准估㉞无罪。思谦奏曰："估价之设，备国家所须，臣下交易，岂得准估为定！睿册舞文，附下罔上，罪当诛。"是日，左迁遂良为同州刺史、睿册循州刺史。思谦名仁约，以字行。

十二月庚午㉟，梓州都督谢万岁、兖州都督谢法兴㊱与黔州都督李孟尝㊲讨琰州㊳叛獠，万岁、法兴入洞招慰，为獠所杀。

【段旨】

以上为第八段，写唐高宗勤政亲民，严格制御大臣，褚遂良贱买人地而被贬职。

【注释】

⑰⑨高宗天皇大圣大弘孝皇帝：唐朝第三代皇帝李治（公元六二八至六八三年），字为善，乳名雉奴，太宗第九子。公元六四九至六八三年在位。事见《旧唐书》卷四、卷五，《新唐书》卷三。⑱⓪辛丑朔：一月初一日。⑱①元：新君始年。⑱②丙午：一月初六日。⑱③王氏（？至公元六五五年）：并州祁（今山西祁县东南祁城）人，永徽六年（公元六五五年）废为庶人，不久为武后残杀。传见《旧唐书》卷五十一、《新唐书》卷七十六。⑱④思政：北朝大臣王思政，历官北魏、西魏、北周、北齐，至都官尚书、仪同三司。传见《周书》卷十八、《北史》卷六十二。⑱⑤仁祐：王皇后之父王仁祐，本罗山县令，因

于是突厥人全部成为大唐封疆之内的臣民，分别设置了单于、瀚海两个都护府。单于都护府管辖狼山、云中、桑乾三个都督府，苏农等十四个州，瀚海都护府管辖瀚海、金徽、新黎等七个都督府，仙萼等八个州，分别任命自己的部落酋长为都督、刺史。

九月二十七日癸亥，高宗出外游猎，遇雨，询问谏议大夫昌乐人谷那律说："遮雨的油衣怎么样才能不漏水？"回答说："用瓦片制作，肯定不漏水。"高宗很高兴，为此停止打猎。

李勣执意请求解除官职。冬，十月初三日戊辰，免掉李勣的尚书左仆射，仍为开府仪同三司、同中书门下三品。

十一月二十四日己未，监察御史阳武人韦思谦上奏疏弹劾中书令褚遂良压价购买中书省翻译人员的土地，大理寺少卿张睿册认为符合官方估价没有罪过。韦思谦上奏说："估定价格的设置，是为国家的需要而准备的，臣下之间的交易，怎么能按估定价格为准！睿册弄文舞弊，附和臣下，欺罔皇上，罪当处死。"这一天，降职褚遂良为同州刺史、张睿册为循州刺史。韦思谦名仁约，以字行世。

十二月初五日庚午，梓州都督谢万岁、兖州都督谢法兴与黔州都督李孟尝讨伐琰州反叛的獠民，谢万岁、谢法兴进入獠民山洞招抚，被獠民杀死。

女册为后而贵显，早卒。事迹见两《唐书》之《王皇后传》。⑱⑥ 己未：一月十九日。⑱⑦ 辛酉：一月二十一日。⑱⑧ 封奏：密封的奏折。⑱⑨ 政治：政务治理情况。⑲⓪ 衡山公主：据《旧唐书》卷一百八十三、《新唐书》卷八十三，疑新城公主。太宗曾以衡山公主许嫁魏徵长子叔玉，后停婚改嫁长孙氏（疑即长孙无忌侄长孙诠）。事迹见《旧唐书》卷七十一《魏徵传》、卷七十八《于志宁传》，《新唐书》卷八十三《诸帝公主传》等。⑲① 斩衰：丧礼五服中最重的一种。凡丧服，上衣称衰，斩衰即用最粗的生麻布制作的丧服，衣旁及下边均不缝边。⑲② 辛卯：二月二十二日。⑲③ 孝：高宗第二子李孝（？至公元六六四年），历官并州都督、遂州刺史。传见《旧唐书》卷八十六、《新唐书》卷八十一。⑲④ 上金：高宗第三子李上金（？至公元六八九年），历官益州大都督等职，后为酷吏诬，自缢死。传见《旧唐书》卷八十六、《新唐书》卷八十一。⑲⑤ 素节：高宗第四子李素节，历官雍州牧、岐州刺史等职。天授中（公元六九〇至六九一年），为武则天缢杀。传见《旧唐书》卷八十六、《新唐书》卷八十一。⑲⑥ 壬戌：五月二十四日。⑲⑦ 阿息山：疑在蒙古国境内，当距金山（今阿尔泰山）不远。⑲⑧ 壬午：八月十六日。⑲⑨ 庚子：九月初四日。⑳⓪ 狼山都督府：羁縻府名，在今阿尔泰山北麓。⑳① 卫将军：唐无卫将军，"卫"字上当有脱字。据

《唐会要》卷二十一，高侃官至左武卫将军，疑“卫”字上脱“左武”二字。⑳单于、瀚海：据岑仲勉《突厥集史》，“单于”应改作“瀚海”，“瀚海”应改作“燕然”。㉓桑乾：据《新唐书》卷四十三下，龙朔三年（公元六六三年）分定襄置桑乾都督府，侨治朔方（今陕西靖边东北白城子）。此之“桑乾”疑为“定襄”之讹。㉔苏农等一十四州：《新唐书》卷二百十五上作“苏农二十四州”。㉕瀚海、金徽、新黎等七都督：以突厥和铁勒诸部所置瀚海、金微、新黎、幽陵、龟林、坚昆、燕然（或卢山）为七羁縻都督府。胡注云“徽”当作“微”。㉖仙萼等八州：以突厥和铁勒所置仙萼、浚稽、余吾、稽落、居延、寘颜、榆溪、浑河、烛龙为九羁縻州。㉗癸亥：九月二十七日。㉘谷那律：唐初经学家，魏州昌乐（今河南南乐）人，累擢国子博士、谏议大夫、弘文馆学士。传见《旧唐书》卷一百八十九上、《新唐书》卷一百九十八。㉙戊辰：十月初三日。㉚己未：十一月二十四日。㉛韦思谦（？至公元六八九年）：高宗、武则天时大臣，本名仁约，字思谦，因音类则天父名讳，故以字称，郑州阳武（今河南原阳）人，历官尚书左丞、御

【原文】

二年（辛亥，公元六五一年）

春，正月乙巳[219]，以黄门侍郎宇文节[220]、中书侍郎柳奭[221]并同中书门下三品。奭，亨[222]之兄子，王皇后之舅也。

左骁卫将军、瑶池都督阿史那贺鲁招集离散，庐帐渐盛，闻太宗崩，谋袭取西、庭二州。庭州刺史骆弘义[223]知其谋，表言之。上遣通事舍人桥宝明驰往慰抚。宝明说贺鲁，令长子咥运[224]入宿卫，授右骁卫中郎将，寻复遣归。咥运乃说其父拥众西走，击破乙毗射匮可汗[225]，并其众，建牙于双河及千泉[226]，自号沙钵罗可汗。咄陆五啜[227]、努失毕五俟斤[228]皆归之，胜兵数十万。与乙毗咄陆可汗[229]连兵，处月、处密及西域诸国多附之。以咥运为莫贺咄叶护。

焉耆王婆伽利卒，国人表请复立故王突骑支。夏，四月，诏加突骑支右武卫将军，遣还国。

金州刺史滕王元婴[230]骄奢纵逸，居亮阴中，畋游无节，数夜开城门，劳扰百姓，或引弹弹人，或埋人雪中以戏笑。上赐书切让之，且

史大夫、宗正卿。则天临朝，赐爵博昌县男，并入阁拜相。思谦刚正不阿，为时誉所称。传见《旧唐书》卷八十八、《新唐书》卷一百十六。㉑② 抑买：贱买；压价购买。㉑③ 中书译语人：中书省翻译人员。中书省掌受四方朝贡及通表疏，所以有译语人。㉑④ 准估：符合官方估价标准。㉑⑤ 庚午：十二月初五日。㉑⑥ 梓州都督谢万岁、兖州都督谢法兴：胡注认为"梓州"当作"牂州"，"兖州"当作"充州"。牂州治所在今贵州黄平西北。充州治所在今贵州石阡西南。谢万岁、谢法兴，分别为牂州、充州的蛮夷酋长。㉑⑦ 李孟尝：唐初功臣，赵州（今河北赵县）人，官封至右威卫大将军、汉东郡公。传见《新唐书》卷八十八。㉑⑧ 琰州：治所在今贵州镇宁南。

【校记】

［4］都督刺史：原作"刺史都督"。据章钰校，十二行本、乙十一行本、孔天胤本皆作"都督刺史"，今从改。

【语译】

二年（辛亥，公元六五一年）

春，正月十一日乙巳，任命黄门侍郎宇文节、中书侍郎柳奭并为同中书门下三品。柳奭，是柳亨哥哥的儿子，王皇后的舅舅。

左骁卫将军、瑶池都督阿史那贺鲁招集离散的百姓，居住的帐篷逐渐增多，听说太宗驾崩，便谋划袭取西州、庭州。庭州刺史骆弘义知道他的计谋，向朝廷上表报告。高宗派遣通事舍人桥宝明驱马前往安抚。桥宝明劝说阿史那贺鲁，让他的长子咥运进京宿卫，授职右骁卫中郎将，不久朝廷又把咥运遣送回去。咥运便劝说父亲率领部众西走，打败了乙毗射匮可汗，兼并了其部众，在双河和千泉建立牙帐，自称为沙钵罗可汗。咄陆五啜、努失毕五俟斤都归附他，拥有善战强兵几十万。阿史那贺鲁与乙毗咄陆可汗的军队联合，处月、处密以及西域各国大多依附于他们。任命咥运为莫贺咄叶护。

焉耆国王婆伽利去世，国中民众上表请求重新封立以前的国王突骑支。夏，四月，高宗下诏加封突骑支为右武卫将军，遣送回国。

金州刺史滕王李元婴骄奢淫逸，在为太宗守丧期间，游猎没有节制，多次夜里打开城门，烦扰百姓，有时用弹弓弹人，有时把人埋在雪中来取笑。高宗赐给书信

曰："取适[231]之方，亦应多绪，晋灵[232]荒君，何足为则！朕以王至亲，不能致王于法[233]，今书王下上考[234]，以愧王心。"

元婴与蒋王恽[235]皆好聚敛，上尝赐诸王帛各五百段，独不及二王。敕曰："滕叔、蒋兄自能经纪[236]，不须赐物，给麻两车以为钱贯。"二王大惭。

秋，七月，西突厥沙钵罗可汗寇庭州，攻陷金岭城及蒲类县[237]，杀略数千人。诏左武候[5]大将军梁建方、右骁卫大将军契苾何力为弓月道[238]行军总管，右骁卫将军高德逸[239]、右武候[240]将军薛孤吴仁[6]为副，发秦、成、岐、雍府兵三万人及回纥五万骑以讨之。

癸巳[241]，诏诸礼官学士议明堂[242]制度，以高祖配五天帝[243]，太宗配五人帝[244]。

八月己巳[245]，以于志宁为左仆射，张行成为右仆射，高季辅为侍中，志宁、行成仍同中书门下三品。

己卯[246]，郎州白水蛮[247]反，寇麻州[248]，遣左领军将军赵孝祖[249]等发兵讨之。

九月癸巳[250]，废玉华宫为佛寺。戊戌[251]，更命九成宫为万年宫。

庚戌[252]，左武候引驾[253]卢文操逾垣[7]盗左藏[254]物。上以引驾职在纠绳[255]，乃自为盗，命诛之。谏议大夫萧钧[256]谏曰："文操情实难原，然法不至死。"上乃免文操死，顾侍臣曰："此真谏议也！"

闰月，长孙无忌等上所删定律令式[257]。甲戌[258]，诏颁之四方。

上谓宰相曰："闻所在官司，行事犹互观颜面[259]，多不尽公。"长孙无忌对曰："此岂敢言无。然肆情曲法，实亦不敢。至于小小收取人情，恐陛下尚不能免。"无忌以元舅辅政，凡有所言，上无不嘉纳。

冬，十有一月辛酉[260]，上祀南郊[261]。

癸酉[262]，诏："自今京官及外州有献鹰隼及犬马者，罪之。"

戊寅[263]，特浪羌[264]酋董悉奉求、辟惠羌酋卜檐莫各帅种落万余户诣茂州内附。

窦州、义州蛮[265]酋李宝诚等反，桂州都督刘伯英[266]讨平之。

郎州道总管赵孝祖讨白水蛮，蛮酋秃磨蒲及俭弥于帅众据险拒战，

深加责备他，并且说："取乐的方法，也应当有多种，晋灵公是个荒唐的君主，怎么值得作为榜样！朕因为你是最亲的亲人，不忍心把你绳之以法，现在把你的考课等级定为下等之上，以此来使你心怀惭愧。"

李元婴与蒋王李恽都喜欢聚敛财物，高宗曾经赐给各王每人绢帛五百段，唯独没有赐给滕王、蒋王。敕令说："滕王皇叔、蒋王皇兄自己能够经营聚敛，不需要赏赐财物，送给两车麻用作钱串。"二王大为羞愧。

秋，七月，西突厥沙钵罗可汗进犯庭州，攻陷金岭城和蒲类县，杀死抢夺几千人。高宗下诏任命左武候大将军梁建方、右骁卫大将军契苾何力为弓月道行军总管，右骁卫将军高德逸、右武候将军薛孤吴仁为副总管，征调秦州、成州、岐州、雍州的士兵三万人，以及回纥五万骑兵来讨伐突厥。

七月初二日癸巳，下诏让各位礼官、学士商议朝廷的明堂制度，以高祖配享五位天帝，太宗配享五位人帝。

八月初八日己巳，任命于志宁担任尚书左仆射，张行成担任右仆射，高季辅担任侍中，于志宁、张行成仍为同中书门下三品。

八月十八日己卯，郎州白水蛮人反叛，侵犯麻州，朝廷派遣左领军将军赵孝祖等人发兵讨伐他们。

九月初三日癸巳，废掉玉华宫，改为佛寺。初八日戊戌，改名九成宫为万年宫。

九月二十日庚戌，左武候引驾卢文操翻墙盗窃左藏财物。高宗认为引驾的职责在于昼夜巡视纠查违失，却自为盗贼，命令处死卢文操。谏议大夫萧钧劝谏说："卢文操犯罪情节实在难以原谅，然而依法不至于处死。"高宗于是赦免卢文操死罪，回视身边侍臣说："这才是真正的谏议大夫呀！"

闰九月，长孙无忌等人进呈删改修订的律令式。十四日甲戌，高宗下诏颁行全国。

高宗对宰相们说："听说你们所在的官署，办事还要互相察看脸色，大多不能尽心为公。"长孙无忌回答说："这些情形怎么敢说没有。然而随意枉法，也实在不敢。至于说稍稍地接纳人情，恐怕陛下也不能避免。"长孙无忌以元舅身份辅佐朝政，凡有所建言，高宗无不赞许采纳。

冬，十一月初二日辛酉，高宗到南郊祭祀。

十一月十四日癸酉，高宗颁布诏令："从今天以后朝中官员及外州有进献鹰隼及狗马的，对他定罪。"

十一月十九日戊寅，特浪羌族酋长董悉奉求、辟惠羌族酋长卜檐莫各自率领本部落一万多户前往茂州归附唐朝。

窦州、义州蛮族酋长李宝诚等人反叛，桂州都督刘伯英讨伐平定了他们。

郎州道总管赵孝祖讨伐白水蛮人，蛮人的酋长秃磨蒲和俭弥于率领部众占据

孝祖皆击斩之。会大雪，蛮饥冻，死亡略尽。孝祖奏言："贞观中讨昆州乌蛮㉖⁷，始开青蛉、弄栋㉖⁸为州县。弄栋之西有小勃弄、大勃弄㉖⁹二川，恒扇诱弄栋，欲使之反。其勃弄以西与黄瓜、叶榆㉗⁰、西洱河相接，人众殷实，多于蜀川，无大酋长，好结仇怨。今因破白水之兵，请随便西讨，抚而安之。"敕许之。

十二月壬子㉗¹，处月朱邪孤注㉗²杀招慰使单道惠㉗³，与突厥贺鲁相结。

是岁，百济遣使入贡，上戒之，使"勿与新罗、高丽相攻，不然，吾将发兵讨汝矣"。

【段旨】

以上为第九段，写西突厥及西南蛮夷因唐丧而叛离。

【注释】

㉑⁹乙巳：一月十一日。㉒⁰宇文节：高宗时宰相，字大礼，京兆万年人，封平昌县公。事迹见《旧唐书》卷一百五、《新唐书》卷一百三十四《宇文融传》等。㉒¹柳奭：高宗时宰相，蒲州解（今山西运城解州镇）人，后为高宗贬诛。传见《旧唐书》卷七十七、《新唐书》卷一百十二。㉒²亨：即柳亨，柳奭之叔。原为隋末县长，入唐后历事三帝，官至太常卿、岐州刺史，封寿陵县男。传见《旧唐书》卷七十七。㉒³骆弘义：此时曾上击突厥之策，被高宗采纳。事迹见《新唐书》卷二百十五下《突厥传下》。㉒⁴咥运：后为莫贺咄叶护。事迹见《旧唐书》卷一百九十四下、《新唐书》卷二百十五下《突厥传下》。㉒⁵乙毗射匮可汗：西突厥弩失毕部请唐册立为可汗，公元六四二至六五一年在位。㉒⁶双河及千泉：西突厥牙帐所在地。双河在今新疆博尔塔拉河流域，千泉在今中亚吉尔吉斯山北麓。㉒⁷咄陆五啜：啜，即屈律啜。突厥大臣曰叶护、屈律啜、阿波、俟利发、吐屯、俟斤、阎洪达、颉利发、达干，凡二十八等，世袭。咄陆有五啜，即处木昆律啜、胡禄屋阙啜、摄舍提暾啜、突骑施贺逻施啜、鼠尼施处半啜。㉒⁸努失毕五俟斤：谓阿悉结阙俟斤、哥舒阙俟斤、拔塞干暾沙钵俟斤、阿悉结泥孰俟斤、哥舒处半俟斤。努，《新唐书》卷二百十五下《突厥传下》作"弩"。㉒⁹乙毗咄陆可汗：西突厥东部可汗，公元六三八至六五三年在位。㉓⁰元婴：李渊第二十二子李元婴，官至开府仪同

险要进行抵抗，赵孝祖全部击杀了他们。适逢大雪，蛮人饥寒，死亡殆尽。赵孝祖上奏说："贞观年间讨伐昆州的乌蛮，才开辟青蛉、弄栋为州县。弄栋西面有小勃弄、大勃弄两条河流，这里的蛮人一直煽动引诱弄栋，想让它反叛。勃弄以西与黄瓜、叶榆、西洱河接壤，民众富足，超过蜀川地区，没有大的酋长，喜好结仇。现在利用攻破白水蛮的兵力，请求顺便西讨，抚慰安定这些地区。"高宗敕令听从他的建议。

十二月二十四日壬子，处月部落的朱邪孤注杀死招慰使单道惠，与突厥阿史那贺鲁相联合。

这一年，百济国派使者进京纳贡，高宗告诫来使，让百济"不要与新罗、高句丽相互攻伐，不然的话，我将要发兵讨伐你们"。

三司、梁州都督。传见《旧唐书》卷六十四、《新唐书》卷七十九。㉛适：畅快。㉜晋灵：即春秋时晋国君灵公，公元前六二〇至前六〇七年在位，为政暴虐厚敛，并曾据高以弹丸击人取乐。㉝不能致王于法：此句《旧唐书》元婴本传同，《新唐书》元婴本传作"不忍致于法"。㉞下上考：唐朝对官员实行严格的考课制度，以鉴定官员的为政优劣。其考第由"上上"到"下下"共分九等。"爱憎任情，处断乖理"者为"下上考"，列于考第第七等。㉟蒋王恽（？至公元六七五年）：太宗第七子。传见《旧唐书》卷七十六、《新唐书》卷八十。㊱经纪：经营料理。此处讥元婴等聚敛民财。㊲金岭城及蒲类县：金岭城在今新疆博格达山一带，蒲类县治约当今新疆奇台东南老奇台。㊳弓月道：弓月城（今新疆霍城西北）一带的行军路线。㊴高德逸：事迹见《新唐书》卷二百十五下《突厥传下》。㊵右武候：候，据《新唐书》卷二百十五下，应作"卫"。㊶癸巳：七月初二日。㊷明堂：天子宣明政教的地方。㊸五天帝：神话中的五位天帝，即东方青帝、南方赤帝、中央黄帝、西方白帝、北方黑帝。㊹五人帝：传说中的上古五位帝王，即东方帝太皞、西方帝少皞、南方帝炎帝、北方帝颛顼、中央帝黄帝。㊺己巳：八月初八日。㊻己卯：八月十八日。㊼郎州白水蛮：分布于今云南武定一带的彝族先民部落。㊽麻州：州名，治所在今云南宣威境。㊾赵孝祖：事迹见《旧唐书》卷四《高宗纪上》、《新唐书》卷一百二十二下《南蛮传下》。㊿癸巳：九月初三日。(251)戊戌：九月初八日。(252)庚戌：九月二十日。(253)左武候引驾：左、右武候分掌宫中及京城昼夜巡警，下有引驾仗三卫六十人，引驾佽飞六十六人。(254)左藏：中央的国库之一，储藏钱帛杂彩、上供中央的赋调等物资。(255)纠绳：纠察矫正。(256)萧钧：萧瑀兄子，博学有才望，官至太子率更令，兼崇贤馆学士。显庆中卒。撰《韵旨》二十卷、文集三十卷。传见《旧

唐书》卷六十三、《新唐书》卷一百一。㉕律令式：唐代法律的表现形式。律，唐代法典。《唐律》十二篇，共五百条。令，皇帝命令。式，有关官署文件程序的规定。㉘甲戌：闰九月十四日。㉙互观颜面：谓彼此以看人情、面子行事。㉖辛酉：十一月初二日。㉛祀南郊：即“郊祀”，在南郊天坛祭天。㉜癸酉：十一月十四日。㉝戊寅：十一月十九日。㉞特浪羌：与下文的“辟惠羌”皆为生羌部落名，分布于四川阿坝藏族羌族自治州以南山地。唐于该地置蓬、鲁等三十二羁縻州，隶茂州都督府（治所在今四川茂县）。㉟窦州、义州蛮：分布于窦州（治所在今广东信宜西南镇隆）、义州（治所在今广西岑溪市东）的僚族部落。㊱刘伯英：唐初大将，官至左监门卫大将军。事迹见《旧唐书》卷九十《史务滋传》，《新唐书》卷一百十《契苾何力传》、卷二百二十《新罗传》等。㊲昆州乌蛮：分布于昆州（治今云南昆明西郊马街附近）的乌蛮（今彝族先民）部落。㊳青蛉、弄栋：县城名，青蛉县治在今云南大姚，弄栋城在今云南姚安北。㊴小勃

【原文】

三年（壬子，公元六五二年）

春，正月己未朔[274]，吐谷浑、新罗、高丽、百济并遣使入贡。

癸亥[275]，梁建方、契苾何力等大破处月朱邪孤注于牢山[276]。孤注夜遁，建方使副总管高德逸轻骑追之，行五百余里，生擒孤注，斩首九千级。军还，御史劾奏梁建方兵力足以追讨，而逗留不进，高德逸敕令市马，自取骏者。上以建方等有功，释不问。大理卿李道裕奏言：“德逸所取之马，筋力异常，请实中厩[277]。”上谓侍臣曰：“道裕法官，进马非其本职，妄希我意，岂朕行事不为臣下所信邪！朕方自咎，故不复黜道裕耳。”

己巳[278]，以同州刺史褚遂良为吏部尚书、同中书门下三品。

丙子[279]，上飨太庙。丁亥[280]，飨先农[281]，躬耕藉田[282]。

二月甲寅[283]，上御安福门[284]楼，观百戏[285]。乙卯[286]，上谓侍臣曰：“昨登楼，欲以观人情及风俗奢俭，非为声乐。朕闻胡人善为击鞠之戏[287]，尝一观之。昨初升楼，即有群胡击鞠，意谓朕笃好之也。帝王所为，岂宜容易。朕已焚此鞠，冀杜胡人窥望之情，亦因以自[8]诫。”

弄、大勃弄：川名，在今云南弥渡境。㉗〇黄瓜、叶榆：地名。黄瓜当在今云南弥渡和大理之间，疑为“阳瓜”（州名，今云南巍山彝族回族自治县北）之讹。叶榆，今云南大理北喜洲。㉗①壬子：十二月二十四日。㉗②朱邪孤注（？至公元六五二年）：西突厥处月部酋长。事迹见《新唐书》卷二百十五下《突厥传下》。㉗③单道惠：事迹见《新唐书》卷三《高宗纪》、卷一百十《契苾何力传》。

【校记】

［5］候：严衍《通鉴补》改作“卫”。［6］薛孤吴仁：严衍《通鉴补》改作“萨孤吴仁”。〖按〗《旧唐书》卷二十七《礼仪志七》作“薛孤吴仁”，《新唐书》卷二百十五下《突厥传下》、卷二百十七下《回鹘传下》、卷二百二十一上《西域传上》皆作“萨孤吴仁”。［7］垣：原作“墙”。据章钰校，十二行本、乙十一行本、孔天胤本皆作“垣”，今从改。

【语译】

三年（壬子，公元六五二年）

春，正月初一日己未，吐谷浑、新罗、高句丽、百济都派遣使者到朝廷进献贡品。

正月初五日癸亥，梁建方、契苾何力等人在牢山把处月朱邪孤注打得大败。孤注乘夜间逃跑，梁建方派副总管高德逸率领轻骑兵追赶他，前进了五百多里，活捉了孤注，杀死九千人。军队返回，御史弹劾梁建方的兵力足以追击，却逗留不进，高德逸得到敕令去买马，却选取好马留给自己。高宗认为梁建方等人有功，放下不加追问。大理寺卿李道裕上奏说：“高德逸所选取的马匹，筋骨力量不同一般，请用来充实皇家马厩。”高宗对侍从的大臣说：“李道裕是执法官，进选马匹不是他的本职，却妄自迎合我的想法，难道朕做事不被臣下所信任吗！朕正在自责，所以不再贬黜李道裕了。”

正月十一日己巳，任命同州刺史褚遂良为吏部尚书、同中书门下三品。

十八日丙子，高宗享祭太庙。二十九日丁亥，享祭先农，亲耕籍田。

二月二十七日甲寅，高宗亲临安福门城楼，观看百戏杂技。二十八日乙卯，高宗对侍从的大臣说：“昨日登上城楼，想观察民情和风俗奢节，不是为了声乐之娱。朕听说胡人擅长击鞠的游戏，曾经看过一次。昨天刚登上城楼，就有一群胡人击鞠，意思是以为朕特别喜欢击鞠。帝王的所作所为，岂能那么随意轻率。朕已经焚烧了这个鞠，希望杜绝胡人窥探帝王喜好的想法，也由此引以为自戒。”

三月辛巳[288]，以宇文节为侍中，柳奭为中书令。以兵部侍郎三原韩瑗[289]守黄门侍郎、同中书门下三品。

夏，四月，赵孝祖大破西南蛮，斩小勃弄酋长殁盛，擒大勃弄酋长杨承颠，自余皆屯聚保险，大者有众数万，小者数千人，孝祖皆破降之，西南蛮遂定。

甲午[290]，澧州刺史彭思王元则[291]薨。

六月戊申[292]，遣兵部尚书崔敦礼等将并、汾步骑万人往茂州[293]。发薛延陀余众渡河，置祁连州[294]以处之。

秋，七月丁巳[295]，立陈王忠[296]为皇太子，赦天下。王皇后无子，柳奭为后谋，以忠母刘氏微贱，劝后立忠为太子，冀其亲己，外则讽长孙无忌等使请于上。上从之。

乙丑[297]，以于志宁兼太子少师，张行成兼少傅，高季辅兼少保。

丁丑[298]，上问户部尚书高履行[299]："去年进户多少？"履行奏："去年进户总一十五万。"因问隋代及今日见户，履行奏："隋开皇中，户八百七十万，即今户三百八十万。"履行，士廉之子也。

九月，守中书侍郎来济[300]同中书门下三品。

冬，十一月庚寅[301]，弘化长公主自吐谷浑来朝。

癸巳[302]，濮王[9]泰薨于均州[303]。

散骑常侍房遗爱尚太宗女高阳公主。公主骄恣甚，房玄龄薨，公主教遗爱与兄遗直[304]异财[305]，既而反谮遗直。遗直自言，太宗深责让主，由是宠衰，主怏怏不悦。会御史劾盗，得浮屠辩机宝枕，云主所赐。主与辩机私通，饷遗亿计，更以二女子侍遗爱。太宗怒，腰斩辩机，杀奴婢十余人。主益怨望，太宗崩，无戚容。上即位，主又令遗爱与遗直更相讼，遗爱坐出为房州[306]刺史，遗直为隰州[307]刺史。又，浮屠智勖等数人私侍主，主使掖庭令[308]陈玄运伺宫省禨祥[309]。

先是，驸马都尉薛万彻[310]坐事除名，徙宁州刺史。入朝，与遗爱款昵，对遗爱有怨望语，且曰："今虽病足，坐置京师，鼠辈犹不敢动。"因与遗爱谋，若国家有变，当奉司徒荆王元景[311]为主。元景女

三月二十四日辛巳，任命宇文节为侍中，柳奭为中书令。任命兵部侍郎三原人韩瑗代理黄门侍郎、同中书门下三品。

夏，四月，赵孝祖大败西南蛮族，杀死了小勃弄酋长殁盛，活捉了大勃弄酋长杨承颠，其余的都聚集守险自保，大的有数万人，小的有几千人，赵孝祖全都击败降伏了他们，西南蛮族便稳定下来。

四月初七日甲午，澧州刺史彭思王李元则去世。

六月二十二日戊申，高宗派兵部尚书崔敦礼等人统率并州、汾州的步兵、骑兵一万人前往茂州。征发薛延陀剩余民众渡过黄河，设置祁连州来安置他们。

秋，七月初二日丁巳，高宗立陈王李忠为皇太子，大赦天下。王皇后没有儿子，柳奭为皇后出主意，认为李忠的生母刘氏出身卑微，劝说王皇后立李忠为太子，希望他亲近自己，外面则暗示长孙无忌等人，让他们请求高宗立李忠。高宗听从了他们。

初十日乙丑，任命于志宁兼任太子少师，张行成兼任太子少傅，高季辅兼任太子少保。

七月二十二日丁丑，高宗询问户部尚书高履行："去年增加的户口有多少？"高履行奏报："去年增加户口共计十五万。"于是询问隋代和今天的现有户口，高履行奏言："隋朝开皇年间，有八百七十万户，现在有三百八十万户。"高履行，是高士廉的儿子。

九月，任命代理中书侍郎来济为同中书门下三品。

冬，十一月庚寅日，弘化长公主从吐谷浑前来朝见。

癸巳日，濮王李泰在均州去世。

散骑常侍房遗爱娶了太宗的女儿高阳公主，公主非常骄横肆意妄为，房玄龄死后，公主教唆房遗爱和他的兄长房遗直瓜分财产，过后又反过来诬陷房遗直。房遗直自己说明原委，太宗对公主深加责备，公主从此失去太宗的宠爱，闷闷不乐。正好此时御史弹劾盗窃案，搜到僧人辩机的宝枕，辩机说是公主所赐。公主与辩机私通，送他的财物数以亿计，又让两个女人侍候房遗爱。太宗大怒，把辩机腰斩，杀死奴婢十多人。公主更加怨恨，太宗驾崩时，公主没有悲戚的神色。高宗即位后，公主又让房遗爱与房遗直相互诉讼，房遗爱获罪外任为房州刺史，房遗直获罪外任为隰州刺史。另外，僧人智勖等几人私下侍奉公主，公主让掖庭令陈玄运窥探皇宫与中书省内的吉凶消息。

此前，驸马都尉薛万彻因事获罪被取消官员的名籍，徙任宁州刺史。来京朝见，与房遗爱往来密切，对房遗爱说了怨恨朝廷的话，并且说："我现在虽然有脚病，安坐在京城，那些鼠辈还不敢妄动。"于是又与房遗爱谋划，假如国家生变，应当拥

适遗爱弟遗则[312]，由是与遗爱往来。元景尝自言，梦手把日月。驸马都尉柴令武[313]，绍之子也，尚巴陵公主[314]，除卫州刺史，托以主疾留京师求医，因与遗爱谋议相结。高阳公主谋黜遗直，夺其封爵，使人诬告遗直无礼于己。遗直亦言遗爱及主罪，云："罪盈恶稔，恐累臣私门。"上令长孙无忌鞫之，更获遗爱及主反状。

司空、安州都督吴王恪母，隋炀帝女也。恪有文武才，太宗常以为类己，欲立为太子，无忌固争而止，由是与无忌相恶。恪名望素高，为物情所向。无忌深忌之，欲因事诛恪，以绝众望。遗爱知之，因言与恪同谋，冀如纥干承基得免死。

【段旨】

以上为第十段，写永徽初唐户三百八十万，不及隋开皇之半，可见一场浩劫之惨烈。房遗爱与其妇高阳公主因私欲而狂悖，一场谋反大案悄然孕育。

【注释】

㉗④己未朔：正月初一日。㉗⑤癸亥：正月初五日。㉗⑥牢山：亦名赌蒲，在今蒙古国杭爱山西南。㉗⑦中厩：御马厩。㉗⑧己巳：正月十一日。㉗⑨丙子：正月十八日。㉘⓪丁亥：正月二十九日。㉘①先农：神农。㉘②藉田：天子亲耕之田。㉘③甲寅：二月二十七日。㉘④安福门：长安皇城西面二门，北称安福门，南谓顺义门。㉘⑤百戏：乐舞杂技表演的总称。㉘⑥乙卯：二月二十八日。㉘⑦击鞠之戏：马球运动。㉘⑧辛巳：三月二十四日。㉘⑨韩瑗（？至公元六五九年）：雍州三原（今陕西三原）人，永徽四年（公元六五三年）至显庆二年（公元六五七年）宰相，后贬振州刺史。传见《旧唐书》卷八十、《新唐书》卷一百五。㉙⓪甲午：四月初七日。㉙①元则：李元则（？至公元六五二年），李渊第十二子。传见《旧唐书》卷六十四、《新唐书》卷七十九。㉙②戊申：六月二十二日。㉙③茂州：此非治所在汶山县（今四川茂汶羌族自治县）的茂州，其地当在薛延陀故地。㉙④祁连州：据《唐会要》卷七十三等，贞观二十三年（公元六四九年）置祁连州，隶灵州都督府（治今宁夏灵武西南），永徽元年（公元六五〇年）废。永徽三年（公元六五二年）的祁连州，应为复置。㉙⑤丁巳：七月初二日。㉙⑥陈王忠（公元六四三至六六四年）：高宗长子李忠，字正本，原封陈王，既立为太子，复于显庆元年（公元六五六年）废为梁王，终

戴司徒荆王李元景为君主。李元景的女儿嫁给房遗爱的弟弟房遗则，因此李元景与房遗爱交往。李元景曾经说自己梦中手持日、月。驸马都尉柴令武，是柴绍的儿子，娶了太宗的女儿巴陵公主，担任卫州刺史，托词公主有病留在京城求医，于是与房遗爱串通谋划。高阳公主谋划废黜房遗直，削夺他的封爵，便让人诬告房遗直对自己无礼。房遗直也明言房遗爱与公主的罪状，说道："他们恶贯满盈，恐怕牵累到臣的家门。"高宗令长孙无忌审问他们，又得到了房遗爱与公主谋反的证据。

司空、安州都督、吴王李恪的母亲，是隋炀帝的女儿。李恪有文武才能，太宗常常认为他像自己，打算立为太子，长孙无忌极力争辩才作罢，由此李恪与长孙无忌相互憎恨。李恪的名望一向很高，为人心所向。长孙无忌对他深为忌恨，想借事杀死李恪，以绝众望。房遗爱知道这件事，便乘机说自己与李恪是同谋，希望能像当年纥干承基密告太子谋反那样免于死罪。

被赐死。传见《旧唐书》卷八十六、《新唐书》卷八十一。㉙⑦ 乙丑：七月初十日。㉙⑧ 丁丑：七月二十二日。㉙⑨ 高履行：高士廉长子，尚太宗女东阳公主，袭封申国公。传见《旧唐书》卷六十五、《新唐书》卷九十五。㉚⓪ 来济（公元六一〇至六六二年）：高宗时宰相。传见《旧唐书》卷八十、《新唐书》卷一百五。㉚① 庚寅：十一月甲寅朔，无庚寅日。疑记载有误。㉚② 癸巳：十一月无癸巳日，疑记载有误。㉚③ 均州：州名，治所在今湖北丹江口。㉚④ 遗直：房玄龄长子房遗直，永徽初为礼部尚书、汴州刺史。后因弟房遗爱谋反，除名为庶人。传见《旧唐书》卷六十六、《新唐书》卷九十六。㉚⑤ 异财：分家析产。㉚⑥ 房州：州治在今湖北房县。㉚⑦ 隰州：州治在今山西隰县。㉚⑧ 掖庭令：即内侍省掖庭局长官，由太监充任，从七品下，掌宫禁女工之事，又主宫人名籍。㉚⑨ 机祥：吉凶先兆。㉛⓪ 薛万彻：高祖女丹阳公主下嫁薛万彻。㉛① 元景：李元景，李渊第三子。传见《旧唐书》卷六十四、《新唐书》卷七十九。㉛② 遗则：房玄龄第三子房遗则，官朝散大夫。事迹见《旧唐书》卷六十六、《新唐书》卷九十六《房玄龄传》。㉛③ 柴令武（？至公元六五三年）：高祖之女平阳公主与柴绍的次子，累官太仆少卿、卫州刺史，封襄阳郡公。传见《旧唐书》卷五十八、《新唐书》卷九十。㉛④ 巴陵公主（？至公元六五三年）：太宗女。传见《新唐书》卷八十三。

【校记】

[8] 自：原作"为"。据章钰校，十二行本、乙十一行本、孔天胤本皆作"自"，今从改。[9] 濮王：据章钰校，十二行本、乙十一行本、孔天胤本皆作"濮恭王"。

【原文】

四年（癸丑，公元六五三年）

春，二月甲申[315]，诏遗爱、万彻、令武皆斩，元景、恪、高阳、巴陵公主并赐自尽。上泣谓侍臣曰："荆王，朕之叔父，吴王，朕兄，欲丐[316]其死，可乎？"兵部尚书崔敦礼以为不可，乃杀之。万彻临刑大言曰："薛万彻大健儿，留为国家效死力，岂不佳，乃坐房遗爱杀之乎！"吴王恪且死，骂曰："长孙无忌窃弄威权，构害良善。宗社有灵，当族灭不久！"

乙酉[317]，侍中兼太子詹事宇文节，特进、太常卿江夏王道宗，左骁卫大将军、驸马都尉执失思力[318]并坐与房遗爱交通[319]，流岭表。节与遗爱亲善，及遗爱下狱，节颇左右[320]之。江夏王道宗素与长孙无忌、褚遂良不协，故皆得罪。戊子[321]，废恪母弟蜀王愔[322]为庶人，置巴州，房遗直贬春州铜陵[323]尉，万彻弟万备流交州。

罢房玄龄配飨[324]。

开府仪同三司李勣为司空。

初，林邑[325]王范头利卒，子真龙立。大臣伽独弑之，尽灭范氏。伽独自立，国人弗从，乃立头利之婿婆罗门为王。国人咸思范氏，复废[10]婆罗门，立头利之女为王。女不能治国，有诸葛地者，头利之姑子也，父为头利所杀，南奔真腊[326]，大臣可伦翁定遣使迎而立之，妻以女王，众然后定。夏，四月戊子[327]，遣使入贡。

【段旨】

以上为第十一段，写长孙无忌借房遗爱谋反案枉杀吴王李恪。林邑王遣使入贡。

【注释】

⑮甲申：二月初二日。⑯丐：乞求。⑰乙酉：二月初三日。⑱执失思力：高祖女九江公主下嫁执失思力。⑲交通：往来。⑳左右：相助；保护。㉑戊子：二月初六

【语译】

四年（癸丑，公元六五三年）

春，二月初二日甲申，高宗下诏把房遗爱、薛万彻、柴令武全都斩首，李元景、李恪、高阳公主、巴陵公主一并赐其自尽。高宗涕泣，对侍从大臣说："荆王，是朕的叔父，吴王，是朕的兄长，想求他们不死，可以吗？"兵部尚书崔敦礼认为不可，于是杀了他们。薛万彻临刑前大声说："薛万彻是一大健儿，留着为国家效死力，岂不更好？就因受房遗爱牵连杀我吗！"吴王李恪临死时，大骂说："长孙无忌窃弄威权，陷害忠良好人。宗庙有灵，当在不久灭他全族！"

二月初三日乙酉，侍中兼太子詹事宇文节，特进、太常寺卿江夏王李道宗，左骁卫大将军、驸马都尉执失思力都因为犯有与房遗爱交往之罪，流放岭南。宇文节与房遗爱相亲近，等到房遗爱关进狱中，对他颇为保护。江夏王李道宗一向与长孙无忌、褚遂良不和，所以全都获罪。初六日戊子，把李恪同母弟弟蜀王李愔废为平民，安置在巴州，房遗直贬为春州铜陵尉，薛万彻的弟弟薛万备流放到交州。

停止房玄龄在太宗庙陪祭。

开府仪同三司李勣担任司空。

当初，林邑国王范头利去世，他的儿子真龙即位。大臣伽独杀死了真龙，处死范氏全部宗族。伽独自立为国王，国人不肯服从，便立范头利的女婿婆罗门为国王。国内民众都想念范氏，又废掉了婆罗门，立范头利的女儿为国王。女王不能治国，有个名叫诸葛地的，是范头利姑母的儿子，父亲被范头利所杀，南逃到真腊，大臣可伦翁定派遣使者把他接回来立为国王，把女王嫁给他为妻，然后百姓安定下来。夏，四月初七日戊子，林邑派遣使者入京进贡。

日。㉜ 愔：李愔（？至公元六六七年），太宗第六子。传见《旧唐书》卷七十六、《新唐书》卷八十。㉝ 春州铜陵：春州治所在今广东阳春，铜陵县治在今广东阳春东北。㉞ 配飨：古代专指帝王宗庙及孔庙的祔祀，后通指所有祠庙中的祔祭。此谓房玄龄祔祀于太庙。㉟ 林邑：国名，在今越南中部。㊱ 真腊：国名，今柬埔寨。㊲ 戊子：四月初七日。

【校记】

［10］废：原作"罢"。据章钰校，十二行本、乙十一行本、孔天胤本皆作"废"，今从改。

【原文】

秋，九月壬戌[328]，右仆射北平定公张行成薨。甲戌[329]，以褚遂良为右仆射，同中书门下三品如故，仍知选事[330]。

冬，十月庚子[331]，上幸骊山温汤。乙巳[332]，还宫。

初，睦州女子陈硕真[333]以妖言惑众，与妹夫章叔胤举兵反，自称文佳皇帝，以叔胤为仆射。甲子[334]夜，叔胤帅众攻桐庐[335]，陷之。硕真撞钟焚香，引兵二千攻陷睦州及於潜[336]，进攻歙州[337]，不克，敕扬州刺史房仁裕[338]发兵讨之。硕真遣其党童文宝将四千人寇婺州[339]，刺史崔义玄[340]发兵拒之。民间讹言硕真有神，犯其兵者必灭族，士众凶惧。司功参军[341]崔玄籍[342]曰："起兵仗顺，犹且无成，况凭妖妄，其能久乎！"义玄以玄籍为前锋，自将州兵继之。至下淮戍[343]，遇贼，与战。左右以楯[344]蔽义玄，义玄曰："刺史避箭，人谁致死！"命撤之。于是士卒齐奋，贼众大溃，斩首数千级，听其余众归首[345]。进至睦州境，降者万计。十一月庚戌[346]，房仁裕军合，获硕真、叔胤，斩之，余党悉平。义玄以功拜御史大夫。

癸丑[347]，以兵部尚书崔敦礼为侍中。

十二月庚子[348]，侍中蓨宪公高季辅薨。

是岁，西突厥乙毗咄陆可汗卒，其子颉苾达度设号真珠叶护，始与沙钵罗可汗有隙，与五弩失毕共击沙钵罗，破之，斩首千余级。

【段旨】

以上为第十二段，写睦州民变为婺州刺史崔义玄讨灭。

【注释】

[328]壬戌：九月十三日。[329]甲戌：九月二十五日。[330]选事：铨选官员的事权。[331]庚子：十月二十二日。[332]乙巳：十月二十七日。[333]陈硕真（？至公元六五三年）：睦州（今浙江建德）人，在浙江一带率众起事。事迹见《旧唐书》卷四《高宗纪上》、卷七十七《崔义玄传》等。[334]甲子：十月己卯朔，无甲子日。疑记载有误。[335]桐庐：县名，县治在今

【语译】

秋，九月十三日壬戌，尚书右仆射北平定公张行成去世。二十五日甲戌，任命褚遂良担任尚书右仆射，同中书门下三品如故，仍然掌管选举官吏事务。

冬，十月二十二日庚子，高宗巡幸骊山温泉。二十七日乙巳，返回宫中。

当初，睦州女子陈硕真利用妖言蛊惑民众，与妹夫章叔胤起兵造反，自称文佳皇帝，任命章叔胤为仆射。十月甲子日夜里，章叔胤率领部众攻打桐庐，攻陷了桐庐。陈硕真撞钟烧香，率军二千人攻陷睦州和於潜县。进攻歙州，没有攻克。高宗敕令扬州刺史房仁裕发兵讨伐陈硕真。陈硕真派他的同党童文宝率领四千人进犯婺州，刺史崔义玄征调兵抵抗。民间谣传陈硕真有神灵，触犯她的军队的人必定被灭族，官军士众非常害怕。司功参军崔玄籍说："起兵依靠正道，尚且不一定成功，何况借助妖术，她能长久吗！"崔义玄任命崔玄籍为前锋，自己带领本州军队跟随在后。到达下淮戍，碰上贼军，和他们交战。崔义玄身边的卫士用盾牌掩护他，崔义玄说："刺史躲避箭矢，其他人谁会拼死作战！"命令撤去盾牌。于是士兵齐心奋战，贼兵大败溃逃，杀死了几千人，允许贼军剩余的部众归降自首。进兵到睦州境内，投降的人数以万计。十一月初二日庚戌，与房仁裕的军队会合，抓获了陈硕真、章叔胤，杀了他们，残余的同党全部平定。崔义玄因战功官拜御史大夫。

十一月初五日癸丑，任命兵部尚书崔敦礼担任侍中。

十二月二十三日庚子，侍中蓨宪公高季辅去世。

这一年，西突厥乙毗咄陆可汗去世，他的儿子颉苾达度设号称真珠叶护，开始和沙钵罗可汗有矛盾，与五个弩失毕共同攻打沙钵罗，打败了沙钵罗，杀死一千多人。

浙江桐庐。㊱於潜：县名，县治在今浙江临安西於潜。㊲歙州：州名，治所在今安徽歙县。㊳房仁裕：据《旧唐书》卷四、卷二十七，时仁裕任扬州都督府长史。龙朔（公元六六一至六六三年）中，官至司卫正卿。㊴婺州：州名，治所在今浙江金华。㊵崔义玄（公元五八六至六五六年）：高宗时大臣，贝州武城（今山东武城西北）人，在平定陈硕真后，曾协助高宗立武后。传见《旧唐书》卷七十七、《新唐书》卷一百九。㊶司功参军：州刺史属官，为六曹参军事之一，从七品下。㊷崔玄籍：郑州荥阳（今河南荥阳）人，官至利州刺史。事迹见《旧唐书》卷七十七《崔义玄传》、《新唐书》卷七十二下《宰相世系二下》。㊸下淮戍：在今浙江桐庐东北。㊹楯：同"盾"，藤牌，防身挡箭武器。㊺归首：投案自首。㊻庚戌：十一月初二日。㊼癸丑：十一月初五日。㊽庚子：十二月二十三日。

【原文】

五年（甲寅，公元六五四年）

春，正月壬戌[349]，羌酋冻就[350]内附，以其地置剑州[351]。

三月戊午[352]，上行幸万年宫[353]。

庚申[354]，加赠武德功臣屈突通等十三人官。

初，王皇后无子，萧淑妃[355]有宠，王后疾之。上之为太子也，入侍太宗，见才人武氏而悦之。太宗崩，武氏随众感业寺[356]为尼。忌日，上诣寺行香，见之，武氏泣，上亦泣。王后闻之，阴令武氏长发，劝上内之后宫，欲以间淑妃之宠。武氏巧慧，多权数。初入宫，卑辞屈体以事后，后爱之，数称其美于上。未几大幸，拜为昭仪[357]，后及淑妃宠皆衰，更相与共谮之，上皆不纳。昭仪欲追赠其父而无名，故托以褒赏功臣，遍赠屈突通等[11]，而武士彟预焉[358]。

乙丑[359]，上幸凤泉汤[360]。己巳[361][12]，还万年宫。

夏，四月，大食[362]发兵击波斯，杀波斯王伊嗣侯[363]，伊嗣侯之子卑路斯奔吐火罗。大食兵去，吐火罗发兵立卑路斯为波斯王而还。

闰月丙子[364]，以处月部置金满州[365]。

丁丑[366]，夜，大雨，山水涨溢，冲玄武门，宿卫士皆散走。右领军郎将薛仁贵曰："安有宿卫之士，天子有急而敢畏死乎！"乃登门桄[367]大呼，以警宫内。上遽出乘高，俄而水入寝殿，水漂[13]溺卫士及麟游[368]居人，死者三千余人。

壬辰[369]，新罗女王金真德卒，诏立其弟春秋为新罗王。

六月丙午[370]，恒州大水，呼沱[371]溢，漂溺五千三百家。

中书令柳奭以王皇后宠衰，内不自安，请解政事，癸亥[372]，罢为吏部尚书。

秋，九月[14]丁酉[373]，车驾至京师。

戊戌[374]，上谓五品以上曰："顷在先帝左右，见五品以上论事，或仗下面陈，或退上封事，终日不绝，岂今日独无事邪？何公等皆不言也？"

冬，十月，雇雍州四万一千人筑长安外郭，三旬而毕。癸丑[375]，雍州参军薛景宣上封事，言："汉惠帝[376]城长安，寻晏驾，今复城之，必

【语译】

五年（甲寅，公元六五四年）

春，正月十五日壬戌，羌族酋长冻就归附朝廷，把他的辖地设置为剑州。

三月十二日戊午，高宗行幸万年宫。

十四日庚申，加赠武德年间功臣屈突通等十三人的官职。

当初，王皇后没有儿子，萧淑妃有宠于高宗，王皇后嫉妒她。高宗做太子时，进皇宫侍奉太宗，看到太宗的才人武氏，很喜欢她。太宗驾崩后，武氏随着众位妃嫔到感业寺当尼姑。太宗忌日，高宗到感业寺进香，见到了武氏，武氏哭了，高宗也哭了。王皇后听说这件事，暗中让武氏蓄起头发，劝说高宗把武氏纳入后宫，想利用武氏来隔断高宗对萧淑妃的宠爱。武氏机敏聪慧，多有权术。刚进宫时，卑辞俯身侍奉王皇后，王皇后很喜欢她，多次在高宗面前称赞她的美貌。没多久，武氏大受宠幸，拜为昭仪，高宗对王皇后和萧淑妃的宠爱都衰减了，两个人又一起谮毁武氏，高宗全都不接受。武昭仪想追赠她父亲的官爵而没有什么名义，所以假托褒奖武德年间的功臣，遍赠屈突通等人，而她的父亲武士彟列身其中。

三月十九日乙丑，高宗巡幸凤泉汤。二十三日己巳，返回万年宫。

夏，四月，大食国出兵攻打波斯国，杀了波斯国王伊嗣侯，伊嗣侯的儿子卑路斯投奔吐火罗。大食军队撤走，吐火罗出兵立卑路斯为波斯国王后返回。

闰五月初二日丙子，唐朝把处月部设置为金满州。

闰五月初三日丁丑，夜里下大雨，山洪暴发，水位上涨，洪水冲毁了玄武门，宿卫的士兵都四散逃走。右领军郎将薛仁贵说：“哪里有宿卫皇宫的士兵，在天子有难的时候怕死的！”于是站在城门大声呼喊，以警告皇宫里的人。高宗迅速出来登上高处，一会儿大水冲入寝殿，淹溺了卫士和麟游县的居民，死了三千多人。

闰五月十八日壬辰，新罗女王金真德去世，高宗下诏立她的弟弟金春秋为新罗国王。

六月初二日丙午，恒州发大水，呼沱河泛滥，淹没了五千三百家。

中书令柳奭因为王皇后失宠，自己心里觉得不安，请求解除事权，六月十九日癸亥，罢黜柳奭的中书令，担任吏部尚书。

秋，九月二十五日丁酉，高宗车驾到达京城。

二十六日戊戌，高宗对五品以上官员说：“先前在先帝身边，看见五品以上官员议论政事，有的在仪仗之下当面向皇上陈述，有的退朝后上书奏事，整日不断，难道今天却无事可奏了吗？为什么你们都不言事了呢？”

冬，十月，朝廷雇佣雍州四万一千人修建长安外城，三十天完工。十一日癸丑，雍州参军薛景宣上书言事，说：“汉惠帝修建长安城，不久死去，如今又筑城，必有

有大咎[377]。”于志宁等以景宣言涉不顺，请诛之。上曰：“景宣虽狂妄，若因上封事得罪，恐绝言路。”遂赦之。

高丽遣其将安固将高丽、靺鞨兵击契丹，松漠都督李窟哥御之，大败高丽于新城。

是岁大稔，洛州粟米斗两钱半，粳米[378]斗十一钱。

王皇后、萧淑妃与武昭仪更相谮诉，上不信后、淑妃之语，独信昭仪。后不能曲事上左右，母魏国夫人柳氏及舅中书令柳奭入见六宫[379]，又不为礼。武昭仪伺后所不敬者，必倾心与相结，所得赏赐分与之。由是后及淑妃动静，昭仪必知之，皆以闻于上。

后宠虽衰，然上未有意废也。会昭仪生女，后怜而弄之。后出，昭仪潜扼杀之，覆之以被。上至，昭仪阳欢笑，发被观之，女已死矣，即惊啼。问左右，左右皆曰：“皇后适来此。”上大怒曰：“后杀吾女！”昭仪因泣数其罪。后无以自明，上由是有废立之志。又畏大臣不从，乃与昭仪幸太尉长孙无忌第，酣饮极欢[380]，席上拜无忌宠姬子三人皆为朝散大夫[381]，仍载金宝缯锦十车以赐无忌。上因从容言皇后无子以讽无忌，无忌对以佗语，竟不顺旨，上及昭仪皆不悦而罢。昭仪又令母杨氏[382]诣无忌第，屡有祈请，无忌终不许。礼部尚书许敬宗亦数劝无忌，无忌厉色折之。

【段旨】

以上为第十三段，写王皇后引纳武氏入宫以分萧淑妃之宠，武氏入宫谋皇后之位。王皇后引狼入室，始料未及。

大祸。”于志宁等人认为薛景宣的言辞涉及大逆不道，请求处死他。高宗说：“薛景宣虽然言辞狂妄，但是如果因为上书言事而获罪，恐怕阻断言路。”于是赦免了薛景宣。

高句丽国派将领安固率领高句丽、靺鞨军队攻打契丹，松漠都督李窟哥抵御安固，在新城大败高句丽。

这一年庄稼大丰收，洛州的粟米一斗值两钱半，粳米一斗十一钱。

王皇后、萧淑妃与武昭仪之间相互诽谤诬告，高宗不相信王皇后、萧淑妃的话，只相信武昭仪。王皇后不能曲意对待高宗身边的人，她的母亲魏国夫人柳氏和舅舅中书令柳奭进宫见到六宫妃嫔，又对她们不以礼相待。武昭仪窥探到王皇后不予礼敬的人，一定倾心和她交结，就把自己得到的赏赐分给她们。因此王皇后与萧淑妃的一举一动，武氏必定知道，且全都告诉高宗。

王皇后虽然失了宠幸，但是高宗还没有废黜的想法。适逢武昭仪生下一个女孩，王皇后怜爱她并逗她玩。王皇后出去后，武氏暗中扼死女孩，用被子盖上。高宗来了，武氏假装欢笑，打开被子来看孩子，孩子已经死了，武昭仪当即大惊啼哭。高宗问身边的人，身边的人都说：“皇后刚刚来过这里。”高宗大怒，说：“皇后杀了我的女儿！”武昭仪乘机哭泣着数落王皇后的罪过。王皇后没有办法为自己说清楚，高宗由此有了废黜王皇后立武昭仪为后的想法。又害怕大臣们不听从，就和武昭仪到太尉长孙无忌的宅第，宴饮极为高兴，在酒席上拜长孙无忌宠爱的姬子的三个儿子都为朝散大夫，还装载十车的金银财宝、锦缎丝绸赐给长孙无忌。高宗便从容地说王皇后没有生儿子，以此来暗示长孙无忌，长孙无忌回答别的话，最终也没有顺从高宗的旨意，高宗与武昭仪都很不高兴，结束了酒宴。武昭仪又让母亲杨氏前往长孙无忌的宅第，多次请求，长孙无忌最后也没有同意。礼部尚书许敬宗也多次劝说长孙无忌，长孙无忌脸色严厉地斥责他。

【注释】

㊾壬戌：正月十五日。㊿冻就：特浪生羌卜楼部大首领。事迹见《新唐书》卷二百二十一上《南蛮传上》。(351)剑州：以特浪生羌卜楼部所置羁縻州，治所在今四川阿坝藏族羌族自治州南境。(352)戊午：三月十二日。(353)万年宫：永徽三年（公元六五二年）以九成宫改名。在今陕西麟游西。(354)庚申：三月十四日。(355)萧淑妃（？至公元六五五年）：高宗妃，后废，被武后残杀。传见《旧唐书》卷五十一。淑妃，正一品妃嫔称号之一。(356)感业寺：即济度寺。在唐长安城安业坊东南隅。(357)昭仪：正二品妃嫔称号之一。(358)武士彟预焉：元从功臣武士彟也在追赠褒功之列。预，预名、备数其中。(359)乙丑：三月十九日。(360)凤泉汤：温泉名，在今陕西眉县东。(361)己巳：三月二十三日。(362)大食：与下文

之波斯皆为国名。唐称阿拉伯帝国为“大食”。波斯即今伊朗。[363]伊嗣侯：波斯萨桑王朝末主。其子卑路斯后来投唐，授波斯都督府都督。咸亨（公元六七〇至六七四年）中入朝，擢右武将军，后终老长安。事迹见《新唐书》卷二百二十一下《波斯传》。[364]丙子：闰五月初二日。[365]金满州：羁縻州名，治所在今新疆吉木萨尔北。[366]丁丑：闰五月初三日。[367]门栿：门上横木。[368]麟游：县名，县治在今陕西麟游。[369]壬辰：闰五月十八日。[370]丙午：六月初二日。[371]呼沱：水名，即今滹沱河改道前的旧流。[372]癸亥：六月十九日。[373]丁酉：九月二十五日。[374]戊戌：九月二十六日。[375]癸丑：十月十一日。[376]汉惠帝：汉高祖刘邦长子，名盈，公元前一九五至前一八八年在位。事见《史记》卷九《吕太后本纪》、《汉书》卷二《惠帝纪》。[377]大咎：大灾巨祸。[378]粳米：粳稻碾出的米。[379]六宫：泛指妃嫔。[380]讙：“欢”的异体字。[381]朝散大夫：文散官名之一，从五品下。[382]杨氏：武士彟继娶夫人，武则天生母，累封代国、荣国夫人。卒，以太后礼葬咸阳北原上，墓称顺陵。事迹见《新唐书》卷七十六《则天武皇后传》、卷二百六《武士彟传》等。

【原文】

六年（乙卯，公元六五五年）

春，正月壬申朔[383]，上谒昭陵。甲戌[384]，还宫。

己丑[385]，巂州道行军总管曹继叔破胡丛、显养、车鲁等蛮[386]于斜山[387]，拔十余城。

庚寅[388]，立皇子弘[389]为代王，贤[390]为潞王。

高丽与百济、靺鞨连兵，侵新罗北境，取三十三城，新罗王春秋遣使求援。二月乙丑[391]，遣营州都督程名振、左卫中郎将苏定方[392]发兵击高丽。

夏，五月壬午[393]，名振等渡辽水。高丽见其兵少，开门渡贵端水[394]逆战。名振等奋击，大破之，杀获千余人，焚其外郭及村落而还。

癸未[395]，以右屯卫大将军程知节为葱山[396]道行军大总管，以讨西突厥沙钵罗可汗。

壬辰[397]，以韩瑗为侍中，来济为中书令。

六月，武昭仪诬王后与其母魏国夫人柳氏为厌胜[398]，敕禁后母柳氏不得入宫。

【校记】

［11］遍赠屈突通等：原无此六字。据章钰校，十二行本、乙十一行本、孔天胤本皆有此六字，张瑛《通鉴校勘记》同，今据补。［12］己巳：原误作“乙巳”。据章钰校，十二行本、乙十一行本、孔天胤本皆作“己巳”，张敦仁《通鉴刊本识误》同，今据校正。［13］漂：原无此字。据章钰校，十二行本、乙十一行本、孔天胤本皆有此字，张敦仁《通鉴刊本识误》同，今据补。［14］九月：原误作“七月”。据章钰校，十二行本、乙十一行本、孔天胤本皆作“九月”，张瑛《通鉴校勘记》同，今据校正。

【语译】

六年（乙卯，公元六五五年）

春，正月初一日壬申，高宗谒拜昭陵。初三日甲戌，返回宫中。

正月十八日己丑，巂州道行军总管曹继叔在斜山打败胡丛、显养、车鲁等蛮族，攻取十余座城池。

正月十九日庚寅，立皇子李弘为代王，李贤为潞王。

高句丽与百济、靺鞨兵力联合，侵犯新罗北部地区，夺取了三十三座城池，新罗国王金春秋派使者请求唐朝援助。二月二十五日乙丑，朝廷派营州都督程名振、左卫中郎将苏定方发兵攻打高句丽。

夏，五月十三日壬午，程名振等人渡过辽水。高句丽看见程名振兵力少，打开城门渡过贵端水迎战。程名振等人奋勇攻击，大败高句丽兵，杀死和俘虏一千多人，焚烧了高句丽人的外城及村庄后返回。

五月十四日癸未，任命右屯卫大将军程知节为葱山道行军大总管，讨伐西突厥沙钵罗可汗。

五月二十三日壬辰，任命韩瑗为侍中，来济为中书令。

六月，武昭仪诬陷王皇后和她的母亲魏国夫人柳氏使用厌胜的巫术，高宗敕令禁止皇后的母亲柳氏进宫。

秋，七月戊寅[399]，贬吏部尚书柳奭为遂州[400]刺史。奭行至扶风，岐州长史于承素希旨[401]奏奭漏泄禁中语，复贬荣州[402]刺史。

唐因隋制，后宫有贵妃、淑妃、德妃、贤妃，皆视一品。上欲特置宸妃，以武昭仪为之。韩瑗、来济谏，以为故事无之，乃止。

中书舍人饶阳李义府[403]为长孙无忌所恶，左迁壁州[404]司马。敕未至门下，义府密知之，问计于中书舍人幽州王德俭[405]。德俭曰："上欲立武昭仪为后，犹豫未决者，直恐宰臣异议耳。君能建策立之，则转祸为福矣。"义府然之。是日，代德俭直宿，叩阁上表，请废皇后王氏，立武昭仪，以厌兆庶之心。上悦，召见，与语，赐珠一斗，留居旧职。昭仪又密遣使劳勉之，寻超拜中书侍郎。于是卫尉卿许敬宗、御史大夫崔义玄、中丞袁公瑜[406]皆潜布腹心于武昭仪矣。

乙酉[407]，以侍中崔敦礼为中书令。

八月，尚药奉御[408]蒋孝璋[409]员外特置，仍同正员。员外同正[410]自孝璋始。

长安令裴行俭[411]闻将立武昭仪为后，以国家之祸必自[15]此始，与长孙无忌、褚遂良私议其事。袁公瑜闻之，以告昭仪母杨氏，行俭坐左迁西州都督府长史。行俭，仁基之子也。

九月戊辰[412]，以许敬宗为礼部尚书。

上一日退朝，召长孙无忌、李勣、于志宁、褚遂良入内殿。遂良曰："今日之召，多为中宫[413]，上意既决，逆之必死。太尉元舅，司空功臣，不可使上有杀元舅及功臣之名。遂良起于草茅，无汗马之劳，致位至此，且受顾托，不以死争之，何以下见先帝！"勣称疾不入。无忌等至内殿，上顾谓无忌曰："皇后无子，武昭仪有子，今欲立昭仪为后，何如？"遂良对曰："皇后名家，先帝为陛下所娶。先帝临崩，执陛下手谓臣曰：'朕佳儿佳妇，今以付卿。'此陛下所闻，言犹在耳。皇后未闻有过，岂可轻废！臣不敢曲从陛下，上违先帝之命。"上不悦而罢。明日又言之，遂良曰："陛下必欲易皇后，伏请妙择天下令族[414]，何必武氏。武氏经事先帝，众所共[16]知，天下耳目，安可蔽也？万

秋，七月初十日戊寅，把吏部尚书柳奭贬为遂州刺史。柳奭走到扶风县，岐州长史于承素迎合皇上的心意上奏称柳奭泄漏宫禁中的秘语，又被贬为荣州刺史。

唐朝因袭隋朝的制度，后宫有贵妃、淑妃、德妃、贤妃，都是正一品。高宗想特别设置宸妃，让武昭仪为宸妃。韩瑗、来济劝阻，认为以前旧例所无，于是作罢。

中书舍人饶阳人李义府被长孙无忌所憎恨，降职为壁州司马。敕令还未到门下省，李义府从背地里知道了，就向中书舍人幽州人王德俭询问计策。王德俭说："高宗想立武昭仪为皇后，还在犹豫不决，只是担心宰相有不同意见。你能够提出建议立武氏为后，就会转祸为福了。"李义府同意他的看法。这一天，他代替王德俭值班，叩宫内的朝堂门向高宗上表，请求废掉皇后王氏，立武昭仪为后，以满足黎民百姓的愿望。高宗很高兴，召见李义府，和他谈话，赐给珍珠一斗，留下官居原职。武昭仪又秘密派人慰劳勉励他，不久破格提拔为中书侍郎。此时，卫尉卿许敬宗、御史大夫崔义玄、御史中丞袁公瑜都暗中向武昭仪表达了自己的效忠之心。

七月十七日乙酉，任命侍中崔敦礼担任中书令。

八月，尚药局奉御蒋孝璋成为定员之外的特置官员，品级与正式的定员相同。定员之外的官员与属于定员的正式官职的级别相同，从蒋孝璋开始。

长安县令裴行俭听说即将立武昭仪为皇后，认为国家的祸难肯定从此开始，就和长孙无忌、褚遂良私下议论这件事。袁公瑜听说后，把这一情况告诉了武昭仪的母亲杨氏，裴行俭获罪，贬为西州都督府长史。裴行俭，是裴仁基的儿子。

九月初一日戊辰，任命许敬宗担任礼部尚书。

有一天高宗退朝后，召见长孙无忌、李勣、于志宁、褚遂良进入内殿。褚遂良说："今天皇上召见，多半为了皇后的事，皇上的主意已经决定了，违背他必死。太尉是皇上的元舅，司空是功臣，不能让皇上有杀死元舅与功臣的名声。我褚遂良起自平民，没有汗马功劳，职位到了这个位置，而且接受了先帝的嘱托，不以死谏诤，如何到地下去见先帝！"李勣称病没有进入内殿。长孙无忌等人到了内殿，高宗看着长孙无忌说："皇后没有生儿子，武昭仪生了儿子，现在想立武昭仪为皇后，怎么样？"褚遂良回答说："皇后出身名家，是先帝为陛下所娶。先帝即将崩逝时，拉着陛下的手对我说：'朕的好儿子好儿媳，如今就托付给你了。'这些话，陛下亲耳所闻，言犹在耳。没有听说皇后有过错，岂能轻易废掉！我不敢曲意顺从陛下，对上违背先帝的遗命。"高宗不高兴，只好作罢。第二天又言及此事，褚遂良说："陛下一定要改换皇后，我请求精加遴选天下的世家望族，为什么一定要武氏。武氏曾经侍奉先帝，众所共知，天下人的耳目，怎么能遮掩呢？千秋万代之后，会怎么谈论陛下！

代之后，谓陛下为如何！愿留三思！臣今忤陛下意[17]，罪当死。”因置笏于殿阶，解巾叩头流血，曰：“还陛下笏，乞放归田里。”上大怒，命引出。昭仪在帘中大言曰：“何不扑杀此獠⑮！”无忌曰：“遂良受先朝顾命，有罪不可加刑。”于志宁不敢言。

韩瑗因间奏事，涕泣极谏，上不纳。明日又谏，悲不自胜，上命引出。瑗又上疏谏曰：“匹夫匹妇，犹相选择，况天子乎！皇后母仪万国，善恶由之，故嫫母⑯辅佐黄帝，妲己⑰倾覆殷王⑱。《诗》云：‘赫赫宗周⑲，褒姒⑳灭之。’每览前古，常兴叹息，不谓今日尘黩圣代㉑。作而不法，后嗣何观！愿陛下详之，无为后人所笑。使臣㉒有以益国，菹醢㉓之戮，臣之分也。昔吴王不用子胥㉔之言，而麋鹿游于姑苏㉕。臣恐海内失望，棘荆生于阙庭，宗庙不血食㉖，期有日矣！”来济上表谏曰：“王者立后，上法乾坤，必择礼教名家，幽闲令淑，副四海之望，称神祇之意。是故周文造舟以迎太姒㉗，而兴《关雎》㉘之化，百姓蒙祚；孝成㉙纵欲，以婢为后㉚，使皇统亡绝㉛，社稷倾沦。有周之隆既如彼，大汉之祸又如此，惟陛下详察。”上皆不纳。

他日，李勣入见，上问之曰：“朕欲立武昭仪为后，遂良固执以为不可。遂良既顾命㉜大臣，事当且已㉝乎？”对曰：“此陛下家事，何必更问外人！”上意遂决。许敬宗宣言于朝曰：“田舍翁㉞多收十斛麦，尚欲易妇㉟，况天子欲立[18]后，何豫诸人事而妄生异议乎！”昭仪令左右以闻。庚午㊱，贬遂良为潭州㊲都督。

【段旨】

以上为第十四段，写唐高宗废王皇后决意立武昭仪为皇后，吏部尚书柳奭、顾命大臣尚书右仆射褚遂良次第遭贬。

愿陛下三思！我今日违忤陛下的想法，罪该处死。”于是把朝笏放在大殿的台阶上，解下头巾，磕头流血，说：“还给陛下朝笏，乞求放我回归家乡。”高宗大怒，下令把他带出去。武昭仪在帘内大声说：“何不扑杀了这个獠子！”长孙无忌说：“褚遂良是先朝顾命大臣，有罪也不能行刑。”于志宁不敢说话。

韩瑗找了个机会上奏，涕泪交下，极力劝谏，高宗不予采纳。第二天又劝谏，悲伤得不能自我控制，高宗命令把他带出去。韩瑗又上疏劝谏说：“平民夫妇，还要相互选择，何况天子呢！皇后是天下万国妇女的仪范，善恶从她那里产生，所以嫫母辅佐黄帝，妲己倾覆了殷王。《诗经》说：‘赫赫强盛的宗周，褒姒灭亡了它。’每次观览往古，经常发出感慨，没想到今天有尘垢玷污了圣明的时代。做事不合乎法度，后世会如何看呢！希望陛下详知，不要被后人讥笑。假如臣的话有益于国家，遭受剁成肉酱的杀戮，也是臣应尽的本分。过去吴王不听伍子胥的话，结果都城姑苏破亡，成为麋鹿出没的地方。臣担心天下失望，宫廷长出荆棘，宗庙不能享受祭祀，这样的日子为期不远了！”来济上表劝谏说：“君主册立皇后，上据天地为法则，一定选择礼教名门，人品幽雅娴静善美贤淑，符合天下人的期望，合乎神灵的心意。所以周文王造船迎接太姒，于是出现了《关雎》诗篇的教化，百姓蒙受了福祚。汉成帝放纵欲望，以婢女为皇后，让皇统断绝，社稷覆灭。周代既然那样的隆盛，汉代的祸患又这个样子，希望陛下详加体察。”高宗对这些谏言都不予采纳。

有一天，李勣入见高宗，高宗问他说：“朕想立武昭仪为皇后，褚遂良固执己见，认为不可以。褚遂良既然是顾命大臣，事情是不是应该暂时停止呢？”李勣回答说：“这是陛下家里的事，何必又去询问外人！”高宗的主意于是定了下来。许敬宗在朝中扬言说：“庄稼老汉多收了十斛麦子，还想换个老婆，何况天子想立皇后，和大家有什么关系，大家却胡乱发表不同看法！”武昭仪让身边的人把此话讲给高宗听。九月初三日庚午，把褚遂良贬为潭州都督。

【注释】

㊳㊲ 壬申朔：正月初一日。㊳㊴ 甲戌：正月初三日。㊳㊵ 己丑：正月十八日。㊳㊶ 胡丛、显养、车鲁等蛮：分布于今四川会理一带的蛮羌部落，当为今彝、羌或白族先民。㊳㊷ 斜山：在今四川会理西。㊳㊸ 庚寅：正月十九日。㊳㊹ 弘：显庆元年（公元六五六年）立为皇太子，上元二年（公元七六一年）被毒杀。传见《旧唐书》卷八十六、《新唐书》卷八十一。㊳㊺ 贤：高宗第六子李贤（公元六三五至六八四年），即章怀太子，字明允，被武则天贬逐杀害。传见《旧唐书》卷八十六、《新唐书》卷八十一。㊳㊻ 乙丑：二月二十五

日。㊴苏定方（公元五九一至六六七年）：唐初大将，冀州武邑（今河北武邑）人，早年参加窦建德、刘黑闼军。归唐后，在征讨东西突厥、百济中立功。官至左武卫大将军，封邢国公。传见《旧唐书》卷八十三、《新唐书》卷一百十一。㊵壬午：五月十三日。㊶贵端水：即今辽宁浑河。㊷癸未：五月十四日。㊸葱山：即葱岭，今帕米尔高原与喀喇昆仑山脉的总称，为中西历代交通要道。㊹壬辰：五月二十三日。㊺厌胜：方士巫术之一种，谓能以诅咒制服人或物。㊻戊寅：七月十日。㊼遂州：州名，治所在今四川遂宁。㊽希旨：迎合、阿奉圣旨。㊾荣州：州名，治所在今四川荣县。㊿李义府（公元六一四至六六六年）：唐大臣，瀛州饶阳（今河北饶阳）人，因协赞立武后功，官至宰相。为人奸诈，时称“人猫”。后被斥贬。传见《旧唐书》卷八十二、《新唐书》卷二百二十三。(404)壁州：州名，治所在今四川通江县。(405)王德俭：李义府甥，字守节，临沂（今山东临沂）人，官至御史中丞，封归仁县男。事迹见《旧唐书》之《李义府传》等。(406)袁公瑜：因翊赞武后功，累官大理正、御史中丞。事迹见《旧唐书》卷六十五《长孙无忌传》、《新唐书》卷二百二十三上《李义府传》等。(407)乙酉：七月十七日。(408)尚药奉御：官名，殿中省尚药局长官，掌御药配制和诊治。(409)蒋孝璋：事迹见《旧唐书》卷四《高宗纪上》。(410)员外同正：员外，本指正额以外的官。加“同正”，则谓此类定额以外的官亦为正官。(411)裴行俭（公元六一九至六八二年）：高宗时名将，绛州闻喜（今山西闻喜）人，才兼文武，屡建军功，官至右卫大将军，封闻喜县公。传见《旧唐书》卷八十八、《新唐书》卷一百八。(412)戊辰：九月初一日。(413)中宫：皇后居处，亦用作皇后代称。(414)妙择天下令族：由全国名门望族中精选。令族，名门望族。(415)獠：骂人词语，谓野蛮凶恶之人。(416)嫫母：相传为黄帝次妃，貌丑而德备，佐黄帝而有天下。(417)妲己：殷纣王妃。纣王宠妲己而亡国。事见《史记》卷三《殷本纪》。(418)殷王：即殷纣王帝辛，商代亡国之君。事迹见《史记》卷三《殷本纪》。(419)赫赫宗周：谓繁荣昌盛的西周。见《诗·小雅·正月》。(420)褒姒：周幽王妃。旧史称幽王宠褒姒而招致国破身亡。事见《史记》卷四《周本纪》。(421)尘黩圣代：使圣世遭受污染。(422)使臣：据文义，“臣”下当有“言”字。(423)菹醢：把人剁成肉酱的酷刑。(424)子胥（？至公元前四八四年）：春秋时吴国大夫，名员，字子胥，曾屡谏吴王夫差，并终被吴王杀害。传见《史记》卷六十六。(425)麋鹿游于姑苏：此系汉伍被之言。谓吴亡，姑苏之地成为麋鹿出没的荒野。姑苏，吴都，在今江苏苏州。(426)血食：谓以牲牢祭祀先人、神祇。(427)周文造舟以迎太姒：《诗·大雅·大明》云：“文定厥祥，亲迎于渭，造舟为梁，不显其光。”太姒贤德，周文王造舟，亲自迎娶于渭水。(428)《关雎》:《诗经》首篇，抒写恋爱的作品。古人认为此诗义在淑女佐助君子以兴教化。(429)孝成：即西汉成帝刘骜，公元前三三至前八年在位。(430)以婢为后：指立赵飞燕为皇后。飞燕本长安宫人，初生时父母不欲养育，成人后归阳阿主家，学歌舞，号曰“飞燕”。成帝召入宫，大受宠幸，永始元年（公元前一六年）立为皇后。传见《汉书》卷九十七下《外戚传》。(431)皇统亡绝：赵飞燕为皇后，无子；其妹为昭仪，亦无子。“皇统亡绝”即指此。㊷顾命：君王临终之命。㊸已：终结。㊹田舍翁：乡巴佬。㊺易妇：更换原妻。㊻庚午：九月初三日。㊼潭州：州名，治所在今湖南长沙。

【校记】

［15］自：据章钰校，十二行本、乙十一行本、孔天胤本皆作“由”。［16］共：原作“具”。据章钰校，十二行本、乙十一行本、孔天胤本皆作“共”，张敦仁《通鉴刊本识误》同，今从改。［17］意：原无此字。据章钰校，十二行本、乙十一行本皆有此字，张敦仁《通鉴刊本识误》同，今据补。［18］欲立：据章钰校，十二行本、乙十一行本皆作“立一”，张敦仁《通鉴刊本识误》同。

【研析】

本卷研析武则天再度入宫，王皇后引狼入室。

武则天并非名字，而是武则天临终前给自己拟的谥号“则天大圣皇后”，于是武则天成了通称的名字。武则天原名缺载，贞观十二年（公元六三八年），她十四岁入宫，唐太宗封她为才人并口赐名字为武媚，人称武媚娘。天授元年（公元六九〇年），武则天造了一批新字，给自己取名“曌”，意为“明空为照”。武则天、武媚娘、武曌，这就是中国古代唯一女皇、唐高宗皇后的称谓。唐初承隋制，后宫皇后之下妃嫔定员一百三十人。有贵妃、淑妃，有昭仪、昭容、昭媛、修仪、修容、修媛、充仪、充容、充媛各一人，为九嫔，正二品；婕妤九人，正三品；美人九人，正四品；才人九人，正五品；宝林二十七人，正六品；御女二十七人，正七品；采女二十七人，正八品；八品以下宫女无定员。武则天在太宗朝，直到贞观二十三年太宗逝世，长达十二年没有升迁，一直是正五品的才人，也没有生育，表明她未受宠幸，备受冷落。贞观十七年，唐太宗废太子李承乾，立李治为太子，李治时年十六岁，比武则天小四岁。李治仁厚懦弱，没有人生经验。野心勃勃而长期遭受冷落的武则天把目光落到了李治身上。贞观二十二、二十三两年，唐太宗因服食天竺方士丹药拉肚子，李治入宫侍候，此时武则天抓住时机，运用她自己的全部热情，展示她天赋的美貌和灵巧的手腕，很快俘虏了这位多情的储君。两人情投意合，早把封建的礼教抛到了九霄云外。在唐太宗病榻之侧，武则天与高宗之间，发生了说不清的暧昧关系。这一幕被李治的太子妃，后来的王皇后看在眼里。

高宗王皇后，是北魏尚书左仆射王思政之孙，出身名门，漂亮贤淑，唐太宗非常喜欢，李治为晋王时就入王府为晋王妃。李治立为太子，王皇后为太子妃；李治即位，册立为皇后。唐太宗临终，依序把李治、王氏嘱托辅政大臣长孙无忌与褚遂良，要保护好这对“佳儿佳妇”。所以长孙无忌等大臣遵循太宗遗言，竭诚保护王皇后。

可惜王皇后不自爱，为了与萧淑妃争宠，她犯了一个致命错误。按制度，凡被唐太宗幸御过的嫔妃，都要为大行皇帝守节终生，出宫到感业寺为尼。公元六五〇年五月二十六日，唐太宗逝世一周年的忌日，唐高宗李治前往感业寺焚香祭悼，李治碰上了武则天，两人怀旧情，都流了眼泪。王皇后得知消息，不但没有采取措施来阻止两人旧情的发展，反而促成它，一方面通告武则天蓄发，另一方面到李治耳朵里煽风点火，劝李治将武则天正式纳入宫中。王皇后本想利用武则天来分萧淑妃的专宠，万万没有想到武则天非同凡响，入宫不久就迷倒了李治。李治封武则天为昭仪，正二品，接着就要提升她为正一品，列了一个名目叫“宸妃”。这时王皇后醒悟，感到真正的情敌是武则天，倒过头来与萧淑妃联手说武昭仪的不是，可是高宗始终不听，而一心倒在了武昭仪的怀里，王皇后与萧淑妃的悲剧就不可避免了。

武则天与李治两人能做出乱伦之事，想一想就是一个不安本分的人，王皇后为了一时之怒，不计后果，引狼入室，算是作茧自缚，搬起石头砸了自己的脚。王皇后因妒忌带来杀身之祸，发人深思，供人鉴戒。只是萧淑妃完全是无辜的，令人慨叹。

卷第二百　唐纪十六

起旃蒙单阏（乙卯，公元六五五年）十月，尽玄黓阉茂（壬戌，公元六六二年）七月，凡六年有奇。

【题解】

本卷记事起公元六五五年十月，迄公元六六二年七月，凡六年十个月史事，当唐高宗永徽六年至龙朔二年。此时期发生的最重大事件是唐高宗废黜了王皇后，新立了武则天为皇后，伴随废王立武的成功，产生两大后继政治事件。其一是武皇后残酷迫害王皇后和萧淑妃致死，表现了武则天强烈的报复心，这一性格将对武氏后来执政产生深远影响。其二是武氏党羽许敬宗、李义府等以谋反罪彻底瓦解了长孙无忌等士族集团的执政。唐高宗乘胜追击，重修《氏族志》，以官品定门第高低，从根本上铲除了士族集团东山再起的社会基础，结束了门阀政治，对社会变迁产生了重大影响。这一时期也是唐高宗执政获得文治武功最鼎盛的时期。唐高宗完成了唐礼仪的制定。在军事上，在北方抚定了铁勒九姓，巩固了对西域的统治，设置了安西都护府；在东方大发兵征高句丽，破百济，但唐军最终未能取胜。唐高宗因患风疾，大权逐渐旁落皇后武则天之手。武氏党羽许敬宗、李义府也权势日盛。李义府因贪黩遭贬，却仍能干预朝政，最终拜相。唐高宗的昏聩也日益显现。

【原文】

高宗天皇大圣大弘孝皇帝上之下

永徽六年（乙卯，公元六五五年）

冬，十月己酉[①]，下诏称："王皇后、萧淑妃[②]谋行鸩毒[③]，废为庶人[④]，母及兄弟，并除名[⑤]，流岭南[⑥]。"许敬宗[⑦]奏："故特进[⑧]赠司空[⑨]王仁祐[⑩]告身[⑪]尚存，使逆乱余孽犹得为荫[⑫]，并请除削。"从之。

乙卯[⑬]，百官上表请立中宫[⑭]，乃下诏曰："武氏[⑮]门著勋庸[⑯]，地华缨黻[⑰]，往以才行选入后庭，誉重椒闱[⑱]，德光兰掖[⑲]。朕昔在储贰[⑳]，特荷先慈[㉑]，常得侍从，弗离朝夕，宫壸[㉒]之内，恒自饬躬，嫔嫱[㉓]之间，未尝迕目[㉔]，圣情鉴悉，每垂[㉕]赏叹，遂以武氏赐朕，事同政君[㉖]，可立为皇后。"

【语译】

高宗天皇大圣大弘孝皇帝上之下

永徽六年（乙卯，公元六五五年）

冬，十月十三日己酉，高宗下诏说："王皇后、萧淑妃图谋毒害皇上，把她们废为庶人，她们的母亲及兄弟一并废除原来的名位，流放到岭南地区。"许敬宗上奏："皇后的父亲故特进赠司空王仁祐的委任官职的文凭还保存着，会使逆乱的子孙余孽仍然得到先人的庇荫，请将王仁祐的委任官职的文凭一起废除。"高宗听从了他的建议。

十九日乙卯，百官奏进表章请求册立皇后，高宗便颁下诏书说："武氏之家勋业彪炳，位处华贵高官重任，以往凭借才貌德行选入后宫，誉满宫闱，德耀掖庭。朕往日在太子位时，蒙受先皇特殊的慈爱，经常侍随，朝夕不离。得悉武氏在宫院之内，常常自我反省，处理嫔嫱之间的关系，未反目失和，先皇对武氏的言行举止了解得很清楚，屡屡加以赞赏感叹，于是将武氏赐予我，此事如同汉宣帝立王政君为太子妃一样，可以册立武氏为皇后。"

丁巳㉗，赦天下。是日，皇后上表称："陛下前以妾为宸妃㉘，韩瑗㉙、来济㉚面折庭争，此既事之极难，岂非深情为国，乞加褒赏。"上以表示瑗等，瑗等弥忧惧，屡请去位，上不许。

十一月丁卯朔㉛，临轩㉜命司空李勣㉝赍玺绶册皇后武氏。是日，百官朝皇后于肃义门。

故后王氏、故[1]淑妃萧氏，并囚于别院，上尝念之，间行㉞至其所，见其室封闭极密，惟窍壁㉟以通食器，恻然伤之，呼曰："皇后、淑妃安在？"王氏泣对曰："妾等得罪为宫婢，何得更有尊称！"又曰："至尊若念畴昔㊱，使妾等再见日月，乞名此院为'回心院'。"上曰："朕即有处置。"武后闻之，大怒，遣人杖王氏及萧氏各一百，断去手足，投[2]酒瓮中，曰："令二妪骨醉！"数日而死，又斩之。王氏初闻宣敕㊲，再拜曰："愿大家㊳万岁！昭仪㊴承恩，死自吾分。"淑妃骂曰："阿武妖猾，乃至于此！愿他生我为猫，阿武为鼠，生生㊵扼其喉。"由是宫中不畜猫。寻又改王氏姓为蟒氏，萧氏为枭氏。武后数见王、萧为祟，被发沥血如死时状。后徙居蓬莱宫㊶，复见之，故多在洛阳㊷，终身不归长安㊸。

【段旨】

以上为第一段，写高宗立武氏为皇后，以及武氏迫害王皇后、萧淑妃致死。

【注释】

①己酉：十月十三日。②王皇后、萧淑妃：高宗后妃。王皇后为并州祁县（今山西祁县）人，高宗为晋王时，王氏为晋王妃。晋王为太子，王氏被册封为皇太子妃。高宗即帝位，立王氏为皇后。萧淑妃即萧良娣，曾有宠于高宗；生子雍王素节与女义阳公主。唐制，皇后之下有贵妃、淑妃、德妃、贤妃，是为夫人。两人事见《旧唐书》卷五十一、《新唐书》卷七十六。③谋行鸩毒：阴谋毒害皇帝。鸩是一种毒鸟，羽置酒中可使

十月二十一日丁巳，朝廷赦免天下。这一天，皇后武氏上奏说："陛下以前将妾册立为宸妃时，韩瑗、来济在朝廷上当着陛下的面谏阻，这件事既然极其难办，可见他们的做法岂不是在深切为国考虑！我请求对他们加以褒奖赏赐。"高宗把奏表展示给韩瑗等人，韩瑗等人甚为忧惧，屡次奏请辞去官位，高宗没有同意。

十一月初一日丁卯，高宗驾临殿前平台，命令司空李勣携带玉玺印绶册立皇后武氏。这一天，百官来到肃义门朝拜了皇后。

以往所封的皇后王氏与淑妃萧氏，一同被囚禁于别院中，高宗曾经思念她们，私下前往囚禁她们的处所，看见囚室封闭得极为严密，只是在墙壁上开一个小洞递送食品，为此恻然伤心，呼喊道："皇后、淑妃你们在哪里？"王氏哭泣着回答说："妾等获罪被废为宫婢，怎么能够再用皇后、淑妃的尊称！"又说："至尊的皇帝如果念及往昔情分，使得妾等重见日月，在此我们乞求命名此院为'回心院'。"高宗说："我立即就会有所处置。"武后获悉这一情况，大为恼怒，派遣人员杖击王氏、萧氏每人一百下，斩断了她们的手足，丢到酒瓮里面，说："让这两个老太婆的骨头沉醉其中吧！"王氏、萧氏数日后死去，又斩碎了她们的尸骨。王氏刚刚听到宣布敕命时，跪拜了两次说："祝愿皇帝万岁！昭仪承蒙恩典，赴死本来是我分内之事。"萧淑妃骂道："阿武妖媚狡猾，竟然到了这种地步！愿来世我转生为猫，阿武为鼠，生生世世掐住阿武的喉头。"从此以后宫中不再养猫。不久又把王氏改姓为蟒氏，萧氏改姓为枭氏。武后多次见到王氏、萧氏鬼魂作祟，看到她们披头散发、流血不止，如同死亡时的那个模样。后来武后迁居蓬莱宫，又看见了她们的鬼魂，所以她多半待在洛阳，终身未再返回长安。

人致死。鸩毒即毒害之义。④庶人：平民。⑤除名：削除名籍。名，原有的姓名。籍，户籍。根据唐律，凡因罪除名者，免去所有官爵，课役从本色，不再拥有原来的资格和特权。⑥岭南：地区名，指五岭（越城、都庞、萌渚、骑田、大庾）以南，约当今我国两广、海南及越南北部一带。⑦许敬宗（公元五九二至六七二年）：字延族，杭州新城（今浙江杭州市富阳西区南）人，时任礼部尚书。传见《旧唐书》卷八十二、《新唐书》卷二百二十三上。⑧特进：散官名，正二品，无实职。⑨司空：官名，三公之一，正一品。唐制，三公均为加官。⑩王仁祐：王皇后之父。贞观中任罗山令，其女为太子妃，仁祐擢升陈州刺史。其女立为皇后，仁祐以特进封魏国公，卒赠司空。两《唐书》无传，

其事散见《旧唐书》卷五十一、《新唐书》卷七十六。⑪告身：授官的文凭。⑫荫：子孙因先代有功勋或官爵而得赐官爵。唐制，品官可庇荫子孙。五品以上荫孙，三品以上荫及曾孙。曾孙降孙一等，孙降子一等，赠官降正官一等。⑬乙卯：十月十九日。⑭中宫：皇后。⑮武氏：即武则天（公元六二四至七〇五年），并州文山（今山西文水县东部）人，十四岁入宫，成为唐太宗的才人。太宗死后削发为尼。永徽四年（公元六五三年），又被高宗召入宫中，封为昭仪。传见《旧唐书》卷六，《新唐书》卷四、卷七十六。⑯勋庸：功勋。勋、庸二字义同。⑰缨黻：缨为系冠的带子，黻为系印的丝带，二字连言借指官高位重。⑱椒闱：后妃居住的宫殿，借指妃嫔。⑲兰掖：后宫。⑳储贰：太子。㉑先慈：先父，即唐太宗。㉒宫壸：宫中；内宫。壸系宫中道路，常引申指宫内。㉓嫔嫱：古代女官名，这里泛指宫内妃嫔。㉔迕目：逆视，比喻不和谐。㉕垂：施。㉖事同政君：就像汉宣帝把王政君赐给太子奭一样。王政君事见本书卷二十七汉宣帝甘露三年。㉗丁巳：十月二十一日。㉘宸妃：内官名，先无此职，高宗特为武则天而设。㉙韩瑗（公元六〇六至六五九年）：历任兵部侍郎、侍中等职。㉚来济（公元六一〇至六六二年）：官至中书令、检校吏部尚书。韩瑗、来济二人同传，见《旧唐书》卷八十、《新唐书》卷一百一。㉛丁卯朔：十一月初一日。㉜临轩：皇帝亲至殿前平台处。㉝李勣（公元五九四至六六九年）：本姓徐，名世勣，字懋公，后赐姓李，避太宗

【原文】

己巳[44]，许敬宗奏曰："永徽爰始[45]，国本[46]未生，权引[47]彗星[48]，越升明两[49]。近者元妃载诞，正胤降神[50]，重光[51]日融，爝晖宜息[52]。安可反植枝干，久易位于天庭；倒袭裳衣，使违方于震位[53]！又，父子之际，人所难言，事或犯鳞[54]，必婴[55]严宪[56]，煎膏染鼎[57]，臣亦甘心。"上召见，问之，对曰："皇太子，国之本也，本犹未正，万国无所系心[58]。且在东宫[59]者，所出本微，今知国家已有正嫡[60]，必不自安。窃位而怀自疑，恐非宗庙[61]之福，愿陛下熟计之。"上曰："忠[62]已自让。"对曰："能为太伯[63]，愿速从之。"

西突厥[64]颉苾达度设[65]数遣使请兵讨沙钵罗可汗[66]。甲戌[67]，遣丰州都督元礼臣册拜颉苾达度设为可汗。礼臣至碎叶城[68]，沙钵罗发兵

名讳，单名为勣，曹州离狐（今山东菏泽西北）人，曾参加瓦岗起义。归唐后战功卓著，封英国公。官至尚书左仆射，进位司空。传见《旧唐书》卷六十七、《新唐书》卷九十三。㉞间行：私行。㉟穿壁：在壁上开凿小洞。㊱畴昔：往昔；过去的事。㊲敕：诏令。㊳大家：皇帝。㊴昭仪：妃嫔称号，借指武则天。㊵生生：世世。避太宗名讳，将"世世"改用"生生"。㊶蓬莱宫：即大明宫，位于太极宫东北禁苑内的龙首原上，故址尚存。原名永安宫，贞观八年（公元六三四年）唐监督员宗所建，后更名大明宫，唐高宗龙朔三年（公元六六三年）大修，改名蓬莱宫。㊷洛阳：唐代东都。背倚邙山，面对伊阙，地处交通要冲，是仅次于长安的大城市。㊸长安：唐代京师。由宫城、皇城和外郭城三部分组成，面积达八十三平方公里，是当时的政治、经济、文化中心，在今陕西西安。

【校记】

［1］故：据章钰校，十二行本、乙十一行本皆无此字。［2］投：原作"捉"。据章钰校，十二行本、乙十一行本、孔天胤本皆作"投"，张敦仁《通鉴刊本识误》同，今据改。〖按〗两《唐书》之《后妃传》皆作"投"。

【语译】

十一月初三日己巳，许敬宗上奏说："永徽初年，国家的根本还没有建立，暂且利用彗星作为权宜之计，地位超越了天上的太阳。近来皇后生育了儿子，正统的皇太子已经降生，双重的日光融合光明，群星的光焰应当熄灭。怎么可以颠倒树木的枝干，长期改变太阳和彗星在天庭的位置；如同倒穿上衣下裳，使得太子之位违错不正！况且父子之间的关系，是旁人难以言说的，事态如果发展到触犯龙鳞的地步，必定会遭受严法惩处。臣下的话不中听，但就是把我投入沸鼎里煎熬，也心甘情愿。"皇上召见了许敬宗，询问他奏表的意思，许敬宗回答说："皇太子乃是国家的根本，倘若根本还未能端正，天下之心则无所依托。而且目前居住在太子宫的人，出身本来就微下，如今他知道国家已有了正统的嫡子，自己一定不会安心。他窃据太子之位而内心又怀抱疑忌，这恐怕不是国家的福祉，但愿陛下深思熟虑。"高宗说："太子李忠已经自行让位了。"许敬宗回答说："他能仿效西周太伯的做法，希望陛下从速予以接受。"

西突厥颉苾达度设多次派遣使者请求朝廷发兵讨伐沙钵罗可汗。十一月初八日甲戌，唐朝派丰州都督元礼臣为使前去册立颉苾达度设为可汗。元礼臣到达碎叶城，拒之，不得前。颉苾达度设部落多为沙钵罗所并，余众寡弱，不为诸姓所附，礼臣竟不册拜而归。

中书侍郎[69]李义府[70]参知政事[71]。义府容貌温恭，与人语，必嬉怡[72]微笑，而狡险忌克，故时人谓义府笑中有刀。又以其柔而害物，谓之"李猫"。

【段旨】

以上为第二段，写武氏党羽许敬宗、李义府两小人之行迹。

【注释】

㊹己巳：十一月初三日。㊺爰始：初始。㊻国本：国家之本。暗指太子。㊼权引：暂且利用。㊽彗星：又称孛名，俗名扫帚星。㊾明两：《易·离·象》，"明两作，《离》。大人以继明照于四方"。明谓太阳；两作谓两次升起，今朝太阳升起，明朝太阳又升起，相继不已。此处明两指太阳。也有学者认为指日月。㊿正胤降神：皇后生子。指武则天所生李弘，封代王。51重光：重日之光。52爝晖宜息：指太阳出来，星光应当熄灭。太子降生，如同太阳已出，其余诸子如同众星，应当暗淡才是。爝晖，星光。53震位：东方之位。《易·说卦》："震，东方也。"引申指太子宫。54犯鳞：冒犯皇上。55婴：触犯。56严宪：严肃的法令。57煎膏染鼎：犹粉身碎骨。58系心：心有所系，意有所托。系，通"系"。59东宫：皇太子居住的宫室。60正嫡：嫡子。61宗庙：天子祭祖之所，代指国家。62忠：高宗长子李忠（公元六四三至六六四年）。传见《旧唐书》卷八十六、

【原文】

显庆元年（丙辰，公元六五六年）

春，正月辛未[73]，以皇太子忠为梁王、梁州[74]刺史；立皇后子代王弘[75]为皇太子，生四年矣。忠既废，官属皆惧罪亡匿，无敢见者；右庶子李安仁独候忠，泣涕拜辞而去。安仁，纲之孙也。

沙钵罗调发兵马加以抗拒，元礼臣不能前行。颉苾达度设的部落大多被沙钵罗兼并，余下的部众势单力薄，难以使得各姓部族来归附，元礼臣最终没有完成册立使命而返回。

任命中书侍郎李义府为参知政事。李义府容貌温和恭敬，与人交谈，一定和颜悦色，面带微笑，内心却是狡诈阴险，忌恨刻薄，因此当时人们都说李义府笑里藏刀，又认为他外表温柔实际却在害人，而把他称作“李猫”。

《新唐书》卷八十一。㊳太伯：周太王长子，让位于其弟季历，与仲雍同避江南，成为吴国的始祖。㊴西突厥：突厥族的一支，活动在今新疆及中亚大部地区，由五咄陆和五弩失毕十姓部落组成，对中西交通有重要影响。㊵颉苾达度设：乙毗咄陆可汗之子，号真珠叶护。㊶沙钵罗可汗：名阿史那贺鲁，曾任瑶池都督等职。永徽初反叛，建牙帐于千泉（今中亚塔什干北），自号可汗，胜兵数十万，控制西突厥全境。事见《旧唐书》卷一百九十四、《新唐书》卷二百十五。㊷甲戌：十一月初八日。㊸碎叶城：唐代西北重镇之一。过去曾有中亚、焉耆两碎叶的说法，已被中外学者所否定。现在学术界普遍认为碎叶城在中亚，但具体地望仍有两种观点。一说在吉尔吉斯斯坦北部的托克玛克附近，一说在今中亚楚河南岸楚伊斯阔叶一带。前说较为流行。张广达更据中外文献认为碎叶城即今托克玛克城南八至十公里的阿克·贝希姆废城。㊹中书侍郎：官名，中书令之副。㊺李义府（公元六一四至六六六年）：祖籍瀛州饶阳（今河北饶阳东北）。太宗时以对策擢第，高宗时初任中书舍人，曾参与拥立武则天的活动，升中书侍郎参知政事。显庆二年（公元六五七年）任中书令，后改右相，执掌朝政。传见《旧唐书》卷八十二、《新唐书》卷二百二十三。㊻参知政事：官名。唐太宗贞观十三年（公元六三九年）始以尚书左丞刘洎为黄门侍郎、参知政事，其后非三省长官而加此衔者即为宰相。㊼嬉怡：和颜悦色。

【语译】

显庆元年（丙辰，公元六五六年）

春，正月初六日辛未，以皇太子李忠为梁王、梁州刺史；立皇后的儿子代王李弘为皇太子，太子已出生四年了。李忠已经被废黜，他的属官都害怕罹罪而逃亡躲藏起来，没有敢和李忠见面的；只有右庶子李安仁侍候李忠，哭泣拜别后离去。李安仁，是李纲的孙子。

壬申[76]，赦天下，改元。

二月辛亥[77]，赠武士彟[78]司徒[79]，赐爵周国公。

三月，以度支侍郎[80]杜正伦[81]为黄门侍郎[82]、同三品[83]。

夏，四月壬子[84]，矩州[85]人谢无灵举兵反，黔州[86]都督李子和[87]讨平之。

己未[88]，上谓侍臣曰："朕思养人之道，未得其要，公等为朕陈之！"来济对曰："昔齐桓公[89]出游，见老而饥寒者，命赐之食，老人曰：'愿赐一国之饥者。'赐之衣，曰：'愿赐一国之寒者。'公曰：'寡人之廪府[90]安足以周[91]一国之饥寒！'老人曰：'君不夺农时，则国人皆有余食矣；不夺蚕要，则国人皆有余衣矣！'故人君之养人，在省[92]其征役而已。今山东[93]役丁，岁别数万，役之则人大劳，取庸[94]则人大费。臣愿陛下量公家所须外，余悉免之。"上从之。

六月辛亥[95]，礼官奏停太祖、世祖[96]配祀，以高祖[97]配昊天于圜丘[98]，太宗[99]配五帝于明堂[100]。从之。

秋，七月乙丑[101]，西洱蛮[102]酋长[103]杨栋附[104]，显和蛮[105]酋长王郎祁[3]，郎、昆、黎、盘四州[106]酋长王伽冲等帅众内附[107]。

癸未[108]，以中书令[109]崔敦礼[110]为太子少师[111]、同中书门下三品。

八月丙申[112]，固安昭公[113]崔敦礼薨[114]。

辛丑[115]，葱山道行军总管[116]程知节[117]击西突厥，与歌逻禄[4]、处月[118]二部战于榆慕谷[119]，大破之，斩首千余级。副总管周智度攻突骑施[120]、处木昆[121]等部于咽城[122]，拔之，斩首三万级。

乙巳[123]，龟兹[124]王布失毕入朝。

李义府恃宠用事。洛州妇人淳于[125]氏，美色，系大理[126]狱，义府属[127]大理寺丞[128]毕正义枉法出之，将纳为妾，大理卿[129]段宝玄疑而奏之。上命给事中[130]刘仁轨[131]等鞫[132]之，义府恐事泄，逼正义自缢于狱中。上知之，原义府罪不问。

侍御史[133]涟水王义方[134]欲奏弹[135]之，先白[136]其母曰："义方为御史，视奸臣不纠则不忠，纠之则身危而忧及于亲为不孝，二者不能自决，

初七日壬申，赦免天下，改年号为显庆。

二月十七日辛亥，赐官武士彟为司徒，赐爵为周国公。

三月，任命度支侍郎杜正伦为黄门侍郎、同中书门下三品。

夏，四月十八日壬子，矩州人谢无灵起兵反叛，黔州都督李子和讨伐并平定了叛乱。

二十五日己未，高宗对侍臣们说："我思考养育百姓的道理，没有得到要领，你们诸位为朕阐述一下！"来济回答说："从前齐桓公出游，看见年老而挨饿受冻的人，就命令赐给他们食物，老人说：'希望赐给全国挨饿的人。'桓公赐给老人衣服，老人说：'希望能赐给全国受冻的人。'桓公说：'寡人的粮仓钱库，怎么能足够周济全国挨饿受冻的人呢！'老人说：'只要国君不侵夺农时，那么全国人都有多余的粮食了；不侵夺养蚕的必备条件，那么全国人都有多余的衣物了！'所以国君养育百姓，就在于减少征发徭役罢了。现在山东服徭役的壮丁，每年增加数万，役使这么多的人，百姓就会大为劳苦；收取雇佣的金钱，就会使百姓有太大的耗费。臣希望在陛下估量的公家所需役丁数目之外，多余的都加以免除。"高宗采纳了来济的建议。

六月十八日辛亥，礼官上奏要求停止太祖、世祖的配祀。在圜丘祭天时，以高祖配祀，在明堂祭祀五帝时，以太宗配祀。高宗采纳了这一建议。

秋，七月初三日乙丑，西洱蛮酋长杨栋归附，显蛮、和蛮酋长王郎祁，以及郎州、昆州、黎州、盘州等四个州的酋长王伽冲等率领部众归附朝廷。

二十一日癸未，任命中书令崔敦礼为太子少师、同中书门下三品。

八月初四日丙申，固安昭公崔敦礼去世。

初九日辛丑，葱山道行军总管程知节攻打西突厥，与歌逻禄、处月两部在榆慕谷交战，大败歌逻禄、处月，斩首一千多人。副总管周智度在咽城攻打突骑施、处木昆等部，攻下咽城，斩首三万人。

十三日乙巳，龟兹王布失毕进京朝拜天子。

李义府倚仗得宠专权用事。洛州妇人淳于氏容貌姣丽，被拘禁在大理寺的监狱里，义府嘱托大理寺丞毕正义违法释放了淳于氏，准备纳其为妾，大理卿段宝玄心生怀疑，上奏皇帝。高宗命令给事中刘仁轨等人审问此事。义府惧怕事情泄漏，逼迫毕正义在狱中自缢。高宗知晓了内情，原宥了李义府的罪行而没有追查。

侍御史涟水人王义方打算上奏弹劾李义府，他先告诉他的母亲说："义方身为御史，目睹奸臣为恶而不纠举，那就是不忠，如果纠举就会身陷危境，使母亲忧虑，

奈何?”母曰:“昔王陵之母,杀身以成子之名⑬⑦。汝能尽忠以事君,吾死不恨!”义方乃奏称[5]:“义府于辇毂⑬⑧之下,擅杀六品寺丞,就云⑬⑨正义自杀,亦由畏义府威,杀身以灭口。如此,则生杀之威,不由上出,渐不可长,请更加勘当!”于是对仗⑭⓪,叱义府令下,义府顾望不退。义方三叱,上既无言,义府始趋出,义方乃读弹文。上释义府不问,而谓义方毁辱大臣,言辞不逊,贬莱州⑭①司户⑭②。

九月庚辰⑭③[6],括州⑭④暴风,海溢⑭⑤,溺⑭⑥四千余家。

冬,十一月丙寅⑭⑦,生羌⑭⑧酋长浪我利波⑭⑨等帅众内附,以其地置柘、栱二州⑮⓪。

十二月,程知节引军至鹰娑川⑮①,遇西突厥二万骑,别部鼠尼施⑮②等二万余骑继至,前军总管苏定方⑮③帅五百骑驰往击之,西突厥大败,追奔二十里,杀获千五百余人,获马及器械绵亘山野,不可胜计。副大总管王文度害其功,言于知节曰:“今兹虽云破贼,官军亦有死伤,乘危轻脱,乃成败之法⑮④耳,何急而为此!自今当[7]结方陈⑮⑤,置辎重⑮⑥在内,遇贼则战,此万全策也。”又矫称别得旨,以知节恃勇轻敌,委文度为之节制,遂收军不许深入。士卒终日跨马,被甲结陈,不胜疲顿⑮⑦,马多瘦死。定方言于知节曰:“出师欲以讨贼,今乃自守,坐自困敝,若遇贼必败,懦怯如此,何以立功!且主上以公为大将,岂可更遣军副专其号令,事必不然。请囚文度,飞表以闻。”知节不从。至恒笃城⑮⑧,有群胡归附,文度曰:“此属伺我旋师,还复为贼,不如尽杀之,取其资财。”定方曰:“如此乃自为贼耳,何名伐叛!”文度竟杀之,分其财,独定方不受。师旋,文度坐矫诏当死,特除名。知节亦坐逗遛追贼不及,减死免官。

是岁,以太常卿⑮⑨驸马都尉⑯⓪高履行⑯①为益州⑯②长史⑯③。

韩瑗上疏,为褚遂良⑯④讼冤曰:“遂良体国忘家,捐身徇物,风霜其操,铁石其心,社稷之旧臣,陛下之贤佐。无闻罪状,斥去朝廷,内外氓黎,咸嗟举措。臣闻晋武⑯⑤弘裕,不贻刘毅⑯⑥之诛;汉祖⑯⑦深

那就是不孝，两者之间，自己不能决断，该怎么办呢?”母亲说:“从前王陵的母亲牺牲自己而成就儿子的名声。你能够尽忠事君，我死了也不遗憾!”王义方就向高宗上奏说:“李义府在京师，擅自杀害了六品寺丞，就算毕正义是自杀，也是由于畏惧李义府的权势，怕他杀人灭口。如果是这样，对臣子的生杀大权，则不是出自皇上，这种情势不能让它慢慢滋长，请求皇上再加审查，以求确当!”于是王义方面对侍卫仪仗，呵斥李义府让他退下，李义府前后观望，不肯退下。王义方呵斥了三次，高宗都没有说话，李义府才快步退出，王义方就开始宣读弹劾李义府的奏章。但高宗还是放过李义府，不加追究，反说王义方毁谤侮辱大臣，言辞不恭，将他贬为莱州司户。

九月十九日庚辰，括州发生暴风，海水泛滥，淹没了四千多家。

冬，十一月初六日丙寅，生羌酋长浪我利波等人率领部众归附朝廷，在他们的地域设置了柘、栱二州。

十二月，程知节率军抵达鹰娑川，遇到西突厥二万名骑兵，其他部落鼠尼施等人率领两万多名骑兵相继到达，前军总管苏定方率领五百名骑兵飞驰前往攻击，西突厥大败，苏定方追逐逃兵二十里，杀死俘获一千五百多人，缴获的马匹和军械器物漫山遍野，无法数清。副大总管王文度嫉妒苏定方的功劳，对程知节说:“现在虽说打败了贼军，但官军也有死伤，冒险轻敌，是可能胜利也可能失败的战术，何必急忙这样做呢!从现在起应当结成方阵，把辎重安置在方阵里面，遇到敌人则作战，这是万全之策。”又假称另外得到圣旨，认为程知节依恃勇力，轻视敌军，所以委任王文度辖制，于是集合部队，不允许深入敌境。士卒整天骑着马匹，披挂甲胄，结成军阵，疲劳困顿，难以忍受，马匹大多瘦弱而死。苏定方对程知节说:“出兵的目的就是想讨伐贼寇，如今自我困守，坐以待毙，如果遇到敌人必定败北，像这样懦弱胆怯，靠什么建功立业!况且国君任命您为大将，怎么可以再让副大总管专擅号令，事实一定不是这样。请把王文度囚禁起来，飞快地向国君报告。”程知节没有听从。到达恒笃城时，有很多胡人归附。王文度说:“这些人等我们回师时，还会成为贼寇的，不如把他们全部杀了，夺取他们的物资钱财。”苏定方说:“这样一来我们自己就变成贼寇了，有什么名义讨伐叛贼啊!”最终王文度还是把归附的胡人杀了，瓜分了胡人的财物，只有苏定方没有收取财物。撤军后，王文度本因犯假造诏命之罪而被判处死刑，却被特赦，只废除了他的委任官职的文凭。程知节也因逗留不进，没有追击到贼寇，减免死罪，罢黜了官职。

这一年，任命太常寺卿驸马都尉高履行为益州长史。

韩瑗上疏为褚遂良申诉冤屈说:“褚遂良体念国家，忘却己私，献身国事，他的节操凛然如风霜，他的心地坚实如铁石，是国家的老臣，也是陛下贤明的辅弼。没有听说有什么罪状，就被贬斥而离开朝廷，京城内外的黎民百姓，都对这件事的处理表示嗟叹。臣听说晋武帝心胸宏大宽容，不把刘毅杀掉，汉高祖行仁深厚，不对

仁，无恙[168]周昌[169]之直。而遂良被迁，已经寒暑，违忤陛下，其罚塞焉。伏愿缅鉴无辜，稍宽非罪，俯矜微款，以顺人情。”上谓瑗曰：“遂良之情，朕亦知之。然其悖戾好犯上，故以此责之，卿何言之深也！”对曰：“遂良社稷忠臣，为谗谀所毁。昔微子[170]去而殷国[171]以亡，张华[172]存而纲纪不乱。陛下无故弃逐旧臣，恐非国家之福！”上不纳。瑗以言不用，乞归田里，上不许。

刘洎[173]之子讼其父冤，称贞观[174]之末，为褚遂良所谮而死，李义府复助之。上以问近臣，众希[175]义府之旨，皆言其枉。给事中长安乐彦玮独曰：“刘洎大臣，人主暂有不豫[176]，岂得遽自比伊、霍[177]！今雪洎之罪，谓先帝用刑不当乎？”上然其言，遂寝[178]其事。

【段旨】

以上为第三段，写唐高宗时暗时明。袒护李义府则昏，辨苏定方立功为明，典型的中庸之主。

【注释】

⑦③辛未：正月初六日。⑦④梁州：治所南郑，在今陕西汉中东。⑦⑤代王弘（公元六五二至六七五年）：高宗第四子。据《孝敬皇帝睿德记碑》，“弘”当作“宏”。传见《旧唐书》卷八十六、《新唐书》卷八十一。⑦⑥壬申：正月初七日。⑦⑦辛亥：二月十七日。⑦⑧武士彟（公元五七七至六三五年）：字信，武则天之父。传见《旧唐书》卷五十八、《新唐书》卷二百六。⑦⑨司徒：三公之一，正一品。唐代三公均为加官。⑧⓪度支侍郎：官名，即户部侍郎。户部最高长官为尚书，其下有侍郎，正四品下，为唐代掌管田户、钱粮、赋税的经济官员。⑧①杜正伦（？至公元六五八年）：相州洹水（今河南安阳一带）人。传见《旧唐书》卷七十、《新唐书》卷一百六。⑧②黄门侍郎：官名，即门下侍郎，门下省长官侍中之下的副长官，正四品上，大历间升为正三品。⑧③同三品：全称为同中书门下三品，中书、门下两省长官皆三品，知政事，为宰相。唐太宗贞观十七年（公元六四三年）非两省长官知政事者均加此称，高宗龙朔二年（公元六六二年）改称同东西台三品，

周昌的正直生气。而褚遂良被贬斥，已历寒暑，他违逆陛下，所受到的惩罚也足当其罪了。臣请求陛下能仔细鉴察他的无辜，稍加宽宥，不再责罪，矜怜他对陛下的忠诚，以顺应人情。”高宗对韩瑗说：“褚遂良的情况，我也知道。但他悖逆乖戾，喜欢犯上，所以采取这样的处理来责罚他，你何必说得这么严重啊！”韩瑗回答说：“褚遂良是国家的忠臣，被谗佞阿谀的小人毁谤。古时候微子离去而殷国就灭亡了，张华在位而晋的法纪得以不乱。陛下无缘无故地抛弃放逐老臣，恐怕不是国家的福祉！”高宗不接纳这一请求。韩瑗因为建议不被采用，请求辞官回归乡里，高宗没有同意。

刘洎的儿子为父亲诉冤，说他父亲在贞观末年，被褚遂良毁谤致死，李义府又从中帮助刘洎的儿子。高宗就此事询问左右近臣，大家迎合李义府的心意，都说刘洎是冤枉的。唯独给事中长安人乐彦玮说：“刘洎是个大臣，国君偶有身体不适，怎么就轻易自比成伊尹、霍光！现在要洗刷刘洎的罪，难道说先帝用刑不妥当吗？”高宗同意乐彦玮所言，就把这件事搁置起来。

武则天光宅元年（公元六八四年）改称鸾台凤阁三品。⑭ 壬子：四月十八日。⑮ 矩州：治所在今贵州贵阳。一说在贵州思南。⑯ 黔州：治所彭水，在今重庆市彭水苗族土家族自治县。⑰ 李子和：本姓郭。隋末称王，唐初归附，平刘黑闼有功，赐姓为李。传见《旧唐书》卷五十六、《新唐书》卷九十二。⑱ 己未：四月二十五日。⑲ 齐桓公（？至公元前六四三年）：姓姜，名小白，春秋五霸之一，公元前六八五至前六四三年在位。事见《史记》卷三十二。⑳ 廪府：仓廪府库。廪储粮谷，府藏钱财。㉑ 周：周济。㉒ 省：减少。㉓ 山东：地区名，旧指崤山（或华山）以东，此处指黄河下游。㉔ 庸：代役物。唐制：如不服役，每日输绢三尺或布三尺七寸五分。㉕ 辛亥：六月十八日。㉖ 太祖、世祖：李渊建唐后追尊其祖李虎为景皇帝，庙号太祖，尊其父李昺为元皇帝，庙号世祖。㉗ 高祖：李渊（公元五六六至六三五年），陇西成纪（今甘肃秦安）人，唐朝的创建者，公元六一八至六二六年在位。传见《旧唐书》卷一、《新唐书》卷一。㉘ 圜丘：天坛。㉙ 太宗：李世民（公元五九九至六四九年），高祖次子。唐朝第二代皇帝，公元六二六至六四九年在位。传见《旧唐书》卷二、《新唐书》卷二。⑩⓪ 明堂：帝王举行布政、宗祀等大典的地方。⑩① 乙丑：七月初三日。⑩② 西洱蛮：云南少数民族，散居滇池周围。⑩③ 酋长：少数民族首领。⑩④ 附：随同。此处上下文所述杨栋、王郎祁、王伽冲，皆人名，民族首领。⑩⑤ 和蛮：哈尼族先民，居云南红河两岸。⑩⑥ 郎、昆、黎、盘四州：羁縻州。位于当今云南曲靖、昆明、华宁和贵州兴义一带。⑩⑦ 内附：归附唐朝。⑩⑧ 癸未：七月二十

一日。⑩中书令：官名，中书省最高长官，正三品，大历二年（公元七六七年）升为正二品，职掌军国政令辅佐皇帝处理重大政务。⑪崔敦礼（公元五九三至六五六年）：雍州咸阳（今陕西咸阳）人，对安抚突厥、回纥发挥一定作用。传见《旧唐书》卷八十一、《新唐书》卷一百六。⑪太子少师：官名。唐制，太子置太子太师、太傅、太保各一人，从一品；又置太子少师、少傅、少保各一人，正二品。皆为师垂范，训导辅佐太子。《旧唐书》之《职官志》："三师三少之职，掌教谕太子。无其人，则阙之。"⑫丙申：八月初四日。⑬固安昭公：固安，县名。昭，谥号。《谥法》，容仪恭美曰昭，昭德有劳曰昭。崔敦礼被封为固安县公，故有此称。⑭薨：死亡。唐代称二品以上官之死为薨。⑮辛丑：八月初九日。⑯行军总管：出兵征讨时设置的统兵主将，事讫即罢。⑰程知节（？至公元六六五年）：本名齩（俗作咬）金，济州东阿（今山东阳谷）人，有勇力，官至左卫大将军。传见《旧唐书》卷六十八、《新唐书》卷九十。⑱歌逻禄、处月：两部族名、地名。歌逻禄，在今新疆斋桑湖北额尔济斯河南。处月，在今新疆乌鲁木齐东北。⑲榆慕谷：地名。⑳突骑施：在今伊犁河中下游北岸。㉑处木昆：在今新疆塔尔巴哈台山一带。与突骑施俱属五咄陆。㉒咽城：据《新唐书》，咽城即处木昆所居。具体位置不详。㉓乙巳：八月十三日。㉔龟兹：西域国名，在今新疆库车一带。唐初归附，隶安西都护府。㉕淳于：复姓。㉖大理：大理寺，官署名，掌刑狱。㉗属：通"嘱"。㉘大理寺丞：官名，大理寺卿下属，丞有六人，从六品上，分掌寺内刑狱。㉙大理卿：即大理寺卿。大理寺最高长官，掌全国折狱详刑之事。㉚给事中：官名，在门下省供职，地位仅次于门下侍郎，有封驳、审查和部分司法权。㉛刘仁轨（公元六〇一至六八五年）：汴州尉氏（今河南尉氏）人，博涉经史，官至宰相。传见《旧唐书》卷八十四、《新唐书》卷一百八。㉜鞫：审讯。㉝侍御史：官名，掌纠举百官，推审狱讼。㉞王义方：泗州涟水（今江苏涟水县）人，清廉重义。传见《旧唐书》卷一百八十七上、《新唐书》卷一百十二。㉟弹：检举揭发。㊱白：告。㊲"昔王陵之母"二句：楚汉相争，项羽欲收服王陵，拘系王陵母为质，王陵母自杀以激励王陵归服汉王刘邦。事见《史记》卷五十六、《汉书》卷四十。㊳辇毂：皇帝车舆。引申指京师。㊴就云：纵使。㊵对仗：对着仪仗。唐制，中书、门下及三品官奏事，御史弹劾百官，皆面对皇帝仪仗。㊶莱州：治所在今山东莱州。㊷司户：即司户参军事，系州级官吏，为州六曹参军事之一，职掌一州户籍、计账、道路、逆旅、婚田等事。上州司户为从七品下，中州司户为正八品下，下州司户为从八品下。㊸庚辰：九月十九日。㊹括州：治所在今浙江丽水东南。㊺海溢：海水因暴风而上涨。㊻溺：淹没。㊼丙寅：十一月初六日。㊽生羌：西方少数民族，活动在今四川北部。㊾浪我利波：人名。㊿柘、栱二州：柘州治所在今四川黑水县西南。栱，应作"拱"。《新唐书》之《地理志》载，拱州，显庆元年以钵南伏浪恐部置。治所不详，当在柘州之西。(151)鹰娑川：即今新疆焉耆西北之小裕勒都斯河。(152)鼠尼施：居新疆焉耆西北裕勒都斯河流域。(153)苏定方（公元五九二至六六七年）：名烈，冀州武邑（今河北武邑）人，唐初大将。传见《旧唐书》卷八十三、《新唐书》卷一百十一。⑭成败之法：或胜或败的战术。⑮方陈：方阵。⑯辎重：军用物资。⑰疲顿：疲劳困顿。⑱恒笃城：胡注:《新书》作“恒笃城”。查《册府元龟》卷四、五、六及《新唐书》有关传、纪，均作“怛”，作“恒”疑有误。⑲太常卿：官名，掌礼乐、祭祀之事。⑳驸马都尉：加官名号，在唐代专加帝婿。㉑高履行：唐初宰相高士廉之子，尚太宗女东阳公主。见《旧唐书》卷六十五《高士廉传》、《新唐书》卷九十五《高俭传》。㉒益州：治所在今四川成都。㉓长史：州上层官吏，与别驾、司马一起协助刺史，分掌一州庶务。长史大州从五品下，中州正六品上。㉔褚遂良（公元五九六至六五八年）：字登善，杭州钱塘（今浙江杭州）人，博学工书，官至宰相。因反对立武则天为皇后，被贬为潭州都督。传见《旧唐书》卷八十、《新唐书》卷一百五。㉕晋武：晋武帝，即司马炎（公元二三六至二九〇年），公元二六五至二九〇年在位。㉖刘毅：西晋大臣，官尚书左仆射，曾批评晋武帝卖官鬻爵而被晋武帝接受。事见《晋书》卷四十五《刘毅传》、本书卷八十一太康三年。㉗汉祖：刘邦（公元前二五六至前一九五年），西汉开国皇帝，公元前二〇六至前一九五年在位。㉘恚：怒；恨。㉙周昌：西汉大臣，曾直言谏止刘邦废太子而被刘邦接受。见《史记》卷九十六《张丞相列传》、《汉书》卷四十二《周昌传》。⑰微子：名启，商纣王庶兄，见纣王无道，屡谏不听，出奔于周。周灭商后受封，成为宋国的始祖。⑰殷国：朝代名，即商，由汤建立的国家。从公元前十六世纪开始，到前十一世纪结束，共传十七代，三十一王。⑰张华（公元二三二至三〇〇年）：西晋大臣，晋初力劝武帝灭吴，后持节都督幽州诸军事。惠帝任侍中、中书监、司空，为晋重臣。传见《晋书》卷三十六。⑰刘洎（？至公元六四五年）：字思道，荆州江陵（今湖北江陵）人，唐初宰相，为唐太宗所杀。传见《旧唐书》卷七十四、《新唐书》卷九十九。⑰贞观：唐太宗年号（公元六二七至六四九年）。⑰希：迎合。⑰不豫：身体不适。⑰伊、霍：伊尹、霍光。伊尹，商初大臣，曾佐卜丙、仲壬二王，放逐商王太甲。事见《史记》卷三《殷本纪》。霍光（？至公元前六八年），西汉大臣，曾辅昭帝，立宣帝，执政二十年。传见《汉书》卷六十八。⑰寝：停止。

【校记】

［3］王郎祁：据章钰校，十二行本、乙十一行本皆作“王罗祁”。〖按〗《新唐书》之《南蛮传下》亦作“王罗祁”。［4］哥逻禄：原无“禄”字。据章钰校，十二行本、乙十一行本、孔天胤本皆有“禄”字，张瑛《通鉴校勘记》同，今据补。〖按〗两《唐书》皆作“歌逻禄”。［5］称：原无此字。据章钰校，十二行本、乙十一行本、孔天胤本皆有此字，张瑛《通鉴校勘记》同，今据补。［6］庚辰：原无此二字。据章钰校，十二行本、乙十一行本、孔天胤本皆有此二字，今据补。［7］当：原作“常”。据章钰校，乙十一行本作“当”，今据改。〖按〗《旧唐书》之《苏定方传》作“正可”，《新唐书》之《苏定方传》作“当”。

【原文】

二年（丁巳，公元六五七年）

春，正月癸巳[179]，分哥逻禄部置阴山、大漠二都督府[180]。

闰月壬寅[181]，上行幸洛阳。

庚戌[182]，以右[8]屯卫将军[183]苏定方为伊丽道行军总管，帅燕然都护渭南任雅相、副都护萧嗣业[184]发回纥[185]等兵，自北道讨西突厥沙钵罗可汗。嗣业，钜[186]之子也。

初，右卫大将军[187]阿史那弥射[188]及族兄左屯卫大将军步真[189]，皆西突厥酋长，太宗之世，帅众来降。至是，诏以弥射、步真为流沙安抚大使，自南道招集旧众。

二月辛酉[190]，车驾[191]至洛阳宫[192]。

庚午[193]，立皇子显[194]为周王。壬申[195]，徙雍王素节[196]为郇王。

三月甲辰[197]，以潭州[198]都督褚遂良为桂州[199]都督。

癸丑[200]，以李义府兼中书令。

夏，五月丙申[201]，上幸明德宫[202]避暑。上自即位，每日视事，庚子[203]，宰相奏天下无虞，请隔日视事，许之。

秋，七月丁亥朔[204]，上还洛阳宫。

王玄策之破天竺[205]也，得方士那罗迩娑婆寐以归，自言有长生之术，太宗颇信之，深加礼敬，使合长生药。发使四方求奇药异石，又发使诣婆罗门[206]诸国采药。其言率皆迂诞无实，苟欲以延岁月，药竟不就，乃放还。上即位，复诣长安，又遣归。玄策时为道王[207]友[208]，辛亥[209]，奏言："此婆罗门[210]实能合长年药，自诡必成，今遣归，可惜失之。"玄策退，上谓侍臣曰："自古安有神仙！秦始皇[211]、汉武帝[212]求之，疲弊生民，卒无所成。果有不死之人，今皆安在！"李勣对曰："诚如圣言。此婆罗门今兹再来，容发衰白，已改于前，何能长生！陛下遣之，内外皆喜。"娑婆寐竟死于长安。

【语译】

二年（丁巳，公元六五七年）

春，正月癸巳日，把西突厥哥逻禄部分别设置为阴山、大漠两个都督府。

闰正月十三日壬寅，高宗巡行到达洛阳。

二十一日庚戌，委任右屯卫将军苏定方为伊丽道行军总管，率领燕然都护渭南人任雅相、副都护萧嗣业调发回纥等地军队，从北路讨伐西突厥沙钵罗可汗。萧嗣业，是萧钜的儿子。

起初，右卫大将军阿史那弥射和他的堂兄左屯卫大将军步真，都是西突厥的酋长，太宗时，率领部众前来投降。到这时候，高宗下诏任命弥射、步真为流沙安抚大使，从南路招集原来的部众。

二月初三日辛酉，高宗的车驾到达洛阳宫。

十二日庚午，立皇子李显为周王。十四日壬申，改封雍王李素节为郇王。

三月十六日甲辰，任命潭州都督褚遂良为桂州都督。

二十五日癸丑，任命李义府兼中书令。

夏，五月初九日丙申，高宗驾临明德宫避暑。高宗从即位以后，每天都上朝理事，十三日庚子，宰相上奏说天下太平无事，请求每隔一日处理政务，高宗同意了。

秋，七月初一日丁亥，高宗返回洛阳宫。

王玄策击败天竺时，俘获方士那罗迩娑婆寐而回到朝廷，那罗迩娑婆寐自称有长生不老之术，太宗非常信任他，对他十分礼遇和敬重，让他调制长生的药物。派遣使者到四方寻求奇药异石，又派遣使者到婆罗门各国采药。他所言大都迂阔怪诞且不切实际，不过是想拖延时间，长生药最终还是没有配成，就放他回去了。高宗即位后，那罗迩娑婆寐又来到长安，高宗又遣送他返回天竺。王玄策当时是道王李元庆的部属，七月二十五日辛亥，他向高宗上奏说："这个婆罗门确实能调制长生不老药，他表示一定可以配成，现在遣送他回去，太可惜了。"王玄策退了下去，高宗对侍臣说："自古以来哪有神仙！秦始皇、汉武帝寻神求仙，使得百姓穷困，最终一无所成。如果真有不死的人，现在这些人都在哪里！"李勣回答说："确实如同圣上所说。这个婆罗门今番再来，容衰发白，已经异于先前，怎么能够长生不老！陛下遣送他回去，朝廷内外都很高兴。"娑婆寐最终死在长安。

【段旨】

以上为第四段，写唐高宗不信长生术。

【注释】

⑰⑨ 癸巳：正月庚申朔，无癸巳日。疑为闰正月癸巳，即闰正月初四日。⑱⓪ 阴山大漠二都督府：阴山都督府，治所在今哈萨克斯坦阿拉湖附近。大漠都督府，治所在今新疆福海县一带。⑱① 壬寅：闰正月十三日。⑱② 庚戌：闰正月二十一日。⑱③ 右屯卫将军：隋炀帝改领军为左右屯卫。唐制，右屯卫置大将军一员，正三品，将军二员，从三品，职掌宫禁戍卫，为十六卫之一。⑱④ 萧嗣业：少入突厥，贞观九年（公元六三五年）归唐，诏领突厥部众，曾任鸿胪卿，兼单于都护府长史。调露年间（公元六七九至六八〇年），突厥反叛，嗣业战败，流放岭南而死。传见《旧唐书》卷六十三、《新唐书》卷一百一。⑱⑤ 回纥：北方少数民族，由韦纥、仆固、同罗、拔野古等部联合而成，生活在鄂尔浑河和色楞格河流域。⑱⑥ 钜：萧钜，小名藏，隋炀帝昵之，以为千牛。江都之变，被宇文化及所杀。传见《隋书》卷七十九、《北史》卷九十三。⑱⑦ 右卫大将军：官名。右卫置上将军，一人，从二品，大将军一人，正三品，掌统领宫廷警卫等。⑱⑧ 阿史那弥射：西突厥室点密五世孙。在本蕃为莫贺咄叶护，入唐后拜右监门卫大将军。《旧唐书》之《西突厥·阿史那弥射传》载："贞观六年，诏遣鸿胪少卿刘善因就蕃立为奚利邲咄陆可汗。"岑仲勉在《西突厥史料补阙及考证》和《通鉴隋唐纪比事质疑》中认为无封册弥射之事。查西突厥世次，当以此说为是。⑱⑨ 步真：即阿史那步真，阿史那弥射的族兄，与弥射同传。见《旧唐书》卷一百九十四下、《新唐书》卷二百十五下。⑲⓪ 辛酉：二月初三日。⑲① 车驾：代指皇帝。⑲② 洛阳宫：在东都郭城西北隅。实测东壁长一千二百七十

【原文】

许敬宗、李义府希皇后旨[213]，诬奏侍中[214]韩瑗、中书令来济与褚遂良潜谋不轨，以桂州用武之地，授遂良桂州都督，欲以为外援。八月丁卯[215]，瑗坐贬振州[216]刺史，济贬台州[217]刺史，终身不听朝觐[218]。又贬褚遂良为爱州[219]刺史，荣州[220]刺史柳奭[221]为象州[222]刺史。

遂良至爱州，上表自陈："往者濮王[223]、承乾[224]交争之际，臣不顾死亡，归心陛下。时岑文本[225]、刘洎奏称：'承乾恶状已彰，身在别所，其于东宫，不可少时虚旷，请且遣濮王往居东宫。'臣又抗言固争，皆陛下所见。卒与无忌[226]等四人共定大策。及先朝[227]大渐[228]，独臣与无忌同受遗诏。陛下在草土之辰[229]，不胜哀恸，臣以社稷[230]宽譬，陛下手抱

米，西壁一千二百七十五米，南壁一千七百一十米，北壁一千四百米。⑲庚午：二月十二日。⑲皇子显：后来的唐中宗。高宗第七子，母为武则天。显庆元年（公元六五六年）十一月五日生，时年仅四个月。⑲壬申：二月十四日。⑲雍王素节：高宗第四子，母即萧淑妃。后来自杀。传见《旧唐书》卷八十六、《新唐书》卷八十一。⑲甲辰：三月十六日。⑲潭州：治所在今湖南长沙。⑲桂州：治所在今广西桂林。⑳癸丑：三月二十五日。⑳丙申：五月初九日。⑳明德宫：在东都禁苑西南部。⑳庚子：五月十三日。⑳丁亥朔：七月初一日。⑳天竺：古印度名称。《大唐西域记》："详夫天竺之称，异议纠纷，旧云身毒，或曰贤豆，今从正音，宜云印度。"⑳婆罗门：梵文 Bráhman.a 的音译，意谓"清净"，印度的第一种姓。婆罗门教为印度的宗教，祭司（方士）称婆罗门。婆罗门亦为古印度别称。⑳道王：李元庆，高祖第十六子。传见《旧唐书》卷六十四、《新唐书》卷七十九。⑳友：王府官名，掌陪侍规谏。⑳辛亥：七月二十五日。㉑此婆罗门：指那罗迩娑婆寐。㉑秦始皇（公元前二五九至前二一〇年）：姓嬴，名政，秦朝的建立者。公元前二四六至前二一〇年在位。传见《史记》卷六。㉑汉武帝：刘彻（公元前一五六至前八七年），汉朝第六代皇帝，公元前一四〇至前八七年在位。传见《史记》卷十二、《汉书》卷六。

【校记】

［8］右：原作"左"。据章钰校，十二行本、乙十一行本皆作"右"，今据改。〖按〗《旧唐书》之《苏定方传》、《突厥传》，《新唐书》之《苏定方传》皆作"右"。

【语译】

许敬宗、李义府迎合武皇后的意旨，向皇帝上奏，诬陷侍中韩瑗、中书令来济和褚遂良暗中图谋不轨，认为桂州是兵家必争之地，所以委任褚遂良为桂州都督，想把褚遂良作为外援。八月十一日丁卯，韩瑗获罪贬为振州刺史，来济贬为台州刺史，终生不能朝觐皇帝。又把褚遂良贬为爱州刺史，把荣州刺史柳奭贬为象州刺史。

褚遂良到了爱州，自己上表陈情说："过去濮王、承乾交相争斗时，臣不怕死亡的危险，诚心归附陛下。当时岑文本、刘洎上奏说：'承乾作恶的情况已经暴露，被幽禁在别处宫室，太子之位，不能有短暂的空缺，请暂且派濮王住进东宫。'臣又高声直言，极力争取，这些都是陛下亲见。最后臣和长孙无忌等四人共同决定国家大计。后来先帝病危之际，只有臣和长孙无忌一起接受先帝的遗命。陛下在居丧时，内心哀痛异常，臣劝陛下为了社稷放宽心怀，陛下感动得用手抱住臣的脖子。臣和

臣颈。臣与无忌区处众事，咸无废阙，数日之间，内外宁谧。力小任重，动罹愆过，蝼蚁余齿[231]，乞陛下哀怜。”表奏，不省[232]。

【段旨】

以上为第五段，写许敬宗、李义府继续迫害韩瑗、来济、褚遂良等。

【注释】

[213]希皇后旨：迎合皇后旨意。[214]侍中：为门下省长官，正三品，大历二年（公元七六七年）升为正二品，“佐天子而统大政”，与中书令共参议军国之务，居宰相之任。[215]丁卯：八月十一日。[216]振州：治所在今海南三亚西。[217]台州：治所在今浙江临海市。[218]朝覲：朝见皇帝。《周礼》，春见曰朝，夏见曰宗，秋见曰覲，冬见曰遇。[219]爱州：治所在今越南清化。[220]荣州：治所在今四川荣县。[221]柳奭（？至公元六五九年）：字子邵，蒲州解（今山西运城西南）人，王皇后之舅，官至中书令。传见《旧唐书》卷

【原文】

己巳[233]，礼官奏：“四郊迎气，存太微[234]五帝[235]之祀；南郊明堂，废纬书六天[236]之义。其方丘祭地之外，别有神州[237]，亦请合为一祀。”从之。

辛未[238]，以礼部尚书[239]许敬宗为侍中，兼度支尚书[240]杜正伦为兼中书令。

冬，十月戊戌[241]，上行幸许州[242]。乙巳[243]，畋[244]于滍水[245]之南。壬子[246]，至汜水曲[247]。十二月乙卯朔[248]，车驾还洛阳宫。

苏定方击西突厥沙钵罗可汗，至金山[249]北，先击处木昆部，大破之，其俟斤[250]懒独禄等帅万余帐来降，定方抚之，发其千骑与俱。右领军郎将[251]薛仁贵[252]上言：“泥孰部[253]素不伏贺鲁，为贺鲁所破，虏其妻子。今唐兵有破贺鲁诸部得泥孰妻子者，宜归之，仍加赐赉，使彼

长孙无忌处置大小政务，使朝政没有荒废，几天的时间，朝廷内外便安定了。臣的力量虽然弱小，但职任重大，一有举动就容易犯下过错，蝼蚁之躯，垂暮之年，乞求陛下怜悯。”表奏呈送上去，高宗没有体察其情。

七十七、《新唐书》卷一百一十二。㉒象州：治所武化，在今广西象州东北。㉓濮王：名泰，字惠褒，太宗第四子，奏撰《括地志》，有夺嫡之心。㉔承乾：太宗长子，以谋反被贬。太子承乾与濮王李泰二人同传，见《旧唐书》卷七十六、《新唐书》卷八十。㉕岑文本：（公元五九五至六四五年）字景仁，南阳棘阳（今河南南阳南部）人，太宗朝宰相，以博学节俭著称。传见《旧唐书》卷七十、《新唐书》卷一百二。㉖无忌：即长孙无忌（？至公元六五九年），河南洛阳人，唐太宗长孙皇后之兄。曾参与玄武门之变，深得唐太宗倚重，封齐国公。官至检校中书令，知尚书、门下事。太宗死后，又以国舅、太尉、顾命大臣的身份辅佐高宗，地位尊崇。后因反对唐高宗废王皇后立武则天为皇后被贬。传见《旧唐书》卷六十五、《新唐书》卷一百五。㉗先朝：指太宗皇帝。㉘大渐：病危。㉙草土之辰：居丧之时。㉚社稷：本指土、谷之神，借称国家。㉛蝼蚁余齿：贱微残年。㉜不省：不察。

【语译】

八月十三日己巳，礼官上奏：“四郊迎接五行精气，保存太微五帝的祭祀；南郊明堂，都祭祀昊天上帝，废除纬书六天的理论。除在方丘祭祀地祇之外，另在北郊祭祀神州地祇，现在请合并在方丘一起祭祀。”高宗表示同意。

八月十五日辛未，任命礼部尚书许敬宗为侍中，兼任度支尚书的杜正伦兼任中书令。

冬，十一月十四日戊戌，高宗巡行到达许州。二十一日乙巳，在滍水南面狩猎。二十八日壬子，到达氾水曲。十二月初一日乙卯，高宗车驾返回洛阳宫。

苏定方攻打西突厥沙钵罗可汗，抵达金山北面，首先攻打处木昆部，把他们打得大败。处木昆部的俟斤懒独禄等人率领一万多帐前来投降，苏定方安抚他们，调派一千名骑兵和他们在一起。右领军中郎将薛仁贵向高宗进言：“泥孰部向来不向贺鲁屈服，被贺鲁所败，俘虏了他们的妻子儿女。现在唐兵中有打败贺鲁各部落而俘获泥孰妻儿的，最好送还给泥孰部，并对泥孰部加以赏赐，让泥孰部明白知道贺鲁

明知贺鲁为贼而大唐为之父母，则人致其死，不遗力矣。”上从之。泥孰喜，请从军共击贺鲁。

定方至曳咥河[254]西，沙钵罗帅十姓兵[255]且十万来拒战，定方将唐兵及回纥万余人击之。沙钵罗轻定方兵少，直进围之。定方令步兵据南原，攒矟[256]外向，自将骑兵陈[257]于北原。沙钵罗先攻步军，三冲不动，定方引骑兵击之，沙钵罗大败，追奔三十里，斩获数万人，明日，勒兵复进。于是胡禄屋等五弩失毕悉众来降[258]，沙钵罗独与处木昆屈律啜数百骑西走。时阿史那步真出南道，五咄陆部落闻沙钵罗败[259]，皆诣步真降。定方乃命萧嗣业、回纥婆闰将胡兵趋邪罗斯川[260]，追沙钵罗，定方与任雅相将新附之众继之。会[261]大雪，平地二尺，军中咸请俟晴而行，定方曰：“虏恃雪深，谓我不能进，必休息士马，亟追之可及，若缓之，彼遁逃浸远，不可复追，省日兼功，在此时矣！”乃蹋雪昼夜兼行。所过收其部众，至双河[262]，与弥射、步真兵[9]合，去沙钵罗所居二百里，布陈长驱，径至其牙帐[263]。沙钵罗与其徒将猎，定方掩其不备，纵兵击之，斩获数万人，得其鼓纛[264]，沙钵罗与其子咥运、婿阎啜等脱走，趣[265]石国[266]。定方于是息兵，诸部各归所居，通道路，置邮驿[267]，掩骸骨，问疾苦，画疆场，复生业[268]，凡为沙钵罗所掠者，悉括[269]还之，十姓安堵如故。乃命萧嗣业将兵追沙钵罗，定方引军还。

沙钵罗至石国西北苏咄城，人马饥乏，遣人赍[270]珍宝入城市马，城主伊沮达官[271]诈以酒食出迎，诱之入，闭门执之，送于石国。萧嗣业至石国，石国人以沙钵罗授之。

乙丑[272]，分西突厥地置濛池、昆陵[273]二都护府，以阿史那弥射为左卫大将军、昆陵都护[274]、兴昔亡可汗，押[275]五咄陆部落；阿史那步真为右卫大将军、濛池都护、继往绝可汗，押五弩失毕部落。遣光禄卿卢承庆[276]持节册命，仍命弥射、步真与承庆据诸姓降者，准[277]其部落大小，位望[278]高下，授刺史以下官[279]。

丁卯[280]，以洛阳宫[281]为东都，洛州官吏员品并如雍州[282]。

是岁，诏：“自今僧尼不得受父母及尊者礼拜，所司[283]明有法制禁断。”

以吏部侍郎[284]刘祥道[285]为黄门侍郎，仍知[286]吏部选事。祥道以为“今选司取士伤滥[287]，每年入流[288]之数，过一千四百，杂色[289]入流，曾

是贼寇，而大唐是他们的父母，那么他们会人人为唐室效死，不遗余力。”高宗同意他的意见。泥孰部很高兴，请求随从唐军一起攻打贺鲁。

苏定方到达曳咥河西边，沙钵罗率领十姓近十万兵众前来抵抗作战，苏定方率领唐兵和回纥一万多人攻打沙钵罗。沙钵罗轻视苏定方士兵少，径直向前包围。苏定方命令步兵据守南原，把长矛集中起来，锋刃向外，自己率领骑兵列阵北原。沙钵罗先攻击步兵，冲锋三次，步兵阵列没有动摇，苏定方引领骑兵攻击，沙钵罗大败，苏定方追击了三十里，斩杀俘获几万人，次日，整顿军队再次进击。于是胡禄屋等五咄陆都率领全体部众来降，沙钵罗单独和处木昆屈律啜几百名骑兵向西逃走。当时阿史那步真从南道出发，五咄陆部落听说沙钵罗吃了败仗，就都前往阿史那步真处投降。苏定方便命萧嗣业、回纥婆闰率领胡人军队赶往邪罗斯川，追击沙钵罗，苏定方和任雅相统领刚刚归附的部众作为后继部队。适逢天降大雪，平地积雪二尺，军中将士都要求等到天晴再前进，苏定方说：“敌人仗着雪深，以为我们不能前进，肯定兵马休息，我们迅速追击可以赶上；如果放缓，敌人逃得越来越远，不可能再追得上。节省时间，事半功倍，就在这个时候了！”唐军就踏着雪，昼夜兼程。所过之处，收编投降的部众，到了双河，和阿史那弥射、阿史那步真的兵马会合，在距离沙钵罗所住二百里的地方，布列阵势，长驱直入，直抵沙钵罗的牙帐。沙钵罗和他的徒众正准备出猎，苏定方趁他没有防备，纵兵进击，斩杀俘获了几万人，获取了沙钵罗的战鼓旗帜，沙钵罗和他的儿子咥运、女婿阎啜等人脱身逃走，前往石国。苏定方于是停止用兵，各部落都回到各自的居地，开通道路，设置驿站，掩埋尸骨，慰问民众疾苦，划定部落疆界，恢复生计产业，凡是被沙钵罗所掠夺的财物，全部归还，十姓的胡人安居如旧。又命令萧嗣业统兵追击沙钵罗，苏定方带兵凯旋。

沙钵罗到了石国西北的苏咄城，人饥马乏，派人携带珍宝进城买马，城主伊沮达官欺骗他，拿着酒食出城迎接，诱使他进入城内，然后关闭城门把他抓起来，送到石国。萧嗣业到了石国，石国人把沙钵罗交给他。

十二月十一日乙丑，划分西突厥土地设置濛池、昆陵两个都护府，任命阿史那弥射为左卫大将军、昆陵都护、兴昔亡可汗，统领五咄陆部落；阿史那步真为右卫大将军、濛池都护、继往绝可汗，统领五弩失毕部落。派遣光禄卿卢承庆携带符节、册书，命令弥射、步真和承庆对投降的各姓部落，按照部落大小、地位声望高低，授给他们刺史以下的官衔。

十三日丁卯，把洛阳宫作为东都，洛州官吏员数品秩都和雍州相同。

这一年，高宗下诏：“从现在起，僧尼不得接受父母和地位尊贵的人敬礼跪拜，主管官吏明示法令加以禁绝。”

任命吏部侍郎刘祥道为黄门侍郎，仍主持吏部的官吏选授。刘祥道认为“现在选拔人才的官署录用人才有泛滥的流弊，每年入九品流内的员数，超过了一千四百，

不铨简。即日[290]内外文武官一品至九品，凡万三千四百六十五员，约准三十年，则万三千余人略尽矣。若年别[291]入流者五百人，足充所须之数。望有厘革[292]。”既而[293]杜正伦亦言入流人太多，上命正伦与祥道详议，而大臣惮[294]于改作，事遂寝。祥道，林甫[295]之子也。

【段旨】

以上为第六段，写苏定方抚定西突厥。

【注释】

㉝己巳：八月十三日。㉞太微：星垣名，北天星象有三垣，曰紫微垣（以北极为心，绕以天龙、仙后、仙王诸星座）、天市垣（以帝座为心，绕以巨蛇、英仙诸星座）、太微垣（以五帝为心，绕以狮子、后发、室女诸星座）。㉟五帝：郑玄认为是五行精气之神。㊱六天：出自纬书，根据郑玄之说，指昊天上帝、青帝灵威仰、赤帝赤熛怒、黄帝含枢纽、白帝白招拒、黑帝叶光纪。㊲神州：即神州地祇。地神。㊳辛未：八月十五日。㊴礼部尚书：官名，正三品，掌天下礼仪、祠祭、宴飨、贡举之政令。㊵度支尚书：官名。隋民部尚书，唐贞观中改称户部尚书，显庆时又改称度支尚书。员一人，正三品，职掌国家田土户口、赋税钱谷、水陆运输，是掌管国家财政经济的最高官员。㊶戊戌：十月丙辰朔，无戊戌。下文乙巳、壬子，十一月有之。《新唐书》之《高宗纪》作“十一月戊戌”，当以十一月为是。戊戌，十一月十四日。㊷许州：治所在今河南许昌。㊸乙巳：十一月二十一日。㊹畋：打猎。㊺滍水：今名沙河，在今河南鲁山县、叶县境内。㊻壬子：十一月二十八日。㊼汜水曲：当在今河南巩义东。胡三省认为在郑州新郑界，不知所据。㊽乙卯朔：十二月初一日。㊾金山：即阿尔泰山。㊿俟斤：西突厥官号，意为首领。[251]右领军郎将：官名，即右领军中郎将，位次将军之下。薛仁贵从征高句丽，与高延寿交战，陷阵建功，太宗任以此官。[252]薛仁贵（公元六一四至六八三年）：名礼，绛州龙门（今山西河津）人，唐代名将。传见《旧唐书》卷八十三、《新唐书》卷一百十一。[253]泥孰部：即阿悉结泥孰部，西突厥右厢五弩失毕之一。[254]曳咥河：在今伊犁河东。[255]十姓兵：即五咄陆及五弩失毕之兵。五咄陆指处木昆律、胡禄屋阙、摄舍提暾、突骑施贺逻施、鼠尼施处半。五弩失毕指阿悉结阙、哥舒阙、拔塞干暾沙钵、阿悉结尼孰、哥舒处半。[256]攒槊：集中长矛。攒，聚集。槊，《释名·释兵》：“矛长丈八尺曰槊，马上所持。”[257]陈：列阵。[258]胡禄屋等五弩失毕悉众来降：此处记载有误。胡禄屋系五咄陆之一，居今新疆乌鲁木齐西北玛纳斯河西部，非弩失毕。五弩失毕当为五咄陆。[259]五咄陆部落闻沙钵罗败：五咄陆当为五弩失

流外官入九品流内的，都不曾加以铨选简择。今日朝廷内外文武官从一品到九品，共计一万三千四百六十五名，大略以三十年为准，那么一万三千多人差不多就消失了。如果每年选拔进入九品流内的有五百人，完全可以满足所需要的员数。希望对吏部选授有所改革。”不久杜正伦也说录入九品流的人数太多了，高宗命令杜正伦和刘祥道详加研讨商议，但大臣们害怕改革变动，这件事就搁置了。刘祥道，是刘林甫的儿子。

毕之误。五弩失毕分布在今中亚楚河、锡尔河流域，位于五咄陆西南。㉖⓪邪罗斯川：在今新疆伊犁河西。㉖①会：恰巧；适逢。㉖②双河：即今新疆博乐西部的博乐塔拉河。㉖③牙帐：军帅所居，军帐前立牙旗，故称牙帐。胡三省注：“贺鲁牙帐在金牙山。直石国东北。”直，通“值”。石国详下文注。本书卷二百二胡注：“突厥之初，建牙于金山，其后分为东、西突厥，凡建牙之地，率谓之金牙山。”㉖④鼓纛：战鼓和帅旗。㉖⑤趣：趋走；奔赴。㉖⑥石国：西域国名，昭武九姓之一。位于今乌兹别克斯坦首府塔什干一带。㉖⑦邮驿：驿馆。㉖⑧生业：生产；产业。㉖⑨括：搜；求。㉗⓪赍：携带。㉗①伊沮达官：《旧唐书》之《西突厥传》作“伊涅达干”。㉗②乙丑：十二月十一日。㉗③濛池昆陵：都护府名。濛池都护府，管辖今哈萨克斯坦咸海东南、巴尔喀什湖及伊克赛湖以西地区。昆陵都护府，辖境约当今哈萨克斯坦巴尔喀什湖以东、新疆准噶尔盆地和伊犁河流域一带。据文献记载，濛池、昆陵二都护府均隶属于安西都护府。㉗④都护：官名，都护府最高长官，员一人，正三品，管辖境内的边防、行政及民族事务。㉗⑤押：统辖；管理。㉗⑥卢承庆（公元五九五至六七〇年）：幽州范阳（今河北涿州）人，仪表堂堂，博学多才。传见《旧唐书》卷八十一、《新唐书》卷一百六。㉗⑦准：按照；依据。㉗⑧位望：职位名望。㉗⑨刺史以下官：指州别驾、长史、司马、诸参军事及县令、丞、主簿等。㉘⓪丁卯：十二月十三日。㉘①洛阳宫：《唐六典》：“洛阳宫在东都皇城之北，东西四里一百八十步，南北二里八十五步，周回十三里二百四十一步。”㉘②洛州官吏员品并如雍州：雍州治长安，在今陕西西安西北。因京师所在，官员人数较多，品秩亦高于他州。洛州治所在今河南洛阳东北。因升洛阳为东都，故令增加洛州官吏员品。㉘③所司：主管官吏。㉘④吏部侍郎：官名，为吏部尚书副佐之官，正四品上，职掌官吏选授、勋封、考课之政令。㉘⑤刘祥道（公元五九六至六六六年）：字同寿，魏州观城（今山东阳谷）人，麟德间位至右相后罢为司礼太常伯，为人谨慎谦下。传见《旧唐书》卷八十一、《新唐书》卷一百六。㉘⑥知：执掌；主持。㉘⑦伤滥：伤于浮滥。㉘⑧入流：升入九品。唐制，官阶在九品以外的称为流外官。㉘⑨杂色：指流外官。㉙⓪即日：胡三省注，“即日者，即今日也”。㉙①别：分别。㉙②厘革：调整改革。㉙③既而：接着；不久。㉙④惮：怕。㉙⑤林甫：刘祥道父刘林甫，高祖武德间为内史舍人，典机密，有才华，曾与萧瑀等人撰定律令，著《律议》万余言，太宗贞观初任吏部侍郎。两《唐书》无传。

【校记】

［9］兵：原无此字。据章钰校，十二行本、乙十一行本、孔天胤本皆有此字，今据补。

【原文】

三年（戊午，公元六五八年）

春，正月戊子[296]，长孙无忌等上所修《新礼》[297]，诏中外行之。先是，议者谓《贞观礼》[298]节文[299]未备[300]，故命无忌等修之。时许敬宗、李义府用事[301]，所损益多希旨[302]，学者非之。太常博士[303]萧楚材等以为豫备凶事，非臣子所宜言，敬宗、义府深然之，遂焚《国恤》[304]一篇，由是凶礼遂阙[305]。

初，龟兹王布失毕妻阿史那氏与其相那利私通，布失毕不能禁，由是君臣猜阻[306]，各有党与[307]，互来告难。上两召之，既至，囚那利，遣左领军郎将雷文成送布失毕归国。至龟兹东境泥师城，龟兹大将羯猎颠发众拒之，仍遣使降于西突厥沙钵罗可汗，布失毕据城自守，不敢进。诏左屯卫大将军[308]杨胄发兵讨之。会布失毕病卒，胄与羯猎颠战，大破之，擒羯猎颠及其党，尽诛之，乃以其地为龟兹都督府[309]。戊申[310]，立布失毕之子素稽为龟兹王，兼都督。

二月丁巳[311]，上发东都；甲戌[312]，至京师。

夏，五月癸未[313]，徙安西都护府[314]于龟兹，以旧安西复为西州都督府，镇高昌[315]故地。

六月，营州都督兼东夷都护程名振[316]、右领军中郎将薛仁贵将兵攻高丽之赤烽镇[317]，拔之，斩首四百余级，捕虏百余人。高丽遣其大将豆方娄帅众三万拒之，名振以契丹[318]逆击[319]，大破之，斩首二千五百级。

秋，八月甲寅[320]，播罗哀獠[321]酋长多胡桑等帅众内附。

冬，十月庚申[322]，吐蕃[323]赞普[324]来请婚。

【语译】

三年（戊午，公元六五八年）

春，正月初五日戊子，长孙无忌等人呈上所修《新礼》，高宗诏令朝廷内外遵照施行。此前，参加讨论的人说《贞观礼》礼仪节目与文辞尚不完备，所以命令长孙无忌等人修订。当时许敬宗、李义府主政，对礼节的增减大多迎合高宗的旨意，学者多有批评。太常博士萧楚材等人认为预先准备天子去世的凶事，不是臣子应该说的，许敬宗、李义府深以为是，就焚毁了《国恤》一篇，从此凶礼就缺失了。

起初，龟兹王布失毕的妻子阿史那氏和他的宰相那利私通，布失毕无力禁止，从此君臣相互猜忌隔阂，各有党羽，交相到唐朝告急。高宗把两人招来，他们到来之后，高宗囚禁了那利，派遣左领军郎将雷文成送布失毕回国。到达龟兹东境泥师城后，龟兹的大将羯猎颠发动部众抗拒，又派遣使者向西突厥沙钵罗可汗投降，布失毕占据泥师城自保，不敢前进。高宗下令左屯卫大将军杨胄调动军队攻打羯猎颠。适逢布失毕病死，杨胄和羯猎颠交战，大败羯猎颠，俘虏了羯猎颠和他的党羽，把他们全部诛灭，在当地设置了龟兹都督府。正月二十五日戊申，立布失毕的儿子素稽为龟兹王，兼都督。

二月初四日丁巳，高宗从东都出发；二十一日甲戌，到达京师。

夏，五月初二日癸未，把安西都护府迁徙到龟兹，把原来的安西都护府又恢复为西州都督府，镇守高昌旧地。

六月，营州都督兼东夷都护程名振、右领军中郎将薛仁贵统兵进攻高句丽的赤烽镇，攻了下来，斩杀敌人首级四百多级，虏获一百多人。高句丽派遣大将豆方娄率领部众三万人抵抗，程名振以契丹兵迎击，大败高句丽，斩杀敌人首级二千五百级。

秋，八月初四日甲寅，播罗哀獠酋长多胡桑等人率领部众归附朝廷。

冬，十月十一日庚申，吐蕃赞普前来请求通婚。

【段旨】

以上为第七段，写唐高宗颁《新礼》。置安西都护府于龟兹，东败高句丽。

【注释】

㉙⑥戊子：正月初五日。㉙⑦《新礼》：凡一百三十卷，后来称为《显庆礼》，长孙无忌等在《贞观礼》的基础上修撰而成。㉙⑧《贞观礼》：房玄龄、魏徵等奉敕修撰，共一百卷。㉙⑨节文：指礼仪节目与文辞。㉚⓪未备：不详；不完备。㉚①用事：当权。㉚②希旨：迎合旨意。㉚③太常博士：太常寺属官，共四人，从七品上，职掌五礼仪式。五礼，指吉礼、宾礼、军礼、嘉礼和凶礼。㉚④国恤：《贞观礼》中《凶礼》的篇名之一。㉚⑤凶礼遂阙：应为“天子凶礼遂阙”。胡三省注释说：“六礼既阙凶礼，遂为五礼焉。”赵绍祖在《通鉴注商》中驳之，略言：“五礼者，吉、凶、军、宾、嘉，非此五者之外更有一礼合为六礼。”〖按〗两《唐书》之《礼乐（仪）志》、《贞观礼》中《凶礼》凡十一篇，其中《国恤》五篇。去《国恤》一篇不等于尽废《凶礼》。赵氏所言极是。㉚⑥猜阻：猜忌隔阂。㉚⑦党与：

【原文】

中书令李义府有宠于上，诸子孩抱者并列清贯㉜⑤[10]。而义府贪冒㉜⑥无厌，母、妻及诸子、女婿卖官鬻狱，其门如市，多树朋党，倾动朝野。中书令杜正伦每以先进㉜⑦自处，义府恃恩，不为之下，由是有隙㉜⑧，与义府讼于上前。上以大臣不和，两责之。十一月乙酉㉜⑨，贬正伦横州㉝⓪刺史，义府普州㉝①刺史。正伦寻㉝②卒于横州。

阿史那贺鲁既被擒，谓萧嗣业曰：“我本亡虏，为先帝㉝③所存㉝④，先帝遇我厚而我负之，今日之败，天所怒也。吾闻中国刑人必于市，愿刑我于昭陵㉝⑤之前以谢先帝。”上闻而怜㉝⑥之。贺鲁至京师，甲午㉝⑦，献于昭陵，敕免㉝⑧其死。分其种落为六都督府㉝⑨，其所役属诸国皆置州府，西尽波斯㉞⓪，并隶安西都护府。贺鲁寻死，葬于颉利㉞①墓侧。

戊戌㉞②，以许敬宗为中书令，大理卿辛茂将为兼侍中。

开府仪同三司㉞③鄂忠武公㉞④尉迟敬德㉞⑤薨。敬德晚年闲居，学延党羽。⑱左屯卫大将军：官名，中央十二卫大将军之一，正三品。⑲龟兹都督府：治所伊罗卢城，在今新疆库车。⑳戊申：正月二十五日。㉑丁巳：二月初四日。㉒甲戌：二月二十一日。㉓癸未：五月初二日。㉔安西都护府：贞观十四年（公元六四〇年）置，治所西州，在今新疆吐鲁番东南高昌故城遗址。㉕高昌：古城国名，公元四四三年由沮渠无讳建立，经阚氏、张氏、马氏、曲氏统治，至公元六四〇年为唐所灭。曲氏盛时，其辖境以吐鲁番为中心，东接敦煌，西达龟兹，南邻吐谷浑，北迄敕勒。㉖程名振：洺州平恩（今河北邱县西南）人，唐初名将。事见《旧唐书》卷八十三、《新唐书》卷一百十一《程务挺传》。㉗攻高句丽之赤烽镇：高句丽为古国名，位于朝鲜半岛北部。《旧唐书》卷八十三《薛仁贵传》云：显庆二年，"破高丽于贵端城，斩首三千级"。《新唐书》卷一百十一《薛仁贵传》记此事于显庆三年。㉘契丹：少数民族名称，活动在今辽河上游西拉木伦河一带。㉙逆击：迎击。㉚甲寅：八月初四日。㉛播罗哀獠：西南地区少数民族。胡注："播罗哀，罗窦生獠部落之名。"㉜庚申：十月十一日。㉝吐蕃：中国古代藏族政权名，位于青藏高原。公元七世纪后建立，尚处于奴隶制阶段。㉞赞普：吐蕃君长称号。《新唐书》之《吐蕃传》曰，"其俗谓强雄曰赞，丈夫曰普，故号君长曰赞普"。

【语译】

中书令李义府受高宗宠幸，诸子与尚在襁褓中的孩子也都身处显贵。而李义府仍然贪图财利，不知满足，母亲、妻子和儿子、女婿卖官鬻爵，售狱获利，门庭若市，四处结党，声势震动朝廷内外。中书令杜正伦常常以前辈自居，李义府靠着皇帝恩宠，不愿处在下风，由此两人有了嫌隙。杜正伦与李义府在高宗面前争执。高宗认为大臣不和是不应该的，对两人都加以责备。十一月初六日乙酉，把杜正伦贬为横州刺史，把李义府贬为普州刺史。杜正伦不久就死在横州。

阿史那贺鲁被擒后，对萧嗣业说："我本来是该死的俘虏，被先帝太宗所赦免，先帝待我恩深意厚，而我辜负了他。今天的失败，是上天生气在惩罚我。我听说中国处死犯人一定在街市上，希望把我处死在昭陵之前，以向先帝谢罪。"高宗听了，很怜悯他。阿史那贺鲁到达京师，十一月十五日甲午，在昭陵举行献俘仪式，高宗下令赦免他的死刑。把他的部落分成六个都督府，他所辖属的各国都设置了州府，西至波斯，全都隶属安西都护府。阿史那贺鲁没多久就死了，埋葬在颉利墓侧。

十一月十九日戊戌，任命许敬宗为中书令，大理卿辛茂将为兼侍中。

开府仪同三司鄂忠武公尉迟敬德去世。敬德晚年闲居在家，学习长生术，修整年术，修饰池台，奏清商乐[346]以自奉养，不交通宾客，凡十六年，年七十四，以病终，朝廷恩礼甚厚。

是岁，爱州刺史褚遂良卒。

雍州司士[347]许祎与来济善，侍御史张伦与李义府有怨，吏部尚书唐临[348]奏以祎为江南道[349]巡察使[350]，伦为剑南道[351]巡察使。是时义府虽在外，皇后常保护之，以临为挟私选授[352]。

【段旨】

以上为第八段，写权臣李义府恃皇后之宠，虽贪黩遭贬，仍能干预朝政。

【注释】

㉕清贯：清高尊贵之职。㉖贪冒：贪图财利。㉗先进：前辈。㉘隙：怨恨；矛盾。㉙乙酉：十一月初六日。㉚横州：治所在今广西横州南。㉛普州：治所在今四川安岳。㉜寻：不久。㉝先帝：指唐太宗。㉞存：存活。事见《旧唐书》之《突厥传》。㉟昭陵：唐太宗墓。在今陕西礼泉东北二十公里的九嵕山上，是唐“关中十八陵”中规模最大的一座。㊱怜：哀怜。㊲甲午：十一月十五日。㊳赦免：下令赦免。㊴分其种落为六都督府：以处木昆部置匐延都督府，治所在今新疆和布克赛尔蒙古自治县一带；以突骑施索葛莫贺部置嗢鹿都督府，在今新疆伊宁西；以胡禄屋阙部置盐泊都督府，当今新疆克拉玛依附近；以摄舍提暾部置双河都督府，当今新疆博乐塔拉河一带；以鼠尼施处半部置鹰娑都督府，当今开都河上游；以突骑施阿利施部置洁山都督府，当今哈萨克斯坦阿拉木图一带。㊵波斯：国名，即伊朗。㊶颉利：突厥可汗。唐初屡犯边，后为李靖所俘。事

【原文】

四年（己未，公元六五九年）

春，二月乙丑[353]，免临官。

三月壬午[354]，西突厥兴昔亡可汗与真珠叶护[355]战于双河[356]，斩真珠叶护。

园池楼台，奏唱清商歌乐，自我调养，不和宾客相交往，总共有十六年，年七十四岁，因病而死，朝廷对他的恩遇礼待相当丰厚。

这一年，爱州刺史褚遂良去世。

雍州司士许祎和来济友好，侍御史张伦和李义府有怨隙，吏部尚书唐临上奏委任许祎为江南道巡察使，张伦为剑南道巡察使。当时李义府虽然身在朝外，但皇后常常保护他，认为唐临挟带私情选授官职。

见《旧唐书》之《突厥传》。㉜342 戊戌：十一月十九日。343 仪同三司：散官名号，系文散官第一阶，从一品。344 鄂忠武公：封号与谥号的合称。尉迟敬德被封为鄂国公，谥曰忠武。345 尉迟敬德（公元五八五至六五八年）：名恭，以字行，朔州善阳（今山西朔州）人，唐初名将，以勇武著称。传见《旧唐书》卷六十八、《新唐书》卷八十九。346 清商乐：由民间音乐发展而来，声调清越。此乐由太常寺置清商署掌管。347 司士：即司士参军事，系州六曹之一的士曹官吏，从七品下，职掌津梁、舟车、舍宅、工匠之事。348 唐临：字本德，京兆长安（今陕西西安西部）人。传见《旧唐书》卷八十五、《新唐书》卷一百十三。349 江南道：监察区名称，辖境为今浙江、福建、江西、湖南等省及江苏、安徽、湖北、四川、贵州局部地区。350 巡察使：官名，巡行地方，考察官吏。351 剑南道：辖今四川涪江以西、大渡河和雅砻江以东、云南曲江、南盘江以北及贵州普安、甘肃文县一带。352 以临为挟私选授：认为唐临选官不公。时来济在台州，属江南道，李义府在普州，隶剑南道。以许祎为江南道巡察使，对来济有利；以张伦为剑南道巡察使，对李义府不利。

【校记】

［10］清贯：原作“清贵”。据章钰校，十二行本作“清贯”，今据改。

【语译】

四年（己未，公元六五九年）

春，二月十八日乙丑，罢免唐临官职。

三月初五日壬午，西突厥兴昔亡可汗和真珠叶护在双河交战，斩杀了真珠叶护。

夏，四月丙辰[357]，以于志宁[358]为太子太师、同中书门下三品；乙丑[359]，以黄门侍郎许圉师[360]参知政事。

武后以太尉[361]赵公[362]长孙无忌受重赐而不助己[363]，深怨之。及议废王后，燕公于志宁中立不言，武后亦不悦。许敬宗屡以利害说[364]无忌，无忌每面折[365]之，敬宗亦怨。武后既立，无忌内不自安，后令敬宗伺其隙而陷[366]之。会洛阳人李奉节告太子洗马[367]韦季方、监察御史[368]李巢朋党[369]事，敕敬宗与辛茂将鞫之。敬宗按[370]之急，季方自刺，不死，敬宗因诬奏季方欲与无忌构陷忠臣近戚，使权归无忌，伺隙谋反，今事觉，故自杀。上惊曰："岂有此邪[371]！舅为小人所间[372]，小生疑阻[373]则有之，何至于反！"敬宗曰："臣始末推究，反状已露，陛下犹以为疑，恐非社稷之福。"上泣曰："我家不幸，亲戚间屡有异志[374]，往年高阳公主[375]与房遗爱[376]谋反，今元舅[377]复然，使朕惭见天下之人。兹事若实，如之何？"对曰："遗爱乳臭儿[378]，与一女子谋反，势何所成！无忌与先帝谋取天下，天下服其智。为宰相三十年[379]，天下畏其威，若一旦窃发，陛下遣谁当之！今赖宗庙之灵，皇天疾恶，因按小事，乃得大奸，实天下之庆也。臣窃恐无忌知季方自刺，窘急发谋，攘袂[380]一呼，同恶云集，必为宗庙之忧。臣昔见宇文化及[381]父述[382]为炀帝[383]所亲任，结以婚姻，委以朝政。述卒，化及复典禁兵，一夕于江都[384]作乱，先杀不附己者，臣家亦豫其祸[385]，于是大臣苏威[386]、裴矩[387]之徒，皆舞蹈马首，唯恐不及，黎明遂倾隋室[388]。前事不远，愿陛下速决之！"上命敬宗更加审察。明日，敬宗复奏曰："昨夜季方已承与无忌同反，臣又问季方：'无忌与国至亲，累朝宠任，何恨而反？'季方答云：'韩瑗尝语无忌云："柳奭、褚遂良劝公立梁王为太子，今梁王既废，上亦疑公，故出高履行于外[389]。"自此无忌忧恐，渐为自安之计。后见长孙祥[390]又出，韩瑗得罪，日夜与季方等谋反。'臣参验辞状，咸相符合，请收捕准法[391]。"上又泣曰："舅若果尔[392]，朕决不忍杀之；若杀之[11]，天下将谓朕何[393]，后世将谓朕何！"敬宗对曰："薄昭，汉文帝[394]之舅也，文帝从代[395]来，昭亦有功，所坐止于杀人，文帝使百官素服[396]哭而杀之，

夏，四月初十日丙辰，任命于志宁为太子太师、同中书门下三品。十九日乙丑，任命黄门侍郎许圉师为参知政事。

武后因为太尉赵公长孙无忌接受贵重赏赐却不帮助自己，十分地怨恨他。等到讨论废黜王皇后，燕公于志宁中立不言语，武后也不高兴。许敬宗多次用利害关系劝说长孙无忌，长孙无忌却常常当面驳斥他，所以许敬宗也怨恨长孙无忌。武后册立为皇后之后，长孙无忌心中不安，武后命令许敬宗寻找机会陷害他。恰好洛阳人李奉节告发太子洗马韦季方、监察御史李巢结党营私的事件，高宗命令许敬宗和辛茂将审讯此案。许敬宗追查得很紧，韦季方自杀，却没有死。许敬宗乘机诬告韦季方想和长孙无忌陷害忠臣和皇上近亲，使大权集中到长孙无忌手上，寻找机会谋反，现在事情已被发觉，所以就自杀。高宗吃惊地说："怎么会有这样的事呀！舅舅被小人所离间，和我稍稍产生些猜疑和隔膜是有的，何至于反叛呢！"许敬宗说："臣推查事情的原委，反叛的迹象已经暴露，陛下却还加以怀疑，恐怕不是国家的福祉。"高宗哭泣着说："我家真不幸，亲戚间屡有反叛之心，前几年高阳公主和房遗爱谋反，现在国舅又要反叛，使得我无颜见天下人。这件事如果属实，该怎么办呢？"许敬宗回答说："遗爱不过是乳臭未干的小儿，和一个女子图谋反叛，势必不可能成功！长孙无忌和先帝一起谋划而夺取了天下，天下都佩服他的才智。他做了三十年宰相，天下都惧怕他的权势，一旦暗中发动反叛，陛下派遣谁去抵挡他！现在仰仗宗庙祖先的神灵，皇天痛恨他作恶，就利用审讯小事的机会，而获知了重大奸恶，实在是天下人的喜事。臣私下担心长孙无忌知道韦季方自杀，困窘之中急忙实施阴谋，挽袖一呼，为恶同党云集，必然成为国家的忧患。臣过去看到宇文化及父亲宇文述被炀帝亲近信任，结成姻亲，把朝廷政事委托给他。宇文述死后，宇文化及又执掌禁卫兵，一夜之间，就在江都发动叛乱，先杀掉不顺从自己的人，臣的家庭也遭受了灾难，于是大臣苏威、裴矩之辈，都高兴得在马前手舞足蹈，唯恐来不及响应，天明时就灭亡了隋室。先前的这些事还不久远，希望陛下从速决断！"高宗命令许敬宗再次进行审察。第二天，许敬宗又上奏说："昨天夜晚韦季方已经承认和长孙无忌一起反叛，臣又问韦季方说：长孙无忌和国君是至亲，几代都受朝廷尊宠信任，有什么怨恨而要反叛呢？韦季方回答说：韩瑗曾经告诉长孙无忌，柳奭、褚遂良劝说您立梁王为太子，现在梁王已被废黜，皇上也在怀疑您，所以把高履行外放为官。从此长孙无忌担心害怕，逐渐地制订了些自我保全的计划。后来看见长孙祥又被外放为官，韩瑗也获罪朝廷，就日夜和韦季方等人谋划造反。臣参验供词中的情状，都相符合，请求收捕他依法惩办。"高宗又哭泣着说："舅舅果然这样做了，我也绝不忍心杀死他；如果杀了他，天下人会说我是怎样的人，后代人又将说我是怎样的人呢！"许敬宗回答说："薄昭是汉文帝的舅舅，汉文帝从代地前来京城为帝，薄昭也有功劳，所犯之罪不过是杀人，汉文帝让百官穿着丧服到他门前痛哭，逼他自杀，到

至今天下以文帝为明主。今无忌忘两朝之大恩，谋移社稷，其罪与薄昭不可同年而语也。幸而奸状自发，逆徒引服，陛下何疑，犹不早决！古人有言：'当断不断，反受其乱。'安危之机，间不容发[397]。无忌今之奸雄，王莽[398]、司马懿[399]之流也，陛下少更迁延，臣恐变生肘腋，悔无及矣！"上以为然，竟不引问无忌。戊辰[400]，下诏削无忌太尉及封邑[401]，以为扬州[402]都督，于黔州安置，准一品供给[403]。祥，无忌之从父兄子也，前此自工部尚书[404]出为荆州长史，故敬宗以此诬之。

敬宗又奏："无忌谋逆，由褚遂良、柳奭、韩瑗构扇[405]而成。奭仍潜通宫掖，谋行鸩毒，于志宁亦党附无忌。"于是诏追削遂良官爵，除奭、瑗名，免志宁官。遣使发道次兵[406]援送无忌诣黔州。无忌子秘书监驸马都尉冲[407]等皆除名，流岭表[408]。遂良子彦甫、彦冲流爱州，于道杀之。益州长史高履行累贬洪州[409]都督。

五月丙申[410]，兵部尚书[411]任雅相、度支尚书卢承庆并参知政事。承庆，思道[412]之孙也。

凉州[413]刺史赵持满，多力善射，喜任侠，其从母[414]为韩瑗妻，其舅驸马都尉长孙铨，无忌之族弟也，铨坐无忌，流巂州[415]。许敬宗恐持满作难，诬云[416]无忌同反，驿召至京师，下狱，讯掠备至，终无异辞，曰："身可杀也，辞不可更！"吏无如之何[417]，乃代为狱辞结奏。戊戌[418]，诛之，尸于城西，亲戚莫敢视。友人王方翼[419]叹曰："栾布[420]哭彭越[421]，义也；文王[422]葬枯骨[423]，仁也。下不失义，上不失仁，不亦可乎！"乃收而葬之。上闻之，不罪也。方翼，废后之从祖兄也。长孙铨至流所，县令希旨杖杀之。

现在天下人都认为汉文帝是贤明的君主。如今长孙无忌忘记身受两朝厚恩，图谋改易社稷，他的罪恶与薄昭是不能相提并论的。幸亏他的奸计自行暴露，叛逆之徒自首，陛下还有什么怀疑的，还不快点决断！古人说：'应当决断不决断，反而会遭受祸乱。'国家安危的关键之时，刻不容缓。长孙无忌，当今的奸雄，是王莽、司马懿之流；陛下如稍微迟延，臣担心乱生身侧，那时候懊悔也来不及了！"高宗认为很对，最终也没有当面质问长孙无忌。四月二十二日戊辰，下诏削除长孙无忌的太尉官衔和封邑，任命他为扬州都督，在黔州安置，按一品官阶标准供给俸禄。长孙祥是长孙无忌伯父的儿子，在此之前已由工部尚书外放为荆州长史，所以许敬宗以这件事来诬陷长孙无忌。

许敬宗又上奏说："长孙无忌图谋反叛，是由褚遂良、柳奭、韩瑗勾结煽动而成的。柳奭仍然暗中和宫内同党相通，图谋下毒，于志宁也党附长孙无忌。"于是高宗下诏削除褚遂良的官爵，取消柳奭、韩瑗为官的身份，免掉于志宁的官职。派遣使者调动沿路驻军接送长孙无忌到黔州。长孙无忌的儿子秘书监驸马都尉长孙冲等人都被削去官职，流放到岭南。将褚遂良的儿子褚彦甫、褚彦冲流放到爱州，又在路上杀死了他们。益州长史高履行再次被贬为洪州都督。

五月二十日丙申，兵部尚书任雅相、度支尚书卢承庆都被任命为参知政事。卢承庆，是卢思道的孙子。

凉州刺史赵持满，力大善射，喜欢仗义行侠，他的姨母是韩瑗的妻子，舅舅驸马都尉长孙铨是长孙无忌的堂弟，长孙铨受长孙无忌连累入罪，被流放到巂州。许敬宗担心赵持满发难反抗，就诬告他和长孙无忌一起反叛，通过驿递把他召至京师，关入狱中，讯问拷打无所不至，但他的口供始终如一，说："我可以被杀死，口供不能改变！"执法的官吏对他无可奈何，就替他编造口供，结案上奏。五月二十二日戊戌，处死赵持满，暴尸于城西，亲戚没有人敢去探视。友人王方翼感叹说："栾布痛哭彭越，是义的表现；周文王埋葬枯骨，是仁的表现。在下位的臣子不失义，在上位的君主不失仁，这不也是可以赞赏的吗！"于是收拾持满的尸体加以埋葬。高宗听到了这件事，没有罪责王方翼。王方翼是被废的王皇后的同曾祖兄。长孙铨到了流放地，县令逢迎许敬宗的意思用杖刑把他打死了。

【段旨】

以上为第九段，写唐高宗以谋反罪彻底打击长孙无忌等关陇士族集团。

【注释】

㊁乙丑：二月十八日。㊂壬午：三月初五日。㊃真珠叶护：西突厥乙毗咄陆可汗之子，名颉苾达度设。事见《旧唐书》之《突厥传》。㊄双河：在今新疆博乐拉塔河流域。㊅丙辰：四月初十日。㊆于志宁（公元五八八至六六五年）：字仲谧，京兆高陵（今陕西西安市高陵区）人，曾参与编写律、礼的活动。传见《旧唐书》卷七十八、《新唐书》卷一百四。㊇乙丑：四月十九日。㊈许圉师：安州安陆（今湖北安陆）人，有器干，擢进士及第。事见《旧唐书》卷五十九《许绍传》、《新唐书》卷九十《许绍传》。㊉太尉：官名，三公之一，正一品。用为加官，无实际职掌。㊊赵公：长孙无忌封号。㊋受重赐而不助己：《新唐书》之《长孙无忌传》载，高宗欲立武昭仪为皇后，无忌固言不可。高宗密以宝器锦帛十余车赐之，又幸其第，擢其三子皆朝散大夫。昭仪母又诣其家求情，许敬宗数劝之，都被无忌厉色拒绝。㊌说：游说。㊍面折：当面驳斥。㊎陷：诬陷；陷害。㊏会洛阳人李奉节告太子洗马：此事《通鉴》所记与两《唐书》之《长孙无忌传》颇有差异。《考异》《实录》叙此事殊鲁莽，列传亦未可据。太子洗马，官名，东宫官属，从五品下，掌图书经籍缮写刊缉之事。㊐监察御史：官名，属御史台察院，设员十人，正八品上，掌分察百官，巡按郡县，纠视刑狱，肃整朝仪。㊑朋党：为私利而勾结同类。㊒按：审；查。㊓岂有此邪：怎么会有这样的事。㊔间：离间。㊕疑阻：疑惑。㊖异志：谋反意识。㊗高阳公主：合浦公主，太宗第十七女，下嫁房遗爱。永徽三年因谋反赐死。传见《新唐书》卷八十三。㊘房遗爱：唐初名相房玄龄次子，官房州刺史，谋反被杀。事见《旧唐书》卷六十六与《新唐书》卷九十六《房玄龄传》。㊙元舅：国舅。㊚乳臭儿：小儿。㊛为宰相三十年：贞观元年（公元六二七年）入相，至此三十三年。此言其整数。㊜攘袂：卷袖捋臂。㊝宇文化及（？至公元六一九年）：宇文述之子，官至右屯卫将军。公元六一八年在江都弑杀炀帝后，领兵北上，遭李密、窦建德阻击，穷途末路而自立为帝。传见《隋书》卷八十五、《北史》卷七十九。㊞述：即宇文述，隋朝大臣，代郡武川（今内蒙古武川西南）人。传见《隋书》卷六十一、《北史》卷七十九。㊟炀帝（公元五六九至六一八年）：名广，隋朝第二代皇帝，公元六〇四至六一八年在位。传见《隋书》卷三、《北史》卷十二。㊠江都：郡名，为隋炀帝行都。故址在今江苏扬州。㊡臣家亦豫其祸：其父许善心被宇文化及杀害。㊢苏威（公元五三四至六二一年）：字无畏，京兆武功（今陕西武功）人，隋朝宰相。曾奏请减轻赋役，制定格律。炀帝死后投靠宇文化及，随后又投靠王世充等。传见《周书》卷二十三、《隋书》卷四十一、《北史》卷六十三。㊣裴矩（？至公元六二七年）：字弘大，河东闻喜（今山西闻喜）人，炀帝时主管西域互市。著有《西域图记》三卷。后在宇文化及、窦建德手下做官。入唐，官至民部尚书。传见《隋书》卷六十七、《北史》卷三十八、《旧唐书》卷六十三、《新唐书》卷一百。㊤倾隋室：灭亡隋

朝。㊳89出高履行于外：显庆元年（公元六五六年）以高履行为益州长史。出，指出京做地方官。㊳90长孙祥：生平事见《旧唐书》卷六十五《长孙无忌传》。㊳91准法：依法处决。唐律：谋反为十恶之首，首从皆斩。其父子年十六以上皆绞；十五以下及母、女、妻、妾、祖、孙、兄、弟、姊、妹及部曲、资财、田宅，一律没官，伯叔父及兄弟之子，亦流三千里，不限籍之异同。㊳92果尔：果真如此。㊳93谓朕何：说我什么；怎样看我。㊳94汉文帝：西汉第四代皇帝刘恒（公元前二〇二至前一五七年），公元前一八〇至前一五七年在位，政治比较清明。传见《史记》卷十、《汉书》卷四。㊳95代：汉文帝曾封代地，为代王，都代县，在今河北蔚县东北。㊳96素服：丧服。素，白。㊳97间不容发：形势危迫，刻不容缓。㊳98王莽（公元前四五公元二三年）：字巨君，汉元城（今河北大名东）人，元帝皇后之侄。以外戚身份掌握朝纲，改汉为新，自称皇帝。传见《汉书》卷九十九。㊳99司马懿（公元一七九至二五一年）：字仲达，河内温县（今河南温县西）人，多谋善变，仕魏专权，为西晋的建立奠定了基础。死后被追尊为晋宣帝。传见《晋书》卷一。㊵00戊辰：四月二十二日。㊵01封邑：受封的采邑。长孙无忌武德九年被封为齐国公，实封一千三百户。㊵02扬州：治所在今江苏扬州。㊵03准一品供给：按一品官的标准供给食料。唐制：一品食物与新王等，每日细白米一升，粳米、粱米各一斗五升，粉一升，油五升，盐一升，醋二升，蜜三合，粟一斗，梨七颗，酥一合，干枣一升，木橦十根，炭十斤，葱韭豉蒜姜椒之类各有差。每月给羊二十口，猪肉六十斤，鱼三十头（各一尺），酒九斗。㊵04工部尚书：工部最高长官，正三品，职掌百工营造、屯田、山泽之政令。据《册府元龟》卷一百六十一及《千唐志斋藏志·长孙祥墓志》，应为刑部尚书。㊵05构扇：连结煽动。㊵06道次兵：沿途驻军。㊵07驸马都尉冲：长孙冲尚唐太宗女长乐公主。㊵08岭表：岭外，即岭南。㊵09洪州：治所南昌，在今江西南昌。㊵10丙申：五月二十日。㊵11兵部尚书：兵部最高长官，掌天下军卫武官选授。㊵12思道：卢思道。仕于齐、隋，以文著称。传见《北齐书》卷四十二、《隋书》卷五十七、《北史》卷三十。㊵13凉州：治所姑臧，在今甘肃武威。㊵14从母：即姨母。㊵15巂州：治所在今四川西昌。㊵16诬云：胡三省注云："'诬云'之下恐脱'与'字。"㊵17无如之何：拿他没法，无计可施。㊵18戊戌：五月二十二日。㊵19王方翼：字仲翔，并州祁（今山西祁县）人，王皇后近亲，有功名。传见《旧唐书》卷一百八十五上、《新唐书》卷一百十一。㊵20栾布（？至公元前一四五年）：西汉梁（今河南商丘）人，彭越被杀后，他曾亲往哭祭。后平七国之乱有功，封鄃侯。传见《史记》卷一百、《汉书》卷三十七。㊵21彭越（？至公元前一九六年）：字仲，昌邑（今山东金乡）人，助刘邦灭项羽，以战功封为异姓王，后人告谋反被杀。传见《史记》卷九十、《汉书》卷三十四。㊵22文王：周文王。商末周族首领，姓姬，名昌，在位五十年，为西周的建立打下了坚实的基础。事见《史记》卷四《周本纪》。㊵23葬枯骨：《吕氏春秋·异用》，"周文王使人扣池，得死人之骸，吏以闻于文王。文王曰：'更葬之。'吏曰：'此无主矣。'文王曰：'有天下者，天下之人也。有一国者，一国之主也。今我非其主也？'遂令吏以衣棺更葬之"。

【校记】

［11］若杀之：原无此三字。据章钰校，十二行本、乙十一行本皆有此三字，张敦仁《通鉴刊本识误》同，今据补。

【原文】

六月丁卯[424]，诏改《氏族志》[425]为《姓氏录》。

初，太宗命高士廉[426]等修《氏族志》，升降去取，时称允当。至是，许敬宗等以其书不叙武氏本望，奏请改之，乃命礼部郎中[427]孔志约[428]等比类升降[429]，以后族为第一等，其余悉以仕唐官品高下为准，凡九等。于是士卒以军功致位五品者[12]，豫士流，时人谓之"勋格[430]"。

许敬宗议封禅[431]仪，己巳[432]，奏："请以高祖、太宗俱配昊天上帝，太穆、文德二皇后[433]俱配皇地祇[434]。"从之。

秋，七月，命御史[435]往高州[436]追长孙恩，象州追柳奭，振州追韩瑗，并枷锁[437]诣京师，仍命州县簿录[438]其家。恩，无忌之族弟也。

壬寅[439]，命李勣、许敬宗、辛茂将与任雅相、卢承庆更共覆按[440]无忌事。许敬宗又遣中书舍人[441]袁公瑜[442]等诣黔州，再鞫无忌反状，至则逼无忌令自缢。诏柳奭、韩瑗所至斩决。使者杀柳奭于象州。韩瑗已死，发验[443]而还。籍没[444]三家，近亲皆流岭南为奴婢。常州[445]刺史长孙祥坐与无忌通书，处绞。长孙恩流檀州[446]。

【语译】

六月二十二日丁卯，高宗下诏令改《氏族志》为《姓氏录》。

起初，太宗命令高士廉等人撰修《氏族志》，其中对氏族等级的升降取舍，当时人称赞公允妥当。到这时，许敬宗等人认为《氏族志》没有记叙武氏渊源郡望，所以上奏高宗请求改正，高宗就命令礼部郎中孔志约等按类划分氏族的等级高低，把皇后的族姓列为第一等，其他的全部以在唐朝为官品位的高低为准，共有九等。于是士卒依靠军功官至五品，就可进入士人之列，当时人称之为“勋格”。

许敬宗讨论封禅的礼仪，六月二十四日己巳，上奏说：“请把高祖、太宗一起与昊天上帝配祭，太穆、文德两位皇后与皇地祇配祭。”高宗同意了。

秋，七月，命御史前往高州追捕长孙恩，前往象州追捕柳奭，前往振州追捕韩瑗，一起戴上枷锁送到京师，又命令州县查抄财产。长孙恩，是长孙无忌的堂弟。

七月二十七日壬寅，命令李勣、许敬宗、辛茂将和任雅相、卢承庆等一起再重新调查长孙无忌反叛的事。许敬宗又派遣中书舍人袁公瑜等人前往黔州，再度讯问长孙无忌反叛的情况，一到就逼迫长孙无忌，让他自杀。又下诏把柳奭、韩瑗于所在地斩首。使者在象州把柳奭杀了。韩瑗已经死去，开棺验尸后返回京城。把三家丁口和财产一起抄没，近亲都流放到岭南做奴婢。常州刺史长孙祥因犯了和长孙无忌通信的罪，被判处绞刑。长孙恩被流放到檀州。

【段旨】

以上为第十段，写唐高宗重修氏族谱，改《氏族志》为《姓氏录》，以后族为第一等，其余以官品高下为准，从此寒门升位，士族衰落。又长孙无忌被逼自杀，柳奭、韩瑗等因谋反获罪死去。

【注释】

[424]丁卯：六月二十二日。[425]《氏族志》：论述姓氏源流支脉的书籍，凡一百卷，计二百九十三姓、一千六百五十一家，分为九等。[426]高士廉（公元五七七至六四七年）：名俭，以字显。齐清河王高岳之孙，博闻强记。封许国公，官至宰相。传见《旧唐书》卷六十五、《新唐书》卷九十五。[427]礼部郎中：官名，辅助礼部尚书和礼部侍郎，从五品上。礼部分设四部：礼部、祠部、膳部、主客。礼部郎中主管礼部，职掌礼仪制度，辨别礼仪名分。[428]孔志约：孔颖达近亲，曾参与《尚书正义》《永徽五礼》及《图经》等书的编写，官至太子洗马、弘文馆大学士。[429]比类升降：按类分等排比升降。[430]勋格：功劳谱。《唐会要》卷三十六，“显庆四年九月五日，诏改《氏族志》为《姓录》。上亲制序，仍自裁其类例。凡二百四十五姓，二百八十七家。……各以品位为等第”。《姓录》即《姓氏录》，又作《姓氏谱》，共二百卷。[431]封禅：帝王到泰山祭天地的活动，为国家

【原文】

八月壬子[447]，以普州刺史李义府兼吏部尚书[448]、同中书门下三品。义府既贵，自言本出赵郡[449]，与诸李叙昭穆[450]，无赖之徒藉其权势，拜伏为兄叔者甚众。给事中李崇德初与同谱，及义府出为普州，即除之[451]。义府闻而衔[452]之，及复为相，使人诬构其罪，下狱，自杀。

乙卯[453]，长孙氏、柳氏缘无忌、奭贬降者十三人，高履行贬永州[454]刺史，于志宁贬荣州刺史，于氏贬者九人。自是政归中宫[455]矣。

九月，诏以石、米、史、大安、小安、曹、拔汗那、北拔汗那[13]、悒怛、疏勒、朱驹半[456]等国置州、县、府百二十七。

冬，十月丙午[457]，太子加元服[458]，赦天下。

初，太宗疾山东士人自矜门地[459]，婚姻多责资财，命修《氏族志》例降一等，王妃、主婿皆取勋臣家，不议[460]山东之族。而魏徵[461]、房玄龄[462]、李勣家皆盛与为婚，常左右之[463]，由是旧望不减。或一姓之中，更分某房某眷，高下悬隔。李义府为其子求婚不获，恨之，故以先帝之旨，劝上矫其弊。壬戌[464]，诏后魏[465]陇西[466]李宝[467]、太原[468]王琼[469]、

大典。㊷己巳：六月二十四日。㊸太穆、文德二皇后：太穆皇后，姓窦，唐高祖皇后。文德皇后，长孙氏，唐太宗皇后。二人同传，见《旧唐书》卷五十一、《新唐书》卷七十六。㊹地祇：地神。㊺御史：官名，御史台属官，职掌纠察百官，推鞫狱讼。㊻高州：治所良德，在今广东高州东北。㊼并枷锁：一并戴上枷锁。㊽簿录：查抄财产。㊾壬寅：七月二十七日。㊿覆按：再次推问；复审。441 中书舍人：官名，正五品上，掌侍奉进奏、参议表章、起草诏敕。442 袁公瑜：曾参与拥立武则天为皇后的活动。事见《千唐志斋藏志·大周故相州刺史袁府君（公瑜）墓志铭并序》。443 发验：发棺验尸。444 籍没：没收财物入官。445 常州：治所在今江苏常州。446 檀州：治所在今北京市密云区。

【校记】

［12］者：原无此字。据章钰校，十二行本、乙十一行本皆有此字，今据补。

【语译】

八月初八日壬子，任命普州刺史李义府兼任吏部尚书、同中书门下三品。李义府宠贵之后，说自己是出身于赵郡，和李氏家族叙列行辈，无赖之徒想借助他的权势，很多人拜他为兄为叔。给事中李崇德最初把义府列入同一家谱，等到义府外放为普州刺史，李崇德就把他从家谱里除掉。义府听到后，心里怨恨李崇德，等到义府又做了宰相，就派人诬陷罗织李崇德的罪状，把他关进监狱，李崇德自杀身亡。

八月十一日乙卯，长孙氏、柳氏因为长孙无忌、柳奭的案件而被贬斥降职的有十三人，高履行被贬为永州刺史，于志宁被贬为荣州刺史，于氏被贬的有九人。从此，政权落入皇后之手。

九月，下诏令在石、米、史、大安、小安、曹、拔汗那、北拔汗那、悒怛、疏勒、朱驹半等国设置州、县、府，共设置了一百二十七个。

冬，十月初三日丙午，太子举行加冠礼，大赦天下。

当初，太宗不喜欢山东士人自我夸耀门第，在婚姻上索取对方很多钱财，所以命令修撰《氏族志》时把山东士人一概降级一等，王妃、公主之夫婿都选取有功勋的大臣家，不和山东士族议婚。但魏徵、房玄龄、李勣家族仍然多和山东士人结为婚姻，常常辅助他们，因此山东士族原有的声望并未衰减。有的山东士族在一姓之中，另分第几房、第几卷，彼此地位高下相差很远。李义府为他的儿子向山东士族求婚不成，心里怀恨，所以拿先帝的意旨来劝说唐高宗改正现时的弊端。十月十九日壬戌，高宗下诏令要求后魏陇西李宝、太原王琼、荥阳郑温、范阳卢子迁、卢浑、

荥阳[470]郑温[471]、范阳[472]卢子迁[473]、卢浑、卢辅[474]、清河[475]崔宗伯[476]、崔元孙[477]、前燕[478]博陵[479]崔懿[480]、晋[481]赵郡[482]李楷[483]等子孙，不得[484]自为婚姻。仍定天下嫁女受财之数[485]，毋得受陪门财[486]。然族望[487]为时所尚，终不能禁，或载女窃送夫家，或女老不嫁，终不与异姓为婚。其衰宗落谱，昭穆所不齿者，往往反自称禁婚家[488]，益增厚价。

闰月戊寅[489]，上发京师，令太子监国[490]。太子思慕不已，上闻之，遽召赴行在。戊戌[491]，车驾至东都。

十一月丙午[492]，以许圉师为散骑常侍、检校[493]侍中。

戊午[494]，侍中兼左庶子[495]辛茂将薨。

思结[496]俟斤都曼帅疏勒、朱俱波[14]、谒般陀[497][15]三国反，击破于阗[498]。癸亥[499]，以左骁卫大将军[500]苏定方为安抚大使以讨之。

以卢承庆同中书门下三品。

右领军中郎将薛仁贵等与高丽将温沙门战于横山[501]，破之。

苏定方军至业叶水[502]，思结保马头川。定方选精兵万人、骑三千匹，驰往袭之，一日一夜行三百里，诘旦，至城下，都曼大惊。战于城外，都曼败，退保其城。及暮，诸军继至，遂围之，都曼惧而出降。

【段旨】

以上为第十一段，写唐高宗宠任李义府为相，士族集团再次遭打击。

【注释】

[447]壬子：八月初八日。[448]吏部尚书：官名，吏部最高长官，正三品，掌天下官吏选授、勋封、考课之政令。[449]赵郡：郡名，三国时由邯郸移治房子（今河北高邑西南），北魏又移治平棘（今河北赵县），为李氏大族世居之所。[450]叙昭穆：排辈分，论长幼、远近、亲疏之序。昭穆出自宗法制度，本指宗庙以始祖居中，二、四、六世居左，称昭，三、五、七世居右，称穆。[451]即除之：即从家谱中除去李义府之名。[452]衔：怨；怀恨在心。[453]乙卯：八月十一日。[454]永州：治所在今湖南永州。[455]自是政归中宫：从此政权落入皇后之手。[456]石、米、史、大安、小安、曹、拔汗那、北拔汗那、悒怛、疏勒、朱

卢辅、清河崔宗伯、崔元孙、前燕博陵崔懿、晋赵郡李楷等人的子孙，不可以自己联姻。还定下天下士人百姓嫁女儿时接受财物的数目，男方不得接受女家赔偿门第的财物。可是那些高门大族被当世所崇尚，始终不能禁止，有些人就载着女儿偷送到夫家，或者让女儿年岁日长也不嫁人，始终不和异姓联姻。那些家道衰微不被高门大族谱牒所录，以及不被高门大族列于宗族排列顺序的人家，反而常常自称是被朝廷禁止自行联姻的望族，向请求联姻的人要求更多的赔偿门第的财物。

闰十月初五日戊寅，高宗从京师出发，命令太子在朝廷监守。太子思念不已，高宗知道后，立刻召太子前往他停留的地方。二十五日戊戌，高宗车驾到达东都。

十一月初四日丙午，任命许圉师为散骑常侍、检校侍中。

十六日戊午，侍中兼左庶子辛茂将去世。

思结部的俟斤都曼率领疏勒、朱俱波、谒般陀三国反叛，打败了于阗。十一月二十一日癸亥，任命左骁卫大将军苏定方为安抚大使，讨伐都曼。

任命卢承庆为同中书门下三品。

右领军中郎将薛仁贵等人与高句丽将领温沙门在横山交战，打败了温沙门。

苏定方的军队到达业叶水，思结部驻守马头川。苏定方选拔一万精锐士兵、三千骑兵，飞驰前往偷袭，一天一夜进军三百里，隔天天亮，到达城下，都曼非常惊讶。双方在城外交战，都曼战败，退守城堡。到了黄昏，各路兵马相继到达，便包围了都曼，都曼恐惧，出城投降。

驹半：石、米等皆中亚国名。其中石、米、史、安、曹皆在昭武九姓之列。石国在今乌兹别克斯坦塔什干一带。米国在乌兹别克斯坦撒马尔罕之南。大安、小安在乌兹别克斯坦布哈拉周围。曹国有东曹、西曹之分，在今撒马尔罕北方和东北方。拔汗那、北拔汗那，原为一部，又称钹汗、怖捍、跋贺那，后改国名曰“宁远”，在塔吉克斯坦费尔干纳盆地。悒怛地望不详，《新唐书》之《西域传》载，“挹怛国，汉大月氏之种。大月氏为乌孙所夺，西过大宛，击大夏臣之，治蓝氏城。大夏即吐火罗也”。据此当在今阿富汗北部马扎里沙里夫一带。疏勒在今新疆喀什。朱驹半，亦名朱俱槃、朱驹波，在今新疆叶城一带。㊼丙午：十月初三日。㊽太子加元服：举行皇太子加冠仪式。元服，头上之服，即冠。元，元首，即头。㊾门地：门第。㊿议：考虑。㊻魏徵（公元五八〇至六四三年）：字玄成，魏州馆陶（今河北馆陶）人，贞观名臣，以直言善谏著称，在政治上颇有贡献，被封为郑国公。著有《隋书》序论等。传见《旧唐书》卷七十一、《新唐书》卷九十七。言论主要保存在《贞观政要》一书中。㊽房玄龄（公元五七九至六四

八年）：字乔，齐州临淄（今山东淄博东北）人，贞观元年为中书令，与杜如晦并称贤相。传见《旧唐书》卷六十六、《新唐书》卷九十六。㊸左右之：帮助他们。㊹壬戌：十月十九日。㊺后魏：北魏。公元三八六年建立，公元五三四年分裂。初都平城（今山西大同），后迁洛阳，是北朝中疆域最辽阔者。孝文帝统治时，曾重订士族门阀，除将鲜卑八氏十姓帝宗和三十六族九十二姓部落大人改籍河南洛阳外，还把地方豪族列为郡姓，按其祖先官位高下划为四等，从而奠定了后世郡姓族望的基础。㊻陇西：郡名，治所在今甘肃陇西县南。㊼李宝（公元四〇七至四五九年）：字怀素，陇西狄道（今甘肃临洮）人，北魏镇北将军。生承、茂、辅、佐、公业、冲六子（一作七子）。长子承号“姑臧房”。陇西李氏定著四房，姑臧即为其中之一。见《魏书》卷三十九、《北史》卷一百、《新唐书》卷七十二上。㊽太原：郡名，治所在今山西太原西部。㊾王琼（公元四五四至五二七年）：字世珍，北魏大臣，官至镇东将军、中书令。其子遵业、广业、延业、季和，号“四房王氏”。事见《魏书》卷三十八《王慧龙传》、《北史》卷三十五《王慧龙传》。〖按〗《氏族志》王氏定著三房，为琅邪王氏、太原王氏、京兆王氏，其中太原王氏最贵。《唐国史补》卷上：“太原王氏，四姓得之为美，故呼为金镂王家，喻银质而金饰也。”㊿荥阳：郡名，治所在今河南荥阳。⑴郑温：燕太子少傅郑豁之子，事迹不详。《新唐书》卷七十五上载，“温（郑温）四子：涛、晔、简、恬。涛居陇西。晔，后魏建威将军、南阳公，为北祖，简为南祖。恬为中祖”。郑氏定著二房，即北祖、南祖。⑵范阳：郡名，治所在今河北涿州。⑶卢子迁（公元四一九至四七一年）：名度世，以字显。后魏青州刺史、镇远将军。子渊、敏、昶、尚，号“四房卢氏”。传见《魏书》卷四十七、《北史》卷三十。⑷卢浑、卢辅：二人无传。⑸清河：郡名，治所在今山东临清东。⑹崔宗伯：宋员外散骑常侍灵和之子，后魏赠清河太守。生休、寅。休号大房，寅号小房。⑺崔元孙：清河青州房第二代，任刘宋尚书郎。⑻前燕：十六国之一。公元三三五年由鲜卑族首领慕容皝建立，据有今晋、冀、鲁、豫、皖等省一带。公元三七〇年为前秦所灭。⑼博陵：郡名，治所在今河北蠡县南。⑽崔懿：字世茂，生连、琨等八

【原文】

五年（庚申，公元六六〇年）

春，正月，定方献俘于乾阳殿[503]。法司[504]请诛都曼。定方请曰：“臣许以不死，故都曼出降，愿丐[505]其余生。”上曰：“朕屈法以全卿之信。”乃免之。

甲子[506]，上发东都；二月辛巳[507]，至并州[508]。三月丙午[509]，皇后宴亲

子。怡、豹、佋合为一房，其余各为一房，号称“六房”。崔氏定著十房。见《新唐书》卷七十二下。㊽晋：朝代名，有西晋、东晋之分。此处指西晋，都洛阳。从公元二六五年司马炎建立到公元三一六年被匈奴汉国灭亡，历四帝，五十二年。㊾赵郡：郡名，治所在今河北高邑西南。㊿李楷：事迹不详。《新唐书》卷七十二上载，“楷字雄方，晋司农丞、治书侍御史，避赵王伦之难，徙居常山。五子：辑、晃、芬、劲、叡。叡子勖，兄弟居巷东，劲子盛，兄弟居巷西。故勖为东祖，芬与弟劲共称西祖，辑与弟晃共称南祖。自楷徙居平棘南，通号平棘李氏”。484 不得：不允许。485 受财之数：接受财礼的数额。486 陪门财：胡注，“女家门望未高，而议姻之家非耦，令其纳财以陪门望”。487 族望：高门大族。488 禁婚家：禁止自婚之家。489 戊寅：闰十月初五日。490 监国：留守京师，代理国政。491 戊戌：闰十月二十五日。492 丙午：十一月初四日。493 检校：唐为加官之称，其官高于正官。见于记载的有检校吏部尚书、检校梁州诸军事、检校职方员外郎，等等。494 戊午：十一月十六日。495 左庶子：官名，太子官属，掌侍从赞相，驳正启奏，监省封题。496 思结：北方少数民族，铁勒九姓之一，隶属回纥。居地在阿尔泰山东麓，今内蒙古车车尔勒格以南。497 谒般陀：西域国名，《新唐书》作“喝般陀”，在今新疆塔什库尔干塔吉克自治县西。498 于阗：西域国名，在今新疆和田一带。499 癸亥：十一月二十一日。500 左骁卫大将军：官名，中央十二卫大将军之一，掌宿卫宫禁。501 横山：即今辽宁辽阳之华表山。502 业叶水：在今新疆玛纳斯河西。

【校记】

［13］北拔汗那：原无此四字。据章钰校，十二行本、乙十一行本皆有此四字，今据补。［14］朱俱波：原作“朱”。胡三省注增“俱波”二字，今据严衍《通鉴补》改作“朱俱波”。〖按〗《旧唐书》之《苏定方传》作“朱俱般”，《新唐书》之《苏定方传》作“朱俱波”，皆以汉字译其国名。［15］谒般陀：严衍《通鉴补》改作“喝般陀”。

【语译】

五年（庚申，公元六六〇年）

春，正月，苏定方在乾阳殿献上俘虏。大理寺请求杀掉都曼。苏定方请求说：“臣答应不杀他，所以都曼才出城投降，请求保全他的余生。”高宗说：“我就不按照法令行事，成全你的信用。”于是赦免了都曼。

正月二十三日甲子，高宗从东都出发；二月初十日辛巳，到达并州。三月初五戚、故旧、邻里于朝堂[510]，妇人于内殿[511]，班赐有差。诏："并州妇人年八十以上，皆版授[512]郡君[513]。"

百济[514]恃高丽之援，数侵新罗[515]；新罗王春秋[516]上表求救。辛亥[517]，以左武卫大将军[518]苏定方为神丘道[519]行军大总管，帅左骁卫将军刘伯英等水陆十万以伐百济。以春秋为嵎夷道行军总管，将新罗之众，与之合势。

夏，四月戊寅[520][16]，上发并州，癸巳[521]，至东都。五月，作合璧宫[522]。壬戌[523]，上幸合璧宫。

戊辰[524]，以定襄都督阿史德枢宾[525]、左武候将军延陀梯真[526]、居延州都督李合珠并为冷岍[527]道行军总管，各将所部兵以讨叛奚[528]，仍命尚书右丞崔余庆充使总护三部兵，奚寻遣使降。更以枢宾等为沙砖道行军总管，以讨契丹[529]，擒契丹松漠[530]都督阿卜固送东都。

六月庚午朔[531]，日有食之[532]。

甲午[533]，车驾还洛阳宫。

房州[534]刺史梁王忠，年浸[535]长，颇不自安，或[536]私衣妇人服以备刺客，又数自占[537]吉凶。或告其事，秋，七月乙巳[538]，废忠为庶人，徙黔州，囚于承乾故宅[539]。

丁卯[540]，度支尚书、同中书门下三品卢承庆坐科调失所[541]免官。

八月，吐蕃禄东赞[542]遣其子起政将兵击吐谷浑[543]，以吐谷浑内附故也。

苏定方引兵[17]自成山[544]济海，百济据熊津江[545]口以拒之。定方进击破之，百济死者数千人，余皆溃走。定方水陆齐进，直趣其都城[546]。未至二十余里，百济倾国来战，大破之，杀万余人，追奔，入其郭。百济王义慈[547]及太子隆逃于北境，定方进围其城，义慈次子泰自立为王，帅众固守。隆子文思曰："王与太子皆在，而叔遽[548]拥兵自王，借使[549]能却[550]唐兵，我父子必不全矣。"遂帅左右逾城来降，百姓皆从之，泰不能止。定方命军士登城立帜，泰窘迫，开门请命[551]。于是义慈、隆及诸城主皆降。百济故有五部，分统三十七郡、二百城、七十六万户，诏以其地置熊津等[18]五都督府[552]，以其酋长为都督、刺史。

壬午[553]，左武卫大将军郑仁泰将兵讨思结、拔也固[554]、仆骨[555]、同

日丙午，皇后在朝堂上宴请亲戚、旧友、邻里，妇人在武后居处的内殿，颁赐都有等级差别。下诏令说："并州妇人年龄八十岁以上的，都虚授给郡君之位。"

百济依靠高句丽的援助，多次侵犯新罗；新罗王春秋向唐室上表求救。三月初十日辛亥，任命左武卫大将军苏定方为神丘道行军大总管，率领左骁卫将军刘伯英等水陆军十万讨伐百济。任命春秋为嵎夷道行军总管，统率新罗部众，和苏定方、刘伯英会合。

夏，四月初八日戊寅，高宗从并州出发，二十三日癸巳，到达东都。五月，兴建合璧宫。二十二日壬戌，高宗驾临合璧宫。

五月二十八日戊辰，任命定襄都督阿史德枢宾、左武候将军延陀梯真、居延州都督李合珠都担任冷岍道行军总管，各自率领所属部众讨伐叛逆奚人，又命令尚书右丞崔余庆担任使节，总监护三部兵马，奚人不久就派遣使者投降。另任枢宾等人为沙砖道行军总管讨伐契丹，活捉了契丹松漠都督阿卜固，押送东都。

六月初一日庚午，发生日食。

二十五日甲午，高宗车驾返回洛阳宫。

房州刺史梁王李忠，年龄渐渐大了，自己感觉很不安定，有时私下穿着妇人衣服以防备刺客，又多次自己占卜吉凶。有人把梁王李忠的事件上告高宗，秋，七月初六日乙巳，把梁王李忠废为庶人，迁徙到黔州，囚禁在李承乾的旧宅。

七月二十八日丁卯，度支尚书、同中书门下三品卢承庆因赋税徭役调派混乱获罪免官。

八月，吐蕃禄东赞派遣儿子起政率领军队攻打吐谷浑，因为吐谷浑归附唐朝的缘故。

苏定方率军从成山渡海，百济据守熊津江口抵抗苏定方。苏定方进军打败了百济，百济死亡的有几千人，剩下的都溃逃了。苏定方从水陆齐头并进，直趋百济都城。距都城还有二十多里，百济倾动全国军民前来交战，苏定方大败百济，杀死一万多人，追赶逃跑的人进入了外城。百济王义慈和太子隆逃往北方边境，苏定方进军包围都城，义慈的次子泰自立为王，率领民众固守都城。太子隆的儿子文思说："王和太子都还在，而叔叔突然拥兵自封为王，假使能够打退唐兵，我们父子也一定会被杀。"文思就率领身边的人越过都城前来投降，百姓都跟随着他，泰阻止不了。苏定方命令军士登城竖立旗帜，泰处境窘迫，打开城门请求投降。于是义慈、隆和各个城主都投降了。百济原有五部，分别统辖三十七郡、二百城、七十六万户，高宗下诏令把百济设置为熊津等五个都督府，任命他们的酋长为都督、刺史。

八月十四日壬午，左武卫大将军郑仁泰统兵讨伐突厥的思结、拔也固、仆骨、同

罗[556]四部，三战皆捷，追奔百余里，斩其酋长而还。

冬，十月，上初苦风眩头重，目不能视，百司奏事，上或使皇后决之。后性明敏，涉猎文史[557]，处事皆称旨[558]。由是始委以政事，权与人主侔[559]矣。

十一月戊戌朔[560]，上御则天门[561]楼，受百济俘，自其王义慈以下皆释之。苏定方前后灭三国，皆生擒其主[562]。赦天下。

甲寅[563]，上幸许州。十二月辛未[564]，畋于长社[565]。己卯[566]，还东都。

壬午[567]，以左骁卫大将军契苾何力[568]为浿江道行军大总管，左武卫大将军苏定方为辽东道行军大总管，左骁卫将军刘伯英为平壤道行军大总管，蒲州[569]刺史程名振为镂方道总管，将兵分道击高丽。青州[570]刺史刘仁轨坐督海运覆船，以白衣[571]从军自效。

【段旨】

以上为第十二段，写唐高宗大发兵破百济，征高句丽，讨叛奚。高宗患风疾，权落皇后武氏。

【注释】

⑤⓪③乾阳殿：洛阳宫正殿，又名乾元殿、含元殿。[504]法司：大理寺别称，职掌刑狱。[505]丐：请求。[506]甲子：正月二十三日。[507]辛巳：二月初十日。[508]并州：治所晋阳，在今山西太原西南。[509]丙午：三月初五日。[510]朝堂：皇帝与百官议事之所。胡注："天子行幸所至，皆有朝堂。"[511]内殿：皇后所居之处。[512]版授：虚授。史炤《资治通鉴释文》："版授，谓不加告命，以版策授之。"[513]郡君：妇人封号。唐制，四品官之母或妻可封郡君，五品官之母或妻可封县君。高宗、中宗之世，妇人年八十以上，或版授郡君、县君、乡君。郡君凡三等：正四品、从四品、正五品。[514]百济：国名，朝鲜三国之一，位于朝鲜半岛西南。公元一世纪后逐渐形成，公元五三八年迁都泗沘（今韩国忠清南道扶余）。与隋唐王朝来往密切。[515]新罗：位于朝鲜半岛东南，与高句丽、百济并立，首都庆州，在今韩国庆尚北道。后完成了对朝鲜的统一。[516]春秋：新罗王真德之侄，永徽五年袭封。[517]辛亥：三月初十日。[518]左武卫大将军：唐置十二卫，分掌宫禁宿卫。左武卫为十二卫之一，置大将军一员，正三品，为左武卫最高统兵官。[519]神丘道：

罗四个部落，三次交战都获得了胜利，追逐敌人一百多里，杀了他们的酋长才返回。

冬，十月，高宗起先苦于头部昏眩沉重，眼睛也看不见，百官上奏政事，高宗有时就让皇后决定。皇后秉性聪明敏捷，泛览文史，处置政事都符合高宗旨意。从此开始把政事委托给皇后，皇后的权力与国君相等同了。

十一月初一日戊戌，高宗来到则天门楼，接受百济的俘虏，自百济王义慈以下的俘虏都被释放。苏定方前后共消灭三个国家，都生擒了它们的国君。大赦天下。

十一月十七日甲寅，高宗驾临许州。十二月初五日辛未，在长社打猎。十三日己卯，返回东都。

十二月十六日壬午，任命左骁卫大将军契苾何力为浿江道行军大总管，左武卫大将军苏定方为辽东道行军大总管，左骁卫将军刘伯英为平壤道行军大总管，蒲州刺史程名振为镂方道总管，率领军队分头攻打高句丽。青州刺史刘仁轨因督管海上运输翻船入罪，以平民的身份从军效力。

行军目标，非监察区。㉕⑳ 戊寅：四月初八日。㉕㉑ 癸巳：四月二十三日。㉕㉒ 合璧宫：在东都禁苑西头。显庆五年，命田仁汪等造八关宫。功成，改名合璧。㉕㉓ 壬戌：五月二十二日。㉕㉔ 戊辰：五月二十八日。㉕㉕ 阿史德枢宾：突厥人，姓阿史德。㉕㉖ 延陀梯真：胡注，“梯真，薛延陀之种，因以为姓”。㉕㉗ 冷岍：即冷径山，奚与契丹依阻此山以自固，其地在潢水之南，黄龙之北。㉕㉘ 奚：东北少数民族，由东胡、乌桓发展而来，与突厥同俗，逐水草而居。㉕㉙ 契丹：东北少数民族，来源于东胡。居住在今辽河上游西拉木伦河一带。北魏时自称契丹，分属八部。贞观二年（公元六二八年），契丹首领摩会归唐，遂在其地设松漠都督府。㉚ 松漠：都督府名，治所在今内蒙古巴林右旗南。㉛ 庚午朔：六月初一日。㉜ 日有食之：发生日食。㉝ 甲午：六月二十五日。㉞ 房州：治所在今湖北房县。㉟ 浸：渐。㊱ 或：有时。㊲ 占：占卜。㊳ 乙巳：七月初六日。㊴ 承乾故宅：唐太宗太子李承乾贞观十七年被废，囚于黔州。㊵ 丁卯：七月二十八日。㊶ 科调失所：财政预算失当，是失职行为。㊷ 禄东赞：吐蕃大相。㊸ 吐谷浑：民族名，此指鲜卑后裔在今青海北部和新疆东南部一带建立的少数民族政权。㊹ 成山：在今山东荣成东。㊺ 熊津江：即今朝鲜半岛西南部的锦江。㊻ 其都城：即泗沘。㊼ 义慈：百济王扶余璋之子，贞观十五年受封，号“海东曾子”。㊽ 遽：突然。㊾ 借使：假使。㊿ 却：退。551 请命：请降。552 五都督府：即熊津、马韩、东明、金涟、德安。553 壬午：八月十四日。554 拔也固：又名拔野古、拔野固。铁勒诸部之一，称回纥，在今蒙古国克鲁伦河流域中流地区。555 仆骨：即仆固，在今蒙古国鄂嫩河流域。556 同罗：在蒙古国乌兰巴托之北。557 涉

猎文史：泛览文史书籍。⑤⑤⑧称旨：符合旨意。⑤⑤⑨侔：等；相同。⑤⑥⓪戊戌朔：十一月初一日。⑤⑥①则天门：东都宫城南面中门。⑤⑥②生擒其主：指活捉西突厥阿史那贺鲁、思结都曼、百济义慈。⑤⑥③甲寅：十一月十七日。⑤⑥④辛未：十二月初五日。⑤⑥⑤长社：县名，县治在今河南许昌。⑤⑥⑥己卯：十二月十三日。⑤⑥⑦壬午：十二月十六日。⑤⑥⑧契苾何力（？至公元六七六年）：铁勒人，投唐后历任军职，多次出征。传见《旧唐书》卷一百九、《新唐书》卷一百十。⑤⑥⑨蒲州：治所蒲坂，在今山西永济西南蒲州镇。⑤⑦⓪青州：治所在今山东青州。⑤⑦①白衣：无功名官职的平民。

【原文】

龙朔元年（辛酉，公元六六一年）

春，正月乙卯⑤⑦②，募河南、北，淮南⑤⑦③六十七州兵，得四万四千余人，诣平壤⑤⑦④、镂方⑤⑦⑤行营。戊午⑤⑦⑥，以鸿胪卿⑤⑦⑦萧嗣业为扶余道行军总管，帅回纥⑤⑦⑧等诸部兵诣平壤。

二月乙未晦⑤⑦⑨，改元。

三月丙申朔⑤⑧⓪，上与群臣及外夷宴于洛城门⑤⑧①，观屯营新教之舞，谓之《一戎大定乐》⑤⑧②。时上欲亲征高丽，以象用武之势也。

初，苏定方既平百济，留郎将刘仁愿镇守百济府城⑤⑧③，又以左卫中郎将王文度为熊津⑤⑧④都督，抚其余众。文度济海而卒，百济僧道琛、故将福信聚众据周留城，迎故王子丰于倭国⑤⑧⑤而立之，引兵围仁愿于府城。诏起刘仁轨检校带方州⑤⑧⑥刺史，将王文度之众，便道⑤⑧⑦发新罗兵以救仁愿。仁轨喜曰："天将富贵此翁⑤⑧⑧矣！"于州司⑤⑧⑨请《唐历》及庙讳以行，曰："吾欲扫平东夷⑤⑨⓪，颁大唐正朔⑤⑨①于海表⑤⑨②！"仁轨御军严整，转斗而前，所向皆下。百济立两栅于熊津江⑤⑨③口，仁轨与新罗兵合击，破之，杀溺死者万余人。道琛乃释府城之围，退保任存城⑤⑨④，新罗粮尽，引还。道琛自称领军将军，福信自称霜岑将军，招集徒众，其势益张。仁轨众少，与仁愿合军，休息士卒。上[19]诏新罗出兵，新罗王春秋奉诏，遣其将金钦将兵救仁轨等，至古泗⑤⑨⑤，福信邀击⑤⑨⑥，败之。钦自葛岭道遁还新罗，不敢复出。福信寻杀道琛，专总国兵。

【校记】

［16］戊寅：原作“丙寅”。据章钰校，十二行本、乙十一行本皆作“戊寅”，今据改。［17］兵：据章钰校，十二行本、乙十一行本、孔天胤本皆作“军”。［18］等：原无此字。据章钰校，十二行本、乙十一行本皆有此字，张敦仁《通鉴刊本识误》同，今据补。

【语译】

龙朔元年（辛酉，公元六六一年）

春，正月十九日乙卯，向河南道、河北道、淮南道六十七州招募兵员，得到四万四千多人，前往平壤、镂方的营地。二十二日戊午，任命鸿胪卿萧嗣业为扶余道行军总管，率领回纥等各部士兵前往平壤。

二月三十日乙未，改年号为龙朔。

三月初一日丙申，高宗和群臣以及外国人在洛城门举行宴会，观赏军营里最近新教的歌舞，称之为《一戎大定乐》。当时高宗要亲自出征高句丽，以乐舞象征动用武力的威势。

起初，苏定方平定百济后，留下郎将刘仁愿镇守百济府城，又任命左卫中郎将王文度为熊津都督，安抚百济其余的民众。王文度渡过海就死了，百济的僧人道琛、曾经的大将福信聚合了民众据守周留城，从倭国接来以前的王子丰，立为王，带兵把刘仁愿包围在府城。高宗下诏起用刘仁轨为检校带方州刺史，率领王文度的部众，顺路调遣新罗的兵众援救刘仁愿。刘仁轨高兴地说：“上天要让我这老头子富贵了！”刘仁轨向青州的州司请领了《唐历》和宗庙名号带走，说：“我打算扫平东夷，把大唐的历法在海外颁布！”刘仁轨治军严整，转战前进，兵锋所向，无城不克。百济在熊津江口设立两道栅栏，刘仁轨和新罗合兵进攻，打败了百济，杀死和淹死的百济士卒有一万多人。道琛便撤除了对府城的包围，退守任存城；新罗军队已经把粮食用完了，只好带兵返回。道琛自称领军将军，福信自称霜岑将军，召集徒众，声势进一步扩大。刘仁轨的士兵少，所以和刘仁愿的军队会合，让士卒能够休息。高宗诏令新罗出兵，新罗王春秋接受诏命，派遣他的将领金钦率兵救援刘仁轨等人，到达古泗。福信阻击，打败了金钦。金钦从葛岭道逃回新罗，不敢再出兵。福信不久杀了道琛，独自统领全国军队。

夏，四月丁卯[597]，上幸合璧宫。

庚辰[598]，以任雅相为浿江道行军总管，契苾何力为辽东道行军总管，苏定方为平壤道行军总管，与萧嗣业及诸胡兵凡三十五军，水陆分道并进。上欲自将大军继之，癸巳[599]，皇后抗表[600]谏亲征高丽，诏从之。

六月癸未[601]，以吐火罗、嚈哒、罽宾、波斯等十六国[602]置都督府八[603]，州七十六，县一百一十，军府一百二十六，并隶安西都护府。

秋，七月甲戌[604]，苏定方破高丽于浿江[605]，屡战皆捷，遂围平壤城。

九月癸巳朔[606]，特进新罗王春秋卒，以其子法敏为乐浪郡王、新罗王。

壬子[607]，徙潞王贤[608]为沛王。贤闻王勃[609]善属文，召为修撰。勃，通[610]之孙也。时诸王斗鸡[611]，勃戏为《檄周王鸡文》。上见之，怒曰："此乃交构[612]之渐。"斥勃出沛府。

高丽盖苏文[613]遣其子男生以精兵数万守鸭绿水[614]，诸军不得渡。契苾何力至，值冰大合，何力引众乘冰渡水，鼓噪而进，高丽大溃，追奔数十里，斩首三万级，余众悉降，男生仅以身免。会有诏班师，乃还。

冬，十月丁卯[615]，上畋于陆浑[616]，戊申[617]，又畋于非山[618]，癸酉[619]，还宫。

回纥酋长婆闰卒，侄比粟毒代领其众，与同罗、仆固犯边，诏左武卫大将军郑仁泰为铁勒道行军大总管，燕然都护刘审礼[620]、左武卫将军薛仁贵为副，鸿胪卿萧嗣业为仙萼道行军总管，右屯卫将军孙仁师为副，将兵讨之。审礼，德威之子也。

【段旨】

以上为第十三段，写唐高宗再次大发兵东征高句丽。

夏，四月初三日丁卯，高宗驾临合璧宫。

十六日庚辰，任命任雅相为浿江道行军总管，契苾何力为辽东道行军总管，苏定方为平壤道行军总管，和萧嗣业以及各部胡人军队共三十五军，从水陆分道并进。高宗想亲自率领大军作为后援，二十九日癸巳，皇后上表直言谏阻高宗亲征高句丽，高宗下诏接受了。

六月十九日癸未，在吐火罗、嚈哒、罽宾、波斯等十六个国家设置八个都督府、七十六州、一百一十县、一百二十六个军府，全都隶属于安西都护府。

秋，八月甲戌日，苏定方在浿江打败了高句丽，多次交战都取得胜利，随即包围了平壤城。

九月初一日癸巳，特进新罗王春秋去世，封他的儿子法敏为乐浪郡王、新罗王。

九月二十日壬子，徙封潞王李贤为沛王。李贤听说王勃擅长写文章，召他为修撰。王勃是王通的孙子。当时诸王斗鸡，王勃采用嘲弄的文笔写了一篇《檄周王鸡文》。高宗看见这篇文章，生气地说："这会慢慢地使人互相构陷。"斥责王勃，让他离开了沛王府。

高句丽盖苏文派遣他的儿子男生，率领几万精兵驻守鸭绿江，唐朝各路军队不能渡江。契苾何力到了后，正好江冰封合，契苾何力率领部众踏冰渡江，击鼓呐喊前进，高句丽大败，契苾何力追赶逃兵几十里，斩获首级三万级，其余的兵众都投降了，只有男生自己脱身。恰逢高宗下令回师，契苾何力就率军返回。

冬，十月初五日丁卯，高宗在陆浑打猎；戊辰日，又在非山打猎；十一日癸酉，回宫。

回纥酋长婆闰去世，他的侄儿比粟毒替代他统领部众，和同罗、仆固侵犯边境，高宗下诏委任左武卫大将军郑仁泰为铁勒道行军大总管，燕然都护刘审礼、左武卫将军薛仁贵为副大总管，鸿胪卿萧嗣业为仙萼道行军总管，右屯卫将军孙仁师为副总管，率领军队讨伐回纥。刘审礼，是刘德威的儿子。

【注释】

⑫乙卯：正月十九日。⑬河南、北淮南：河南道、河北道、淮南道，三道凡六十七州。⑭平壤：即今朝鲜平壤。⑮镂方：在今辽宁辽阳东。⑯戊午：正月二十二日。⑰鸿胪卿：官名，是鸿胪寺的最高级别官员，从三品，掌管少数民族君长和域外宾客的接待，以及凶仪之事。⑱回纥：北方少数民族。由匈奴发展而来，活动在蒙古高原。⑲乙未晦：二月三十日。晦为每月最后一天。⑳丙申朔：三月初一日。㉑洛城门：有西门、南门之分。南门在洛阳宫西南。㉒《一戎大定乐》：据《旧唐书》之《音乐志》，《大定乐》

出自《破阵乐》，舞者一百四十人，被五彩文甲，持槊歌舞，声震百里，以象征平辽东而边隅大定之意。583百济府城：即泗沘。584熊津：都督府名，治所在今韩国忠清南道公州。585倭国：日本。586带方州：治所约在今韩国首尔一带。带方，沿汉带方县之称，以带水为名。带水，即今韩国首尔一带的汉江。587便道：顺路；顺道。588此翁：我这老头。刘仁轨自称。589州司：州署。刘仁轨自青州刺史白衣从军，此“州司”当指青州而言。590东夷：东方民族的泛称。此处指百济。591正朔：历法。592海表：海外。593熊津江：即锦江。熊津江口在今韩国忠清南道长项之西。594任存城：在今韩国忠清南道清阳郡大兴地方。595古泗：史炤《资治通鉴释文》以为中国之泗水。胡三省《通鉴释文辨误》驳之，认为在百济国中，极是。据《朝鲜全史》，古泗在孤山附近。596邀击：阻击。597丁卯：四月初三日。598庚辰：四月十六日。599癸巳：四月二十九日。600抗表：上表直言。601癸未：六月十九日。602吐火罗、嚈哒、罽宾、波斯等十六国：指吐火罗、嚈哒、罽宾、波斯、诃达罗支、解苏、骨咄施、帆延、石汗那、护时犍、怛没、乌拉喝、多勒建、俱密、护密多、久越得犍。皆在今帕米尔以西、咸海以东的中亚地区。603都督府八：此数与《新唐书》之《地理志》等书记载不合，详见岑仲勉《西突厥史料补阙及考证》。据两《唐书》之《地理志》，当时共设置了十六个都督府，即月氏都督府，以吐火罗国置，治所遏换城，在今阿富汗东北之昆都士；大汗都督府，以嚈哒国置，治所活路城，在今阿富汗北部阿格查之东；条支都督府，以诃达罗支置，治所伏宝瑟颠城，在今阿富汗加兹尼；天马都督府，以解苏国置，治所数瞒城，在今塔吉克斯坦杜尚别附近；高附都督府，以骨咄施国置，治所沃沙城，在今塔吉克西南；修鲜都督府，以罽宾国置，治所遏纥城，在今阿富汗喀布尔河之北；写凤都督府，以失苑延（即帆延）国置，治所伏戾城，在今阿富汗喀布尔西北巴米安；悦般州都督府，以石汗那国置，治所艳城，在今兴都库什山北麓斯科扎尔一带；波斯都督府，以波斯国置，治所疾陵城，在今伊朗萨巴里湖附近；奇沙州都督府，以护时犍国置，治所遏密城，在今阿富汗北部席巴尔甘南；姑墨州都督府，以怛没国置，治所怛城，在今乌兹别克斯坦捷尔梅兹附近；旅獒州都督府，以乌拉喝国置，治所摩竭城，在今阿富汗西北安德胡伊一带；昆墟州都督府，以多勒建国置，治所抵宝那城，在今阿富汗木尔加布河流域；至拔州都督府，以俱密国置，治所措瑟城，在今中亚苏尔哈布河流域；乌飞州都督府，以护密多国置，治所摸廷城，

【原文】

二年（壬戌，公元六六二年）

春，正月辛亥621，立波斯都督卑路斯622为波斯王。

二月甲子623，改百官名，以门下省624为东台，中书省625为西台，尚

在今阿富汗东北喷赤河西岸伊什卡什姆；王庭州都督府，以久越得犍国置，治所步师城，在今塔吉克境内。若悦般州都督府之后八都督府以州计，则都督府之数为八。⑹⓪④甲戌：七月无甲戌。查《新唐书》之《东夷传》，苏定方浿江之战在八月。《新唐书》之《高宗纪》作“八月甲戌”，即八月十一日，七月当为八月之误。605 浿江：即今朝鲜之大同江。606 癸巳朔：九月初一日。607 壬子：九月二十日。608 路王贤：李贤（公元六五四至六八四年），高宗第六子，为武则天所生。上元二年（公元六七五年）立为皇太子，曾集学者注释《后汉书》，后被废为庶人，睿宗时追赠章怀太子。传见《旧唐书》卷八十六、《新唐书》卷八十一。609 王勃（公元六四九至六七六年）：字子安，绛州龙门（今山西河津）人，初唐四杰之一。传见《旧唐书》卷一百九十上、《新唐书》卷二百一。610 通：王通（公元五八四至六一八年），字仲淹，王勃祖父。隋哲学家，主张儒佛道三教合一，门人私谥为文中子。事见《旧唐书》卷一百九十上《王勃传》、《新唐书》卷一百九十六《王绩传》。611 斗鸡：以鸡相斗的游戏。这种游戏起于春秋。魏晋以降，渐成风俗，故曹植有“斗鸡东郊道，走马长楸间”的诗句。隋唐之际，不但民间有斗鸡，上流社会亦多此举。《东城父老传》载：“唐明皇喜民间清明斗鸡，立鸡坊于两宫间。”由此可知当时斗鸡颇为风靡。612 交构：相互构陷。613 盖苏文：姓泉，高句丽人，残忍无道。杀其王建武，另立建武侄藏为王，自称莫离支，权倾内外。事见《旧唐书》卷一百九十九上《东夷传》、《新唐书》卷二百二十《东夷传》。614 鸭绿水：即今鸭绿江。615 丁卯：十月初五日。616 陆浑：县名，县治在今河南嵩县东北。617 戊申：十月无戊申。观上下文，似为戊辰之误。《新唐书》之《高宗纪》正作“戊辰”，即十月初六日。618 非山：山名，在今河南伊川县西。619 癸酉：十月十一日。620 刘审礼：徐州彭城（今江苏徐州）人，父德威，贞观年间以廉平著称，深得民心。父卒，审礼袭封彭城郡公，累迁至工部尚书、兼检校左卫大将军。后为吐蕃所俘。事见《旧唐书》卷七十七《刘德威传》、《新唐书》卷一百六《刘德威传》。

【校记】

［19］上：据章钰校，十二行本此下有“表”字，张敦仁《通鉴刊本识误》同。

【语译】

二年（壬戌，公元六六二年）

春，正月二十一日辛亥，封波斯都督卑路斯为波斯王。

二月初四日甲子，改变百官的名称，把门下省改为东台，中书省改为西台，尚书省[626]为中台；侍中为左相，中书令为右相，仆射为匡政，左、右丞为肃机，尚书为太常伯，侍郎为少常伯；其余二十四司、御史台、九寺、七监、十六卫，并以义训更其名[627]，而职任如故。

甲戌[628]，浿江道大总管任雅相薨于军。雅相为将，未尝奏亲戚故吏从军，皆移[629]所司补授，谓人曰："官无大小，皆国家公器[630]，岂可苟便[631]其私！"由是军中赏罚皆平，人服其公。

戊寅[632]，左骁卫将军[633]、白州[634]刺史、沃沮道总管庞孝泰与高丽战于蛇水[635]之上，军败，与其子十三人皆战死。苏定方围平壤久不下，会大雪，解围而还。

【段旨】

以上为第十四段，写唐军主力撤离高句丽。

【注释】

㉑辛亥：正月二十一日。㉒卑路斯：波斯王伊嗣俟之子。龙朔元年拜为波斯都督。咸亨年间入朝，授右武卫将军。事见《旧唐书》卷一百九十八《波斯传》、《新唐书》卷二百二十一下《波斯传》。㉓甲子：二月初四日。㉔门下省：官署名，与中书、尚书合称三省。其中心工作是审议和封驳，掌"出纳帝命"。其长官为侍中，正二品。㉕中书省：三省之一。是中央的机要之司，主要任务是起草诏书，掌"军国政令"。其长官为中书令，正二品。㉖尚书省：三省之一，是全国最高的行政机关，下辖吏、户、礼、兵、刑、工六部，领二十四司。其长官为尚书令，正二品。㉗"其余二十四司、御史台、九寺、七监、十六卫"二句：据《唐六典》、《旧唐书》之《职官志》及《新唐书》之《百官志》，其具体更改如下：二十四司：改吏部为司列，主爵为司封，考功为司绩，司勋如故；改户部为司元，度支为司度，金部为司珍，仓部为司庾；改礼部为司礼，祠部为司

书省改为中台；侍中改为左相，中书令改为右相，仆射改为匡政，左、右丞改为肃机，尚书改为太常伯，侍郎改为少常伯；其他二十四司、御史台、九寺、七监、十六卫，都按官名意义的解释更改名称，但职责依旧。

二月十四日甲戌，浿江道大总管任雅相在军中去世。任雅相身为将领，从没有奏请亲戚和旧日员吏从军，都是把他们移交给主管的官吏补授他们官职，他对人说："官位不分大小，都是国家公有的名位，怎么可以方便自己的个人利益呢！"因此军队里的赏罚都很公平，人人都佩服任雅相的公正。

二月十八日戊寅，左骁卫将军、白州刺史、沃沮道总管庞孝泰与高句丽交战于蛇水，部队战败，庞孝泰和他的儿子十三人全部战死。苏定方包围平壤久攻不下，遇上大雪，解除包围，军队返回。

禋，膳部为司膳，主客为司蕃；改兵部为司戎，职方为司城，驾部为司舆，库部为司库；改刑部为司刑，都官为司仆，比部为司计，司门如故；改工部为司平，屯田为司田，虞部为司虞，水部为司川。其长官郎中皆改称大夫。御史台：改御史台为宪台；御史大夫为大司宪，御史中丞为司宪大夫。九寺：改太常寺为奉常寺，光禄寺为司宰寺，卫尉寺为司卫寺，宗正寺为司宗寺，太仆寺为司驭寺，大理寺为详刑寺，鸿胪寺为司文寺，司农寺为司稼寺，太府寺为外府寺；长官卿皆改为正卿，少卿则改为大夫。七监：改秘书省为兰台，秘书监为太史，少监为侍郎，丞为大夫；改殿中省为中御府，殿中省监为中御大监，丞为中御大夫；改内侍省为内侍监；改少府监为内府监；改将作监为缮工监，将作大匠为缮工大监，少匠为少监；改国子监为司成馆，国子祭酒为大司成，司业为少司成，博士为宣业；改都水监为司津监。十六卫：左右卫府、骁卫府、武卫府皆省"府"字；改左右屯卫为左右威卫，左右领军卫为左右戎卫，左右候卫为左右金吾卫，左右千牛府为左右奉宸卫，左右屯营为左右羽林军。胡注仅依《新唐书》之《百官志》，颇有不确之处。㉘甲戌：二月十四日。㉙移：移交。㉚公器：公有之名位。㉛苟便：方便。㉜戊寅：二月十八日。㉝左骁卫将军：官名，从三品，职掌与大将军相同。㉞白州：治所博白，在今广西博白。㉟蛇水：即今朝鲜平壤合掌江。

【原文】

三月，郑仁泰等败铁勒[636]于天山[637]。铁勒九姓[638]闻唐兵将至，合众十余万以拒之，选骁健者数十人挑战，薛仁贵发三矢，杀三人，余皆下马请降，仁贵悉坑[639]之。度碛北[640]，击其余众，获叶护[641]兄弟三人而还。军中歌之曰："将军三箭定天山，壮士长歌入汉关。"

思结、多滥葛[642]等部落先保天山，闻仁泰等将至，皆迎降，仁泰等纵兵击之，掠其家以赏军。虏相帅远遁，将军杨志追之，为虏所败。候骑[643]告仁泰："虏辎重在近，往可取也。"仁泰将轻骑万四千，倍道[644]赴之，遂逾大碛，至仙萼河[645]，不见虏，粮尽而还。值大雪，士卒饥冻，弃捐[646]甲兵[647]，杀马食之，马尽，人自相食，比[648]入塞，余兵才八百人。军还，司宪大夫[649]杨德裔劾奏："仁泰等诛杀已降，使虏逃散，不抚[650]士卒，不计资粮，遂使骸骨蔽野，弃甲资寇[651]。自圣朝[652]开创[653]以来，未有如今日之丧败者。仁贵于所监临[654]，贪淫自恣，虽矜所得，不补所丧。并请付法司推科[655]。"诏以功赎罪，皆释之。

以右骁卫大将军契苾何力为铁勒道安抚使，左卫将军[656]姜恪副之，以安辑其余众。何力简[657]精骑五百，驰入九姓中，虏大惊，何力乃谓曰："国家知汝皆胁从，赦汝之罪，罪在酋长，得之则已。"其部落大喜，共执其叶护及设、特勒[658]等二百余人以授何力，何力数其罪而斩之，九姓遂定。

甲午[659]，车驾发东都。辛亥[660]，幸蒲州。夏，四月庚申朔[661]，至京师。

辛巳[662]，作蓬莱宫[663]。

五月丙申[664]，以许圉师为左相[665]。

六月乙丑[666]，初令僧、尼、道士、女官致敬父母[667]。

秋，七月戊子朔[668]，赦天下。

丁巳[669]，熊津都督刘仁愿、带方州刺史刘仁轨大破百济于熊津[670]之东，拔真岘城。

【语译】

三月，郑仁泰等人在天山打败铁勒。铁勒九姓部族听说唐兵就要到来，集合十几万士卒进行抵御，选拔骁勇健壮的士卒几十个人向唐兵挑战，薛仁贵射出三箭，杀死三个人，其余的都下马请求投降，薛仁贵将他们全部坑杀。唐军越过漠北攻打铁勒剩余部众，俘获叶护兄弟三人后返回。军队中为此歌唱说："将军射三箭就平定天山，壮士高声地唱着歌进了汉关。"

思结、多滥葛等部落起先驻守天山，听说郑仁泰等人快要到达，都出迎投降了，郑仁泰放纵士卒攻击诸部落，抢掠他们的家产用来奖赏士卒。敌人只好相率远逃，将军杨志派兵追击，但被敌人打败。侦察的骑兵告诉郑仁泰说："敌人的辎重车就在附近，前进就可以得到。"郑仁泰率领轻骑兵一万四千人，兼程追赶，于是越过大沙漠，到达仙萼河，没有看到敌人，粮食没了，部队返回。适逢下大雪，士卒又饿又冷，抛弃铠甲兵器，杀马吃肉，马被吃光，便人吃人，等到进入边塞，剩下的士卒仅有八百人。军队返回之后，司宪大夫杨德裔上奏弹劾说："郑仁泰等人杀死已经投降的士卒，使得敌人逃散，不抚恤士卒，不计算粮食物资，使得尸骨蔽野，抛弃了铠甲兵器，资助了敌人。从圣明的朝廷开创以来到现在，没有像今天这样的失败。薛仁贵在他监临的职位上，贪淫放纵，虽然矜夸自己所得，但弥补不了损失。请把他们一起交给司法推问定罪。"高宗下诏让他们以功赎罪，对他们都释罪未究。

任命右骁卫大将军契苾何力为铁勒道安抚使，左卫将军姜恪为副，安抚招集剩下的部众。契苾何力挑选精良的骑兵五百人，飞驰进入九姓当中，敌人大为惊恐，契苾何力就对他们说："朝廷知道你们都是被胁从的，赦免你们的罪过，罪过在于酋长一人，抓获酋长，事情就结束了。"各部落非常高兴，一起抓住叶护和设、特勒等二百多人交给何力，契苾何力数说他们的罪过，杀了他们，九姓从此就安定下来。

三月初五日甲午，高宗车驾从东都出发。二十二日辛亥，到达蒲州。夏，四月初一日庚申，到达京师。

二十二日辛巳，建造蓬莱宫。

五月初八日丙申，任命许圉师为左相。

六月初七日乙丑，开始命令和尚、尼姑、道士、女道士孝敬父母。

秋，七月初一日戊子，大赦天下。

三十日丁巳，熊津都督刘仁愿、带方州刺史刘仁轨在熊津之东大败百济，攻下真岘城。

【段旨】

以上为第十五段，写唐高宗抚定铁勒九姓。

【注释】

⑯铁勒：北方少数民族。其先可追至匈奴，北魏时称敕勒、高车，唐时诸部总称回纥。⑰天山：一名郁督军山，即今杭爱山系，在蒙古国境内。⑱铁勒九姓：指铁勒的九个部族。即回纥、仆固、浑、拔野古、同罗、思结、契苾、阿布思、骨仑屋骨（或作葛逻禄）。回纥、仆固、拔野古、同罗、思结已见前注。浑部在今蒙古国独乐河流域。契苾在今新疆焉耆西北开都河。阿布思在今新疆吉木萨尔。骨仑屋骨在今额尔济斯河南岸。⑲坑：活埋。⑳度碛北：越过沙漠北进。碛，沙漠。北，动词，向北前进。㉑叶护：官名，首领。㉒多滥葛：亦铁勒部族。在蒙古国土拉河上游。㉓候骑：探马。㉔倍道：昼夜兼行。㉕仙萼河：一名仙娥河，即今蒙古色楞格河。㉖弃捐：抛弃。㉗甲兵：铠甲

【原文】

初，仁愿、仁轨等屯熊津城[671]，上与之敕书，以“平壤军回，一城不可独固，宜拔[672]就[673]新罗。若金法敏[674]藉[675]卿留镇，宜且停彼[676]；若其不须，即宜泛海还也”。将士咸欲西归。仁轨曰：“人臣徇公家[677]之利，有死无贰，岂得先念其私！主上欲灭高丽，故先诛百济，留兵守之，制其心腹；虽余寇充斥而守备甚严，宜砺兵秣马，击其不意，理无不克。既捷之后，士卒心安，然后分兵据险，开张形势，飞表以闻，更求益兵[678]。朝廷知其有成，必命将出师，声援才接，凶丑[679]自歼[680]。非直[681]不弃成功[682]，实亦永清海表。今平壤之军既还，熊津又拔[683]，则百济余烬，不日[684]更兴，高丽逋寇[685]，何时可灭！且今以一城之地居敌中央，苟或[686]动足，即为擒虏，纵入新罗，亦为羁客[687]，脱[688]不如意，悔不可追。况福信凶悖残虐，君臣猜离，行相[689]屠戮，正宜坚守观变，乘便取之，不可动也。”众从之。时百济王丰与福信等以仁愿等孤城无

兵仗。⑱比：及。⑲司宪大夫：官名，即御史中丞，御史台属官，正四品下，为御史大夫之副。“掌持邦国刑宪典章，以肃正朝廷”。⑳抚：抚恤。㉑资寇：资助给敌寇。㉒圣朝：指唐朝。㉓开创：创建。㉔于所监临：在实地监督临视。㉕推科：审讯定罪。㉖左卫将军：官名，从三品，职同左卫大将军，掌统领宫廷警卫之法令。㉗简：选。㉘叶护及设特勒：叶护、设、特勒皆铁勒官名，与突厥大体相同。叶护为部族首领。设为别部典兵之官。特勒，即特勤，或以为特勤之误，以宗室子弟充任，地位仅次于设。㉙甲午：三月初五日。㊵辛亥：三月二十二日。㊶庚申朔：四月初一日。㊷辛巳：四月二十二日。㊸蓬莱宫：即大明宫，亦称东内。位于太极宫东北的龙首原上，创建于贞观八年。龙朔二年，高宗改名为蓬莱宫。㊹丙申：五月初八日。㊺左相：即侍中。㊻乙丑：六月初七日。㊼初令僧、尼、道士、女官致敬父母：尼，尼姑。女官，即女冠，女道士。唐朝以前，僧尼皆受父母礼拜。高宗以为有伤名教，令朝野详议。显庆二年二月颁《僧尼不得受父母拜诏》，予以明令禁止。但僧、尼、道士、女冠仍有不拜父母之礼，高宗提倡孝道，故又有此令。㊽戊子朔：七月初一日。㊾丁巳：七月三十日。㊿熊津：即今韩国锦江。

【语译】

最初，刘仁愿、刘仁轨等人驻扎在熊津城，高宗给他们敕书，认为“平壤的军队已经返回，一个熊津城不可能独自保全，应该离开前往新罗。如果金法敏借重你，要你留下镇守，你应当暂且停留在新罗；如果不需留下，就最好渡海回朝”。将士们都愿意向西回归。刘仁轨说：“人臣为公家的利益而牺牲，只有为国而死没有二心，怎么可以首先考虑个人的私欲！主上想要消灭高句丽，所以先诛灭百济，留兵驻守，控制它的心腹要地；虽然剩下的敌寇到处充斥而且守备森严，只要我们厉兵秣马，攻其不备，按理说没有攻不下的。等到获胜之后，士卒心里就会稳定，然后再分兵据守险要，扩大有利形势，再以快表向皇帝报告，进一步请求增加军力。朝廷知道我们有了成就，一定会命令将领出动军队，只要援军一到，凶恶的敌人自然会被消灭。这样做不但没有放弃成功的机会，其实也是使海外肃清。现在平壤的军队既然返还了，熊津的部队又要离开，那么百济犹如未息的余烬，没有几天又要燃烧兴起，那些高句丽逃亡的敌寇，什么时候才能消灭呢！况且现在以熊津一城之地处于敌人的中央，如果有所行动，立刻就会被擒获俘虏，纵使进入新罗，也是羁旅之客，万一事不如意，后悔也来不及了。况且福信凶残暴逆，君臣互相猜疑叛离，行将互相杀戮；我们正好可以坚守城池，观察变化，利用机会攻取对方，现在部队不能调动。”大家听从了他的意见。当时百济王丰和福信等人以为刘仁愿等人孤立无援，就派遣使者对他

援，遣使谓之曰："大使等何时西还，当遣相送。"仁愿、仁轨知其无备，忽出击之，拔其支罗城及尹城、大山、沙井等栅，杀获甚众，分兵守之。福信等以真岘城险要，加兵守之。仁轨伺其稍懈，引新罗兵夜傅[690]城下，攀草而上，比明，入据其城，遂通新罗运粮之路。仁愿乃奏请益兵。诏发淄、青、莱、海[691]之兵七千人以赴熊津。

福信专权，与百济王丰浸[692]相猜忌。福信称疾，卧于窟室，欲俟[693]丰问疾而杀之。丰知之，帅亲信袭杀福信，遣使诣高丽、倭国乞师[694]以拒唐兵。

【段旨】

以上为第十六段，写唐军刘仁愿、刘仁轨孤军坚守百济。

【注释】

⑹⑺①仁愿仁轨等屯熊津城：《考异》，"去岁道琛、福信围仁愿于百济府城，今云尚在熊津城，或者共是一城。不则围解之后，徙屯熊津城耳"。〖按〗百济府城泗沘，即今韩国忠清南道扶余，在熊津（今忠清南道公州）之西，二者相去不远，但实非一地。[672]拔：开拔。[673]就：赴。[674]金法敏：新罗王春秋之子。永徽元年入唐，擢太府卿。龙朔元年袭封，为新罗王。[675]藉：同"借"。[676]彼：指新罗。[677]公家：即国家。[678]益兵：增加兵力。[679]凶丑：指福信等百济部众。[680]自歼：自灭。[681]直：但；只。[682]成功：已成之功。[683]熊津又拔：意为驻扎在熊津的兵马又撤。拔，拔离、撤退。[684]不日：不久；很快。[685]逋寇：在逃之敌。[686]苟或：假如。[687]羁客：羁旅；寄居作客。[688]脱：万一。[689]行相：即将相互。[690]傅：靠近。[691]淄、青、莱、海：皆州名，淄州治所在今山东淄博境内，青州治所在今山东青州，莱州治所在今山东莱州，海州治所在今江苏连云港西南。[692]浸：渐。[693]俟：等；候。[694]乞师：借兵。

【研析】

本卷研析三事：唐高宗废王皇后立武氏为皇后、长孙无忌集团的覆灭，以及新编《姓氏录》的历史意义。次第评说。

第一，唐高宗废王立武。唐高宗结发夫人王皇后是西魏大将王思政的玄孙女，出身名门贵胄。王氏与李唐皇室世为婚姻，王皇后的从祖母同安长公主就是唐高祖们说："大使们什么时候返回西方，我们会派人相送。"刘仁愿、刘仁轨知道对方没有防备，就突然出兵攻击，攻克百济的支罗城和尹城、大山、沙井等栅寨，杀死擒获的敌人很多，然后分兵防守。福信等人认为真岘城形势险要，加派兵卒防卫。刘仁轨等待他们稍稍松懈时，带领新罗的士卒在夜晚靠近城下，攀着墙边草木爬上城墙，等到天亮，进兵占领了真岘城，于是打通了新罗运输粮食的道路。刘仁愿便向朝廷奏请增派军队。高宗下诏征发淄州、青州、莱州、海州等地的士兵七千人前往熊津。

福信专擅权柄，和百济王丰渐渐地互相猜忌起来。福信借口生病，躺卧在屋里，想等待百济王丰问候他的病情时杀了他。百济王丰知道了这一情况，率领亲信袭杀了福信，派遣使者去往高句丽、倭国乞求军队，借以抵抗唐兵。

李渊的妹妹。同安公主见王皇后品貌端庄，便向唐太宗推荐，嫁与晋王李治为妃，这是一桩亲上加亲的婚姻。李治立为皇太子后，王氏为太子妃。唐太宗很喜欢太子妃，临终特意亲手将高宗与王氏这对"佳儿佳妇"托付长孙无忌、褚遂良等大臣辅佐、护佑。高宗即位，太子妃王氏被立为皇后。

长孙无忌以帝舅之亲，又兼领首辅之重任，在永徽初年大权在握。他与褚遂良等人共同辅政，精心治国，以天下安危自任，故永徽之政有贞观之风。唐高宗也敬礼二臣，拱己以听。此时政通人和，号称太平。可是这个局面没过多久，就被唐高宗废王立武这一事件打破了平衡。

王皇后没有生育。高宗即位时已有四子：长子李忠，后宫刘氏所生；次子李孝，后宫郑氏所生；三子李上金，后宫杨氏所生；四子李素节，萧淑妃所生。萧淑妃生了皇子，又得到高宗宠爱，王皇后感到忧惧，她把在感业寺出家为尼的武则天召进宫中，想拉拢武则天以分萧淑妃之宠。武则天是唐太宗的嫔妃，唐太宗不喜欢武则天的刚强性格，只封她为才人，正五品。唐太宗病重，太子李治入侍宫中，被武则天的美色和伎俩所俘获，两人发生暧昧关系。唐太宗死后，武则天出家为尼，高宗李治念念不忘旧情。王皇后看在眼里，错误地召武则天进宫，给自己带来了灭顶之灾。

高宗永徽三年（公元六五二年），武则天第二次进宫。时年她三十岁，正当青春盛年，政治上亦已成熟。她毫不感谢王皇后的知遇，而要取而代之。她假意讨好王皇后，又用小恩小惠收买宫人，将自己所得赏赐全部分给她们。武则天很快受到上下一致赞扬，高宗非常高兴，把进宫不久的武则天封为昭仪，正二品，这和昔日正五品的才人不可同日而语。但武则天并未满足，她收买宫人为自己的耳目，对高宗、王皇后以及其他妃嫔的动静了如指掌，逐渐地把唐高宗牢牢地控制在自己手中。这时唐高宗不但冷落了萧淑妃，也疏远了王皇后。不过武则天要夺取皇后桂冠也非易事。王皇后出身名门，又是亲上加亲，与高宗结发为夫妻，长期相处，有深厚感情，更有长孙无忌、褚遂良等重臣拥戴。武则天要挑战王皇后，仿佛是天方夜谭。但武则天的铁腕性格，不会被任何困难所动摇。她抓住高宗懦弱和耳根软的特点，更抓住王皇后不懂政治，缺少心机的特点，采用非常手段，离间高宗与王皇后的感情。为此，她不惜亲手扼杀了自己刚出生的长女，嫁祸于王皇后，高宗果然大怒，产生了废后之意。接着武则天又着手瓦解王皇后的政治根基。她首先打击王皇后的舅舅中书令柳奭。永徽五年六月，解职柳奭中书令之职，贬为吏部尚书。永徽六年六月，武则天又诬告王皇后与其母魏国夫人柳氏行厌胜之术，从此禁止柳氏入宫。七月，柳奭被牵连而被贬出京。柳奭出京，已是王皇后被废的先兆。

但是要废王立武，还需朝中大臣的翊赞。武则天使出浑身解数拉拢长孙无忌，起先只是要求高宗立自己为宸妃，正一品，可是长孙无忌连宸妃也不赞同。武则天转而收买朝中大臣。这时中书舍人李义府因得罪长孙无忌而被贬为壁州司马。李义府孤注一掷，他接受同僚王德俭的主意上书高宗，连夜奏本，请立武昭仪为皇后。这正中高宗下怀，立即召见他，并赐李义府宝珠一斗，让他官复原职。武则天于是通过李义府联络了御史大夫崔义玄、御史中丞袁公瑜，以及卫尉卿许敬宗、中书舍人王德俭，壮大了势力。很快李义府被提拔为中书侍郎，卫尉卿许敬宗被提拔为礼部尚书。李义府等人在朝中大肆制造立武则天当皇后的舆论。永徽六年九月，武则天觉得时机成熟，便鼓动高宗讨论立后问题。这时朝中大臣分为两派。元老重臣长孙无忌、于志宁、褚遂良、韩瑗、来济等坚决反对。李义府、许敬宗、崔义玄等拥立武则天为皇后。唐高宗拿不定主意，于是私访称病不上朝的开国元勋李勣。李勣老奸巨猾，他既不想得罪元老重臣，故而称病不朝，又看到武则天的野心和高宗的决心，出于为自己个人前途考虑，他正等着高宗的来访，他点拨高宗说:“此陛下家事，无须问外人。”太子与皇后的废立，向来是国家大事，并不是天子个人的私事。李勣如此回答，表示自己是支持高宗的。高宗得到了开国元勋的支持，心一横，于永徽六年十月，采取果断措施，立即废黜了王皇后，立了武则天为皇后。武则天为防止事有转寰，又断然地杀害了王皇后和萧淑妃，还改王皇后的姓为蟒氏，萧淑妃姓为枭氏。

唐高宗废王立武是唐代的一个大事件，这一事件改变了唐朝的政治轨迹。因为武则天的终极目标不是只当皇后，她要的是皇权，要自己做皇帝。武则天挑战皇后成功，为中国唯一的一个女皇出世奠定了基础，接下来就是向皇权迈进，制造了无数的大事件，这是后话。我们要研讨的问题是，武则天挑战皇后之位，为何得以成功。这有以下五大原因。第一，武则天是一位天才的政治家。她入宫之初就不安本分，在唐太宗那里得不到发展，就瞄准了太子李治，打破封建伦理，“秽乱春宫，陷吾君于聚麀”，非常人所能及。第二，性格决定成败。武则天有心计，有手段，更有刚毅与残忍，敢作敢为。恰如骆宾王《讨武曌檄》中所说，不仅“狐媚偏能惑主”，而且“加以虺蜴为心，豺狼成性”，她与王皇后以及与元老重臣的斗争，就是生动的例证。第三，王皇后的妒忌与无能，给武则天创造第二次进宫的条件，王皇后是搬起石头砸了自己的脚。第四，君权与相权之争，高宗引武氏为党援。高宗懦弱，感情上、心理上得找一个依靠。高宗争皇太子位，依靠的是长孙无忌，而当皇帝后不甘心长孙无忌的专权，便依靠武则天为党援。武则天抓住了高宗的性格弱点以及不甘大权旁落的心理牢牢地控制了高宗。武则天年长高宗四岁，政治与权谋上都比高宗成熟。高宗受制于武则天，其实也是心理依赖。第五，社会形势的变化，士族与庶族地主集团的斗争，给武则天带来了机遇。长孙无忌等元老重臣是世家大族执政的代表。李义府、许敬宗等人是庶族地主的代表人物。魏晋南北朝是世家大族垄断政治的时期，隋文帝以科举代替九品官人法的选择制度，可以说是庶族地主取代世家大族的一个先兆。这是历史的必然发展。朝中大臣两股势力的斗争，给武则天带来了机遇。

第二，元老重臣长孙集团的覆灭。长孙无忌，字辅机，长安人。其先祖是北魏拓跋氏宗室，属鲜卑族人，因在宗室中地位最高，故拓跋氏改姓为长孙氏。无忌之父长孙晟在隋朝任右骁卫将军。无忌少时，聪明好学，通晓文史典故，喜结英豪，与李世民友善。无忌追随李渊起兵反隋，一直跟随李世民南征北战，尽心辅佐，功勋卓著。贞观十七年（公元六四三年），唐太宗命阎立本在凌烟阁内描绘了开国功臣二十四人，长孙无忌以“英冠人杰，力安社稷”而名列第一。高宗得立为太子，也是长孙无忌一手扶上台。高宗即位，长孙无忌的权势达到了顶点。于志宁、褚遂良、韩瑗、来济、王皇后、皇后舅氏柳奭等均属长孙氏集团，也是关陇集团，唐皇室李氏也是关陇集团。他们牢固地掌握着政权。李勣、崔义玄、李义府、许敬宗、武则天，他们均是山东庶族。但古人的地域与阶层的观念并不明显，特别是并不直接表现在意识上。由于唐高宗与长孙无忌帝权和相权的斗争，关陇集团的核心发生了分裂，唐高宗不自觉地倒向了武则天的怀抱。武则天要出人头地，要的是个人权力。她最初是向关陇集团首领长孙氏示好，碰了壁而发恨向关陇集团进攻。武则天寻找个人势力，无意中与山东庶族集团形成联盟。于是立王废武，从个人权力之争，引出帝相权力之争，再引出关陇士族与山东庶族集团之争，因此斗争愈演愈烈，两个集团之争从朦胧走向透明，从无意识走向有意识，从温情走向剧烈，而最后是你死我活的斗争。唐高宗不顾昔日之恩、舅甥之情，彻底覆灭了长孙氏集团。长孙无忌本人，从被贬黜到被贬死，以悲剧告终。长孙集团的覆灭，宣告士族政治的终结。从此，高宗成了傀儡，而“政归中宫”。一场皇后的废立之争，成了一个时代变迁的临界点。这是唐代政治的一个看点，也是专制政体的一大奇观。

第三，武则天新编《姓氏录》。魏晋南北朝时期，门阀士族专政，选举制度施行九品官人法，士人品级，由门第决定。“上品无寒门，下品无势族。”崔、卢、王、谢，为天下著姓。朝代变迁，士族门第衰落，但山东士人，仍以门第自矜夸耀，士族不与寒门联姻。唐太宗对此十分厌恶，要改变这一风气。唐太宗贞观五年诏令高士廉与韦挺、岑文本、令狐德棻等人，征集天下族谱，参考史传，重定姓氏等为九等，书名《氏族志》一百卷，颁行天下。原第一等崔氏，贬为第三等，唐皇室李氏为第一等。唐太宗指示，新修《氏族志》的原则是“不须论数世以前，止取今日官爵高下作等级”(《旧唐书》之《高士廉传》)，皇族自然是第一等。以官爵门第等级，改变了以往以郡姓区别门第高下的做法，抑制了旧门阀士族，给新兴贵族以士族地位，符合社会现实，具有进步意义。但唐初旧门阀士族还没有全面衰落，而关陇士族又多为李唐开国元勋，在政治上还有很大的势力，维系士族地位的谱牒仍在沿袭。长孙无忌等人反对立武则天为皇后，其中一个重要原因便是武氏出身寒微，这对武则天是一个极大的刺激。武则天斗倒长孙无忌之后，绝无法容忍这一现实。高宗显庆四年（公元六五九年），武则天通过高宗下诏改修《氏族志》为《姓氏录》，令许敬宗主持其事。新编《姓氏录》的原则是:“皇朝五品官者，皆升士族”，武氏列为第一等。于是，许多寒门因军功得五品，或入仕得五品的现任官都被列入士族。门阀士族虽然在《姓氏录》中仍然有名，但他们不得不与昔日的下流寒士并列，实际上门阀士族的等第被下降了。因此士族对《姓氏录》十分憎恶，“皆号此书为‘勋格’”。武则天新编《姓氏录》对门阀制度的破坏，大大超过了唐太宗所修的《氏族志》。降至唐代中叶，史称“风教又薄，谱录都废，公靡常产之拘，士亡旧德之传，言李悉出陇西，言刘悉出彭城，悠悠世祚，讫无考案，冠冕皂隶，混为一区”(《新唐书》之《高士廉传》)，士族开始全面衰落。这种局面的出现，和武则天新编《姓氏录》，以及大力打击关陇士族集团而选拔庶族地主人士入仕等政策密切关联。许敬宗一生作恶，但他主修《姓氏录》，打碎旧制度、旧积习，却是一件好事。

卷第二百一　唐纪十七

起玄黓阉茂（壬戌，公元六六二年）八月，尽上章敦牂（庚午，公元六七〇年），凡八年有奇。

【题解】

本卷记事起公元六六二年八月，迄公元六七〇年，凡八年又五个月，当唐高宗龙朔二年至咸亨元年。这一时期是唐高宗三十四年执政的中期。唐高宗的个人事业达到了顶峰，其标志有二：一是对内颁布了新历《麟德历》，完成了上泰山祭天，改元乾封，又完善了选举之法；二是对外征服了百济、高句丽，这是隋炀帝、唐太宗两朝皇帝都没有完成的事业，因此是唐高宗的最大骄傲。此时期，也是唐高宗由明转昏的一个转折点。最大事件是唐高宗欲废皇后武则天，令上官仪草诏，结果是武则天一闹，唐高宗冤杀上官仪，屈从武则天，导致武则天由幕后走到前台，居然垂帘听高宗之政，宫内外号为二圣，唐高宗逐渐成了傀儡。武则天参政以后办的第一件事就是报复本家，武氏家族凡对武则天生母不尊敬的人都遭到打击。这预示着一个铁腕女人已经横空出世，唐朝政治将伴随这个女人而发生重大转折。

【原文】

高宗天皇大圣大弘孝皇帝中之上

龙朔二年（壬戌，公元六六二年）

八月壬寅[①]，以许敬宗为太子少师[②]、同东西台三品，知西台事[③]。

九月戊寅[④]，初令八品、九品衣碧[⑤]。

冬，十月丁酉[⑥]，上幸骊山[⑦]温汤[⑧]，太子监国。丁未[⑨]，还宫。

庚戌[⑩]，西台侍郎[⑪]陕[⑫]人上官仪[⑬]同东西台三品。

癸丑[⑭]，诏以四年正月有事于泰山[⑮]，仍[⑯]以来年二月幸东都。

左相[⑰]许圉师之子奉辇直长[⑱]自然，游猎犯[⑲]人田，田主怒，自然以鸣镝[⑳]射之。圉师杖自然一百而不以闻[㉑]。田主诣司宪[㉒]讼之，司宪大夫[㉓]杨德裔不为治[㉔]。西台舍人[㉕]袁公瑜遣人易姓名上封事[㉖]告之，上曰："圉师为宰相，侵陵[㉗]百姓，匿而不言，岂非作威作福！"

【语译】

高宗天皇大圣大弘孝皇帝中之上

龙朔二年（壬戌，公元六六二年）

八月十六日壬寅，任命许敬宗为太子少师、同东西台三品，掌管西台事。

九月二十二日戊寅，首次命令八品、九品的官吏穿着青绿色衣服。

冬，十月十一日丁酉，皇帝抵达骊山温泉，由太子监理朝廷。二十一日丁未，回宫。

二十四日庚戌，西台侍郎陕人上官仪担任同东西台三品。

二十七日癸丑，下诏四年正月祭祀泰山，要在来年二月时到东都。

左相许圉师的儿子奉辇直长许自然，在游猎时侵害了人家田地，田地主人大怒，许自然就用响箭射他。许圉师把儿子许自然杖责一百下，不向朝廷报告。田地主人前往司宪官署告状，司宪大夫杨德裔不按法治罪。西台舍人袁公瑜派人改名易姓，密封上告，高宗说："许圉师身为宰相，儿子欺凌百姓，藏匿不言，这不是作威作福吗！"

圉师谢[28]曰："臣备位枢轴[29]，以直道[30]事陛下，不能悉允众心，故为人所攻讦[31]。至于作威福者，或手握强兵，或身居重镇，臣以文吏，奉事圣明[32]，惟知闭门自守，何敢作威福！"上怒曰："汝恨无兵邪！"许敬宗曰："人臣如此，罪不容诛。"遽[33]令引出。诏特免官。

癸酉[34]，立皇子旭轮[35]为殷王。

十二月戊申[36]，诏以方讨高丽、百济，河北之民，劳于征役，其封泰山、幸东都并停。

飏海道[37]总管苏海政受诏讨龟兹，敕兴昔亡[38]、继往绝[39]二可汗发兵与之俱[40]。至兴昔亡之境[41]，继往绝素与兴昔亡有怨[42]，密谓海政曰："弥射谋反，请诛之。"时海政兵才数千，集军吏谋曰："弥射若反，我辈无噍类[43]，不如先事诛之。"乃矫称敕，令大总管赍帛数万段赐可汗及诸酋长，兴昔亡帅其徒受赐，海政悉收斩之。其鼠尼施[44]、拔塞幹[45]两部亡走，海政与继往绝追讨，平之。军还，至疏勒南，弓月部[46]复引吐蕃之众来，欲与唐兵战。海政以师老[47]不敢战，以军资赂吐蕃，约和而还。由是诸部落皆以兴昔亡为冤，各有离心。继往绝寻卒，十姓无主[48]，有阿史那都支[49]及李遮匐收其余众附于吐蕃。

是岁，西突厥寇庭州[50]，刺史来济将兵拒之，谓其众曰："吾久当死，幸蒙存全以至今日，当以身报国。"遂不释甲胄[51]，赴敌而死。

【段旨】

以上为第一段，写唐高宗体恤民情，惩治许圉师，停祭泰山。边将苏海政邀功，逼反西域，引来吐蕃入寇。

许圉师谢罪说:“臣位列中枢，以正直之道侍奉陛下，不能让所有人称心遂意，所以才被别人所攻讦。至于说作威作福的人，或是手中掌有强兵，或是身处重镇，臣以文官之身，侍奉圣明的国君，只知道闭门自守，哪里敢作威作福!”高宗生气地说:“你是怨恨没有兵权吗!”许敬宗说:“这样的大臣，杀了也抵偿不了他的罪过。”高宗立即命人把许圉师带离，下诏仅免了他的官职。

十一月十八日癸酉，封皇子李旭轮为殷王。

十二月二十三日戊申，下诏令，由于不久前讨伐高句丽、百济，河北的百姓，劳苦于征召作战和力役，高宗到泰山祭祀和巡幸东都的事都取消了。

𡶶海道总管苏海政接受诏令讨伐龟兹，下令兴昔亡、继往绝两个可汗出兵和苏海政一起进军。到了兴昔亡境内，继往绝一向和兴昔亡有仇怨，就秘密地对苏海政说:“兴昔亡可汗阿史那弥射谋划反叛，请杀掉他。”当时苏海政的士卒只有几千人，就招集军中官吏商议说:“弥射如果反叛，我们就无法活命了，不如先杀死他。”就借称皇帝命令大总管携带数万段布帛赐给可汗和各部落酋长，兴昔亡率领部众前来受赐，苏海政把他们全数抓获处死。其中鼠尼施、拔塞幹两部落逃走，苏海政和继往绝追击，平定了他们。军队返回时，到达疏勒南，弓月部又带领吐蕃的部众前来，打算与唐兵交战。苏海政认为士兵疲惫，不敢与吐蕃交战，就拿军用物资贿赂吐蕃，签订和约回师。从此，各部落都认为兴昔亡是冤屈的，各自心怀叛离。继往绝不久去世，十姓部落无主，有名叫阿史那都支和李遮匐的两人收罗剩下的部众归附于吐蕃。

这一年，西突厥侵扰庭州，刺史来济统兵抵御，他对部众说:“我早就应当死了，很幸运地存活到今天，我应该用生命报答国家。”便不脱甲胄，奔往敌阵交战而死。

【注释】

①壬寅：八月十六日。②太子少师：官名。皇太子属官有太子太师、太傅、太保各一员，从一品；又有太子少师、少傅、少保各一员，正二品。皆为师垂范，训导辅佐太子。《旧唐书》之《职官志》:“三师三少之职，掌教谕太子。无其人，则阙之。”③“同东西台三品”二句：高宗龙朔二年（公元六六二年）至咸亨元年（公元六七〇年）改称同中书门下三品为同东西台三品。知西台事，即知中书事，参与执掌军国政令的活动。④戊寅：九月二十二日。⑤初令八品、九品衣碧：第一次命令八品、九品官穿青绿色衣裳。贞观四年八月，唐太宗规定百官服色：三品以上服紫，四品五品服绯，六品

七品服绿，八品九品服青。碧，青绿色。龙朔二年九月，孙茂道奏称，深青乱紫，非卑品所服。高宗深以为然，遂有此令。⑥丁酉：十月十一日。⑦骊山：在今陕西西安市临潼区东南。⑧温汤：温泉。在骊山脚下华清宫（今华清池）。⑨丁未：十月二十一日。⑩庚戌：十月二十四日。⑪西台侍郎：即中书侍郎。西台最高长官为西台右相，西台侍郎为其副职，参与朝廷政务。⑫陕：地名，在今河南三门峡市一带。⑬上官仪：字游韶，隋江都宫副监上官弘之子。贞观进士，官至宰相。善作五言诗，以绮丽婉媚为本，当时称为“上官体”。后下狱而死。传见《旧唐书》卷八十、《新唐书》卷一百五。⑭癸丑：十月二十七日。⑮有事于泰山：在泰山举行封禅大典。泰山古称东岳、岱宗，位于山东中部，主峰玉皇顶在泰安县北。据《史记·封禅书》，先秦时代就有登封泰山者。秦汉以后，历代帝王都把登封泰山看作天下盛事。表面上是报答天地之功，实际上是为了宣扬自己。⑯仍：与“乃”通。⑰左相：即侍中。门下省长官，侍中二人，正三品，大历间升为正二品，“佐天子而统大政”，与中书令共参军国政务，居宰相之任。⑱奉辇直长：官名，即尚辇直长，正七品。殿中第六局为尚辇局，龙朔改名为奉辇局。⑲犯：侵犯；侵害。⑳鸣镝：响箭。㉑不以闻：不向朝廷报告。㉒司宪：即御史台，龙朔二年（公元六六二年）改称宪台，掌国家刑法。㉓司宪大夫：御史中丞。宪台长官为大司宪，司宪大夫为其副官。两官“掌持邦国刑宪典章，以肃正朝廷”。㉔不为治：不受

【原文】

三年（癸亥，公元六六三年）

春，正月，左武卫大将军[52]郑仁泰讨铁勒叛者余种，悉平之。

乙酉[53]，以李义府为右相[54]，仍知选事[55]。

二月，徙燕然都护府[56]于回纥，更名瀚海都护；徙故瀚海都护[57]于云中古城[58]，更名云中都护[59]。以碛为境，碛北州府皆隶瀚海，碛南隶云中。

三月，许圉师再贬虔州[60]刺史，杨德裔以阿党[61]流庭州，圉师子文思、自然并免官。

右相河间郡公[62]李义府典选[63]，恃中宫之势，专以卖官为事，铨综无次[64]，怨讟[65]盈路，上颇闻之，从容谓义府曰：“卿子及婿颇不谨，多为非法，我尚为卿掩覆[66]，卿宜戒之！”义府勃然变色，颈颊

理。㉕西台舍人：中书舍人，正五品上，掌侍奉进奏，参议表章，草拟诏敕。㉖封事：密封章奏。㉗侵陵：侵犯欺凌。㉘谢：谢罪；道歉。㉙枢轴：中枢。㉚直道：正直之道。㉛攻讦：攻击。㉜圣明：圣明之主。㉝遽：马上。㉞癸酉：十月无癸酉。据《旧唐书》之《高宗纪》应在十一月，即十一月十八日。㉟旭轮：高宗第七子，后即帝位为睿宗。㊱戊申：十二月二十三日。㊲颱海道：地理不详。其时苏海政任右卫将军，朝廷任命为颱海道总管，率军伐龟兹。㊳兴昔亡：突厥兴昔部可汗，昆陵都护阿史那弥射，唐授左卫大将军。㊴继往绝：突厥继往绝部可汗，蒙池都护阿史那步真，唐授右卫大将军。㊵与之俱：与他一同出征。㊶兴昔亡之境：昆陵都护府辖区。㊷继往绝素与兴昔亡有怨：据《新唐书》之《突厥传》，阿史那步真在归唐以前曾谋杀阿史那弥射。㊸噍类：原指能饮食的动物，在此指能够活着的人。㊹鼠尼施：西突厥咄陆五部之一。㊺拔塞幹：西突厥右厢五弩失毕部落之一，系继往绝可汗部众，而非兴昔亡可汗所统。此处记载，颇有疑窦。㊻弓月部：一般认为是西突厥别部，约在今新疆霍城之西。㊼师老：师旅疲惫。㊽十姓无主：西突厥五咄陆和五弩失毕分别由兴昔亡、继往绝二可汗统领。兴昔亡既为苏海政所杀，继往绝又死，故有此说。㊾阿史那都支：西突厥人，曾被唐拜为左骁卫大将军兼匐延都督。后自称十姓可汗，与吐蕃叛乱。事见《新唐书》卷二百十五下《突厥传》。㊿庭州：治所在今新疆吉木萨尔北部。(51)不释甲胄：不解盔甲。

【语译】

三年（癸亥，公元六六三年）

春，正月，左武卫大将军郑仁泰讨伐铁勒剩下的反叛部落，将他们全部平定。

乙酉日，任命李义府为右相，仍然主持选举人才的事。

二月，把燕然都护府迁徙到回纥，改名为瀚海都护；把以前的瀚海都护迁徙到云中古城，改名为云中都护。以大漠为界，大漠以北的州府都隶属瀚海，大漠以南隶属云中。

三月，许圉师又被贬为虔州刺史，杨德裔因为结党营私流放庭州，许圉师的儿子许文思、许自然都被免除官职。

右相河间郡公李义府典掌人才选用，依恃皇后的权势，专门从事卖官鬻爵，铨叙综理没有次序，到处都是怨恨之声，高宗多次耳闻，就从容不迫地对李义府说："你的儿子和女婿很不谨慎，做了很多非法的事，我还为你遮掩，你应该戒惧警惕啊！"

俱张⑰，曰："谁告陛下？"上曰："但我言如是，何必就我索其所从得邪！"义府殊不引咎⑱，缓步而去。上由是不悦。

望气者⑲杜元纪谓义府所居第⑳有狱气㉑，宜积钱二十万缗㉒以厌之㉓，义府信之，聚敛尤急。义府居母丧，朔望㉔给哭假，辄㉕微服㉖与元纪出城东，登古冢，候望气色㉗，或告义府窥觇灾眚㉘，阴有异图。又遣其子右司议郎㉙津㉚召长孙无忌之孙延，受其钱七百缗，除延司津监㉛，右金吾仓曹参军㉜杨行颖告之。夏，四月乙丑㉝，下义府狱，遣司刑太常伯㉞刘祥道与御史、详刑㉟共鞫之㊱，仍命司空㊲李勣监㊳焉。事皆有实。戊子㊴，诏义府除名，流嶲州；津除名，流振州；诸子及婿并除名，流庭州㊵。朝野莫不称庆㊶。或㊷作河间道行军元帅刘祥道㊸破铜山大贼李义府露布㊹，榜㊺之通衢㊻。义府多取人奴婢，及败，各散归其家，故其露布云："混奴婢而乱放，各识家而竞入㊼。"

【段旨】

以上为第二段，写唐高宗惩治权奸右相李义府，人心大快。

【注释】

㊷左武卫大将军：左武卫为十二卫之一，置大将军一员，正三品，统兵警卫宫廷。㊸乙酉：正月乙卯朔，无乙酉日。疑记载有误。㊹右相：即中书令，正三品，掌军国政令，辅佐皇帝处理重大政务。㊺仍知选事：依旧负责吏部工作。在此之前，李义府官至司列太常伯、同东西台三品，即吏部尚书、同中书门下三品。㊻燕然都护府：贞观二十一年（公元六四七年）置，治所在西受降城，即今内蒙古杭锦后旗乌加河北岸东南四十里。现移至回纥本部，即今杭爱山东端，统领漠北铁勒、突厥诸部，辖境约为今蒙古国及俄罗斯西伯利亚南部一带地区。㊼故瀚海都护：都护府名，贞观二十年（公元六四六年）为统辖铁勒回纥部置，故址在今蒙古国布尔根省一带。㊽云中古城：即北魏云中郡治所盛乐城，在今内蒙古和林格尔西北土城子。㊾云中都护：即云中都护府，治所

李义府突然变了脸色，颈部和面颊的筋肉都突起了，说：“是谁告诉陛下的?”高宗说：“只要我说的是对的，何必向我追问这些是从哪里得知的!”李义府完全没有谢罪，慢步走了出去。高宗从此就不喜欢李义府了。

有个会看云气的杜元纪说李义府所住的宅第有牢狱之气，应该积满二十万缗的钱加以压制，李义府相信了，更加急迫聚敛钱财。李义府守母亲的丧，朝廷在初一、十五给他丧假，他常常穿着便服和杜元纪一起走出城东，爬上古墓，伺候观望气色，有人告发李义府偷偷勘察灾异妖眚，暗中有反叛的阴谋。又派遣他的儿子右司议郎李津召来长孙无忌的孙子长孙延，接受他的七百缗钱，任命长孙延为司津监，右金吾仓曹参军杨行颖告发了这件事。夏，四月乙丑日，把李义府关到监狱里，派遣司刑太常伯刘祥道和御史、详刑一起审理，还命令司空李勣监审。结果事情都有确实的证据。初五日戊子，下诏削除李义府为官的身份，流放到巂州；李津削除为官的身份，流放到振州；他的儿子和女婿们都削掉为官的身份，流放到庭州。朝廷民间没有不庆祝的。有人撰写了河间道行军元帅刘祥道打败铜山大贼李义府的布告，张贴在四通八达的大道上。李义府夺取很多人家的奴婢，到了败落时，奴婢们各自分散，回到自己家中，所以布告上说：“奴婢混杂，胡乱释放，各认家门，竞相返回。”

金城，即云中古城。麟德元年（公元六六四年）改名为单于大都护府。⑩ 虔州：治所赣县，在今江西赣州。61 阿党：枉法徇私。62 河间郡公：李义府爵号。63 典选：主持铨选。64 铨综无次：铨叙综理没有次序。65 怨讟：怨恨、毁谤。66 掩覆：遮掩。67 颈颊俱张：脖子和面颊上的筋都暴涨起来。68 引咎：谢罪。69 望气者：以观察云气预言人事吉凶的人。70 第：宅第。71 狱气：坐牢狱之气。72 缗：本指穿钱的绳子，借为货币单位。一缗等于一贯，即一千文。73 厌之：压抑狱气。74 朔望：初一日、十五日。75 辄：总是。76 微服：便服；穿老百姓服装。77 候望气色：等候观望云气。《墨子》上说：“凡望气，有大将气，有小将气，有往气，有来气，有败气。能得明此者，可知成败吉凶。”78 灾眚：灾难。79 右司议郎：官名，即太子舍人，掌侍从行令及表启之事，正六品。80 津：李义府之子李津，时任右司议郎。81 司津监：官名，即都水使者。都水监最高长官，掌川泽津梁之政令。82 右金吾仓曹参军：官名，正八品下。掌翊府外府文官职员。83 乙丑：恐误。四月甲申朔，无乙丑。三月十二日及五月十三日皆为乙丑。观下文“戊子，诏义府除名，流巂州”，知乙丑当在三月。84 司刑太常伯：原名刑部尚书，正

三品，掌天下刑狱。⑧⑤御史、详刑：在此代指大司宪和详刑正卿，即御史大夫和大理寺卿。⑧⑥共鞫之：共同审理此案。胡注："唐自永徽以后，大狱以尚书刑部、御史台、大理寺官杂按谓之三司。"鞫，审讯。⑧⑦司空：官名，三公之一，正一品。唐代三公均为加官。⑧⑧监：监审。⑧⑨戊子：四月初五日。⑨⓪"诸子及婿并除名"二句：《旧唐书》之《李义府传》载，"义府次子率府长史洽、千牛备身洋、子婿少府主簿柳元贞等，皆凭恃受赃，并除名长流廷州"。《新唐书》所载略同。廷与庭通，实为一地。⑨①称庆：道贺庆

【原文】

乙未[98]，置鸡林[99]大都督府于新罗国，以金法敏为之[100]。

丙午[101]，蓬莱宫含元殿[102]成，上始移仗居之，更命故宫[103]曰西内。戊申[104]，始御紫宸殿[105]听政。

五月壬午[106]，柳州蛮[107]酋吴君解反，遣冀州[108]长史[109]刘伯英、右武卫将军[110]冯士翙发岭南兵讨之。

吐蕃与吐谷浑[111]互相攻，各遣使上表论曲直，更来求援，上皆不许。吐谷浑之臣素和贵[112]有罪，逃奔吐蕃，具言[113]吐谷浑虚实。吐蕃发兵击吐谷浑，大破之，吐谷浑可汗曷钵[114]与弘化公主帅数千帐弃国走依凉州，请徙居内地。上以凉州都督郑仁泰为青海道行军大总管，帅右武卫将军独孤卿云、辛文陵等分屯凉、鄯[115]二州，以备吐蕃。六月戊申[116]，又以左武卫大将军苏定方为安集大使，节度诸军，为吐谷浑之援。

吐蕃禄东赞屯青海，遣使者论仲琮入见，表陈吐谷浑之罪，且请和亲。上不许。遣左卫郎将[117]刘文祥使于吐蕃，降玺书[118]责让之。

秋，八月戊申[119]，上以海东[120]累岁用兵，百姓困于征调[121]，士卒战溺死者甚众，诏罢三十六州所造船，遣司元太常伯[122]窦德玄[123]等分诣十道[124]，问人疾苦，黜陟[125]官吏。德玄，毅[126]之曾孙也。

九月戊午[127]，熊津道行军总管、右威卫将军孙仁师等破百济余众及倭兵于白江[128]，拔其周留城[129]。

初，刘仁愿、刘仁轨既克真岘城，诏孙仁师将兵，浮海助之。百

祝。㉒或：有人。㉓刘祥道（公元五九六至六六六年）：魏州观城（今河南清丰南）人，历任中书舍人、御史中丞、吏部侍郎、刑部尚书等职。传见《旧唐书》卷八十一、《新唐书》卷一百六。㉔露布：张贴的布告。㉕榜：贴榜。此作动词用。㉖通衢：四通八达的大道。㉗"混奴婢而乱放"二句：这两句是当时人表达义愤的讽刺语，谓李义府树倒猢狲散。汉高祖为太上皇营建新丰县，后有人记载此事，其中有言："混鸡犬而乱放，各识家而竞入。"为此文所本。

【语译】

四月十二日乙未，在新罗国设置鸡林大都督府，任命金法敏为都督。

二十三日丙午，蓬莱宫含元殿建成，高宗开始迁移仪仗，到那里居住，把旧宫改称西内。二十五日戊申，开始驾临紫宸殿听理政事。

五月三十日壬午，柳州蛮酋长吴君解反叛，派遣冀州长史刘伯英、右武卫将军冯士翙调动岭南军队讨伐他。

吐蕃和吐谷浑互相攻击，各自派遣使者上表朝廷求断是非，还来请求援助，高宗都没有答应。吐谷浑的大臣素和贵犯了罪，逃跑到吐蕃，把吐谷浑军事虚实都向吐蕃说了，吐蕃发兵攻打吐谷浑，把吐谷浑打得大败，吐谷浑可汗曷钵和弘化公主率领几千帐徒众弃国逃走，投靠凉州，请求迁徙到内地。高宗任命凉州都督郑仁泰为青海道行军大总管，率领右武卫将军独孤卿云、辛文陵等人，分兵驻扎在凉州、鄯州，防备吐蕃。六月二十六日戊申，又任命左武卫大将军苏定方为安集大使，节制调度各路军队，作为吐谷浑的后援。

吐蕃禄东赞驻扎青海，派遣使者论仲琮入朝见高宗，上表陈述吐谷浑的罪过，而且请求与唐室和好结亲，高宗没有答应。派遣左卫郎将刘文祥出使吐蕃，颁下玺书责备他。

秋，八月二十七日戊申，高宗由于海东连年战争，百姓被赋役征调所困，士卒战死溺死的非常多，就下诏停止三十六州建造船只的活动，派遣司元太常伯窦德玄等人，分别前往十道慰问百姓疾苦，罢免或擢升官吏。窦德玄，是窦毅的曾孙。

九月初八日戊午，熊津道行军总管、右威卫将军孙仁师等人在白江打败了百济剩余部队和倭国兵众，攻占周留城。

起初，刘仁愿、刘仁轨攻下真岘城后，高宗下诏让孙仁师率领军队，渡海援助

济王丰南引倭人以拒唐兵，仁师与仁愿、仁轨合兵[1]，势大振。诸将以加林城⑬⁰水陆之冲⑬¹，欲先攻之，仁轨曰："加林险固，急攻则伤士卒，缓之则旷日持久。周留城，虏之巢穴⑬²，群凶所聚，除恶务本⑬³，宜先攻之，若克周留，诸城自下。"于是仁师、仁愿与新罗王法敏将陆军以进，仁轨与别将杜爽、扶余隆将水军及粮船自熊津入白江，以会陆军，同趣周留城。遇倭兵于白江口，四战皆捷，焚其舟四百艘，烟炎灼天⑬⁴，海水皆赤。百济王丰脱身奔高丽，王子忠胜、忠志等帅众降，百济尽平，唯别帅迟受信据任存城⑬⁵，不下。

初，百济西部人黑齿常之⑬⁶，长七尺余，骁勇有谋略，仕百济为达率⑬⁷兼郡将，犹中国刺史也。苏定方克百济，常之帅所部随众降。定方縶⑬⁸其王及太子，纵兵劫掠，壮者多死。常之惧，与左右十余人遁归⑬⁹本部，收集亡散，保任存山，结栅以自固，旬日[2]间归附者三万余人。定方遣兵攻之，常之拒战，唐兵不利；常之复取二百余城，定方不能克而还。常之与别部将沙吒相如各据险以应福信，百济既败，皆帅其众降。刘仁轨使常之、相如自将其众，取任存城，仍以粮仗助之。孙仁师曰："此属⑭⁰兽心⑭¹，何可信也！"仁轨曰："吾观二人皆忠勇有谋，敦信⑭²重义；但向者⑭³所托，未得其人，今正是其感激立效⑭⁴之时，不用疑也。"遂给其粮仗，分兵随之，攻拔任存城，迟受信弃妻子，奔高丽。

诏刘仁轨将兵镇百济，召孙仁师、刘仁愿还。百济兵火之余⑭⁵，比屋⑭⁶凋残，僵尸满野，仁轨始命瘗⑭⁷骸骨，籍⑭⁸户口，理⑭⁹村聚，署⑮⁰官长，通⑮¹道涂，立⑮²桥梁，补⑮³堤堰，复陂塘⑮⁴，课⑮⁵耕桑，赈⑮⁶贫乏，养孤老⑮⁷，立唐社稷⑮⁸，颁正朔及庙讳，百济大悦，阖境⑮⁹各安其业。然后修屯田，储糗粮⑯⁰，训士卒，以图高丽。

刘仁愿至京师，上问之曰："卿在海东，前后奏事，皆合机宜⑯¹，复有文理。卿本武人，何能如是？"仁愿曰："此皆刘仁轨所为，非臣所及也。"上悦，加仁轨六阶⑯²，正除⑯³带方州⑯⁴刺史，为筑第长安，厚赐其妻子，遣使赍玺书劳勉之。上官仪曰："仁轨遭黜削而能尽忠，仁愿秉节制而能推贤，皆可谓君子矣！"

刘仁愿、刘仁轨。百济王丰向南引导倭人抵抗唐兵，孙仁师和刘仁愿、刘仁轨合兵一处，声势大振。各位将领认为加林城位于水陆要冲，想要先攻打它，刘仁轨说："加林地势险恶坚固，急速进攻则会伤害士卒，缓慢进攻却又旷日持久。周留城是敌人的巢穴，一群元凶聚集之地，消灭恶人一定要从根本入手，最好先进攻敌人。如果攻下周留城，其他各城自然可以攻占。"于是孙仁师、刘仁愿和新罗王法敏率领陆军前进，刘仁轨和其他路的将军杜爽、扶余隆率领水军和运粮船，从熊津进入白江，会合陆军，一起奔赴周留城。在白江口遇到倭国军队，四次交战全都获胜，烧掉敌船四百艘，火焰烧红了天空，海水都变得赤红。百济王丰脱身逃跑到高丽，王子忠胜、忠志等率领部众投降，百济全部平定，只有另外一个支队的将领迟受信据守任存城，唐军没有攻下。

起初，百济西部有个人叫黑齿常之，身高七尺有余，勇敢有计谋，在百济做官，身为达率兼郡将，犹如中国的刺史。苏定方攻克百济，黑齿常之率领所辖部属随从众人投降。苏定方把百济王和太子拘缚起来，纵兵抢掠，壮年人大多死掉。黑齿常之很害怕，和身边十几个人逃回原地，收罗逃散的士卒，据守任存山，连结栅栏，稳固自己，十日之间，归附他的有三万多人。苏定方派遣部队进攻他，黑齿常之抵抗，唐兵失利。黑齿常之又攻取二百多城，苏定方不能取胜，军队返回。黑齿常之和另外一路的将领沙吒相如各自据守险要，与福信相呼应。百济战败后，他们都率领部众投降。刘仁轨让黑齿常之、沙吒相如自己率领旧部，攻取任存城，还以粮食器仗援助他们。孙仁师说："这些人禽兽心肠，怎么可以相信呢！"刘仁轨说："我看他们两个人都忠勇有谋略，重视信义；只是以前他们所依附的不是适当的人，现在正是他们感激立功的时候，不用怀疑。"就给他们粮食器仗，分派士卒跟随他们，攻克任存城，迟受信抛弃妻子儿女，逃往高句丽。

高宗下诏令刘仁轨统率军队镇守百济，召孙仁师、刘仁愿回朝。百济遭受战火后，家家户户凋敝残破，僵尸遍野，刘仁轨开始下令掩埋尸骸，登记户口，整理村落，委任官长，开通道路，修建桥梁，补葺堤堰，修复陂塘，劝课耕种蚕桑，赈贷贫乏，抚养孤儿老人，建立大唐土神和谷神，颁布唐朝的历法和庙讳，百济民众十分高兴，全境百姓都安心自己的本业。然后开垦屯田，储备干粮，训练士卒，进而谋取高句丽。

刘仁愿回到京师，高宗问他说："你在海东，前后所陈奏的事情，都很符合事理，而且又有文采条理。你本是个武人，怎么能做到这个样子？"刘仁愿说："这些都是刘仁轨所为，不是臣所能达到的。"高宗很高兴，加刘仁轨六级官阶，正式任命他为带方州刺史，给他在长安建筑宅第，对他的妻子儿女厚加赏赐，派遣使者带着玺书慰劳勉励他。上官仪说："刘仁轨遭到罢免，仍然能尽忠朝廷，刘仁愿执掌节制之权，而能够推举贤人，都可以说是君子啊！"

冬，十月，辛巳朔[165]，诏太子每五日于光顺门[166]内视[167]诸司奏事，其事之小者，皆委太子决之。

十二月，庚子[168]，诏改来年元[169]。

壬寅[170]，以安西都护高贤为行军总管，将兵击弓月以救于阗。

是岁，大食[171]击波斯、拂菻[172]，破之。南侵婆罗门，吞灭诸胡，胜兵四十余万。

【段旨】

以上为第三段，写唐室四边有警。唐将刘仁轨、刘仁愿征服百济。

【注释】

⑱ 乙未：四月十二日。⑲ 鸡林：古国名，即新罗。新罗脱解王九年（公元六五年），新罗始林地方出现鸡怪，更名鸡林，并以之为国号。⑳ 以金法敏为之：以金法敏为大都督。[101] 丙午：四月二十三日。[102] 含元殿：为蓬莱宫正殿。在今陕西西安解放门外含元村附近，基址尚存。实测殿基东西长七五点九米，南北宽四二点三米；殿面阔十一间，进深四间。据文献记载，含元殿前廊有翔鸾、栖凤二阁，阁下为东西朝堂，阁前有钟楼、鼓楼，是当时最豪华的建筑之一。[103] 故宫：指太极宫。因其位于蓬莱宫之西，故称西内。盛唐以后，又称大明宫为东内，兴庆宫为南内。[104] 戊申：四月二十五日。[105] 紫宸殿：内衙正殿。在含元殿之北，宣政殿之后。[106] 壬午：五月三十日。[107] 柳州蛮：南方少数民族，居住在今广西柳州一带。[108] 冀州：治所在今河北衡水市冀州区。[109] 长史：官名，州刺史下属，与别驾、司马一起佐助刺史，分掌州中庶务。大州长史从五品下，中州长史正六品上。[110] 右武卫将军：唐有右武卫，为十二卫之一，其最高将官为大将军，下有将军二员，从三品，职掌宫廷警卫。[111] 吐谷浑：鲜卑族迁入青海北部、新疆东南部后建立的政权。首府伏俟城，在青海湖之西。[112] 素和贵：人名。[113] 具言：尽言，详细述说。[114] 吐谷浑可汗曷钵：曷钵，当为“诺曷钵”。查两《唐书》中《吐谷浑传》，无称“曷钵”者，皆作“诺曷钵”。昭陵十四国君长石像及乾陵六十一蕃臣石像中，均有诺曷钵。诺曷钵，姓慕容，吐谷浑第十五世第二十二王。贞观十年（公元六三六年）封河源郡王、乌地也拔勒豆可汗。尚宗女弘化公主。事见《旧唐书》卷一百九十八《吐谷浑传》、《新唐书》

冬，十月初一日辛巳，下令太子每隔五天，在光顺门内观察各主管部门呈奏政务，比较小的政事都交付太子处置。

十二月二十一日庚子，下诏改换明年年号。

二十三日壬寅，任命安西都护高贤为行军总管，率领军队攻打弓月部，以此救援于阗。

这一年，大食攻打波斯、拂菻，并打败了它们。又向南进攻婆罗门，吞灭了各胡人部落，能披甲作战的军队有四十多万人。

卷二百二十一上《吐谷浑传》。⑮ 鄯：州名，治所在今青海海东市乐都区。⑯ 戊申：六月二十六日。⑰ 左卫郎将：唐制，左右卫之下置亲府、勋一府、勋二府、翊一府、翊二府等五府，分由中郎将掌管，下有左右郎将为其副贰，正五品上，职掌宫廷守卫和皇帝仪仗。⑱ 玺书：用皇帝印玺封记的文书。⑲ 戊申：八月二十七日。⑳ 海东：指高句丽、百济。㉑ 征调：赋役。㉒ 司元太常伯：官名，原名户部尚书。掌全国田户、钱谷、租赋，正三品。㉓ 窦德玄（公元五九八至六六六年）：曾任殿中少监、御史大夫，勤职约己，以清素闻名，官至左相（侍中）。事见《旧唐书》卷一百八十三《窦德明传》、《新唐书》卷九十五《窦威传》。㉔ 十道：指关内道、河南道、河东道、河北道、山南道、陇右道、淮南道、江南道、剑南道和岭南道。㉕ 黜陟：进退。降官为黜，升官为陟。㉖ 毅：即窦毅。高祖太穆皇后之父。传见《周书》卷三十、《北史》卷六十一。㉗ 戊午：九月初八日。㉘ 白江：日本史籍称之为“白村江”，即今韩国锦江，自东北向西南流入黄海。白江之战是唐日之间发生的第一次战争。唐军由刘仁轨、刘仁愿、孙仁师和金法敏所率陆军七千、战船一百七十艘组成，日方投入的兵力主要是庐原君臣统领的“万余健儿”、四百余艘战船和朴市田来津、扶余丰率领的部分军队，规模较大。㉙ 周留城：朝鲜《三国史记》作“豆陵伊城”“豆率城”，《日本书纪》则作“州柔城”。位于锦江入海口处不远的岸边山地上，三面环山，一面临水，易守难攻。㉚ 加林城：在今韩国忠清南道扶余郡林川面。㉛ 水陆之冲：位于水陆交通要道。㉜ 巢穴：本指鸟兽栖身之处，此喻敌人盘踞的地方。㉝ 除恶务本：语出《尚书》之《泰誓》，意思是说除恶务必从根本处着手。㉞“焚其舟四百艘”二句：据此，则以火攻取胜。《日本书纪》天智天皇条说，日本之败，由主帅迷信轻敌，自乱其阵所致。㉟ 任存城：在忠清南道清阳郡大兴一带。㊱ 黑齿常之：仕百济为达率兼风达郡将。降唐后官至左武卫将军，骁勇多谋，以御吐蕃之劳，进封燕国公。后为酷吏所陷。传见《旧唐书》卷一百九、《新唐书》卷一百十。㊲ 达

率：百济官名，据《三国史记》，百济官职分为十六品：一品佐平，二品达率，三品恩率，四品德率，五品扦率，六品奈率，七品将德，八品施德，九品固德，十品季德，十一品对德，十二品文督，十三品武督，十四品佐军，十五品振武，十六品克虞。六品以上服紫，十一品以上服绯，其余服青。佐平共有六位，是负责中央六个行政机关的事务大臣，名称及职掌俱见于两《唐书》之《百济传》。达率一般被任命为方领、郡将或城主。⑬⑧ 絷：拘囚；捆缚。⑬⑨ 遁归：逃回。⑭⓪ 此属：此辈；这种人。⑭① 兽心：禽兽之心。⑭② 敦信：诚信。敦，厚；诚。⑭③ 向者：从前。⑭④ 立效：立功。⑭⑤ 之余：之后。⑭⑥ 比屋：连屋；户户。⑭⑦ 瘗：殓埋；埋葬。⑭⑧ 籍：修录；登记。⑭⑨ 理：整理；治理。⑮⓪ 署：署置。⑮① 通：开通。⑮② 立：建立。⑮③ 补：补葺。⑮④ 复陂塘：修复陂塘。⑮⑤ 课：劝课。⑮⑥ 赈：赈贷。⑮⑦ 养孤老：抚养孤老。孤老，孤儿老人。⑮⑧ 社稷：土神曰社，谷神曰稷。⑮⑨ 阖境：全境。⑯⓪ 糗粮：干粮；熟食。糗，炒熟的谷物。⑯① 皆合机宜：都符合事理。⑯② 加仁轨六阶：破格提拔刘仁轨至第六阶。阶，官阶。唐制，文官二十九散阶，武官三十一散

【原文】

麟德元年（甲子，公元六六四年）

春，正月甲子[173]，改云中都护府为单于大都护府[174]，以殷王旭轮为单于大都护。

初，李靖破突厥[175]，迁三百帐于云中城，阿史德氏为之长。至是，部落渐众，阿史德氏诣阙[176]，请如胡法立亲王为可汗以统之。上召见，谓曰："今之可汗，古之单于也。"故更为单于都护府，而使殷王遥领[177]之。

二月戊子[178]，上行幸万年宫[179]。

夏，四月壬子[180]，卫州[181]刺史道孝王元庆[182]薨。

丙午[183]，魏州[184]刺史郇公孝协[185]坐赃，赐死。司宗卿[186]陇西王博乂[187][3]奏孝协父叔良死王事[188]，孝协无兄弟[189]，恐绝嗣。上曰："画一之法，不以亲疏异制，苟害百姓，虽皇太子亦所不赦。孝协有一子[190]，何忧乏祀乎！"孝协竟自尽于第。

五月戊申朔[191]，遂州[192]刺史许悼王孝[193]薨。

乙卯[194]，于昆明之弄栋川[195]置姚州都督府[196]。

阶。第六阶，文官正四品上，武官从三品上。⑯③ 正除：正式任命。⑯④ 带方州：羁縻州名，地当今韩国京畿道和忠清北道一带。⑯⑤ 辛巳朔：十月初一日。⑯⑥ 光顺门：在大明宫紫宸殿南紫宸门之右。⑯⑦ 视：视察；观看。⑯⑧ 庚子：十二月二十一日。⑯⑨ 诏改来年元：下诏更改明年年号。因绛州麟现，含元殿前有麟趾，改元麟德。⑰⓪ 壬寅：十二月二十三日。⑰① 大食：阿拉伯帝国。⑰② 拂菻：东罗马帝国。这里指东罗马帝国及其所属西亚地中海沿岸地区。

【校记】

［1］兵：据章钰校，十二行本、乙十一行本皆作“军”。［2］日：原作“月”。据章钰校，十二行本、乙十一行本、孔天胤本皆作“日”，今据改。〖按〗两《唐书》之《黑齿常之传》皆作“旬日”。

【语译】

麟德元年（甲子，公元六六四年）

春，正月十六日甲子，把云中都护府改为单于大都护府，任命殷王李旭轮为单于大都护。

当初，李靖打败突厥，迁徙三百帐突厥人到云中城，以阿史德氏为酋长。到这个时候，部众渐渐增多，阿史德氏前往朝廷晋见，请求按照胡人方式，立亲王为可汗加以统管。高宗召见阿史德氏，对他说：“现在的可汗，就是古代的单于。”所以改名为单于都护府，而让殷王遥相统领。

二月初十日戊子，高宗到达万年宫。

夏，四月壬子日，卫州刺史道孝王李元庆去世。

二十九日丙午，魏州刺史郇公李孝协犯了贪污罪，被赐自杀。司宗卿陇西王李博乂上奏称李孝协父亲李叔良为国家而死，李孝协没有兄弟，恐怕绝了子嗣。高宗说：“法令是统一的，不因为亲疏有所不同，如果伤害百姓，就是皇太子也不能赦免。李孝协有一个儿子，何必担心没有子孙祭祀呢！”李孝协最终还是在府第里自杀了。

五月初一日戊申，遂州刺史许悼王李孝去世。

初八日乙卯，在昆明的弄栋川设置姚州都督府。

秋，七月丁未朔[197]，诏以三年正月有事于岱宗[198]。

八月丙子[199]，车驾还京师，幸旧宅[200]，留七日，壬午[201]，还蓬莱宫。

丁亥[202]，以司列太常伯[203]刘祥道兼右相，大司宪[204]窦德玄为司元太常伯、检校[205]左相。

冬，十月庚辰[206]，检校熊津都督刘仁轨[207]上言："臣伏睹所存戍兵，疲羸者多，勇健者少，衣服贫敝[208]，唯思西归，无心展效。臣问以'往在海西，见百姓人人应募，争欲从军，或请自办衣粮，谓之"义征"，何为今日士卒如此？'咸言：'今日官府与曩时[209]不同，人心亦殊。曩时东西征役，身没王事，并蒙敕使[210]吊祭，追赠官爵，或以死者官爵回授[211]子弟，凡渡辽海[212]者，皆赐勋一转[213]。自显庆五年[214]以来，征人屡经渡海，官不记录，其死者亦无人谁何[215]。州县每发百姓为兵，其壮而富者，行钱参逐[216]，皆亡匿得免；贫者身虽老弱，被发即行。顷者[217]破百济及平壤苦战，当[4]时将帅号令，许以勋赏，无所不至；及达西岸，惟闻枷锁推禁[218]，夺赐破勋[219]，州县追呼，无以自存[220]，公私困弊，不可悉言[221]。以是[222]昨[223]发海西之日已有逃亡自残[224]者，非独至海外而然也。又，本因征役勋级以为荣宠，而比年出征，皆使勋官[225]挽引[226]，劳苦与白丁[227]无殊，百姓不愿从军，率皆由此。'臣又问：'曩日士卒留镇五年，尚得支济，今尔等始经一年，何为如此单露？'咸言：'初发家日，惟令备一年资装，今已二年，未有还期。'臣检校[228]军士所留衣，今冬仅可充事[229]，来秋以往，全无准拟。陛下留兵海外，欲殄灭高丽。百济、高丽，旧相党援，倭人虽远，亦共为影响，若无镇兵，还成一国。今既资戍守，又置屯田，所藉士卒同心同德，而众有此议，何望成功！自非有所更张[230]，厚加慰劳，明赏重罚以起士心[231]。若止[232]如今日以前处置，恐师众疲老，立效[233]无日。逆耳之事，或无人为陛下尽言，故臣披露肝胆，昧死[234]奏陈。"

上深纳其言，遣右威卫将军[235]刘仁愿将兵渡海以代旧镇之兵，仍敕仁轨俱还。仁轨谓仁愿曰："国家悬军海外，欲以经略高丽，其事非易。今收获[236]未毕，而军吏与士卒一时代去[237]，军将[238]又归，夷人新

秋，七月初一日丁未，下诏说麟德三年正月在泰山祭天。

八月初一日丙子，高宗返回京师，驾临旧居，留住七天，初七日壬午，回到蓬莱宫。

八月十二日丁亥，任命司列太常伯刘祥道兼右相，大司宪窦德玄为司元太常伯、检校左相。

冬，十月初六日庚辰，检校熊津都督刘仁轨上奏："臣看到尚存的戍边士卒，疲惫羸弱的人居多，勇猛健壮的很少，衣服也都破烂，只想西去返乡，没有心思效力。臣问他们'以往在海西时，看到百姓人人都响应征募，抢着要从军。有人请求自己备办衣物粮食，称为"义征"，为什么今天的士卒会变成这样？'他们都说：'现在的官府和过去不同，人心也不一样。过去不管往东或往西出征服役，为国家身亡，都蒙受皇帝派使者吊慰祭奠，追赠官爵，或者把死者的官爵转授给死者子弟，凡是渡过辽海的士卒，都赏赐一级功勋。从显庆五年以来，出征的兵士多次渡海，对他们的功劳官吏不予记录，其中死亡的也没有人问问是什么人。州县每次征召百姓当兵，年壮而富有的，使用钱财参谒贿赂官府，都能够逃避而免除兵役；贫困的，身体虽然衰老体弱，一被征召立即出发。最近打败百济和平壤，作战艰苦，当时将帅宣布命令，许诺依功赐勋，奖赏财物，答应了士卒的所有要求。等到了西岸，只听说士卒被拘留、推问、囚禁，夺回赏赐，撤销勋爵，州县追捕呼喝，士卒无法生存，公家和私人都困窘疲惫，这些情况无法尽言。因此过去从海西出发之日，已经有逃亡自残的士卒，不只是到海外才这样。而且士卒本都把战胜而获得勋爵当作是荣耀尊宠，但每年出征时，又都让获勋官吏挽引舟车，所受的劳苦和平民没有差别，百姓不愿从军，大都是由于这些原因。'臣又问：'从前士卒留守五年，还能够支撑着过下去，现在你们才过了一年，为什么衣装这样单薄露体？'他们都说：'刚从家里出发时，只让准备一年的物资衣装，现在已经两年了，返回之日还未有。'臣检查士卒所留下的衣物，只可以应付今年冬天，来年秋天以后，全没有明确的打算。陛下留军海外，想要消灭高句丽。百济、高句丽以前就互相结党援助，倭国人距离虽然遥远，也一同影响呼应，如果没有镇守的军队，还是会形成一国。现在既然借助于这些兵力戍守，又设置屯田制度，所要依赖的是士卒们的同心同德，但目前士卒有这种不满的言语，怎么能有希望成功！自然非得有所改变不可，对士卒要优厚地加以慰劳，明定奖赏，加重处罚，以振奋士卒的斗志。如果只像今天以前一样处理问题，恐怕士卒们身疲力衰，没有立功的日子。这些不中听的情况，可能没有人向陛下全都说出来，所以臣披肝沥胆，冒死向陛下陈奏。"

高宗完全接纳了他的建议，派遣右威卫将军刘仁愿率兵渡海，以替代原有的镇守士兵，还敕令刘仁轨一起返回朝廷，刘仁轨对刘仁愿说："国家驻军海外，是想治理高句丽，这件事情是不容易的。现在农田的收割还没有结束，而军吏和士卒一时

服，众心未安，必将生变。不如且留旧兵，渐令收获，办具资粮，节级㉟遣还。军将且留镇抚，未可还也。”仁愿曰：“吾前还海西㊵，大遭谗谤㊶，云吾多留兵众，谋据海东，几㊷不免祸。今日唯知准敕㊸，岂敢擅有所为！”仁轨曰：“人臣苟利于国，知无不为，岂恤㊹其私！”乃上表陈便宜㊺，自请留镇海东，上从之。仍以扶余隆为熊津都尉㊻，使招辑其余众。

【段旨】

以上为第四段，写唐高宗采纳刘仁轨奏议，优抚海东将士。

【注释】

⑰³ 甲子：正月十六日。⑰⁴ 单于大都护府：治所仍在内蒙古和林格尔西北土城子。单于，突厥人君长之称。⑰⁵ 李靖破突厥：时在唐太宗贞观四年（公元六三〇年）。事见两《唐书》中《李靖传》《李勣传》《突厥传》等。⑰⁶ 诣阙：赴京。阙，指皇帝所居宫殿，亦指宫门。⑰⁷ 遥领：担任职务而不赴任所。⑰⁸ 戊子：二月初十日。⑰⁹ 万年宫：即九成宫。在陕西麟游西，永徽元年（公元六五〇年）改名。⑱⁰ 壬子：误。四月戊寅朔，无壬子。《新唐书》之《高宗纪》作“壬午”。壬午，四月初五日。⑱¹ 卫州：治所在今河南卫辉。⑱² 元庆：高祖第十六子。历任赵、豫、滑、徐等州刺史，有政绩。死后赠为司徒、益州都督，陪葬献陵。传见《旧唐书》卷六十四、《新唐书》卷七十九。⑱³ 丙午：四月二十九日。⑱⁴ 魏州：治所在今河北大名东北。⑱⁵ 孝协：唐宗室子弟。初为范阳王，后降为郇国公，魏州刺史，因贪赃被杀。事见《旧唐书》卷六十《长平王叔良传》、《新唐书》卷七十八《长平王叔良传》。⑱⁶ 司宗卿：官名，即宗正卿，为宗正寺最高长官，从三品上，掌皇帝九族六亲之属籍，以别昭穆，纪亲疏，并领崇玄署。⑱⁷ 博义：蜀王李湛之子，《新唐书》之《宗室传》作“博乂”。官至礼部尚书，骄侈不法。传见《旧唐书》卷六十、《新唐书》卷七十八。⑱⁸ 叔良死王事：叔良率五将军出击突厥，中流矢死，为国家、为朝廷而亡。⑱⁹ 孝协无兄弟：此说不确。据两《唐书》之《宗室传》，孝协有一弟名孝斌，官至原州都督府长史。⑲⁰ 孝协有一子：此说亦不确。据《新唐书》之《宗室世系表》，孝协有子七人，说详岑仲勉《通鉴隋唐纪比事质疑》。⑲¹ 戊申朔：五月初一日。⑲² 遂州：州名，治所方义，在今四川遂宁。⑲³ 许悼王孝：高宗次子，后宫郑氏所生。传见《旧唐书》卷八十六、《新唐书》卷八十一。⑲⁴ 乙卯：五月初八日。⑲⁵ 弄栋川：地名，在今云南姚

之间替代离开，军中将领也要回去，夷人最近刚归附，大家心中还没安定下来，一定会发生变故。不如暂且留下原有的士兵，逐步让他们收割庄稼，备办物资、粮食，按等级遣送回返。军中将领暂且留下坐镇安抚，不可以马上回返。”刘仁愿说：“我以前返回海西，大受毁谤，说我留下很多部众，阴谋盘踞海东，几乎没有免除灾祸。现在我只知道按诏行动，怎么敢擅自有所作为！”刘仁轨说：“为人臣子，如果利于国家的事，知道了没有不做的，还顾忌什么个人利益！”于是呈上表说明怎么做对国家有利，自己请求留下镇守海东，高宗接受了。高宗还任命扶余隆为熊津都尉，命令他招集剩余的部众。

安北。⑯姚州都督府：治所姚城县，在今云南姚安北，辖于、异等十三州。⑰丁未朔：七月初一日。⑱岱宗：即泰山。为五岳之首。中国历代帝王有时举行封禅之礼，在泰山祭天，在梁父祀地。“有事岱宗”，即谓祭天之礼。⑲丙子：八月初一日。⑳旧宅：高宗当晋王时所居之处，在保宁坊。㉑壬午：八月初七日。㉒丁亥：八月十二日。㉓司列太常伯：官名。高宗龙朔二年（公元六六二年），吏部尚书改名司列太常伯。㉔大司宪：高宗龙朔二年（公元六六二年），御史台改称宪台，大司宪为宪台长官，等同旧时御史大夫，职掌监察、执法。㉕检校：系加官之称。㉖庚辰：十月初六日。㉗检校熊津都督刘仁轨：刘仁轨时为带方州刺史，两《唐书》中《刘仁轨传》所载并同。《通鉴》当另有所据。㉘贫敝：破烂单寒。㉙曩时：从前。㉚敕使：天子所派使节。㉛回授：转授。㉜辽海：泛指辽河流域以东地区。此处专指渤海。㉝赐勋一转：犹赐勋一级。唐代勋官自武骑尉至上柱国凡十二转，转数越多品级越高。㉞显庆五年：公元六六〇年。㉟无人谁何：无人过问。问其为谁，缘何而死。㊱行钱参逐：用钱贿赂，参谒追逐于官府之门。“参逐”一词，较难理解。史炤释为“参互”。胡三省释为“参逐之人”，指官吏的随从，似亦可通。但查《旧唐书》卷八十四，刘仁轨表章原文作“州县发遣兵募，人身少壮，家有钱财，参逐官府者，东西藏避，并即得脱。无钱参逐者，虽是老弱，推背即来”。据此，则参逐之意，实为参谒官吏送钱行贿。㊲顷者：不久前。㊳枷锁推禁：逮捕、推问、囚禁。㊴夺赐破勋：夺回赏赐，削减勋位。㊵无以自存：没有办法保全自己。㊶悉言：尽言。㊷以是：因此。㊸昨：泛指以前。㊹自残：自残肢体。㊺勋官：官吏的一种，有荣誉称号（官位）而无实职。起初只用于酬谢军功，后来授予渐广。㊻挽引：挽引舟车。㊼白丁：无官职的平民。㊽检校：检查。㊾充事：充用；应付。㊿自非有所更张：若不改弦更张。(231)以起士心：以鼓舞士气。(232)止：仅；只。(233)立效：立功。(234)昧死：冒死。(235)右威卫将军：唐十二卫之一，大将军为其最高统帅，其下即将军，二员，

从三品，负责护卫宫廷。㉓⑥收获：收割。㉓⑦一时代去：一时替代而去。㉓⑧军将：统兵将领。㉓⑨节级：分批。㉔⓪海西：渤海之西。指本土。㉔①谗谤：谗毁诽谤。㉔②几：几乎；差点。㉔③准敕：依敕行事。㉔④恤：顾；爱惜。㉔⑤便宜：斟酌处理的意见。㉔⑥以扶余隆为熊津都尉：《考异》说，此时刘仁轨检校熊津都督，岂可复以扶余隆为之！但查两《唐书》中《百济传》《刘仁轨传》，无以仁轨为都督者，皆载以扶余隆为熊津都督。待考。都尉，武官，职位略低于将军。

【原文】

初，武后能屈身忍辱，奉顺上意，故上排群议而立之；及得志，专作威福，上欲有所为，动为后所制，上不胜其忿。有道士郭行真，出入禁中，尝为厌胜[247]之术，宦者王伏胜发之。上大怒，密召西台侍郎、同东西台三品上官仪议之。仪因言："皇后专恣，海内所不与[248]，请废之。"上意亦以为然，即命仪草诏。

左右奔告于后，后遽[249]诣上自诉[250]。诏草犹在上所，上羞缩不忍，复待之如初，犹恐后怨怒，因绐[251]之曰："我初无此心，皆上官仪教我。"仪先为陈王[252]谘议[253]，与王伏胜俱事[254]故太子忠，后于是使许敬宗诬奏仪、伏胜与忠谋大逆[255]。十二月丙戌[256]，仪下狱，与其子庭芝[257]、王伏胜皆死，籍没其家。戊子[258]，赐忠死于流所。右相刘祥道坐与仪善，罢政事，为司礼太常伯[259]，左肃机[260]郑钦泰等朝士[261]流贬者甚众，皆坐与仪交通[262]故也。

自是上每视事[263]，则后垂帘于后，政无大小，皆与[5]闻之。天下大权，悉归中宫，黜陟、杀生，决于其口，天子拱手而已，中外谓之"二圣"[264]。

太子右中护[265]、检校西台侍郎乐彦玮[266]、西台侍郎孙处约[267]并同东西台三品。

【校记】

［3］博乂：据章钰校，十二行本、乙十一行本“乂”下皆有“等”字。［4］当：据章钰校，十二行本、乙十一行本此下皆有“是”字。

【语译】

当初，武后能够委屈自己，忍受耻辱，奉应高宗的心意，所以高宗排除众议而立她为后；等她得志之后，专门作威作福，高宗想要有所作为，一有行动就被武后钳制，高宗很气愤。有个道士郭行真，在宫禁中出入，曾经以诅咒之术伤害高宗，宦者王伏胜揭发了此事。高宗大怒，秘密召来西台侍郎、同东西台三品上官仪一起商量。上官仪就说：“皇后专权恣纵，天下人都不赞成，请求废掉后位。”高宗心里认为很对，就命令上官仪起草诏令。

高宗身边的人跑去把消息告诉了皇后，皇后立即到高宗那里为自己诉冤。起草的诏令还在高宗处，高宗羞怯畏缩，心有不忍，又像当初一样对待皇后，还担心皇后怨恨生气，就哄骗她说：“我本来没有废后位的想法，这都是上官仪教我的。”上官仪原先担任陈王府谘议参军，和王伏胜一起侍奉过以前的太子李忠，皇后于是指使许敬宗诬奏上官仪、王伏胜和李忠图谋大逆不道。十二月十三日丙戌，上官仪被关进监狱，和他的儿子上官庭芝、王伏胜都被处死，全家被抄没。十五日戊子，于流放的地方赐死李忠。右相刘祥道因为和上官仪友善获罪，废除了在朝廷预政议事的权力，改任司礼太常伯，左肃机郑钦泰等朝廷官员被流放贬谪的很多，都是因与上官仪交往受到牵连。

从此以后，高宗每次临朝治事，皇后就垂着帘幕坐在大殿之后，无论政事大小，都参与其中。天下大权，全部落到皇后手中，罢黜、擢升、生杀的决定都决断于皇后之口，天子不过拱手听命罢了，朝廷内外称之为“二圣”。

太子右中护、检校西台侍郎乐彦玮、西台侍郎孙处约一起被任命为同东西台三品。

【段旨】

以上为第五段，写唐高宗惧内软弱，冤杀上官仪，导致武则天垂帘参与朝政，中外谓之“二圣”。

【注释】

㉗厌胜：以诅咒制胜，系迷信活动。㉘不与：不许。㉙遽：急；立即。㉚自诉：为自己诉冤。㉛绐：哄；骗。㉜陈王：指李忠。忠自陈王立为太子。㉝谘议：即谘议参军，官名，王府官属，位于王府长官傅之下，正五品上，常侍从左右，备咨询，参谋议。㉞事：奉事。㉟谋大逆：十恶之一。指谋毁宗庙、山陵及宫阙。㊱丙戌：十二月十三日。㊲庭芝：即上官庭芝。官至周王府属。中宗时，因其女婉儿受宠，追赠为黄门侍郎、岐州刺史、天水郡公。事见两《唐书》之《上官仪传》。㊳戊子：十二月十五日。㊴“罢政事”二句：不得以右相之职参议朝政，担任礼部尚书。㊵左肃机：官名。

【原文】

二年（乙丑，公元六六五年）

春，正月丁卯[268]，吐蕃遣使入见，请复与吐谷浑和亲，仍求赤水[269]地畜牧，上不许。

二月壬午[270]，车驾发京师；丁酉[271]，至合璧宫[272]。

上语及隋炀帝，谓侍臣曰：“炀帝拒谏而亡，朕常以为戒，虚心求谏，而竟无谏者，何也？”李勣对曰：“陛下所为尽善，群臣无得而谏[273]。”

三月甲寅[274]，以兼司戎太常伯[275]姜恪同东西台三品。恪，宝谊[276]之子也。

辛未[277]，东都乾元殿[278]成。闰月壬申朔[279]，车驾至东都。

疏勒弓月引吐蕃侵于阗，敕西州都督[280]崔知辩、左武卫将军曹继叔将兵救之。

高宗龙朔二年（公元六六二年）改尚书左丞为左肃机，正四品上，掌管辖省事，纠举宪章，以辨六官之仪。㉖①朝士：朝廷上的官吏。㉖②交通：交往。㉖③视事：临朝治事。㉖④中外谓之"二圣"：朝野上下，都把他们称为"二圣"。《新唐书》卷七十六载："群臣朝、四方奏章，皆曰'二圣'。每视朝，殿中垂帘，帝与后偶坐，生杀赏罚惟所命。"《唐历》所载略同。司马光在《考异》中说："武后虽悍戾，岂得高宗尚在，与高宗对坐受群臣朝谒乎！恐不至此。今从实录。"㉖⑤太子右中护：官名，即太子右庶子。龙朔二年（公元六六二年）改左、右庶子为左、右中护，正四品。㉖⑥乐彦玮：雍州长安（今陕西西安西部）人，曾任给事中、唐州刺史等职。㉖⑦孙处约：汝州郏城（今河南郏县）人，曾以直谏受到太宗赏识，官至宰相。与彦玮同传，见《旧唐书》卷八十一、《新唐书》卷九十九。

【校记】

［5］与：据章钰校，十二行本、乙十一行本皆作"预"。〖按〗二字通。

【语译】

二年（乙丑，公元六六五年）

春，正月二十四日丁卯，吐蕃派遣使者进京朝见，请求再和吐谷浑和好结亲，还要求取赤水地域畜牧，高宗没有答应。

二月初十日壬午，高宗的车驾从京师出发；二十五日丁酉，到达合璧宫。

高宗谈到隋炀帝，对身边侍臣说："炀帝拒绝进言而灭亡，我常常引以为戒，虚心要求臣子进谏，但竟然没有上谏的人，这是为什么呢？"李勣回答说："陛下所作所为都很好，群臣找不到事情进谏。"

三月十二日甲寅，任命兼司戎太常伯姜恪为同东西台三品。姜恪，是姜宝谊的儿子。

二十九日辛未，东都洛阳乾元殿建造完成。闰三月初一日壬申，高宗的车驾到达洛阳。

疏勒弓月引领吐蕃入侵于阗，高宗命令西州都督崔知辩、左武卫将军曹继叔统率军队援救。

夏，四月戊辰[281]，左侍极[282]陆敦信[283]检校右相；西台侍郎孙处约，太子右中护、检校西台侍郎乐彦玮并罢政事。

秘阁郎中[284]李淳风[285]以傅仁均[286]《戊寅历》[287]推步[288]浸疏[289]，乃增损刘焯[290]《皇极历》[291]，更撰《麟德历》[292]；五月辛卯[293]，行之。

秋，七月己丑[294]，兖州[295]都督邓康王元裕[296]薨。

上命熊津都尉[297]扶余隆与新罗王法敏释去旧怨，八月壬子[298]，同盟于熊津城。刘仁轨以新罗、百济、耽罗[299]、倭国使者浮海西还，会祠泰山，高丽亦遣太子福男[300]来侍祠。

冬，十月癸丑[301]，皇后表称："封禅旧仪，祭皇地祇，太后昭配，而令公卿行事，礼有未安[302]，至日[303]，妾请帅内外命妇[304]奠献。"诏："禅社首[305]以皇后为亚献[306]，越国太妃燕氏[307]为终献[308]。"壬戌[309]，诏："封禅坛所设上帝、后土位，先用藁秸[310]、陶匏[311]等，并宜改用茵褥[312]、罍爵[313]，其诸郊祀[314]亦宜准此。"又诏："自今郊庙享宴，文舞用《功成庆善之乐》[315]，武舞用《神功破陈之乐》[316]。"丙寅[317]，上发东都，从驾文武仪仗[318]，数百里不绝。列营置幕，弥亘[319]原野。东自高丽，西至波斯、乌长诸国，朝会者，各帅其属扈从，穹庐毳幕[320]，牛羊驼马，填咽[321]道路。时比岁丰稔[322]，米斗至五钱，麦、豆不列于市[323]。

【段旨】

以上为第六段，写唐高宗颁行新历《麟德历》，准皇后奏，皇后参与封禅。

【注释】

㉖⑧丁卯：正月二十四日。㉖⑨赤水：地名，在青海兴海县一带，当时为吐谷浑辖地。㉗⓪壬午：二月初十日。㉗①丁酉：二月二十五日。㉗②合璧宫：高宗显庆五年（公元六六〇年），命田仁汪等造八关宫。功成，改名合璧宫。宫址位于东都禁苑西侧。㉗③无得而谏：找不到可以进谏的事情，无从而谏。〖按〗褚遂良、韩瑗皆因谏诤而死，则高

夏，四月二十七日戊辰，左侍极陆敦信任检校右相，西台侍郎孙处约，太子右中护、检校西台侍郎乐彦玮一起被废除在朝廷预政议事的权力。

秘阁郎中李淳风认为傅仁均的《戊寅历》推算的节令时辰日显粗疏，就增减损益刘焯的《皇极历》，重新撰写《麟德历》；五月二十日辛卯，正式颁布施行。

秋，七月十九日己丑，兖州都督邓康王李元裕去世。

高宗命令熊津都尉扶余隆和新罗王法敏消除旧怨，八月十三日壬子，在熊津城结盟。刘仁轨与新罗、百济、耽罗、倭国派出的使者渡海西归，在泰山会合祭祠，高句丽也派遣太子福男前来陪侍祭祀。

冬，十月十五日癸丑，皇后上表说："过去的封禅仪式，祭祀皇地祇，以太后配祭，而命令公卿举行仪式，从礼仪来说有所不妥，到那天，妾请求率领内外命妇参与祭奠献酒。"高宗颁布诏令说："禅祭社首山时先以皇后为次献，越国太妃燕氏为终献。"二十四日壬戌，颁布诏令："封禅时坛台所设置的上帝、后土神位，原先使用的是枯干禾秸、陶器等，现在应该一并改用褥垫和酒器，其他郊祀也应该以此为准。"又颁布诏令说："从现在起郊庙祭祀享神宴会时，文舞采用《功成庆善之乐》，武舞采用《神功破陈之乐》。"二十八日丙寅，高宗从东都出发，陪从车驾的文武百官仪仗，几百里连绵不绝。扎营置帐，遍布原野。东面起自高句丽，西面到达波斯、乌长各国，朝见高宗的使者，各自率领部属随从皇帝，毡房帐幕，牛、羊、驼、马，填塞道路。当时连年谷物丰收，一斗米便宜到只需五个钱，麦、豆都不摆在市场上出售。

宗不仅拒谏，而且杀谏。李勣说高宗尽善，无从而谏，阿谀之词。㉗④甲寅：三月十二日。㉗⑤司戎太常伯：高宗龙朔间，兵部尚书改称司戎太常伯，正三品，职掌天下武官选授，以及地图与甲仗之政令。㉗⑥宝谊：即姜宝谊。秦州上邽（今甘肃天水）人，从高祖起兵，官至右武卫大将军，后被宋金刚杀害。传见《新唐书》卷八十八。㉗⑦辛未：三月二十九日。㉗⑧乾元殿：洛阳宫正殿。由司农少卿田仁汪在隋乾阳殿的基址上重修，高一百二十尺，东西三百四十五尺，南北一百七十六尺。㉗⑨壬申朔：闰三月初一日。㉘⓪西州都督：西州在今新疆吐鲁番和鄯善一带。都督为州长官，职掌一州政务。㉘①戊辰：四月二十七日。㉘②左侍极：官名。高宗龙朔间左散骑常侍改称左侍极，从三品，职掌侍奉规谏，备顾问应对。㉘③陆敦信：苏州吴（今江苏苏州）人，名儒陆德明之子，累封嘉兴县子。事见《旧唐书》卷一百八十九上《陆德明传》、《新唐书》卷一百九十八《陆德明传》。㉘④秘阁郎中：官名。高宗龙朔间，秘书省改称兰台，其下属机构有秘阁局，秘阁郎

中即为秘阁局官吏，旧称太史令。太史令，掌观察天文，稽定历数。㉘李淳风（公元六〇二至六七〇年）：岐州雍（今陕西宝鸡市凤翔区）人，天文学家。曾造黄道浑仪，预修《晋书》、《隋书》之《天文志》、《律历志》、《五行志》，著有《典章文物志》《乙巳占》《秘阁录》等书，所撰《麟德历》颇为精密。传见《旧唐书》卷七十九、《新唐书》卷二百四。㉘傅仁均：滑州白马（今河南滑县东）人，撰有《戊寅历》。传见《旧唐书》卷七十九。㉘戊寅历：又名《戊寅元历》，系唐代第一部历法，武德二年颁行。㉘推步：推算。“谓究日月五星之度，昏旦节气之差”。㉘浸疏：日益疏阔。㉚刘焯：隋代天文学家。传见《隋书》卷七十五、《北史》卷八十二。㉚皇极历：即《甲子元历》。未曾施用。㉚麟德历：以撰于麟德年间而得名。详见《旧唐书》卷三十三、《新唐书》卷二十六。㉚辛卯：五月二十日。㉚己丑：七月十九日。㉚兖州：治所在今山东济宁市兖州区东北。㉚邓康王元裕：高祖第十七子，与卢照邻友善。传见《旧唐书》卷六十四、《新唐书》卷七十九。㉚熊津都尉：据扶余隆与金法敏盟文，当作“熊津都督”。㉚壬子：八月十三日。㉚耽罗：国名，位于今韩国济州岛上。㉚福男：《新唐书》卷二百二十作“男福”。㉚癸丑：十月十五日。㉚未安：未妥；不妥。㉚至日：到时候，封禅那天。㉚内外命妇：指有封号的妇女，有内外之分。内命妇指皇帝的妃、嫔，主要有贵妃、淑妃、德妃、贤妃、昭仪、昭容、昭媛、修仪、修容、修媛、充仪、充容、充媛各一人，婕妤

【原文】

十一月戊子[324]，上至濮阳[325]，窦德玄骑从。上问：“濮阳谓之帝丘，何也？”德玄不能对。许敬宗自后跃马而前曰：“昔颛顼[326]居此，故谓之帝丘。”上称善。敬宗退，谓人曰：“大臣不可以无学，吾见德玄不能对，心实羞之。”德玄闻之曰：“人各有能、有不能，吾不强对以所不知，此吾所能也。”李勣曰：“敬宗多闻，信[327]美矣；德玄之言亦善也。”

寿张[328]人张公艺[329]九世同居，齐、隋、唐皆旌表其门[330]。上过寿张，幸其宅，问所以能共居之故，公艺书“忍”字百余以进。上善之，赐以缣帛[331]。

十二月丙午[332]，车驾至齐州[333]，留十日。丙辰[334]，发灵岩顿[335]，至泰山下，有司于山南为圆坛[336]，山上为登封坛，社首山上为降禅方坛。

九人，美人四人，才人五人，宝林二十七人，御女二十七人，采女二十七人。外命妇指王公官僚的母、妻。自王、嗣王以至勋官四品之母、妻，有封号即为命妇。外命妇册封原则：皇姑封大长公主，皇姐封长公主，皇女封公主，皇太子之女封郡主，诸王之女封县主。诸王之母与妻为妃，一品；国公之母与妻为国夫人；三品以上官员之母与妻有封者为郡夫人；五品、勋三品之母与妻有封者为县君。散官同职事官。㉟禅社首：在社首山祭皇地祇。社首山在今山东泰安西南。㊱亚献：本谓第二次奠献，在此指第二位献爵的人。㊲越国太妃燕氏：太宗妃嫔，生越王贞。㊳终献：第三次奠献。转指最后一位献爵者。㊴壬戌：十月二十四日。㊵藁秸：枯草干禾。㊶陶匏：陶尊匏爵。㊷茵褥：彩絮垫褥。㊸罍爵：青铜罍爵（酒器）。㊹诸郊祀：各种郊祀。郊祀，指在郊外祭祀天地诸神。㊺《功成庆善之乐》：乐舞名，又叫《九功舞》。以儿童六十四人，戴进德冠，穿紫裤褶，长袖黑髻，屣履而舞。"进蹈安徐，以象文德"。㊻《神功破阵之乐》：本名《秦王破陈乐》，又叫《七德舞》。舞者一百二十人，皆披甲持戟，"有来往疾徐击刺之象"，旨在宣扬武功。㊼丙寅：十月二十八日。㊽仪仗：仪卫兵仗。㊾弥亘：布满。⑳穹庐毳幕：毡帐毛帷。㉑填咽：填塞；充斥。㉒比岁丰稔：连年丰收。㉓不列于市：不摆在市场上出售。

【语译】

十一月二十日戊子，高宗到达濮阳，窦德玄骑马随从。高宗问他："濮阳称之为帝丘，为什么？"窦德玄回答不了。许敬宗从后面跃马而前，说："过去颛顼帝居住此地，所以称之为帝丘。"高宗表示称赞。许敬宗退离，对人说："大臣不能没有学问，我看见窦德玄不能对答，心里实在为他羞愧。"窦德玄听到后说："每个人各有他能做的、不能做的，我不勉强回答我所不知道的事，这就是我能做的事。"李勣说："许敬宗见多识广，确实很好；但窦德玄所言亦可称善。"

寿张人张公艺九代同居，齐、隋、唐时都于其门前赐匾额表扬。高宗路过寿张，到了张公艺住宅，问他能够九代同居的缘故，张公艺书写一百多个"忍"字呈进给高宗。高宗很赞赏他，赏赐给他缣帛。

十二月初九日丙午，高宗车驾抵达齐州，停留十天。十九日丙辰，从灵岩顿出发，到达泰山下，有关方面主管官员在山的南面建造了圆坛，山上是登临祭天的祭坛，社首山上面是禅祭地祇的方形祭坛。

【段旨】

以上为第七段，写唐高宗在东行封禅途中的轶事。

【注释】

[324] 戊子：十一月二十日。[325] 濮阳：县名，治所在今河南濮阳西南。[326] 颛顼：上古人物，为五帝之一。相传是黄帝的孙子，号高阳氏。十岁佐少皞，二十登帝位，在位七十

【原文】

乾封元年（丙寅，公元六六六年）

春，正月戊辰朔[337]，上祀昊天上帝于泰山南。己巳[338]，登泰山，封玉牒[339]，上帝册藏以玉匮[340]，配帝[341]册[342]藏以金匮[343]，皆缠以金绳[344]，封以金泥，印以玉玺[345]，藏以石碱[346]。庚午[347]，降禅于社首，祭皇地祇。上初献毕，执事者皆趋下。宦者[348]执帷，皇后升坛亚献，帷帟[349]皆以锦绣[350]为之，酌酒，实俎豆[351]，登歌[352]，皆用宫人。壬申[353]，上御朝觐坛[354]，受朝贺，赦天下，改元。文武官三品已上赐爵一等，四品已下加一阶。先是阶无泛加，皆以劳考叙进，至五品、三品，仍奏取进止，至是始有泛阶[355]，比及[356]末年，服绯者满朝[357]矣。

时大赦[358]，惟长流人[359]不听还，李义府忧愤发病卒。自义府流窜，朝士日忧其复入，及闻其卒，众心乃安。

丙戌[360]，车驾发泰山。辛卯[361]，至曲阜[362]，赠孔子[363]太师，以少牢[364]致祭。癸未[365]，至亳州[366]，谒老君[367]庙，上尊号曰太上玄元皇帝。丁丑[368]，至东都，留六日。甲申[369]，幸合璧宫。夏，四月甲辰[370]，至京师，谒太庙[371]。

庚戌[372]，左侍极兼检校右相陆敦信以老疾辞职，拜大司成[373]，兼左侍极，罢政事。

五月庚寅[374]，铸乾封泉宝[375]钱，一当十[376]，俟期年[377]尽废旧钱[378]。

八年。曾命重为南正，掌管祭祀；命黎任火正，掌管民事。见《史记》卷一及《山海经》注。㉗信：确实。㉘寿张：县名，治所在今山东梁山县西北。㉙张公艺：传见《旧唐书》卷一百八十八。《新唐书》卷一百九十五亦略载其事。㉚齐、隋、唐皆旌表其门：北齐时东安王高永乐、隋时邵阳公梁子恭均前往抚慰旌表；唐贞观间太宗遣吏旌表。㉛缣帛：绢帛。㉜丙午：十二月初九日。㉝齐州：治所在今山东济南。㉞丙辰：十二月十九日。㉟灵岩顿：在今山东济南西南。㊱圆坛：即封祀坛。在山南四里处，形似天坛。

【语译】

乾封元年（丙寅，公元六六六年）

春，正月初一日戊辰，高宗在泰山南面祭祀昊天上帝。初二日己巳，登上泰山，以玉牒封禅，把祭祀上帝的册书用玉匮收藏，配祭皇帝的册书用金匮收藏，都用金绳缠绕，以金泥加封，印上玉玺，用石匣收藏。初三日庚午，下山禅祭社首，祭祀皇地祇。高宗初献完毕，身边执事的人都趋身退下。宦者手持帷帐，皇后登上祭坛次献，帷帐都用锦绣制作。敬酒，装满俎豆，登坛歌舞，都用宫中之人。初五日壬申，高宗驾临朝觐的坛台，接受朝拜祝贺，赦免天下，更改年号。文官和武官三品以上赏赐爵位一等，四品以下加一阶。在这以前官阶是不随便加封的，都是按功劳来考核叙次的，官阶升至五品、三品，晋升与否要奏报皇帝取决，从这时起官阶始有泛加封赏的情形；到了末几年，穿绯色官服的官吏满朝皆是。

当时大赦天下，只有长久流放的人不能任其放还，李义府忧虑愤懑，生病死亡。自从李义府被流放，朝廷士人每天都担心他再度入朝为官，等到听说他死去了，大家心里才安定下来。

正月十九日丙戌，高宗车驾从泰山出发。二十四日辛卯，到达曲阜，赠孔子太师官职，用少牢祭祀孔子。二月二十二日己未，高宗到达亳州，谒见老君庙，尊称老君为太上玄元皇帝。三月十一日丁丑，高宗到达东都，停留六天。十八日甲申，入合璧宫。夏，四月初八日甲辰，回到京城，进谒太庙。

四月十四日庚戌，左侍极兼检校右相陆敦信因为年老有病而辞职，被任命为大司成，兼左侍极，罢除政事。

五月二十五日庚寅，铸造乾封泉宝钱，一钱相当十个旧钱，等到满一年，全部废弃旧钱。

【段旨】

以上为第八段，写唐高宗封禅泰山，改元乾封，发行“乾封泉宝”钱，以一当十，聚敛民财。

【注释】

㉝㊲ 戊辰朔：正月初一日。㉝㊳ 己巳：正月初二日。㉝㊴ 玉牒：即玉策。以玉为简，长一尺二寸，宽一寸二分，厚三分，刻封泰山文书，填上金屑，形成金字，以示郑重。㉞㊵ 玉匮：玉柜。长一尺三寸。㉞㊶ 配帝：配祀皇帝。㉞㊷ 册：册文。㉞㊸ 金匮：金柜。㉞㊹ 金绳：金质绳索。共缠五圈。㉞㊺ 玉玺：玉印。方一寸二分，文与受命玺相同。㉞㊻ 石䃔：石匣。用方石制成，外有石检十枚，以护石䃔。㉞㊼ 庚午：正月初三日。㉞㊽ 宦者：即宦官。㉞㊾ 帷帟：帐幕。㉟㊿ 锦绣：精致华丽的丝织绣品。351 俎豆：礼器，用来盛祭祀品。352 登歌：登坛奏歌。353 壬申：正月初五日。354 朝觐坛：为接见百官而特设的土坛。355 泛阶：不管有功与否，都予以晋升。356 比及：等到。357 服绯者满朝：满朝都是穿绯衣的人。唐自显庆以后，令四品、五品官服绯。绯衣满朝并非指实，旨在说明泛阶对唐代官制的影

【原文】

高丽泉盖苏文卒，长子男生[379]代为莫离支，初知国政，出巡诸城，使其弟男建、男产知留后事。或谓二弟曰：“男生恶二弟之逼，意欲除之，不如先为计。”二弟初未之信[380]。又有告男生者曰：“二弟恐兄还夺其权，欲拒兄不纳。”男生潜遣所亲往平壤伺[381]之，二弟收掩[382]，得之，乃以王命召男生。男生惧，不敢归，男建自为莫离支，发兵讨之。男生走保别城，使其子献诚诣阙求救。六月壬寅[383]，以右骁卫大将军契苾何力为辽东道安抚大使，将兵救之；以献诚为右武卫将军，使为乡导。又以右[6]金吾卫将军[384]庞同善[385]、营州都督高侃[386]为行军总管，同讨高丽。

秋，七月乙丑朔[387]，徙殷王旭轮[388]为豫王。以大司宪兼检校太子左中护刘仁轨为右相。

初，仁轨为给事中[389]，按毕正义事[390]，李义府怨之，出为青州刺

响。358 大赦：对已判罪犯减免刑罚。359 长流人：被长期流放在远方的罪犯。360 丙戌：正月十九日。361 辛卯：正月二十四日。362 曲阜：县名，治所在今山东曲阜东北。363 孔子（公元前五五一至前四七九年）：名丘，字仲尼，鲁国陬邑（今山东曲阜东南）人，春秋末期杰出的思想家和教育家，被历代统治者尊为圣人。主要言论保存在《论语》一书中。传见《史记》卷四十七。364 少牢：全羊、全猪。猪、牛、羊三牲具称太牢，只有猪、羊二牲称少牢。365 癸未：误。据两《唐书》中《高宗纪》，当为二月己未，即二月二十二日。366 亳州：治所谯县，在今安徽亳州。367 老君：即老子、老聃。姓李名耳，字伯阳，楚国苦县（今河南鹿邑东）人，春秋末期的思想家，道家学派的创始人。相传著有《道德经》。传见《史记》卷六十三。368 丁丑：上脱"三月"二字。丁丑，三月十一日。369 甲申：三月十八日。370 甲辰：四月初八日。371 太庙：天子祖庙。唐太宗初在通义里，后移至皇城东南角。372 庚戌：四月十四日。373 大司成：官名。高宗龙朔间改国子监为大司成。国子监长官国子祭酒，龙朔间亦以大司成称之，从三品，掌儒学训导之政令。374 庚寅：五月二十五日。375 乾封泉宝：货币名称。《旧唐书》之《食货志》载，该钱直径一寸，重二铢六分。376 一当十：用一枚乾封泉宝当十枚开元通宝。开元通宝直径八分，重二铢四絫。377 期年：一年。378 旧钱：即开元通宝。

【语译】

高句丽泉盖苏文死了，长子泉男生继任为莫离支，初次执掌国家大政，出巡各地城邑，命令他的弟弟泉男建、泉男产留守后方执掌事务。有人对两个弟弟说："泉男生厌恶你们两个弟弟的压迫，想要除掉你们，不如事先做好谋划。"两个弟弟起先不相信。又有人告诉泉男生说："你两个弟弟担心你返回后剥夺他们的权力，准备对你拒不接纳。"泉男生暗中派亲近的人前往平壤窥伺，两个弟弟把泉男生派出的人秘密地抓了起来，得知其中详情，就用国王的命令召回泉男生。泉男生恐惧，不敢回去，泉男建自立为莫离支，发兵讨伐泉男生。泉男生逃到另一城邑自保，派遣他的儿子泉献诚到朝廷求救。六月初七日壬寅，任命右骁卫大将军契苾何力为辽东道安抚大使，率兵救援；任命泉献诚为右武卫将军，让他做向导。又任命右金吾卫将军庞同善、营州都督高侃为行军总管，一同讨伐高句丽。

秋，七月初一日乙丑，徙封殷王李旭轮为豫王。任命大司宪兼检校太子左中护刘仁轨为右相。

当初，刘仁轨任职给事中，调查毕正义的事情，李义府怨恨他，把他外放为青

史。会讨百济，仁轨当浮海运粮，时未可行㊴①，义府督之，遭风失船，丁夫溺死甚众，命监察御史袁异式往鞫之。义府谓异式曰："君能办事㊴②，不[7]忧㊴③无官。"异式至，谓仁轨曰："君与朝廷何人为仇㊴④？宜早自为计。"仁轨曰："仁轨当官不职㊴⑤，国有常刑，公以法毙之，无所逃命。若使遽自引决以快仇人，窃所未甘㊴⑥！"乃具狱㊴⑦以闻。异式将行，仍自掣㊴⑧其锁。狱上，义府言于上曰："不斩仁轨，无以谢百姓。"舍人㊴⑨源直心曰："海风暴起，非人力所及。"上乃命除名，以白衣从军自效㊵⓪。义府又讽刘仁愿使害之，仁愿不忍杀。及为大司宪，异式惧，不自安，仁轨沥觞㊵①告之曰："仁轨若念畴昔之事，有如此觞！"仁轨既知政事，异式寻迁詹事丞㊵②，时论纷然；仁轨闻之，遽荐为司元大夫。监察御史杜易简㊵③谓人曰："斯所谓矫枉过正矣！"

八月辛丑㊵④，司元太常伯兼检校左相窦德玄薨。

初，武士彟娶相里氏㊵⑤，生男元庆、元爽；又娶杨氏㊵⑥，生三女，长适㊵⑦越王府法曹㊵⑧贺兰越石，次皇后，次适郭孝慎。士彟卒，元庆、元爽及士彟兄子惟良、怀运㊵⑨皆不礼㊶⓪于杨氏，杨氏深衔㊶①之。越石、孝慎及孝慎妻并早卒，越石妻生敏之及一女而寡。后既立，杨氏号荣国夫人，越石妻号韩国夫人，惟良自始州㊶②长史超迁司卫少卿㊶③，怀运自瀛州㊶④长史迁淄州刺史㊶⑤，元庆自右卫郎将㊶⑥为司宗[8]少卿㊶⑦，元爽自安州㊶⑧户曹㊶⑨累迁内府[9]少监㊷⓪。荣国夫人尝置酒，谓惟良等曰："颇忆畴昔之事乎？今日之荣贵复何如？"对曰："惟良等幸以功臣子弟㊷①，早登宦籍，揣分量才㊷②，不求贵达，岂意以皇后之故，曲荷朝恩，夙夜忧惧，不为荣也。"荣国不悦。皇后乃上疏，请出惟良等为远州刺史，外示谦抑，实恶之也。于是以惟良检校始州刺史，元庆为龙州㊷③刺史，元爽为濠州㊷④刺史。元庆至州，以忧卒。元爽坐事流振州㊷⑤而死。

韩国夫人及其女以后故出入禁中，皆得幸于上。韩国寻卒，其女赐号魏国夫人。上欲以魏国为内职㊷⑥，心难后未决㊷⑦，后恶之。会惟良、怀运与诸州刺史诣泰山朝觐，从至京师，惟良等献食。后密置毒醢㊷⑧中，使魏国㊷⑨食之，暴卒，因归罪于惟良、怀运。丁未㊸⓪，诛之，

州刺史。适逢朝廷讨伐百济，刘仁轨负责渡海运送粮食，当时不适宜行船，李义府督促他出发，结果遇风船毁，船夫溺死很多，朝廷命令监察御史袁异式前往查办。李义府对袁异式说："你能够办好这件事，不愁没官做。"袁异式到达后，对刘仁轨说："你和朝廷什么人结了仇恨？你应该早早地自我谋划。"刘仁轨说："刘仁轨做官不称职，国家刑有常规，你根据法令把我杀了，我无处逃命。如果让我急忙地自我了断，以满足仇人，我心所不甘！"于是袁异式就备齐案情卷宗报告高宗。袁异式准备上路时，亲自把锁拽上。案情呈上之后，李义府对高宗说："不杀刘仁轨，不能向老百姓谢罪。"舍人源直心说："海风暴起，不是人力所能挽救的。"高宗于是命令免除刘仁轨的官身，让他以平民身份从军效力。李义府又暗示刘仁愿，让他害死刘仁轨，但刘仁愿不忍心加以杀害。等到刘仁轨做了大司宪，袁异式惶惧，心神不安。刘仁轨杯酒洒地，告诉袁异式说："刘仁轨如果还记着过去的事，就好像这杯酒一样！"刘仁轨执掌政事之后，袁异式不久升迁詹事丞，当时议论纷纷；刘仁轨听到之后，很快推举袁异式为司元大夫。监察御史杜易简对人说："这就是所说的矫枉过正了！"

八月初八日辛丑，司元太常伯兼检校左相窦德玄去世。

当初，武士彟娶相里氏为妻，生了儿子武元庆、武元爽；又娶了杨氏，生了三个女儿，长女嫁给越王府法曹贺兰越石，次女就是武则天皇后，三女儿嫁给郭孝慎。武士彟去世后，武元庆、武元爽和武士彟哥哥的儿子武惟良、武怀运等人，对杨氏都不礼貌，杨氏深以为恨。贺兰越石、郭孝慎和郭孝慎的妻子都很早就死了，贺兰越石的妻子生了贺兰敏之和一个女儿，女儿寡居。武则天立为皇后后，杨氏赐号荣国夫人，贺兰越石的妻子赐号韩国夫人，武惟良由始州长史越级升迁为司卫少卿，武怀运由瀛州长史升迁为淄州刺史，武元庆由右卫郎将升为司宗少卿，武元爽由安州户曹累次升迁为内府少监。荣国夫人曾经摆设酒席，对武惟良等人说："你们还常回忆过去的事吗？对今天的荣华富贵你们感觉又是怎样？"武惟良回答说："惟良等人侥幸以功臣子弟的身份，早早地做了官，衡量自己的名分和才干，不求显贵荣达，哪里想到因为皇后的缘故，曲蒙朝廷恩宠，早晚都在忧惧惶恐，不敢引以为荣。"荣国夫人听了心里不高兴。皇后便上疏，请求把武惟良等外放为偏远之州的刺史，表面上显示谦虚自抑，其实很厌恶武惟良等人。于是任命武惟良为检校始州刺史，武元庆为龙州刺史，武元爽为濠州刺史。武元庆到了龙州，因为忧郁而死。武元爽因其他事情获罪，流放振州而死。

韩国夫人和她的女儿因为皇后的缘故，出入宫禁之中，都得到高宗的宠幸。韩国夫人不久去世，她的女儿赐号为魏国夫人。高宗要任魏国夫人为内官之职，心里怕皇后刁难，没有做出最后决定，皇后非常憎恶。适逢武惟良、武怀运和各州刺史前往泰山朝见皇帝，随从高宗回到京师，武惟良等人献上食物，皇后暗中把毒药放入肉酱里，让魏国夫人吃，她突然死了，于是把罪过推到武惟良、武怀运身上。八月十四日丁未，

改其姓为蝮[431]氏。怀运兄怀亮早卒，其妻善氏尤不礼于荣国[432]，坐惟良等没入掖庭，荣国令后以他事束棘[433]鞭之，肉尽见[434]骨而死。

九月，庞同善大破高丽兵，泉男生帅众与同善合。诏以男生为特进[435]、辽东大都督，兼平壤道安抚大使，封玄菟郡公。

戊子[436]，金紫光禄大夫[437]致仕[438]广平宣公刘祥道薨，子齐贤[439]嗣。齐贤为人方正[440]，上甚重之，为晋州[441]司马。将军史兴宗尝从上猎苑中，因言晋州产佳鹞，刘齐贤今为司马，请使捕之。上曰："刘齐贤岂捕鹞者邪！卿何以此待之！"

冬，十二月己酉[442]，以李勣为辽东道行军大总管，兼安抚大使[10]；以司列少常伯[443]安陆[444]郝处俊[445]副之，以击高丽。庞同善、契苾何力并为辽东道行军副大总管兼安抚大使如故；其水陆诸军总管并运粮使窦义积、独孤卿云、郭待封等，并受勣处分[446]。河北诸州[447]租赋悉诣辽东[448]给军用。待封，孝恪[449]之子也。

勣欲与其婿京兆杜怀恭偕行，以求勋效[450]。怀恭辞以贫[451]，勣赡[452]之；复辞以无奴马，又赡之。怀恭辞穷，乃亡匿岐阳[453]山中，谓人曰："公欲以我立法耳。"勣闻之，流涕曰："杜郎疏放[454]，此或有之。"乃止。

【段旨】

以上为第九段，写武则天生性狠毒，报复同宗；唐高宗大发兵征高句丽。

【注释】

[379]男生：即泉男生。盖苏文之子，乾封元年继为莫离支，因内乱归唐，官至右卫大将军，封汴国公。事见《新唐书》卷二百二十《高丽传》、《旧唐书》卷一百九十九上《高丽传》。[380]未之信：未信之；不相信。[381]伺：窥探。[382]收掩：隐蔽搜捕。[383]壬寅：六月初七日。[384]右金吾卫将军：官名。唐有左右金吾卫，各置大将军一员，为最高军事长官，其下各有将军二员，从三品，职掌宫内和京城巡查警卫。[385]庞同善：郏

处死武惟良、武怀运，把他们的姓氏改为蝮氏。武怀运的兄长武怀亮去世很早，他的妻子善氏对荣国夫人特别不礼貌，受到武惟良等人的牵连被收入掖庭，荣国夫人让武后借口其他事情，拿棘杖抽打善氏，把善氏打到肉烂骨露而死。

九月，庞同善把高句丽的军队打得大败，泉男生率领部众与庞同善会合。高宗下诏任命泉男生为特进、辽东大都督，兼平壤道安抚大使，封为玄菟郡公。

九月二十五日戊子，辞官居家的金紫光禄大夫广平宣公刘祥道去世，儿子刘齐贤继嗣。刘齐贤为人端正，高宗非常器重他，任命他为晋州司马。将军史兴宗曾经跟随高宗在苑囿中打猎，顺口谈到晋州出产很好的鹞鹰，刘齐贤现任晋州司马，就请人叫他捕捉。高宗说："刘齐贤难道是捕鹞鹰的人吗！你为什么如此对待他！"

冬，十二月十八日己酉，任命李勣为辽东道行军大总管，兼安抚大使；以司列少常伯安陆人郝处俊作他的副手，去攻打高句丽。庞同善、契苾何力都担任辽东道行军副大总管兼安抚大使，和过去一样。水陆各军总管和运粮使窦义积、独孤卿云、郭待封等人，一并接受李勣调度。河北各州的租税田赋全部送往辽东，以供军需。郭待封，是郭孝恪的儿子。

李勣打算和他的女婿京兆人杜怀恭一起出发，求取功绩。杜怀恭借口贫穷加以推辞，李勣就供给他财物；杜怀恭又以没有奴仆车马为由推辞，李勣再供给他奴仆车马。杜怀恭无话可说，就逃走躲藏在岐阳县山中，对人说："李公是想拿我树立军法的权威罢了。"李勣听到后，流泪说："杜郎个性疏阔任性，才可能有这样的想法。"此事就作罢了。

国公庞卿恽之子。事见《旧唐书》卷五十七《庞卿恽传》、《新唐书》卷八十八《庞卿恽传》。㊳⑯高侃：见《新唐书》卷一百七十《高固传》。㊳⑰乙丑朔：七月初一日。㊳⑱殷王旭轮：即后来的睿宗。㊳⑲给事中：门下省属吏，高宗龙朔间改称东台舍人，正五品上，陪侍皇帝左右，分管省事。㊳⑳按毕正义事：时在高宗显庆元年八月。事见本书卷二百。㊴①时未可行：当时天气不宜航行。㊴②君能办事：你若能办好此事。㊴③忧：愁。㊴④仇：仇怨。㊴⑤不职：失职；不称职。㊴⑥甘：甘心。㊴⑦具狱：旧指据以定罪的全部案卷。此处指定罪。㊴⑧掣：拽。㊴⑨舍人：官名，即中书舍人，中书省属官，正五品上，职掌侍奉进奏，参议表章。㊵⓪以白衣从军自效：时在显庆五年。㊵①沥觞：洒酒于地。㊵②詹事丞：官名，全称太子詹事府丞。丞，副职，佐太子詹事管理太子东宫事务。㊵③杜易简：襄州襄阳（今湖北襄阳）人，博学多才，传见《旧唐书》卷一百九十上、《新唐书》卷二

百一。㊃辛丑：八月初八日。㊄相里氏：山西汾阳人，武德初病亡。㊅娶杨氏：时在武德五年（公元六二二年）前后。事详《文苑英华》卷八百七十五《攀龙台碑》。㊆适：嫁。㊇法曹：官名，即王府属吏法曹参军事，正七品上，负责本曹所管刑狱事务。㊈士彟兄子惟良、怀运：此二人都是武则天伯父武士让的儿子。惟良官司卫少卿，怀运官淄州刺史。见《新唐书》卷七十四上及《元和姓纂》等。㊉不礼：不敬；不尽礼。㊀衔：怨；恨。㊁始州：州名，治所在今四川剑阁。㊂司卫少卿：官名，高宗龙朔间卫尉寺改称司卫寺，卫尉少卿改称司卫少卿，从四品上，系司卫卿副贰之官，"掌邦国器械文物之政令"。㊃瀛州：治所在今河北河间。㊄刺史：官名，州长官，从三品。㊅右卫郎将：官名，为中郎将的副官，正五品上，职掌宫廷宿卫，遇朝会、巡幸则领其仪仗。㊆司宗少卿：官名，即宗正少卿。为宗正寺属官，佐助宗正卿，从四品上，职掌皇室九族六亲之属籍，以别昭穆之序。㊇安州：治所在今湖北安陆。㊈户曹：官名，全称户曹司户参军，从八品下，职掌一州户籍、计账、道路、婚田诸事。㊉内府少监：官名，即少府少监，从四品下，协助少府监掌"百工技巧之政令"。㊀功臣子弟：即功臣后代。武士彟曾随李渊起兵，任中郎将兼司铠参军。唐朝建立后，被列为二等功臣。事见《册府元龟》卷一百三十三《帝王部·褒功二》。㊁揣分量才：衡量自己的名分和才干。㊂龙州：治所在今广西龙州北。㊃濠州：治所在今安徽凤阳东。胡注：本西楚州，"隋开皇二年改曰豪州，唐曰濠州"。岑仲勉认为不准，说隋初改州名，字本从水作濠，杜伏威降附后，误去水作豪，至元和三年始予更正，高宗时应作"豪州"。参阅《隋书求是》及《通鉴隋唐纪比事质疑》。㊄振州：故治在今海南三亚西北崖城镇。㊅内职：即内官。指妃嫔职务。㊆心难后未决：怕皇后反对，尚未做出决定。㊇醢：肉酱。㊈魏国：指韩国夫人之女魏国夫人。㊉丁未：八月十四日。㊀蝮：毒蛇。别称"草上飞""土公蛇"。㊁荣国：即皇后之母荣国夫人。㊂束棘：捆棘成束。棘，酸枣树。㊃见：通"现"。㊄特进：散官之称，正二品，无实职。㊅戊子：九月二十五日。㊆金紫光禄大夫：文散官名称，正

【原文】

二年（丁卯，公元六六七年）

春，正月，上耕藉田[455]，有司进耒耜[456]，加以雕饰。上曰："耒耜农夫所执，岂宜如此之丽！"命易之。既而耕之，九推乃止[457]。

自行乾封泉宝钱，谷帛踊贵，商贾不行。癸未[458]，诏罢之。

三品。438 致仕：退休。唐制，官吏年满七十，原则上要退休回家；若精力旺盛，可暂不致仕。439 齐贤：刘齐贤，官至宰相，后为酷吏所陷。传见《旧唐书》卷八十一、《新唐书》卷一百六。440 方正：正直不阿。441 晋州：治所在今山西临汾。442 己酉：十二月十八日。443 司列少常伯：官名，即吏部侍郎。为吏部尚书副官。高宗龙朔间，改吏部侍郎为司列少常伯，正四品上，掌官吏选授、勋封、考课之政令。444 安陆：县名，治所在今湖北安陆。445 郝处俊（公元六〇七至六八一年）：清廉方正，敢于进谏，官至侍中，“甚得大臣之体”。传见《旧唐书》卷八十四、《新唐书》卷一百十五。446 处分：本意为处理、处置，此处犹言“节度”。447 河北诸州：指河北道所辖怀、卫、相、洺等二十余州。448 辽东：地区名，泛指辽河以东。449 孝恪：郭孝恪，许州阳翟（今河南禹州）人，以镇压窦建德之功拜上柱国，累迁安西都护，后战死于龟兹。传见《旧唐书》卷八十三、《新唐书》卷一百十一。450 勋效：功勋绩效。451 辞以贫：以贫为借口推辞。452 赡：恤；助。453 岐阳：县名，治所在今陕西岐山县东北。454 疏放：疏阔放任；自由散漫。

【校记】

［6］右：据章钰校，十二行本、乙十一行本皆作“左”。〖按〗《新唐书》之《高宗纪》《东夷高丽传》皆作“左”，然两《唐书》之《庞卿恽传附子同善传》皆载庞同善官至右金吾将军，未知孰是。［7］不：据章钰校，十二行本、乙十一行本皆作“勿”。［8］司宗：原作“宗正”。胡三省注云：“此时已改‘宗正’为‘司宗’。”严衍《通鉴补》据以改“司宗”，今从改。［9］内府：原作“少府”。胡三省注云：“此时已改‘少府监’为‘内府监’。”严衍《通鉴补》据以改“内府”，今据以校正。［10］兼安抚大使：此五字原无。据章钰校，十二行本、乙十一行本、孔天胤本皆有此五字。张敦仁《通鉴刊本识误》、张瑛《通鉴校勘记》同，今据补。

【语译】

二年（丁卯，公元六六七年）

春，正月，高宗耕种籍田，主管官员进献耒耜，耒耜上加有雕刻装饰。高宗说：“耒耜是农夫所使用的，岂能如此华丽！”命令更换。更换之后开始耕种，高宗推犁九次就停止了。

自从发行乾封泉宝钱，谷类丝帛价格暴涨，商贾停业。二十二日癸未，下诏停止使用乾封泉宝钱。

二月丁酉[459]，涪陵悼王愔[460]薨。

辛丑[461]，复以万年宫为九成宫[462]。

生羌十二州[463]为吐蕃所破，三月戊寅[464]，悉罢[11]之。

上屡责侍臣不进贤，众莫敢对。司列少常伯李安期[465]对曰："天下未尝无贤，亦非群臣敢蔽贤也。比来公卿有所荐引，为谗者已指为朋党，滞淹者未获伸而在位者先获罪，是以各务杜口耳！陛下果推至诚以待之，其谁不愿举所知！此在陛下，非在群臣也。"上深以为然。安期，百药之子也。

夏，六[12]月乙卯[466]，西台侍郎杨弘武[467]、戴至德[468]、正谏大夫[469]兼东台侍郎李安期、东台舍人[470]昌乐张文瓘[471]、司列少常伯兼正谏大夫河北赵仁本[472]并同东西台三品。弘武，素[473]之弟子；至德，胄[474]之兄子也。时造蓬莱、上阳[475]、合璧等宫，频征伐四夷，厩马万匹，仓库渐虚，张文瓘谏曰："隋鉴不远，愿勿使百姓生怨。"上纳其言，减厩马数千匹。

秋，八月己丑朔[476]，日有食之。

辛亥[477]，东台侍郎同东西台三品李安期出为荆州长史。

九月庚申[478]，上以久疾，命太子弘监国。

辛未[479]，李勣拔高丽之新城[480]，使契苾何力守之。勣初度辽，谓诸将曰："新城，高丽西边要害，不先得之，余城未易取也。"遂攻之，城人师夫仇等缚城主开门降。勣引兵进击，一十六城皆下之。

庞同善、高侃尚在新城，泉男建遣兵袭其营，左武卫将军薛仁贵击破之。侃进至金山[481]，与高丽战，不利，高丽乘胜逐北[482]，仁贵引兵横击[483]，大破之[13]，斩首五万余级，拔南苏、木底、苍岩三城[484]，与泉男生军合。

郭待封[485]以水军自别道趣平壤，勣遣别将冯师本载粮仗以资之。师本船破，失期，待封军中饥窘，欲作书与勣，恐为虏所得，知其虚实，乃作离合诗[486]以与勣。勣怒曰："军事方急，何以诗为？必斩之！"行军管记通事舍人[487]河南[14]元万顷[488]为释其义，勣乃更遣粮仗赴之。

万顷作《檄高丽文》曰："不知守鸭绿之险。"泉男建报曰："谨闻命矣！"即移兵据鸭绿津[489]，唐兵不得渡。上闻之，流万顷于岭南。

二月初六日丁酉，涪陵悼王李愔去世。

初十日辛丑，又改万年宫为九成宫。

生羌十二州被吐蕃所攻破，三月十八日戊寅，将十二州全部撤销。

高宗多次责备侍臣不举荐贤人，大家都不敢回答。司列少常伯李安期回答说："天下未尝没有贤人，也不是群臣敢埋没贤人。近来公卿有所举荐，就被谗毁之人指为结党营私，被埋没的人没有得到提拔，在位的人反而先获罪，所以人人闭口不言！陛下果真开至诚之心以待贤人，有谁不愿意举荐他所了解的贤人呢！此事责任全在陛下，不在于群臣。"高宗认为非常对。李安期，是李百药的儿子。

夏，六月二十六日乙卯，西台侍郎杨弘武、戴至德、正谏大夫兼东台侍郎李安期、东台舍人昌乐人张文瓘、司列少常伯兼正谏大夫河北人赵仁本都担任同东西台三品。杨弘武，是杨素弟弟的儿子；戴至德，是戴胄哥哥的儿子。当时建造蓬莱、上阳、合璧等宫殿，频频地征讨四方夷狄，马厩里有一万匹马，仓库的粮米渐渐空虚，张文瓘劝谏说："隋覆亡的鉴戒还不远，希望不要让百姓心生怨恨。"高宗皇帝采纳他的建议，把马厩的马减少了几千匹。

秋，八月初一日己丑，发生日食。

二十三日辛亥，东台侍郎同东西台三品李安期外放为荆州长史。

九月初三日庚申，高宗因为长期患病，命令太子李弘监理国家政事。

十四日辛未，李勣攻克高句丽新城，让契苾何力镇守。李勣刚渡过辽河时，对诸将说："新城是高句丽西边的要害之地，不先得到的话，其他的城邑就不容易夺取。"就下令攻城，城里人师夫仇等捆缚城主，打开城门投降。李勣率军进攻，十六座城都被攻下了。

庞同善、高侃还在新城，泉男建派遣士卒偷袭他的军营，左武卫将军薛仁贵打败了泉男建。高侃进兵到达金山，与高句丽交战，形势不利，高句丽乘胜追逐败北的唐兵，薛仁贵率军截击，大败高句丽兵，斩获敌人首级五万多，攻克南苏、木底、苍岩三座城邑，和泉男生军队会合。

郭待封率领水军从另外一条道路前往平壤，李勣派遣另一支军队的将领冯师本装载粮食器仗前去支援。冯师本的船只破损，误了日期，郭待封军中饥饿困窘，想要写信给李勣，却担心被敌人截获，从而知道军中情形，就写离合诗给李勣。李勣生气地说："军事正紧急，还写什么诗？一定杀了他！"行军管记通事舍人河南人元万顷为李勣解释诗的内容，李勣才又遣送粮食器仗前往支援。

元万顷写的《檄高丽文》说："不知道镇守鸭绿江的险要之处。"泉男建回答说："我听从你的教导！"就调动军队据守鸭绿江的渡口，唐兵无法渡江。高宗听到后，把元万顷流放到了岭南。

郝处俊在高丽城下，未及成列[490]，高丽奄至[491]，军中大骇。处俊据胡床[492]，方食干糒，潜简精锐，击败之，将士服其胆略。

冬，十二月甲午[493]，诏："自今祀昊天上帝、五帝、皇地祇、神州地祇，并以高祖、太宗配，仍合祀昊天上帝、五帝于明堂。"

是岁，海南獠[494]陷琼州[495]。

【段旨】

以上为第十段，写唐军征讨高句丽，获初战胜利。

【注释】

⑮藉田：即农田。《诗传》："借民力治之，故谓之藉田。"⑯耒耜：耕地翻土的工具。⑰九推乃止：《礼记·月令》，凡耕籍田，"天子三推，三公五推，卿诸侯九推"。高宗不循旧礼，借以表示自己对农业的重视。⑱癸未：正月二十二日。⑲丁酉：二月初六日。⑳涪陵悼王愔：唐太宗第六子，怙恶不悛。太宗曾说："禽兽可扰于人，铁石可为器，愔曾不如之！"传见《旧唐书》卷七十六、《新唐书》卷八十。㉑辛丑：二月初十日。㉒复以万年宫为九成宫：永徽二年（公元六五一年）改九成宫为万年宫。㉓生羌十二州：设置在今巴颜喀拉山东部的十二个羁縻州。生羌，指白兰、春桑等少数民族。㉔戊寅：三月十八日。㉕李安期：定州安平（今河北安平）人，李百药之子。多次预决国事，官至检校东台侍郎、同东西台三品（即门下侍郎，同中书门下三品）。事见《旧唐书》卷七十二《李百药传》、《新唐书》卷一百二《李百药传》。㉖乙卯：六月二十六日。㉗杨弘武：华州华阴（今陕西华阴）人，惧内无奇才，居官以谦慎清简著称。传见《旧唐书》卷七十七、《新唐书》卷一百六。㉘戴至德：相州安阳（今河南安阳）人，官至尚书右仆射。传见《旧唐书》卷七十、《新唐书》卷九十九。㉙正谏大夫：官名，即门下省属官谏议大夫，高宗龙朔间改称正谏大夫，正五品上，职掌侍从赞相，规谏讽谕。㉚东台舍人：官名，高宗龙朔间给事中改称东台舍人。㉛张文瓘（公元六〇五至六七七年）：字稚圭，贝州武城（今山东武城西）人，直言敢谏，持法宽平。传见《旧唐书》卷八十五、《新唐书》卷一百十三。㉜赵仁本：陕州河北（今山西平陆）人，办事

郝处俊在高句丽城下，部队还没有形成阵形，高句丽兵突然到达，军队大惊，当时郝处俊靠在胡床上，正在吃干粮，暗中挑选精锐士卒，打败了高句丽兵，将士们都佩服他的胆略。

冬，十二月初八日甲午，下诏说："从现在起祭祀昊天上帝、五帝、皇地祇、神州地祇，都以高祖、太宗配祭，仍然在明堂一起祭祀昊天上帝、五帝。"

这一年，海南獠人攻陷琼州。

强力。官至宰相，被许敬宗所陷，罢知政事。传见《旧唐书》卷八十一。〖按〗赵仁本等入相时间，两《唐书》之《高宗纪》及《新唐书》之《宰相表》均作六月乙卯，即六月二十六日。㊼素：杨素（？至公元六〇六年），字处道，弘农华阴（今陕西华阴）人，出身士族。在隋朝的统一过程中有一定的功绩。后拥立炀帝，官至司徒，封楚国公。传见《周书》卷三十四、《隋书》卷四十八、《北史》卷四十一。㊽胄：戴胄，字玄胤，贞观名臣。刚正干练，历任大理少卿、尚书左丞、民部尚书，参与朝政。贞观七年卒，赠尚书右仆射，追封道国公。传见《旧唐书》卷七十、《新唐书》卷九十九。㊾上阳：宫名，在今河南洛阳西洛水北岸。⑯己丑朔：八月初一日。⑰辛亥：八月二十三日。⑱庚申：九月初三日。⑲辛未：九月十四日。⑳新城：旧有二说：一为沈州，一为金州卫西，皆误。《东北通史》的作者经实地踏勘认为新城在今抚顺新宾北山上。㊶金山：在今辽宁铁岭市昌图西。㊷逐北：追击败退的敌军。北，通"背"。㊸横击：截击。㊹南苏、木底、苍岩三城：南苏在今吉林辽源西南，木底在今辽宁抚顺与通化之间，苍岩在今吉林集安。㊺郭待封：郭孝恪次子，曾导致大非川之败。事见《旧唐书》卷八十三《郭孝恪传》、《新唐书》卷一百十一《郭孝恪传》。㊻离合诗：诗歌体裁之一。离合字划成文，寓真意于诗外。㊼行军管记通事舍人：行军管记为辽东道行军大总管属官，掌军中书檄。通事舍人为中书省属官，从六品上，掌朝臣进退之节，凡军旅之出，则承命慰劳送迎。㊽元万顷：北门学士之一，文思敏捷。传见《旧唐书》卷一百九十中、《新唐书》卷二百一。㊾鸭绿津：鸭绿江渡口。㊿列：阵。㊱奄至：突然而至。㊲胡床：又名交椅、交床，是一种可以折叠的坐具。最简单的胡床就是马扎，便于行军携带。㊳甲午：十二月初八日。㊴海南獠：居住在雷州半岛以南的少数民族。㊵琼州：治所琼山，在今海南海口市琼山区东南。

【校记】

［11］罢：据章钰校，十二行本、乙十一行本、孔天胤本皆作“废”。［12］六：原作“四”。据章钰校，十二行本、乙十一行本、孔天胤本皆作“六”，今据改。［13］大破之：

【原文】

总章元年（戊辰，公元六六八年）

春，正月壬子[496]，以右相刘仁轨为辽东道副大总管。

二月壬午[497]，李勣等拔高丽扶余城[498]。薛仁贵既破高丽于金山，乘胜将三千人将攻扶余城，诸将以其兵少，止之。仁贵曰：“兵不在多，顾用之何如耳[499]。”遂为前锋以进，与高丽战，大破之，杀获万余人，遂拔扶余城。扶余川中四十余城皆望风请服。

侍御史[500]洛阳贾言忠奉使自辽东还，上问以军事，言忠对曰：“高丽必平。”上曰：“卿何以知之？”对曰：“隋炀帝东征而不克者，人心离怨故也[501]；先帝东征而不克者，高丽未有衅也[502]。今高藏微弱，权臣擅命，盖苏文死，男建兄弟内相攻夺，男生倾心内附，为我乡导，彼之情伪[503]，靡[504]不知之。以陛下明圣，国家富强，将士尽力，以乘高丽之乱，其势必克，不俟再举[505]矣。且高丽连年饥馑，妖异屡降[506]，人心危骇[507]，其亡可翘足待也[508]。”上又问：“辽东诸将孰贤？”对曰：“薛仁贵勇冠三军；庞同善虽不善斗，而持军[509]严整；高侃勤俭自处，忠果有谋；契苾何力沈毅能断，虽颇忌前[510]，而有统御之才；然夙夜[511]小心，忘身忧国，皆莫及李勣也。”上深然其言。

泉男建复遣兵五万人救扶余城，与李勣等遇于薛贺水［15］，合战，大破之，斩获三万余人；进攻大行城[512]，拔之。

朝廷议明堂制度略定，三月庚寅[513]，赦天下，改元[514]。

戊寅[515]，上幸九成宫。

据章钰校，十二行本、乙十一行本、孔天胤本皆作“之大破高丽”，熊罗宿《胡刻资治通鉴校字记》同。[14]河南：原无此二字。据章钰校，十二行本、乙十一行本皆有此二字，张敦仁《通鉴刊本识误》同，今据补。

【语译】

总章元年（戊辰，公元六六八年）

春，正月二十七日壬子，任命右相刘仁轨为辽东道副大总管。

二月二十八日壬午，李勣等人攻克高句丽扶余城。薛仁贵在金山打败高句丽之后，打算统率三千人乘胜攻打扶余城，诸将认为兵员少，阻止薛仁贵。薛仁贵说：“兵不在多，要看如何用兵。”于是担任前锋向前进军，和高句丽交战，大败高句丽，杀死俘虏一万多人，攻下扶余城。扶余川中四十多城邑都望风请降。

侍御史洛阳人贾言忠奉命出使，从辽东回朝，高宗向他询问军情，贾言忠回答说：“高句丽一定会平定。”高宗说：“你怎么知道？”回答说：“隋炀帝东征而不能克敌制胜，是人心背离怨恨的缘故；先帝太宗东征而不能胜利，是高句丽没有破绽的缘故。而今高句丽王高藏势衰力弱，权臣专擅朝令，泉盖苏文死后，泉男建兄弟在国内相互攻掠，泉男生诚心归附，做我们的向导，对方的真假虚实，我们没有不知道的。靠着陛下的贤明圣哲，国家富强，将士尽心竭力，乘着高句丽混乱，势必可以取胜，不必等待来日再度举兵了。而且高句丽连年饥荒，一再发生妖孽怪异，人心恐惧惊骇，它的灭亡旋踵即至。”高宗又问：“辽东诸将当中谁最贤才？”回答说：“薛仁贵勇冠三军；庞同善虽然不善于打仗，但治军严整；高侃以勤勉节俭自处，忠诚果敢而有谋略；契苾何力沉稳坚毅而能决断，虽然特别忌妒别人超过自己，但有统御的才能；可是说到能昼夜小心，忘我而忧心国事，都赶不上李勣。”对贾言忠所说，高宗深以为然。

泉男建又派遣五万人救援扶余城，和李勣等人在薛贺水相遇。双方会战，唐军大败泉男建，斩首俘获了三万多人；进攻大行城，把它攻了下来。

朝廷讨论明堂制度已大体定案。三月初六日庚寅，赦免天下，更改年号。

戊寅日，高宗幸临九成宫。

夏，四月丙辰[516]，彗星见于五车[517]。上避正殿，减常膳，撤乐。许敬宗等奏请复常，曰："彗见东北，高丽将灭之兆也。"上曰："朕之不德，谪[518]见于天，岂可归咎小夷！且高丽百姓，亦朕之百姓也。"不许。戊辰[519]，彗星灭。

辛巳[520]，西台侍郎、同东西台三品杨弘武薨。

八月辛酉[521]，卑列道行军总管、右威卫将军刘仁愿坐征高丽逗留，流姚州[522]。

癸酉[523]，车驾还京师。

九月癸巳[524]，李勣拔[525]平壤[526]。勣既克大行城，诸军出他道者皆与勣会，进至鸭绿栅[527]，高丽发兵拒战，勣等奋击，大破之，追奔二百余里，拔辱夷城，诸城遁逃及降者相继。契苾何力先引兵至平壤城下，勣军继之，围平壤月余，高丽王藏遣泉男产帅首领九十八人，持白幡[528]诣勣降，勣以礼接之。泉男建犹闭门拒守，频遣兵出战，皆败。男建以军事委僧信诚，信诚密遣人诣勣，请为内应。后五日，信诚开门，勣纵兵登城鼓噪，焚城四月[529]。男建自刺，不死，遂擒之，高丽悉[530]平。

冬，十月戊午[531]，以乌茶国[532]婆罗门[533]卢迦逸多为怀化大将军。逸多自言能合不死药[534]，上将饵[535]之。东台侍郎郝处俊谏曰："修短有命，非药可延。贞观之末，先帝服那罗迩娑婆寐药，竟无效。大渐[536]之际，名医不知所为，议者归罪娑婆寐，将加显戮[537]，恐取笑戎狄而止。前鉴不远，愿陛下深察。"上乃止。

李勣将至，上命先以高藏[538]等献于昭陵，具军容，奏凯歌，入京师，献于太庙。十二月丁巳[539]，上受俘于含元殿[540]。以高藏政非己出，赦以为司平太常伯[541]、员外同正[542]。以泉男产为司宰少卿[543]，僧信诚为银青光禄大夫，泉男生为右卫大将军。李勣以下，封赏有差。泉男建流黔州[544][16]，扶余丰流岭南。分高丽五部[545]、百七十六城、六十九万余户，为九都督府[546]、四十二州、百县，置安东都护府[547]于平壤以统之，擢其酋帅有功者为都督、刺史、县令，与华人参理[548]。以右威卫大将军薛仁贵检校安东都护，总兵二万人以镇抚之。丁卯[549]，上祀南郊，告平

夏，四月初二日丙辰，彗星出现在五车星座。高宗避开正殿，减少日常膳食，撤除乐舞。许敬宗等人奏请高宗恢复如常，说："彗星出现在东北，是高句丽将要灭亡的征兆。"高宗说："由于我的失德，上天出现责罚的征兆，怎么可以归罪于小小的夷狄！况且高句丽百姓，也是我的百姓啊。"没有答应许敬宗等人的奏请。十四日戊辰，彗星消失。

二十七日辛巳，西台侍郎、同东西台三品杨弘武去世。

八月初九日辛酉，卑列道行军总管、右威卫将军刘仁愿犯了征伐高句丽时逗留不进的罪过，被流放到姚州。

二十一日癸酉，高宗车驾返回京师。

九月十二日癸巳，李勣攻克平壤。李勣攻克大行城之后，从其他道路出发的各支部队都与李勣会合，进兵到达鸭绿水边的栅寨，高句丽兴兵抵抗，李勣等人勇猛进攻，大败敌兵，追逐逃跑的敌人二百多里，攻下辱夷城，各城逃遁和投降的接连不断。契苾何力先率军到达平壤城下，李勣的部队相继到达，包围平壤一个多月，高句丽王高藏派遣泉男产率领首领九十八人，手持白旗到李勣那里投降，李勣以礼相待。泉男建仍然关闭城门固守抗敌，频频派兵出战，都被打败了。泉男建把军事委托给僧人信诚，信诚暗中派人到李勣那里，请求作为内应。五天后，信诚打开城门，李勣放纵兵士爬到城上击鼓喊叫，焚烧平壤四面城门，泉男建自杀，没有死，于是活捉了他。高句丽全部平定。

冬，十月初七日戊午，任命乌荼国婆罗门卢迦逸多为怀化大将军。逸多自己说能配制长生不死药，高宗准备吃。东台侍郎郝处俊劝谏说："人寿长短，命中决定，不是药物可以延长的。贞观末年，先帝服用那罗迩娑婆寐的药，最终还是无效。病危的时候，名医不知怎么办，参加讨论的人归咎于娑婆寐，准备把他处死示众，但担心被戎狄取笑而作罢。前人的借鉴还不远，希望陛下深加体察。"高宗这才打消吃药的念头。

李勣将要回到朝廷，高宗命令先把高藏等人献俘于昭陵，整治好军容，奏响凯歌，进入京师，献俘于太庙。十二月初七日丁巳，高宗在含元殿接受俘虏。因为高藏政不由己，所以赦免他，任命他为司平太常伯、员外仍同正员。任命泉男产为司宰少卿，僧人信诚为银青光禄大夫，泉男生为右卫大将军。李勣以下，封爵赏赐各有等级。泉男建流放到黔州，扶余丰流放到岭南，把高句丽划分为五部、一百七十六城、六十九万多户，设置九个都督府、四十二州、一百县，在平壤设置安东都护府加以统辖，擢升高句丽有功劳的酋长将帅为都督、刺史、县令，和华人一同治理。任命右威卫大将军薛仁贵检校安东都护，统领士兵二万人镇守安抚。十七日丁卯，高宗去南郊祭祀，向神明祭告平定了高句丽，让李勣担任次献。十九高丽，以李勣为亚献。己巳[550]，谒太庙。

渭南[551]尉[552]刘延祐[553]，弱冠[554]登进士第，政事为畿县最[555]。李勣谓之曰："足下春秋[556]甫尔[557]，遽[558]擅大名，宜稍自贬抑，无为独出人右[559]也。"

时有敕，征辽[560]军士逃亡，限内不首[561]及首而更逃者，身斩，妻子籍没。太子上表，以为："如此之比[562]，其数至多，或遇病不及队伍，怖惧而逃；或因樵采为贼所掠；或渡海漂没；或深入贼庭，为所伤杀。军法严重，同队恐并获罪，即举[563]以为逃，军旅之中，不暇勘当[564]，直据队司通状关移所属[565]，妻子没官，情实可哀。《书》曰：'与其杀不辜，宁失不经[566]。'伏愿逃亡之家，免其配没。"从之。

甲戌[567]，司戎太常伯姜恪兼检校左相，司平太常伯阎立本[568]守右相。

是岁，京师及山东、江、淮旱，饥。

【段旨】

以上为第十一段，写唐军平定高句丽，胜利凯旋。

【注释】

⑯496 壬子：正月二十七日。497 壬午：二月二十八日。498 扶余城：即扶余王故城，在今辽宁昌图境。499 顾用之何如耳：看会不会用。意思是说兵不在多，善用即可。500 侍御史：官名，御史台属官，从六品下，掌纠举百僚，推鞫狱讼。具体任务有六项：奏弹、三司、西推、东推、赃赎、理匦。501"隋炀帝东征而不克者"二句：隋炀帝东征而不能取胜，是由于人心离怨。离怨，背离怨恨。据《隋书》之《炀帝纪》《高丽传》及《食货志》记载，隋炀帝从大业八年（公元六一二年）到十年先后三次发动了对高句丽的战争，结果都以失败告终。502"先帝东征而不克者"二句：唐太宗东征而不能获胜，是由于高句丽精诚团结，无机可乘。先帝，指太宗皇帝。衅，隙、破绽。唐太宗曾于贞观十九年二月亲征高句丽。其后又于贞观二十一年三月、二十二年正月二次调兵遣将，也没有取得预期的战果。503 彼之情伪：彼，代指高句丽。情伪，真假、虚实。504 靡：莫。505 再举：第二次征讨；再次兴兵。506 妖异屡降：妖孽怪异多次出现。507 危骇：恐慌；危惧

日己巳，拜谒太庙。

渭南县尉刘延祐，年少时考中进士，他的政绩为畿县之首。李勣对他说："足下年纪这么轻，突然拥有大名，应该稍微自我贬退抑制，不要独占鳌头。"

当时高宗有敕令，征辽的军士逃亡的，在限期内不自首和自首后又逃亡的，处以死罪，妻子儿女抄没为官府奴婢。太子上表，认为："这一类人，数量太多，有的碰上生病赶不上队伍，内心恐惧而逃走；有的因为采伐薪柴而被敌人抓走；有的渡海时漂浮淹没；有的深入贼穴，被敌人伤害杀死。军法严厉，同队的人害怕一起获罪，就举报他们逃亡，在军旅当中，又来不及勘验核实，只根据队伍中的官吏所呈上的报告通告有关部门，妻子就被抄没为官府奴婢，这种情形实在令人哀怜。《书经》说：'与其杀害无罪的人，宁可自受失刑之责。'希望逃亡士卒的家人，能免除发配、籍没的惩罚。"高宗采纳了太子的建议。

十二月二十四日甲戌，司戎太常伯姜恪兼任检校左相，司平太常伯阎立本署理右相。

这一年，京师和山东、长江、淮河一带干旱，发生饥荒。

惊骇。⑤⁰⁸翘足待也：犹指日而待，极言其速。⑤⁰⁹持军：治军。⑤¹⁰忌前：忌人在己之上；忌妒超过自己的人。⑤¹¹夙夜：犹言昼夜、早晚。⑤¹²大行城：在今辽宁丹东市南鸭绿江入海口。⑤¹³庚寅：三月初六日。⑤¹⁴改元：因将作明堂，改元总章。总章，明堂西向三室。《吕氏春秋·孟秋》注："总章，西向堂也。西方总成万物而章明之，故曰总章。"⑤¹⁵戊寅：三月无戊寅。两《唐书》之《高宗纪》均作二月戊寅，即二月二十四日。当是。⑤¹⁶丙辰：四月初二日。⑤¹⁷五车：星名，也叫五潢。属御夫座，共有五星。在金牛座（昴、毕）北二十度。彗行黄道当过昴、毕间，现见于五车，则偏北行十余度，是反常现象。据《史记》之《天官书》及《晋书》之《天文志》，五车为五帝坐，主天子五兵。⑤¹⁸谪：罚。⑤¹⁹戊辰：四月十四日。⑤²⁰辛巳：四月二十七日。⑤²¹辛酉：八月初九日。⑤²²姚州：州名，治所姚城县，在今云南姚安北。⑤²³癸酉：八月二十一日。⑤²⁴癸巳：九月十二日。⑤²⁵拔：克。⑤²⁶平壤：高句丽都城。⑤²⁷鸭绿栅：高句丽设在鸭绿江边的据点。⑤²⁸白幡：白旗。⑤²⁹焚城四月：胡注云，"'月'当作'角'，否则作'周'"。查《旧唐书》之《高丽传》云："烧城门楼，四面火起"，《新唐书》之《高丽传》亦云，"火其门，郁焰四兴"，据此则"月"非"角"非"周"，当为"门"字之误。⑤³⁰悉：尽；皆。⑤³¹戊午：十月初七日。⑤³²乌茶国：国名，在今印度奥里萨邦北部一带。⑤³³婆罗门：梵僧。⑤³⁴不死药：长生药。⑤³⁵饵：食；服。⑤³⁶大渐：病重；病危。⑤³⁷显戮：正法；处决

示众。538高藏：高句丽宝藏王，在位二十七年。539丁巳：十二月初七日。540含元殿：大明宫正殿。541司平太常伯：官名。高宗龙朔间改工部尚书之称为司平太常伯。542员外同正：属正员之外，但职权一同正员。员外同正始于高宗永徽六年。543司宰少卿：官名。高宗龙朔间，光禄寺改称司膳寺，司宰少卿为司膳寺属官，原名光禄少卿，为长官正卿之副，从四品上，掌膳食，以及大祭、朝会宴享所需食品。544黔州：地区名，今贵州大部及广西、湖南、湖北部分地区。545五部：即内部、北部、东部、南部、西部。546九都督府：据《新唐书》之《地理志》，九都督府为新城州、辽城州、哥勿州、卫乐州、舍利州、居素州、越喜州、去旦州、建安州都督府。547安东都护府：辖境西起辽河，南至朝鲜半岛北部，东北抵海，包有今乌苏里江以东、黑龙江下游两岸以南地区。548与华人参理：同汉族官吏共同治理。理，本应作"治"，当时避唐高宗讳，改治为理。549丁卯：十二月十七日。550己巳：十二月十九日。551渭南：县名，治所在今陕西渭南市。552尉：官名，县令属官，依县大小品级不同，品秩自从八品下至从九品下不等。553刘延祐：徐州彭城（今江苏徐州）人，官至箕州刺史、安南都护。传见《旧唐书》一百九十上、《新唐书》卷二百一。554弱冠：二十岁左右。古时男子二十加冠，表示成年，但体质尚弱，故称弱冠。555政事为畿县最：政绩在畿县中被评为第一。畿县，《旧唐书》之《职官志》：

【原文】

二年（己巳，公元六六九年）

春，二月辛酉[569]，以张文瓘为东台侍郎，以右肃机[570]、检校太子中护谯[571]人李敬玄[572]为西台侍郎，并同东西台三品。先是同三品不入衔，至是始入衔[573]。

癸亥[574]，以雍州长史卢承庆为司刑太常伯。承庆常考内外官，有一官督运，遭风失米，承庆考之曰："监运损粮，考中下。"其人容色自若，无言而退。承庆重其雅量，改注曰："非力所及，考中中。"既无喜容，亦无愧词。又改曰："宠辱不惊，考中上。"

三月丙戌[575]，东台侍郎郝处俊同东西台三品。

丁亥[576]，诏定明堂制度：其基八觚[577]，其宇上圆，覆以清阳玉叶[578]，其门墙阶级，窗棂[579]楣[580]柱，柳楶枅栱[581]，皆法天地阴阳律历之数[582]。诏下之后，众议犹未决，又会饥馑，竟不果立。

"京兆、河南、太原所管诸县谓之畿县。"渭南属京兆。556春秋：年龄。557甫尔：才这么大。558遽：突然。559右：上。唐人尚右，以右为上。560辽：辽东，此处指高句丽。561限内不首：在规定的期限内不投案自首。562如此之比：如此之类。意思是说"背军"人中属下列情况者。563举：检举；揭发。564不暇勘当：没有时间勘验确当。565关移所属：通告有关部门。566"与其杀不辜"二句：语出《尚书》之《大禹谟》，略言，与其杀害无辜之人，不如自受失刑之责。567甲戌：十二月二十四日。568阎立本：京兆万年（今陕西西安东部）人，唐初著名建筑学家阎立德之弟。有应务之才，尤善绘画，《秦府十八学士图》及《凌烟阁功臣图》等皆出其手，时人皆称其妙，以为丹青神化。传见《旧唐书》卷七十七、《新唐书》卷一百。

【校记】

［15］薛贺水：胡三省注云："《新书》作'萨贺水'。"严衍《通鉴补》改作"萨贺水"。［16］黔州：原作"黔中"。据章钰校，十二行本、乙十一行本、孔天胤本皆作"黔州"，今据改。〖按〗两《唐书》中《高丽传》皆作"黔州"。

【语译】

二年（己巳，公元六六九年）

春，二月十二日辛酉，任命张文瓘为东台侍郎，任命右肃机、检校太子中护谯县人李敬玄为西台侍郎，两人都为同东西台三品。此前同三品不列入官衔，到这时开始列入官衔。

二月十四日癸亥，任命雍州长史卢承庆为司刑太常伯。卢承庆经常考核京城内外官吏的政绩，有一个官吏督办运粮事务，遇大风损失了粮米，卢承庆考核他说："监督运粮，损失了粮食，考核定为中下。"那个人表情泰然自若，没说一句话就退下。卢承庆很看重他气度不凡，就改注评语说："不是他的力量所能做到的，考核定为中中。"那个人既没有高兴的脸色，也没有惭愧的话语。卢承庆又改注评语说："遭宠辱不惊，考核定为中上。"

三月初八日丙戌，东台侍郎郝处俊为同东西台三品。

初九日丁亥，下诏制定明堂制度：明堂的地基为八觚，屋宇上方为圆形，用清阳之色的瓦片覆盖，堂屋的门墙台阶、窗棂、门楣、门柱、大小斗栱、屋栌、大杙等，都效法天地阴阳律历的数目建造。诏令颁布后，大家还没有讨论出结果，又赶上饥荒，最终也没有建造。

夏，四月己酉朔[583]，上幸九成宫。

高丽之民多离叛者，敕徙高丽户三万八千二百[584]于江、淮之南[585]及山南[586]、京西诸州[587]空旷之地，留其贫弱者，使守安东。

六月戊申朔[588]，日有食之。

秋，八月丁未朔[589]，诏以十月幸凉州。时陇右[590]虚耗，议者多以为未宜游幸。上闻之，辛亥[591]，御延福殿[592]，召五品已上谓曰："自古帝王，莫不巡守[593]，故朕欲巡视远俗[594]。若果[595]为不可，何不面陈[596]，而退有后言，何也？"自宰相以下莫敢对。详刑大夫[597]来公敏独进曰："巡守虽帝王常事，然高丽新平，余寇尚多，西边经略，亦未息兵。陇右户口凋弊[598]，銮舆[599]所至，供亿[600]百端[601]，诚为未易[602]。外间实有窃议[603]，但明制已行，故群臣不敢陈论耳。"上善其言，为之罢西巡。未几[604]，擢[605]公敏为黄门侍郎[606]。

甲戌[607]，改瀚海都护府为安北都护府。

九月丁丑朔[608]，诏徙吐谷浑部落就凉州南山。议者恐吐蕃侵暴，使不能自存，欲先发兵击吐蕃。右相阎立本以为去岁饥歉，未可兴师。议久不决，竟不果徙。

庚[17]寅[609]，大风，海溢，漂永嘉[610]、安固[611]六千余家。

冬，十月丁巳[612]，车驾还京师。

十一月丁亥[613]，徙豫王旭轮为冀王，更名[614]轮。

司空、太子太师、英贞武公李勣寝疾[615]，上悉召其子弟在外者，使归侍疾。上及太子所赐药，勣则饵之；子弟为之迎医[616]，皆不听进，曰："吾本山东田夫，遭值[617]圣明，致位三公，年将八十[618]，岂非命邪！修短有期，岂能复[18]就医工[619]求活！"一旦，忽谓其弟司卫少卿弼曰："吾今日少愈，可共置酒为乐。"于是子孙悉集，酒阑[620]，谓弼曰："吾自度[621]必不起，故欲与汝曹[622]为别耳。汝曹勿悲泣，听我约束[623]。我见房、杜[624]平生勤苦，仅能立门户，遭不肖子荡覆无余[625]。吾有此子孙，今悉付汝[626]。葬毕，汝即迁入我堂，抚养孤幼，谨察视之。其有志气不伦，交游非类者，皆先挝杀[627]，然后以闻。"自是不复更言。十二月戊申[628]，薨。上闻之悲

夏，四月初一日己酉，高宗临幸九成宫。

高句丽民众中有很多叛离的人，高宗下令把高句丽三万八千二百户迁徙到江、淮的南面，以及山南、京西各州空旷的地带，留下穷贫体弱的人，让他们居守安东。

六月初一日戊申，发生日食。

秋，八月初一日丁未，下诏令在十月幸临凉州。当时陇西财力空虚，背后议论的人大多认为不适合前往巡游。高宗听到了，初五日辛亥，驾临延福殿，召来五品以上官吏说："自古以来的帝王，没有不到各地巡视的，所以我打算巡视远方的习俗。如果实在不可以，不何不当面说明，而在退朝后在背后议论，这是为什么呢？"从宰相以下没有人敢回答。详刑大夫来公敏单独上前说："巡狩虽然是帝王常做的事，但现在高句丽刚刚平定，余下的敌寇还很多，西方边境正在经营之中，也没有停止过用兵。陇西民户凋落疲弊，天子车驾所到的地方，要供给的东西千百种，实在不容易备办。外间确实有私下议论，但皇帝的命令已下达，所以群臣不敢申述意见。"高宗很赞赏来公敏的话，因此取消了西巡的计划。没多久，擢升来公敏为黄门侍郎。

二十八日甲戌，把瀚海都护府改为安北都护府。

九月初一日丁丑，下诏迁徙吐谷浑部落到凉州南山。讨论时有人担心遭吐蕃侵略欺凌，使得吐谷浑不能生存，想先出兵攻打吐蕃。右相阎立本认为去年饥荒歉收，不可兴师动众。议论了很久，无法定夺，最终也没有把吐谷浑迁徙。

十四日庚寅，刮大风，海水倒灌，冲走永嘉、安固六千多户人家。

冬，十月十二日丁巳，唐高宗返回京师。

十一月十二日丁亥，把豫王李旭轮迁徙为翼王，改名李轮。

司空、太子太师、英贞武公李勣卧病在床，高宗召回李勣在外的全部子弟，让他们回来侍候李勣的病体。高宗和太子赏赐的药物，李勣就服用，子弟为他所延请的医生，都不准入见，说："我本是山东的农夫，遇上圣明国君，位至三公，年龄接近八十，这不是命吗！寿命长短有一定的期限，怎能再向医生求活命呢！"有一天，他突然对他的弟弟司卫少卿李弼说："我今天稍微好些，可以一起置酒作乐。"于是子孙们全部会集，酒宴即将结束时，他对李弼说："我自己猜测病情一定不会好转，所以要和你们告别罢了。你们不要悲哀哭泣，要听从我的吩咐。我看见房玄龄和杜如晦一生勤勉劳苦，也仅能自立门户，碰上了不肖子孙，全家倾灭无余。我所有这些子孙，现在全部托付于你。在埋葬我之后，你立刻搬入我的厅堂，抚养孤单幼小的子孙，细加察看，如有志向不佳，交游歹徒的，都先加击杀，然后再奏报。"从此以后就不再言语了。十二月初三日戊申，去世。高宗听到死讯后悲伤哭泣，埋葬那天，高宗到

泣，葬日，幸未央宫[629]，登楼望輴车[630]恸哭。起冢象阴山、铁山、乌德鞬山[631]，以旌[632]其破突厥、薛延陀之功。

勣为将，有谋善断；与人议事，从善如流。战胜则归功于下，所得金帛，悉散之将士，故人思致死[633]，所向克捷。临事选将，必訾[634]相其状貌丰厚[635]者遣之。或问其故，勣曰："薄命之人，不足与成功名。"闺门[636]雍睦[637]而严。其姊尝病，勣已为仆射[638]，亲为之煮粥，风回，爇[639]其须鬓。姊曰："仆妾幸多[640]，何自苦如是！"勣曰："非为无人使令也，顾姊老，勣亦老，虽欲久为姊煮粥，其可得乎！"勣常谓人："我年十二三时为亡[641]赖贼，逢人则杀。十四五为难当贼，有所不惬[642]则杀人[19]。十七八为佳贼，临陈乃杀之[20]。二十为大将，用兵以救人死。"勣长子震早卒，震子敬业[643]袭爵。

【段旨】

以上为第十二段，写唐高宗安辑四夷，以及英国公李勣之死。

【注释】

[569]辛酉：二月十二日。[570]右肃机：官名。高宗龙朔间，尚书右丞改称右肃机，正四品下，掌监理兵部、刑部、工部十二司。[571]谯：县名，治所在今安徽亳州。[572]李敬玄：博闻强记，掌选有方，官至宰相。后统兵丧师，被贬。传见《旧唐书》卷八十一、《新唐书》卷一百六。[573]"先是同三品不入衔"二句：《新唐书》之《百官志》亦载，"同三品入衔，自文瓘始"。但总章二年以前同三品即宰相名号，且使用已相当普遍。查《旧唐书》之《高宗纪》，略云："二月，东台侍郎同东西台三品兼知左史事张文瓘署位，始入衔。"据此，则张氏始入同东西台三品衔。张氏于乾封二年六月已参知政事，至此始同三品。[574]癸亥：二月十四日。[575]丙戌：三月初八日。[576]丁亥：三月初九日。[577]八觚：八稜。[578]清阳玉叶：清阳，天色。《定明堂制度诏》："清阳为天，合以清阳之色。"玉叶，对瓦片的美称。[579]窗棂：窗户上雕花的格子。[580]楣：房上的二梁。[581]枊楶枅栱：木建房的屋顶结构。枊，即斗栱。楶，柱头上的斗栱。枅，柱上的横木。[582]皆法天地阴阳律历之数：法，效法。其制详见《旧唐书》之《礼仪志二》。[583]己酉朔：四月初一日。[584]徙

了未央宫，登楼望着丧车痛哭。为李勣修建的墓冢像阴山、铁山、乌德鞬山，借以表彰他击败突厥、薛延陀的功劳。

李勣为将，有谋略，善于决断，和人讨论政事，从善如流。作战胜利就归功于下，所得到的金帛等赏赐，全部散发给将士，所以人人都愿意为他出死力，军锋所向，都能获得胜利。临到战事选派将领时，一定衡量观察对方容貌较为丰厚的人加以派遣。有人问他其中缘故，李勣说："命薄的人，不能够和他一起成就功名。"李勣家门风雍容和睦而肃穆，他姐姐曾经患病，李勣已经任仆射，还亲自为姐姐煮稀饭，风把火吹回，烧着了他的须鬓。姐姐说："家里的仆人很多，何必自己这样劳苦！"李勣说："并不是因为没有人可以使唤，只因为姐姐年老，我也年老了，虽然想要长久为姐姐煮稀饭，能做得到吗！"李勣常对人说："我十二三岁时是个无赖的强盗，碰到人就杀。十四五岁时是个难以抵挡的强盗，有不称心如意就杀人。十七八岁是个好盗贼，到战场上才杀人。二十岁是大将，指挥军队以救人危亡。"李勣的长子李震早逝，李震的儿子李敬业承袭他的爵位。

高丽户三万八千二百：《新唐书》卷二百二十作"三万"，《旧唐书》卷五作"二万八千二百"。待考。㉅江、淮之南：长江、淮河以南。㉆山南：道名，辖今四川嘉陵江以东，陕西秦岭以南，湖北溳水以西及重庆市到湖南岳阳之间的长江以北地区。㉇京西诸州：主要指凉州以西各州。㉈戊申朔：六月初一日。㉉丁未朔：八月初一日。⑸⑼⓪陇右：地区名，泛指陇山以西地区。591 辛亥：八月初五日。592 延福殿：在九成宫中。593 巡守：亦作"巡狩"，指离开京师巡行境内。594 远俗：远方风俗。595 果：诚；实。596 面陈：当面陈说。597 详刑大夫：官名。高宗龙朔间，改大理寺为详刑寺，改大理少卿为详刑大夫，从四品上，协助大理寺卿掌邦国折狱详刑之事。598 凋弊：凋落疲弊。599 銮舆：即銮驾。皇帝车驾，代指帝王。600 供亿：按需要供应。601 百端：千百种，极言其多。602 诚为未易：确实很不容易。603 窃议：私下议论；私议。604 未几：不久。605 擢：提拔；晋升。606 黄门侍郎：官名，当时称为东台侍郎，正四品上，在门下省中位次侍中。607 甲戌：八月二十八日。608 丁丑朔：九月初一日。609 庚寅：九月十四日。610 永嘉：县名，治所在今浙江温州。611 安固：县名，治所在今浙江瑞安。612 丁巳：十月十二日。613 丁亥：十一月十二日。614 更名：改名。615 寝疾：卧病。616 迎医：延请医生。617 遭值：恰遇。618 年将八十：李勣享年，旧史记载不一。《新唐书》卷九十三《李勣传》作"八十六"，《旧唐书》卷六十七作"七十六"，司马光曾予以考辨。今昭陵有《李勣神道碑》，碑文所说与《旧唐书》本传相同。619 医工：医生；大夫。620 酒阑：行酒即将结束时。621 自度：自己估计。622 汝

曹：你们。[623]约束：吩咐，遗训。[624]房杜：房玄龄、杜如晦。[625]遭不肖子荡覆无余：指房遗爱、杜荷谋反被杀，家破人亡。[626]付汝：托付给你。[627]挞杀：击杀；打死。[628]戊申：十二月初三日。[629]未央宫：在长安宫城西北汉长安故城西南隅。[630]轜车：丧车；灵车。[631]起冢象阴山、铁山、乌德鞬山：两《唐书》中《李勣传》所载略同。惟《隋唐嘉话》卷中载："英公（李勣）既薨，高宗思平辽勋，令制其冢像高丽中三山，犹汉霍去病之祁连云。"《唐语林》卷三亦有类似记载。阴山，即今内蒙古阴山山脉。铁山，在阴山之北。乌德鞬山，又作乌都健山、于都斤山、郁督军山等，即今蒙古国境内的杭爱山脉。[632]旌：旌表；表彰。[633]思致死：愿效死力。[634]訾：量，求。[635]状貌丰厚：相貌丰满敦厚。[636]闺门：家门。[637]雍睦：和睦。[638]仆射：官名，唐尚书省有左、右仆射各一人，从二品，在实际职事官中品阶最高，掌"总领六官，纪纲百揆"，与侍中、中书令等共为宰相。据两《唐书》，李勣曾在贞观二十三年（公元六四九年）九月至永徽元年（公元六

【原文】

时承平[644]既久，选人[645]益多，是岁，司列少常伯裴行俭[646]始与员外郎[647]张仁祎[648]设长名姓历榜[649]，引铨注[650]之法。又定州县升降[651]、官资[652]高下。其后遂为永制[653]，无能革之者。大略唐之选法，取人以身、言、书、判[654]，计资量劳[655]而拟官。始集而试，观其书、判；已试而铨，察其身、言；已铨而注，询其便利；已注而唱，集众告之。然后类以为甲，先简[656]仆射，乃上门下[657]，给事中读，侍郎省[658]，侍中审之，不当者驳下。既审，然后上闻，主者受旨奉行，各给以符，谓之告身。兵部武选亦然。课试[659]之法，以骑射[660]及翘关、负米[661]。人有格限[662]未至，而能试文三篇，谓之宏词，试判三条，谓之拔萃，入等者得不限而授[663]。其黔中、岭南[664]、闽中[665]州县官，不由吏部，委都督选择土人[666]补授。凡居官以年为考[667]，六品以下，四考为满[668]。

五〇年）十月间担任尚书左仆射。⑯蒸：焚；烧。⑰仆妾幸多：奴仆婢妾很多。⑱亡：通“无”。⑲惬：惬意。⑳敬业：李勣之孙。年轻时随李勣征战，颇有勇名。历任太仆少卿等职，袭爵英国公。唐高宗末年坐赃被贬，遂萌发政治野心。嗣圣元年（公元六八四年）九月起兵扬州，发动叛乱，十一月在败逃途中为其部将王那相所杀。传见《旧唐书》卷六十七、《新唐书》卷九十三。

【校记】

［17］庚：原作“唐”，显为误刻，今校正。［18］复：严衍《通鉴补》改作“浪”。［19］人：据章钰校，十二行本、乙十一行本、孔天胤本皆作“之”。［20］之：据章钰校，十二行本、乙十一行本、孔天胤本皆作“人”。

【语译】

当时由于长久太平，参加选举的人越来越多，这一年，司列少常伯裴行俭和员外郎张仁祎设长名姓历榜，引用铨次注拟的方法。又确定州县官吏升降的等级和资历高下的标准。后来这些规定成为永久不变的制度，没有人能够改易。大略说，唐朝选举人才的方法，是根据体貌、言辞、楷书书法、文理，计算资格高低，考量功劳大小而拟授官位。开始时先集中考试，看看书法、文理的优劣；考试后再铨次高下，察看体貌、言辞；已经铨次了，再加评注，询问对方的特长；评注之后，高声唱名，集合众人，通告铨选结果。然后分类定出甲乙次序，先选送仆射，再上交门下省，经给事中阅读，侍郎省视，侍中加以审核，不恰当的就驳回。审核完了，然后呈报皇帝，主持其事的官吏奉旨行事，每人给与符，称之为“告身”。兵部选拔武官也是这样。考试的方法，是以骑马射箭和举关、负米为主。还没到达选官所规定期限的人，而能试写三篇文章，称为“宏词”，能够试判三条案牍，称之为“拔萃”，能考过这些等级的，可以不按资格限制授予官职。黔中、岭南、闽中州县的官吏，不经吏部考选，委托都督选择当地人补授官职。凡是任职为官，按年考核，官吏六品以下，经四次考核为满期。

【段旨】

以上为第十三段，写唐高宗完善考选之法。

【注释】

⑭承平：相承平安；太平。⑮选人：参加铨选的人。⑯裴行俭（公元六一九至六八二年）：绛州闻喜（今山西闻喜东）人，官至安西大都护。懂兵法，有智谋，又精通书法。掌选十余年，很有能力。传见《旧唐书》卷八十四、《新唐书》卷一百八。⑰员外郎：尚书省属官有六部二十四司，各司长官有郎中二人，从五品上；员外郎二人，从六品上。此指吏部的考功员外郎。⑱张仁祎：曾官御史，其事略见《新唐书》卷四十五、卷一百十八。⑲设长名姓历榜：裴行简为了杜绝以私意决官员铨选之先后，便把铨补次第列名榜示，称之为长名榜。姓历则创自张仁祎。《新唐书》之《选举志下》云："李敬玄为少常伯，委事于员外郎张仁祎，仁祎又造姓历，改状样、铨历等程序，而铨总之法

【原文】

咸亨元年（庚午，公元六七〇年）

春，正月丁丑[669]，右相刘仁轨请致仕，许之。

三月甲戌朔[670]，以旱，赦天下，改元[671]。

丁丑[672]，改蓬莱宫为含元宫。

壬辰[673]，太子少师许敬宗请致仕；许之。

敕突厥酋长子弟事东宫。西台舍人徐齐聃[674]上疏，以为："皇太子当引文学端良之士置左右，岂可使戎狄丑类入侍轩闼[675]！"又奏："齐献公[676]即陛下外祖，虽子孙有犯，岂应上延祖祢[677]！今周忠孝公[678]庙甚修，而齐献公庙毁废，不审陛下何以垂示海内，彰孝理[679]之风！"上皆从之。齐聃，充容[680]之弟也。

夏，四月，吐蕃陷西域十八州[681]，又与于阗袭龟兹拨换城[682]，陷之。罢龟兹、于阗、焉耆、疏勒四镇[683]。辛亥[684]，以右威卫大将军薛仁贵为逻娑道行军大总管，左卫员外大将军阿史那道真、左卫将军郭待封副之，以讨吐蕃，且援送吐谷浑还故地[685]。

密矣。”⑥⑤⓪铨注：铨选注拟。⑥⑤①定州县升降：州县升降共定为八等，三京、五府、都护、都督府皆有等级。⑥⑤②官资：做官的资历。⑥⑤③永制：永久制度，指常规、定制。⑥⑤④取人以身、言、书、判：据《新唐书》之《选举志》，唐代选官，要求体貌丰伟，言辞辩正，楷法遒美，文理优长。⑥⑤⑤计资量劳：计算年资，衡量劳绩。⑥⑤⑥简：上；呈。⑥⑤⑦门下：指门下省。⑥⑤⑧省：察看。⑥⑤⑨课试：考核。⑥⑥⓪骑射：骑马射箭。《唐六典》卷五，凡骑射，“发而并中为上，或中或不中为次上，总不中为次”。⑥⑥①翘关、负米：举关负重。《新唐书》之《选举志上》：“翘关，长丈七尺，径三寸半，凡十举后，手持关距，出处无过一尺。负重者，负米五斛，行二十步，皆为中第。”⑥⑥②格限：资格年限。⑥⑥③不限而授：不受资历限制而授予官位。⑥⑥④岭南：地区名，指五岭以南地区。⑥⑥⑤闽中：泛指今福建一带。⑥⑥⑥土人：当地人；本地人。⑥⑥⑦以年为考：以满一年为一考。唐代官吏考课每年举行一次。凡应参加考课的官员，先写出个人总结，然后由本司长官或本州刺史当众核实，根据优劣定出等第，按时送报中央。⑥⑥⑧四考为满：通过四考，晋升一级。

【语译】

咸亨元年（庚午，公元六七〇年）

春，正月初三日丁丑，右相刘仁轨请求退休，高宗答应了。

三月初一日甲戌，因为干旱，赦免天下，更改年号。

初四日丁丑，把蓬莱宫改名为含元宫。

十九日壬辰，太子少师许敬宗请求退休，高宗答应了。

下令突厥酋长和子弟侍奉东宫，西台舍人徐齐聃上疏，认为：“皇太子应当召引文学端正贤良之士作陪侍身边，怎么可以让戎狄丑类入侍宫中呢！”又上奏说：“齐献公是陛下外祖父，虽然子孙犯了罪，怎么可以归罪到祖先！现在周忠孝公的庙修得非常好，而齐献公庙毁败，不知陛下如何垂范海内，显扬孝道的风范！”高宗都采纳了。齐聃，是九嫔充容的弟弟。

夏，四月，吐蕃攻陷西域十八州，又和于阗袭击龟兹拨换城，城池陷落。撤销龟兹、于阗、焉耆、疏勒四镇的建制。初九日辛亥，任命右威卫大将军薛仁贵为逻娑道行军大总管，左卫员外大将军阿史那道真、左卫将军郭待封为他的副手，征讨吐蕃，并且帮助吐谷浑返回旧地。

庚午[686]，上幸九成宫。

高丽酋长剑牟岑反[687]，立高藏外孙安舜为主。以左监门大将军[688]高侃为东州道行军总管，发兵讨之。安舜杀剑牟岑，奔新罗。

六月壬寅朔[689]，日有食之。

秋，八月丁巳[690]，车驾还京师。

郭待封先与薛仁贵并列，及征吐蕃，耻居其下，仁贵所言，待封多违之。军至大非川[691]，将趣乌海[692]，仁贵曰："乌海险远，军行甚难，辎重自随，难以趋利[693]。宜留二万人，为两栅于大非岭[694]上，辎重悉置栅内，吾属[695]帅轻锐，倍道兼行，掩[696]其未备，破之必矣。"仁贵帅所部前行，击吐蕃于河口[697]，大破之，斩获甚众，进屯乌海以俟待封。待封不用仁贵策，将[698]辎重徐进[699]。未至乌海，遇吐蕃二十余万，待封军大败，还走，悉弃辎重。仁贵退屯大非川，吐蕃相论钦陵[700]将兵四十余万就击之，唐兵大败，死伤略尽。仁贵、待封与阿史那道真并脱身免，与钦陵约和而还。敕大司宪乐彦玮即军中[21]按[701]其败状，械送京师，三人皆免死除名。

钦陵，禄东赞之子也，与弟赞婆、悉多于[702]、勃论皆有才略。禄东赞卒，钦陵代之秉政[22]。三弟将兵居外，邻国畏之。

关中[703]旱，饥，九月丁丑[704]，诏以明年正月幸东都。

甲申[705]，皇后母鲁国忠烈夫人杨氏卒[706]，敕文武九品以上及外命妇[707]并诣宅吊哭。

闰月癸卯[708]，皇后以久旱，请避位[709]，不许。

壬子[710]，加赠司徒周忠孝公武士彟为太尉、太原王，夫人为王妃。

甲寅[711]，以左相姜恪为凉州道行军大总管，以御吐蕃。

冬，十月乙未[712]，太子右中护、同东西台三品赵仁本为左肃机，罢政事。

庚寅[713]，诏官名皆复旧[714]。

二十八日庚午，高宗到了九成宫。

高句丽酋长剑牟岑反叛，立高藏的外孙安舜为高句丽王。任命左监门大将军高侃为东州道行军总管，发兵讨伐。安舜杀了剑牟岑，逃跑到新罗。

六月初一日壬寅，发生日食。

秋，八月十七日丁巳，高宗返回京师。

郭待封原来和薛仁贵官位并列，等到征讨吐蕃，郭待封耻居薛仁贵之下，薛仁贵所说的，郭待封大多违背不听。部队到达大非川，将前往乌海，薛仁贵说："乌海形势险要，路途遥远，行军非常困难，辎重车跟随在后，很难得到便宜。应该留下二万人，在大非岭上建造两个栅寨，辎重车全部存放在栅寨内，我们再率领轻装精锐士卒，日夜兼程，乘他们没有防备时突袭，一定可以把他们打败。"薛仁贵率领自己的部众前进，在河口攻击吐蕃，大败吐蕃，斩杀俘虏很多敌人，向前推进，驻扎在乌海，以等待郭待封。郭待封没有采用薛仁贵的谋略，而是带着辎重车徐徐前进。还没到达乌海，就遇到二十多万吐蕃兵，郭待封部队大败，往回撤退，丢弃了全部辎重。薛仁贵后退屯驻在大非川，吐蕃大论论钦陵率领四十多万士兵向薛仁贵发动攻击，唐兵大败，死伤殆尽。薛仁贵、郭待封和阿史那道真都逃脱，免除一死，和钦陵谈和后返回。高宗令大司宪乐彦玮到军中审问战败的情形，把他们戴上刑具送往京师，三人都免死，免除了做官的身份。

论钦陵，是禄东赞的儿子，和他的弟弟赞婆、悉多于、勃论都有才华谋略。禄东赞死后，钦陵接替其父的权位，秉持朝政，三个弟弟统兵居留在外，邻国都很畏惧他们。

关中干旱，闹饥荒，九月初七日丁丑，下诏说明年正月要到东都。

十四日甲申，皇后母亲鲁国忠烈夫人杨氏去世，下令文武九品以上的官员和外命妇都到杨氏宅吊哭。

闰九月初三日癸卯，皇后因为长久干旱，请求退位避灾，高宗不允许。

十二日壬子，加赠司徒周忠孝公武士彟为太尉、太原王，夫人为王妃。

十四日甲寅，任命左相姜恪为凉州道行军大总管，防御吐蕃。

冬，十月二十六日乙未，太子右中护、同东西台三品赵仁本为左肃机，免除处理政事的职权。

庚寅日，下诏官名全部恢复旧称。

【段旨】

以上为第十四段，写唐高宗反击吐蕃，因领军将领不和，导致唐军大败。

【注释】

⑥⑥⑨ 丁丑：正月初三日。⑥⑦⓪ 甲戌朔：三月初一日。⑥⑦① 改元：更改年号为咸亨。⑥⑦② 丁丑：三月初四日。⑥⑦③ 壬辰：三月十九日。⑥⑦④ 徐齐聃：湖州长城（今浙江长兴）人，善写文诰。传见《旧唐书》卷一百九十上。⑥⑦⑤ 轩闼：轩掖闱闼。此处指东宫。⑥⑦⑥ 齐献公：指长孙晟。晟为高宗母文德皇后之父。事见《新唐书》卷七十六《文德长孙皇后传》、《隋书》卷五十一《长孙览传》、《北史》卷二十二《长孙道生传》。⑥⑦⑦ 祖祢：祖父。⑥⑦⑧ 周忠孝公：指武则天皇后之父武士彟。⑥⑦⑨ 孝理：孝治。⑥⑧⓪ 充容：内官名，九嫔之一。齐聃妹被封为高宗充容，有文藻，类似汉代班昭。⑥⑧① 吐蕃陷西域十八州：据《新唐书》之《吐蕃传》，此十八州皆为羁縻州。⑥⑧② 拨换城：故址在今新疆阿克苏。⑥⑧③ 罢龟兹、于阗、焉耆、疏勒四镇：罢安西四镇。四镇初置于太宗贞观二十二年（公元六四八年）。⑥⑧④ 辛亥：四月初九日。⑥⑧⑤ 送吐谷浑还故地：吐谷浑本居于青海、新疆东南及四川松潘一带。龙朔三年（公元六六三年）为吐蕃所破，投奔凉州。⑥⑧⑥ 庚午：四月二十八日。⑥⑧⑦ 高丽酋长剑牟岑反：事见《三国史记》卷六《新罗本纪》。剑牟岑，《新唐书》中《高宗纪》及《高丽传》作“钳牟岑”。⑥⑧⑧ 左监门大将军：即左监门卫大将军，正三品，掌宫城诸门禁卫及门籍，行幸则率兵监守牙门。⑥⑧⑨ 壬寅朔：六月初一日。⑥⑨⓪ 丁巳：八月十七日。⑥⑨① 大非川：在今青海共和西南切吉平原。一说在青海湖西布哈河流域。⑥⑨② 乌海：即今青海兴海县西南苦海。⑥⑨③ 趋利：谋利。⑥⑨④ 大非岭：即今青海南山，在青海湖南。⑥⑨⑤ 吾属：我等；我们。⑥⑨⑥ 掩：掩袭。⑥⑨⑦ 河口：积石河口，在青海南境大雪山下。⑥⑨⑧ 将：带。⑥⑨⑨ 徐进：缓慢前进。⑦⓪⓪ 论钦陵：禄东赞次子，任吐蕃相（时称大论），常握重兵，控制朝纲。事见《旧唐书》之《吐蕃传上》、《新唐书》之《吐蕃传上》及《唐会要》之《吐蕃》。禄东赞事始见本书卷一百九十五唐太宗贞观十四年。⑦⓪① 按：按问。⑦⓪② 悉多于：《旧唐书》之《吐蕃传》作“悉多干”，《新唐书》《唐会要》作“悉多于”。待考。⑦⓪③ 关中：地区名，所指范围不一，一般指函谷关以西、散关以东、武关以北、萧关以南地方，即今陕西关中平原。⑦⓪④ 丁丑：九月初七。⑦⓪⑤ 甲申：九月十四日。⑦⓪⑥ 鲁国忠烈夫人杨氏卒：鲁国夫人，为追赠封号。忠烈，为死后谥号。杨氏生于北周宣帝大成元年（公元五七九年），终年九十二岁。葬于顺陵。事详见《全唐文》卷二百三十九《大周无上孝明高皇后碑铭并序》。⑦⓪⑦ 外命妇：内官之外有封号的妇女。⑦⓪⑧ 癸卯：闰九月初三日。⑦⓪⑨ 避位：让位。⑦①⓪ 壬子：闰九月十二日。⑦①① 甲寅：闰九月十四日。⑦①② 乙未：十月二十六日。⑦①③ 庚寅：十月无庚寅。〖按〗两《唐书》之《高宗纪》作十二月庚寅。十二月庚寅，即十二月二十一日。当是。⑦①④ 官名皆复旧：把百官名称完全恢复到龙朔二年（公元六六二年）二月四日以前的状况。

【校记】

［21］中：原无此字。据章钰校，十二行本、乙十一行本、孔天胤本皆有此字，张敦仁《通鉴刊本识误》同，今据补。［22］秉政：原无此二字。据章钰校，十二行本、乙十一行本皆有此二字，张敦仁《通鉴刊本识误》、张瑛《通鉴校勘记》同，今据补。

【研析】

本卷记事八年又五个月，为唐高宗执政的中期。唐高宗的个人事业达到顶峰，对内颁布了新历《麟德历》，完成了上泰山封禅，对外征服了高句丽。这一时期，唐高宗由明转昏，其转折点就是冤杀上官仪，武则天垂帘听政这一重大事件。开国元勋李勣受命征高句丽，班师后不久辞世。本卷研析，着重唐高宗征服高句丽、冤杀上官仪，以及李勣功过等三件事。

第一，唐高宗征服高句丽。我国领土今东北三省地区，汉武帝时灭朝鲜纳入版图。魏晋南北朝战乱，东北地区脱离中国。隋及唐初，今辽宁全境差不多为高句丽所占有，辽宁以北有霫、契丹、室韦等族。为了收复东北失地，统一王朝隋与唐多次对高句丽用兵。隋文帝伐高句丽，到达平壤，兵退地失。隋炀帝三征高句丽，耗尽隋朝国力，隋兵只进至怀远镇（今辽宁北镇）。唐太宗贞观十六年（公元六四二年）命营州都督张俭征高句丽，师至辽西。贞观十九年（公元六四五年）唐太宗亲征高句丽，水路趋平壤，陆路取辽东，军达安市城（在今辽宁海城南），不克而还。唐太宗回到营州（今辽宁朝阳），葬阵亡将士骸骨于柳城东南。唐军主力没有攻入高句丽之境，得城不能固守，得人西迁内地，对辽东的统治仍不巩固。

唐高宗即位，边境不宁，西北、东北、岭南皆有战事。唐高宗用兵东北获得大胜。龙朔三年（公元六六三年），唐将刘仁愿征服百济。乾封元年（公元六六六年），高宗完成上泰山封禅，告天称功，大发兵征高句丽。经过两年多的激战，总章元年（公元六六八年）九月，唐军攻克平壤，灭掉高句丽。移高句丽之民三万八千二百户于江淮及山南、京西安置。十二月置安东都护府于平壤，命薛仁贵统军二万镇守，东北地区复入中国版图。灭高句丽，象征着高宗一朝的极盛，也是唐高宗个人事业的顶峰。东北地区重入中国版图，具有深远的历史意义。

隋文帝、隋炀帝、唐太宗，多次征高句丽无功而终，唐高宗何以能取得辉煌胜利呢？唐高宗与侍御史贾言忠有一番君臣对话，讨论了这一事件。总章元年二月，贾言忠奉使辽东回京，唐高宗问以军事。当时唐军已征战一年多，激战正酣，高宗十分担忧前线的胜负。贾言忠说："陛下无忧，高句丽必平。"高宗说："卿是怎么知道的？"贾言忠说："隋炀帝东征，国内人心怨离，所以不能取胜。先帝唐太宗征高句丽，高句丽国内团结一心，无隙可乘，所以仍不能取胜。如今形势大变，所以臣料唐军必能取胜。”贾言忠具体分析了唐军取胜的四大原因。首先，高句丽衰落。高句丽名将盖苏文死，男建与男生兄弟争权，发生内讧。男生投降唐朝为向导，敌之情伪，了如指掌。其次，高句丽连年灾荒，人心离散，是进讨的最好时机。再次，唐军强大，诸将和睦，将勇兵强，无坚不摧。贾言忠做了具体分析，薛仁贵勇冠三军，庞同善持军严整，高侃忠贞果断有谋略，契苾何力有统御之才，而统帅李勣忘身忧国，诸将敬服。如此之军，焉能不胜。最后，陛下圣明，国家富强。唐高宗在征高句丽之前，于显庆五年（公元六六〇年）、龙朔三年（公元六六三年），两度兵伐百济，这是采纳刘仁轨所建议的“欲吞灭高句丽，先诛百济”之策，对高句丽形成南北夹击之势，是英明的表现。总括一句话，唐大高句丽小，以盛强之大唐，征衰弱之小小高句丽，天时、人和都有利。对唐军不利的是地利不占优，唐军劳师远征，后勤供应是极大的困难。隋炀帝、唐太宗，动用军队一百余万，恰恰是以短击长。唐军劳师远征是其短，高句丽以逸待劳是其长。这次唐高宗出征，启用精兵强将，三十万众人数已大大占优，国力盛强，可长期供应三十万之众，不怕持久，克服了地利的不足，所以唐军取得了全胜。

第二，唐高宗冤杀上官仪，武则天垂帘听政。武则天未当皇后之前，曲意侍奉高宗，娇媚可爱。皇后之位到手，便显露了真性情，作威作福到高宗头上，事事牵制，高宗每办一件事，都要征得武则天的同意。高宗结怨于心，忍无可忍，终于在麟德元年（公元六六四年）十月的一天爆发。高宗召宰相上官仪议事，表示要废皇后，上官仪立即附议说：“皇后专权，肆无忌惮，全天下的人都不赞同，废了才好。”高宗立即命上官仪起草废后诏令。武则天的耳目飞报皇后，武则天立即来到高宗面前撒娇。上官仪起草的诏令还在几案上，唐高宗不知所措，反而羞愧满面，向武则天赔罪，谎称是上官仪教唆。武则天不依不饶，要高宗重惩上官仪。上官仪曾侍奉过故太子李忠，武则天指使许敬宗上奏诬告上官仪与故太子李忠谋反。十二月十三日，上官仪下狱，与太子李忠之子李庭芝、宦官王伏胜均死。十二月十五日，于流所赐死故太子李忠。许多反对武则天的朝官，也被株连贬官流放。武则天为防止废后事件重演，看紧了高宗，提出垂帘听政的要求，唐高宗也依从。自此，武则天从幕后走上前台，直接理政，内外并称“二圣”。

高宗懦弱，但心智明晰。他罢权奸右相李义府，又因左相许圉师之子欺压民众而对许圉师进行惩治，表现了高宗体恤民情。高宗纳刘仁轨之言，忧恤海东将士，任贤相征高句丽，表现了他英明的一面。高宗听任武则天摆布，欲废而无决心，武则天一闹，彻底败下阵来，甘当傀儡，老婆垂帘丈夫，天下奇闻。武则天与高宗平起平坐，号称“二圣”，实际是拱手让权。武则天能改唐为周，直接称皇帝，是垂帘奠定的基础。上官仪激于义愤，谋虑不周，匆忙草诏，不仅搭上了自己的性命，还成全了武则天的野心。如果没有草诏废后事件，武则天或许还不能垂帘，也没有并称“二圣”的基础，她的登位，恐怕没有那么容易。

第三，李勣的功过。李勣，唐初著名军事家。本姓徐，名世勣，字懋功。唐赐姓李，为避李世民讳，改称单名为李勣。山东曹州离狐县（在今山东菏泽西北李庄集）人。

李勣于隋朝大业末聚义瓦岗，为农民起义军著名将领。后归唐，为唐王朝征战杀伐，尽忠效节，仕唐五十余年，出将入相，既是开国元勋，又是三朝元老，对唐帝国的建立与巩固做出了巨大的贡献。李勣从隋末唐初直到高宗总章元年领兵破高丽，几乎参加了所有规模较大的战争，而且百战百胜。史称李勣用兵，“多筹算，料敌应变，皆契事机，及战胜，必推功于下，得金帛，尽散之士众”，“持法严，人乐为用”。李勣是唐太宗图画于凌烟阁二十四功臣之一，唐肃宗时为姜太公立武成王庙，李勣与张良、韩信、诸葛亮等十人入选为良将十哲配享武成王庙。这些殊荣，李勣当之无愧。但人无完人，李勣伴君，为了自保，不免有些圆滑。李勣是唐太宗托孤大臣之一，他却在高宗废立皇后问题上冷眼旁观，既不向高宗进言，也不向长孙无忌提出忠告，称病不朝，骑墙观望，表面中立，实质站在武则天一边，以“此乃陛下家事，无须问外人”，把长孙无忌推向了悬崖。又有甚者，高宗与李勣燕语，论及隋炀帝拒谏亡国，高宗说：“朕常以为戒，虚心求谏，而竟无谏者，何也?”李勣竟然回答说：“陛下所为尽善，群臣无得而谏。”简直近于佞臣。褚遂良、韩瑗等因进谏亡身，群臣谁敢进谏。李勣为了明哲保身，献谀求荣，不能不说是他的缺点。不过在伴君如伴虎的时代，也不能苛求李勣。李勣只是自保，没有陷害忠良以求进升，已经是不容易了。

卷第二百二　唐纪十八

起重光协洽（辛未，公元六七一年），尽重光大荒落（辛巳，公元六八一年），凡十一年。

【题解】

本卷记事起公元六七一年，迄公元六八一年，凡十一年，当唐高宗咸亨二年到开耀元年。此时期是唐高宗执政后期，因其身患风疾，大权旁落武则天皇后。武则天步步紧逼皇权，发生了两次废立太子事件。上元二年（公元六七五年），太子李弘暴卒，传言为武则天所害。李贤继立太子，五年之后，在调露二年（公元六八〇年）亦被废贬。李弘、李贤两位太子均有贤名，得到唐高宗的信任，于是深为武则天所忌，必欲置之死地。由此可见唐高宗的昏聩，其甚至一度要传位给武则天。上元元年武则天条奏十二条政务，表现了她的政治才能。其中子女为母守丧三年，与守父丧平等，可以说是提高了女权。这一年，唐高宗平反长孙氏，恢复长孙晟、长孙无忌官爵，表明了十六年前长孙氏之被迁逐、杀害是无辜的。高宗后期十一年间，国家四境不宁，风波不断。高句丽、新罗时叛时服，西域动荡，吐蕃寇边，北疆突厥侵扰。裴行俭抚定西域，两次大破突厥，堪称国家柱石，也是这一时期唐朝军事与政治的一大亮点。

【原文】

高宗天皇大圣大弘孝皇帝中之下

咸亨二年（辛未，公元六七一年）

春，正月甲子[①]，上幸东都[②]。

夏，四月甲申[③]，以西突厥阿史那都支[④]为左骁卫大将军[⑤]兼匐延都督[⑥]，以安集五咄陆之众[⑦]。

初，武元庆[⑧]等既死，皇后奏以其姊子贺兰敏之[⑨]为士彟之嗣[⑩]，袭爵周公[⑪]，改姓武氏，累迁弘文馆学士[⑫]、左散骑常侍[⑬]。魏国夫人[⑭]之死也，上见敏之，悲泣曰："向[⑮]吾出视朝犹无恙，退朝已不救，何苍猝如此！"敏之号哭不对。后闻之，曰："此儿疑我。"由是恶之。敏之貌美，蒸[⑯]于太原王妃[⑰]，及居妃丧，释衰绖[⑱]，奏妓[⑲]。司卫少卿[⑳]杨思俭女，有殊色，上及后自选以为太子妃，婚有日矣[㉑]，敏之

【语译】

高宗天皇大圣大弘孝皇帝中之下

咸亨二年（辛未，公元六七一年）

春，正月二十六日甲子，皇帝亲临东都。

夏，四月十八日甲申，任命西突厥阿史那都支为左骁卫大将军兼匐延都督，借以安抚招集五咄陆的部众。

当初，武元庆等人死后，皇后上奏让她姐姐的儿子贺兰敏之为武士彟的后嗣，承袭爵号周公，改姓武氏，累官升迁到弘文馆学士、左散骑常侍。魏国夫人死时，高宗见了武敏之，悲伤地哭泣说："前一会我去处理朝政时还没有毛病，退朝时却已无法挽救了，为什么死得这么突然！"武敏之号哭，不回答。武后听到了，说："这个孩子在怀疑我。"从此便憎恶武敏之。武敏之容貌俊秀，和太原王武士彟王妃私通；后来为王妃守丧时，脱去丧服，奏起伎乐。司卫少卿杨思俭女儿，长得特别漂亮，高宗和武后亲自挑选她为太子妃，已定有婚期，武敏之逼迫并奸淫了她。武后于是

逼而淫之。后于是表言敏之前后罪恶，请加窜逐。六月丙子[22]，敕流雷州[23]，复其本姓。至韶州[24]，以马缰绞死。朝士坐与敏之交游，流岭南者甚众。

秋，七月乙未朔[25]，高侃破高丽余众于安市城[26]。

九月丙申[27]，潞州刺史[28]徐王元礼[29]薨。

冬，十一月甲午朔[30]，日有食之。

车驾自东都幸许、汝[31]。十二月癸酉[32]，校猎于叶县[33]。丙戌[34]，还东都。

【段旨】

以上为第一段，写武则天迫害武敏之，而武敏之的死，亦咎由自取。

【注释】

①甲子：正月二十六日。②上幸东都：唐高宗巡幸洛阳。显庆二年（公元六五七年）十二月以洛阳为东都。高宗巡幸东都的时间，两《唐书》之《高宗纪》皆作正月乙巳，也就是正月初七日，与《通鉴》不合。③甲申：四月十八日。④阿史那都支：西突厥部酋长，又称阿史那匐延都支。后自称十姓可汗。事见《旧唐书》卷八十四《裴行俭传》、《新唐书》卷二百十五下《突厥传》。⑤左骁卫大将军：官名，中央十二卫大将军之一，正三品，掌统领宫廷警卫之法，宿卫宫禁。⑥匐延都督：显庆二年（公元六五七年）以西突厥处木昆部置匐延都督府，治所在今新疆和布克赛尔一带。匐延都督为匐延都督府最高长官。⑦安集五咄陆之众："五咄陆"即处木昆律、胡禄屋阙、摄舍提暾、突骑施贺逻施、鼠尼施处半。自龙朔二年（公元六六二年）兴昔亡可汗阿史那弥射被杀后，五咄陆部落逐渐亡散。⑧武元庆（？至公元六六六年）：武则天同父异母兄，相里氏所生。因不礼敬武则天的母亲杨氏，与其弟元爽等被贬，乾封元年死于龙州。事见《旧唐书》卷一百八十三《武承嗣传》、《新唐书》卷七十六《则天武皇后传》。⑨贺

上表数说武敏之前后所犯的罪过，请加放逐。六月十一日丙子，高宗颁下敕令把武敏之流放到雷州，恢复他原来的姓氏贺兰。到达韶州，用马缰绞死了他。朝中士人因和贺兰敏之交往，很多人被流放岭南。

秋，七月初一日乙未，高侃在安市城打败高句丽残余部队。

九月初二日丙申，滁州刺史徐王李元礼去世。

冬，十一月初一日甲午，发生日食。

高宗车驾从东都到达许、汝。十二月初十日癸酉，在叶县设栅栏围猎。二十三日丙戌，返回东都。

兰敏之（？至公元六七一年）：武则天姐姐的儿子，官至兰台令史。事见《旧唐书》卷一百八十三《武承嗣传》、《新唐书》卷二百六《武士彟传》。⑩ 嗣：嗣子；继承人。⑪ 周公：显庆元年（公元六五六年）追赐武士彟为周国公。⑫ 弘文馆学士：官名，属门下省。唐制，弘文馆学士五品以上，六品以下为直学士。掌校正图籍，教授生徒，并参议朝政制度礼仪等。⑬ 左散骑常侍：门下省属官，从三品，掌规谏，以备顾问。⑭ 魏国夫人：贺兰敏之之妹，死于乾封元年（公元六六六年）。事见《旧唐书》卷一百八十三《武承嗣传》。⑮ 向："晌"的本字。方才，一会儿。⑯ 蒸：与母辈私通。⑰ 太原王妃：即则天母杨氏，武士彟后妻。武士彟曾被追赠为太原郡王，故杨氏为太原王妃。⑱ 衰绖：丧服。⑲ 奏妓：奏伎乐。⑳ 司卫少卿：官名，原名卫尉少卿，高宗龙朔间改称司卫少卿，为司卫寺卿副官，从四品上，掌国家兵械。㉑ 昏有日矣：已确定婚期了。㉒ 丙子：六月十一日。㉓ 雷州：治所在今广东雷州。㉔ 韶州：治所在今广东韶关市武水西。㉕ 乙未朔：七月初一日。㉖ 安市城：在今辽宁海城南营城子。㉗ 丙申：九月初二日。㉘ 刺史：州长官，从三品。㉙ 徐王元礼（？至公元六七一年）：唐高祖第十子，性恭顺，有政绩，是高祖诸子中较贤能的一位。传见《旧唐书》卷六十四、《新唐书》卷七十九。㉚ 甲午朔：十一月初一日。㉛ 许汝：即许州、汝州。许州治所在今河南许昌，汝州治所在今河南汝州。㉜ 癸酉：十二月初十日。㉝ 叶县：治所在今河南叶县西南。㉞ 丙戌：十二月二十三日。

【原文】

三年（壬申，公元六七二年）

春，正月辛丑㉟，以太子右[1]卫副率㊱梁积寿为姚州道行军总管，将兵讨叛蛮㊲。

庚戌㊳，昆明蛮㊴十四姓二万三千户内附，置殷、敦、总三州㊵。

二月庚午㊶，徙吐谷浑于鄯州浩亹水㊷南。吐谷浑畏吐蕃之强，不安其居，又鄯州地狭，寻徙灵州㊸，以其部落置安乐州㊹，以可汗诺曷钵为刺史。吐谷浑故地皆入于吐蕃。

己卯㊺，侍中永安郡公姜恪㊻薨。

夏，四月庚午㊼，上幸合璧宫。

吐蕃遣其大臣仲琮㊽入贡，上问以吐蕃风俗，对曰："吐蕃地薄气寒，风俗朴鲁㊾。然法令严整，上下一心，议事常自下而起㊿，因人所利而行之，斯所以能持久也。"上诘以吞灭吐谷浑、败薛仁贵、寇逼凉州事(51)，对曰："臣受命贡献而已，军旅之事，非所闻也。"上厚赐而遣之。癸未(52)，遣都水使者(53)黄仁素使于吐蕃。

【段旨】

以上为第二段，写唐高宗结和吐蕃。

【注释】

㉟辛丑：正月初八日。㊱太子右卫副率：官名，从四品上，协助右卫率掌东宫兵仗羽卫之政。据《唐六典》卷二十八，太子左右卫率府有副率，各二名。㊲将兵讨叛蛮：《新唐书》卷二百二十二下《南蛮传下》载，"姚州境有永昌蛮，居古永昌郡地。咸亨五年叛，高宗以太子右卫率梁积寿为姚州道行军总管讨平之"。时间有所不同。㊳庚戌：正月十七日。㊴昆明蛮：少数民族名称。《新唐书》卷二百二十二下载，昆明蛮在爨蛮之西，以西洱河为境，活动在今云南洱海一带。㊵置殷、敦、总三州：此三州皆带有羁縻性质，分别在今四川宜宾西北、西南及南部。㊶庚午：二月初八日。㊷浩亹水：即湟水支流大通河，在今青海、甘肃境内。《水经注》载：浩亹河经浩亹县故城（在今甘肃永登西南大通河东岸）南，东流

【语译】

三年（壬申，公元六七二年）

春，正月初八日辛丑，任命太子右卫副率梁积寿为姚州道行军总管，率军讨伐反叛的蛮人。

正月十七日庚戌，昆明蛮十四姓二万三千户归附朝廷，设置殷、敦、总三州。

二月初八日庚午，把吐谷浑迁徙到鄯州浩亹水之南。吐谷浑畏惧吐蕃的强大，在住处不安心，又因鄯州地域狭小，不久便迁徙到灵州，把部落所在地置为安乐州，任命可汗诺曷钵为刺史。吐谷浑旧有土地都归入吐蕃。

十七日己卯，侍中永安郡公姜恪去世。

夏，四月初九日庚午，高宗到合璧宫。

吐蕃派遣大臣仲琮到朝廷进贡，高宗询问吐蕃的风俗，仲琮回答说："吐蕃土地瘠薄，气候寒冷，风俗质朴粗犷。然而法令严厉整齐，上下一心，讨论事情常常是从下面开始，根据对民众有利的原则来加以实施，这就是吐蕃的国运能维持久远的缘故。"高宗追问他吞灭吐谷浑、击败薛仁贵、侵逼凉州的事，仲琮回答说："臣接受命令前来进贡罢了，军旅之事，不是臣所应听到的。"高宗给了他丰厚的赏赐，遣送他回去。四月二十二日癸未，派遣都水使者黄仁素出使吐蕃。

注入湟水，俗称阁门河。㊸灵州：治所在今宁夏灵武西南。㊹安乐州：以灵州鸣沙县地而置，治所在今宁夏中宁东。㊺己卯：二月十七日。㊻永安郡公姜恪（？至公元六七二年）：历任将军，以战功升为宰相。事见《旧唐书》卷七十七《阎立本传》、《新唐书》卷二百十六上《吐蕃传上》。㊼庚午：四月初九日。㊽仲琮：即论仲琮，曾入太学读书，文化水平较高。事见《新唐书》卷二百十六上《吐蕃传上》。㊾朴鲁：淳朴粗犷。㊿议事常自下而起：议事程序，一般自下而上。51上诘以吞灭吐谷浑、败薛仁贵、寇逼凉州事：诘，责问。吐蕃在唐龙朔三年（公元六六三年）灭吐谷浑，咸亨元年（公元六七〇年）败薛仁贵于大非川，后尽有吐谷浑之地，并侵逼凉州。事详两《唐书》之《吐蕃传》。52癸未：四月二十二日。53都水使者：官名，据《唐六典》卷二十三，都水监有使者二人，正五品上，掌川泽津梁之政。

【校记】

［1］右：原作"左"。据章钰校，十二行本、乙十一行本、孔天胤本皆作"右"，张敦仁《通鉴刊本识误》同，今据改。〖按〗《旧唐书》之《高宗纪》、《新唐书》之《高宗纪》《南蛮传》皆作"右"。

【原文】

秋，八月壬午[54]，特进[55]高阳郡公许敬宗卒。太常博士[56]袁思古[57]议："敬宗弃长子于荒徼[58]，嫁少女于夷貊[59]。按《谥法》'名与实爽[60]曰缪[61]'，请谥为缪。"敬宗孙太子舍人[62]彦伯讼[63]思古与许氏有怨，请改谥。太常博士王福畤[64]议，以为"谥者[2]，得失一朝，荣辱千载。若嫌隙[65]有实，当据法推绳[66]。如其不然，义不可夺。"户部尚书[67]戴至德[68]谓福畤曰："高阳公任遇如是，何以谥之为缪？"对曰："昔晋司空何曾[69]既忠且孝，徒以日食万钱，秦秀谥之为[3]'缪'[70]。许敬宗忠孝不逮于曾，而饮食男女之累过之，谥之曰'缪'，无负许氏矣。"诏集五品已上更议，礼部尚书[71]阳思敬[72]议："按《谥法》'既过能改曰恭'，请谥曰恭。"诏从之。敬宗尝奏流其子昂于岭南，又以女嫁蛮酋冯盎之子，多纳其货[73]，故思古议及之。福畤，勃之父也。

九月癸卯[74]，徙沛王贤为雍王。

冬，十月己未[75]，诏太子监国。

壬戌[76]，车驾发东都。

十一月戊子朔[77]，日有食之。

甲辰[78]，车驾至京师。

十二月，高侃与高丽余众战于白水山，破之。新罗遣兵救高丽，侃击破之。

癸卯[79]，以左庶子[80]刘仁轨同中书门下三品。

太子罕接宫臣[81]，典膳丞[82]全椒[83]邢文伟[84]辄减所供膳[85]，并上书谏太子。太子复书，谢以多疾及入侍少暇，嘉纳其意。顷之，右史[86]缺，上曰："邢文伟事吾子，能撤膳进谏，此直士也。"擢为右史。

太子因宴集，命宫臣掷倒[87]，次至左奉裕率[88]王及善[89]，及善曰："掷倒自有伶官[90]，臣若奉令，恐非所以羽翼[91]殿下[92]也。"太子谢之。上闻之，赐及善缣百匹，寻迁左千牛卫将军[93]。

【语译】

秋，八月二十四日壬午，特进高阳郡公许敬宗去世。太常博士袁思古建议："许敬宗把长子抛弃在荒远地带，把小女儿嫁给夷貊。按照《谥法》'名字和实际相乖违的称之为缪'，请谥号为缪。"许敬宗的孙子太子舍人许彦伯控告袁思古和许氏有怨隙，请求更改谥号。太常博士王福畤建议，认为"谥法对于个人来说，是得失于一朝一夕之间，而荣辱却是千年万载。如果袁思古和许氏的怨隙确有其事，应当根据法令推究改正。如果不是那样，道义是不能更改的。"户部尚书戴至德对王福畤说："高阳公的官职待遇如此之高，怎么还谥为缪？"回答说："从前晋司空何曾又忠又孝，只因为每天吃饭花费一万钱，秦秀就给他'缪'的谥号。许敬宗的忠孝比不上何曾，而饮食子女方面所受之害却超过了他，给他谥号'缪'，并不有愧于许氏。"高宗下诏召集五品以上的官吏再议，礼部尚书阳思敬建议："依据《谥法》'有过错能改正称之为恭'，请给许敬宗谥号为恭。"高宗下诏采纳了这一建议。许敬宗曾经奏请流放他的儿子许昂到岭南，又把女儿嫁给蛮酋冯盎的儿子，大量收取冯盎的财货，所以袁思古才议及许敬宗的谥号。王福畤，是王勃的父亲。

九月十五日癸卯，把沛王李贤迁徙为雍王。

冬，十月初二日己未，高宗下诏由太子监治国政。

初五日壬戌，高宗车驾从东都出发。

十一月初一日戊子，发生日食。

十七日甲辰，高宗车驾到达京师。

十二月，高侃和高句丽残余的部队在白水山交战，打败了敌军。新罗派兵援救高句丽，高侃又击败了新罗援兵。

癸卯日，任命左庶子刘仁轨同中书门下三品。

太子很少接见宫中大臣，典膳丞全椒人邢文伟常常减少供应太子的膳食，并上书劝谏太子。太子给刑文伟回信，以多病和入侍皇帝少有空闲为由，向邢文伟认错，赞许并采纳他的意见。不久，右史缺额，高宗说："邢文伟侍奉我儿子，能撤减膳食，进言劝谏，是正直之士。"擢升他为右史。

太子趁着群臣宴会，命令宫中大臣跳掷倒舞，依次轮到左奉裕率王及善，王及善说："掷倒舞自有伶官可跳，臣如果奉命照办，恐怕不是用来辅佐殿下的方法。"太子向王及善谢罪。高宗听到后，就赐给王及善细绢一百匹，不久升迁为左千牛卫将军。

【段旨】

以上为第三段，写许敬宗死后得佳谥。

【注释】

㊹壬午：八月二十四日。㊺特进：散官之称，正二品，无实职。㊻太常博士：官名，太常寺属官，从七品上，主管朝廷五礼仪式，遇重大祭祀及礼仪，负责引导，兼拟王公及三品以上官谥号。㊼袁思古：事见《旧唐书》卷八十二《许敬宗传》、《新唐书》卷二百二十三上《许敬宗传》。㊽敬宗弃长子于荒徼：《旧唐书》之《许敬宗传》载，敬宗长子许昂与其继室私通，敬宗以许昂不孝为辞，上奏将其流于岭外。荒徼，荒凉的边远地区。㊾嫁少女于夷貊：指许敬宗以小女儿嫁蛮酋冯盎之子。夷貊，古代对生活在东方和东北方的少数民族的称呼。㊿爽：差；违。(61)缪：通"谬"。(62)太子舍人：官名，即太子通事舍人，掌导引东宫诸臣辞见及承令劳问之事。(63)讼：控告。(64)王福畤：王勃之父，官至雍州司功参军，因王勃得罪而受牵连，被贬为交趾令。事见《旧唐书》卷一百九十上《王勃传》、《新唐书》卷二百一《王勃传》。(65)嫌隙：仇怨。(66)推绳：审问法办。(67)户部尚书：官名，为户部长官，正三品，职掌天下田户、均输、钱谷之政令。(68)戴至德（？至公元六七九年）：相州安阳（今河南安阳）人，戴胄之侄，官至尚书右仆射。传见《旧唐书》卷七十、《新唐书》卷九十九。(69)何曾（公元一九九至二七九年）：字颖考，陈国阳夏（今河南太康）人，生活奢侈，每天用一万钱办伙食，还说无下箸处。传见《晋书》卷三十三。(70)秦秀谥之为缪：事见本书卷八十及《晋书》卷五十。(71)礼部尚书：官名，为礼部长官，正三品，职掌天下礼仪、祭享、贡举之政令。(72)阳思敬：《唐会要》卷七十九作杨思敬，《册府元龟》卷五百九十五亦然。〖按〗《旧唐书》卷六十二《杨恭仁传》及《新唐书》卷七十二下《宰相世系表》有礼部尚书

【原文】

四年（癸酉，公元六七三年）

春，正月丙辰[94]，绛州刺史郑惠王元懿[95]薨。

三月丙申[96]，诏刘仁轨等改修国史，以许敬宗等所记多不实[97]故也。

夏，四月丙子[98]，车驾幸九成宫[99]。

杨思敬。当以《唐会要》为是。⑬货：财货。⑭癸卯：九月十五日。⑮己未：十月初二日。⑯壬戌：十月初五日。⑰戊子朔：十一月初一日。⑱甲辰：十一月十七日。⑲癸卯：《旧唐书》卷五《高宗纪》同。《新唐书》卷三《高宗纪》及卷六十一《宰相表》只言十二月，不载干支。此月戊午朔，无癸卯。疑误。⑳左庶子：官名，太子左春坊最高长官，正四品上，掌侍从赞相，驳正启奏。㉑罕接宫臣：很少接见东宫官属。㉒典膳丞：官名，为东宫典膳郎之副，正八品上，掌进膳尝食之事。㉓全椒：县名，县治在今安徽全椒。㉔邢文伟：以减膳切谏知名，官至内史，后来自杀。传见《旧唐书》卷一百八十九下、《新唐书》卷一百六。㉕减所供膳：减少所供饭食。㉖右史：官名，高宗龙朔间改起居舍人为右史，从六品上，掌录皇帝言论及制诰德音，以记时政损益。㉗掷倒：唐代散乐之一。头下脚上，倒行而舞。此乐古已有之，南朝梁、陈时始称掷倒。㉘左奉裕率：官名，高宗龙朔间，太子左内率府率改称左奉裕率，正四品上，掌东宫侍奉之事和仪卫。㉙王及善（公元六一八至六九九年）：洺州邯郸（今河北邯郸）人，有大臣之节，官至内史。死后陪葬乾陵。传见《旧唐书》卷九十、《新唐书》卷一百十六。㉚伶官：乐官。相传黄帝时的乐官名叫伶伦，后世遂将乐人称为伶人，将乐官称作伶官。㉛羽翼：辅佐。㉜殿下：汉以来对太子、诸王的称呼。唐制，百官上书皇太后及皇后称殿下；百官及东宫官称皇太子为殿下。此处是对太子李弘的尊称。㉝千牛卫将军：官名，掌宫殿侍卫及供御仪仗。《唐六典》卷二十五，左右千牛卫将军各一人，从三品。千牛卫以千牛刀而得名。千牛刀即皇帝防身之刀，取《庄子》庖丁解千牛而芒刃不减之意。

【校记】

［2］谥者：原无此二字。据章钰校，十二行本、乙十一行本、孔天胤本皆有此二字，张敦仁《通鉴刊本识误》同，今据补。［3］为：据章钰校，十二行本、乙十一行本、孔天胤本皆作“曰”。

【语译】

四年（癸酉，公元六七三年）

春，正月二十九日丙辰，绛州刺史郑惠王李元懿去世。

三月初十日丙申，高宗下诏命令刘仁轨等人改写国史，因为许敬宗等人的记述有很多不真实。

夏，四月二十一日丙子，高宗车驾亲临九成宫。

闰五月，燕山道总管、右领军大将军李谨行⑩大破高丽叛者于瓠芦河⑩之[4]西，俘获数千人，余众皆奔新罗。时谨行妻刘氏留伐奴城，高丽引靺鞨⑩攻之，刘氏擐甲⑩帅众守城，久之，虏退。上嘉其功，封燕国夫人。谨行，靺鞨人突地稽⑩之子也[5]，武力绝人，为众夷所惮。

秋，七月辛巳⑩[6]，婺州⑩大水，溺死者五千人。

八月辛丑⑩，上以疟疾⑩，令太子于延福殿受诸司启事。

冬，十月壬午⑩，中书令阎立本⑩薨。

乙巳⑪，车驾还京师。

十二月丙午⑫，弓月、疏勒二王来降。西突厥兴昔亡可汗之世，诸部离散，弓月及阿悉吉⑬皆叛。苏定方之西讨也，擒阿悉吉以归。弓月南结吐蕃，北招咽面⑭，共攻疏勒，降之。上遣鸿胪卿⑮萧嗣业⑯发兵讨之。嗣业兵未至，弓月惧，与疏勒皆入朝。上赦其罪，遣归国。

【段旨】

以上为第四段，写唐军在高句丽和西域均取得胜利。

【注释】

⑭ 丙辰：正月二十九日。⑮ 郑惠王元懿（？至公元六七三年）：唐高祖第十三子。历任兖、郑、潞、绛等州刺史，数断大狱，持法宽平。传见《旧唐书》卷六十四、《新唐书》卷七十九。⑯ 丙申：三月初十日。⑰ 许敬宗等所记多不实：许敬宗自太宗时起，长期参与修撰国史实录的活动，记事阿曲，褒贬失当。事详《旧唐书》卷八十二《许敬宗传》。⑱ 丙子：四月二十一日。⑲ 九成宫：在今陕西麟游西。贞观五年（公元六三一年）由隋仁寿宫改名。永徽二年（公元六五一年）九月八日改称万年宫。乾封二年（公元六六七年）二月十日复名九成宫。后经阎立德扩建，成为关中著名的离宫之一。⑩ 李谨行：靺鞨首领突地稽之子，武功高强，曾多次击败吐蕃，累授镇军大将军，封燕国公。事详《旧唐书》卷一百九十九下《靺鞨传》、《新唐书》卷一百十。⑩ 瓠芦河：据《新唐书》之《刘仁轨传》，此河当在高句丽南界、新罗七重城之北，似为临津江。⑩ 靺鞨：东北少数民族名，由肃慎发展而来。唐时分为黑水、粟末二部。⑩ 擐甲：穿甲；披甲。⑩ 突地

闰五月，燕山道总管、右领军大将军李谨行在瓠芦河西面把反叛的高句丽人打得溃败，俘获了几千人，剩余的部众都逃跑到新罗。当时李谨行之妻刘氏留在伐奴城，高句丽引领靺鞨攻城，刘氏身披甲胄率众守城，过了很久，敌人退离。高宗嘉奖她的功劳，封为燕国夫人。李谨行，是靺鞨人突地稽的儿子，武力超人，为诸夷所畏惧。

秋，七月二十八日辛巳，婺州发大水，溺死五千人。

八月十九日辛丑，高宗因患疟疾，命令太子在延福殿接受各部门官员启奏政事。

冬，十月初一日壬午，中书令阎立本去世。

二十四日乙巳，高宗车驾返回京师。

十二月二十五日丙午，弓月、疏勒二王前来投降。西突厥兴昔亡可汗时，各部落分散，弓月和阿悉吉都叛变了。苏定方西征时，活捉了阿悉吉回朝。弓月在南面交结吐蕃，北面联系咽面，一起进攻疏勒，使疏勒降服。高宗派遣鸿胪卿萧嗣业出兵讨伐。萧嗣业的军队还没有到达，弓月慌恐，和疏勒一起前往朝廷。高宗赦免他们的罪过，把他们遣送回国。

稽：黑水靺鞨首领。曾与刘黑闼、高开道作战，以功拜右卫将军，赐姓李氏。事详《旧唐书》卷一百九十九下《靺鞨传》。⑩⑤ 辛巳：七月二十八日。⑩⑥ 婺州：州名，治所在今浙江金华。⑩⑦ 辛丑：八月十九日。⑩⑧ 疟疾：急性传染病。以疟蚊为媒介，多周期性发作。⑩⑨ 壬午：十月初一日。⑪⓪ 中书令阎立本：阎立本总章元年（公元六六八年）升为右相，咸亨二年（公元六七一年）转中书令，担任宰相六年。中书令为中书省长官，正三品，大历二年（公元七六七年）升为正二品，职掌军国政令。阎立本事详《旧唐书》卷七十七、《新唐书》卷一百本传。⑪⑪ 乙巳：十月二十四日。⑪⑫ 丙午：十二月二十五日。⑪⑬ 阿悉吉：少数民族名称，据《旧唐书》卷八十三及《册府元龟》卷四百二十，阿悉吉又作思结。本书卷二百亦作思结。⑪⑭ 咽面：少数民族名称，属铁勒，活动在今哈萨克斯坦巴尔喀什湖以东地区。⑪⑮ 鸿胪卿：鸿胪寺长官，从三品，职掌少数民族接待，以及凶仪之事。⑪⑯ 萧嗣业：少入突厥，知其情势，诏领突厥民众，累迁鸿胪卿。《旧唐书》卷六十三、《新唐书》卷一百一略载其事。

【校记】

［4］之：据章钰校，十二行本、乙十一行本、孔天胤本皆无此字，张敦仁《通鉴刊本识误》同。［5］也：据章钰校，十二行本、乙十一行本、孔天胤本皆无此字。［6］辛巳：原无此二字。据章钰校，十二行本、乙十一行本皆有此二字，张瑛《通鉴校勘记》同，今据补。

【原文】

上元元年（甲戌，公元六七四年）

春，正月壬午⑪⑦，以左庶子、同中书门下三品⑪⑧刘仁轨为鸡林道大总管⑪⑨，卫尉卿⑫⓪李弼、右领军大将军李谨行副之，发兵讨新罗。时新罗王法敏既纳高丽叛众，又据百济故地，使人守之。上大怒，诏削法敏官爵，其弟右骁卫员外大将军⑫①、临海郡公仁问在京师，立以为新罗王，使归国。

三月辛亥朔⑫②，日有食之。

贺兰敏之既得罪，皇后奏召武元爽之子承嗣于岭南⑫③，袭爵周公，拜尚衣奉御⑫④。夏，四月辛卯⑫⑤，迁宗正卿⑫⑥。

秋，八月壬辰⑫⑦，追尊宣简公⑫⑧为宣皇帝，妣张氏为宣庄皇后；懿王⑫⑨为光皇帝，妣贾氏为光懿皇后；太武皇帝⑬⓪为神尧皇帝，太穆皇后为太穆神皇后；文皇帝⑬①为太宗文武圣皇帝，文德皇后为文德圣皇后。皇帝称天皇，皇后称天后，以避先帝、先后之称。改元，赦天下。

戊戌⑬②，敕："文武官三品以上服紫，金玉带；四品服深绯，金带；五品服浅绯，金带；六品服深绿，七品服浅绿，并银带；八品服深青，九品服浅青，并鍮[7]石⑬③带；庶人服黄，铜铁带。自非庶人⑬④，不听服黄⑬⑤。"

九月癸丑⑬⑥，诏追复长孙晟、长孙无忌官爵⑬⑦，以无忌曾孙翼⑬⑧袭爵赵公，听无忌丧归，陪葬昭陵⑬⑨。

【段旨】

以上为第五段，写唐高宗平反长孙无忌。

【语译】

上元元年（甲戌，公元六七四年）

春，正月壬午日，任命左庶子、同中书门下三品刘仁轨为鸡林道大总管，卫尉卿李弼、右领军大将军李谨行作为副手，发兵征讨新罗。当时新罗王金法敏既接纳了高句丽的反叛部众，又占据了百济旧地，派人驻守。高宗大怒，下诏削夺法敏官爵，他的弟弟右骁卫员外大将军、临海郡公金仁问在京师，把他立为新罗王，派他回国。

三月初一日辛亥，发生日食。

贺兰敏之获罪后，皇后奏请召回流放岭南的武元爽之子武承嗣，承袭周公爵位，任命为尚衣奉御。夏，四月十二日辛卯，升迁为宗正卿。

秋，八月十五日壬辰，追尊宣简公为宣皇帝，先妣张氏为宣庄皇后；懿王为光皇帝，先妣贾氏为光懿皇后；太武皇帝为神尧皇帝，太穆皇后为太穆神皇后；文皇帝为太宗文武圣皇帝，文德皇后为文德圣皇后。皇帝称作天皇，皇后称作天后，以此避开先帝、先后的称呼。更改年号，大赦天下。

八月二十一日戊戌，颁下敕令："文武百官三品以上穿紫色官服，佩金玉带；四品穿深红色官服，佩金带；五品穿浅红色官服，佩金带；六品穿深绿色官服，七品穿浅绿色官服，都佩银带；八品穿深青色官服，九品穿浅青色官服，都佩黄铜带。庶人百姓穿黄色衣服，佩铜铁带。从工商杂户等级开始，不允许穿黄色衣服。"

九月初七日癸丑，下诏追命恢复长孙晟、长孙无忌官爵，任命长孙无忌的曾孙长孙翼承袭赵公爵位，允许长孙无忌归丧家乡，陪葬昭陵。

【注释】

⑪⑦ 壬午：正月壬子朔，无壬午。《新唐书》卷三作二月壬午，即二月初二日。⑪⑧ 同中书门下三品：中书、门下两省长官皆三品，知政事，为宰相。太宗贞观十七年（公元六四三年）非两省长官知政事者均加此称。⑪⑨ 大总管：官名，出兵征伐时设置的军事长官，总揽军务。⑫⓪ 卫尉卿：官名，卫尉寺长官，从三品，职掌国家兵仗、器械。⑫① 右骁卫员外大将军：右骁卫为中央十二卫之一，大将军为之长，员一人，正三品，职掌宫禁守卫。员外大将军系员额之外添授的大将军。⑫② 辛亥朔：三月初一日。⑫③ 召武元爽之子承嗣于岭南：武元爽，则天皇后同父异母兄，乾封元年（公元六六六年）被流往振州。振州在今海南三亚一带，属岭南地区。⑫④ 尚衣奉御：殿中省官名，尚衣，《旧唐书》之《高宗纪》及《新唐书》之《外戚传》皆作"尚辇"。⑫⑤ 辛卯：四月十二日。⑫⑥ 宗正卿：

官名，宗正寺最高长官，掌皇室九族六亲属籍，以别昭穆之序，并领崇玄署。⑫⑦壬辰：八月十五日。⑫⑧宣简公：名熙，李渊曾祖，曾任后魏金门镇将，武德元年六月二十二日追尊为宣简公。⑫⑨懿王：李天赐，李渊祖父，武德元年追尊为懿王。⑬⓪太武皇帝：唐高祖李渊（公元五六六至六三五年）。太武，李渊谥号。公元六一八至六二六年在位。传见《旧唐书》卷一、《新唐书》卷一。⑬①文皇帝：即唐太宗李世民。文，太宗谥号。唐太宗（公元五九九至六四九年）是唐代著名的帝王，公元六二六至六四九年在位。传见《旧唐书》卷二、《新唐书》卷二。言论主要保存在《贞观政要》《帝范》及《全唐文》卷四中。⑬②戊戌：八月二十一日。⑬③鍮石：即黄铜，由铜与炉甘石冶炼而成。程大昌在《演繁露》中说鍮石质实为铜而色如黄金，只是较淡而已。⑬④非庶人：指工商杂户等末业之人。庶人，以农业为主的普通百姓。⑬⑤不听服黄：不准穿黄色衣裳。听，听任；任凭。唐代章服至此三变。贞观四年（公元六三〇年）八月规定，三品以上服紫，四品五品以上服绯，六品七品服绿，八品九品服青，妇人从夫之色，可通服黄色。贞观五年八月，

【原文】

甲寅[140]，上御翔鸾阁[141]，观大酺[142]，分音乐为东西朋[143]，使雍王贤主东朋，周王显主西朋，角胜为乐。郝处俊[144]谏曰："二王春秋尚少[145]，志趣未定，当推梨让枣[146]，相亲如一。今分二朋，递相夸竞，俳优小人，言辞无度[147]，恐其交争胜负，讥诮失礼，非所以崇礼义，劝敦睦也。"上瞿然[148]曰："卿远识，非众人所及也。"遽止之。是日，卫尉卿李弼[149]暴卒于宴所，为之废酺一日。

冬，十一月丙午朔[150]，车驾发京师。己酉[151]，校猎华山[152]之曲武原[153]。戊辰[154]，至东都。

箕州[155]录事参军[156]张君澈[157]等诬告刺史蒋王恽[158]及其子汝南郡王炜谋反，敕通事舍人[159]薛思贞[160]驰传[161]往按之。十二月癸未[162]，恽惶惧，自缢死，上知其非罪，深痛惜之，斩君澈等四人。

戊子[163]，于阗王伏阇雄[164]来朝。辛卯[165]，波斯王卑路斯[166]来朝。

壬寅[167]，天后上表，以为："国家圣绪，出自玄元皇帝[168]，请令王公

又规定七品以上服龟甲双巨十花绫，其色绿，九品以上服丝布及杂小绫，其色青。到龙朔二年（公元六六二年）九月，又根据孙茂道的建议，改六品七品服绿，八品九品服碧，朝参之处，允许兼服黄色。此次规定比以前更加细密。⑬⑥癸丑：九月初七日。⑬⑦诏追复长孙晟长孙无忌官爵：显庆四年（公元六五九年）削无忌官爵，流往黔州，并籍没其家。长孙晟，无忌之父，隋淮阳太守，封齐献公。传见《隋书》卷五十一、《北史》卷二十二。⑬⑧翼：《新唐书》卷七十二《宰相世系表》作“元翼”。《元和姓纂》亦然。⑬⑨昭陵：唐太宗墓，在陕西礼泉东北四十五里九嵕山，是唐关中十八陵中规模最大、陪葬物品最多的一座。现为全国重点文物保护单位之一。

【校记】

［7］鍮：据章钰校，十二行本、乙十一行本、孔天胤本皆作“碖”，熊罗宿《胡刻资治通鉴校字记》同。

【语译】

九月初八日甲寅，高宗驾临翔鸾阁，观看盛大的宴饮聚会，把乐队分为东西两队，派雍王李贤主持东队，周王李显主持西队，争胜为乐。郝处俊劝谏说：“二王年龄还小，志向还没固定，彼此应该互相推让，相亲如一。现在分为两队，相互夸耀竞争，这些优伶们是小人，言辞没有法度，恐怕他们在交相争夺胜负时，讥讽嘲诮，失去礼节，这不是用来推崇礼义，劝导和睦。”高宗惊惧地说：“你的见识深远，不是众人所能赶得上的。”马上停止了分队争胜为乐。这一天，卫尉卿李弼在宴会上突然死亡，为此停止聚会宴饮一天。

冬，十一月初一日丙午，高宗车驾从京师出发。初四日己酉，在华山的曲武原设置栅栏围猎。二十三日戊辰，到达东都。

箕州录事参军张君澈等人诬告刺史蒋王李恽和他的儿子汝南郡王李炜策划叛乱，下令通事舍人薛思贞飞驰传车前往调查。十二月初八日癸未，蒋王李恽恐惧，自缢而死，高宗知道他无罪，深感痛惜，把张君澈等四人处斩。

十二月十三日戊子，于阗王伏阇雄前来朝见。十六日辛卯，波斯王卑路斯前来朝见。

十二月二十七日壬寅，天后上奏，认为：“国家的圣统，出自玄元皇帝李耳，请以下皆习《老子》[169]，每岁明经[170]，准《孝经》[171]《论语》[172]策试。”又请“自今父在，为母服齐衰[173]三年。又，京官八品以上，宜量加俸禄”。及其余便宜，合十二条[174]。诏书褒美，皆行之。

是岁，有刘晓[175]者，上疏论选，以为：“今选曹[176]以检勘[177]为公道[178]，书判[179]为得人，殊不知考其德行才能，况书判借人[180]者众矣。又，礼部取士，专用文章为甲乙[181]，故天下之士，皆舍德行而趋文艺，有朝登甲科而夕陷刑辟者，虽日诵万言，何关理体[182]！文成七步[183]，未足化人。况尽心卉木之间，极笔烟霞之际，以斯成俗，岂非大谬！夫人之慕名，如水趋下，上有所好，下必甚焉。陛下若取士以德行为先，文艺为末，则多士[184]雷奔，四方风动矣！”

【段旨】

以上为第六段，写武则天的政治才能，条奏十二项政务，高宗一一施行。

【注释】

⑭⓪甲寅：九月初八日。⑭①翔鸾阁：含元殿附属建筑之一。《唐六典》卷七，大明宫丹凤门内正殿曰含元殿，夹殿两阁，左曰翔鸾阁，右曰栖凤阁，与殿飞廊相接。⑭②大酺：大宴饮。特指皇帝为表示喜庆而批准的大宴饮。⑭③朋：犹“队”。⑭④郝处俊：处军阵善谋略，处朝廷直言敢谏。在甲寅大酺之后，郝处俊迁中书令，兼太子宾客，检校兵部尚书。其行迹详见《旧唐书》卷八十四、《新唐书》卷一百十五本传。⑭⑤二王春秋尚少：春秋，在此指年龄。时雍王李贤十九岁，周王李显十七岁。⑭⑥推梨让枣：喻兄弟友爱。推梨出孔融让梨典故。《后汉书》卷七十《孔融传》注云，孔融有兄弟七人，他排行第六。四岁时兄弟分梨，他取了最小的一个。大人问他为什么这样，他说他人小，应拿小的。大人说他还有弟弟。他说弟弟小，应吃大的。让枣典出《南史》之《王泰传》。王泰幼时，祖母召集诸孙，散枣于床。其他小孩都争着去拿，王泰却不去抢。祖母问他为何如此，他说：“不取，自当得赐。”推梨让枣，又作让枣推梨。见《南史》之《梁武陵王传》。⑭⑦度：法度。⑭⑧瞿然：惊愕的样子。⑭⑨李弼（？至公元六七四年）：李勣弟。事见《旧唐书》卷六十七《李勣传》、《新唐书》卷九十三《李勣传》。⑮⓪丙午朔：十一月

命令王公以下都学习《老子》，每年考明经时，和《孝经》《论语》一样，加考《老子》策。”又请“从现在起，父亲还在的，居母亲丧服齐衰三年。还有，在京的官吏八品以上的，应该酌量增加俸禄”。还有其他便利国家的建议共十二条。高宗下诏称美天后，都加以施行。

这一年，有个叫刘晓的人，上疏讨论有关选举人才的事，认为：“现在掌管选举的机构，认为能考量功过，调查真伪就是公道，楷字好、文笔优美就算得到人才，却不知道考察人们的德行才能，何况楷法、文笔假借他人之手的为数众多。而且礼部选取士人，专门利用文章分成甲乙不同等级，所以天下士人，都舍弃德行修养而追求诗文写作，有早晨考上科甲，晚上就犯法的，虽然每天诵读万言书卷，与治道有什么相干！走了七步就写好诗文，未必能化育百姓。何况把心思放在花卉草木之间，极力描绘烟雾云霞的景色，照这样形成风气，岂不是大错吗！百姓倾慕名望，如同水向下流，上面有所喜好，下面一定追求得更为厉害。陛下如果选取士人以德行为先，把作诗文放在末位，那么众多的才士，就会如同雷电奔腾，四面八方风起云涌！”

初一日。⑮己酉：十一月初四日。⑯华山：号称西岳，在今陕西华阴南。海拔二千一百米，奇峰突兀，巍峨壮观，在五岳中以险著称。⑱曲武原：在华山下。⑲戊辰：十一月二十三日。⑳箕州：治所辽山，在今山西左权。⑯录事参军：官名，即录事参军事，上州为从七品上，中州为正八品上，下州为从八品上，职掌纠弹州县官员，考核文书簿籍，监管符印。⑰张君澈：《新唐书》卷八十作“张君彻”，事迹不详。⑱蒋王恽（？至公元六七四年）：唐太宗第七子。曾任安州都督、梁州刺史等职。死后追赠司空，陪葬昭陵。传见《旧唐书》卷七十六、《新唐书》卷八十。⑲通事舍人：官名，从六品上，中书省属官，掌引纳臣僚朝见及辞谢。⑯薛思贞：官至郓州刺史。见《新唐书》卷七十三下《宰相世系三下》。⑯驰传：驾驿站车马急行。⑯癸未：十二月初八日。⑯戊子：十二月十三日。⑯于阗王伏阇雄（？至公元六九二年）：姓尉迟。后因击吐蕃有功，被任命为毗沙都督府都督。事见《旧唐书》卷一百九十八《西戎传》、《新唐书》卷二百二十一上《西域传上》。⑯辛卯：十二月十六日。⑯波斯王卑路斯：伊嗣侯之子。继位后为阿拉伯帝国所逼，曾遣使向唐求援，被任命为波斯都督府都督。此次入朝，官拜右武卫将军。后死于长安。《唐会要》卷一百及《旧唐书》卷一百九十八载仪凤三年“裴行俭将兵册送卑路斯为波斯王”的记载有误。事见《旧唐书》卷一百九十八《波斯传》、《新

唐书》卷二百二十一下《波斯传》。⑯⑦壬寅：十二月二十七日。⑯⑧玄元皇帝：对老子李耳的尊称。唐初帝王认为老子是其祖先，故加以推崇。乾封元年（公元六六六年）三月二十日追尊老子为太上玄元皇帝。宋、清两代避讳“玄”字，改玄为“元”，称为“元元皇帝”。⑯⑨《老子》：即《道德经》，为老子所作，凡五千余字，集中反映了老子的思想。⑰⓪明经：唐代科举制度所设置的主要科目之一，与进士并列，以考核经义为主。⑰①《孝经》：申明孝道和孝治思想的儒家经典。⑰②《论语》：记录孔子言行思想的著作，凡二十篇。后来被列为“四书”之一。⑰③齐衰：用粗麻布做成的丧服，为五服之一，仅次于斩衰。古礼，父在，为母服齐衰一年，至此改为三年。⑰④合十二条：据《新唐书》之《则天皇后传》，其具体内容为：一、劝农桑，薄赋徭；二、给复三秦地；三、息兵，以道德化天下；四、南北中尚禁浮巧；五、省功费力役；六、广言路；七、杜谗口；

【原文】

二年（乙亥，公元六七五年）

春，正月丙寅[185]，以于阗国为毗沙都督府，分其境内为十州，以于阗王尉迟伏阇雄为毗沙都督。

辛未[186]，吐蕃遣其大臣论吐浑弥来请和[187]，且请与吐谷浑复修邻好，上不许。

二月，刘仁轨大破新罗之众于七重城[188]，又使靺鞨浮海，略新罗之南境，斩获甚众。仁轨引兵还，诏以李谨行为安东镇抚大使，屯新罗之买肖城以经略之，三战皆捷，新罗乃遣使入贡[189]，且谢罪，上赦之，复新罗王法敏官爵[190]。金仁问中道而还，改封临海郡公。

三月丁巳[191]，天后祀先蚕[192]于邙山之阳[193]，百官及朝集使[194]皆陪位。

上苦风眩[195]甚，议使天后摄知国政。中书侍郎同三品郝处俊曰：“天子理外，后理内，天之道也[196]。昔魏文著令，虽有幼主，不许皇后临朝[197]，所以杜祸乱之萌也。陛下奈何以高祖、太宗之天下，不传之子孙而委之天后乎！”中书侍郎[198]昌乐[199]李义琰[200]曰：“处俊之言至忠，陛

八、王公以降皆习《老子》；九、父在为母服齐衰三年；十、上元前勋官已给告身者无追核；十一、京官八品以上益禀入；十二、百官任事久，材高位下者得进阶申滞。⑰刘晓：《唐会要》作“刘峣”，事迹不详。⑰选曹：掌管铨选的机构。⑰检勘：检核勘查。胡注说检勘是指考其功过，察其假名承伪、隐冒升降。⑰公道：犹“公平”。⑰书判：书法、判词。《新唐书》之《选举志下》：凡择人之法有四，一曰身，体貌丰伟；二曰言，言辞辩正；三曰书，楷法遒美；四曰判，文理优长。⑱借人：假手于人；请人代笔。⑱甲乙：在此犹言高下次第。⑱理体：治道。⑱文成七步：喻文思敏捷。典出《世说新语》之《文学》。魏文帝曹丕令其弟曹植在行走七步的时间内作一首诗，作不出将被处死。曹植应声诵道：“煮豆持作羹，漉菽以为汁。萁在釜下燃，豆在釜中泣。本自同根生，相煎何太急！”文帝听后大惭，便释放了曹植。⑱多士：众多的士子。亦指百官。

【语译】

二年（乙亥，公元六七五年）

春，正月二十一日丙寅，把于阗国设置为毗沙都督府，把它境内划分为十个州，任命于阗王尉迟伏阇雄为毗沙都督。

二十六日辛未，吐蕃派遣大臣论吐浑弥前来请求和解，且请与吐谷浑再结邻国之好，高宗没有答应。

二月，刘仁轨在七重城大败新罗的部众，又派靺鞨渡海，攻略新罗南方地域，斩杀俘获很多敌人。刘仁轨率军返回，朝廷下诏任命李谨行为安东镇抚大使，驻扎在新罗的买肖城运筹新罗战事，三次交战都获胜，新罗就派遣使者入朝进贡，并且向高宗谢罪，高宗予以赦免，恢复新罗王金法敏的官爵。金仁问半路返还，改封为临海郡公。

三月十三日丁巳，天后在邙山之南祭祀先蚕，百官和朝集使都陪位祭祀。

高宗因为头风眩晕非常厉害而痛苦，讨论让天后代理国政。中书侍郎同三品郝处俊说：“天子治理外事，皇后管理内务，这是上天的规则。过去魏文帝制定法令，虽然有年幼的国君，也不允许皇后临朝听政，以此来杜绝祸乱的发生。陛下怎么能把高祖、太宗的天下，不传给子孙而委托给天后呢！”中书侍郎昌乐人李义琰说：“郝处俊的话下宜听之!”上乃止。

天后多引文学之士著作郎元万顷、左史刘祎之等[201]，使之撰《列女传》《臣轨》《百僚新戒》《乐书》[202]，凡千余卷。朝廷奏议及百司表疏，时密令参决，以分宰相之权，时人谓之“北门学士”[203]。祎之，子翼[204]之子也。

夏，四月庚辰[205]，以司农少卿[206]韦弘机[207]为司农卿[208]。弘机兼知东都营田[209]，受诏完葺宫苑。有宦者于苑中犯法，弘机杖之，然后奏闻。上以为能，赐绢数十匹，曰:“更有犯者，卿即杖之，不必奏也。”

初，左千牛将军[210]长安赵瓌尚高祖女常乐公主，生女为周王显妃。公主颇为上所厚，天后恶之。辛巳[211]，妃坐废，幽闭于内侍省[212]，食料给生者，防人[213]候其突烟[214]，已而数日烟不出，开视，死腐[215]矣。瓌自定州刺史贬栝州[216]刺史，令公主随之官，仍绝其朝谒[217]。

太子弘仁孝谦谨，上甚爱之；礼接士大夫，中外属心[218]。天后方逞其志，太子奏请，数迕旨[219]，由是失爱于天后。义阳、宣城二公主，萧淑妃之女也，坐母得罪，幽于掖庭，年逾三十不嫁[220]。太子见之惊恻[221]，遽奏请出降，上许之。天后怒，即日以公主配当上翊卫[222]权毅、王遂古[223]。己亥[224]，太子薨于合璧宫，时人以为天后鸩之[225]也。

壬寅[226]，车驾还洛阳宫。五月戊申[227]，下诏:“朕方欲禅位皇太子，而疾遽不起，宜申往命，加以尊名，可谥为孝敬皇帝[228]。”

六月戊寅[229]，立雍王贤[230]为皇太子，赦天下。

天后恶慈州刺史[231]杞王上金[232]，有司希旨奏其罪。秋，七月，上金坐解官，澧州[233]安置。

八月庚寅[234]，葬孝敬皇帝于恭陵[235]。

戊戌[236]，以戴至德为右仆射[237]，庚子[238]，以刘仁轨为左仆射，并同中书门下三品如故。张文瓘为侍中[239]，郝处俊为中书令；李敬玄为吏部尚书[240]兼左庶子，同中书门下三品如故。

刘仁轨、戴至德更日受牒诉[241]，仁轨常以美言许之，至德必据理难诘，未尝与夺，实有冤结者，密为奏辩。由是时誉皆归仁轨。或问其

极为忠诚，陛下应该听从！”高宗这才打消了这一念头。

天后起用很多的文学之士，如著作郎元万顷、左史刘祎之等人，让他们撰写《列女传》《臣轨》《百僚新戒》《乐书》，共一千多卷。朝廷奏议和百官表疏，时常秘密地命令这些文学之士参议决断，以分割宰相的权力，当时人称之为“北门学士”。刘祎之，是刘子翼的儿子。

夏，四月初六日庚辰，任命司农少卿韦弘机为司农卿。韦弘机兼代东都营田事，接受诏令修葺宫廷苑囿。有个宦官在苑囿中犯了法，韦弘机以杖拷打，然后奏报高宗。高宗认为他能干，赏赐给他几十匹绢帛，说：“再有犯法的人，你立即以杖拷打，不必奏报。”

当初，左千牛将军长安人赵瓌娶高祖的女儿常乐公主，生下女儿为周王李显妃。常乐公主很受皇上厚爱，天后很忌恨。四月初七日辛巳，李显妃因此被废，幽禁在内侍省，给她生的食物，让防卫之人候望烟囱是否冒烟，烟囱已经几天不冒烟，打开门一看，人已死，尸体都腐烂了。赵瓌从定州刺史贬为栝州刺史，命令常乐公主随从赵瓌赴任，还断绝了赵瓌、常乐公主的朝觐进谒资格。

太子李弘仁爱孝顺谦虚恭谨，高宗特别喜爱他。太子礼遇士大夫，朝廷内外归心。天后那时正恣纵心志，太子的奏请，多次忤逆她的旨意，因此失去天后的欢心。义阳、宣城两个公主是萧淑妃的女儿，因为母亲的关系也获罪，囚禁在后宫旁舍嫔妃的住所中，年过三十还没出嫁。太子看了很惊讶，怜悯她们，很快奏请高宗把她们嫁出，高宗答应了。天后很生气，当天就把公主许配给担任轮番宿卫的翊卫权毅、王遂古。四月二十五日己亥，太子在合璧宫去世，当时人们认为是被天后毒死的。

四月二十八日壬寅，高宗车驾返回洛阳宫。五月初五日戊申，下诏：“朕正想传位给皇太子，而太子却突然一病不起，现在应重申以前的命令，加给他尊崇的名号，可以封谥号为孝敬皇帝。”

六月初五日戊寅，立雍王李贤为皇太子，大赦天下。

天后厌恶慈州刺史杞王李上金，有关的主事官员迎合天后旨意奏报杞王的罪过。秋，七月，李上金获罪被解除官职，安置在澧州。

八月十九日庚寅，把孝敬皇帝埋葬在恭陵。

八月二十七日戊戌，任命戴至德为右仆射，二十九日庚子，任命刘仁轨为左仆射，都为同中书门下三品，与旧例相同。张文瓘为侍中，郝处俊为中书令；李敬玄为吏部尚书兼左庶子，也与先前一样为同中书门下三品。

刘仁轨、戴至德轮流受理诉讼状纸。刘仁轨遇到有人申诉，经常用好听的话答应办理，而戴至德则一定据理诘问，不随便决断，实在有冤屈的，秘密地奏报高宗解决。因此当时人们的称誉都集于刘仁轨一身。有人问戴至德那样做的原因，戴至

故，至德曰："威福者人主之柄[242]，人臣安得盗取之！"上闻，深重之。有老妪[243]欲诣仁轨陈牒，误诣至德，至德览之未终，妪曰："本谓是解事仆射[244]，乃不解事仆射邪！归我牒[245]！"至德笑而授之。时人称其长者[246]。文瓘时兼大理卿[247]，囚闻改官，皆恸哭。文瓘性严正，诸司奏议，多所纠驳，上甚委之。

【段旨】

以上为第七段，写武则天贪权，毒杀贤明太子李弘。

【注释】

⑱⑤丙寅：正月二十一日。⑱⑥辛未：正月二十六日。⑱⑦吐蕃遣其大臣论吐浑弥来请和：《旧唐书》卷五、《新唐书》卷二百十六上亦载此事。⑱⑧七重城：在今韩国京畿道坡州郡。⑱⑨新罗乃遣使入贡：《唐会要》卷九十五载新罗此后所输物产，为诸蕃之最。⑲⓪复新罗王法敏官爵：恢复金法敏上元元年正月以前的官爵，即：开府仪同三司、上柱国、乐浪郡王、新罗王、鸡林州都督。⑲①丁巳：三月十三日。⑲②先蚕：传说中最早教人育蚕的神。历代由皇后主祀先蚕，以表示对蚕桑的重视。唐制，皇后季春祀先蚕，并亲自采桑。详见《新唐书》之《礼乐志五》。⑲③邙山之阳：邙山之南。古称山之南或水之北为阳。邙山又称北邙山、北芒，在今河南洛阳北。⑲④朝集使：按规定前来京师，朝见皇帝的地方官员。唐制，各道每年派使者朝集于京师，汇报工作。⑲⑤风眩：因中风而引起的眩晕。⑲⑥"天子理外"三句：语出《礼记》之《昏仪》，天子听男教，后听女顺；天子理阳道，后治阴德；天子听外治，后听内职。教顺成俗，外内和顺，国家理治，此之谓盛德。⑲⑦"昔魏文著令"三句：事见本书卷六十九魏文帝黄初三年。魏文，即魏文帝曹丕，公元二二〇至二二六年在位。⑲⑧中书侍郎：官名，中书省长官中书令的副官，正四品，大历间升为正三品，职掌参议国家庶务，朝廷大政。⑲⑨昌乐：在今河南南乐。⑳⓪李义琰：性耿直，敢直谏。从司刑员外郎累迁中书侍郎，后进同中书门下三品，兼太子右庶子。其事详见《旧唐书》卷八十一、《新唐书》卷一百五本传。⑳①著作郎元万顷、左史刘祎之等：据《旧唐书》之《则天纪》及《文苑传》，当时所引文学之士还有周思茂、范履冰、卫敬业、苗神客、胡楚宾。唐著作郎属秘书省，掌修撰碑志、祝文、祭文，从五品上。左史为门下省属官，原名起居郎，高宗龙朔间改称右史，从六品上，职掌皇帝起

德说："刑罚奖赏是国君的权柄，人臣怎么可以盗取！"高宗听了，对他深为敬重。有个老妪打算到刘仁轨处陈述诉状，结果错到了戴至德那里，戴至德还没有把诉状看完，老妪说："本以为是通达事理的仆射，却原来是个不通达事理的仆射！还我诉状！"戴至德笑着把诉状还给她。当时的人都称颂戴至德是忠厚长者。文瓘当时兼大理卿，囚犯听说文瓘改任别的官职，都痛哭起来。文瓘生性严厉正直，对于各官署的奏议，多有纠正驳难，高宗很信任他。

居注，录载天子言行。㉒使之撰《列女传》《臣轨》《百僚》《新戒》《乐书》：详见《旧唐书》之《经籍志》、《新唐书》之《艺文志》。据《唐会要》卷七十五、《通典》卷十五、《旧唐书》卷四十七及《臣轨序》，《臣轨》一书系武则天亲作，非元万顷等撰。㉓时人谓之"北门学士"：因这些人大都是以弘文馆直学士的身份在皇宫中从事修撰和政治活动，常自皇宫北门出入，不经南衙，故有是称。㉔子翼：刘祎之之父刘子翼，仕隋为著作郎，以学行称；入唐，官至弘文馆直学士。传见《旧唐书》卷八十七、《新唐书》卷一百十七。㉕庚辰：四月初六日。㉖司农少卿：官名，司农寺长官司农卿的副手，从四品上，职掌与司农卿相同，参下文注。㉗韦弘机：京兆万年人，因避太子弘讳，改称韦机。自贞观以来，历任殿中监、檀州刺史、司农卿等职，号称良吏。传见《旧唐书》卷一百八十五上、《新唐书》卷一百。㉘司农卿：司农寺最高长官，从三品，掌国家仓储委积之政令。㉙营田：官方垦殖经营的田地。下文云娄师德"兼知营田事"，与此意思相同。后来的屯田亦谓之营田，均属官方性质。㉚左千牛将军：唐中央十二卫之一左千牛卫，设大将军，其下即为将军，从三品，职掌宫廷侍卫。㉛辛巳：四月初七日。㉜内侍省：在长安掖庭宫南，通明门外。该省官员皆为宦官，下统掖庭、宫闱、奚官、内仆、内府、内坊六局。㉝防人：犹看守。㉞候其突烟：等候她的烟突冒烟。㉟死腐：人死后尸体腐烂。㊱栝州："栝"字有误。唐无"栝州"，"栝"应为"括"。括州治所在今浙江丽水市东南。㊲绝其朝谒：不许她朝谒皇帝。㊳属心：归心。㊴违旨：逆旨。㊵年逾三十不嫁：《新唐书》卷八十一作"四十不嫁"。均不可信。《唐会要》卷二载，太子弘请降义阳、宣城二公主在咸亨二年（公元六七一年），当时唐高宗才四十二岁，其女不当年逾三十，更不可能至四十岁。㊶惊恻：惊讶恻怜。㊷当上翊卫：正在值勤的翊府卫士。唐制，亲勋翊三卫皆番上。当上即指当番上者。㊸王遂古：《新唐书》卷八十三及《唐会要》卷六均作颍川刺史王勖。㊹己亥：四月二十五日。㊺时人以为天后鸩之：当时人认为他是被武则天毒死的。鸩，以毒酒害人。关于太子弘之死，有多种说法。《新唐书》之《太子弘传》载："后将骋志，弘奏请数怫旨，从幸合璧宫，遇酖薨。"《唐历》云："……失

爱于天后，不以寿终。”但《实录》《旧传》皆不言弘遇酖。司马光在《考异》中说：“按弘之死，其事难明，今但云时人以为天后酖之，疑以传疑。”事实上，太子弘并不是被其母所杀，而是被肺结核夺去了生命。参《旧唐书》卷八十六、《全唐文》卷十五《孝敬皇帝睿德纪》及《唐大诏令集》卷二十六《皇太子谥孝敬皇帝制》等。㉖壬寅：四月二十八日。㉗戊申：五月初五日。㉘可谥为孝敬皇帝：帝子谥皇帝始于此。唐朝追谥皇帝有五，其他四位是殇皇帝李重茂，让皇帝李宪，奉天皇帝李琮和承天皇帝李倓。㉙戊寅：六月初五日。㉚雍王贤（公元六五四或六五五至六八四年）：武则天次子。容止端正，博闻强记。曾组织注释《后汉书》，处事尤为明审。后被废为庶人，流放巴州，在酷吏的逼迫下自杀。传见《旧唐书》卷八十六、《新唐书》卷八十一。㉛慈州刺史：两《唐书》杞王李上金本传均不载李上金曾为慈州刺史。慈州，治所在今山西吉县。㉜杞王上金（？至公元六九〇年）：唐高宗第三子，后宫刘氏所生。曾任鄜、寿等州刺史，武周时徙封毕王，又徙为泽王。后被诬告，自杀。传见《旧唐书》卷八十六、《新唐书》卷八十一。㉝澧州：治所在今湖南澧县。㉞庚寅：八月十九日。㉟恭陵：皇太子李弘之

【原文】

仪凤元年（丙子，公元六七六年）

春，正月壬戌[248]，徙冀王轮为相王。

纳州獠[249]反，敕黔州都督发兵讨之。

二月甲戌[250]，徙安东都护府于辽东故城[251]。先是有华人任安[8]东官者[252]，悉罢之。徙熊津都督府于建安故城[253]，其百济户口先徙于徐、兖等州者，皆置于建安。

天后劝上封中岳[254]，癸未[255]，诏以今冬有事于嵩山。

丁亥[256]，上幸汝州之温汤[257]。

三月癸卯[258]，黄门侍郎[259]来恒[260]、中书侍郎[261]薛元超[262]并同中书门下三品。恒，济之兄；元超，收之子也。

甲辰[263]，上还东都。

闰月，吐蕃寇鄯、廓、河、芳[264]等州，敕左监门卫中郎将[265]令狐智通发兴、凤等州[266]兵以御之。己卯[267]，诏以吐蕃犯塞，停封中岳。

陵，在洛州缑氏县慎来山，后改名太平山。㉟戊戌：八月二十七日。戴至德为右仆射的时间，《新唐书》卷三《高宗纪》、卷六十一《宰相表》皆作庚子。㊲右仆射：官名，尚书省长官为尚书令，其下有左右仆射各一员，从二品，职掌统理六官，纲纪庶务，为尚书令副手。㊳庚子：八月二十九日。㊴侍中：官名，门下省长官，正三品，大历间升为正二品，佐天子统理天下大政，与中书令共参军国之务，居宰相之任。㊵吏部尚书：官名，正三品，职掌天下官吏选授、勋封、考课之政令。㊶更日受牒诉：隔日轮班受理颂词，亦可理解为接待投诉者。〖按〗牒本系公文之一，秦汉已有，至唐更为通行。《唐六典》之《左右司郎中》条略云：凡下之所以达上，其制亦有六：曰表、状、笺、启、辞、牒。“表上于天子，其近臣亦为状，笺、启于皇太子，然于其长亦为之……九品以上公文皆曰牒，庶人曰辞。”牒与讼相连，即指颂词。㊷威福者人主之柄：奖赏刑罚是帝王的权柄。㊸老妪：老妇人。㊹解事仆射：明达事理的仆射。解事在此侧重通达人情之意。㊺归我牒：归还我的讼牒。㊻称其长者：称颂他是忠厚长者。㊼大理卿：官名，为大理寺长官，从三品，掌国家刑狱。

【语译】

仪凤元年（丙子，公元六七六年）

春，正月二十三日壬戌，把冀王李轮徙为相王。

纳州獠民叛乱，命令黔州都督出兵讨伐。

二月初六日甲戌，把安东都护府迁徙到辽东旧城。此前已把在朝鲜半岛上担任官吏的唐朝人，全都罢免了。把熊津都督府迁徙到建安旧城，那些先前迁徙到徐州、兖州的百济民户，都安置在建安。

天后劝高宗到中岳举行封禅，二月十五日癸未，下诏当年冬天在嵩山举行祭祀。

十九日丁亥，高宗亲临汝州温泉。

三月初五日癸卯，黄门侍郎来恒、中书侍郎薛元超均为同中书门下三品，来恒，是来济的兄长；薛元超，是薛收的儿子。

初六日甲辰，高宗返回东都。

闰三月，吐蕃侵犯鄯、廓、河、芳等州，下令左监门卫中郎将令狐智通调发兴、凤等州的军队加以抵御。十一日己卯，下诏说由于吐蕃侵犯边境，停止中岳封禅。

乙酉[268]，以洛州牧周王显为洮州道行军元帅，将工部尚书[269]刘审礼等十二总管；并州大都督相王轮为凉州道行军元帅，将左卫大将军契苾何力[270]等，以讨吐蕃。二王皆不行。

庚寅[271]，车驾西还。

甲寅[272]，中书侍郎李义琰同中书门下三品。

戊午[273]，车驾至九成宫。

六月癸亥[274]，黄门侍郎晋陵高智周[275]同中书门下三品。

秋，八月乙未[276]，吐蕃寇叠州[277]。

壬寅[278]，敕："桂、广、交[9]、黔等都督府[279]，比来注拟土人[280]，简择未精，自今每四年遣五品已上清正官充使，仍令御史同往注拟。"时人谓之南选[281]。

九月壬申[282]，大理[283]奏左威卫大将军权善才、左监门中郎将范怀义误斫昭陵柏，罪当除名[284]，上特命杀之。大理丞[285]太原狄仁杰[286]奏："二人罪不当死。"上曰："善才等斫陵柏，我不杀则为不孝。"仁杰固执不已，上作色[287]，令出，仁杰曰："犯颜直谏，自古以为难。臣以为遇桀、纣[288]则难，遇尧、舜[289]则易。今法不至死而陛下特杀之，是法不信于人也，人何所措其手足！且张释之[290]有言：'设有盗长陵一抔土[291]，陛下何以处之？'今以一株柏杀二将军，后代谓陛下为何如[292]矣？臣不敢奉诏者，恐陷陛下于不道，且羞见释之于地下故也。"上怒稍解，二人除名，流岭南。后数日，擢仁杰为侍御史。

初，仁杰为并州法曹[293]，同僚郑崇质当使绝域[294]，崇质母老且病，仁杰曰："彼母如此，岂可使之有万里之忧！"诣长史[295]蔺仁基，请代之行[296]。仁基素与司马[297]李孝廉不叶[298]，因相谓曰："吾辈岂可不自愧乎！"遂相与辑睦[299]。

冬，十月，车驾还京师。

丁酉[300]，祫享太庙，用太学博士[301]史璨[302]议，禘后三年而祫，祫后二年而禘[303]。

郇王素节，萧淑妃之子也，警敏好学。天后恶之，自岐州刺史左

十七日乙酉，任命洛州牧周王李显为洮州道行军元帅，率领工部尚书刘审礼等十二位总管；并州大都督相王李轮为凉州道行军元帅，率领左卫大将军契苾何力等人，讨伐吐蕃。但二王都不赴任。

二十二日庚寅，高宗车驾西返长安。

甲寅日，任命中书侍郎李义琰为同中书门下三品。

戊午日，高宗车驾到了九成宫。

六月二十七日癸亥，任命黄门侍郎晋陵人高智周为同中书门下三品。

秋，八月乙未日，吐蕃侵犯叠州。

初七日壬寅，下敕令："桂、广、交、黔等都督府，近来选拔本地人为官，选择不够精细，从现在起，每四年派遣五品以上清明正直的官吏担当使者，仍旧命令御史一起前往简选官吏。"当时人们称之为"南选"。

九月初七日壬申，大理寺奏报左威卫大将军权善才、左监门中郎将范怀义误砍了昭陵的柏树，论罪应当免除为官资格，高宗特别下令要处死他们。大理丞太原人狄仁杰上奏说："两人所犯之罪，不应当处死。"高宗说："权善才等人砍伐昭陵柏树，我不杀死他们就是不孝。"狄仁杰坚持不已，高宗变了脸色，命令狄仁杰出去。狄仁杰说："犯颜直谏，自古以来都认为很困难。臣却认为遇到桀、纣就很困难，遇到尧、舜就很容易。现在根据法令不至于处死，而陛下却特意要杀了他们，这是法令不取信于民，人们会手足无措！况且张释之说过：'假设有人盗窃长陵的一捧土，陛下要怎么处理？'现在因为一株柏树处死两位将军，后代人如何说陛下呢？臣不敢接受诏令，害怕把陛下陷于没有道义的境地，而且臣在九泉之下见到张释之也会感到羞愧。"高宗听了，怒气消掉一些，便将二人免除官籍，流放到岭南。几天后，擢升狄仁杰为侍御史。

当初，狄仁杰担任并州法曹司法参军事，同僚郑崇质应当出使到绝远的地方，郑崇质的母亲年老而且有病，狄仁杰说："他母亲这种样子，怎么可以让他有万里之外挂念母亲的忧虑呢！"他到长史蔺仁基那里，请求代替郑崇质远行。蔺仁基一向和司马李孝廉不和，因此相互说道："我们怎么可以不自我感到惭愧呢！"于是双方和睦相处。

冬，十月，高宗车驾返回京师。

初三日丁酉，在太庙举行袷祭祭祀祖先，采纳太学博士史璨的建议，在禘祭后三年举行袷祭，袷祭后二年举行禘祭。

郇王李素节，是萧淑妃的儿子，机警聪敏，喜好学习。天后厌恶他，把他从岐

迁[304]申州[305]刺史[306]。乾封初，敕曰："素节既有旧疾，不须入朝。"而素节实无疾，自以久不得入觐，乃著《忠孝论》。王府仓曹参军[307]张柬之因使潜封其论以进[308]。后见之，诬以赃贿[309]，丙午[310]，降封鄱阳王，袁州[311]安置。

十一月壬申[312]，改元，赦天下。

庚寅[313]，以李敬玄为中书令。

十二月戊午[314]，以来恒为河南道大使，薛元超为河北道大使，尚书左丞[315]鄢陵崔知悌、国子司业[316]郑祖玄为江南道大使，分道巡抚。

【段旨】

以上为第八段，写吐蕃犯边；狄仁杰初露头角，敢直言极谏。

【注释】

[248]壬戌：正月二十三日。[249]纳州獠：生活在今四川泸州叙永一带的獠人。仪凤三年（公元六七八年）平定獠人后置纳州，属泸州都督府。[250]甲戌：二月初六日。[251]徙安东都护府于辽东故城：安东都护府设置于总章元年（公元六六八年）。内徙时间有咸亨元年（公元六七〇年）说，据《新唐书》之《高丽传》等，安东都护府咸亨元年初徙于辽东州，上元三年（公元七六二年）移于辽东故城，即今辽宁辽阳。[252]华人任安东官者：总章元年设安东都护府时，擢高句丽、百济、新罗有功的首领为都督、刺史、县令，与华人同理百姓。这些华人即任"安东官者"。[253]建安故城：在今辽宁盖州东北青石关一带。[254]中岳：即嵩山，又名嵩高，在今河南登封北。因其居于"五岳"之中，故称"中岳"。[255]癸未：二月十五日。[256]丁亥：二月十九日。[257]汝州之温汤：《新唐书》之《地理志二》载，汝州梁县西南五十里有温汤，可以熟米。又有黄女汤，高宗置温泉顿。故址在今河南汝州东。[258]癸卯：三月初五日。[259]黄门侍郎：官名，即门下侍郎，门下省长官侍中的副手，正四品上，大历间升为正三品，对重大政务，能参议其中。[260]来恒（？至公元六七八年）：隋将来护兒之子，与其弟来济俱以学行著称。来济先为宰相，龙朔二年（公元六六二年）战死于北庭。传见《旧唐书》卷八十、《新唐书》卷一百五。[261]中书侍郎：官名，中书省属官，为中书令副手，正四品，大历间升为正三品，参议国家庶务和朝廷大政。[262]薛元超（公元六二二至六八三年）：蒲州汾阴（今山西万荣西南）人，

州刺史贬为申州刺史。乾封初年，高宗下令说："李素节既然有旧病，无须入朝晋见。"而李素节其实没有病，自认为长期不能入朝晋谒，就撰写了一篇《忠孝论》。王府仓曹参军张柬之暗中把《忠孝论》加封，上报朝廷。天后看到《忠孝论》，诬告李素节贪赃受贿，十月十二日丙午，降封为鄱阳王，安置在袁州。

十一月初八日壬申，更改年号，大赦天下。

二十六日庚寅，任命李敬玄为中书令。

十二月二十五日戊午，任命来恒为河南道大使，薛元超为河北道大使，尚书左丞鄢陵人崔知悌、国子司业郑祖玄为江南道大使，分道巡察安抚地方。

以才气知名。官至中书令兼左庶子，死后陪葬乾陵。传见《旧唐书》卷七十三、《新唐书》卷九十八。㉖③ 甲辰：三月初六日。㉖④ 鄯、廓、河、芳：此四州皆属陇右道，地当今青海海东市乐都区、化隆及甘肃临夏、迭部一带。㉖⑤ 左监门卫中郎将：左监门卫大将军之下的属官，掌监诸宫门，检校出入。㉖⑥ 兴、凤等州：兴、凤等州俱属山南道，地处今陕西汉中西北，距陇右较近。㉖⑦ 己卯：闰三月十一日。㉖⑧ 乙酉：闰三月十七日。㉖⑨ 工部尚书：官名，为工部长官，正三品，掌天下百工、屯田、山泽之政令。㉗⓪ 契苾何力（？至公元六七六年）：铁勒哥论易勿施莫贺可汗之孙，自贞观以来屡立战功。传见《旧唐书》卷一百九、《新唐书》卷一百十。㉗① 庚寅：闰三月二十二日。㉗② 甲寅：闰三月己巳朔，无甲寅。据两《唐书》之《高宗纪》，当为四月甲寅，即四月十七日。"甲寅"前应补"夏，四月"三字。㉗③ 戊午：闰三月无戊午，当为四月戊午，即四月二十一日。㉗④ 癸亥：六月二十七日。㉗⑤ 高智周（公元六〇二至六八三年）：常州晋陵（今江苏常州）人，曾任寿州刺史，治尚文雅，号为良吏。官至宰相。传见《旧唐书》卷一百八十五上、《新唐书》卷一百六及《咸淳毗陵志》卷十一。㉗⑥ 乙未：八月丙申朔，无乙未。《新唐书》卷三作七月乙未，即七月二十九日。当是。㉗⑦ 叠州：治所在今甘肃迭部。㉗⑧ 壬寅：八月初七日。㉗⑨ 桂、广、交、黔等都督府：地当今广西桂林、广东广州、越南河内一带、重庆彭水，皆在南方。㉘⓪ 注拟土人：注拟土人首领当官。"注拟"意为登记并拟定官职。唐制，凡应试获选者，先由尚书省登录，再经考察，然后才拟定官职，习惯上称之为"注拟"。㉘① 南选：南方之铨选。南选始于上元三年（公元六七六年）。详见《唐会要》之《南选》以及《新唐书》之《选举志下》。㉘② 壬申：九月初七日。㉘③ 大理：大理寺，主刑狱。㉘④ 罪当除名：所犯罪行依法应当免去为官资格。㉘⑤ 大理丞：官名，大理寺属官，从六品上，掌判寺事，根据犯人本状以正刑名。㉘⑥ 狄仁杰（公元六〇七至七〇〇年）：字

怀英，山西太原人，刚正不阿，有远见。后来成为武周时的著名宰相，深受武则天敬重。传见《旧唐书》卷八十九、《新唐书》卷一百十五。㉗作色：变脸；发怒。㉘桀纣：中国上古时代的两个暴君。桀，夏朝的最后一位国王，名叫履癸。纣，亦称帝辛，商朝末代国王。二人皆独断专行，荒淫无道。㉙尧、舜：传说中的两位古代圣王。尧为陶唐氏，名放勋，史称唐尧。舜姚姓，属有虞氏，名重华，史称虞舜。二人皆能发扬民主，选任贤才。㉚张释之：西汉南阳堵阳（今河南方城东）人，文帝时官至廷尉，要求文帝严格依法处刑。传见《史记》卷一百二、《汉书》卷五十。㉛设有盗长陵一抔土：语见本书卷四汉文帝三年。长陵，汉高祖刘邦之墓，在今陕西咸阳东北窖店乡。一抔土，一捧土。史炤在《资治通鉴释文》中说："不忍言毁陵，故止云取长陵一抔土耳。"毁陵，指盗墓挖陵。㉜为何如：为怎样的君主。㉝法曹：官名，即法曹司法参军事，上州从七品下，中州正八品上，下州从八品下，掌律令格式、鞫狱定刑、督捕盗贼、纠举奸非之事。㉞绝域：极远的地域。㉟长史：官名，上州从五品上，中州正六品上，州长史协助刺史处理一州政务。㊱请代之行：请求代他出使绝域。㊲司马：官名，上州从五品下，中州正六品上，下州从六品下，协助刺史，掌理州内政务。㊳不叶：不和。㊴辑睦：和睦。㊵丁酉：十月初三日。㊶太学博士：国子监属官，正六品上，掌教在太学中学习的文武官五品以上及郡县公子孙、从三品曾孙。㊷史璨：《新唐书》卷十三作"史玄璨"。《唐会要》卷十三、《全唐文》卷四百三十七作"史元璨"，避"玄"字。㊸"禘后三年而祫"二句：

【原文】

二年（丁丑，公元六七七年）

春，正月乙亥[317]，上耕藉田[318]。

初，刘仁轨引兵自熊津还，扶余隆畏新罗之逼，不敢留，寻亦还朝。二月丁巳[319]，以工部尚书高藏[320]为辽东州都督，封朝鲜王，遣归辽东，安辑高丽余众；高丽先在诸州者，皆遣与藏俱归。又以司农卿[321]扶余隆为熊津都督，封带方王，亦遣归安辑百济余众，仍移安东都护府于新城[322]以统之。时百济荒残，命隆寓居高丽之境。藏至辽东，谋叛，潜与靺鞨通；召还，徙邛州[323]而死，散徙其人于河南、陇右诸州，贫者留安东城傍。高丽旧城没于新罗，余众散入靺鞨及突厥，隆亦竟不敢还故地，高氏、扶余氏[324]遂亡。

禘、祫均为祭名。按照史璨的观点五年举行一次禘祭，合高祖之父以上神主祭于太祖庙，高祖以下分祭于本庙。禘祭以后三年举行一次祫祭，把远近祖先的神主集合起来在太庙大祭。祫祭后二年再举行禘祭。㉚④左迁：降职。古代以右为尊，左为卑，故称降职为左迁。㉚⑤申州：治所在今河南信阳南。㉚⑥刺史：素节先任岐州刺史，该州属上州，刺史为从三品；后任申州刺史，申州属中州，刺史为正四品上，品秩有所下降。㉚⑦王府仓曹参军：官名，王府设功、仓、户、兵、骑、法、士七曹，各置参军事一员，分掌本曹事务，正七品上。㉚⑧因使潜封其论以进：指张柬之因充使赴京，暗中偷偷地带上李素节的《忠孝论》，进献给皇帝。张柬之欲以此感动高宗与武则天，这恰恰加重了李素节的罪行。㉚⑨赃贿：贪污受贿。㉛⓪丙午：十月十二日。㉛①袁州：州名，治所在今江西宜春。㉛②壬申：十一月初八日。㉛③庚寅：十一月二十六日。㉛④戊午：十二月二十五日。㉛⑤尚书左丞：官名，尚书省属官，正四品上，掌管吏部、户部、礼部十二司，通判都省事。㉛⑥国子司业：官名。国子监置祭酒一员、司业二员，职掌国家儒学训导之政令。国子司业从四品下。

【校记】

［8］安：原无此字。据章钰校，十二行本、乙十一行本、孔天胤本皆有此字，张敦仁《通鉴刊本识误》同，今据补。［9］交：据章钰校，十二行本、乙十一行本、孔天胤本皆作“文”。

【语译】

二年（丁丑，公元六七七年）

春，正月十二日乙亥，高宗耕种藉田。

当初，刘仁轨带兵从熊津返回，扶余隆畏惧新罗的逼迫，不敢停留，没多久也回到朝廷。二月二十五日丁巳，任命工部尚书高藏为辽东州都督，封为朝鲜王，派遣他返回辽东，安抚高句丽剩余的部众；先前在各州的高句丽人，都遣送他们与高藏一起回去。又任命司农卿扶余隆为熊津都督，封为带方王，也派他回去安抚百济剩余部众，仍然把安东都护府迁移到新城，统一管理他们。当时百济荒芜破败，命令扶余隆寓居在高句丽境内。高藏到了辽东，阴谋反叛，暗中与靺鞨相通；朝廷把他召回，迁徙到邛州而死，把他的部众分散徙往河南、陇右各州，贫困的留在安东城边。高句丽旧城被新罗所吞并，余下的部众分散逃入靺鞨和突厥，而扶余隆最终也不敢返回故地，高氏、扶余氏便从此灭亡。

三月癸亥朔㉕，以郝处俊、高智周并为左庶子，李义琰为右庶子。

夏，四月，左庶子张大安㉖同中书门下三品。大安，公谨之子也。

诏以河南、北旱㉗，遣御史中丞㉘崔谧等分道存问赈给。侍御史㉙宁陵刘思立㉚上疏，以为“今麦秀蚕老㉛，农事方殷，敕使抚巡，人皆竦抃㉜，忘其家业，冀此天恩，聚集参迎，妨废不少。既缘赈给，须立簿书㉝，本欲安存，更成烦扰。望且委州县赈给，待秋[10]务闲，出使褒贬”。疏奏，谧等遂不行。

五月，吐蕃寇扶州之临河镇㉞，擒镇将杜孝升，令赍书说松州㉟都督武居寂使降，孝升固执不从。吐蕃军还，舍孝升而去，孝升复帅余众拒守。诏以孝升为游击将军㊱。

秋，八月，徙周王显为英王，更名哲。

命刘仁轨镇洮河军㊲。冬，十二月乙卯㊳，诏大发兵讨吐蕃。

诏以显庆《新礼》，多不师古㊴，其五礼㊵并依《周礼》㊶行事。自是礼官益无凭守，每有大礼，临时撰定。

【段旨】

以上为第九段，写唐高宗安抚高句丽、新罗未果，西疆与吐蕃战事亦不利。

【注释】

⑰乙亥：正月十二日。⑱藉田：天子借用民力耕种的田地。每年春耕前，天子行藉礼，手执耒耜在籍田上三推，表示重视农耕。⑲丁巳：二月二十五日。⑳高藏：高句丽宝藏王。荣留王建武之弟。贞观十七年（公元六四三年）封为辽东郡王、高句丽王。总章元年（公元六六八年）十一月被俘至长安，授司平太常伯。封为朝鲜王后不久，与靺鞨谋叛，流邛州而死。事见《旧唐书》卷一百九十九上《高丽传》、《新唐书》卷二百二十《高丽传》。㉑司农卿：官名，司农寺长官，从三品上，职掌邦国仓储委积之事。㉒移安东都护府于新城：自辽东故城迁至新城（今辽宁铁岭市）。据考证，安东都护府七迁，这是第三次迁徙。㉓邛州：州名，治所在今四川邛崃。㉔高氏扶余氏：高氏、扶余氏分别指高句丽、百济王室。㉕癸亥朔：三月初一日。㉖张大安（？至公元六八四年）：魏

三月初一日癸亥，任命郝处俊、高智周都为左庶子，李义琰为右庶子。

夏，四月，左庶子张大安为同中书门下三品。张大安，是张公瑾的儿子。

由于河南、河北旱灾，下诏派遣御史中丞崔谧等人分道进行慰问和赈济。侍御史宁陵人刘思立上疏，认为“现在麦已抽穗，蚕已成熟，农事正忙，敕令使者四处巡视抚慰，人们都会高兴得跷着脚鼓掌，忘记了自己的家庭事业，希望得到皇上的恩典，集合起来参加迎接，这就会妨害不少农事。既然是为了赈灾，就须建立簿籍文书，本来是要安抚存问百姓，反而变成了烦扰。希望暂且委托州县进行赈济，等到秋天农务清闲时，派出使者考核州县，或褒或贬”。疏文上奏，崔谧等人就没有成行。

五月，吐蕃侵犯扶州的临河镇，活捉了镇将杜孝升，命令杜孝升携带书信游说松州都督武居寂投降，杜孝升坚决不顺从。吐蕃军队撤了回去，抛下杜孝升离去，杜孝升再次率领剩余部众抵御防守。高宗下诏任命杜孝升为游击将军。

秋，八月，迁徙周王李显为英王，改名为李哲。

命令刘仁轨镇守洮河军。冬，十二月二十七日乙卯，下诏大规模发兵讨伐吐蕃。

下诏说由于显庆时制定的《新礼》，很多地方不师法古礼，其中“五礼”都是根据《周礼》的规定行事。从此以后，礼官更加没有依傍，每有盛大礼仪，就临时写定。

州繁水（今河南南乐西北）人，曾参加注释《后汉书》，后因章怀太子被废而左迁。传见《旧唐书》卷六十八、《新唐书》卷八十九。㉗ 河南、北旱：黄河南、北遭受旱灾。㉘ 御史中丞：官名，御史台属官，正四品下，为御史大夫副手，职掌邦国刑宪典章。㉙ 侍御史：官名，御史台属官，从六品下，职掌纠举百官，推鞫狱讼。㉚ 刘思立：宋州宁陵（今河南宁陵东南）人，官至考功员外郎。曾奏请明经加帖、进士试杂文。事见《旧唐书》卷一百九十中《刘宪传》、《新唐书》卷二百二《刘宪传》及《全唐文》卷一百五十三。㉛ 麦秀蚕老：麦收在即，蚕功未毕。㉜ 竦抃：直立鼓掌。㉝ 簿书：文书簿册。㉞ 扶州之临河镇：在今四川阿坝州内。㉟ 松州：治所嘉城，在今四川松潘。㊱ 游击将军：官名，武散官之一，从五品下。㊲ 洮河军：军镇名，地望不详。胡注：“鄯州城内有临洮军。”㊳ 乙卯：十二月二十七日。㊴ “显庆新礼”二句：显庆《新礼》修成于显庆三年，凡一百三十卷。《旧唐书》中《礼仪志一》载，时许敬宗、李义府用事，其所损益，多涉希旨，行用已后，学者纷议，以为不及贞观礼。㊵ 五礼：指吉礼、宾礼、军礼、嘉礼、凶礼。㊶《周礼》：原名《周官》，儒家经典之一，分《天官》《地官》《春官》《夏官》《秋官》《冬官》六篇，共四十二卷。

【校记】

［10］秋：据章钰校，十二行本、乙十一行本、孔天胤本皆作“秋深”。

【原文】

三年（戊寅，公元六七八年）

春，正月辛酉[342]，百官及蛮夷酋长朝天后于光顺门[343]。

刘仁轨镇洮河，每有奏请，多为李敬玄[344]所抑，由是怨之。仁轨知敬玄非将帅才，欲中伤之，奏言：“西边镇守，非敬玄不可。”敬玄固辞。上曰：“仁轨须朕，朕亦自往，卿安得辞！”丙子[345]，以敬玄代仁轨为洮河道大总管[346]，兼安抚大使，仍检校[347]鄯州都督。又命益州大都督府长史[348]李孝逸[349]等发剑南、山南兵以赴之。孝逸，神通之子也。

癸未[350]，遣金吾[11]将军[351]曹怀舜[352]等分往河南、北募猛士，不问布衣[353]及仕宦[354]。

夏，四月戊申[355]，赦天下，改来年元为通乾。

五月壬戌[356]，上幸九成宫。丙寅[357]，山中雨，大寒，从兵有冻死者。

秋，七月，李敬玄奏破吐蕃于龙支[358]。

上初即位，不忍观《破陈乐》[359]，命撤之。辛酉[360]，太常少卿[361]韦万石[362]奏：“久寝不作，惧成废缺。请自今大宴会复奏之。”上从之。

九月辛酉[363]，车驾还京师。

上将发兵讨新罗，侍中[364]张文瓘卧疾在家，自舆入见[365]，谏曰：“今吐蕃为寇，方发兵西讨；新罗虽云不顺，未尝犯边，若又东征，臣恐公私不胜其弊。”上乃止。癸亥[366]，文瓘薨。

丙寅[367]，李敬玄将兵十八万与吐蕃将论钦陵[368]战于青海之上，兵败，工部尚书、右卫大将军彭城僖公[369]刘审礼为吐蕃所虏。时审礼将

【语译】

三年（戊寅，公元六七八年）

春，正月初四日辛酉，百官和蛮夷酋长在光顺门朝见天后。

刘仁轨镇守洮河，每次有所奏请，多被李敬玄所阻滞，因此怨恨李敬玄。刘仁轨知道李敬玄不是将帅之才，想要诬陷他，就向高宗奏言：“镇守西方边境，非李敬玄不可。”李敬玄坚决推辞。高宗说：“刘仁轨需要我，我也会亲自前往，你怎么可以推辞！”正月十九日丙子，任命李敬玄代替刘仁轨为洮河道大总管，兼安抚大使，仍然检校鄯州都督。又命令益州大都督府长史李孝逸等人，调动剑南、山南的军队前往。李孝逸，是李神通的儿子。

二十六日癸未，派遣金吾将军曹怀舜等人分别前往河南、河北招募勇猛之士，不用问是平民还是官宦子弟。

夏，四月二十二日戊申，大赦天下，更改下一年的年号为通乾。

五月初七日壬戌，高宗亲临九成宫。十一日丙寅，山中下雨，非常寒冷，随从的士兵中有冻死的。

秋，七月，李敬玄奏报在龙支打败吐蕃。

高宗刚刚即位时，不忍心观看《破陈乐》，命令撤掉此乐。初七日辛酉，太常少卿韦万石上奏说：“长期弃置不演奏，恐怕变成残漏的乐曲。请自今以后，在盛大宴会上再度演奏。”高宗听从了这一建议。

九月初七日辛酉，高宗车驾返回京师。

高宗准备发兵讨伐新罗。侍中张文瓘卧病在家，自己乘坐轿子入朝谒见高宗，劝告说：“现在吐蕃为寇侵扰，正在调动军队向西征讨；虽然说新罗不顺服，却没有侵犯边境，如果又东进征讨，臣担心公私两方面都不能承受其害。”高宗这才取消东征新罗。初九日癸亥，张文瓘去世。

九月十二日丙寅，李敬玄率领十八万士兵在青海和吐蕃将论钦陵交战，部队吃了败仗，工部尚书、右卫大将军彭城僖公刘审礼被吐蕃俘虏。当时刘审礼率领前锋

前军深入，顿于濠所，为虏所攻，敬玄懦怯，按兵不救。闻审礼战没，狼狈还走，顿于承风岭[370]，阻泥沟以自固[371]，虏屯兵高冈以压之。左领军员外将军[372]黑齿常之[373]，夜帅敢死之士五百人袭击虏营，虏众溃乱，其将跋地设引兵遁去，敬玄乃收余众还鄯州。

审礼诸子自缚诣阙[374]，请入吐蕃赎其父，敕听次子易从诣吐蕃省之[375]。比至，审礼已病卒[376]，易从昼夜号哭不绝声，吐蕃哀之，还其尸，易从徒跣负之以归[377]。上嘉黑齿常之之功，擢拜左武卫将军[378]，充河源军[379]副使。

李敬玄之西征也，监察御史[380]原武娄师德[381]应猛士诏从军，及败，敕师德收集散亡，军乃复振。因命使于吐蕃，吐蕃将论赞婆迎之赤岭[382]。师德宣导上意，谕以祸福，赞婆甚悦，为之数年不犯边。师德迁殿中侍御史[383]，充河源军司马[384]，兼知营田事。

上以吐蕃为忧，悉召侍臣谋之，或欲和亲以息民；或欲严设守备，俟公私富实而讨之；或欲亟发兵击之。议竟不决，赐食而遣之。太学生宋城魏元忠[385]上封事[386]，言御吐蕃之策，以为"理国[387]之要，在文与武。今言文者则以辞华[388]为首而不及经纶[389]，言武者则以骑射[390]为先而不及[12]方略[391]，是皆何益于理乱哉！故陆机著《辨亡》之论，无救河桥之败[392]，养由基射穿七札，不济鄢陵之师[393]，此已然之明效[394]也。古语有之：'人无常俗，政有理乱；兵无强弱，将有巧拙。'故选将当以智略为本，勇力为末。今朝廷用人，类取[395]将门子弟及死事之家[396]，彼皆庸人，岂足当阃外[397]之任！李左车[398]、陈汤[399]、吕蒙[400]、孟观[401]，皆出贫贱而立殊功[402]，未闻其家代为将[403]也"。

"夫赏罚者，军国之切务，苟有功不赏，有罪不诛，虽尧、舜不能以致理。议者皆云：'近日征伐，虚有赏格[404]而无事实。'盖由小才之吏，不知大体，徒惜勋庸，恐虚仓库，不知士不用命，所损几何！黔首[405]虽微，不可欺罔。岂得悬不信之令，设虚赏之科，而望其立功乎？自苏定方征辽东[406]，李勣破平壤[407]，赏绝不行，勋仍淹滞，不闻斩一台郎[408]，戮一令史[409]，以谢勋人[410]。大非川之败，薛仁贵、郭待封等不即重诛[411]，向使早诛仁贵等，则自余诸将岂敢失利于后哉！臣恐吐蕃之平，非旦夕可冀也。"

部队深入敌境，驻扎在濠所，被敌人攻击。李敬玄胆怯懦弱，按兵不救。听说刘审礼战败被擒，狼狈不堪地撤退，屯驻在承风岭，利用泥沟阻隔敌人，以求自保。敌人屯兵在高岗上，进行压制。左领军员外将军黑齿常之趁着夜色率领五百个敢死之士，偷袭敌人营寨，敌军溃乱，敌将跋地设带兵逃走，李敬玄才收拢余部返回鄯州。

刘审礼的儿子们自我捆绑前往宫廷，请求交给吐蕃赎回他们的父亲，高宗敕令让第二个儿子刘易从到吐蕃探视父亲。到达时，刘审礼已经病亡，刘易从昼夜号哭，声音不绝，吐蕃哀怜他，送还刘审礼尸体，刘易从赤脚步行，背负亡父回家。高宗嘉许黑齿常之的功劳，擢升他为左武卫将军，担任河源军副使。

李敬玄西征时，监察御史原武人娄师德响应寻求猛士的诏令而从军，等到李敬玄兵败，高宗敕令娄师德收拢逃散的部队，军力就又振作起来。因此高宗命令娄师德出使吐蕃，吐蕃将领论赞婆在赤岭迎接他。娄师德宣谕高宗的旨意，以吉凶祸福晓示论赞婆，论赞婆非常高兴，为此有好几年不侵犯边境。娄师德升迁为殿中侍御史，担任河源军司马，兼理屯田事务。

高宗认为吐蕃是个忧患，把侍臣全部招来谋划，有人打算与吐蕃和亲，让百姓休养生息；有人想要严密设防，等到国家、百姓都富有殷实时再讨伐；有人主张马上出兵攻击。讨论最终也没有结果，高宗赏赐食物后，把大臣们遣散了。太学生宋城人魏元忠呈上密封的奏章，提出抵御吐蕃的策略，认为“治理国家的根本，在于文事和武备。现今谈到文事，都以文辞华丽为首务，而不涉及治国平天下；谈到武备，都以骑马射箭为先务，而不涉及谋略，这样子对于治理世乱有什么好处呢！所以陆机撰写《辨亡论》，无补于河桥之败，养由基能射穿七层铠甲，挽救不了鄢陵军队的败北，这些是已经有过的明证。古语有这样的说法：‘人们没有不变的习俗，政治却有治乱的不同；军队没有强弱之分，将领却有巧妙笨拙之分。’所以选拔将领应该以智慧、谋略为本，勇气、武力为末。现今朝廷用人，大多取自将门和身死王事的家庭，那些人都平庸无才，怎么能够担当国门之外的统兵大任！李左车、陈汤、吕蒙、孟观，都出身贫贱而建立了大功勋，却没有听说他们家世世为将。

“奖赏和刑罚是军政至关重要的事情，如果有功劳不奖赏，有罪过不诛杀，就是尧、舜也不能达到大治。发表意见的都这么说：‘近期的征伐，空有奖赏的规格而无实际。’这是由于一些小才的官吏，不识大体，只知珍惜勋劳奖赏，担心仓库财物变空，不知道将士不效命，所损失的有多少！百姓虽然卑微，也不能欺骗。怎么可以高悬不讲信用的法令，设下虚伪的奖赏科条，而盼望人们能立功呢？自从苏定方征讨辽东，李勣攻破平壤，封赏已经中断不再施行，赐勋仍然停滞，没听说过斩一个台郎，杀一个令史，向有功勋的人谢罪。大非川的败北，薛仁贵、郭待封等人没有接受重刑，如果过去早些诛杀薛仁贵等人，那么其他各将以后怎么敢失利呢！臣担心吐蕃的平定，不是早晚之间可以希冀的。

“又，出师之要，全资马力。臣请开畜马之禁，使百姓皆得畜马，若官军大举，委州县长吏以官钱增价市之，则皆为官有。彼胡虏恃马力以为强，若听人间[412]市而畜之，乃是损彼之强为中国之利也。”先是禁百姓畜马，故元忠言之。上善其言，召见，令直中书省，仗内供奉[413]。

冬，十月丙午[414]，徐州刺史密贞王元晓[415]薨。

十一月壬子[416]，黄门侍郎、同中书门下三品来恒薨。

十二月，诏停来年通乾之号，以反语不善故[417]也。

【段旨】

以上为第十段，写唐军败于吐蕃。太学生魏元忠上奏，国家防务三章：第一，要把谋略放在第一位；第二，要赏罚严明；第三，开畜马之禁，鼓励百姓养马。

【注释】

㉞辛酉：正月初四日。㉞光顺门：在大明宫宣政殿西北。《唐六典》卷七，宣政殿北曰紫宸门，紫宸门左曰崇明门，右曰光顺门。㉞李敬玄：代刘仁轨为中书令。传见《旧唐书》卷八十一、《新唐书》卷一百六。㉞丙子：正月十九日。㉞以敬玄代仁轨为洮河道大总管：《考异》说：“《实录》云：‘与仁轨相知镇守。而敬玄之败，仁轨不预。’《新》《旧传》皆云‘以代仁轨’，今从之。”刘仁轨以私怨设局陷害李敬玄，不可谓贤。㉞检校：兼任；代理。㉞大都督府长史：官名，从三品，协助大都督府长官都督管理府内庶务。㉞李孝逸：唐宗室，淮安王李神通之子。始封梁郡公，后因平徐敬业有功，官至镇军大将军，徙封吴国公。传见《旧唐书》卷六十、《新唐书》卷七十八、《嘉泰会稽志》卷二。㉟癸未：正月二十六日。㉟金吾将军：官名，属左右金吾卫，职掌宫禁及京城巡警之法。㉟曹怀舜：籍贯不详。后因与突厥作战失利，被流于岭南。其事散见于《旧唐书》卷五《高宗纪下》、《新唐书》卷二百十五上《突厥传下》。㉟布衣：平民。㉟仕宦：本指做官，此处指官吏。㉟戊申：四月二十二日。㉟壬戌：五月初七日。㉟丙寅：五月十一日。㉟龙支：古县名，在今青海民和东南。㉟《破陈乐》：即《秦王破阵乐》，

“还有，出动军队最要紧的，全凭马力。臣请求开放养马的禁令，使百姓都能够养马，如果官军大举出动，就委派州县长官用公家金钱提高价格向百姓购买，那么马匹全为国家所有。那些胡虏依靠马力而强大，如果听任民间向胡人购买蓄养，那么就是减弱胡人的强势，而有利于中国。”以前禁止百姓养马，所以魏元忠才议及养马。高宗赞赏魏元忠的建议，召见他，命令他在中书省值守，朝会时可以随着百官入见。

冬，十月二十三日丙午，徐州刺史密贞王李元晓去世。

十一月壬子日，黄门侍郎、同中书门下三品来恒去世。

十二月，下诏停用下一年的通乾年号，因为通乾的反语不吉利。

唐代三大军乐曲之一。《新唐书》之《礼乐志》载：太宗为秦王，破刘武周，军中相与作《秦王破陈乐》曲。其后渐趋完善，包括三变、十二阵、五十二遍，舞者一百二十人。以讨叛为主题，旨在歌颂唐太宗扫平天下的功绩。㊱辛酉：七月初七日。㊲太常少卿：官名，太常寺属官，正四品，为太常寺卿副手，职掌邦国礼乐及郊庙、社稷祭享礼仪。㊳韦万石：高宗朝著名音乐家。传见《旧唐书》卷七十七、《新唐书》卷九十八等。㊴辛酉：九月初七日。㊵侍中：官名，门下省长官，正三品，大历中升为正二品，佐助天子，统理大政，凡军国要务，与中书令参议决断。㊶自舆入见：抱病登车，求见皇帝。㊷癸亥：九月初九日。㊸丙寅：九月十二日。㊹论钦陵：吐蕃权臣禄东赞次子。自仪凤四年（公元六七九年）起专知政事，不断侵扰唐境。圣历二年（公元六九九年）与赞普器弩悉弄矛盾加剧，兵败自杀。事详《旧唐书》卷一百九十六上《吐蕃传上》、《新唐书》卷二百十六上《吐蕃传上》。㊺彭城僖公：刘审礼官爵与谥号的合称。其中僖是谥号。《谥法》，“刚克为僖；又，小心畏忌曰僖”。㊻承风岭：地名，在今青海化隆回族自治县西南。㊼阻泥沟以自固：以泥沟为阻隔。两《唐书》所载与此不同。如《新唐书》卷一百六《李敬玄传》：“乃顿承风岭，又阻沟淖，莫能前。”同书卷二百十六上《吐蕃传上》：“顿承风岭，碍险不得纵。”《旧唐书》卷一百九十六上《吐蕃传上》亦云：“顿于承风岭，阻泥沟不能动。”据此，则是为泥沟所阻。㊽左领军员外将军：官名，隶属左领军卫，从三品，有员二人，员外任命的，称“员外将军”，职掌大朝会警卫。㊾黑齿常之（？至公元六八九年）：百济人，高宗时入唐，成为一代名将。以战功进封燕国公。后被酷吏诬告，在狱中自缢。传见《旧唐书》卷一百九、《新唐书》卷一百十。㊿自缚诣阙：把自己绑起来前往皇宫。375省之：探望他的父亲。376“比至”二句：时在永隆二

年（公元六八一年）。见《旧唐书》卷七十七《刘审礼传》。㊲㊆ 易从徒跣负之以归：徒跣，即赤脚行走。“负之以归”恐非事实。《新唐书》卷一百六作“徒跣万里，扶护以归”。《旧唐书》卷七十七作“吐蕃哀其志行，还其父尸柩，易从徒跣万里，扶护归彭城”。此二说意思略同，较近情理。㊲㊇ 左武卫将军：官名，从三品，位左武卫大将军之下，职掌宫廷警卫。㊲㊈ 河源军：仪凤二年置，在今青海西宁。㊳⓪ 监察御史：官名，隶属御史台，正八品上，掌巡察郡县、屯田、铸钱等事。㊳① 娄师德（公元六三〇至六九九年）：字宗仁，郑州原武（今河南原阳）人，进士出身。由监察御史应猛士诏出征，战功卓著。武周时官至宰相，长期主持西北屯田，颇有政绩。传见《旧唐书》卷九十三、《新唐书》卷一百八。㊳② 赤岭：山名，在今青海西宁西。㊳③ 殿中侍御史：官名，隶属御史台，从七品下，掌殿廷供奉之仪式。㊳④ 充河源军司马：此司马为河源军长吏。《考异》云：“《御史台记》‘充河源军使’，今从《旧传》。”㊳⑤ 魏元忠：宋州宋城（今河南商丘）人，则天朝官至凤阁侍郎、同凤阁鸾台平章事。中宗时拜卫尉卿、同中书门下三品。传见《旧唐书》卷九十二、《新唐书》卷一百二十二。㊳⑥ 封事：密封的章奏。古时官吏上奏机密大事，为防止泄露机密，用皂袋封缄，称为封事。㊳⑦ 理国：治国。唐人避高宗名讳，改“治”为“理”。㊳⑧ 辞华：辞藻华丽。㊳⑨ 经纶：本指整理丝缕，此处引申为处理国家大事。㊴⓪ 骑射：骑马射箭。㊴① 方略：计谋策略。㊴② “陆机著《辨亡》之论”二句：事见本书卷八十五晋惠帝太安二年。陆机（公元二六一至三〇三年），字士衡，吴郡华亭（今上海市松江区）人，三国时孙吴名将陆逊之孙，陆抗之子。入晋为著名文学家，曾著《辨亡论》述孙权之所以兴，孙皓之所以亡的原因。西晋八王之乱，成都王司马颖委陆机为后将军，领军二十余万讨长沙王司马乂，在河桥交战全军崩溃。此以讽陆机只会纸上谈兵。传见《晋书》卷五十四。㊴③ “养由基射穿七札”二句：事见《左传》成公十六年。养由基，春秋时楚国大夫，以善射闻名，能百步穿杨。七札，七层甲叶。不济鄢陵之师，指公元前五七五年鄢陵之战，楚军被晋军打败，养由基不能改变战局。㊴④ 明效：明证。㊴⑤ 类取：犹多取。㊴⑥ 死事之家：死于王事者的子孙。相当于“烈属”。㊴⑦ 阃外：原指郭门以外。

【原文】

调露元年（己卯，公元六七九年）

春，正月己酉[418]，上幸东都。

司农卿韦弘机作宿羽、高山、上阳[419]等宫，制度壮丽。上阳宫临洛水[420]，为长廊[13]亘一里。宫成，上徙[14]御之。侍御史狄仁杰劾奏此谓统兵在外。㊳李左车：秦汉之际谋士，曾向陈余、韩信献破敌之计。陈余不用其策，兵败身死；韩信用其策，取得燕地。事见《史记》卷八十九《张耳陈余列传》、卷九十二《淮阴侯列传》,《汉书》卷三十二《陈余传》、卷三十四《韩信传》等。㊴陈汤：字子公，山阳瑕丘（今山东济宁市兖州区东北）人，西汉将领。因击杀匈奴郅支单于而封关内侯。传见《汉书》卷七十。㊵吕蒙（公元一七八至二二〇年）：字子明，汝南富陂（今安徽阜南东南）人，东吴大将。曾带兵袭杀关羽，占领荆州。传见《三国志》卷五十四。㊶孟观：字叔时，渤海东光（今河北东光）人，少好读书，解天文。晋惠帝时，氐帅齐万年反于关中，孟观统兵讨伐，十余次大战皆胜，生擒齐万年，威震氐羌，转东羌校尉，征拜右将军。传见《晋书》卷六十。㊷殊功：特殊的功勋。㊸代为将：世为将。避太宗名讳，改"世"为"代"。㊹赏格：赏赐的格条。㊺黔首：百姓。㊻苏定方征辽东：时在龙朔元年（公元六六一年）至二年。㊼李勣破平壤：时在总章元年（公元六六八年）。㊽台郎：胡注，"尚书诸曹郎皆谓之台郎"。㊾令史：唐三省六部及御史台的低级事务人员，无品秩。㊿勋人：立功之人。411薛仁贵、郭待封等不即重诛：大非川之战失败后，薛仁贵、郭待封免死除名。见本书卷二百一唐高宗咸亨元年。412人间：民间。避太宗讳，改"民"称"人"。413仗内供奉：即仗内供职。胡注，"仗内供奉，朝会得随百官入见"。414丙午：十月二十三日。415密贞王元晓：唐高祖第二十一子，鲁才人所生。传见《旧唐书》卷十四、《新唐书》卷七十九。416壬子：十一月甲寅朔，无壬子。《新唐书》卷三《高宗纪》作闰十一月。闰十一月壬子，即闰十一月三十日。"十一月"前当添闰字。417以反语不善故：本来仪凤三年（公元六七八年）四月敕改来年为通乾元年，现认为通乾的反语为天穷，故敕停不行。

【校记】

［11］金吾：据章钰校，十二行本、乙十一行本、孔天胤本皆作"左金吾"。［12］及：据章钰校，十二行本、乙十一行本、孔天胤本皆作"知"。

【语译】

调露元年（己卯，公元六七九年）

春，正月二十八日己酉，高宗亲临东都。

司农卿韦弘机兴建宿羽、高山、上阳等宫殿，规模壮观华丽。上阳宫临近洛水，修建长廊连绵一里，宫殿建成后，高宗迁往居住。侍御史狄仁杰上书弹劾韦弘机诱弘机导上为奢泰㊶,弘机坐免官。左司郎中㊷王本立㊸恃恩用事,朝廷㊹畏之。仁杰奏其奸,请付法司,上特原之,仁杰曰:"国家虽乏英才,岂少本立辈!陛下何惜罪人㊺,以亏王法。必欲曲赦本立,请弃臣于无人之境,为忠贞将来之戒!"本立竟得罪㊻。由是朝廷肃然。

庚戌㊼,右仆射、太子宾客㊽道恭公戴至德薨。

二月壬戌㊾,吐蕃赞普卒,子器弩悉弄㊿立,生八年矣。时器弩悉弄与其舅曲萨若诣羊同[431]发兵,有弟生六年,在论钦陵军中。国人畏钦陵之强,欲立之,钦陵不可,与萨若共立器弩悉弄。上闻赞普卒,嗣主未定[15],命裴行俭乘间图之。行俭曰:"钦陵为政,大臣辑睦,未可图也。"乃止。

夏,四月辛酉[432],郝处俊为侍中。

偃师人明崇俨[433],以符咒[434]幻术[435]为上及天后所重,官至正谏大夫[436]。五月壬午[437],崇俨为盗所杀,求贼,竟不得[438]。赠崇俨侍中。

丙戌[439],命太子监国。太子处事明审[440],时人称之。

戊戌[441],作紫桂宫于渑池之西[442]。

六月辛亥[443],赦天下,改元。

初,西突厥十姓可汗阿史那都支及其别帅李遮匐与吐蕃连和,侵逼安西,朝议欲发兵讨之。吏部侍郎裴行俭曰:"吐蕃为寇,审礼覆没,干戈未息,岂可复出师西方!今波斯王卒,其子泥洹师[444]为质在京师,宜遣使者送归国,道过二虏[445],以便宜取之,可不血刃而擒也。"上从之,命行俭册立波斯王[446],仍为安抚大食使。行俭奏肃州刺史王方翼[447]以为己副,仍令检校安西都护。

秋,七月己卯朔[448],诏以今年冬至有事于嵩山。

初,裴行俭尝为西州长史[449],及奉使过西州,吏人郊迎,行俭悉召其豪杰子弟千余人自随,且扬言[450]天时方热,未可涉远,须稍凉乃西上。阿史那都支觇知之[451],遂不设备。行俭徐召四镇[452]诸胡酋长,谓曰:"昔在西州,纵猎甚乐,今欲寻旧赏[453],谁能从吾猎者?"诸胡子弟争请从行,近得万人[454]。行俭阳为畋猎[455],校勒部伍[456],

导高宗奢侈无度，韦弘机坐罪免官。左司郎中王本立靠着高宗恩典，当权用事，朝中大臣都惧怕他。狄仁杰奏报他作奸犯科的事，请求把他交给执法机关，但高宗特别地宽恕了他。狄仁杰说："国家虽然缺乏英才，难道会缺少王本立之辈！陛下为什么要惋惜犯罪之人，而损害王法呢。如果一定要曲意赦免王本立，请把臣抛弃到无人之境，给忠贞的人作为未来的借鉴！"王本立最后获罪，从此朝廷大臣都不敢为非作歹了。

正月二十九日庚戌，右仆射、太子宾客道恭公戴至德去世。

二月十一日壬戌，吐蕃赞普去世，儿子器弩悉弄即位，已出生八年。当时器弩悉弄和他的舅舅曲萨若前往羊同，要求一起发兵。器弩悉弄有个弟弟生下六年，在论钦陵军中。国内百姓害怕论钦陵的强大，要立器弩悉弄之弟，论钦陵不赞成，和曲萨若一起拥立器弩悉弄。高宗听说赞普死了，新的赞普仍未被拥立，命令裴行俭找机会图谋吐蕃。裴行俭说："论钦陵执政，大臣和睦，无法打吐蕃的主意。"高宗只好作罢。

夏，四月十二日辛酉，任命郝处俊为侍中。

偃师人明崇俨，以符咒幻术被高宗和天后所器重，官位升到正谏大夫。五月初三日壬午，明崇俨被盗贼所杀，搜寻盗贼，最终也没有找到。追赠明崇俨为侍中。

五月初七日丙戌，命令太子监理国政。太子处理事务明达审慎，当时人们都称赞他。

十九日戊戌，在渑池西边建造紫桂宫。

六月初三日辛亥，大赦天下，改换年号。

当初，西突厥十姓可汗阿史那都支和他的别部将帅李遮匐，和吐蕃结盟，侵犯安西，朝廷大臣建议出兵讨伐。吏部侍郎裴行俭说："吐蕃为寇侵掠，刘审礼覆灭，战争至今没有停止，怎么可以再出兵西方呢！现在波斯王死了，他的儿子泥洹师作为人质留在京师，应该派遣使者送泥洹师返回波斯，路上通过阿史那都支和李遮匐所在地时，利用方便有利的时机进行攻击，可以兵不血刃而活捉他们。"高宗接受了这一建议，命令裴行俭册封泥洹师为波斯王，还担任安抚大食的使者。裴行俭奏请肃州刺史王方翼作为自己的副使，仍为检校安西都护。

秋，七月初一日己卯，下诏在当年冬天祭祀嵩山。

当初，裴行俭曾经做西州长史，到此时奉命出使经过西州，西州官吏和百姓在郊外迎接他，裴行俭把其中才能出众的子弟共一千多人全部召集起来跟随自己，而且扬言天气正炎热，不能远走，等到天气稍微转凉才向西进发。阿史那都支暗中察知后，便不设防备。裴行俭慢慢地召见四镇的各胡族酋长，对他们说："过去在西州，纵情打猎，非常快乐，现在要重寻旧时的赏心乐事，有谁能跟我一起去打猎呢？"各部胡人子弟争着请求随从行俭出猎，差不多得到一万人。裴行俭佯装打猎，却暗中

数日，遂倍道西进。去都支部落十余里，先遣都支所亲问其安否，外示闲暇，似非讨袭，续使人[16]促召相见。都支先与李遮匐约，秋中拒汉使㊼，猝闻军至，计无所出㊽，帅其子弟迎谒，遂擒之。因传其契箭㊾，悉召诸部酋长㊿，执送碎叶城。简其精骑，轻赍(461)，昼夜进掩遮匐，途中，获都支还使与遮匐使者同来。行俭释遮匐使者，使先往谕遮匐以都支已就擒，遮匐亦降。于是囚都支、遮匐以归，遣波斯王自还其国，留王方翼于安西，使筑碎叶城(462)。

【段旨】

以上为第十一段，写裴行俭抚定西域。

【注释】

(418)己酉：正月二十八日。(419)宿羽、高山、上阳：宿羽宫在东都禁苑的东北隅，南临大池。高山宫在禁苑的西北隅。上阳宫在禁苑之东，即今河南洛阳西洛水北岸。后来武则天常居于此。(420)洛水：源出陕西洛南县西北部，东经洛阳、偃师，纳伊河，至巩县洛口流入黄河。(421)奢泰：亦作“奢汰”，挥霍无度。(422)左司郎中：官名，尚书省属官。《唐六典》卷一载，左右司郎中各一人，从五品上。各掌付十二司之事，以举正稽违，省署符目。(423)王本立：武周时官至宰相。事见《新唐书》卷六十一《宰相》上。(424)朝廷：指帝王接受朝见和处理政事之处，也用作中央和帝王的代称。此处专指朝官。(425)何惜罪人：为何爱惜犯罪之人。(426)得罪：受到处罚。(427)庚戌：正月二十九日。(428)太子宾客：官名，东宫属官，正三品，掌侍从规谏，赞相礼仪。显庆元年，始置太子宾客四员。见《旧唐书》中《职官志》。《新唐书》中《百官志》则载，贞观十八年以宰相兼宾客，开元中定员四人。(429)壬戌：二月十一日。(430)器弩悉弄：圣历二年（公元六九九年）铲除论钦陵及其亲党，掌握实权。后在讨伐泥婆罗门等国叛乱时死于军中。事见《旧唐书》卷一百九十六上《吐蕃传上》、《新唐书》卷二百十六上《吐蕃传上》。(431)羊同：古国名，《唐会要》卷九十九，“大羊同国，东接吐蕃，西接小羊同，北直于阗，东西千余里”。据此，则羊同有大小之分，地约当今西藏西南部。(432)辛酉：四月十二日。(433)明崇俨（？至公元六七九年）：洛州偃师（今河南洛阳市偃师区东）人，高宗朝术士，曾任冀王府文学，据说

检阅整饬部队，过了几天，就日夜兼程向西进发。距离阿史那都支部落十多里时，先派遣阿史那都支所亲近的人，向阿史那都支问安，表面上表示很闲暇，好像不是要袭击，接着派使者急召阿史那都支来相见。阿史那都支已先和李遮匐约定，在秋季时拒止汉人使者，现在突然听说唐军到达，想不出计谋，只好率领子弟们迎见，裴行俭就擒获了阿史那都支。他乘机用阿史那都支的契箭传信，把各部落的酋长全部召来，抓起来送往碎叶城，并选择精锐骑士，着轻装，不分昼夜进兵偷袭李遮匐，在路途中，俘获了阿史那都支出使回还的使者和与之同来的李遮匐的使者。裴行俭释放了李遮匐的使者，派他先期前往告诉李遮匐说阿史那都支已经就擒，李遮匐也投降了，于是拘禁了阿史那都支、李遮匐返回朝廷，遣送波斯王自己返回故国，把王方翼留在安西，让他修筑碎叶城。

能役使鬼神。传见《旧唐书》卷一百九十一、《新唐书》卷二百四。㉞符咒：道家术士用来驱鬼降妖或为人治病的文书和口诀。㉟幻术：幻化莫测的法术。㊱正谏大夫：官名，即谏议大夫。龙朔二年二月初四日，改谏议大夫为正谏大夫，神龙元年二月，复为谏议大夫，隶属门下省，品秩屡变，或正五品上，或正四品下。职掌侍从赞相，规谏讽喻。㊲壬午：五月初三日。㊳“求贼”二句：《旧唐书》中《明崇俨传》载，“时语以为崇俨密与天后为厌胜之法，又私奏章怀太子不堪承继大位，太子密知之，潜使人害之”。据此，则主谋是皇太子。㊴丙戌：五月初七日。㊵明审：英明精审。㊶戊戌：五月十九日。㊷作紫桂宫于渑池之西：渑池，县名，县治双桥，在今河南渑池县。紫桂宫在渑池之西五里。㊸辛亥：六月初三日。这一天改元调露。㊹泥洹师：波斯王卑路斯之子。司马光在《考异》中说：“《实录》作泥涅师师，《旧传》作泥湟师师，《唐历》作泥汨师，今从《统纪》。”查今本《旧唐书》中《裴行俭传》作泥涅师师，与司马光所见不同。又，《新唐书》卷一百八《裴行俭传》及卷二百二十一下《波斯传》俱作“泥涅师”。法国人沙畹在《西突厥史料》一书中将此名还原为Narses。岑仲勉据此认为《实录》所载为是。㊺道过二虏：途经阿史那都支及李遮匐辖区。㊻命行俭册立波斯王：命裴行俭护送泥洹师归国，册立为波斯王。㊼王方翼（公元六二二至六八四年）：并州祁（今山西祁县东南）人。传见《旧唐书》卷一百八十五上、《新唐书》卷一百十一。㊽己卯朔：七月初一日。㊾裴行俭尝为西州长史：时在永徽五年。西州，治所高昌，在今新疆吐鲁番东南。㊿扬言：高声说。(451)觇知之：侦知此事。(452)四镇：指龟兹、毗沙、焉耆、疏勒四都督府。(453)旧赏：昔日的赏心乐事。(454)近得万人：差不多得到一万人。(455)阳为畋猎：佯

为打猎。㊽校勒部伍：检阅统率军队。㊾秋中拒汉使：秋季之中拒绝唐使。汉使，即唐使。汉朝威加四夷，此后四夷称中国人为汉人。㊿计无所出：无计可施。(459)契箭：作符契用的弓箭。突厥无符信，以箭为契信。(460)诸部酋长：西突厥沙钵哒利失可汗分其国为十部，部以一人统之，即其酋长。酋长人授一箭，称为十设，亦曰十箭。左五咄陆部，置五大啜，居碎叶城东。右五弩失毕部，置五大俟斤，居碎叶城西。(461)轻赍：犹轻装。(462)使筑碎叶城：王方翼所筑碎叶在今哈萨克斯坦托克玛克。

【原文】

冬，十月，单于大都护府突厥阿史德温傅、奉职(463)二部俱反，立阿史那泥熟匐(464)为可汗，二十四州酋长皆叛应之(465)，众数十万，遣鸿胪卿单于大都护府长史萧嗣业、左[17]领军卫将军花大智(466)、右千牛卫将军李景嘉等将兵讨之。嗣业等先战屡捷，因不设备；会大雪，突厥夜袭其营，嗣业狼狈拔营走，众遂大乱，为虏所败，死者不可胜数。大智、景嘉引步兵且行且战，得入单于都护府。嗣业减死，流桂州，大智、景嘉并免官。

突厥寇定州(467)，刺史霍王元轨(468)命开门偃旗(469)，虏疑有伏，惧而宵遁(470)。州人李嘉运与虏通谋，事泄，上令元轨穷其党与，元轨曰："强寇在境，人心不安，若多所逮系(471)，是驱之使叛也。"乃独杀嘉运，余无所问，因自劾违制。上览表大喜，谓使者曰："朕亦悔之，向无王(472)，失定州矣。"自是朝廷有大事，上多密敕问之。

壬子(473)，遣左金吾卫将军曹怀舜屯井陉(474)，右武卫将军崔献屯龙门(475)以备突厥。突厥扇诱奚、契丹侵掠营州(476)，都督周道务遣户曹始平唐休璟(477)将兵击破之。

庚申(478)，诏以突厥背诞(479)，罢封嵩山。

癸亥(480)，吐蕃文成公主(481)遣其大臣论塞调傍(482)来告丧，并请和亲，上遣郎将宋令文诣吐蕃会赞普之葬(483)。

十一月戊寅朔(484)，以太子左庶子、同中书门下三品高智周为御史大

【校记】

［13］廓：原作“廓”。据章钰校，十二行本、乙十一行本皆作“廓”，张敦仁《通鉴刊本识误》同，今据改。〖按〗“廓”为城墙之意，此处言上阳宫设施华丽，作“廓”义长。［14］徙：据章钰校，十二行本、乙十一行本、孔天胤本皆作“移”。［15］嗣主未定：原无此四字。据章钰校，十二行本、乙十一行本、孔天胤本皆有此四字，张敦仁《通鉴刊本识误》同，今据补。［16］人：原无此字。据章钰校，十二行本、乙十一行本、孔天胤本皆有此字，张敦仁《通鉴刊本识误》同，今据补。

【语译】

冬，十月，单于大都护府突厥阿史德温傅、奉职两部落一起反叛，立了阿史那泥熟匐为可汗，二十四州的酋长全都叛变响应，部众数十万。派遣鸿胪卿单于大都护府长史萧嗣业、左领军卫将军花大智、右千牛卫将军李景嘉等人率兵讨伐。萧嗣业等人起先交战时屡次获胜，因此不再设防；适逢大雪，突厥在夜间偷袭萧嗣业兵营，萧嗣业狼狈拔营逃走，部众因此大乱，被敌人打败，死亡的人无法计算。花大智、李景嘉率领步兵，一面行军一面作战，才得以进入单于都护府。萧嗣业减免死罪，流放到桂州，花大智、李景嘉都免除官职。

突厥侵扰定州，刺史霍王李元轨下令打开城门，收起军旗，敌人怀疑有埋伏，心里害怕，乘夜逃走。州人李嘉运和敌人通谋，事情泄露出来，高宗命令李元轨深查李嘉运的同党。李元轨说：“强敌在境，人心不安，如果过多逮捕人，等于驱使他们反叛。”于是只杀了李嘉运，对其他人都不加追究，李元轨又自我弹劾违背了高宗命令。高宗看了李元轨的奏表，非常高兴，对使者说：“朕也后悔，如果没有霍王，就要失掉定州了。”从此，朝廷有了重要的事情，高宗大多暗中敕令征询霍王的意见。

十月初五日壬子，派遣左金吾卫将军曹怀舜驻军井陉，右武卫将军崔献驻军龙门，以防备突厥。突厥煽动引诱奚、契丹侵掠营州，都督周道务派遣户曹始平人唐休璟率兵打败了他们。

十三日庚申，高宗下诏说由于突厥违命放纵，停止在嵩山举行封禅。

十六日癸亥，吐蕃文成公主派遣大臣论塞调傍前来报丧，并请求和亲，高宗派遣郎将宋令文到吐蕃参加赞普的葬礼。

十一月初一日戊寅，任命太子左庶子、同中书门下三品高智周为御史大夫，罢

夫，罢知政事。

癸未[485]，上宴裴行俭，谓之曰："卿有文武兼资，今授卿二职。"乃除礼部尚书，兼检校右卫大将军。甲辰[486]，以行俭为定襄道行军大总管，将兵十八万，并西军检校丰州都督程务挺[487]、东军幽州都督李文暕[488]总三十余万以讨突厥，并受行俭节度。务挺，名振[489]之子也。

【段旨】

以上为第十二段，写唐高宗大发兵三十万北征突厥。

【注释】

㊸阿史德温傅奉职：阿史德，突厥大姓之一。温傅、奉职，两人名。事见《旧唐书》卷一百九十四上《突厥传》、《新唐书》卷二百十五上《突厥传上》。㊹阿史那泥熟匐：《新唐书》之《突厥传》作"阿史那泥孰匐"，《唐会要》卷九十四作"阿史那泥熟卜"。字略不同，音译所致。㊺二十四州酋长皆叛应之：两《唐书》中《突厥传》所载略同。据《新唐书》卷二百十五上，单于都护府置于永徽元年，领狼山、云中、桑乾三都督，苏农等二十四州。"二十四州"所指不详。《旧唐书》卷一百九十四上及本书卷一百九十九载单于初置时，辖一十四州，非二十四州。待考。㊻花大智：人名，《新唐书》之《突厥传》作"苑大智"。岑仲勉以为"苑"字近是。见《通鉴隋唐纪比事质疑》。㊼定州：州名，治所在今河北定州。㊽霍王元轨：唐高祖第十四子。传见《旧唐书》卷六十四、《新唐书》卷七十九。㊾开门偃旗：打开城门，放倒军旗。㊿宵遁：夜逃。[471]逮系：逮捕囚系。[472]向无王：假使当初无霍王此举。向，假使、如果。[473]壬子：十月初五日。[474]井陉：古关名，在今河北井陉西北，地当太行山区进入华北平原的要隘。[475]龙门：一名禹门口，在今山西河津和陕西韩城之间黄河上。[476]营州：州名，治所在今辽宁朝阳。[477]唐

【原文】

永隆元年[490]（庚辰，公元六八〇年）

春，二月癸丑[491]，上幸汝州之温汤。戊午[492]，幸嵩山处士[493]三原田游岩[494]所居。己未[495]，幸道士宗城潘师正[496]所居，上及天后、太子皆拜

免他的宰相职务。

十一月初六日癸未，高宗宴请裴行俭，对他说："卿有文武两方面的禀赋，现在委任你两种职务。"于是任命裴行俭为礼部尚书，兼检校右卫大将军。二十七日甲辰，任命裴行俭为定襄道行军大总管，率兵十八万，和西军检校丰州都督程务挺、东军幽州都督李文暕合起来统兵三十多万讨伐突厥，两人都受裴行俭节制。程务挺，是程名振的儿子。

休璟（公元六二七至七一二年）：京兆始平（今陕西兴平）人，则天朝名臣，熟悉边疆事务，官至宰相，封宋国公。传见《旧唐书》卷九十三、《新唐书》卷一百十一。⑱ 庚申：十月十三日。⑲ 背诞：违命放纵。⑳ 癸亥：十月十六日。㉑ 文成公主（？至公元六八〇年）：唐宗室女。贞观十五年（公元六四一年）正月十五日封降于吐蕃赞普松赞干布，对青藏高原的开发起了积极的作用。事见《旧唐书》卷一百九十六上《吐蕃传上》，《新唐书》卷二百十六上《吐蕃传上》、《唐会要》卷六《和蕃公主》。㉒ 论塞调傍：人名，《旧唐书》之《吐蕃传》作"论寒调傍"。㉓ 会赞普之葬：参加赞普的葬礼。㉔ 戊寅朔：十一月初一日。㉕ 癸未：十一月初六日。㉖ 甲辰：十一月二十七日。㉗ 程务挺（？至公元六八四年）：洺州平恩（今河北曲周东南）人，唐初名将程名振之子。官至左武卫大将军、单于道安抚大使。突厥畏之，不敢入侵。传见《旧唐书》卷八十三、《新唐书》卷一百十一。㉘ 李文暕：襄邑王李神符之子，封魏国公。武周时被杀。传见《旧唐书》卷六十、《新唐书》卷七十八。㉙ 名振：程名振，唐贞观、永徽时名将。传见《旧唐书》卷八十三、《新唐书》卷一百十一。

【校记】

［17］左：原作"右"。据章钰校，十二行本、乙十一行本、孔天胤本皆作"左"，今据改。〖按〗《新唐书》中《突厥传》亦作"左"。

【语译】

永隆元年（庚辰，公元六八〇年）

春，二月初八日癸丑，高宗亲临汝州温泉。十三日戊午，亲临嵩山处士三原人田游岩的住处。十四日己未，亲临道士宗城人潘师正的住处，高宗和天后、太子都之。乙丑[497]，还东都。

三月，裴行俭大破突厥于黑山[498]，擒其酋长奉职；可汗泥熟匐为其下所杀，以其首来降。

初，行俭行至朔川[499]，谓其下曰："用兵之道，抚士贵诚，制敌贵诈。前日萧嗣业粮运为突厥所掠[500]，士卒冻馁，故败。今突厥必复为此谋，宜有以诈之。"乃诈为粮车三百乘[501]，每车伏壮士五人，各持陌刀[502]、劲弩[503]，以羸兵[504]数百为之援[505]，且伏精兵于险要以待之。虏果至，羸兵弃车散走。虏驱车就水草，解鞍牧马，欲取粮，壮士自车中跃出，击之，虏惊走，复为伏兵所邀[506]，杀获殆尽，自是粮运行者，虏莫敢近。

军至单于府北，抵暮，下营，掘堑已周[507]，行俭遽命移就高冈。诸将皆言士卒已安堵，不可复动，行俭不从，趣使移[508]。是夜，风雨暴至，前所营地，水深丈余，诸将惊服，问其故，行俭笑曰："自今但从我命，不必问其所由知也。"

奉职既就擒，余党走保狼山[509]。诏户部尚书崔知悌驰传诣定襄宣慰将士，且区处[510]余寇，行俭引军还。

【段旨】

以上为第十三段，写裴行俭率领唐军大破突厥。

【注释】

⑩永隆元年：调露二年八月二十三日乙丑改元永隆。⑪癸丑：二月初八日。⑫戊午：二月十三日。⑬处士：古时对有德才而隐居不仕的人的称呼。⑭田游岩：京兆三原（今陕西三原东北）人，自称"许由东邻"。曾拜太子洗马。传见《旧唐书》卷一百九十二、《新唐书》卷一百九十六。⑮己未：二月十四日。⑯潘师正（公元五八五至六八二年）：贝州宗城（今河北威县东）人（一说赵州赞皇，即今河北赞皇人），颇为唐高宗、

揖拜潘师正。二十日乙丑，返回东都。

三月，裴行俭在黑山大败突厥，活捉突厥酋长奉职；可汗泥熟匐被他的部众所杀，拿着他的头颅前来投降。

当初，裴行俭行军到朔川，对他的部下说："用兵的原则是，抚慰将士贵在真诚，制服敌人贵在欺诈。前些日子萧嗣业运送粮食时被突厥所抢掠，士卒又冷又饿，所以才失败。眼下突厥必定再次运用这种谋略，我们应该设计欺骗他们。"于是伪装粮车三百辆，每辆车上埋伏壮士五个，每人拿着长刀和强劲的弓弩，用几百名羸弱的士兵扶车而行，并且在险要的地方埋伏精兵等待敌方。敌兵果然到来，羸弱的士兵丢弃了粮车而四散逃走。敌人把粮车驾到有水草的地方，解鞍牧马，打算取走车上的粮食。埋伏的壮士从车里跃出，攻击敌人，敌人惊慌逃走，又被埋伏的部队截击，连杀带抓，几乎全部被消灭，从此以后，运粮行进时，再没有敌人敢接近。

军队到达单于都督府北面，已是黄昏，安营扎寨，已经挖好了四周的沟堑，裴行俭突然下令把营寨转移到高岗上。将军们都说士卒已经安住下来，不能再移动。裴行俭不听从，催促赶快移动。当天晚上，突然来了风雨，先前所扎下的营地，水深到一丈多，将军们又惊异又佩服，向裴行俭询问原因，裴行俭笑着说："从今日起只需听我命令，不必问我为什么。"

奉职被活捉后，余下的部众逃往狼山固守。高宗下诏派户部尚书崔知悌乘传车驰往定襄宣谕慰劳将士，并且处理残余的敌人，裴行俭率军返回。

武则天所重。传见《旧唐书》卷一百九十二、《新唐书》卷一百九十六及《茅山志》卷七。㊾⑦ 乙丑：二月二十日。㊾⑧ 黑山：又名杀胡山，在今内蒙古包头西北。㊾⑨ 朔川：《旧唐书》中《裴行俭传》作"朔州"。朔州治所在今山西朔州。⑤⓪⓪ 萧嗣业粮运为突厥所掠：不见记载，当在调露元年十月。⑤⓪① 三百乘：三百辆。乘，古时四马一车为一乘。⑤⓪② 陌刀：兵器名，《唐六典》卷十六："陌刀，长刀也，步兵所持。"⑤⓪③ 劲弩：强弩。弩，用机栝发箭的弓。唐代之弩有七种，即擘张弩、角弓弩、木单弩、大木单弩、竹竿弩、大竹竿弩、伏远弩。⑤⓪④ 羸兵：老弱之兵。⑤⓪⑤ 援：援车。即扶车而行。⑤⓪⑥ 邀：截击。⑤⓪⑦ 掘堑已周：四周壕堑已经挖好。⑤⓪⑧ 趣使移：催促令移。⑤⓪⑨ 狼山：即今内蒙古杭锦后旗西北狼山。永徽元年，置狼山州，属云中都护府。⑤①⓪ 区处：区分处置。

【原文】

夏，四月乙丑[511]，上幸紫桂宫。

戊辰[512]，黄门侍郎闻喜裴炎[513]、崔知温[514]、中书侍郎京兆王德真[515]并同中书门下三品。知温，知悌之弟也。

秋，七月，吐蕃寇河源，左武卫将军黑齿常之击却之[516]。擢常之为河源军经略大使。常之以河源冲要，欲加兵戍之，而转输险远，乃广置烽戍[517]七十余所，开屯田[518]五千余顷，岁收五百余万石，由是战守有备焉。

先是，剑南募兵于茂州，西南筑安戎城[519]，以断吐蕃通蛮之路。吐蕃以生羌为乡导，攻陷其城，以兵据之，由是西洱诸蛮[520]皆降于吐蕃。吐蕃尽据羊同、党项[521]及诸羌之地，东接凉、松、茂、嶲等州，南邻天竺，西陷龟兹、疏勒等四镇，北抵突厥，地方万余里，诸胡之盛，莫与为比[522]。

丙申[523]，郑州刺史江王元祥[524]薨。

突厥余众围云州[525]，代州都督窦怀悊[526]、右领军中郎将程务挺将兵击破之。

【段旨】

以上为第十四段，写吐蕃极盛，地方万余里。

【注释】

⑪ 乙丑：四月二十一日。⑫ 戊辰：四月二十四日。⑬ 裴炎（？至公元六八四年）：字子隆，绛州闻喜（今山西闻喜东北）人，唐高宗死后成为顾命大臣，因与徐敬业叛乱有关而被杀。传见《旧唐书》卷八十七、《新唐书》卷一百十七。⑭ 崔知温（公元六二七至六八三年）：许州鄢陵（今河南鄢陵西北）人，唐高宗朝户部尚书崔知悌之弟，官至中书令。传见《旧唐书》卷一百八十五上、《新唐书》卷一百六。⑮ 王德真：曾任中书侍郎、太常卿等职。垂拱元年（公元六八五年）流于象州。事见《新唐书》卷六十一

【语译】

夏，四月二十一日乙丑，高宗到了紫桂宫。

二十四日戊辰，黄门侍郎闻喜人裴炎、崔知温，中书侍郎京兆人王德真一起为同中书门下三品。崔知温，是崔知悌的弟弟。

秋，七月，吐蕃侵犯河源，左武卫将军黑齿常之把他们打退了。擢升黑齿常之为河源军经略大使。黑齿常之认为河源地处要冲，打算增加兵力戍守，但军需物资的转运既危险又遥远，所以广为设置烽燧戍所七十多处，开垦屯田五千多顷，每年收获粮谷五百多万石，因此作战或防守都有了后备。

此前，剑南在茂州招募兵员，在西南修建安戎城，以割断吐蕃通向西南蛮人的道路。吐蕃利用生羌作为向导，攻陷安戎城，派兵据守，从此西洱的各蛮人部落都投降了吐蕃。吐蕃全部占领了羊同、党项和各羌族的地域，东面和凉、松、茂、嶲等州相接，南面和天竺为邻，西面攻陷了龟兹、疏勒等四镇，北面到达突厥，地域方圆一万多里，各胡部落中势力盛大的，没有一个可以与吐蕃相比。

七月二十四日丙申，郑州刺史江王李元祥去世。

突厥剩余部众包围云州，代州都督窦怀悊、右领军中郎将程务挺率兵打败了它。

《宰相上》、《唐郎官石柱题名考》卷四。⑯“吐蕃寇河源”二句：据《考异》引《高宗实录》：“吐蕃大将赞婆及素和贵等帅众三万进寇河源，屯兵于良非川。辛巳，河西镇抚大使、中书令李敬玄统众与贼战于湟川，官军败绩。副使、左武卫将军黑齿常之帅精骑三千，夜袭贼营，杀获二千余级，赞婆等遂退。擢常之为河源军经略大使，诏敬玄留镇鄯州以为之援。”司马光认为这一记载不可靠。所以略去了敬玄湟川败事，只说常之击却之。据两《唐书》中《吐蕃传》及《黑齿常之传》等，仪凤三年（公元六七八年）九月，李敬玄与吐蕃论钦陵战于青海。刘审礼率前军深入，被论钦陵困于濠所。李敬玄懦怯，按兵不救。听说刘审礼被俘，又急忙后退，为泥沟所阻，只好顿于承风岭。这时，吐蕃追来，屯高逼下，直压官军，情况万分紧急。黑齿常之率敢死士五百人，夜袭敌营，吐蕃首领跋地设弃军而逃，李敬玄得以返回鄯州。永隆元年七月，李敬玄与吐蕃赞婆等战于湟川，被赞婆打败。在这种情况下，黑齿常之引精骑二千夜袭其军，斩首二千级，获羊马数万，赞婆等单骑逃去，又使唐军转危为安。此外，从黑齿常之职务的升迁也可以证实这一点。仪凤三年，常之是左领军员外将军。战后因有大功，唐高宗叹其才略，擢

授左武卫将军，充河源军副使。永隆元年，李敬玄又败，而常之再立战功，擢为河源军经略大使。因此，应当相信《实录》的记载是正确的。[517]烽戍：烽燧屯戍。[518]屯田：自西汉以来，组织军队、农民或商人垦种土地，以供军饷，称作屯田。此处“屯田”指以收获作为军饷的土地。[519]安戎城：在今四川马尔康东南。[520]西洱诸蛮：生活在今云南西部洱海一带的少数民族。详见《新唐书》卷二百二十二下《两爨蛮传》。[521]党项：西北少

【原文】

八月丁未[527]，上还东都。

中书令、检校鄯州都督李敬玄军既败，屡称疾请还，上许之。既至，无疾，诣中书视事，上怒，丁巳[528]，贬衡州[529]刺史。

太子贤闻宫中窃议[530]，以贤为天后姊韩国夫人所生，内自疑惧。明崇俨以厌胜之术为天后所信，常密称“太子不堪承继，英王[531]貌类太宗”，又言“相王[532]相最贵”。天后尝命北门学士撰《少阳正范》[533]及《孝子传》以赐太子，又数作书诮让[534]之，太子愈不自安。

及崇俨死，贼不得，天后疑太子所为。太子颇好声色，与户奴赵道生等狎昵[535]，多赐之金帛，司议郎[536]韦承庆上书谏，不听。天后使人告其事。诏薛元超、裴炎与御史大夫高智周等杂鞫[537]之，于东宫马坊搜得皂甲[538]数百领[539]，以为反具，道生又款称太子使道生杀崇俨。上素爱太子，迟回[540]欲宥之，天后曰：“为人子怀逆谋，天地所不容，大义灭亲，何可赦也！”甲子[541]，废太子贤为庶人，遣右监门中郎将[542]令狐智通等送贤诣京师，幽于别所，党与皆伏诛，仍焚其甲于天津桥[543]南以示士民。承庆，思谦[544]之子也。

乙丑[545]，立左卫大将军、雍州牧英王哲为皇太子，改元，赦天下。

太子洗马[546]刘讷言[547]常撰《俳谐集》[548]以献贤，贤败，搜得之，上怒曰：“以六经[549]教人，犹恐不化，乃进俳谐鄙说，岂辅导之义邪！”流讷言于振州[550]。

数民族，以今四川阿坝一带为中心，分布在今青海、甘肃、四川边区。㉒莫与为比：没有能同它相比的。㉓丙申：七月二十四日。㉔江王元祥：唐高祖第二十子。身体高大，贪得无厌。传见《旧唐书》卷六十四、《新唐书》卷七十九。㉕云州：州名，治所在今山西大同。㉖窦怀悊：曾官兖州都督，妻为太宗女兰陵公主。事见《新唐书》卷八十三《兰陵公主传》、卷二百十五上《突厥传》。

【语译】

八月初五日丁未，高宗返回东都。

中书令、检校鄯州都督李敬玄在军队失败后，多次说有病，请求返回朝廷，高宗答应了。回到朝廷后，发现李敬玄并没有疾病，而到中书省处理政事，高宗很生气，八月十五日丁巳，把他贬为衡州刺史。

太子李贤听到宫中私下议论，说李贤是天后的姐姐韩国夫人所生，自己心中疑惧。明崇俨以诅咒之术被天后所信赖，常常暗中向天后说“太子能力不堪继承皇位，英王相貌像太宗”，又说“相王的相貌最高贵”。天后曾经命令北门学士撰著《少阳正范》和《孝子传》赐给太子，又多次写信责备他，太子愈益不安。

及至明崇俨死了，找不到凶手，天后怀疑是太子干的。太子非常爱好乐舞和美色，与家奴赵道生等人狎习亲昵，把很多金帛赐给赵道生等人，司议郎韦承庆上书劝告太子，太子不听。天后派人把太子的事情告诉高宗。高宗诏令薛元超、裴炎和御史大夫高智周等人一起审问此事，在东宫马坊里搜到几百件黑色铠甲，认为是谋反的器具，赵道生又服罪说是太子命令自己杀死明崇俨。高宗素来宠爱太子，犹豫徘徊，想要宽宥太子。天后说：“为人子却心怀逆谋，是天地所不能容忍的，应该大义灭亲，怎么可以赦免！”八月二十二日甲子，把太子李贤废为庶人，派遣右监门中郎将令狐智通等人把李贤送到京师，幽禁在别室，太子的同党都被处死，又在天津桥南焚毁搜到的黑色铠甲，向士民宣示。韦承庆，是韦思谦的儿子。

八月二十三日乙丑，立左卫大将军、雍州牧英王李哲为皇太子，改换年号，大赦天下。

太子洗马刘讷言曾经编写《俳谐集》献给李贤，李贤事败后，搜到了这本书，高宗生气地说：“用六经教育人，还担心不能教化，居然还进献戏谑取笑的粗鄙言辞，这难道是辅导人的正确道理吗！”把刘讷言流放到振州。

左卫将军高真行之子政⑤⑤①为太子典膳丞⑤⑤②，事与贤连，上以付其父，使自训责。政入门，真行以佩刀刺其喉，真行兄户部侍郎审行又刺其腹，真行兄子琁断其首，弃之道中。上闻之，不悦，贬真行为睦州⑤⑤③刺史，审行为渝州⑤⑤④刺史。真行，士廉之子也。

左庶子、同[18]中书门下三品张大安坐阿附太子，左迁普州刺史。其余宫僚，上皆释其罪，使复位，左庶子薛元超等皆舞蹈拜恩，右庶子李义琰独引咎涕泣，时论美之。

九月甲申⑤⑤⑤，以中书侍郎、同中书门下三品王德真为相王府长史⑤⑤⑥，罢政事。

冬，十月壬寅⑤⑤⑦，苏州刺史曹王明⑤⑤⑧，沂州刺史嗣蒋王炜⑤⑤⑨，皆坐故太子贤之党，明降封零陵郡王，黔州安置；炜除名，道州⑤⑥⓪安置。

丙午⑤⑥①，文成公主薨于吐蕃⑤⑥②。

己酉⑤⑥③，车驾西还。

十一月壬申朔⑤⑥④，日有食之。

【段旨】

以上为第十五段，写武则天迫使高宗废太子李贤，兴大狱。

【注释】

⑤②⑦丁未：八月初五日。⑤②⑧丁巳：八月十五日。⑤②⑨衡州：州名，治所衡阳，在今湖南衡阳。⑤③⓪窃议：暗地议论。⑤③①英王：李显。⑤③②相王：李旦。⑤③③《少阳正范》：书名，意为太子学习的典范。凡三十卷。少阳，指东宫、太子。⑤③④诮让：责让。⑤③⑤狎昵：狎习亲昵。⑤③⑥司议郎：官名，隶属东宫，正六品上，掌侍从、规谏、驳正、启奏，并录东宫记注。⑤③⑦杂鞫：共同推审。⑤③⑧皂甲：黑色的铠甲。⑤③⑨领：与“袭”相同，是甲的数量单位。⑤④⓪迟回：迟延不决。⑤④①甲子：八月二十二日。⑤④②右监门中郎将：岑仲勉认为“右监门中郎将”为“左监门中郎将”之误。见《通鉴隋唐纪比事质疑》。⑤④③天津桥：在今河南洛阳旧城西南隋唐皇城正南洛水之上。据《元和郡县志》，此桥建于隋而固于唐。唐人由京师长安至东都洛阳，大都要经过天津桥。因过往行人很多，故于此焚甲示民。后来也常在此枭首示众。⑤④④思谦：韦思谦，郑州阳武（今河南原阳）人，颇得唐高宗亲重，武周

左卫将军高真行的儿子高政担任太子典膳丞，和李贤的事件相牵连，高宗把高政交给他父亲，让他父亲自己训责。高政一进家门，高真行拿佩刀刺他的咽喉，高真行的哥哥户部侍郎高审行又刺他的腹部，高真行哥哥的儿子高琁砍掉了他的头颅，丢弃在路上。高宗听到了，心里不高兴，把高真行贬为睦州刺史，高审行贬为渝州刺史。高真行，是高士廉的儿子。

左庶子、同中书门下三品张大安因为阿附太子获罪，降职为普州刺史。其他的东宫官属，高宗都不再追究他们的罪过，让他们官复原职，左庶子薛元超等人都手舞足蹈，拜受高宗恩典，右庶子李义琰却独自引咎涕哭，当时的议论都赞美他。

九月十三日甲申，任命中书侍郎、同中书门下三品王德真为相王府长史，停止处理政事。

冬，十月初一日壬寅，苏州刺史曹王李明、沂州刺史嗣蒋王李炜，都因为是前太子李贤的同党牵连获罪，李明降封为零陵郡王，安置在黔州；李炜被免除官员的身份，安置在道州。

十月初五日丙午，文成公主在吐蕃去世。

初八日己酉，高宗车驾西行回京。

十一月初一日壬申，发生日食。

时封博昌县男，官至宰相。有二子，承庆为大。传见《旧唐书》卷八十八、《新唐书》卷一百十六。㊺乙丑：八月二十三日。546太子洗马：太子属官，从五品下，掌司经局，负责四库图籍缮写、刊辑之事。547刘讷言：高宗乾封间曾官都水监主簿，以《汉书》授李贤。李贤为太子，擢升洗马兼侍读。传见《旧唐书》卷一百八十九上、《新唐书》卷一百九十八。548《俳谐集》：犹笑话集。据《新唐书》之《艺文志三》，该书共十五卷。549六经：儒家的六部经典著作，即《诗》《书》《礼》《乐》《易》《春秋》。550振州：治所在今海南三亚西。《新唐书》之《刘讷言传》，刘讷言被除名为民，“复坐事流死振州”。551高真行之子政：高真行，太宗朝宰相高士廉之子，事见《旧唐书》卷六十五《高士廉传》、《新唐书》卷九十五《高俭传》。政，《旧唐书》之《士廉传》作“岐”。552典膳丞：东宫典膳局属吏，掌进膳尝食，轮直厨事，正六品上。553睦州：州名，治所在今浙江淳安西。554渝州：州名，治所在今重庆市。555甲申：九月十三日。556相王府长史：官名，据《旧唐书》之《职官志》，亲王府长史一人，从四品上，掌统领府僚，纪纲职务。557壬寅：十月初一日。558曹王明：太宗第十四子。传见《旧唐书》卷七十六、《新唐书》卷八十。559蒋王炜：蒋王恽之子。560道州：治所在今湖南道县西。561丙午：十月初五日。562文成公主薨于吐蕃：文成公主在吐蕃凡四十年。563己酉：十月初八日。564壬申朔：十一月初一日。

【校记】

［18］同：原无此字。据章钰校，十二行本、乙十一行本、孔天胤本皆有此字，今据补。

【原文】

开耀元年（辛巳，公元六八一年）

春，正月，突厥寇原、庆等州[565]。乙亥[566]，遣右卫将军李知十等将兵[19]屯泾、庆[567]二州以备突厥。

庚辰[568]，以初立太子，敕宴百官及命妇[569]于宣政殿[570]，引九部伎[571]及散乐[572]自宣政门入。太常博士袁利贞[573]上疏，以为"正寝[574]非命妇宴会之地，路门[575]非倡优进御之所，请命妇会于别殿，九部伎自东西门入，其散乐伏望停省"。上乃更命置宴于麟德殿[576]。宴日，赐利贞帛百段。利贞，昂之曾孙也。

利贞族孙谊为苏州刺史，自以其先自宋太尉淑以来，尽忠帝室[577]，谓琅邪王氏虽奕世台鼎[578]，而为历代佐命[579]，耻与为比，尝曰："所贵于名家者，为其世笃忠贞，才行相继故也。彼鬻婚姻求禄利者，又乌足[580]贵乎！"时人是其言[581]。

裴行俭军既还，突厥阿史那伏念[582]复自立为可汗，与阿史德温傅连兵为寇。癸巳[583]，以行俭为定襄道大总管，以右武卫将军曹怀舜、幽州都督李文暕为副，将兵讨之。

二月，天后表请赦杞王上金、鄱阳王素节之罪，以上金为沔州[584]刺史，素节为岳州[585]刺史，仍不听朝集[586]。

三月辛卯[587]，以刘仁轨兼太子少傅[588]，余如故。以侍中郝处俊为太子少保，罢政事。

少府监[589]裴匪舒，善营利，奏卖苑中马粪，岁得钱二十万缗。上以问刘仁轨，对曰："利则厚矣，恐后代称唐家卖马粪，非嘉名也。"

【语译】

开耀元年（辛巳，公元六八一年）

春，正月，突厥侵犯原、庆等州。初五日乙亥，派遣右卫将军李知十等人率军驻扎泾、庆二州，以防备突厥。

正月初十日庚辰，因为刚立太子，高宗下令在宣政殿宴请百官和命妇，引领九部乐歌伎和百戏倡优从宣政门进入。太常博士袁利贞上疏，认为“正寝不是命妇宴会之地，路门不是倡优进入献技之处，请让命妇在别殿宴集，九部乐歌伎从东西门进入，并希望停止那些百戏杂技”。高宗就改令在麟德殿设置宴席。宴会当天，赐给袁利贞布帛一百段。袁利贞，是袁昂的曾孙。

袁利贞的族孙袁谊是苏州刺史，自以为先祖从宋太尉袁淑以来，尽忠帝室，认为琅邪王氏虽然累世三公，为历朝辅助国君创业的大臣，但耻于和琅邪王氏相提并论，曾经说：“人们重视名门家庭，是因为他们的世代笃行忠贞，才能、德行相承的缘故。那些买卖婚姻追求利禄的人，又有什么可贵的呢！”当时的人都赞同他的话。

裴行俭军队返回后，突厥阿史那伏念又自立为可汗，和阿史德温傅连兵寇掠。正月二十三日癸巳，任命裴行俭为定襄道大总管，任命右武卫将军曹怀舜、幽州都督李文暕为副总管，率军讨伐突厥。

二月，天后上表请求赦免杞王李上金、鄱阳王李素节的罪过，任命李上金为沔州刺史，李素节为岳州刺史，仍然不允许他们为朝集使觐见皇帝。

三月二十二日辛卯，任命刘仁轨兼任太子少傅，其他官职依旧。任命侍中郝处俊为太子少保，停止处理政事。

少府监裴匪舒善于经营获利，上奏高宗卖掉宫苑中的马粪，每年可以得到二十万缗钱。高宗拿这件事问刘仁轨，刘仁轨回答说：“利润倒是很丰厚，但恐怕后

乃止。匪舒又为上造镜殿，成，上与仁轨观之，仁轨惊趋下殿。上问其故，对曰："天无二日，土无二王⑤⑨⑩，适视⑤⑨①四壁有数天子，不祥孰甚焉⑤⑨②！"上遽令剔去。

曹怀舜与裨将窦义昭将前军击突厥。或告"阿史那伏念与阿史德温傅在黑沙⑤⑨③[20]，左右才二十骑以下，可径往取也"。怀舜等信之，留老弱于瓠芦泊⑤⑨④，帅轻锐倍道进，至黑沙，无所见，人马疲顿，乃引兵还。会薛延陀部落欲西诣伏念，遇怀舜军，因请降。怀舜等引兵徐还，至长城北，遇温傅，小战，各引去。至横水⑤⑨⑤，遇伏念，怀舜、义昭与李文暕及裨将刘敬同四军合为方陈，且战且行。经一日，伏念乘便风⑤⑨⑥击之，军中扰乱，怀舜等弃军走，军遂大败，死者不可胜数。怀舜等收散卒，敛金帛以赂伏念，与之约和，杀牛为盟。伏念北去，怀舜等乃得还。

夏，五月丙戌⑤⑨⑦，怀舜免死，流岭南。

【段旨】

以上为第十六段，写突厥大败唐军。

【注释】

⑤⑥⑤原庆等州：今宁夏固原、甘肃庆阳一带。⑤⑥⑥乙亥：正月初五日。⑤⑥⑦泾、庆：泾州治所在今甘肃泾川县北泾河北岸，庆州治所在今甘肃庆阳。⑤⑥⑧庚辰：正月初十日。⑤⑥⑨命妇：受有封号的妇女。⑤⑦⑩宣政殿：皇帝常朝之处。在大明宫含元殿之北。⑤⑦①九部伎：本为乐舞名。指《燕乐伎》《清商伎》《西凉伎》《天竺伎》《高丽伎》《龟兹伎》《安国伎》《疏勒伎》和《康国伎》。此处指九部乐的演奏者。⑤⑦②散乐：百戏。有跳铃、掷剑、戏绳、缘竿等节目。见《新唐书》卷二十一《礼乐志》十一及《唐会要》卷三十三《散乐》。⑤⑦③袁利贞：梁司空袁昂之曾孙，官至祠部员外郎。事见《旧唐书》卷一百九十上《袁朗传》、《新唐书》卷二百一《袁朗传》。⑤⑦④正寝：路寝；正居；正殿。此谓宣政殿。⑤⑦⑤路门：靠近路寝之门。此谓宣政门，是进入宣政殿的正门。⑤⑦⑥麟德殿：在大明宫翰林院之东。遗址已被发现，详见《唐长安大明宫》。⑤⑦⑦"自宋太尉淑以来"二句：袁

世说唐家卖马粪，不是好名声。”卖马粪之事，便中止了。裴匪舒又为高宗修建镜殿，建成后，高宗和刘仁轨一起观看，刘仁轨惊恐地快步走出镜殿。高宗询问其中原因，刘仁轨回答说：“天上没有两个太阳，地上没有两个帝王，刚才看到四壁有好几个天子，还有比这更不祥的事吗！”高宗马上命令把镜子拿掉。

曹怀舜和裨将窦义昭统率前军攻打突厥。有人报告“阿史那伏念和阿史德温傅在黑沙，身边仅有不满二十个骑兵，可以直接前往攻取”。曹怀舜等人相信了，把老弱士卒留在瓠芦泊，率领轻装精兵兼程前进，到达黑沙，什么也没有见到，人马疲惫，便率兵返回。适逢薛延陀部落打算西往阿史那伏念处，遇到曹怀舜的部队，因此请求投降，曹怀舜等人率军慢慢回返，到了长城北面，遇上阿史德温傅，进行了一场小战事，各自带兵离去。到达横水，遇到阿史那伏念，曹怀舜、窦义昭和李文暕以及裨将刘敬同，四支部队结成方阵，一面作战一面行进。经过一天，阿史那伏念利用顺风攻击唐军，唐军发生混乱，曹怀舜等人扔下部队逃走，唐军大败，死亡的士卒数也数不清。曹怀舜等人搜寻散卒，收聚黄金布帛用以贿赂伏念，与他签约和好，杀牛立盟。阿史那伏念北去，曹怀舜等人才得以回返。

夏，五月十八日丙戌，曹怀舜免除死罪，流放到岭南。

淑死于宋刘劭之乱，袁颉以死奉子勋，袁昂尽节于齐室，袁宪冒死护陈后主。事详《宋书》卷七十《袁淑传》、卷八十四《袁颉传》，《梁书》卷三十一《袁昂传》，《陈书》卷二十四《袁宪传》。578 奕世台鼎：累世宰相。古代称三公或宰相为台鼎，意思是说职位重要，犹星有三台，鼎足而立。579 历代佐命：琅邪王氏股肱晋室，而王弘为宋室佐命，王俭为齐室佐命，梁室之兴、侯景之乱，王亮、王克为劝进之首。事见《晋书》卷六十五《王导传》、《宋书》卷四十二《王弘传》、《南齐书》卷二十三《王僧虔传》、《梁书》卷十六《王亮传》、《南史》卷二十三《王诞传》。580 乌足：何足。581 时人是其言：当时人们认为袁谊所言是对的。582 阿史那伏念：突厥颉利可汗从兄之子。583 癸巳：正月二十三日。584 沔州：州名，治所在今湖北武汉市汉阳区。585 岳州：治所在今湖南岳阳。586 不听朝集：不许充当朝集使进见皇帝。587 辛卯：三月二十二日。588 太子少傅：东宫属官，正二品，与太子少师、少保谓之“三少”，均掌教谕太子。589 少府监：官名，从三品，掌百工伎巧之政令。590“天无二日”二句：比喻权柄统一，不能两者并存。语出《礼记·曾子问》。591 适视：刚才看见。592 不祥孰甚焉：不祥之事没有能再超过这样的，即这是最不吉祥的事。593 黑沙：城名，后突厥默啜以为南庭。今址不详。594 瓠芦泊：湖泊名，其地不详。595 横水：地名，当在今内蒙古包头北。596 便风：顺风。597 丙戌：五月十八日。

【校记】

［19］将兵：原无此二字。据章钰校，十二行本、乙十一行本、孔天胤本皆有此二字，张敦仁《通鉴刊本识误》同，今据补。［20］黑沙：据章钰校，十二行本、乙十一行本、孔天胤本“沙”下皆有“北”字。

【原文】

己丑[598]，河源道经略大使黑齿常之将兵击吐蕃论赞婆于良非川[599]，破之，收其粮畜而还。常之在军七年，吐蕃深畏之，不敢犯边。

初，太原王妃之薨[600]也，天后请以太平公主[601]为女官[602]以追福。及吐蕃求和亲，请尚太平公主，上乃为立太平观[603]，以公主为观主以拒之。至是，始选光禄卿汾阴薛曜之子绍[604]尚焉。绍母，太宗女城阳公主也。

秋，七月，公主适薛氏[605]，自兴安门[606]南至宣阳坊[607]西，燎炬相属[608]，夹路槐木多死。绍兄顗以公主宠盛，深忧之，以问族祖户部郎中克构，克构曰：“帝甥尚主，国家故事，苟以恭慎行之，亦何伤！然谚曰：‘娶妇得公主，无事取官府。’不得不为之惧也。”

天后以顗妻萧氏及顗弟绪妻成氏非贵族，欲出之，曰：“我女岂可使与田舍女为妯娌邪！”或曰：“萧氏，瑀之侄孙，国家旧姻[609]。”乃止。

夏州群牧使[610]安元寿奏：“自调露元年九月以来，丧马一十八万余匹，监牧吏卒为虏所杀掠者八百余人。”

薛延陀达浑等五州四万余帐来降[611]。

甲午[612]，左仆射兼太子少傅、同中书门下三品刘仁轨固请解仆射，许之。

闰七月丁未[613]，裴炎为侍中，崔知温、薛元超并守[614]中书令。

上征田游岩为太子洗马，在东宫无所规益[615]。右卫副率[616]蒋俨[617]以书责之曰：“足下负巢、由之俊节[618]，傲唐、虞之圣主，声出区宇，名

【语译】

五月二十一日己丑，河源道经略大使黑齿常之率兵在良非川攻打吐蕃论赞婆，把他打败了，收聚吐蕃的粮食、牲畜而返回。常之在军七年，吐蕃深为畏惧，不敢侵犯边境。

当初，太原王武士彟之妃去世时，天后请以太平公主为女道士，以求冥福。及至吐蕃要求和亲，请求娶太平公主。高宗便为公主建立太平观，任命公主为太平观住持，以此来拒绝吐蕃。到这时，才选择将公主嫁给光禄卿汾阴人薛曜的儿子薛绍。薛绍的母亲是太宗女儿城阳公主。

秋，七月，公主出嫁薛氏，从兴安门南面直到宣阳坊西边，燃烧的火炬连绵不断，沿路两旁的槐树大多被熏烤死了。薛绍哥哥薛顗由于公主尊宠隆盛，深为忧虑，就向族中长辈户部郎中薛克构请教。薛克构说："皇帝外甥娶公主，是国家的旧制，如果以谦恭谨慎的态度去做，有什么妨害呢！可是谚谣说：'娶得公主做媳妇，不要去做打扰朝廷的事。'不能不小心警惕啊。"

天后认为薛顗的妻子萧氏和薛顗弟弟薛绪的妻子成氏不是贵族，要休掉她们，说："我怎么可以让我女儿与农家女做妯娌呢！"有人说："萧氏是萧瑀的侄孙，和皇家早为姻亲。"天后才没有休掉她们。

夏州群牧使安元寿上奏："从调露元年九月以来，夏州丧失了十八万多匹马，监管放牧的吏卒被敌人所杀害劫掠的有八百多人。"

薛延陀达浑等五州四万多帐幕前来投降。

七月二十七日甲午，左仆射兼太子少傅、同中书门下三品刘仁轨坚决请求免除仆射的官职，高宗答应了。

闰七月十一日丁未，裴炎担任侍中，崔知温、薛元超都代理中书令。

高宗征召田游岩为太子洗马，他在太子宫里没有什么规谏和帮助。右卫副率蒋俨用书信责备他说："足下有巢父、许由的俊美节操，又傲视圣主唐尧、虞舜，声誉

流海内。主上屈万乘⑲之重，申三顾之荣⑳，遇子以商山之客㉑，待子以不臣之礼，将以辅导储贰，渐染芝兰㉒耳。皇太子春秋鼎盛，圣道未周，仆以不才，犹参庭诤，足下受调护之寄㉓，是可言之秋，唯唯㉔而无一谈，悠悠以卒年岁。向使不餐周粟，仆何敢言㉕！禄及亲矣，以何酬塞？想为不达，谨书起予㉖。"游岩竟不能答。

庚申㉗，上以服饵，令太子监国。

裴行俭军于代州之陉口㉘，多纵反间，由是阿史那伏念与阿史德温傅浸相猜贰。伏念留妻子辎重于金牙山㉙，以轻骑袭曹怀舜。行俭遣裨将何迦密自通漠道、程务挺自石地道掩取之。伏念与曹怀舜[21]约和而还㉚，比至金牙山，失其妻子辎重，士卒多疾疫，乃引兵北走[22]细沙，行俭又使副总管刘敬同、程务挺等将单于府兵追蹑之。伏念请执温傅以自效㉛，然尚犹豫，又自恃道远，唐兵必不能至，不复设备。敬同等军到，伏念狼狈，不能整其众，遂执温傅，从间道㉜诣行俭降。候骑告以尘埃[23]涨天而至，将士皆震恐，行俭曰："此乃伏念执温傅来降，非他盗也。然受降如受敌㉝，不可无备。"乃命严备，遣单使迎前劳之。少选㉞，伏念果帅酋长缚温傅诣军门㉟请罪。行俭尽平突厥余党，以伏念、温傅归京师。

冬，十月丙寅朔㊱，日有食之。

壬戌㊲，裴行俭等献定襄之俘。乙丑㊳，改元。丙寅㊴，斩阿史那伏念、阿史德温傅等五十四人于都市。

初，行俭许伏念以不死，故降。裴炎疾行俭之功，奏言："伏念为副将张虔勖、程务挺所逼，又回纥等自碛北南向逼之，穷窘而降耳。"遂诛之。行俭叹曰："浑、濬争功㊵，古今所耻。但恐杀降，无复来者。"因称疾不出。

丁亥㊶，新罗王法敏卒，遣使立其子政明。

十一月癸卯㊷，徙故太子贤于巴州㊸。

超越宇外，名声流布海内。国君委屈万乘之尊，对您表达三顾茅庐那样的荣宠，礼遇您如同商山四皓，不用臣下礼节对待先生，准备让您辅导太子，使太子逐渐受到芝兰般的熏陶。皇太子正当盛年，对神圣的道理尚未周知，我以不才之身，还在宫廷中加以诤谏。足下接受训导太子的寄托，正是可以谏言的时候。您只知道说是的是的，而没有一次进言，优哉游哉混日子。如果足下像伯夷、叔齐一样不食周粟不做官，我就不敢说什么！但足下的俸禄用以养亲，该拿什么酬报朝廷？我想不明白，才写信启发您。”田游岩最终不能回答。

闰七月二十四日庚申，高宗因为要服药，命令太子监理国家大政。

裴行俭军队驻军在代州的陉口，派出很多从事反间计的间谍，因此阿史那伏念和阿史德温傅渐渐地相互猜疑。阿史那伏念把妻儿和辎重留在金牙山，用轻骑兵袭击曹怀舜。裴行俭派遣裨将何迦密从通漠道、程务挺从石地道袭击。阿史那伏念和曹怀舜相约和好而返回，到达金牙山时，失去了妻儿和辎重，士卒多患疾病，只好带兵向北逃到细沙，裴行俭又派副总管刘敬同、程务挺等人统率单于府的部队紧紧追击。阿史那伏念请求抓获阿史德温傅来立功赎罪，然而心里还在犹豫不决，又自恃路途遥远，唐兵必定到达不了这里，所以就不再防备。刘敬同等人的部队到了，阿史那伏念狼狈不堪，无法调动部众，于是抓获了阿史德温傅，从小路前往裴行俭处投降。侦察的骑兵报告说尘埃漫天而来，将士们都很惊恐，裴行俭说：“这是阿史那伏念擒获阿史德温傅前来投降，不是其他盗贼。可是接受投降如同遭遇敌人，不能没有防备。”就命令严加戒备，派遣一个使者前往迎接慰劳。不一会儿，阿史那伏念果然率领酋长捆绑阿史德温傅到军门请罪。裴行俭全部平定了突厥余党，把阿史那伏念、阿史德温傅带回京师。

冬，十月初一日丙寅，发生日食。

壬戌日，举行裴行俭等人献定襄之俘的仪式。乙丑日，改换年号。十月初一日丙寅，在都市上斩杀阿史那伏念、阿史德温傅等五十四人。

当初，裴行俭许诺不处死阿史那伏念，所以阿史那伏念才投降。裴炎嫉妒裴行俭的功劳，上奏说：“伏念是被副将张虔勖、程务挺所逼，加上回纥等从大漠北方向南侵逼，走投无路才投降。”因此杀了阿史那伏念。裴行俭感叹说：“王浑、王濬争功，古今所耻。只恐怕杀死投降的人，没有人再来投降了。”因此借口生病不出家门。

十月二十二日丁亥，新罗王法敏死了，派遣使者立他的儿子政明为王。

十一月初八日癸卯，把前太子李贤迁徙到巴州。

【段旨】

以上为第十七段，写裴行俭率唐军再次大破突厥。

【注释】

⑸⑼⑻己丑：五月二十一日。⑸⑼⑼良非川：在青海东部。⑹⑩⑩太原王妃之薨：时在咸亨元年（公元六七〇年）八月二初日。⑹⑩①太平公主（？至公元七一三年）：唐高宗第三女，武则天所生。初降薛绍，后嫁武攸暨。中宗、睿宗时参与朝政，权势很大。玄宗朝时被杀。传见《旧唐书》卷一百八十三、《新唐书》卷八十三。⑹⑩②女官：女道士。唐代官方文书一般称之为女冠。⑹⑩③太平观：在长安城中大业坊内。仪凤二年吐蕃入侵，并求太平公主和亲，高宗令利用宋王元礼宅建观，使公主出家，以示不嫁。⑹⑩④薛曜之子绍：薛绍之父不是薛曜。薛曜系高宗朝宰相薛元超之子，官至正谏大夫，未曾尚城阳公主。见《旧唐书》卷七十三《薛收传》、《新唐书》卷九十八《薛收传》。城阳公主嫁薛瓘，《唐会要》卷六、《新唐书》卷八十三所载并同。据《新唐书》卷七十三下《宰相世系表》，薛绍为薛瓘之子。薛曜当为薛瓘之误。⑹⑩⑤公主适薛氏：指太平公主下嫁薛绍。适，出嫁。⑹⑩⑥兴安门：大明宫南面五门之一。大明宫南面五门，正南曰丹凤门，西曰建福门，次曰兴安门。⑹⑩⑦宣阳坊：东为东市，西为崇义坊，南为亲仁坊，北为平康坊，万年县治在此。自兴安门至宣阳坊要经过光宅、永昌、永兴、崇仁、平康教坊之地。太平公主出嫁，婚席设在万年县廨。⑹⑩⑧燎炬相属：火把相接。⑹⑩⑨“萧氏”三句：萧瑀为唐高祖、唐太宗两朝宰相，其子萧锐尚唐太宗女襄城公主。见《旧唐书》卷六十三《萧瑀传》、《新唐书》卷一百一《萧瑀传》。⑹①⑩群牧使：官名，《唐会要》卷六十六，“仪凤三年十月，太仆少卿李思文检校陇右诸牧监使，自兹始有使号”。群牧使有四，分南、北、东、西四面统领诸牧监。夏州群牧使统北面诸牧监。⑹①①薛延陀达浑等五州四万余帐来降：《新唐书》卷四十三下《地理志七下》，“达浑都督府，以延陀部落置，侨治宁朔”。达浑都督所领五州为：姑衍州、步讫若州、嵠弹州、鹘州、低粟州。⑹①②甲午：七月二十七日。⑹①③丁未：闰七月十一日。⑹①④守：代理。⑹①⑤规益：规谏和帮助。⑹①⑥右卫副率：官名，即太子右卫率府副率，从四品上，掌东宫兵仗羽卫之政令。⑹①⑦蒋俨：曾出使高句丽，固守节操。为蒲州刺史，号良二千石。老年官太子右卫副率。传见《旧唐书》卷一百八十五上、《新唐书》卷一百。⑹①⑧巢由之俊节：巢父、许由良好的节操。传说巢父是唐尧时的隐士，在树上架巢而居。尧把天下让给他，他推而不受。于是尧又让天下给许由，许由也不接受，隐于箕山。见《汉书》中《古今人表》及晋皇甫谧《高士传》。⑹①⑨万乘：指天子。周制，天子地方千里，出兵车万乘；诸侯地方百里，出兵车千乘。因此，人们往往把万乘作为天子的代称。⑹②⑩申三顾之荣：用刘备三顾茅庐之典。唐高宗游嵩山，曾至田游岩之室。⑹②①遇子以商山之客：把你同商山四皓一样看待。商山四皓是指汉初隐居商山的东园公、绮里

季、夏黄公、角里先生。据说四皓曾辅导太子。见《汉书》卷四十《张良传》。⑥22 芝兰：香草。比喻美善。⑥23 受调护之寄：受调教护理太子之任。语出《汉书》之《张良传》："上曰：'烦公幸卒调护太子。'" ⑥24 唯唯：犹"是，是"。指谦卑的应答。⑥25"向使不餐周粟"二句：假如当初你不拿国家的俸禄，我怎么敢这样说你。不餐周粟，用伯夷、叔齐采薇西山之典。⑥26"想为不达"二句：我想不明白，恭谨地写信启发你。起予，语出《论语·八佾》。本来是启发我的意思，此处意为启发你。⑥27 庚申：闰七月二十四日。⑥28 陉口：即陉岭关口，在今山西代县西北。⑥29 金牙山：胡三省注云，突厥之初，建牙于金山，其后分为东西突厥，凡建牙之地，率谓之金牙山。苏定方直抵金牙山，擒贺鲁，此西突厥可汗所居之金牙山也；裴行俭遣程务挺等掩金牙山，取伏念妻子，此东突厥可汗所居之金牙山也。可汗所居谓之金帐，故亦以金牙言之。⑥30 伏念与曹怀舜约和而还：此事已载于本书本年三月条。此处为追叙三月战况，与前面所载颇有重复，又未加"初"字或其他同义词语，使人容易产生曹怀舜五月流岭南，闰七月再败于突厥的错觉。岑仲勉认为此段改为"……浸相猜贰，方伏念袭怀舜时，行俭遣裨将何迦密自通漠道、程务挺自石地道趣金牙山，掩取其妻子辎重，比伏念还，无所归……"为妥。见《通鉴隋唐纪比事质疑》。⑥31 自效：犹立功赎罪。⑥32 间道：偏僻小路。⑥33 如受敌：如同迎战敌人。⑥34 少选：一会儿。⑥35 军门：营门。⑥36 丙寅朔：十月初一日。⑥37 壬戌：十月丙寅朔，无壬戌。据《新唐书》卷三，裴行俭献俘在九月壬戌，即九月二十七日。⑥38 乙丑：十月无乙丑。《新唐书》之《高宗纪》作九月乙丑，即九月三十日。《唐会要》卷一作"十月六日"改元。待考。⑥39 丙寅：十月初一日。与"丙寅朔"重复。⑥40 浑濬争功：指西晋伐吴将领王浑与王濬争功。王濬于咸宁五年（公元二七九年）率兵攻入吴都，官至抚军大将军。王浑与王濬协同作战，在横江打败吴军后不敢渡江，及王濬凯旋，又愧恨不平。事见本书卷八十一晋武帝太康元年。又见《晋书》卷四十二《王浑传》《王濬传》。⑥41 丁亥：十月二十二日。⑥42 癸卯：十一月初八日。⑥43 巴州：州名，治所在今四川巴中。

【校记】

［21］曹怀舜：据章钰校，十二行本、乙十一行本、孔天胤本"舜"下皆有"等"字。［22］走：据章钰校，十二行本、乙十一行本、孔天胤本此下皆有"保"字。［23］尘埃：据章钰校，十二行本、乙十一行本、孔天胤本皆作"烟尘"。

【研析】

本卷集中研析"二圣"并立，武则天两废太子的事件。研析高宗八位皇子的命运，旨在揭示武则天狠心残害骨肉的深层社会原因。

高宗有八子，其中武则天亲生四子。武则天所生长子李弘，次子李贤，三子李显，四子李旦。武则天入宫之前，高宗已有四子，长子李忠，次子李孝，三子李上金，四子李素节。长子李忠在高宗永徽三年（公元六五二年）被册立为皇太子，这是大臣长孙无忌等为了保护王皇后，对付武则天即将生子的一个预防措施，武则天当然记恨在心。因此，武则天当了皇后以后，首先便拿太子开刀。显庆元年（公元六五六年）正月，即武则天登上皇后位才三个月，便指使许敬宗上疏，废太子忠为梁王，立她自己所生长子代王李弘为皇太子。显庆五年，又将梁王李忠废为庶人，流放到黔州，囚禁于唐太宗故太子李承乾的旧居。麟德元年（公元六六四年），借上官仪草诏废后事件，又指使人诬告庶人李忠谋反，并将其赐死于流放地。李忠死时年仅二十二岁。高宗庶出第二子原王李孝，显庆三年武则天将其贬为遂州刺史。麟德元年，李孝在故太子李忠被害后不久，不明不白死去。高宗庶出第三子泽王李上金、第四子许王李素节，高宗死后被武则天所害。李素节是萧淑妃所生，更是武则天的眼中钉。天授元年（公元六九〇年），武则天登上皇位，为所欲为，以谋反罪诛杀李上金、李素节，同时杀掉李上金的七个儿子、李素节的九个儿子。

武则天诛杀高宗庶出四子，这里只是相关论及。本卷所载“两废太子”，不包括故太子李忠，而是指武则天己出的太子李弘和太子李贤。武则天何以残灭亲生子，这才是研析的本旨。

先说太子李弘被废。

上元二年（公元六七五年），太子李弘偶然在宫中见到了义阳、宣城两位公主，她们都是萧淑妃所生，一直被禁闭在后宫，已经三十多岁，不被允许嫁人。太子李弘将此事禀告了唐高宗，请求将两公主嫁出去，唐高宗应允了。武则天得知此事，怒不可遏，她虽然即日打发两公主出嫁，但同时派人将太子李弘毒杀于合璧宫。

李弘是武则天亲生的长子，四岁立为皇太子，死年二十四岁。李弘在太子位上二十年，未闻有过，且有贤孝之名。高宗患风疾，不满于自己的傀儡地位，准备禅位给太子。武则天恰恰在此时毒死太子，这绝不是偶然的。太子李弘之死，只不过是唐高宗与武则天争夺政权斗争的牺牲品。由于太子无过，武则天只能采取毒杀的手段。太子李弘死后，唐高宗十分伤心，下令为太子李弘营建恭陵，以天子之礼殡葬，并亲自撰写《睿德纪》悼唁太子，自书于碑石，树于陵侧。

再说太子李贤被废。

太子李弘死后，同年六月，高宗立武则天所生次子李贤为太子。李贤聪明好学，处事果断，曾召集当时一些著名文人学士注解范晔《后汉书》，于仪凤元年（公元六七六年）进上，高宗大喜，亲自褒奖。太子李贤的贤能，遭到亲生母武则天的猜忌。武则天处心积虑要剪除太子，清扫自己皇帝路上的绊脚石。武则天一方面指使人大造舆论说第三子李显长得像唐太宗，有天生的天子像。又说李贤不是皇后所生，而是皇后之姐韩国夫人所生。另一方面又多次下书指责太子李贤，并为李贤造《少阳正范》及《孝子传》，教诲李贤尽忠尽孝，仿佛是说李贤不忠不孝。李贤惴惴不安，无所措手脚。曾作《黄台瓜辞》以感悟皇后。辞曰："种瓜黄台下，瓜熟子离离。一摘使瓜好，再摘令瓜稀。三摘犹尚可，四摘抱蔓归。"李贤谱曲令乐工歌唱，向武则天讽喻，如果把自己的亲生儿子都杀掉，只剩下瓜藤对自己有什么好处呢？

李贤的《黄台瓜辞》没能让母后回心转意。调露二年（公元六八〇年），武则天借口在东宫马坊中搜出数百领皂甲，命中书侍郎薛元超、黄门侍郎裴炎等诬告太子李贤谋反，将李贤废为庶人。永淳二年（公元六八三年），又将李贤流放巴州。光宅元年（公元六八四年），武则天登皇位，为了消除后患，派酷吏左金吾将军丘神勣到巴州逼迫李贤自杀。李贤死时年仅三十二岁。人民为怀念这位博学多才、无辜而死的太子，在巴州为李贤立衣冠冢。至今四川巴中尚存李贤衣冠墓以及读书台等遗迹。

武则天所生第三子李显，后为唐中宗，第四子李旦，后为唐睿宗。武则天称帝时两子尚幼，未遭毒手，成年后先后立为太子，亦是废立无常，留待以后研析。

武则天为何要残害自己的骨肉呢？按常人所思，似不可解。如果站在武则天的立场，她要实现自己的皇帝梦，而且还要革命，改唐为周，那就不能不这样做。因为唐王朝是李氏的天下，它只能由李氏子孙来继承。武则天要自己登上皇帝位，那么所有可能继承皇帝位的李氏子孙都是她登上皇帝位的障碍，不能不扫除。只要是自己的障碍，即便是亲生子，也是要扫除的。权力欲异化了人性，本卷所载，武则天两废亲生的皇太子，就是一个典型的例证。

卷第二百三　唐纪十九

起玄黓敦牂（壬午，公元六八二年），尽柔兆阉茂（丙戌，公元六八六年），凡五年。

【题解】

本卷记事起公元六八二年，迄公元六八六年，凡五年，当唐高宗永淳元年到武则天垂拱二年。本卷是记载唐政治从唐高宗到武则天称制的一个过渡时期，前三年是高宗执政的晚年，后二年是武则天发动政变登上政治舞台的头两年。武则天废中宗，杀废太子李贤，立傀儡皇帝睿宗，垂帘听政，平定徐敬业之乱，唐朝政治发生了极大的震荡。唐高宗晚年，时昏时明。高宗纳李善感、苏良嗣之谏，表现了他的明，时人称李善感为“凤鸣朝阳”。此时政权已完全掌握在武则天之手，但高宗的权威仍能控制时局。可惜高宗明知武氏擅权而不忍裁抑，听任武则天派人逼杀零陵王李明而不追究，不纳魏玄同之言整顿铨选之弊，不能奖励建功边陲的王方翼等事件，表现了高宗的昏聩。与高宗相比，武则天大刀阔斧，关键时刻使用铁腕手段果决处理大事。武则天为了权力，不惜一切代价，废中宗、杀废太子李贤，借平定徐敬业之势，杀辅臣裴炎，杀功臣程务挺、王方翼，绝不手软。垂拱元年，是武则天大作为之年。她平定了徐敬业之乱，借势推行酷吏政治，启动告密之法，施行血腥的高压手段威服政敌，排除异己，纵男宠以示淫威，从而开启了唐朝政治的武则天时代。

【原文】

高宗天皇大圣大弘孝皇帝下

永淳元年（壬午，公元六八二年）

春，二月，作万泉宫于蓝田[①]。

癸未[②]，改元，赦天下。

戊午[③]，立皇孙重照[④]为皇太孙。上欲令开府置官属，问吏部郎中[⑤]王方庆，对曰：“晋及齐皆尝立太孙[⑥]，其太子官属即为太孙官属，未闻太子在东宫而更立太孙者也。”上曰：“自我作古[⑦]，可乎？”对曰：“三王[⑧]不相袭礼，何为不可！”乃奏置师傅[⑨]等官。既而上疑其非法，竟不补授。方庆，裒[⑩]之曾孙也，名綝，以字行。

西突厥阿史那车薄[⑪]帅十姓反。

【语译】

高宗天皇大圣大弘孝皇帝下

永淳元年（壬午，公元六八二年）

春，二月，在蓝田县修建万泉宫。

十九日癸未，改换年号，大赦天下。

戊午日，立皇孙李重照为皇太孙。高宗想下令为皇太孙开建府署设置官属，征询吏部郎中王方庆的意见，王方庆回答说："晋和齐都曾经立过太孙，那时太子官属就是太孙的官属，从没听说太子在东宫，而再立太孙的事情。"高宗说："从我创始，可以吗？"回答说："三代的礼节不相承袭，为什么不可以！"就上奏设置"师傅"等官。没多久高宗怀疑不合礼制，最终还是没有补授这些官职。王方庆，是王裒的曾孙，名叫王綝，以表字行世。

西突厥阿史那车薄统率十姓部众反叛。

夏，四月甲子朔[12]，日有食之。

上以关中[13]饥馑[14]，米斗三百[15]，将幸东都；丙寅[16]，发京师，留太子监国，使刘仁轨、裴炎、薛元超辅之。时出幸仓猝，扈从之士有饿死于中道者。上虑道路多草窃[17]，命监察御史[18]魏元忠检校[19]车驾前后。元忠受诏，即阅视赤县狱[20]，得盗一人，神采语言异于众。命释桎梏[21]，袭冠带[22]，乘驿以从，与之共食宿，托以诘盗[23]，其人笑许诺。比及东都，士马万数，不亡一钱。

【段旨】

以上为第一段，写唐高宗就食东都，魏元忠护驾，引盗首随从，一路平安。

【注释】

①蓝田：县名，治所在今陕西蓝田。②癸未：二月十九日。是日因皇太孙李重照满月而下诏改开耀二年为永淳元年。③戊午：二月乙丑朔，无戊午。《新唐书》卷三《高宗纪》作三月戊午，即三月二十五日。〖按〗《唐会要》卷四说三月十五日立重照为皇太孙。待考。④皇孙重照：太子李显之长子。后避武则天名讳，改名李重润。大足元年（公元七〇一年）被杀。中宗即位后赠为懿德太子，陪葬乾陵。传见《旧唐书》卷八十六、《新唐书》卷八十一。⑤吏部郎中：官名，从五品上，掌考天下文吏班秩品命。⑥晋及齐皆尝立太孙：晋惠帝永康元年（公元三〇〇年）立临淮王司马臧为皇太孙；永宁元年（公

【原文】

辛未[24]，以礼部尚书[25]闻喜宪公裴行俭为金牙道行军大总管[26]，帅右金吾将军[27]阎怀旦等三总管分道讨西突厥。师未行，行俭薨。

行俭有知人之鉴[28]，初为吏部侍郎[29]，前进士[30]王勮[31]、咸阳尉[32]栾城苏味道[33]皆未知名，行俭一见谓之曰："二君后当相次[34]掌铨衡[35]，

夏，四月初一日甲子，发生日食。

高宗因为关中发生饥荒，米价一斗三百钱，准备亲临东都；四月初三日丙寅，从京师出发，留下太子监理国政，派刘仁轨、裴炎、薛元超辅助太子。当时高宗出行仓促，扈从士卒有的饿死在半路上。高宗考虑到路上有很多草莽贼寇，便命令监察御史魏元忠检察清理车驾前后地域。魏元忠接受诏令，立即检视赤县的监狱，找到一个盗贼，他的神采言辞不同于一般人。魏元忠下令解除他的刑械，让他穿上冠带衣饰，乘坐驿车随从，和他一起食宿，依靠他究察盗贼，那人笑着答应了。到了东都，上万人马，没有丢失一文钱。

元三〇一年）立襄阳王司马尚为皇太孙；齐永明十年（公元四九二年）立南郡王昭业为皇太孙。见《晋书》卷四《惠帝纪》、卷五十三《愍怀太子遹传》,《南齐书》卷四《郁林王纪》,《南史》卷五《废帝郁林王纪》。⑦自我作古：亦作“自我作故”。意为由我创始。⑧三王：禹、汤、周文王。⑨师傅：太子官属有三师三少，即太师、太傅、太保和少师、少傅、少保，高宗欲仿此为皇太孙亦设三太、三少之官。⑩衰：当作“褒”。⑪阿史那车薄：又作阿史那车簿啜。自称突厥可汗。事散见于两《唐书》中《高宗纪》《裴行俭传》和《王方翼传》。⑫甲子朔：四月初一日。⑬关中：地区名，相当于今陕西中部。⑭饥馑：饥荒。⑮米斗三百：一斗米的价格高至三百文。⑯丙寅：四月初三日。⑰草窃：草野盗贼。⑱监察御史：官名，御史台属官，正八品上，掌巡察郡县、屯田、铸钱等事。⑲检校：检察清理。⑳赤县狱：即长安、万年二县的监狱。唐以此二县为“赤县”。㉑桎梏：脚镣手铐。㉒袭冠带：着冠带。㉓诘盗：察盗。

【语译】

四月初八日辛未，任命礼部尚书闻喜宪公裴行俭为金牙道行军大总管，统率右金吾将军阎怀旦等三个总管，分道讨伐西突厥。部队尚未出发，裴行俭去世。

裴行俭有知人的识见，刚任吏部侍郎时，前进士王勮、咸阳尉栾城人苏味道都尚未闻名于世，裴行俭一见就对他们说：“二君将来会相继掌管人才的铨叙考核，我

仆有弱息㊱，愿以为托。”是时勮弟勃㊲与华阴杨炯㊳、范阳卢照邻㊴、义乌骆宾王㊵皆以文章有盛名，司列少常伯㊶李敬玄尤重之，以为必显达。行俭曰：“士之致远者[1]，当先器识㊷而后才艺㊸。勃等虽有文华，而浮躁浅露，岂享爵禄之器邪！杨子稍沈静，应至令长㊹；余得令终㊺幸矣。”既而勃度海堕水㊻，炯终于盈川㊼令，照邻恶疾㊽不愈，赴水死，宾王反诛㊾，勮、味道皆典选㊿，如行俭言。行俭为将帅，所引偏裨51如程务挺、张虔勖、王方翼、刘敬同、李多祚、黑齿常之，后多为名将。

行俭常52命左右取犀角、麝香而失之53。又敕赐马及鞍，令史54辄驰骤，马倒，鞍破。二人皆逃去，行俭使人召还，谓曰：“尔曹皆误耳55，何相轻之甚邪56！”待之如故。破阿史那都支，得马脑盘，广二尺余，以示将士，军吏王休烈捧盘升阶，跌而碎之，惶恐，叩头流血。行俭笑曰：“尔非故为57，何至于是！”不复有追惜之色。诏赐都支等资产、金器三千余物58，杂畜称是，并分给亲故及偏裨，数日而尽。

阿史那车薄围弓月城，安西都护59王方翼引军救之，破虏众于伊丽水60，斩首千余级。俄而61三姓咽面与车薄合兵拒方翼，方翼与战于热海62，流矢贯方翼臂，方翼以佩刀截之，左右不知。所将胡兵谋执方翼以应车薄，方翼知之，悉召会议，阳出63军资赐之，以次引出斩之；会大风，方翼振金鼓以乱其声64，诛七十余人，其徒莫之觉65。既而分遣裨将袭车薄、咽面，大破之，擒其酋长三百人，西突厥遂平。阎怀旦等[2]竟不行。方翼寻迁夏州都督66，征入，议边事。上见方翼衣有血渍，问之，方翼具对热海苦战之状，上视疮叹息。竟以废后近属67，不得用而归68。

有弱子，希望托付给你们。”当时王勮弟弟王勃和华阴人杨炯、范阳人卢照邻、义乌人骆宾王都因为文章负有盛名，司列少常伯李敬玄尤其器重他们，认为他们一定会显赫腾达。裴行俭说：“士人要达到远大目标，应该以器度识见为先，才艺为后。王勃等人虽然有文章才华，然而浮躁浅显，浅薄贫乏，哪里是享受爵禄的材料！杨炯稍微沉静，应该官至一县令长；其他的能得到善终就很幸运了。”不久王勃渡海时落水死，杨炯死在盈川县令任内，卢照邻患了恶病没有痊愈，投水而死，骆宾王谋反被杀，王勮和苏味道都做到典掌选授的官，一如裴行俭所言。裴行俭做将帅时，所荐引的偏裨将领如程务挺、张虔勖、王方翼、刘敬同、李多祚、黑齿常之，后来大多成为名将。

裴行俭曾经命令身边人取来犀角、麝香，却丢失了。皇帝敕命赏赐给他马匹和马鞍，礼部令史骑上去就纵马驰骋，马仆倒，马鞍也破损了。两人都逃跑了，裴行俭派人召回他们，对他们说：“你们都想错了，怎么把我小看得如此之甚！”对待他们仍然和以前一样。打败阿史那都支时，得到玛瑙宝石制作的盘子，有二尺多宽，拿给将士看，军吏王休烈捧着盘子上台阶，跌倒了，打碎了盘子，军吏诚惶诚恐，磕头流血。裴行俭笑着说：“你不是故意摔破的，何至于这样呢！”脸上不再有惋惜之色。高宗下令把都支军人的资产、黄金器物三千多件和同样数目的各种牲畜赏赐给他，他都分送给亲戚故友和偏将裨将，没几天就送光了。

阿史那车薄包围弓月城，安西都护王方翼率军救援，在伊丽水打败敌人，斩首一千多人。不久三姓咽面部众与车薄合兵抵御王方翼，王方翼在热海和他们交战，流矢射穿了王方翼的臂膀，王方翼用佩刀斩断箭矢，身边的人都不知道。他率领的胡兵计划捉住王方翼响应车薄，王方翼知道了，把他们全召来参加会议，假装要拿出军中物资赏赐给他们，按次序把他们带出去杀掉；正好遇到大风，王方翼鸣金击鼓，以乱斩杀之声，处死七十多人，这些人的部下都没有人觉察。之后就分别派遣裨将袭击车薄、咽面，大败敌众，活捉敌人酋长三百人，于是平定了西突厥。阎怀旦等最后没有率军出发。王方翼不久迁任夏州都督，被征召入朝，讨论边境事务。高宗看到王方翼衣服上有血迹，就询问他原因，王方翼详细回答了在热海苦战的情况，高宗察看他的疮伤，深为感叹。最后他因为是已废黜皇后的近属，不能被重用而回到夏州。

【段旨】

以上为第二段，写裴行俭文武双全，尤善知人，所荐安西都护王方翼大破西突厥。

【注释】

㉔辛未：四月初八日。㉕礼部尚书：官名，礼部长官，正三品，掌天下礼仪、祭享、贡举之政令。㉖行军大总管：唐制，重大征伐，以行军大总管总揽全军，诸军总管均归大总管辖制。㉗右金吾将军：官名。唐中央设十二卫，其中有右金吾卫，属官有将军，从三品，位次大将军之下，掌宫禁和京城巡警。㉘知人之鉴：鉴别人的能力。㉙吏部侍郎：官名，吏部长官，正三品，掌天下官吏选授、勋封、考课之政令。㉚前进士：对进士及第者的称呼。《唐国史补》下："进士为时所尚久矣，……得第谓之前进士。"㉛王勮（？至公元六九七年）：绛州龙门（今山西河津）人。武氏长寿间为凤阁舍人，寻加弘文阁学士，兼知天官侍郎。天官侍郎即先前的吏部侍郎，为吏部尚书副手。传见《旧唐书》卷一百九十上、《新唐书》卷二百一。㉜尉：官名，县尉职位低下，根据县之大小，或从八品下，或正九品下，或从九品下。㉝苏味道（公元六四八至七〇五年）：赵州栾城（今河北石家庄市栾城区西）人，武氏时，曾任天官侍郎，官至宰相，人称"苏摸稜"。传见《旧唐书》卷九十四、《新唐书》卷一百十四。㉞相次：先后。㉟掌铨衡：王勮、苏味道前后历官天官侍郎，掌天下官员的选授权衡，明与夺，抑贪冒，进贤能。㊱弱息：弱子。对自己子女的谦称。㊲勃：王勮之弟王勃（公元六四九或六五〇至六七六年）。六岁懂作文，词情英迈。著有《周易发挥》五卷、《次论语》十卷、《王勃集》三十卷。㊳杨炯（公元六五〇至约六九三年）：陕西华阴（今陕西华阴）人，擅长五言律诗。著有《盈川集》三十卷。㊴卢照邻（约公元六三七至六八六年）：字升之，幽州范阳（今北京市附近）人，博学多识，为病所困。擅长七言歌行，有《卢照邻集》二十卷。㊵骆宾王（约公元六三八至六八四年）：婺州义乌（今浙江义乌）人，曾任长安主簿等职。著有《骆宾王集》十卷。〖按〗王勃、卢照邻、杨炯、骆宾王四人因生活在同一个时期，都特长于诗文，在中国文学史上被称为"初唐四杰"。传见《旧唐书》卷一百九十上、《新唐书》卷二百一、《唐才子传》卷一。㊶司

【原文】

乙酉[69]，车驾至东都。

丁亥[70]，以黄门侍郎[71]颍川郭待举[72]，兵部侍郎[73]岑长倩[74]，秘书员外少监[75]、检校[76]中书侍郎[77]鼓城[78]郭正一[79]，吏部侍郎[80]鼓城魏玄同[81]并与中书门下同承受进止平章事[82]。上欲用待举等，谓崔知温[3]曰："待举等资任尚浅，且令预闻政事，未可与卿等同名。"自是外司四品已下知政事者，始以平章事为名。长倩，文本之兄子也。

列少常伯：官名，高宗龙朔间，改吏部侍郎为司列少常伯，正四品上，为吏部尚书的副手。㊷器识：器量与见识。㊸才艺：才华与技艺。㊹应至令长：职位应至县官。唐制，大县的最高长官称作县令，小县称为县长。㊺令终：善终。㊻勃度海堕水：上元二年（公元六七五年）王勃赴交趾（在今越南河内西北）探望其父。次年渡南海，堕水而死，年仅二十八岁。㊼盈川：县名，县治在今浙江衢州市衢江区南。一说在今四川筠连境。㊽恶疾：痛苦难治的疾病。一说卢照邻所得的病是麻风病。㊾宾王反诛：骆宾王因反叛被杀。一说徐敬业败后，骆宾王下落不明。还有一种说法，认为骆宾王出家当了和尚。㊿典选：王勮、苏味道都曾担任天官侍郎，典掌天下官员选授。51偏裨：偏将和裨将。泛指将佐。52常：通"尝"，曾经。53失之：丢失了这些东西。54令史：当指礼部令史。55尔曹皆误耳：你们这样做都错了。56何相轻之甚邪：你们惧罪责而逃，是以平常人来看待我，太轻视我了。言外之意，是说自己不计较小事。57故为：故意这样做。58诏赐都支等资产、金器三千余物：赐给裴行俭所获阿史那都支等人的资产金器三千余件。金器，《册府元龟》卷四百三十三及《全唐文》卷二百二十八《赠太尉裴公神道碑》并作"金银器"。59都护：官名，正三品，掌抚慰诸蕃，辑宁外寇，征讨叛逆。60伊丽水：即今新疆之伊犁河。61俄而：忽然；一会儿。62热海:《新唐书》中《地理志七下》载热海在碎叶城之东，即今吉尔吉斯斯坦伊塞克湖。63阳出：佯出。64振金鼓以乱其声：鸣金击鼓以乱斩杀之声。65莫之觉：即莫觉之。没有察觉此事。66都督：官名，都督府长官。品秩依都督府上、中、下三级，分别为从二品、正三品上、从三品。67废后近属：王方翼是王皇后的从祖堂兄，故云。68归：归夏州。

【校记】

［1］者：原无此字。据章钰校，十二行本、乙十一行本、孔天胤本皆有此字，今据补。［2］等：原无此字。据章钰校，十二行本、乙十一行本、孔天胤本皆有此字，今据补。〖按〗前文提及阎怀旦等三总管分道讨西突厥事，阎怀旦即停，他人亦当不行也。

【语译】

四月二十二日乙酉，高宗到达东都。

四月二十四日丁亥，任命黄门侍郎颍川人郭待举，兵部侍郎岑长倩，秘书员外少监、检校中书侍郎鼓城人郭正一，吏部侍郎鼓城人魏玄同同为与中书门下同承受进止平章事。高宗想要任用郭待举等人，对崔知温说："郭待举等人资格和为官能力尚缺乏，暂且让他们参与处置政事，不可以和你们诸位同等名位。"从此，外司官署四品以下参知政事的，开始以"平章事"为名。岑长倩，是岑文本哥哥的儿子。

先是，玄同为吏部侍郎，上言铨选之弊[83]，以为“人君之体[84]，当委任而责成功，所委者当，则所用者自精矣。故周穆王[85]命伯冏[86]为太仆正[87]，曰：‘慎简乃僚[88]。’是使群司各[4]求其小者，而天子命其大者也。乃至汉氏[89]，得人皆自州县补署[90]，五府辟召[91]，然后升于天朝[92]，自魏、晋以来，始专委选部。夫以天下之大，士人之众，而委之数人之手，用刀笔[93]以量才，按簿书而察行[94]，借使[95]平如权衡，明如水镜，犹力有所极，照有所穷，况所委非人而有愚暗阿私之弊乎！愿略依周、汉之规以救魏、晋之失。”疏奏，不纳。

五月丙午[96][5]，东都霖雨。乙卯[97]，洛水溢，溺民居千余家。关中先水后旱、蝗，继以疾疫[98]，米斗四百，两京间死者相枕于路，人相食。

上既封泰山，欲遍封五岳[6]。秋，七月，作奉天宫于嵩山南[99]。监察御史里行[100]李善感谏曰：“陛下封泰山，告太平，致群瑞，与三皇[101]、五帝[102]比隆矣。数年以来，菽粟不稔[103]，饿殍相望，四夷交侵，兵车岁驾。陛下宜恭默思道以禳灾谴，乃更广营宫室，劳役不休，天下莫不失望。臣忝备国家耳目，窃以此为忧！”上虽不纳，亦优容之。自褚遂良、韩瑗之死[104]，中外以言为讳[105]，无敢逆意直谏，几二十年。及善感始谏，天下皆喜，谓之“凤鸣朝阳[106]”。

上遣宦者缘江徙异竹，欲植苑中。宦者科舟载竹，所在纵暴。过荆州[107]，荆州长史[108]苏良嗣[109]因之，上疏切谏，以为“致远方异物，烦扰道路，恐非圣人爱人之意。又，小人窃弄威福，亏损皇明”。上谓天后曰：“吾约束不严，果为良嗣所怪。”手诏慰谕良嗣，令弃竹江中。良嗣，世长之子也。

黔州都督谢祐[110]希天后意，逼零陵王明[111]令自杀，上深惜之，黔府官属皆坐免官。祐后寝于平阁，与婢妾十余人共处，夜，失其首。垂拱中，明子零陵王俊、黎国公杰为天后所杀，有司籍其家，得祐首，漆为秽器，题云谢祐，乃知明子使刺客取之也。

太子留守京师，颇事游畋，薛元超上疏规谏，上闻之，遣使者慰劳元超，仍[112]召赴东都。

此前，魏玄同为吏部侍郎，上书论说铨次选拔人才的弊病，认为“人君为政的根本，当在委任人才而责求他们事业成功。所委任的人得当，那么所用的官吏自然就精干。所以周穆王任命伯冏为大仆正，说道：‘谨慎选择你的僚属。’这是让各部门主管官员寻找下属小吏，而天子任命地位较高的官员。到了汉代，所得人才都是从州县之中补充，由五府征辟召用，然后推荐给朝廷，从魏、晋以来，方始专门委托选部。天下这么大，士人这么多，把选拔人才委托数人之手，通过刀笔文章来衡量才能，根据簿书来观察品行，纵使公平得和秤一样，明亮得和水镜一样，仍然会力量有所不足，观察有所局限，何况所用非人，而有愚暗徇私的弊病呢！希望大略根据周、汉的制度，以补救魏、晋的缺失。”疏文上奏，未被采纳。

五月十四日丙午，东都下雨不止。二十三日乙卯，洛水泛滥，淹没民房一千多家。关中先遭水灾，后发生旱灾、蝗灾，接着瘟疫流行，一斗米四百钱，两京之间的死人相枕于路，百姓相食。

高宗在泰山封禅后，还打算遍封五岳。秋，七月，在嵩山南面修建奉天宫。监察御史里行李善感劝谏说：“陛下封禅泰山，告诉神祇天下太平，招来很多祥瑞，可以和三皇、五帝的兴盛相对比了。这几年来，豆类粟谷都不丰稔，遍地是饿死的人，四方夷狄交相侵逼，朝廷连年出兵。陛下应该恭敬沉默思考治国之道，以求避免上天降灾示谴，如果更加大规模修建宫室，劳役不能休止，天下百姓没有不失望的。臣忝为朝廷耳目，私下为这件事忧虑！”高宗虽不采纳他的建议，但也很宽待他。自从褚遂良、韩瑗之死，朝廷内外的大臣都忌讳发表意见，没有人敢违背高宗旨意而直言正谏，这已将近二十年。等到李善感开始劝谏高宗时，天下都很高兴，称之为“凤鸣朝阳”。

高宗派遣宦官沿着长江迁移奇异的竹子，打算种植在宫苑。宦官征发舟楫运载竹子，所到之处都恣纵暴虐。经过荆州时，荆州长史苏良嗣囚禁了宦官，上疏极力劝谏，认为“运送远方的奇异物品，烦扰沿路百姓，恐怕不是圣人爱人之意。再者，小人窃弄权柄作威作福，有损皇上圣明”。高宗对天后说：“我约束不严，果然被苏良嗣责怪。”就亲自书诏慰勉晓示苏良嗣，让他把竹子丢抛江中。苏良嗣，是苏世长的儿子。

黔州都督谢祐迎合天后之意，逼迫零陵王李明自杀，高宗深为惋惜，黔州府的官员都因此受牵连而被免官。谢祐后来睡在平阁里，和婢妾十几个人住在一起，夜晚失去了头颅。垂拱年间，李明的儿子零陵王李俊、黎国公李杰被天后所杀，官府抄没他们家产时，找到了谢祐的头颅，已被涂漆制成了便溺的器具，上面题云“谢祐”，才知道是李明的儿子指派刺客去割取了谢祐的头颅。

太子留守京师，常常游玩畋猎。薛元超上疏规谏，高宗听到了，派遣使者慰劳薛元超，因而召他前往东都。

【段旨】

以上为第三段，写唐高宗晚年的纳谏，时昏时明。

【注释】

⑥⑨ 乙酉：四月二十二日。⑦⓪ 丁亥：四月二十四日。⑦① 黄门侍郎：官名，高宗咸亨间改门下侍郎为黄门侍郎，隶属门下省，为侍中之副。⑦② 郭待举：许州颍川（今河南许昌）人，官至左散骑常侍、同中书门下三品。事见《新唐书》卷六十一《宰相表》、《唐郎官石柱题名考》卷六。⑦③ 兵部侍郎：官名，正四品下，为兵部长官尚书之副。⑦④ 岑长倩（？至公元六九一年）：太宗朝宰相岑文本之侄，官至辅国大将军。传见《旧唐书》卷七十、《新唐书》卷一百二。⑦⑤ 秘书员外少监：官名。秘书省长官为秘书监，下有少监二员，员额外另置者称“员外”。少监从四品上，掌国家经籍图书。⑦⑥ 检校：代理。⑦⑦ 中书侍郎：官名，正四品，大历年间升为正三品，为中书令副手，国家朝廷大政，均得参议。⑦⑧ 鼓城：县名，春秋时鼓国都邑，隋置昔阳县，唐改名鼓城县，即今河北晋州。⑦⑨ 郭正一（？至公元六八九年）：定州鼓城（今河北晋州）人，官至中书侍郎、同中书门下平章事。明习故事，制敕多出其手，当时号为称职。传见《旧唐书》卷一百九十中、《新唐书》卷一百六。⑧⓪ 吏部侍郎：官名，正四品上，为吏部长官尚书之副。⑧① 魏玄同（公元六一七至六八九年）：与郭正一同籍贯。进士出身，官至检校纳言。传见《旧唐书》卷八十七、《新唐书》卷一百十七。⑧② 与中书门下同承受进止平章事：与中书门下长官一起商量处理军国大事。后简称“同平章事”或“同中书门下平章事”，成为宰相名号之一。这种名号用于四品以下官员代行宰相职务的场合。⑧③ 上言铨选之弊：上书指陈铨选的弊端。其文俱载《旧唐书》之《魏玄同传》及《全唐文》卷一百六十八。⑧④ 人君之体：人君为政之要。⑧⑤ 周穆王：西周第五位国王，名叫姬满。事见《史记》卷四《周本纪》。⑧⑥ 伯冏：周穆王时的贤臣。《史记·周本纪》载：“穆王即位，春秋已五十矣。王道衰微，穆王闵文、武之道缺，乃命伯冏申诫太仆国之政，作《冏命》。”⑧⑦ 太仆正：官名，当是周穆王主政之官。正，长。太仆正即太仆之长。但《冏命》云：“今予命汝作大正，正于群仆侍御之臣。”据此，太仆正则是“正于群仆”之义。⑧⑧ 慎简乃僚：语出《尚书·冏命》。意为审慎地简选你的僚佐。⑧⑨ 汉氏：汉代。⑨⓪ 补署：补充署任。⑨① 辟召：征辟召用。⑨② 天朝：朝廷；中央。⑨③ 刀笔：本指书写工具。此处指写成的文章。⑨④ 按簿书而察行：按照簿书观察其德行高下。⑨⑤ 借使：假使。⑨⑥ 丙午：五月十四日。⑨⑦ 乙卯：

五月二十三日。⑱疾疫：疾病瘟疫。⑲作奉天宫于嵩山南：事详《唐会要》卷三十《奉天宫》条。奉天宫故址在今河南登封北，与逍遥谷为邻，接近潘师正之隆唐观。见《说嵩》卷三。⑳监察御史里行：隶属御史台，掌察巡郡县、屯田、铸钱等事。胡三省云："里行者，资序未至，未正除监察御史，令于监察御史班里行也。"唐太宗朝始有监察御史"里行"之名。唐高宗时因以置官，员数不定。武则天朝又有"殿中里行"。⑩三皇：传说中的远古帝王。有七种说法：一、伏羲、神农、黄帝；二、天皇、地皇、泰皇；三、伏羲、神农、祝融；四、天皇、地皇、人皇；五、伏羲、女娲、神农；六、伏羲、神农、燧人；七、伏羲、神农、共工。⑩五帝：传说中的上古帝王，实为原始社会末期的部落或部落联盟领袖。具体所指不一，有四种说法：一、伏羲、神农、黄帝、尧、舜；二、黄帝、颛顼、帝喾、唐尧、虞舜；三、太皞、炎帝、黄帝、少皞、颛顼；四、少昊、颛顼、高辛（帝喾）、唐尧、虞舜。《史记·五帝本纪》采用第二种说法。⑩菽粟不稔：菽，本指大豆，引申为豆类。粟，古称"禾""稷""谷"，即今之谷子。菽粟连用，泛指粮食。不稔，即不熟、歉收。⑩褚遂良、韩瑗之死：时在显庆三年（公元六五八年）、四年。⑩中外以言为讳：朝野以上书直言为忌讳。⑩凤鸣朝阳：语出《诗经·卷阿》，"凤皇鸣矣，于彼高冈。梧桐生矣，于彼朝阳"。后世以此喻贤才逢时，大显神通。⑩荆州：治所江陵，在今湖北荆州。⑩长史：官名，上州从五品上，中州正六品上，辅佐刺史掌理州内庶务。⑩苏良嗣（公元六〇六至六九〇年）：雍州武功（今陕西武功西）人，其父世长，为"秦府十八学士"之一。父子同传，见《旧唐书》卷七十五、《新唐书》卷一百三。⑩谢祐：事迹不详，略见《旧唐书》卷七十六《曹王明传》、《新唐书》卷八十《曹王明传》。⑪零陵王明：即曹王李明，唐太宗第十四子，永隆元年坐与太子贤通谋，降封为零陵王，徙于黔州。⑫仍：因。

【校记】

［3］崔知温：原作"韦知温"。据章钰校，十二行本、乙十一行本、孔天胤本皆作"崔知温"，今据改。〖按〗《旧唐书》中《高宗纪》亦作"崔知温"。［4］各：据章钰校，十二行本、乙十一行本、孔天胤本"各"下皆有"百"字。［5］丙午：原无此二字。据章钰校，十二行本、乙十一行本、孔天胤本皆有此二字，张敦仁《通鉴刊本识误》同，今据补。［6］五岳：此二字原为空格。据章钰校，十二行本、乙十一行本、孔天胤本皆作"五岳"，今据补。〖按〗《旧唐书》中《礼仪志》、《册府元龟》卷三十六《帝王部》中《封禅》亦载高宗欲遍封五岳之事。

【原文】

吐蕃将论钦陵寇柘、松、翼等州[113]。诏左骁卫郎将[114]李孝逸[115]、右卫郎将[116]卫蒲山发秦、渭等州兵分道御之。

冬，十月丙寅[117]，黄门侍郎刘景先[118]同中书门下平章事。

是岁，突厥余党阿史那骨笃禄[119]、阿史德元珍[120]等招集亡散，据黑沙城反，入寇并州及单于府之北境[121]，杀岚州[122]刺史[123]王德茂。右领军卫将军[124]、检校代州都督薛仁贵将兵击元珍于云州，虏问唐大将为谁，应之曰："薛仁贵。"虏曰："吾闻仁贵流象州[125]，死久矣，何以给我[126]！"仁贵免胄示之面，虏相顾失色，下马列拜，稍稍[127]引去。仁贵因奋击，大破之，斩首万余级，捕虏二万余人。

吐蕃入寇河源军，军使[128]娄师德将兵击之于白水涧[129]，八战八捷。上以师德为比部员外郎[130]、左骁卫郎将、河源军经略副使[131]，曰："卿有文武材，勿辞也！"

【段旨】

以上为第四段，写薛仁贵、娄师德建功边陲。薛仁贵破西突厥，娄师德败吐蕃。

【注释】

⑬ 论钦陵寇柘、松、翼等州：吐蕃论钦陵侵扰今四川黑水县、松潘及其东部一带。⑭ 左骁卫郎将：官名，左骁卫大将军下属员，掌宫廷警卫。⑮ 李孝逸：唐宗室淮安王李神通之子，后因平徐敬业有功，进位镇军大将军，徙封吴国公。传见《旧唐书》卷六十、《新唐书》卷七十八。⑯ 右卫郎将：官名。右卫有中郎将之职，领本府之属宿卫宫廷，右卫郎将为右卫中郎将副手。⑰ 丙寅：十月初七日。⑱ 刘景先（？至公元六八九年）：本名刘齐贤，因避章怀太子李贤名讳改为景先。传见《旧唐书》卷八十一、《新唐书》卷一百六。⑲ 阿史那骨笃禄：与颉利可汗有血缘关系。世袭吐屯之职，所掌与御史

【语译】

吐蕃将论钦陵侵扰柘、松、翼等州。下诏令左骁卫郎将李孝逸、右卫郎将卫蒲山调拨秦、渭等州的军队，分路抵御。

冬，十月初七日丙寅，任命黄门侍郎刘景先为同中书门下平章事。

这一年，突厥余党阿史那骨笃禄、阿史德元珍等人招集逃散的部众，占据黑沙城反叛，侵入并州和单于府的北境，杀害岚州刺史王德茂。右领军卫将军、检校代州都督薛仁贵统兵在云州攻击阿史德元珍，敌人询问唐大将是谁，回答说："是薛仁贵。"敌人说："我听说薛仁贵流放象州，死去很久了，为什么来骗我！"薛仁贵脱下盔甲，让他们看看面部，敌人面面相觑，大惊失色，下马列队揖拜，渐渐带兵离去。薛仁贵趁机奋击，大败突厥兵，斩首一万多级，抓获敌人二万多人。

吐蕃入侵河源军，军使娄师德率兵在白水涧进行攻击，八战八捷。高宗任命娄师德为比部员外郎、左骁卫郎将、河源军经略副使，高宗说："你有文武才能，不要推辞！"

略同。反叛后自立为可汗，不断骚扰朔、代等北方州县。⑫⓪阿史德元珍：本为单于都护府检校降户之官。降骨笃禄，被委任为阿波达干，掌握兵权。事见《旧唐书》卷一百九十四上《突厥传》、《新唐书》卷二百十五上《突厥传》。⑫①并州及单于府之北境：即今山西太原、内蒙古呼和浩特一带。⑫②岚州：治所宜芳，在今山西岚县北部岚城。⑫③刺史：官名，一州之长。大州从三品，中州正四品上，下州正四品下。⑫④右领军卫将军：官名。右领军卫为中央十二卫之一，大将军为之长，其下有将军，从三品，大朝会时负责戍卫。⑫⑤仁贵流象州：薛仁贵于高宗上元（公元六七四至六七五年）中坐事流象州（今广西象州东北），后被赦归，起复为瓜州长史，寻授右领军卫将军、检校代州都督。⑫⑥何以绐我：为什么骗我。⑫⑦稍稍：渐渐。⑫⑧军使：高宗仪凤间始置，黑齿常之曾为河源军使。⑫⑨白水涧：地名，在今青海大通回族土族自治县西北。⑬⓪比部员外郎：官名，《新唐书》卷四十六《百官志》一，"比部郎中、员外郎各一人，掌句会内外赋敛、经费、俸禄、公廨、勋赐、赃赎、徒役课程、逋欠之物，及军资、械器、和籴、屯收所入"。⑬①经略副使：官名。太宗贞观二年（公元六二八年）始置经略使，执掌边州军务，其下设副使。

【原文】

弘道元年[132]（癸未，公元六八三年）

春，正月甲午朔[133]，上行幸奉天宫。

二月庚午[134]，突厥寇定州，刺史霍王元轨击却之。乙亥[135]，复寇妫州[136]。三月庚寅[137]，阿史那骨笃禄、阿史德元珍围单于都护府，执司马[138]张行师，杀之。遣胜州都督王本立、夏州都督李崇义将兵分道救之。

太子右庶子[139]、同中书门下三品李义琰改葬父母，使其舅氏迁旧墓。上闻之，怒曰："义琰倚势，乃陵其舅家，不可复知政事！"义琰闻之，不自安，以足疾乞骸骨[140]，庚子[141]，以义琰为银青光禄大夫[142]，致仕。

癸丑[143]，守中书令[144]崔知温薨。

夏，四月己未[145]，车驾还东都。

绥州步落稽[146]白铁余[147]，埋铜佛于地中，久之，草生其上，绐其乡人曰："吾于此数见佛光。"择日集众掘地，果得之，因曰："得见圣佛者，百疾皆愈。"远近赴之。铁余以杂色囊盛之数十重，得厚施，乃去一囊。数年间，归信者众，遂谋作乱。据城平县[148]，自称光明圣皇帝，置百官，进攻绥德、大斌[149]二县，杀官吏，焚民居。遣右武卫将军程务挺与夏州都督王方翼讨之，甲申[150]，攻拔其城，擒铁余，余党悉平。

五月庚寅[151]，上幸芳桂宫[152]，至合璧宫，遇大雨而还。

乙巳[153]，突厥阿史那骨笃禄等寇蔚州[154]，杀刺史李思俭，丰州都督崔智辩将兵邀之于朝那山[155]北，兵败，为虏所擒。朝议[156]欲废丰州[157]，迁其百姓于灵、夏[158]。丰州司马唐休璟[159]上言，以为"丰州阻河为固[160]，居贼冲要，自秦、汉已来，列为郡县，土宜耕牧。隋季丧乱，迁百姓于宁、庆二州[161]，致胡虏深侵，以灵、夏为边境；贞观之末，募人实之，西北始安。今废之则河滨之地复为贼有，灵、夏等州人不安业，非国家之利也！"乃止。

六月，突厥别部寇掠岚州，偏将杨玄基击走之。

秋，七月己丑[162]，立皇孙重福[163]为唐昌王。

【语译】

弘道元年（癸未，公元六八三年）

春，正月甲午朔，高宗前往奉天宫。

二月十二日庚午，突厥侵扰定州，刺史霍王李元轨击退了突厥。十七日乙亥，又侵扰妫州。三月初二日庚寅，阿史那骨笃禄、阿史德元珍包围单于都护府，抓获司马张行师，把他杀了。高宗派遣胜州都督王本立、夏州都督李崇义率军分路救援。

太子右庶子、同中书门下三品李义琰改葬父母，让他的舅舅家迁走旧坟。高宗听到后，非常气地说："李义琰倚仗权势，竟然欺凌他的舅舅家，不可让他再执掌政事！"李义琰听到了，自己内心不安，就借口有脚病，要求离职。三月十二日庚子，任命李义琰为银青光禄大夫，让他退休。

二十五日癸丑，署理中书令崔知温去世。

夏，四月初二日己未，高宗车驾返回东都。

绥州步落稽部族的白铁余把铜佛埋在地里，过了很久，上面长了草，就欺骗同乡人说："我在这里一再见到佛光。"选择了一天，集合一群人挖地，果然得到铜佛，趁机说道："能够看到圣佛的人，所有疾病都会痊愈。"不管远近，人们都前来礼佛。白铁余用各种颜色的囊袋盛着铜佛，有好几十层，如果得到优厚的施舍，就拿一个囊袋给施舍的信徒。几年时间，归附信仰的人众多，（白铁余）便谋划作乱。占据了城平县，自称光明圣皇帝，设置百官，进攻绥德、大斌两县，杀死官吏，焚毁民居。朝廷派遣右武卫将军程务挺和夏州都督王方翼讨伐他，四月二十七日甲申，攻下城平县县城，活捉了白铁余，剩下的党徒都平定了。

五月初三日庚寅，高宗前往芳桂宫，到达合璧宫时，遇上大雨便返回了。

五月十八日乙巳，突厥阿史那骨笃禄等人侵扰蔚州，杀死刺史李思俭，丰州都督崔智辩率军在朝那山北面拦击，兵败，被敌人擒获。朝廷讨论打算废除丰州，把那里的百姓迁移到灵州、夏州。丰州司马唐休璟向高宗进言，认为"丰州阻隔黄河，成为险固地带，处于敌人的要冲，从秦、汉以来，都把它置为郡县，土地适合耕种放牧。隋朝末年丧亡动乱，把百姓迁徙到宁、庆两州，致使胡虏深入侵扰，把灵州、夏州当成边境；贞观末年，招募百姓充实丰州，西北才安定。现在废除丰州，那么濒临黄河的土地又要被贼人所占有，灵、夏等州的百姓不能安居乐业，这不是国家的利益所在！"朝廷停止了废弃丰州的计划。

六月，突厥的另一部族侵扰抢掠岚州，偏将杨玄基把他们击退。

秋，七月初四日己丑，封皇孙李重福为唐昌王。

庚辰[7]，诏以今年十月有事于嵩山；寻以上不豫⑯，改用来年正月。

甲辰⑯，徙相王轮为豫王，更名旦。

【段旨】

以上为第五段，写唐西北边境不宁，绥州稽胡反叛，突厥、吐蕃犯边。

【注释】

⑬² 弘道元年：永淳二年十二月丁巳改元弘道。即弘道元年包有永淳二年。⑬³ 甲午朔：误。《新唐书》卷三作“甲午”，不言朔。此月己丑朔。甲午即正月初六日。“朔”字衍。⑬⁴ 庚午：二月十二日。⑬⁵ 乙亥：二月十七日。⑬⁶ 妫州：州名，治所怀戎，在今河北涿鹿西南桑乾河南岸。⑬⁷ 庚寅：三月初二日。⑬⁸ 司马：都护府司马正五品上，为都护之副，掌抚慰边远诸蕃，征讨叛离。⑬⁹ 太子右庶子：官名，东宫太子右春坊长官，正四品下，掌东宫侍从、献纳、启奏之事。⑭⁰ 乞骸骨：又称“乞身”。自请退职的习用语。⑭¹ 庚子：三月十二日。⑭² 银青光禄大夫：文散官第五阶，待遇为从三品。⑭³ 癸丑：三月二十五日。⑭⁴ 守中书令：犹摄中书令。以品级较低的人担任职务较高的官称为守某官。崔知温以正四品的门下侍郎、同中书门下三品，为中书令，正三品，故称守中书令。中书令为中书省长官，掌军国大政。⑭⁵ 己未：四月初二日。⑭⁶ 步落稽：少数民族之一，通称为稽胡。⑭⁷ 白铁余：人名，其事散见于《旧唐书》卷八十三、《新唐书》卷一百十一。⑭⁸ 城平县：西魏置，县治在今陕西清涧县东北。⑭⁹ 绥德、大斌：皆属绥州，县治分别在今

【原文】

中书令兼太子左庶子⑯薛元超病喑⑯，乞骸骨，许之。

八月己丑⑯，以将封嵩山，召太子赴东都；留唐昌王重福守京师，以刘仁轨为之副。冬，十月己卯⑯，太子至东都。

癸亥⑰，车驾幸奉天宫。

庚辰日，下诏令今年十月要在嵩山举行祭祀；不久因为高宗患病，改在明年正月举行。

十九日甲辰，迁调相王李轮为豫王，改名为李旦。

清涧县西北及子洲县西南大理河南岸。⑮⓪甲申：四月二十七日。⑮①庚寅：五月初三日。⑮②芳桂宫：即紫桂宫。在今河南渑池县，仪凤二年建。调露二年称避暑宫，永淳元年改名芳桂宫。⑮③乙巳：五月十八日。⑮④蔚州：州名，治所灵丘，在今山西灵丘。⑮⑤朝那山：即牛头朝那山，属阴山山脉。在今内蒙古固阳东。⑮⑥朝议：朝廷商议。⑮⑦丰州：州名，治所在今内蒙古巴彦淖尔市临河区东黄河北岸附近。⑮⑧灵、夏：灵、夏二州在今宁夏灵武至陕西靖边一带。⑮⑨唐休璟（公元六二七至七一二年）：本名璇，以字行，京兆始平（今陕西咸阳西北）人，熟悉边事，深为武则天赏识。官至夏官尚书、同凤阁鸾台平章事。传见《旧唐书》卷九十三、《新唐书》卷一百十一。⑯⓪阻河为固：阻隔黄河，以为险固。⑯①宁、庆二州：地在当今甘肃宁县、庆阳一带。⑯②己丑：七月初四日。⑯③重福（公元六八〇至七一〇年）：中宗第二子。睿宗景云元年谋反，兵败自杀。传见《旧唐书》卷八十六、《新唐书》卷八十一。⑯④不豫：帝王有病的讳称。⑯⑤甲辰：七月十九日。

【校记】

［7］庚辰：严衍《通鉴补》改作“壬辰”，今据以校正。〖按〗是年七月无庚辰，《册府元龟》卷三十六《帝王部》中《封禅》作“庚申”，然是年七月亦无庚申，八月初五方为庚申，未知孰是。

【语译】

中书令兼太子左庶子薛元超得了喑哑病，乞求退休，高宗答应了。

八月己丑日，因为将要在嵩山封禅，召太子前往东都；留下唐昌王李重福守护京师，以刘仁轨为副手。冬，十月二十六日己卯，太子到达东都。

初十日癸亥，高宗车驾到达奉天宫。

十一月丙戌[171]，诏罢来年封嵩山，上疾甚故也。上苦头重，不能视，召侍医秦鸣鹤诊之[172]，鸣鹤请刺头出血，可愈。天后在帘中，不欲上疾愈，怒曰："此可斩也，乃欲于天子头刺血！"鸣鹤叩头请命。上曰："但刺之，未必不佳。"乃刺百会、脑户二穴[173]。上曰："吾目似明矣。"后举手加额曰："天赐也！"自负[174]彩百匹以赐鸣鹤。

戊戌[175]，以右武卫将军[176]程务挺为单于道安抚大使[177]，招讨阿史那骨笃禄等。

诏太子监国[178]，以裴炎、刘景先、郭正一同[8]东宫平章事[179]。

上自奉天宫疾甚，宰相皆不得见。丁未[180]，还东都，百官见于天津桥南。

十二月丁巳[181]，改元，赦天下。上欲御则天门[182]楼宣赦，气逆不能乘马，乃召百姓入殿前宣之。是夜，召裴炎入，受遗诏辅政，上崩于贞观殿[183]。遗诏太子柩前即位，军国大事有不决者，兼取天后进止[184]。废万泉、芳桂、奉天等宫。

庚申[185]，裴炎奏太子未即位，未应宣敕，有要速处分[186]，望宣天后令[187]于中书、门下施行。甲子[188]，中宗即位，尊天后为皇太后，政事咸取决焉。太后以泽州刺史韩王元嘉[189]等，地尊望重，恐其为变，并加三公等官[190]以慰其心。

甲戌[191]，以刘仁轨为左仆射，裴炎为中书令。戊寅[192]，以刘景先为侍中。

故事，宰相于门下省议事，谓之政事堂[193]，故长孙无忌为司空，房玄龄为仆射，魏徵为太子太师，皆知门下省事。及裴炎迁中书令，始迁政事堂于中书省。

壬午[194]，遣左威卫将军王果，左监门将军令狐智通，右金吾将军杨玄俭，右千牛将军郭齐宗分往并、益、荆、扬四大都督府[195]，与府司相知镇守[196]。中书侍郎、同平章事郭正一为国子祭酒，罢政事。

十一月初三日丙戌，下诏停止次年在嵩山举行封禅，因为高宗病得很厉害。高宗苦于头部昏沉，不能看见东西，召来侍医秦鸣鹤诊治，秦鸣鹤请求把头部刺破放血，（认为这样）就可以治愈。天后在帘幕里，不想让高宗治好病，就生气地说："说这话的人可杀，居然想在天子头上刺出血！"秦鸣鹤磕头请求饶命。高宗说："只管刺头，未必不好。"秦鸣鹤就刺百会、脑户两穴。高宗说："我的眼睛好像可以看清楚东西了。"天后举起手放在额头上说："这是上天所赐啊！"天后亲自背负彩帛一百匹赏赐秦鸣鹤。

十一月十五日戊戌，任命右武卫将军程务挺为单于道安抚大使，招降征讨阿史那骨笃禄等人。

下诏令由太子监理国家政事，任命裴炎、刘景先、郭正一为同东宫平章事。

高宗自从在奉天宫病重后，宰相都不能见到他。二十四日丁未，高宗返回东都，百官在天津桥南见到高宗。

十二月初四日丁巳，改换年号，大赦天下。高宗想在则天门楼宣布赦令，感到呼吸不畅，无法乘坐车马，就召百姓到殿前加以宣布。当天夜间，召裴炎入宫，接受遗诏辅佐政事，高宗在贞观殿去世。遗诏令太子在高宗灵柩前即皇帝位，军国大事有不能决断的，可以兼取天后的意旨来处理。废万泉、芳桂、奉天等宫。

十二月初七日庚申，裴炎上奏，认为太子还没有即帝位，不应该宣布敕令，有重要和须快速处理的事情，希望把天后的命令在中书、门下宣布施行。十一日甲子，中宗即帝位，尊称天后为皇太后，政事全部由皇太后决断。太后认为泽州刺史韩王李元嘉等人地位尊崇，德高望重，怕他们作乱，就都加封三公等官衔以抚慰他们。

十二月二十一日甲戌，任命刘仁轨为左仆射，裴炎为中书令。二十五日戊寅，任命刘景先为侍中。

旧制，宰相在门下省议政，称之为政事堂，所以长孙无忌任司空，房玄龄任仆射，魏徵任太子太师时，都在门下省处理政务。等到裴炎迁升为中书令，才开始把政事堂迁到中书省。

十二月二十九日壬午，派遣左威卫将军王果、左监门将军令狐智通、右金吾将军杨玄俭、右千牛将军郭齐宗分头前往并、益、荆、扬四个大都督府，和各大都督府长官一起执掌镇守事务。中书侍郎、同平章事郭正一任国子祭酒，罢除他参议政事职权。

【段旨】

以上为第六段，写唐高宗驾崩，唐中宗即位。

【注释】

⑯太子左庶子：官名，东宫太子左春坊长官，正四品上，掌侍从赞相，驳正启奏。⑰病喑：患哑病。⑱己丑：八月丙辰朔，无己丑。《旧唐书》卷五作七月己丑，即七月初四日。此日李重福始封唐昌郡王，若即令留守，似于理不通。《新唐书》卷三作八月乙丑，即八月十日。⑲己卯：十月二十六日。关于太子至东都的时间，《旧唐书》中《高宗纪下》作十一月。《新唐书》中《高宗纪》不载。似应以《通鉴》所载为准。但从《旧纪》及《通鉴》行文来看，皇太子至东都在高宗幸奉天宫之前，而高宗幸奉天宫的时间，《新纪》和《册府元龟》并作十月癸亥，即十月初十日，故尚需进一步考证。⑰癸亥：十月初十日。⑰丙戌：十一月初三日。⑰召侍医秦鸣鹤诊之：此事又见《旧唐书》卷五、《新唐书》卷七十六。侍医即侍御医。唐制，尚药局有御医四人，从六品上，掌诊候调和，为皇帝治病。⑰乃刺百会、脑户二穴：《针灸经》：百会一名三阳五会，在前顶后寸半顶中央旋毛中，可容豆，针二分，得气即泻。脑户，一名合颅，在枕骨上强后寸半，禁针，针令人哑。⑰自负：亲自扛负。⑰戊戌：十一月十五日。⑰右武卫将军：官名。右武卫为中央十二卫之一，大将军为之长，其下有将军，从三品，掌宫廷警卫，大朝会则率属排列殿前，既是仪仗，又是侍卫。⑰安抚大使：为临时设置之官，掌率兵征讨，招抚郡县。⑰诏太子监国：据《新唐书》卷三，时在十一月辛丑，即十一月十八日。⑰以裴炎、刘景先、郭正一同东宫平章事：时在十一月戊申，即二十五日。平章事，即共议政事。⑱丁未：十一月二十四日。⑱丁巳：十二月初四日。《唐会要》卷一所载相同。《旧唐书》卷五作“己酉”，误。丁巳日改元弘道。是日夜高宗崩。⑱则天门：东都宫城南面中门，门外即朝堂。后因避武则天尊号，改为应天门。⑱贞观殿：东

【原文】

则天顺圣皇后[197]上之上

光宅元年[198]（甲申，公元六八四年）

春，正月甲申朔[199]，改元嗣圣，赦天下。

立太子妃韦氏[200]为皇后，擢后父玄贞[201]自普州[202]参军[203]为豫州[204]刺史。

癸巳[205]，以左散骑常侍[206]杜陵韦弘敏[207]为太府卿[208]、同中书门下三品。

都宫城中央三大宫殿之一。南为含元殿，北为徽猷殿。⑱兼取天后进止：由天后裁决、处理。⑱庚申：十二月初七日。⑱有要速处分：有重要、紧急的事须要处理。⑱宣天后令：传达天后的命令。⑱甲子：十二月十一日。中宗即位的时间，《册府元龟》卷十五亦作“甲子”。《唐会要》作十二月初六日，误。⑱韩王元嘉：李渊第十一子。传见《旧唐书》卷六十四、《新唐书》卷七十九。⑲并加三公等官：进授韩王元嘉为太尉，霍王元轨为司徒，舒王元名为司空，滕王元婴为开府仪同三司，鲁王灵夔为太子太师，越王贞为太子太傅，纪王慎为太子太保。见《新唐书》卷七十九《高祖诸子传》。⑲甲戌：十二月二十一日。⑲戊寅：十二月二十五日。⑲政事堂：宰相议政之所。关于政事堂产生的时间，学术界观点不一。有人说起于贞观，有人说起于武德，有人更推至隋朝。从有关资料来看，政事堂在隋代已显露端倪，但宰相常在政事堂议事的制度则是在贞观时确立的。政事堂在唐代经历了一个变化的过程，起初在门下省，后来裴炎执政时移至中书省，最后张说改政事堂为中书门下。⑲壬午：十二月二十九日。⑲并、益、荆、扬四大都督府：唐武德七年（公元六二四年）二月十二日改大总管府为大都督府。并州大都督府管泽、潞、汾、仪、岚、忻、代、朔、蔚等州，益州大都督府管彭、蜀、汉、简、眉、邛、嘉、雅、陵等州，荆州大都督府管硖、郢、澧、朗、岳、鄂等州，扬州大都督府管舒、和、滁、庐、楚、寿等州，战略地位都很重要。⑲相知镇守：相互知会，共同镇守。

【校记】

［8］同：据章钰校，十二行本、乙十一行本、孔天胤本皆作“兼”，张敦仁《通鉴刊本识误》同。〖按〗《旧唐书》中《高宗纪》作“于东宫同平章事”，《新唐书》中《高宗纪》作“兼于东宫平章事”，未知孰是。

【语译】

则天顺圣皇后上之上

光宅元年（甲申，公元六八四年）

春，正月初一日甲申，改年号为嗣圣，大赦天下。

立太子妃韦氏为皇后，把皇后父亲韦玄贞从普州参军擢升为豫州刺史。

初十日癸巳，任命左散骑常侍杜陵人韦弘敏为太府卿、同中书门下三品。

中宗欲以韦玄贞为侍中[209]，又欲授乳母之子五品官，裴炎固争[210]，中宗怒曰："我以天下与韦玄贞何不可[211]！而惜侍中邪！"炎惧，白太后，密谋废立。二月戊午[212]，太后集百官于乾元殿[213]，裴炎与中书侍郎刘祎之、羽林将军[214]程务挺、张虔勖勒兵入宫，宣太后令，废中宗为庐陵王，扶下殿。中宗曰："我何罪？"太后曰："汝欲以天下与韦玄贞，何得无罪！"乃幽于别所。

己未[215]，立雍州牧豫王旦[216]为皇帝。政事决于太后，居睿宗于别殿，不得有所预[217]。立豫王妃刘氏为皇后。后，德威[218]之孙也。

有飞骑[219]十余人饮于坊曲，一人言："向知别无勋赏，不若奉庐陵。"一人起出，诣北门[220]告之。座未散，皆捕得，系羽林狱[221]。言者斩，余以知反不告皆绞，告者除五品官，告密之端自此兴矣。

壬子[222]，以永平郡王成器[223]为皇太子，睿宗之长子也。赦天下，改元文明。

庚申[224]，废皇太孙重照为庶人[225]，命刘仁轨专知西京留守事。流韦玄贞于钦州[226]。

太后与刘仁轨书曰："昔汉以关中事委萧何[227]，今托公亦犹是矣。"仁轨上疏，辞以衰老[228]不堪居守，因陈吕后[229]祸败之[9]事以申规戒。太后使秘书监[230]武承嗣赍玺书慰谕之曰："今以皇帝谅暗[231]不言，眇身[232]且代亲政，远劳劝戒，复辞衰疾。又云'吕氏见嗤于后代，禄、产贻祸于汉朝[233]'，引喻良深[234]，愧慰交集。公忠贞之操，终始不渝，劲直之风，古今罕比。初闻此语，能不罔然；静而思之，是为龟镜[235]。况公先朝旧德[236]，遐迩具瞻[237]，愿以匡救为怀，无以暮年致请。"

辛酉[238]，太后命左金吾将军丘神勣[239]诣巴州，检校故太子贤宅以备外虞，其实风使杀之。神勣，行恭之子也。

甲子[240]，太后御武成殿[241]，皇帝帅王公以下上尊号。丁卯[242]，太后临轩，遣礼部尚书武承嗣册嗣皇帝。自是太后常御紫宸殿[243]，施惨紫帐以视朝[244]。

丁丑[245]，以太常卿、检校豫王府长史王德真[246]为侍中；中书侍郎、检校豫王府司马[247]刘祎之[248]同中书门下三品。

中宗打算任命韦玄贞为侍中，又想授给乳母的儿子五品官，裴炎坚决劝谏，中宗发怒说："我把天下送给韦玄贞又有什么不可以！还吝惜一个侍中吗！"裴炎恐惧，告诉太后，秘密图谋废除中宗另立皇帝。二月初六日戊午，太后在乾元殿召集百官，裴炎和中书侍郎刘祎之，羽林将军程务挺、张虔勖勒兵入宫，宣布太后命令，废中宗为庐陵王，把他扶下殿堂。中宗说："我有什么罪？"太后说："你要把天下给予韦玄贞，怎么会没有罪！"就把中宗幽禁在别宫里。

二月初七日己未，把雍州牧豫王李旦立为皇帝。一切政事取决于太后，把睿宗安置在别殿，不能参与政事。立豫王妃刘氏为皇后。皇后是刘德威的孙女。

有飞骑十几个人在小街曲巷里喝酒，有一个人说："早知道没有勋爵封赏，还不如侍奉庐陵王。"有一个人起身出去，前往北门告密，在座的人还没散去，全部被捕获，囚禁在羽林军监狱里。说话的那个飞骑被斩首，剩下的以知道谋反不告发的罪名判处绞刑，告密的人被任命为五品官，告密之事从此兴起。

壬子日，封永平郡王李成器为皇太子，他是睿宗的大儿子。大赦天下，改年号为文明。

二月初八日庚申，把皇太孙李重照废为庶人，命令刘仁轨专门负责西京留守事务。把韦玄贞流放到钦州。

太后给刘仁轨的书信中说："过去汉朝把关中的事情托付给萧何，现在托付你的和这一样。"刘仁轨上疏，以衰老不能胜任留守为由而推辞，顺便陈述吕后为害朝政的事情，申明劝诫。太后派遣秘书监武承嗣带着加印的书信，慰问晓谕刘仁轨说："现在因为皇帝在居丧，不言政事，所以由我这微末之身暂且亲理政事，远劳劝诫，又以衰老多病相辞。您又说'吕氏被后人嗤笑，吕禄、吕产嫁祸于汉朝'，所引的事例寓意的确深刻，使我惭愧与快慰交集。您忠诚坚贞的操守，始终不渝，刚强正直的作风，古往今来少有能相比的。起初听到您的话，怎能不感到迷惘？但静静地考虑，您这些话是可以作为鉴戒的。何况您是先朝旧时有德望的老人，远近的人士都一起仰望着您，希望您能以匡补朝廷为怀，不要用人老年暮为托辞请求告退。"

二月初九日辛酉，太后命令左金吾将军丘神勣前往巴州，检查前太子李贤住宅，以防外患，其实是暗示，让他把故太子李贤杀掉。丘神勣，是丘行恭的儿子。

二月十二日甲子，太后亲临武成殿，睿宗率领王公以下大臣呈上尊号。十五日丁卯，太后亲临殿前平台，派遣礼部尚书武承嗣册封继位皇帝。从此太后经常亲临紫宸殿，使用浅紫色的帘幕，临朝理政。

二月二十五日丁丑，任命太常卿、检校豫王府长史王德真为侍中；中书侍郎、检校豫王府司马刘祎之为同中书门下三品。

三月丁亥[249]，徙杞王上金为毕王，鄱阳王素节为葛王。

丘神勣至巴州，幽故太子贤于别室，逼令自杀。太后乃归罪于神勣，戊戌[250]，举哀于显福门[251]，贬神勣为叠州[252]刺史。己亥[253]，追封贤为雍王。神勣寻复入为左金吾将军。

夏，四月，开府仪同三司、梁州都督滕王元婴[254]薨。

辛酉[255]，徙毕王上金为泽王，拜苏州[256]刺史；葛王素节为许王，拜绛州[257]刺史。

癸酉[258]，迁庐陵王于房州，丁丑[259]，又迁于均州故濮王宅[260]。

五月丙申[261]，高宗灵驾西还[262]。

【段旨】

以上为第七段，写唐高宗尸骨未寒，武则天以铁腕手段迅急发动政变，废中宗，又杀废太子李贤，立傀儡皇帝睿宗，武则天垂帘听政。

【注释】

⑲⑦则天顺圣皇后：武则天（公元六二四至七〇五年）。“则天顺圣皇后”是唐玄宗在天宝八载（公元七四九年）给武则天所上的尊号。⑲⑧光宅元年：弘道元年十二月高宗崩，武则天临朝称制改元嗣圣。嗣圣元年二月己未睿宗改元文明，至九月甲寅又改元光宅。⑲⑨甲申朔：正月初一日。⑳⓪韦氏：唐中宗皇后。中宗被贬时，尚能共济艰难。中宗复位后，即趁机擅权，并毒害中宗，造成很大的混乱。传见《旧唐书》卷五十一、《新唐书》卷七十六。⑳①玄贞：韦玄贞后流死钦州。事见《旧唐书》卷一百八十三《韦温传》、《新唐书》卷二百六《韦温传》。⑳②普州：治所安岳，在今四川安岳。⑳③参军：即参军事，为州诸曹长官，大州参军从七品上，中州正八品下，下州从八品下。⑳④豫州：治所汝阳，在今河南汝南县。⑳⑤癸巳：正月初十日。⑳⑥左散骑常侍：官名，隶属门下省，从三品，掌侍奉规谏，备顾问应对。⑳⑦韦弘敏：京兆杜陵（今陕西西安东南）人，嗣圣元年（公元六八四年）正月十日至十月十九日担任宰相。事见《新唐书》卷四《则天皇后纪》等。⑳⑧太府卿：官名，太府寺长官，从三品，掌国家库藏出纳和贸易商税等事务。⑳⑨侍中：官名，宰相之一。为门下省最高长官，秩正三品，又称纳言、左相。掌出

三月初五日丁亥，迁调杞王李上金为毕王，鄱阳王李素节为葛王。

丘神勣抵达巴州，把前太子李贤幽禁在别室，逼令自杀。太子自杀后，太后就归罪于丘神勣，三月十六日戊戌，在显福门举办丧事，贬丘神勣为叠州刺史。十七日己亥，追封李贤为雍王。没多久，丘神勣又入朝担任左金吾将军。

夏，四月，开府仪同三司、梁州都督滕王李元婴去世。

初十日辛酉，迁调毕王李上金为泽王，担任苏州刺史；迁调葛王李素节为许王，担任绛州刺史。

二十二日癸酉，把庐陵王迁调到房州；二十六日丁丑，又迁调到均州濮王旧宅。

五月十五日丙申，高宗的灵车西行返回长安。

纳帝命，缉熙皇极，总典吏职，赞相礼仪。⑩ 固争：固执地再三谏诤。⑪ 何不可：即有何不可。⑫ 戊午：二月初六日。⑬ 乾元殿：东都宫城正殿，在贞观殿之南。玄宗开元末，改称含元殿。⑭ 羽林将军：官名，唐左右羽林军卫各有大将军一人，将军二人，掌统北衙禁兵。羽林之名，始于汉代，意即为国羽翼，如林之盛。唐初北衙武卫所领兵称作羽林。龙朔二年（公元六六二年）始置左右羽林军。⑮ 己未：二月初七日。⑯ 雍州牧豫王旦：即唐睿宗。时年二十二岁。牧，官名，唐代州官称刺史，唯雍州、河南、太原三府（三都）称牧。⑰ 居睿宗于别殿二句：太后令睿宗居于别殿，不许他参与朝政。⑱ 德威：刘德威（公元五八二至六五二年），徐州彭城（今江苏徐州）人，唐初任绵州刺史等职，政号廉平。传见《旧唐书》卷七十七、《新唐书》卷一百六。⑲ 飞骑：羽林军士。据《新唐书》之《兵志》及《隋唐嘉话》记载，太宗于贞观十二年置左右屯营于玄武门，选材力骁捷善驰射者充之，号为“飞骑”。后在屯营基础上置左右羽林军，其军士亦有“飞骑”之称。⑳ 北门：玄武门。㉑ 羽林狱：羽林军之狱。㉒ 壬子：二月癸丑朔，无壬子。两《唐书》之《则天纪》皆云：“己未，立永平郡王成器为皇太子。”立皇太子与改元同日，皆在二月己未。“壬子”似为衍文。㉓ 永平郡王成器（公元六七九至七四一年）：睿宗长子。又名李宪，以孝友谦让著称。死后追谥为让皇帝，葬于惠陵。传见《旧唐书》卷九十五、《新唐书》卷八十一。㉔ 庚申：二月初八日。㉕ 废皇太孙重照为庶人：李重照，中宗长子，后避武则天讳改名重润。永淳元年（公元六八二年）三月十五日（一说二十五日）始立为皇太孙。至此，因父中宗皇太子被废，迁房陵，重照皇太孙之位亦被废。㉖ 钦州：治所在今广西钦州东北钦江西北岸。㉗ 萧何（？至公元前

一九三年）：江苏沛县人，楚汉战争时留守关中，支援前线，以功进封酂侯。传见《史记》卷五十三、《汉书》卷三十九。㉘ 辞以衰老：以衰老为辞推谢。时刘仁轨已八十三岁。㉙ 吕后（公元前二四一至前一八〇年）：名雉，字娥姁，汉高祖皇后。高祖死后，排除异己，掌握实权，受到非议。传见《史记》卷九、《汉书》卷三及卷九十七上。㉚ 秘书监：官名，秘书省最高长官，掌经籍图书之事。㉛ 谅暗：又作“亮阴”“凉阴”“梁暗”，指天子居丧。㉜ 眇身：帝王自谦之词，与“寡人”相类。㉝ 禄、产贻祸于汉朝：吕禄、吕产均为吕后之侄，惠帝时，被封为王。后欲夺取政权，被周勃所杀。事见《史记》卷九《吕太后本纪》、卷五十七《绛侯周勃世家》，《汉书》卷四十《周勃传》。㉞ 引喻良深：引古喻今，寓意很深。㉟ 龟镜：借鉴。龟能卜吉凶，镜能别善恶。古人常以二字组词，作为借鉴的代称。㊱ 先朝旧德：先朝有德望的故老。㊲ 遐迩具瞻：受到朝野远近的共同瞻仰。㊳ 辛酉：二月初九日。㊴ 丘神勣（？至公元六九一年）：左卫大将军丘行恭之子。武周时期号为酷吏，官至左金吾卫大将军。传见《旧唐书》卷一百八十六上、《新唐书》卷二百九。㊵ 甲子：二月十二日。㊶ 武成殿：后来的宣政殿。在洛阳宫城含元殿西。㊷ 丁卯：二月十五日。㊸ 紫宸殿：胡三省注，“《唐六典》洛阳宫不载紫宸殿。以西京大明宫准之，紫宸殿内朝也，其位置当在乾元殿后”。㊹ 施惨紫帐以视朝：设置浅紫色的幕帐以临朝听政。㊺ 丁丑：二月二十五日。㊻ 王德真：京兆霸陵（今陕西西安东北）

【原文】

闰月，以礼部尚书武承嗣为太常卿[263]、同中书门下三品[264]。

秋，七月戊午[265]，广州都督路元睿[266]为昆仑[267]所杀。元睿暗懦，僚属恣横[268]。有商舶至，僚属侵渔[269]不已，商胡诉于元睿，元睿索枷，欲系治之。群胡怒，有昆仑袖剑直登听事[270]，杀元睿及左右十余人而去，无敢近者，登舟入海，追之不及。

温州[271]大水，流四千余家。

突厥阿史那骨笃禄等寇朔州。

八月庚寅[272]，葬天皇大帝于乾陵[273]，庙号[274]高宗。

初，尚书左丞[275]冯元常[276]为高宗所委[277]，高宗晚年多疾，百司奏事[10]，每曰：“朕体中不佳[278]，可与元常平章以闻[279]。”元常尝密言“中人，永隆元年（公元六八〇年）四月入相，九月罢为相王府长史。睿宗即位，得以再度入相。事迹散见于《新唐书》卷六十一、《全唐诗》卷四十四、《唐郎官石柱题名考》卷四、卷六等。㉔⑦司马：王府司马与长史统领府僚，总揽王府事务，从四品下。㉔⑧刘祎之（公元六三一至六八七年）：常州晋陵（今江苏常州）人，曾为北门学士，还担任过宰相。传见《旧唐书》卷八十七、《新唐书》卷一百十七、《咸淳毗陵志》卷十六。㉔⑨丁亥：三月初五日。㉕⓪戊戌：三月十六日。㉕①显福门：即明福门。在东都集贤殿书院之东，后避中宗讳，改"显"为"明"。㉕②叠州：治所在今甘肃迭部。㉕③己亥：三月十七日。㉕④滕王元婴（？至公元六八四年）：唐高祖第二十二子。贪暴不法，曾多次受到唐高宗的斥责。传见《旧唐书》卷六十四、《新唐书》卷七十九。㉕⑤辛酉：四月初十日。㉕⑥苏州：州名，治所在今江苏苏州。㉕⑦绛州：州名，治所在今山西新绛。㉕⑧癸酉：四月二十二日。㉕⑨丁丑：四月二十六日。㉖⓪均州故濮王宅：贞观末濮王泰所居之宅。均州治所在今湖北丹江口市西北。㉖①丙申：五月十五日。㉖②灵驾西还：皇帝灵车从洛阳向京师进发。

【校记】

［9］之：原无此字。据章钰校，十二行本、乙十一行本、孔天胤本皆有此字，今据补。

【语译】

闰五月，任命礼部尚书武承嗣为太常卿、同中书门下三品。

秋，七月初九日戊午，广州都督路元睿被昆仑商人所杀。路元睿昏昧懦弱，僚属恣肆蛮横。遇有商船到达，僚属侵扰搜刮不止，经商的胡人向路元睿申诉，路元睿取来枷锁，想把他们抓捕治罪。胡商们大怒，有个昆仑商人袖中藏剑，直上厅堂，杀死路元睿和他身边十几个人就离开了，没有敢靠近的。昆仑商人登船入海，路元睿部下追捕，没有赶上。

温州发大水，冲走四千多家。

突厥阿史那骨笃禄等人寇掠朔州。

八月十一日庚寅，天皇大帝葬于乾陵，庙号为高宗。

当初，尚书左丞冯元常被高宗所委重，高宗晚年多病，各官员上书奏事，高宗常常说："朕身体不好，可与元常商议处理，再上报于朕。"冯元常曾经隐秘地说"武

宫[280]威权太重，宜稍抑损”。高宗虽不能用，深以其言为然。及太后称制，四方争言符瑞[281]。嵩阳令[282]樊文献瑞石，太后命于朝堂示百官，元常奏[11]：“状涉谄诈，不可诬罔天下。”太后不悦，出为陇州[283]刺史。元常，子琮[284]之曾孙也。

丙午[285]，太常卿、同中书门下三品武承嗣罢为礼部尚书。

栝州[286]大水，流二千余家。

九月甲寅[287]，赦天下，改元[288]。旗帜皆从金色[289]。八品以下，旧服青者更服碧[290]。改东都为神都，宫名太初[291]。又改尚书省为文昌台，左、右仆射为左、右相，六曹为天、地、四时六官[292]；门下省为鸾台，中书省为凤阁，侍中为纳言，中书令为内史；御史台为左肃政台[293]，增置右肃政台[294]；其余省、寺、监、率之名，悉以义类改之[295]。

以左武卫大将军程务挺为单于道安抚大使，以备突厥。

武承嗣请太后追王其祖[296]，立武氏七庙[297]，太后从之。裴炎谏曰：“太后母临天下，当示至公，不可私于所亲。独不见吕氏之败乎！”太后曰：“吕后以权委生者[298]，故及于败。今吾追尊亡者，何伤乎！”对曰：“事当防微杜渐，不可长耳！”太后不从。己巳[299]，追尊太后五代祖克己[300]为鲁靖公[301]，妣为夫人；高祖居常[302]为太尉、北平恭肃王[303]，曾祖俭[304]为太尉、金城义康王[305]，祖华[306]为太尉、太原安成王，考士彟为太师、魏定王；祖妣皆为妃。裴炎由是得罪。又作五代祠堂于文水[307]。

【段旨】

以上为第八段，写武则天称制，四方争言符瑞，武则天改元光宅，易服色，改官名，给武氏先人上尊号，充分暴露她觊觎皇权的野心，裴炎等人劝谏，埋下了杀身之祸。

后威权过重，应该稍加贬损”。高宗虽然没有采纳他的话，但对他说的话深以为然。等到太后掌权，四方争先恐后地上言符瑞。嵩阳令樊文呈献瑞石，太后命令在朝廷殿堂上让百官观看，冯元常上奏说：“看样子像是在谄媚欺诈，不能欺罔天下人。”太后听了不高兴，把冯元常外放为陇州刺史。冯元常，是冯子琮的曾孙。

八月二十七日丙午，太常卿、同中书门下三品武承嗣被免除原职，任命为礼部尚书。

栝州发大水，冲走二千多家。

九月初六日甲寅，大赦天下，改换年号。旗帜都改为金色。八品以下的官员，过去穿青色的，都改穿青绿色。改东都为神都，宫名称太初。又改尚书省为文昌台，左、右仆射为左、右相，六部为天、地、四时六官；改门下省为鸾台，中书省为凤阁，侍中为纳言，中书令为内史；改御史台为左肃政台，增设右肃政台；其他省、寺、监、率的名称，大多根据相似的意义和种类加以更改。

任命左武卫大将军程务挺为单于道安抚大使，防备突厥。

武承嗣请求太后追封祖先为王，建立武氏七庙，太后同意了。裴炎劝谏说：“太后以母仪治天下，应该以至公昭示天下，对亲属不能有私心。难道没看见吕氏之败吗！”太后说：“吕后把权柄委托给活着的人，所以导致败亡。现在我追尊死亡的人，有什么妨害呢！”裴炎回答说：“凡事应当防微杜渐，坏苗头不可让它滋长！”太后不加采纳。九月二十一日己巳，追尊太后五代先祖武克己为鲁靖公，五代祖母为夫人；高祖武居常为太尉、北平恭肃王，曾祖武俭为太尉、金城义康王，祖父武华为太尉、太原安成王，父亲武士彟为太师、魏定王；高祖以下诸夫人都封为妃。裴炎从此得罪太后。太后又在文水县修建五代先祖的祠堂。

【注释】

㉖③太常卿：官名，太常寺长官，正三品，掌邦国礼乐、郊庙、社稷之事。㉖④同中书门下三品：据《新唐书》之《则天纪》及《宰相表》，武承嗣曾四度为相，这次任相时在闰五月甲子，即闰五月十三日，是第一次为相。㉖⑤戊午：七月初九日。㉖⑥路元睿：广州都督，曾任勋、吏二郎中。事见《新唐书》卷七十五下《宰相世系五下》，《唐郎官石柱题名考》卷七、十一、十四等。㉖⑦昆仑：本指中南半岛南部及南洋诸岛地区专以“昆仑”为名的国家。此处指昆仑商人。㉖⑧恣横：恣肆专横。㉖⑨侵渔：侵夺、渔利。㉗⓪听事：厅堂。指办公之处。㉗①温州：州名，治所永嘉，在今浙江温州。㉗②庚寅：八月十一日。㉗③乾陵：位于今陕西乾县城北梁山。因山而筑，有内外二城。外城周长八十里，内

城面积二百二十九万三千八百平方米，被称为唐陵之冠。㉔庙号：宗庙中确定的称号。旧时帝王死后，在太庙立室奉祀，并追尊以某祖某宗的名号，称为庙号。㉕尚书左丞：官名，隶属尚书省，正四品上，掌管吏部、户部、礼部十二司，通判都省事。㉖冯元常：高宗时曾官监察御史、剑南道巡察使，转任尚书左丞。传见《旧唐书》卷一百八十五上、《新唐书》卷一百十二。㉗所委：所亲信委任。㉘体中不佳：身体不适。㉙可与元常平章以闻：可与冯元常筹商研究，然后把结果告诉我。㉚中宫：本指皇后居处，也常作为皇后的代称。此处即属后者。㉛符瑞：祥瑞的征兆，犹如吉兆。㉜令：官名，一县之长。㉝陇州：州名，治所汧源，在今陕西陇县。㉞子琮：北齐时任右仆射。传见《北齐书》卷四十、《北史》卷五十五。㉟丙午：八月二十七日。㊱栝州：唐代无"栝州"，当为括州（今浙江丽水市）之误。《新唐书》卷三十六《五行志》三作"括州溪水暴涨，溺死百余人"。㊲甲寅：九月初六日。㊳改元：武则天改元光宅，易服色，改官名。光宅是武则天执政的第一个年号，未及一年改元垂拱。㊴旗帜皆从金色：唐为土德，旗帜尚赤，现改为金色。金色有黄、白二说，《新唐书》卷四《则天纪》作"旗帜尚白"。㊵服碧：穿青绿色官服。㊶宫名太初：改洛阳宫为太初宫。㊷六曹为天、地、四时六官：改吏部为天官，户部为地官，礼部为春官，兵部为夏官，刑部为秋官，工部为冬官。㊸左肃政台：专知在京百司。㊹右肃政台：专知按察诸州。㊺"其余省、寺、监、率之名"二句：改太常寺为司礼寺，鸿胪寺为司宾寺，宗正寺为司属寺，光禄寺为国膳寺，太府寺为司府寺，太仆寺为司仆寺，卫尉寺为司卫寺，大理寺为司刑寺；改左右骁卫为左右

【原文】

时诸武用事，唐宗室人人自危，众心愤惋[308]。会眉州刺史英公李敬业及弟盩厔令敬猷、给事中[309]唐之奇、长安主簿[310]骆宾王、詹事司直[311]杜求仁皆坐事[312]，敬业贬柳州司马[313]，敬猷免官，之奇贬栝苍[314]令，宾王贬临海[315]丞[316]，求仁贬黟[317]令。求仁，正伦之侄也。盩厔尉魏思温尝为御史[318]，复被黜[319]。皆会于扬州，各自以失职怨望[320]，乃谋作乱，以匡复庐陵王为辞[321]。

思温为之谋主[322]，使其党监察御史薛仲璋[323]求奉使江都[324]，令雍州人韦超诣仲璋告变，云"扬州长史陈敬之谋反"。仲璋收敬之系狱。居数日，敬业乘传而至，矫称扬州司马来之官[325]，云"奉密旨，以高

武卫，左右武卫为左右鹰扬卫，左右威卫为左右豹韬卫，左右领军卫为左右玉钤卫。见《唐大诏令集》卷三《改元光宅诏》及《旧唐书》卷四十二《职官志一》。省、寺、监、率之名，尚有未改者。悉，当作“多”解。㉖追王其祖：追尊其祖先为王。㉗七庙：供奉七代祖先的庙宇。《礼记·王制》：“天子七庙，三昭三穆，与太祖之庙而七。”武氏当时不是天子，按照宗法制度不应建立七庙。㉘委生者：委任活着的人。㉙己巳：九月二十一日。㉚五代祖克己：《旧唐书》卷一百八十三误作四代祖。武克己，后魏时官至散骑常侍、越王长史。正史无传。㉛鲁靖公：为尊号与谥号的合称。据《新唐书》卷七十六，克己此时被尊为鲁国公，谥曰靖。㉜高祖居常：北齐时曾任殷州司马，官至镇远将军。㉝北平恭肃王：居常追赠北平郡王，谥曰恭肃。㉞曾祖俭：武俭，北周时为永昌王谘议参军，死后赠齐州刺史。㉟金城义康王：即金城郡王，义康为谥号。㊱祖华：武华隋时任东郡丞，赠并州刺史。此次追尊为太原郡王，谥曰安成。武氏出自庶族，自武华以上皆无传。其事散见于《新唐书》卷七十四上《宰相世系表》、卷七十六《则天皇后传》及《文苑英华》卷八百七十五《攀龙台碑》等。㊲文水：县名，县治在今山西文水县东。

【校记】

［10］百司奏事：此四字原无。据章钰校，十二行本、乙十一行本、孔天胤本皆有此四字，张敦仁《通鉴刊本识误》同，今据补。［11］奏：据章钰校，十二行本、乙十一行本、孔天胤本“奏”下皆有“言”字。

【语译】

当时武氏专权用事，唐宗室人人自危，大家心里都很愤懑怨恨。正好眉州刺史英公李敬业和弟弟盩厔令李敬猷、给事中唐之奇、长安主簿骆宾王、詹事司直杜求仁都因事获罪，李敬业贬为柳州司马，李敬猷免除官职，唐之奇贬为栝苍令，骆宾王贬为临海丞，杜求仁贬为黟县令。杜求仁，是杜正伦的侄子。盩厔尉魏思温曾经担任御史，后被贬黜。他们都会聚扬州，每个人都为了失去职位而怨恨，便谋划叛乱，利用匡复庐陵王的帝位作为借口。

魏思温为他们主持谋划，让他的同党监察御史薛仲璋要求朝廷派其奉命出使江都，派雍州人韦超前往薛仲璋处举报有变乱事件，说“扬州长史陈敬之谋划反叛”。薛仲璋搜捕陈敬之拘押狱中。过了几天，李敬业乘着传车到达，冒充说扬州司马前

州酋长冯子猷谋反，发兵讨之”。于是开府库，令士曹参军㉖李宗臣就钱坊㉗，驱囚徒、工匠数百[12]授以甲。斩敬之于系所，录事参军㉘孙处行拒之，亦斩以徇㉙，僚吏无敢动者。遂起一州之兵，复称嗣圣元年㉚。开三府：一曰匡复府，二曰英公府，三曰扬州大都督府。敬业自称匡复府上将，领扬州大都督。以之奇、求仁为左、右长史，宗臣、仲璋为左、右司马，思温为军师，宾王为记室，旬日间得胜兵十余万。

移檄州县㉛，略曰："伪临朝武氏者，人非温顺㉜，地㉝实寒微。昔充太宗下陈㉞，尝以更衣入侍㉟，洎乎晚节㊱，秽乱春宫㊲。密隐先帝之私，阴图后庭之嬖㊳，践元后㊴于翚翟㊵，陷吾君于聚麀㊶。"又曰："杀姊屠兄，弑君鸩母㊷，人神之所同嫉，天地之所不容。"又曰："包藏祸心㊸，窃窥神器㊹。君之爱子，幽之于别宫㊺；贼之宗盟，委之以重任㊻。"又曰："一抔之土未干㊼，六尺之孤安在㊽！"又曰："试观今日之域中，竟是谁家之天下！"太后见檄，问曰："谁所为？"或对曰："骆宾王。"太后曰："宰相之过也。人有如此才，而使之流落不偶乎㊾！"

敬业求得人貌类故太子贤者，绐众云："贤不死㊿，亡在此城中(351)，令吾属(352)举兵。"因奉以号令。

楚州司马李崇福帅所部三县应敬业(353)。盱眙(354)人刘行举独据县不从，敬业遣其将尉迟昭攻盱眙，行举拒却之[13]。诏以行举为游击将军(355)，以其弟行实为楚州刺史。

甲申(356)，以左玉钤卫大将军(357)李孝逸为扬州道大总管，将兵三十万，以将军李知十、马敬臣为之副，以讨李敬业。

【段旨】

以上为第九段，写徐敬业起兵讨武则天，骆宾王为之草檄。

来赴任，说“接到秘密圣旨，因为高州酋长冯子猷阴谋反叛，要发兵讨伐”。于是打开官府仓库，命令士曹参军李宗臣到铸钱的作坊，驱使里面的囚徒、工匠数百人反叛，授给他们甲衣。把陈敬之斩杀在拘押之处，录事参军孙处行抗拒，也把他斩了示众，僚属官吏没有敢反抗的。于是动员了一州的军队，重新称为嗣圣元年。开设三府：一称匡复府，二称英公府，三称扬州大都督府。李敬业自称匡复府上将，兼领扬州大都督。任命唐之奇、杜求仁为左、右长史，李宗臣、薛仲璋为左、右司马，魏思温为军师，骆宾王为记室。十日之间就得到十几万能披甲作战的士兵。

传檄州县，大略说：“非法临朝听政的武氏这个人，为人并不温和恭顺，出身实在低微。过去充当过太宗的婢妾，曾经利用更衣之机入侍先帝。到了晚年，秽乱东宫。暗中隐瞒当过太宗才人的秘密，背地里谋取高宗后宫的宠爱，窃据了皇后的冠服，使我国君主陷于乱伦非礼。”又说：“屠杀兄姐，害死国君，毒死母亲，人神共恨，为天地所不容。”又说：“武氏包藏祸心，暗中窥伺帝位。国君宠爱的儿子，被幽禁在别宫；贼人武氏的宗族朋党，都委以重任。”又说：“高宗坟墓的黄土还没干，年少的国君又在哪里！”又说：“请看当今疆域之中，到底是哪家的天下！”太后见到檄文，问道：“谁写的？”有人回答说：“是骆宾王。”太后说：“这是宰相的过错。一个人有如此才华，却让他流落不得志啊！”

李敬业找到一个容貌像故太子李贤的人，欺骗大家说：“李贤没有死，逃亡在这座城中，命令我们起兵。”便拥戴他以为号令。

楚州司马李崇福率领所辖三县响应李敬业。盱眙人刘行举独自占据县城不听号令，李敬业派遣他的将领尉迟昭攻打盱眙，被刘行举击退。天后下诏任命刘行举为游击将军，以刘行举的弟弟刘行实为楚州刺史。

十月初六日甲申，任命左玉钤卫大将军李孝逸为扬州道大总管，统领士兵三十万，以将军李知十、马敬臣作为副手，讨伐李敬业。

【注释】

⑱愤惋：愤懑怨恨。⑲给事中：官名，隶属门下省，正五品上，掌陪侍皇帝左右，分管省事。⑳主簿：官名，县令属官，从八品上，掌监印，检核文书簿籍。㉑詹事司直：官名，太子詹事府属官，正九品上，掌纠劾东宫僚属。太子监国，则与司议郎、舍人分日受理启状。㉒坐事：因事获罪。㉓柳州司马：柳州治所在今广西柳州。据《新唐书》中《地理志七上》，柳州为下州，其司马从六品下，与别驾、长史分掌州府政务。㉔栝苍：县名，县治在今浙江丽水市东南。㉕临海：县名，县治在今浙江临海。㉖丞：官

名，位次县令之下，协助县令统理庶务。㉛黟：县名，县治在今安徽黟县。㉜御史：官名，御史台属官，根据具体职司不同，有侍御史、殿中侍御史、监察御史之别。㉝被黜：被贬斥。㉞怨望：怨恨。㉟以匡复庐陵王为辞：以扶佐庐陵王恢复帝位为借口。"匡复"有挽救将亡之国使其转危为安之意，此处引申为扶佐。为辞，为借口。㊱思温为之谋主：以魏思温为他们的谋主。事散见于《旧唐书》卷六十七、《新唐书》卷九十三及一百六。㊲薛仲璋：《旧唐书》卷六十七及《新唐书》卷九十三皆作"薛璋"。据《考异》《实录》亦作"薛璋"。司马光依《御史台记》作"薛仲璋"。㊳江都：县名，扬州治所，在今江苏扬州西南。㊴来之官：前来上任。㊵士曹参军：官名。州置功、仓、户、兵、法、士六曹，参军为之长。士曹参军掌津梁、舟车、舍宅、百工众艺之事。㊶就钱坊：到造钱的作坊。㊷录事参军：官名，即录事参军事，上州从七品上，中州正八品上，下州从八品上，掌纠弹州县官员，考核文书簿籍，监管符印。㊸斩以徇：斩以示众。㊹嗣圣元年：公元六八四年。是年唐中宗即位，改元嗣圣。当年中宗被废，睿宗即位，又改元文明。㊺移檄州县：将骆宾王所作《代李敬业传檄天下文》发至各州县。骆宾王所作檄文《全唐文》作《代李敬业讨武氏檄》，《唐文粹》作《为徐敬业以武后临朝移诸郡县檄》，标题颇不一致。今人或作《讨武曌檄》，与原题相去更远。此时武则天尚未以"曌"为名。㊻温顺：温柔和顺。㊼地：此处指门第。㊽昔充太宗下陈：过去充当唐太宗的婢妾。下陈本是古代统治者陈放礼品、站列婢妾的地方，后来借指皇宫中地位低下的妃嫔。武则天十四岁时被唐太宗召入宫中，封为才人。㊾尝以更衣入侍：曾借更衣侍奉过太宗。"更衣入侍"并非指实，系用卫子夫以更衣得幸于汉武帝的典故来说明武则天与唐太宗的关系。㊿洎乎晚节：到了该守晚年节操的时候。"晚节"有晚年之意。此处非就年龄而言。[337]春宫：即东宫。又称"春闱"。[338]嬖：宠。[339]元后：原配皇后。[340]翚翟：指皇后之服。[341]聚麀：指乱伦。麀，牝鹿。《礼记·曲礼上》："夫唯禽兽无礼，故父子聚麀。"[342]弑君鸩母：杀害高宗皇帝，毒死其母杨氏。考诸史册，实无此事。[343]包藏祸心：

【原文】

武承嗣与其从父弟右卫将军三思以韩王元嘉[358]、鲁王灵夔[359]属尊位重，屡劝太后因事诛之。太后谋于执政，刘祎之、韦思谦皆无言[360]。内史裴炎独固争，太后愈不悦。三思，元庆之子也[361]。

及李敬业举兵，薛仲璋，炎之甥也，炎欲示闲暇，不汲汲议诛讨[362]。太后问计于炎，对曰："皇帝年长[363]，不亲政事，故竖子[364]得以为暗藏害人之心，居心叵测。㉞窃窥神器：窃窥，意为偷看，可引申为觊觎。神器，指皇位。㉟“君之爱子”二句：废中宗为庐陵王，徙于均州；以睿宗为傀儡，居之别殿。㊱贼之“宗盟”二句：用人唯亲，重任诸武，以其侄武承嗣为宰相。㊲一抔之土未干：高宗尸骨未寒。一抔之土，代指陵墓。㊳六尺之孤安在：未成年的孤儿在什么地方。“六尺之孤”语出《论语·泰伯》，本指十五岁以下的孤儿，周代一尺相当于现在的六寸。故以六尺言其年少。此处指中宗、睿宗。时中宗已二十九岁，睿宗二十二岁。㊴“人有如此才”二句：人有这样高的才华，怎么能使他漂泊远方而得不到重用呢。此语又见《新唐书》卷二百一《骆宾王传》。《唐语林》卷二作“宰相因何失如此之人”，并说武则天这样说是“有遗才之恨”。不偶，又作“不耦”，不遇。㊵贤不死：太子李贤未死。㊶亡在此城中：逃亡在这座城中。㊷吾属：我等；我们。㊸楚州司马李崇福帅所部三县应敬业：楚州位于扬州之北，治所在今江苏淮安。所部三县即山阳、安宜、盐城。安宜县治在今江苏宝应境。盐城滨海，县治在今江苏盐城。〖按〗李崇福从叛之事，《新唐书》卷四《则天纪》载于十月癸未，即十月初五日。又李孝逸出征及裴炎被杀以下事皆在十月。九月无甲申、丁亥、壬辰、丙申、丁酉。故当在“楚州”二字前添“十月，癸未”四字。㊹盱眙：县名，位于楚州西南部。故治在今江苏盱眙东北。㊺游击将军：官名，从五品下。为武散官。㊻甲申：十月初六日。㊼左玉钤卫大将军：即左领军卫大将军。

【校记】

［12］数百：原无此二字。据章钰校，十二行本、乙十一行本、孔天胤本皆有此二字，今据补。〖按〗《旧唐书》中《徐敬业传》亦有“数百”二字。［13］行举拒却之：原无此五字。据章钰校，十二行本、乙十一行本、孔天胤本皆有此五字，张敦仁《通鉴刊本识误》、张瑛《通鉴校勘记》同，今据补。

【语译】

武承嗣和他的堂弟右卫将军武三思认为韩王李元嘉、鲁王李灵夔在李氏族属中辈分尊地位高，多次劝太后假借事由杀掉他们。太后和执政大臣商议，刘祎之、韦思谦都不说话。只有内史裴炎一人坚决力争，太后愈加不喜欢他。武三思，是武元庆的儿子。

等到李敬业起兵，由于薛仲璋是裴炎的外甥，裴炎想表示国家闲暇无事，不着急讨论诛讨叛党的事。太后向裴炎询问计策，裴炎回答说：“皇帝的年龄已大，不亲

辞[365]。若太后返政，则不讨自平矣。”监察御史蓝田崔詧[366]闻之，上言：“炎受顾托[367]，大权在己，若无异图，何故请太后归政？”太后命左肃政大夫[368]金城骞味道[369]、侍御史栎阳鱼承晔[370]鞫之，收炎下狱[371]。炎被收，辞气不屈。或劝炎逊辞以免[372]，炎曰：“宰相下狱，安有全理[373]！”凤阁舍人[374]李景谌证炎必反。刘景先及凤阁侍郎义阳胡元范[375]皆曰：“炎社稷元臣[376]，有功于国，悉心奉上，天下所知，臣敢明其不反。”太后曰：“炎反有端[377]，顾卿不知耳。”对曰：“若裴炎为反，则臣等亦反也。”太后曰：“朕知裴炎反，知卿等不反。”文武间证炎不反者甚众，太后皆不听。俄并景先、元范下狱。丁亥[378]，以骞味道检校内史、同凤阁鸾台三品，李景谌同凤阁鸾台平章事。

魏思温说[379]李敬业曰：“明公[380]以匡复为辞，宜帅大众鼓行而进[381]，直指洛阳，则天下知公志在勤王[382]，四面响应矣。”薛仲璋曰：“金陵有王气[383]，且大江天险，足以为固，不如先取常、润[384]，为定霸之基，然后北向以图中原，进无不利，退有所归，此良策也！”思温曰：“山东豪杰以武氏专制，愤惋不平，闻公举事，皆自蒸麦饭为粮，伸锄为兵[385]，以俟南军之至。不乘此势以立大功，乃更蓄缩欲[14]自谋巢穴，远近闻之，其谁不解体[386]！”敬业不从，使唐之奇守江都，将兵渡江攻润州。思温谓杜求仁曰：“兵势合则强，分则弱，敬业不并力渡淮[387]，收山东之众以取洛阳，败在眼中[388]矣！”

壬辰[389]，敬业陷润州，执刺史李思文[390]，以李宗臣代之。思文，敬业之叔父也，知敬业之谋，先遣使间道上变，为敬业所攻，拒守久之，力屈而陷。思温请斩以徇，敬业不许，谓思文曰：“叔党于武氏，宜改姓武。”润州司马刘延嗣[391]不降，敬业将斩之，思温救之，得免，与思文皆囚于狱[15]。刘延嗣，审礼从父弟也。曲阿[392]令河间尹元贞[393]引兵救润州，战败，为敬业所擒，临以白刃，不屈而死。

丙申[394]，斩裴炎于都亭[395]。炎将死，顾[396]兄弟曰：“兄弟官皆自致[397]，炎无分毫之力，今坐炎流窜[398]，不亦悲乎！”籍没其家，无甔石之储[399]。刘景先贬普州刺史，又贬辰州刺史[16]，胡元范流琼州而死。裴炎弟

理政事，所以让那些小子们找到借口。如果太后返政于皇帝，那么不必讨伐，自己就平息了。”监察御史蓝田人崔詧听到了，进言说：“裴炎接受先帝的临终嘱托，大权在自己手上，如果没有反叛的图谋，为什么请太后把政权交出来？”太后命令左肃政大夫金城人骞味道、侍御史栎阳人鱼承晔审讯此事，搜捕裴炎下狱。裴炎被收下狱后，讲话的口气没有屈服。有人劝裴炎辞语谦逊，以求免罪，裴炎说：“宰相下狱，哪里有全活的道理！”凤阁舍人李景谌证言裴炎肯定反叛。刘景先和凤阁侍郎义阳人胡元范都说：“裴炎是国家老臣，有功于国，全心侍奉皇上，天下所知，臣敢证明他没有反叛。”太后说：“裴炎反叛有端倪，只是你们不知道罢了。”回答说：“如果裴炎反叛，那么我们也反叛了。”太后说：“朕知道裴炎反叛，知道你们不反叛。”文武百官乘机证明裴炎不反叛的人非常多，太后都不采纳。不久把刘景先、胡元范一起关进监狱。十月初九日丁亥，任命骞味道为检校内史、同凤阁鸾台三品，李景谌为同凤阁鸾台平章事。

魏思温劝李敬业说：“您以匡复大唐天下为借口，应该统率大军击鼓前进，直指洛阳，那么天下就知道您志在为王室靖难，四方就会响应了。”薛仲璋说：“金陵有王者之气，而且有大江作为天险，完全可以固守，不如首先攻占常州、润州，作为建立霸业的基础，然后向北谋取中原，这样，前进没有不利的，后退也有归宿，这是很好的策略啊！”魏思温说：“山东豪杰认为武氏专制，愤懑怨恨，不能平静，听说您起事，都自己蒸好麦饭作为干粮，把锄头改作兵器，等待南军的到来。不趁这种形势来建立宏大功业，却藏头露尾，打算自谋巢穴，远近豪杰百姓听到了，还有谁不自行解体呢！”李敬业不采纳，派遣唐之奇驻守江都，自己带兵渡过长江进攻润州。魏思温对杜求仁说：“兵力合在一起就会强大，分散就会衰弱，李敬业不集中兵力渡过淮河，收聚山东的士卒夺取洛阳，败亡就在转眼之间了！”

十月十四日壬辰，李敬业攻陷润州，抓获了刺史李思文，用李宗臣代替他。李思文是李敬业的叔父，知道李敬业的图谋，先派人从小路上报朝廷有变，被李敬业所攻击，防守抵抗了很久，最后力尽城陷。魏思温请求把李思文斩首示众，李敬业不答应，对李思文说：“叔父结党武氏，应该改姓武。”润州司马刘延嗣不投降，李敬业准备斩杀他，魏思温救护刘延嗣，才得免死，和李思文一起被囚禁在监狱里。刘延嗣是刘审礼的堂弟。曲阿令河间人尹元贞带兵救援润州，战败，被李敬业所抓获，面对白刃，不屈而死。

十月十八日丙申，在洛阳都亭处斩裴炎。裴炎临死时，回头看着他的兄弟说：“兄弟们的官位都是自己努力得到的，我裴炎没有尽一丝一毫的力量，如今受我裴炎的连累而遭流放，这不令人悲伤吗！”抄没裴炎的家，粮无儋石之储。刘景先被贬为普州刺史，后又被贬为辰州刺史，胡元范被流放琼州而死。裴炎弟弟的儿子太仆

子太仆寺丞[400]伷先[401]，年十七，上封事请见言事。太后召见，诘之曰："汝伯父谋反，尚何言？"伷先对[17]曰："臣为陛下画计耳，安敢诉冤！陛下为李氏妇，先帝弃天下，遽揽朝政，变易嗣子，疏斥[402]李氏，封崇[403]诸武。臣伯父忠于社稷，反诬以罪，戮及子孙。陛下所为如是，臣实惜之！陛下早宜复子明辟[404]，高枕深居，则宗族可全；不然，天下一变，不可复救矣！"太后怒曰："胡白[405]，小子敢发此言！"命引出，伷先反顾曰："今用臣言，犹未晚。"如是者三。太后命于朝堂杖之一百，长流瀼州[406]。

炎之下狱也，郎将[407]姜嗣宗使至长安[408]，刘仁轨问以东都事，嗣宗曰："嗣宗觉裴炎有异于常久矣。"仁轨曰："使人觉之邪[409]？"嗣宗曰："然。"仁轨曰："仁轨有奏事，愿附使人以闻[410]。"嗣宗曰："诺。"明日，受仁轨表而还，表言："嗣宗知裴炎反不言。"太后览之，命拉嗣宗于殿庭，绞于都亭。

【段旨】

以上为第十段，写武则天排除异己，诛杀辅臣裴炎，刘仁轨施巧计除掉了佞臣姜嗣宗。

【注释】

㊽358 韩王元嘉（公元六一九至六八八年）：唐高祖第十一子，宇文昭仪所生。恭谦好学，藏书至万卷。359 鲁王灵夔（？至公元六八八年）：高祖第十九子、元嘉同母弟。善书法，通音律。二人同传，见《旧唐书》卷六十四、《新唐书》卷七十九。360 "太后谋于执政"二句：其时有宰相九人。裴炎为内史，王德真为纳言，刘仁轨为左相，右相缺。刘齐贤、郭待举、岑长倩、魏玄同、韦宏敏、刘祎之皆以他职参知政事。韦思谦任右肃政台御史大夫，尚未入相。361 "三思"二句：武三思（？至公元七〇七年），并州文水（今山西文水县东）人，武则天兄武元庆第三子。武周时进封梁王，后为太子李重俊所杀。传见《旧唐书》卷一百八十三、《新唐书》卷二百六。362 不汲汲议诛讨：不迅速

寺丞裴伷先，年龄十七岁，上密封的奏章求见太后论说事情。太后召见，质问他说："你伯父谋反，还有什么话说？"裴伷先回答说："臣不过是为陛下出谋划策罢了，岂敢诉冤！陛下是李家的媳妇，先帝死后，马上掌握了朝政大权，改换了先帝的子嗣，疏远排斥李家人，封赏尊崇武氏宗族。臣的伯父尽忠国家，反而诬陷他有罪，杀戮连及子孙。陛下这样的作为，臣实在叹惜！陛下应该早些恢复先帝子孙圣明的帝位，高枕深居，那么武氏宗族可以保全；不然的话，天下一变，就不能再挽救了！"太后生气地说："胡言乱语，小子竟敢说这样的话！"下令把裴伷先带出去，裴伷先回头看着太后说："如今采用臣的话，还不太迟。"像这样说了三次。太后命令在朝堂上杖击裴伷先一百下，永远流放瀼州。

裴炎被关在监狱时，郎将姜嗣宗出使到长安，刘仁轨询问他东都的事情。姜嗣宗说："嗣宗发觉裴炎和平常不同已经很久了。"刘仁轨说："您是真的发觉了吗？"姜嗣宗说："是的。"刘仁轨说："仁轨有事上奏，希望您附带上报朝廷。"姜嗣宗说："好的。"次日，接过刘仁轨的奏表返回洛阳。奏表说："姜嗣宗知道裴炎反叛而不说。"太后看了奏表，下令把姜嗣宗拉到殿外庭院，绞死于都亭。

讨论出兵征伐的问题。汲汲，表示心情急切的样子。裴炎对武则天临朝称制的做法不满，早在徐敬业起兵之前，就曾企图"乘太后出游龙门，以兵执之，还政天子"，但因久雨而未成功。见《新唐书》卷一百十七《裴炎传》。此次故意拖延时间，是想借助徐敬业的力量迫使武则天交出政权。见《朝野佥载》卷五等。㊳㊸年长：年龄大了。㊳㊹竖子：犹小子，含有贬义。此处指徐敬业等人。㊳㊺辞：借口。㊳㊻崔詧：初为著作郎，光宅元年（公元六八四年）十月十九日至垂拱元年（公元六八五年）三月十六日任宰相。事见《新唐书》卷六十一《宰相表》。"詧"为"察"的异体字。㊳㊼顾托：顾命嘱托。高宗临终，令裴炎辅佐太子。㊳㊽左肃政大夫：即左御史大夫。㊳㊾骞味道（？至公元六八八年）：兰州金城（今甘肃兰州）人，曾两任宰相。事见《新唐书》卷六十一《宰相上》、卷七十四上《宰相世系四上》，《唐郎官石柱题名考》卷十、十一及《唐登科记考》卷二。㊲⓪鱼承晔：华州栎阳（今陕西西安市临潼区北）人，武周酷吏之一。事见《旧唐书》卷五十《刑法志》、卷八十七《裴炎传》及卷一百八十六上《来俊臣传》。㊲①收炎下狱：《新唐书》之《裴炎传》载，裴炎曾想对太后实行"兵谏"，迫使她归政于睿宗。《朝野佥载》卷五载，徐敬业将反，令骆宾王设计取裴炎同起事。司马光在《考异》中对此进行辨析，认为"此皆当时构陷炎者所言耳，非其实也"。事实上，裴炎与叛军首领有一定的

联系。司马光所言，未必可信。㊲逊辞以免：恭顺其辞，以免祸端。㊳安有全理：哪有生全之理。㊴凤阁舍人：即中书舍人。㊵胡元范：申州义阳（今河南信阳南）人，廉介有才。事见《新唐书》卷一百十七《裴炎传》,《唐诗纪事》卷五,《唐郎官石柱题名考》卷四、五及八。㊶元臣：老臣。犹元老。㊷端：端倪。㊸丁亥：十月初九日。㊹说：游说；劝说别人服从自己的意见。㊺明公：对有名位者的尊称。㊻鼓行而进：击鼓前进，指堂堂正正、浩浩荡荡地进军。㊼勤王：出兵救援王室。㊽金陵有王气：金陵，即今江苏南京。王气，指帝王兴起的祥光瑞气。㊾常、润：即常州、润州。常州治所晋陵，在今江苏常州。润州治所丹徒，在今江苏镇江市。二州皆在江南运河岸上，地理位置较为重要。㊿伸锄为兵：将农具改作武器。锄，本指锄头，此处泛指农具。兵，兵器。(386)解体：叛离。多用来比喻人心离散。亦有厌倦、灰心之意。(387)渡淮：渡过淮河。淮，古代为四渎之一，源出河南桐柏山，东经安徽、江苏流入大海。(388)败在眼中：败亡就在转眼之间。(389)壬辰：十月十四日。(390)李思文：徐敬业之叔，官至春官尚书。事见《新唐书》卷九十三《李勣传》、《嘉定镇江志》卷十四。(391)刘延嗣：刘审礼从弟，官至汾州刺史。事见《旧唐书》卷七十七《刘德威传》、《新唐书》卷一百六《刘德威传》。(392)曲阿：县名，县治在今江苏丹阳。(393)尹元贞（？至公元六八四年）：瀛州河间（今河北河间）人。传见《旧唐书》卷一百八十七上、《嘉定镇江志》卷十七。(394)丙申：十月十八日。(395)都亭：都亭驿。秦时郡县治所皆置都亭。此处指洛阳都亭，在东都外郭城景行坊内。唐代常刑人于此。(396)顾：回头看望。(397)自致：靠自己努力而获得。(398)流窜：贬徙。(399)无甑石

【原文】

丁酉(411)，追削李敬业祖考官爵，发冢斫棺(412)，复姓徐氏。李景谌罢为司宾少卿(413)，以右史(414)武康沈君谅(415)、著作郎(416)崔詧为正谏大夫(417)、同平章事。

徐敬业闻李孝逸将至，自润州回军拒之，屯高邮(418)之下阿溪(419)；使徐敬猷逼淮阴(420)，别将韦超、尉迟昭屯都梁山(421)。

李孝逸军至临淮(422)，偏将雷仁智与敬业战不利，孝逸惧，按兵不进。监军[18]、殿中侍御史(423)魏元忠(424)谓孝逸曰："天下安危，在兹一举。四方承平日久，忽闻狂狡(425)，注心倾耳以俟其诛。今大军久留不

之储：所储粮食不足一石。甔，通“儋”。儋容一石，故有甔石之说。㊵⓪ 太仆寺丞：官名，从六品上，掌理寺内庶务。㊵① 伷先：裴炎侄。武周时流亡于北庭。中宗朝官至范阳节度使、工部尚书。事见《旧唐书》卷八十七《裴炎传》、《新唐书》卷一百十七《裴炎传》、《太平广记》卷一百四十七。㊵② 疏斥：疏远排斥。㊵③ 封崇：封拜尊崇。㊵④ 复子明辟：复位儿子皇位。子，在此指睿宗而言。辟，古指国君。㊵⑤ 胡白：胡扯。㊵⑥ 瀼州：州名，治所临江，在今广西上思西南。㊵⑦ 郎将：官名。唐诸卫亲、勋、翊五府，置有中将郎，分掌诸卫五府，率本府之属负责宿卫。其下有郎将为其副贰，分设左右。㊵⑧ 使至长安：作为使者到达京师长安。㊵⑨ 使人觉之邪：你真的发觉了吗。使人，指姜嗣宗。㊶⓪ 以闻：以上达，指奏给皇上。〖按〗姜嗣宗，小人也，裴炎下狱，落井下石。刘仁轨略施小计，使姜嗣宗遭到绞杀。

【校记】

［14］欲：原无此字。据章钰校，十二行本、乙十一行本、孔天胤本皆有此字，张敦仁《通鉴刊本识误》同，今据补。［15］狱：据章钰校，十二行本、乙十一行本、孔天胤本“狱”下皆有“中”字。［16］又贬辰州刺史：原无此六字。据章钰校，十二行本、乙十一行本、孔天胤本皆有此六字，张敦仁《通鉴刊本识误》、张瑛《通鉴校勘记》同，今据补。〖按〗《新唐书》之《则天皇后纪》亦载此事。［17］对：原无此字。据章钰校，十二行本、乙十一行本、孔天胤本皆有此字，张敦仁《通鉴刊本识误》同，今据补。

【语译】

十月十九日丁酉，追削李敬业已故祖、父的官爵，并挖掘坟墓，砍斫棺木，恢复原姓徐氏。罢免李景谌的原官，改任司宾少卿，任命右史武康人沈君谅、著作郎崔詧为正谏大夫、同平章事。

徐敬业听说李孝逸即将到达，就从润州回军抵御，驻扎在高邮县的下阿溪；派徐敬猷进逼淮阴，让别将韦超、尉迟昭驻扎都梁山。

李孝逸军队到达临淮，偏将雷仁智和徐敬业交战失利，李孝逸很恐惧，按兵不动。监军、殿中侍御史魏元忠对李孝逸说：“天下安危，在此一举。四方太平日子已经很久了，忽然听说有狂乱狡黠之徒反叛，大家都专心聆听，等待叛敌被杀的消息。

进，远近失望，万一朝廷更命他将以代将军，将军何辞以逃逗挠[426]之罪乎？”孝逸乃引军而前。壬寅[427]，马敬臣击斩尉迟昭于都梁山。

十一月辛亥[428]，以左鹰扬大将军[429]黑齿常之为江南道大总管，讨敬业。

韦超拥众据都梁山，诸将皆曰：“超凭险自固，士无所施其勇，骑无所展其足。且穷寇死战，攻之多杀士卒，不如分兵守之，大军直趣江都，覆其巢穴。”支度使[430]薛克构[19]曰：“超虽据险，其众非多。今多留兵则前军势分，少留兵则终为后患，不如先击之，其势必举[431]，举都梁，则淮阴、高邮望风瓦解矣！”魏元忠请先击徐敬猷[432]，诸将曰：“不如先攻敬业，敬业败，则敬猷不战自擒矣。若击敬猷，则敬业引兵救之，是腹背受敌也。”元忠曰：“不然。贼之精兵[20]，尽在下阿，乌合而来，利在一决，万一失利，大事去矣！敬猷出于博徒，不习军事，其众单弱[433]，人情易摇[434]，大军临之，驻马可克[435]。敬业虽欲救之，计程必不能及。我克敬猷，乘胜而进，虽有韩、白[436]不能当其锋[437]矣！今不先取弱者而遽攻其强，非计也[438]。”孝逸从之，引兵击超，超夜遁，进击敬猷，敬猷脱身走。

庚申[439]，敬业勒兵阻溪拒守，后军总管苏孝祥夜将五千人，以小舟度溪先击之，兵败，孝祥死，士卒赴溪溺死者过半。左豹韬卫果毅[440]渔阳成三朗[441]为敬业所擒，唐之奇绐[442]其众曰：“此李孝逸也！”将斩之，三朗大呼曰：“我果毅成三朗，非李将军也。官军今大至矣，尔曹[443]破在朝夕。我死，妻子受荣，尔死，妻子籍没，尔终不及我也！”遂斩之。

孝逸等诸军继至，战数不利。孝逸惧，欲引退，魏元忠与行军管记[444]刘知柔[445]言于孝逸曰：“风顺荻[446]干，此火攻之利。”固请决战。敬业置陈[447]既久，士卒多疲倦顾望，陈不能整，孝逸进击之，因风纵火，敬业大败，斩首七千级，溺死者不可胜纪。敬业等轻骑走[448]入江都，挈妻子奔润州，将入海奔高丽；孝逸进屯江都，分遣诸将追之。乙丑[449]，敬业至海陵[450]界，阻风[451]，其将王那相斩敬业、敬猷及骆宾王首来降[452]。余党唐之奇、魏思温皆捕得，传首神都[453]，扬、润、楚三州平[454]。

如今大军久留不进，远近臣民失望，万一朝廷改命其他将领替代您，您用什么借口来逃避逗留阻挠大军前进的罪名呢?”李孝逸便率军前进。十月二十四日壬寅，马敬臣在都梁山击杀尉迟昭。

十一月初四日辛亥，任命左鹰扬大将军黑齿常之为江南道大总管，讨伐徐敬业。

韦超率领部众据守都梁山，将领们都说:“韦超利用险要固守，我军士卒的勇敢无法施展，骑士的马力也无法展现。而且困窘的敌人拼死作战，如果攻打他们，我方士卒会死伤很多，不如分兵驻守，大军直趋江都，摧毁徐敬业的巢穴。”支度使薛克构说:“韦超虽然盘踞险要，但他的部众并不多。如今多留下兵力，那么前方的军力分散，少留兵力，韦超则终究成为后祸，不如先攻打韦超，就其形势来看，一定可以攻下，攻下了都梁山，淮阴、高邮就闻风瓦解了!”魏元忠请求先攻打徐敬猷，将领们说:“不如先攻打徐敬业，徐敬业失败了，那么不用打仗就可擒获徐敬猷。如果攻打徐敬猷，徐敬业就会带兵救援，这是我们腹背受敌。”魏元忠说:“不对。贼人的精兵，全部在下阿溪，乌合前来，利在一战，万一我们失利，大局就丢失了！徐敬猷出身于赌博之徒，不习知军事，兵单势弱，士卒的信心容易动摇。大军降临，停马之间就可攻下。徐敬业虽想救援，计算路程，肯定来不及。我方攻下徐敬猷，乘胜前进，就是有韩信、白起也不能抵挡我军的锋芒！如今不先攻取弱者，却匆忙地去攻打强大的一方，不是好计谋。”李孝逸听从了魏元忠的意见，带兵攻打韦超，韦超乘夜逃走，再进攻徐敬猷，徐敬猷脱身逃走。

十一月十三日庚申，徐敬业率军隔溪拒守，后军总管苏孝祥在夜间率领五千士卒，利用小船渡过溪流先行攻击，兵败，苏孝祥死去，士卒落到溪里溺死的超过半数。左豹韬卫果毅都尉渔阳人成三朗被徐敬业抓获，唐之奇欺骗大家说:“这个人是李孝逸!”正要将他斩首时，成三朗大叫说:“我是果毅都尉成三朗，不是李将军。官军现在就要大批来到了，你们败在旦夕。我死了，妻儿们都会得到荣耀，你们死了，妻儿们被抄没，你们最终比不上我啊!”于是斩杀了成三朗。

李孝逸等人的军队相继到达，交战数次都失利了。李孝逸恐惧，打算率兵后退，魏元忠和行军管记刘知柔对李孝逸说:“风是顺风，荻草干燥，这有利于火攻。”坚决请求决战。徐敬业行兵布阵已经很长时间，士卒大多疲倦，瞻前顾后，阵形无法整饬，李孝逸进军攻击，借着风势纵火，徐敬业大败，被斩杀七千首级，溺死在水里的人无法计算。徐敬业等人轻骑逃入江都，带领妻儿逃往润州，准备入海投奔高句丽；李孝逸进军屯驻江都，分路派遣诸将追击。十一月十八日乙丑，徐敬业到达海陵县界，被风所阻，他的部将王那相把徐敬业、徐敬猷和骆宾王斩首前来投降。其余党羽唐之奇、魏思温都被抓获，把他们首级传送到神都，平定了扬、润、楚三州。

陈岳㊺论曰："敬业苟能用魏思温之策，直指河、洛㊻，专以匡复为事，纵㊼军败身戮，亦忠义在焉。而妄希金陵王气，是真为叛逆，不败何待！"

敬业之起也，使敬猷将兵五千，循江㊽西上，略地和州㊾。前弘文馆学士㊿历阳高子贡[461]帅乡里数百人拒之，敬猷不能西。以功拜朝散大夫[462]、成均助教[463]。

丁卯[464]，郭待举罢为左庶子[465]，以鸾台侍郎韦方质[466]为凤阁侍郎、同平章事。方质，云起之孙也。

十二月，刘景先又贬吉州员外长史[467]，郭待举贬岳州[468]刺史。

初，裴炎下狱，单于道安抚大使、左武卫大将军程务挺密表申理，由是忤旨[469]。务挺素与唐之奇、杜求仁善，或谮之曰："务挺与裴炎、徐敬业通谋。"癸卯[470]，遣左鹰扬将军裴绍业即军中斩之，籍没其家。突厥闻务挺死，所在宴饮相庆；又为务挺立祠，每出师，必祷之。

太后以夏州都督王方翼与务挺连职，素相亲善，且废后近属，征下狱，流崖州[471]而死。

【段旨】

以上为第十一段，写李孝逸平定徐敬业之乱，武则天借势谋杀良将程务挺、王方翼。

【注释】

[411]丁酉：十月十九日。[412]发冢斫棺：发掘冢墓，斫毁棺椁。《隋唐嘉话》卷中载，徐敬业起兵后，武则天令掘平李勣之墓，"大雾三日不解，乃止焉"。《唐语林》卷三所载略同。据此，李勣墓似未挖开。但正史皆言斫棺，而且记载了中宗为之"葺完茔冢"的事。考古资料表明，以正史所载为实。[413]司宾少卿：即鸿胪少卿，从四品下，协助司

陈岳评论说："徐敬业如果能够采用魏思温的计策，大军直指河、洛，专以匡复大唐天下为目标，纵使军败身死，忠义的精神尚存。而他妄想金陵的王者之气，这是真正为逆，不失败更待何时！"

徐敬业起兵时，让徐敬猷率兵五千，沿着长江西进，攻略和州。前弘文馆学士历阳人高子贡率领乡里几百人抵抗，徐敬猷无法西进。高子贡因为这一功劳被任命为朝散大夫、成均助教。

十一月二十日丁卯，把郭待举罢免原职改任左庶子，任命鸾台侍郎韦方质为凤阁侍郎、同平章事。韦方质，是韦云起的孙子。

十二月，又贬刘景先为吉州员外长史，贬郭待举为岳州刺史。

当初，裴炎下狱，单于道安抚大使、左武卫大将军程务挺秘密上表为裴炎申诉，由此违逆了太后旨意。程务挺一向和唐之奇、杜求仁友善，有人毁谤程务挺说："程务挺和裴炎、徐敬业合谋反叛。"十二月二十六日癸卯，派遣左鹰扬将军裴绍业到军中斩杀了程务挺，抄没他的家产。突厥听说程务挺死了，各地宴饮相庆；又为程务挺修建祠堂，每次出兵，一定在祠堂祷告。

太后认为夏州都督王方翼和程务挺职务相牵连，两人一向亲密友好，而且又是被废黜皇后王氏的近亲，所以召他回朝关进监狱，把他流放到崖州而死。

宾卿掌宾客及凶仪之事。⑭右史：官名，即中书省起居舍人，从六品上，掌修记言之史，录载天子制诰。⑮沈君谅：湖州武康（今浙江安吉东南）人，光宅元年十月十九日至垂拱元年二月二十九日担任宰相。其事散见于《新唐书》卷四、卷六十一、卷七十四上。⑯著作郎：官名，秘书省属官，从五品上，为著作局长官，掌修碑志、祝文、祭文。⑰正谏大夫：官名，即谏议大夫，门下省属官，正五品上，掌侍从赞相，规谏讽喻。⑱高邮：扬州属县之一，县治在今江苏高邮。⑲下阿溪：河名，在高邮之西。⑳淮阴：楚州属县之一，北临淮水，县治在今江苏淮安市淮阴区。㉑都梁山：在江苏盱眙东南五十里。㉒临淮：县名，属泗州，县治在今江苏盱眙北淮河北岸。㉓殿中侍御史：御史台属官，从七品下，掌殿中供奉仪式。㉔魏元忠（？至公元七〇七年）：本名真宰，因避则天母号而改名。祖籍宋州宋城（今河南商丘东南），深为高宗、武后、中宗所重。再为宰相，数度提兵，享年七十余岁。传见《旧唐书》卷九十二、《新唐书》卷一百二十二。㉕忽闻狂狡：忽然听说出现了狂妄狡黠的叛逆之徒。㉖迂挠：兵法用语，意为曲行

观望。挠，通“桡”。㊸㉗壬寅：十月二十四日。㊸㉘辛亥：十一月初四日。㊸㉙左鹰扬大将军：左武卫大将军。㊸㉚支度使：官名，唐制，凡天下边军，有支度使，以计军资粮仗之用。㊸㉛其势必举：犹其势必拔。“举”有攻克、占领之意。㊸㉜魏元忠请先击徐敬猷：这是魏元忠在讨论第二步作战方案时的主张，即在攻克都梁山之后先击徐敬猷。㊸㉝单弱：单薄软弱。㊸㉞人情易摇：人心易于摇动。㊸㉟驻马可克：极言其速，犹马到成功。意思是说，很快可以攻克。㊸㊱韩、白：指韩信、白起。韩信（？至公元前一九六年），秦汉之际名将。曾协助刘邦击败项羽，以功被封为异姓王。后为吕后所杀。传见《史记》卷九十二、《汉书》卷三十四。白起（？至公元前二五七年），战国时秦国名将。曾率兵夺得韩、赵、魏、楚诸国不少土地。长平之战，下令坑杀赵降卒四十余万。传见《史记》卷七十三。因为二人善用兵，后世又以“韩白”作为智勇权谋之将的代称。㊸㊲锋：锋芒。喻取胜之军的士气如刀刃之锋一样锐利。㊸㊳非计也：不是良策啊。㊸㊴庚申：十一月十三日。㊹㊵左豹韬卫果毅：官名，即左威卫果毅。唐制，诸府各有果毅都尉。这一年改左、右威卫为左、右豹韬卫。㊹㊶成三朗（？至公元六八四年）：幽州渔阳（今天津市蓟州区）人。传见《旧唐书》卷一百八十七上。㊹㊷绐：骗。㊹㊸尔曹：犹尔辈、你们这些人。㊹㊹行军管记：官名，掌军中文书。㊹㊺刘知柔：徐州彭城（今江苏徐州）人，著名史学家刘知幾之兄。官至太子宾客。传见《旧唐书》卷一百二、《新唐书》卷二百一。㊹㊻荻：多年生草本植物。根茎外有鳞片，多生长在路旁或水边。㊹㊼置陈：摆阵。古代作战，一般要先列战阵。《宋史》之《岳飞传》：“阵而后战，兵法之常，运用之妙，存乎一心。”㊹㊽走：跑；逃跑。㊹㊾乙丑：十一月十八日。㊺㊿海陵：县名，属扬州，县治在今江苏泰州。《九域志》载，扬州东至海陵界九十八里；自海陵东至于海一百七里。[451]阻风：为风所阻。时遇逆风，船不得行。[452]其将王那相斩敬业、敬猷及骆宾王首来降：《考异》引《唐纪》载：“敬业、猷、之奇、求仁、宾王走归江都，焚簿书，携妻子潜算山下，手书召宗臣。敬业初与宗臣木契为约，时亡其契，宗臣疑而不赴，或云宗臣已归顺。敬业入海，欲奔东夷，至海陵界，阻风，伪将王那相斩之来降，余党赴水死。”司马光对这条材料未予采

【原文】

垂拱[472]元年（乙酉，公元六八五年）

春，正月丁未朔[473]，赦天下，改元。

太后以徐思文为忠，特免缘坐[474]，拜司仆少卿[475]。谓曰：“敬业改卿

用。《新唐书》卷九十三《李勣传》附《李敬业传》则用之。㊸神都：东都洛阳。此年九月改东都为神都。㊹扬、润、楚三州平：徐敬业自九月二十九日起兵，至十一月十八日失败，凡四十九日。㊺陈岳：唐代史学家。著有《唐统纪》一百卷，今佚。见《新唐书》卷五十八《艺文志二》、《直斋书录解题》卷四。㊻河洛：黄河、洛水流域。此处指位于黄河、洛水之间的神都洛阳。㊼纵：纵使。㊽江：长江。㊾和州：治所历阳，在今安徽和县，与马鞍山市隔江遥望。㊿弘文馆学士：官名，隶属门下省。学士五品以上，六品以下为直学士。掌详正图籍，教授生徒，参议朝廷制度沿革、礼仪轻重之事。461高子贡（？至公元六八八年）：和州历阳（今安徽和县）人，精通《史记》。后因参与越王贞起兵被杀。传见《旧唐书》卷一百八十九下、《新唐书》卷一百六。462朝散大夫：文散官，从五品下。463成均助教：官名，即国子助教。据《唐六典》卷二十一，国子监助教从六品上，掌协助博士，分经教授生徒。464丁卯：十一月二十日。465左庶子：官名，东宫属官，为太子左春坊长官，掌侍从赞相，驳正启奏。466韦方质（？至公元六九〇年）：京兆万年人，隋治书御史韦云起之孙。曾参与《垂拱格式》的修改，为时人所称。事见《旧唐书》卷七十五《韦云起传》、《新唐书》卷一百三《韦云起传》。467员外长史：官名，唐制，州长史一人。员外长史系特置，无实权。468岳州：州名，治所巴陵，在今湖南岳阳。469忤旨：违逆旨意。470癸卯：十二月二十六日。471崖州：州名，治所舍城，在今海南海口市琼山区。

【校记】

［18］监军：原无此二字。据章钰校，十二行本、乙十一行本、孔天胤本皆有此二字，张敦仁《通鉴刊本识误》同，今据补。〖按〗两《唐书》中《魏元忠传》皆载其时为监军。［19］薛克构：原作“薛克杨”。据章钰校，十二行本、乙十一行本、孔天胤本皆作“薛克构”，张敦仁《通鉴刊本识误》同，今据改。〖按〗两《唐书》中《淮南王神通传附子孝逸传》皆作“薛克构”。［20］兵：张敦仁《通鉴刊本识误》作“锐”。

【语译】

垂拱元年（乙酉，公元六八五年）

春，正月初一日丁未，大赦天下，更改年号。

太后认为徐思文忠诚，特别赦免他因亲党连及入罪，拜官司仆少卿。太后对他姓武，朕今不复夺也[476]。”

庚戌[477]，以骞味道守[478]内史[479]。

戊辰[480]，文昌左相[481]、同凤阁鸾台三品乐城文献公刘仁轨薨。

二月癸未[482]，制：“朝堂所置登闻鼓及肺石，不须防守[483]，有挝鼓立石[484]者，令御史受状以闻。”

乙巳[485]，以春官尚书[486]武承嗣、秋官尚书[487]裴居道[488]、右肃政大夫[489]韦思谦并同凤阁鸾台三品。

突厥阿[21]史那骨笃禄[490]等数寇边，以左玉钤卫中郎将[491]淳于处平[492]为阳曲道行军总管，击之。

正谏大夫、同平章事沈君谅罢。

三月，正谏大夫、同平章事崔詧罢。

丙辰[493]，迁庐陵王于房州[494]。

辛酉[495]，武承嗣罢[496]。

辛未[497]，颁《垂拱格》[498]。

朝士有左迁[499]诣宰相自诉者，内史骞味道曰：“此太后处分[500]。”同中书门下三品[501]刘祎之曰：“缘坐改官，由臣下奏请。”太后闻之，夏，四月丙子[502]，贬味道为青州刺史，加祎之太中大夫[503]。谓侍臣曰：“君臣同体[504]，岂得归恶于君，引善自取乎！”

癸未[505]，突厥寇代州[506]，淳于处平引兵救之。至忻州[507]，为突厥所败，死者五千余人。

五月[22]丙午[508]，以裴居道为内史。纳言王德真流象州。

己酉[509]，以冬官尚书[510]苏良嗣为纳言。

壬戌[511]，制内外九品以上及百姓，咸令自举[512]。

壬申[513]，韦方质同凤阁鸾台三品。

六月，天官尚书[514]韦待价[515]同凤阁鸾台三品。待价，万石[516]之兄也。

同罗、仆固等诸部叛，遣左豹韬卫将军刘敬同[517]发河西骑士出居延海[518]以讨之，同罗、仆固等皆败散。敕侨置安北都护府于同城[519]以纳降者。

秋，七月己酉[520]，以文昌左丞[521]魏玄同[522]为鸾台侍郎、同凤阁鸾台三品。

说："徐敬业把你的姓改为武氏，朕今天就不再取消。"

正月初四日庚戌，任命骞味道为代理内史。

二十二日戊辰，文昌左相、同凤阁鸾台三品乐城文献公刘仁轨去世。

二月初七日癸未，下令："朝堂所设置的登闻鼓和肺石，无须派人防守，如有击鼓或站在肺石上的人，让御史接受诉状上报。"

二十九日乙巳，任命春官尚书武承嗣、秋官尚书裴居道、右肃政大夫韦思谦都为同凤阁鸾台三品。

突厥阿史那骨笃禄等人多次寇掠边境，任命左玉钤卫中郎将淳于处平为阳曲道行军总管，出兵攻打突厥。

正谏大夫、同平章事沈君谅罢官。

三月，正谏大夫、同平章事崔詧罢官。

十一日丙辰，把庐陵王迁徙到房州。

十六日辛酉，武承嗣罢官。

二十六日辛未，颁布《垂拱格》。

朝廷官员有被贬斥而到宰相那里自我申诉的，内史骞味道说："这是太后处治的。"同中书门下三品刘祎之说："因为坐罪而改官，是因臣下奏请的结果。"太后听到后，夏，四月初一日丙子，把骞味道贬为青州刺史，给刘祎之加官太中大夫。对侍臣说："君臣是同一体的，怎么可以把坏事归于国君，自取善事呢！"

四月初八日癸未，突厥寇掠代州，淳于处平率兵援救。到达忻州，被突厥所败，死亡的有五千多人。

五月初一日丙午，任命裴居道为内史。纳言王德真流放象州。

初四日己酉，任命冬官尚书苏良嗣为纳言。

十七日壬戌，下令朝廷内外九品以上官员和百姓，都可以自我荐举。

二十七日壬申，任命韦方质为同凤阁鸾台三品。

六月，天官尚书韦待价为同凤阁鸾台三品。韦待价，是韦万石的兄长。

同罗、仆固等各部落反叛，派遣左豹韬卫将军刘敬同调发河西骑兵出居延海加以讨伐，同罗、仆固等部落全都失败逃散。下令在同城侨置安北都护府来招纳投降的人。

秋，七月初五日己酉，任命文昌左丞魏玄同为鸾台侍郎、同凤阁鸾台三品。

诏自今祀天地，高祖、太宗、高宗皆配坐，用凤阁舍人元万顷[523]等之议也。

九月丁卯[524]，广州都督王果讨反獠，平之。

冬，十一月癸卯[525]，命天官尚书韦待价为燕然道行军大总管以讨突厥[23]。初，西突厥兴昔亡、继往绝可汗既死，十姓无主，部落多散亡，太后乃擢兴昔亡之子左豹韬卫翊府中郎将[526]元庆为左玉钤卫将军，兼崐陵都护，袭兴昔亡可汗押五咄陆部落。

麟台正字[527]射洪陈子昂[528]上疏，以为朝廷遣使巡察四方，不可任非其人，及刺史、县令，不可不择。比年百姓疲于军旅，不可不安。其略曰："夫使不择人，则黜陟[529]不明，刑罚不中，朋党者进，贞直者退；徒使百姓修饰道路，送往迎来，无所益也。谚曰：'欲知其人，观其所使。'不可不慎也。"又曰："宰相，陛下之腹心；刺史、县令，陛下之手足。未有无腹心手足而能独理[530]者也！"又曰："天下有危机[531]，祸福因之而生，机静则有福，机动则有祸，百姓是也。百姓安则乐其生，不安则轻其死。轻其死则无所不至，袄[532]逆乘衅，天下乱矣！"又曰："隋炀帝不知天下有危机，而信贪佞之臣，冀收夷狄之利，卒[533]以灭亡，其为殷鉴，岂不大哉！"

太后修故白马寺[534]，以僧怀义[535]为寺主。怀义，鄠人，本姓冯，名小宝，卖药洛阳市，因千金公主[536]以进，得幸于太后。太后欲令出入禁中，乃度为僧，名怀义。又以其家寒微，令与驸马都尉薛绍合族[537]，命绍以季父[538]事之。出入乘御马，宦者十余人侍从，士民遇之者皆奔避。有近之者，辄挝其首流血，委之[539]而去，任其生死。见道士[540]则极意[541]殴之，仍髡其发而去[542]。朝贵皆匍匐礼谒[543]，武承嗣、武三思皆执僮仆之礼以事之，为之执辔[544]，怀义视之若无人。多聚无赖少年，度为僧，纵横犯法，人莫敢言。右台御史[545]冯思勖屡以法绳之，怀义遇思勖于途，令从者殴之，几死[546]。

下诏从现在开始祭祀天地，高祖、太宗、高宗都配祭，这是采纳凤阁舍人元万顷等人的建议。

九月二十四日丁卯，广州都督王果讨伐叛獠，平定了獠人。

冬，十一月初一日癸卯，任命天官尚书韦待价为燕然道行军大总管讨伐突厥。当初，西突厥兴昔亡、继往绝可汗死后，十姓部落没有首领，部落大多分散流失，太后就提拔兴昔亡的儿子左豹韬卫翊府中郎将元庆为左玉钤卫将军，兼任崐陵都护，继承兴昔亡可汗统管五个咄陆部落。

麟台正字射洪人陈子昂上疏，认为朝廷派遣使者巡察四方，不能任非其人，以及任命刺史、县令，不能不加选择。近年百姓疲于战事，不可不加安抚。内容大略说："派出的使者不加选择，那么官员的升降就不能明白无误，刑罚也不能公允，拉帮结党的人被进用，贞洁正直的人被贬退；白白地让百姓把使者经过的道路修整好，送往迎来，无所裨益。谚语说：'想要了解那个人，就观察他所派出的使者。'这是不能不谨慎小心的。"又说："宰相是陛下的心腹；刺史、县令是陛下的手足。没有无心腹、手足而能够独自把天下治理好的！"又说："天下有了危机，祸福就此产生，关键时平静就会有福运，关键时动荡就会有祸患，这取决于百姓。百姓安稳就会乐于自己的生业，不安稳就会把死亡看得很轻，轻视死亡就会什么事都做得出来，妖逆叛乱乘机发生，天下就大乱了！"又说："隋炀帝不知道天下存在危机，而信任贪冒谄佞之臣，希望取利于夷狄，终于灭亡，作为借鉴，难道还不严重吗！"

太后修建先前的白马寺，任命僧人怀义为住持。怀义是鄠人，本来姓冯，名叫小宝，在洛阳街市上卖药，通过千金公主的关系得以进用，被太后宠幸。太后想让他能在宫禁中自由出入，就剃度他为僧人，法名怀义。又因为他家世寒微，令他和驸马都尉薛绍合族，让薛绍把怀义作为叔父来侍奉。（怀义）出入宫禁时乘坐皇帝车马，十几个宦官侍从，士人百姓遇到他都跑走躲避。如有靠近车马的人，常常被打得头破血流，弃之而去，任其生死。看见道士就恣意殴打，还要剃掉道士的头发才肯离去。朝廷显贵都匍匐拜谒，武承嗣、武三思都持僮仆礼节奉事他，为他拉马缰绳，薛怀义不把这些放在眼里。他又聚集无赖少年，剃度为僧，横行犯法，没有人敢说话。右台御史冯思勖多次依法处理他，薛怀义在路上遇到冯思勖，命令随从殴打冯思勖，（冯）几乎死去。

【段旨】

以上为第十二段，写武则天频繁更换宰辅大臣以固位，以及男宠薛怀义横行京师。

【注释】

㊼㊁ 垂拱：武则天平定徐敬业之乱后改元，是武氏执政的第一个年号（公元六八五至六八八年）。㊼㊂ 丁未朔：正月初一日。㊼㊃ 缘坐：因受亲属牵连而处罪。㊼㊄ 司仆少卿：即太仆少卿。光宅元年（公元六八四年）改太仆为司仆。㊼㊅“敬业改卿姓武”二句：徐思文是敬业的叔父，润州刺史。敬业攻克润州，俘其叔父，并讥讽说：“叔党于武氏，宜改姓武。”思文也曾上表请改姓武，故这时武则天令其改姓武。㊼㊆ 庚戌：正月初四日。㊼㊇ 守：位卑摄理高官曰“守”。㊼㊈ 内史：即中书令。㊽〇 戊辰：正月二十二日。㊽㊀ 文昌左相：尚书左仆射。㊽㊁ 癸未：二月初七日。㊽㊂“朝堂所置登闻鼓及肺石”二句：登闻鼓起于晋代，是帝王为表示听取臣下谏言或下民冤情而在朝堂外设置的一种鼓。肺石是一种红色的石块，其意与登闻鼓基本相同，但比登闻鼓起源更早。《周礼》之《秋官·大司寇》云：“以肺石达穷民，凡远近惸独老幼之欲有复于上而其长弗达者，立于肺石三日，士听其辞，以告于上而罪其长。”唐初依前代旧制，设登闻鼓于西朝堂，设肺石于东朝堂，供告急诉冤之用，但派专人防守，一般人即使有冤，也很难击鼓立石。现在取消防守，显然是为了革其弊端。㊽㊃ 挝鼓立石：敲登闻鼓、立肺石。㊽㊄ 乙巳：二月二十九日。㊽㊅ 春官尚书：礼部尚书。光宅元年改名。㊽㊆ 秋官尚书：刑部尚书。光宅元年改名。㊽㊇ 裴居道（？至公元六九〇年）：绛州闻喜（今山西闻喜东北）人，女为太子弘妃。传见《旧唐书》卷八十六、《新唐书》卷八十一。㊽㊈ 右肃政大夫：右御史大夫。㊾〇 阿史那骨笃禄：又称骨咄禄、骨咄禄特勤、不卒禄。武周时常为边患。事详《旧唐书》卷一百九十四上《突厥传》、《新唐书》卷二百十五上《突厥传》。㊾㊀ 左玉钤卫中郎将：即左领军卫中郎将。光宅间改左领军卫为左玉钤卫。㊾㊁ 淳于处平：人名，淳于为复姓。事略见《旧唐书》卷一百九十四上《突厥传》、《新唐书》卷二百十五上《突厥传》。㊾㊂ 丙辰：三月十一日。㊾㊃ 迁庐陵王于房州：唐中宗被武则天废为庐陵王，迁于均州，至是又迁于房州。房州，故址在今湖北房县。㊾㊄ 辛酉：三月十六日。㊾㊅ 武承嗣罢：这是武承嗣第二次罢相。㊾㊆ 辛未：三月二十六日。㊾㊇《垂拱格》：书名，凡四卷。裴居道、岑长倩、韦方质等奉敕修纂，武则天亲自作序。唐代法律文书有律、令、格、式四种形式。“格”是皇帝下达的有关百官日常行事的敕令。㊾㊈ 左迁：降职。古代以右为尊，故称降职为左迁。㊿〇 处分：处理。有惩罚之意。㊿㊀ 同中书门下三品：按当时官名，应称为“同凤阁鸾台三品”。㊿㊁ 丙子：四月初一日。㊿㊂ 太中大夫：散官名，从四品上。㊿㊃ 君臣同体：这是武则天的一贯主张。武则天曾论述过这种主张，见《臣轨》之《同体章》。㊿㊄ 癸未：四月初八日。㊿㊅ 代州：治所雁门，在今山西代县。㊿㊆ 忻州：治所秀容，在今山西忻州。㊿㊇ 五月丙午：五月初一日。㊿㊈ 己酉：五月初四日。㊿⑩ 冬官尚书：工部尚书。㊿⑪ 壬戌：五月十七日。㊿⑫ 咸令自举：不管是什么人，只要有才干，都可毛遂自荐，以求受到重用。㊿⑬ 壬申：五月二十七

日。⑭天官尚书：吏部尚书。⑮韦待价：京兆万年人，行伍出身，曾护营乾陵。垂拱元年（公元六八五年）六月至永昌元年（公元六八九年）七月二十六日为相，多次率兵出征。传见《旧唐书》卷七十七、《新唐书》卷九十八。⑯万石：韦万石，韦待价之兄，善音律，高宗时任太常少卿，号为称职。事见《旧唐书》卷七十七与《新唐书》卷九十八《韦挺传》。⑰刘敬同：裴行俭培养的骁将之一，两《唐书》无传。关于刘敬同征仆固的时间，两《唐书》未载。岑仲勉据《伯玉集》卷六《燕然军人画像铭并序》及《上西蕃边州安危事》所提供的资料，认为在垂拱二年。见《通鉴隋唐纪比事质疑》。⑱居延海：湖名，古称流沙泽。在今内蒙古额济纳旗西北的苏古诺尔湖和嘎顺诺尔湖一带。⑲同城：在今内蒙古额济纳旗东南。⑳己酉：七月初五日。㉑文昌左丞：官名，隶属文昌台，正四品上，原称尚书左丞，龙朔间改称左肃机。㉒魏玄同（公元六一七至六八九年）：定州鼓城（今河北晋州）人，进士出身。传见《旧唐书》卷八十七、《新唐书》卷一百十七。㉓元万顷：河南洛阳人，北门学士之一。传见《旧唐书》卷一百九十中、《新唐书》卷二百一。㉔丁卯：九月二十四日。㉕癸卯：十一月初一日。㉖左豹韬卫翊府中郎将：左豹韬卫，即左骁骑卫。翊府中郎将，为其属官。唐制，亲府、勋一府、勋二府、翊一府、翊二府等五府诸卫均有中郎将。㉗麟台正字：官名，即秘书省正字。光宅元年改秘书省为麟台。《唐六典》卷十："秘书省正字四人，正九品上，掌详定典籍，正其文字。"㉘陈子昂（公元六五九至七〇〇年）：字伯玉，梓州射洪（今四川射洪西北）人，著名文学家。文词宏丽，为世人所重。传见《旧唐书》卷一百九十中、《新唐书》卷一百七及《唐才子传》卷一。诗文主要保存在《伯玉集》及《全唐文》卷二百九、《全唐诗》卷八十三中。㉙黜陟：进退升降。㉚独理：独治。避高宗名讳改"理"云"治"。㉛危机：危险的枢机。㉜祆：通"妖"。㉝卒：终于。㉞故白马寺：在河南洛阳东郊。始修于东汉，是佛教传入中国后最早的寺院。详见《洛阳伽蓝记》卷四《白马寺》。㉟怀义（？至公元六九五年）：原名冯小宝，出身寒微，武则天令其与太平公主婿薛绍合族以抬高身价，改名薛怀义，人称薛师。京兆鄠县（今陕西西安市鄠邑区）人，武则天的男宠之一。事详《旧唐书》卷一百八十三《武承嗣传》、《新唐书》卷七十六《则天武皇后传》等。㊱千金公主：即安定公主。唐高祖第十八女。下嫁温挺，挺死，又嫁郑敬玄。见《新唐书》卷八十三《诸帝公主传》。㊲令与驸马都尉薛绍合族：薛绍出自士族，又尚太平公主，门望较高。㊳季父：叔父。一般指父亲最小的弟弟为季父。㊴委之：弃之。㊵道士：道教教徒。㊶极意：恣意。㊷仍髡其发而去：髡本是古代一种剃去头发的刑罚，在此用作动词，意为剪、断。道士蓄发，剪发是受辱的一种表现。㊸匍匐礼谒：跪地爬行，施礼谒拜。㊹辔：马缰绳。㊺右台御史：官名。龙朔间改御史台为宪台，光宅间分台为左右，名为左右肃政台。左台专知京城百司，右台按察州县。御史为其属官，有侍御史、监察御史等。㊻几死：几乎死亡。

【校记】

［21］阿：原作“那”。据章钰校，十二行本、乙十一行本皆作“阿”，张敦仁《通鉴刊本识误》同，今据改。［22］五月：原无此二字。据章钰校，十二行本、乙十一行本、孔天胤本皆有此二字，张敦仁《通鉴刊本识误》同，今据补。〖按〗《新唐书》中《则天皇

【原文】

二年（丙戌，公元六八六年）

春，正月，太后下诏复政于皇帝。睿宗知太后非诚心，奉表固让，太后复临朝称制。辛酉[547]，赦天下。

二月辛未朔[548]，日有食之。

右卫大将军李孝逸既克徐敬业，声望甚重，武承嗣等恶之，数谮于太后，左迁施州[549]刺史。

三月戊申[550]，太后命铸铜为匦[551]，置之朝堂，以受天下表疏铭[24]。其东曰“延恩”，献赋颂、求仕进者投之；南曰“招谏”，言朝[25]政得失者投之；西曰“伸冤”，有冤抑[552]者投之；北曰“通玄”，言天象灾变及军机秘计者投之[553]。命正谏、补阙、拾遗[554]一人掌之，先责识官[555]，乃听投表疏[556]。

徐敬业之反也，侍御史鱼承晔之子保家[557]教敬业作刀车及弩，敬业败，仅得免。太后欲周知人间事，保家上书，请铸铜为匦以受天下密奏。其器共为一室，中有四隔，上各有窍，以受表疏，可入不可出。太后善之。未几，其怨家投匦告保家为敬业作兵器，杀伤官军甚众，遂伏诛。

太后自徐敬业之反，疑天下人多图[558]己，又自以久专国事，且内行不正，知宗室大臣怨望，心不服，欲大诛杀以威之[559]。乃盛开告密之门，有告密者，臣下不得问，皆给驿马[560]，供五品食[561]，使诣行在。虽农夫樵人[562]，皆得召见，廪于客馆，所言或称旨，则不次除官[563]，无实者不问。于是四方告密者蜂起，人皆重足屏息[564]。

后纪》亦作“五月丙午”。[23]突厥：原作“吐蕃”。严衍《通鉴补》改作“突厥”，今据以校正。〖按〗《新唐书》中《则天皇后纪》、两《唐书》中《韦挺附子待价传》皆作“突厥”。燕然道在北，位于灵州大都督府辖内，是攻讨突厥之主要通道。吐蕃在西南，行军多以逻些、当弥、洮河等道。

【语译】

二年（丙戌，公元六八六年）

春，正月，太后下诏还政睿宗。睿宗知道太后不是诚心的，上表坚决推辞，太后又临朝称制。二十日辛酉，大赦天下。

二月初一日辛未，日食。

右卫大将军李孝逸打败徐敬业后，声望极高，武承嗣等人厌恶他，多次向太后诬陷他，他被降职为施州刺史。

三月初八日戊申，太后命令用铜铸造箱子置于朝堂之上，受理天下人的奏书、诉状、文章、符箓等。东面的称“延恩”，呈献赋颂、要求做官的人投表疏其中；南面的称“招谏”，评说朝政得失的人投表疏其中；西面的称“伸冤”，有冤屈的人投表疏其中；北面的称“通玄”，谈论天象灾变和军机秘计的人投表疏其中。命令正谏、补阙、拾遗各一人执掌。首先要求官吏担保，才听任投入章表奏疏。

徐敬业谋反时，侍御史鱼承晔的儿子鱼保家教授徐敬业制作刀剑、战车和弓弩，徐敬业败亡后，鱼保家得以幸免。太后想要全部了解民间的事情，鱼保家就上书朝廷，请求铸造铜箱子来接受天下人的秘密奏章。这箱子是一个大空间，当中有四个隔断，上方各自有孔，以容纳章表奏疏，只能投进去，不能拿出来。太后对此很满意。没过多久，鱼保家的仇家把奏章投到箱子里，告发他曾替徐敬业制造兵器，杀伤官兵极多，于是鱼保家被处死。

太后自从徐敬业反叛后，怀疑天下人多在图谋她，又自认为长期专擅国政，而且自己的行为不正，知道宗室大臣怨恨她，内心不服，所以想以大肆诛杀来威慑他们。于是大开告密之门，如有告密的人，臣下不许过问，都供给驿马，供应五品官的伙食，让告密者前往太后的住处。即使是农人樵夫，都得以召见，食宿在客馆里，所说的事如果符合太后旨意，就破格拜官，与事实不符的也不问罪。于是四方告密的人蜂拥而起，人们都手足无措，不敢出气。

有胡人索元礼⑤⑥⑤，知太后意，因告密召见，擢为游击将军，令案制狱⑤⑥⑥。元礼性残忍，推一人必令引数十百人，太后数召见赏赐以张其权⑤⑥⑦。于是尚书都事⑤⑥⑧长安周兴⑤⑥⑨、万年人来俊臣⑤⑦⓪之徒效之，纷纷继起。兴累迁至秋官侍郎，俊臣累迁至御史中丞，相与私畜无赖数百人，专以告密为事；欲陷一人，辄令数处俱告，事状如一。俊臣与司刑评事⑤⑦①洛阳万国俊⑤⑦②共撰《罗织经》⑤⑦③数千言，教其徒网罗无辜，织成反状，构造布置，皆有支节。太后得告密者，辄令元礼等推之，竞为讯囚酷法，作大枷⑤⑦④[26]，有“定百脉”“突地吼”“死猪愁”“求破家”“反是实”等名号。或以椽关手足而转之，谓之“凤皇晒翅”；或以物绊其腰，引枷向前，谓之“驴驹拔橛”；或使跪捧枷，累甓其上，谓之“仙人献果”；或使立高木之上[27]，引枷尾向后，谓之“玉女登梯”；或倒悬石缒其首，或以醋灌鼻，或以铁圈毂⑤⑦⑤其首而加楔⑤⑦⑥，至有脑裂髓出者。每得囚，辄先陈其械具以示之，皆战栗流汗，望风自诬⑤⑦⑦。每有赦令，俊臣辄令狱卒先杀重囚，然后宣示。太后以为忠，益宠任之。中外畏此数人，甚于虎狼。

【段旨】

以上为第十三段，写武则天推行酷吏政治，用告密之法大规模诛除异己，全国士民笼罩在恐怖之中。

【注释】

⑤④⑦辛酉：正月二十日。⑤④⑧辛未朔：二月初一日。⑤④⑨施州：治所清江，在今湖北恩施。⑤⑤⓪戊申：三月初八日。⑤⑤①太后命铸铜为匦：置匦，即设置检举箱，具有重大意义。正面影响是“由是人间善恶事多所悉知”，负面影响是揭发不实，多冤假错案。关于置匦的时间，《统纪》《唐历》作八月，《唐会要》作六月，《实录》及两《唐书》本纪作三月。从有关材料分析，当是三月下令制作，六月置于朝堂使用。⑤⑤②冤抑：冤枉而不得伸理。⑤⑤③言天象灾变及军机秘计者投之：胡三省说，“四匦，各依方色”。据《唐会要》卷

有一个胡人叫索元礼，知道太后的心意，因为告密而被召见，提拔为游击将军，命令他审理太后下令办理的狱讼。索元礼生性残忍，推问一个人一定要牵连几十上百人，太后多次召见赏赐，扩大他的权力。于是尚书都事长安人周兴、万年人来俊臣之徒都效法他，纷纷相继而起。周兴连续升迁到秋官侍郎，来俊臣连续升迁到御史中丞，彼此都私下蓄养无赖几百人，专门从事告密；想要陷害一个人，就命令好几处一起告发，举报的事状都一样。来俊臣和司刑评事洛阳人万国俊共同撰写《罗织经》数千言，教唆他们的党徒网罗无辜，编造成谋反的罪状，虚构伪造、安排布置，使罪状都有枝有节。太后得到告密的，就命令索元礼等人审问，索元礼等人争相设计审问犯人的酷刑，上大枷之刑，有“定百脉”“突地吼”“死猪愁”“求破家”“反是实”等名称。或者用木椽卡住手足而转动，叫作“凤皇晒翅”；或者用东西挡住腰部，再把颈上枷锁向前拉，叫作“驴驹拔撅”；或者让犯人跪下，手捧枷锁，把砖堆在上面，叫作“仙人献果”；或者让犯人站在很高的木头上，把枷锁的尾部往后拉，叫作“玉女登梯”；或者倒挂着，以石缒头，或者用醋灌往鼻内，或者用铁圈紧束着头，然后在周围加上木楔，以至于有脑壳破裂脑髓流出的人。每次抓来犯人，常常先把刑具摆开，让犯人看，犯人都颤抖流汗，见此势头，便自己诬陷自己。每次有赦免令时，来俊臣常常让狱卒先把重犯杀了，然后宣布赦令。太后认为他很忠心，对他更加宠幸信任。朝廷内外都害怕这几个人，比怕虎狼还要厉害。

五十五《匦》、《旧唐书》卷五十《刑法志》等，当时所铸之匦只有一个。方形，中间分为四室。东南西北四面分别涂上青红白黑四种不同颜色，题有“延恩”“招谏”“申冤”“通玄”字样。胡氏以为四匦，实误。554 正谏、补阙、拾遗：皆官名。正谏，即正谏大夫，原称谏议大夫，门下省属官，掌封驳奏议，正五品。补阙、拾遗为垂拱元年所置，各有左右之分。左属门下省，右属中书省。据《旧唐书》中《职官志二》，左右补阙各两员，左右拾遗亦各为两员，掌供奉讽谏。补阙，从七品；拾遗，从八品。555 先责识官：掌匦使先问清保官，以免投匦欺诈。识官，犹今之担保人。556 听投表疏：听任投入表章奏疏。每日所有投书，到天黑时由知匦使送入宫中。见《唐会要》中《匦》及《旧唐书》中《职官志》。557 保家：鱼保家。《朝野佥载》作“鱼思咺”。《通鉴》依《御史台记》所载作“鱼保家”。《旧唐书》中《刑法志》相同。558 图：图谋。559 威之：威慑他们。560 皆给驿马：都给提供驿马。唐制，乘传（车）日四驿，乘驿（马）日六驿。凡给马者，一品八匹，二品六匹，三品五匹，四品五品四匹，六品三匹，七品以下二匹。给传乘者，一品十马，二品九马，三品八马，四品五品四马，六品七品二马，八品九品一马。三品

已上敕召者给四马，五品三马，六品已下有差。一驿三十里。561 供五品食：据《唐六典》卷四，五品官食料七盘，每日细米二升，面二升三合，酒一升半，羊肉三分，瓜两颗，盐豉葱姜葵韭之类各有差。562 樵人：樵夫、打柴人。563 不次除官：不按寻常的次序拜除官职，破格提拔。564 重足屏息：重足，叠足而立。屏息，不敢呼吸。言恐惧之态。565 索元礼（？至公元六九一年）：武周时期的头号酷吏，后为武则天所杀。传见《旧唐书》卷一百八十六上、《新唐书》卷二百九。566 制狱：又称诏狱。奉皇帝诏令拘禁犯人的特别监狱。当时制狱主要有新开总监和洛州牧院两处。567 张其权：扩大他的权势。568 尚书都事：官名，《唐六典》卷一："尚书都省有都事六人，从七品上。"569 周兴（？至公元六九一年）：雍州长安人，武周时期的酷吏之一，官至尚书左丞，陷害数千人之多。570 来俊臣（公元六五一至六九七年）：雍州万年人，历任侍御史、左台御史中丞等职，是继索元礼之后最残暴、影响最大的酷吏。传见《旧唐书》卷一百八十六上、《新唐书》卷二百九。571 司刑评事：官名，大理评事。从八品下，掌出使推问查核狱事。572 万国俊（？至公元六九三年）：河南洛阳（今河南洛阳）人，常与来俊臣推审制狱，曾奏请捕杀流人。传见《旧唐书》卷一百八十六上。573《罗织经》：凡一卷。专讲虚构罪名、陷害无辜的

【原文】

麟台正字陈子昂上疏，以为"执事者疾徐敬业首乱唱祸[578]，将息奸源，穷其党与，遂使陛下大开诏狱，重设严刑，有迹涉嫌疑，辞相逮引[579]，莫不穷捕考按[580]。至有奸人荧惑[581]，乘险相诬，纠告疑似，冀图爵赏，恐非伐罪吊人[582]之意也。臣窃观当今天下，百姓思安久矣，故扬州构逆[583]，殆有五旬，而海内晏然，纤尘不动。陛下不务玄默[584]以救疲人，而反任威刑以失其望，臣愚暗昧，窃有大惑。伏见诸方告密，囚累百千辈[585]，及其穷竟[586]，百无一实。陛下仁恕，又屈法容之，遂使奸恶之党快意相仇，睚眦之嫌[587]即称有密，一人被讼，百人满狱，使者推捕，冠盖如市[588]。或谓陛下爱一人而害百人，天下喁喁[589]，莫知宁所[590]。臣闻隋之末代，天下犹平，杨玄感作乱[591]，不逾月而败。天下之弊，未至土崩，蒸人[592]之心，犹望乐业。炀帝不悟，遂使兵部尚书樊子盖[593]专行屠戮，大穷党与，海内豪士，无不罹殃。遂至杀人如麻，流血成泽，天下靡

方法。《唐会要》卷四十一《酷吏》，来俊臣等“又造《罗织经》一卷，其意旨皆网罗前人，织成反状”。⑰作大枷：索元礼等所作大枷共十种，除《通鉴》所列五种外，还有“喘不得”“著即承”“失魂胆”“实同反”“求即死”等。见《旧唐书》卷一百八十六《酷吏·来俊臣传》。⑰毂：急束。⑰楔：上粗下尖的小木橛。⑰自诬：自己诬陷自己。

【校记】

［24］置之朝堂以受天下表疏铭：原无此十一字。据章钰校，十二行本、乙十一行本、孔天胤本皆有此十一字，张敦仁《通鉴刊本识误》、张瑛《通鉴校勘记》同，今据补。［25］朝：原无此字。据章钰校，十二行本、乙十一行本、孔天胤本皆有此字，张敦仁《通鉴刊本识误》同，今据补。［26］作大枷：原无此三字。据章钰校，十二行本、乙十一行本、孔天胤本皆有此三字，张敦仁《通鉴刊本识误》同，今据补。〖按〗两《唐书》中《酷吏·来俊臣传》皆有此三字。［27］之上：原无此二字。据章钰校，十二行本、乙十一行本、孔天胤本皆有此二字，今据补。

【语译】

麟台正字陈子昂上疏，认为“主事官员痛恨徐敬业首倡祸乱，为了铲除奸乱的根源，穷治徐敬业的党羽，便使陛下下诏追办的狱讼铺展开来，严厉设置重刑，有涉嫌疑行迹的人，供词相互牵连，没有不追捕到底而加以审讯的。以至于有奸人炫惑主上，乘人之危，进行诬陷，举告疑似有罪的人，希望求得封爵奖赏，这恐怕不是讨伐有罪、吊慰百姓的意思吧。臣私下观察当今天下，百姓心思安定已经很久了，所以扬州的叛乱，差不多有五十天，而海内安定，丝毫不动。陛下不务求静默无为以拯救疲惫的民众，反而使用严厉的刑罚使百姓失望，臣愚昧不明，私下大惑不解。臣看到四方告密，被囚的犯人积在一起，成百上千，等到追究完毕，一百人中没有一个是真实的。陛下仁慈宽恕，又枉法宽容，于是让为奸作恶的党徒称心如意，仇视别人，一点很小的嫌怨就举报对方有密谋，一个人被起诉，就把一百人关满监狱，使者各地审问抓捕犯人，车马冠盖之多如同集市。有人说陛下只爱一人而害了一百人。天下人低声细语，不知道什么地方才能安宁。臣听说隋朝末年，天下还很平静，杨玄感作乱，没过一个月就失败了。天下的弊病，不至于土崩瓦解，民众的心理，仍然希望安居乐业。但炀帝不醒悟，便派兵部尚书樊子盖专务杀戮，大肆深究党徒，海内的豪杰之士，没有不遭殃的。以至于杀人如麻，血流成泽，天下散乱，这时人

然[594]，始思为乱，于是雄杰并起，而隋族亡矣。夫大狱一起，不能无滥，冤人吁嗟[595]，感伤和气，群生疠疫，水旱随之，人既失业，则祸乱之心怵然[596]而生矣。古者明王重慎刑法[28]，盖惧此也。昔汉武帝时巫蛊狱起[597]，使太子奔走，兵交宫阙，无辜被害者以千万数，宗庙几覆[598]。赖武帝得壶关三老书[599]，廓然感悟，夷江充[600]三族，余狱不论，天下以安尔。古人云：'前事之不忘，后事之师。'伏愿陛下念之！"太后不听。

夏，四月，太后铸大仪[601]，置北阙[602]。

以岑长倩为内史[603]。六月辛未[604]，以苏良嗣为左相，同凤阁鸾台三品韦待价为右相。己卯[605]，以韦思谦为纳言。

苏良嗣遇僧怀义于朝堂，怀义偃蹇[606]不为礼，良嗣大怒，命左右捽曳[607]，批其颊数十[608]。怀义诉于太后，太后曰："阿师当于北门出入，南牙[609]宰相所往来，勿犯也。"

太后托言怀义有巧思，故使入禁中营造。补阙长社王求礼[610]上表，以为"太宗时，有罗黑黑[611]善弹琵琶，太宗阉[612]为给使[613]，使教宫人。陛下若以怀义有巧性，欲宫中驱使者，臣请阉之，庶不乱[614]宫闱"。表寝不出。

秋，九月丁未[615]，以西突厥继往绝可汗之子斛瑟罗[616]为右玉钤卫将军，袭继往绝可汗，押五弩失毕部落。

己巳[617]，雍州言新丰县东南有山踊出[618]，改新丰为庆山县。四方毕贺[619]。江陵人俞文俊[620]上书："天气不和而寒暑并，人气不和而疣赘[621]生，地气不和而堆阜[622]出。今陛下以女主处阳位，反易刚柔，故地气塞隔而山变为灾。陛下谓之'庆山'，臣以为非庆也。臣愚以为宜侧身修德以答天谴，不然，殃祸至矣！"太后怒，流于岭外，后为六道使所杀[623]。

突厥入寇，左鹰扬卫大将军黑齿常之拒之。至两井，遇突厥三千余人，见唐兵，皆下马擐甲[624]，常之以二百余骑冲之，皆弃甲走。日暮，突厥大至，常之令营中然火，东南又有火起[625]，虏疑有兵相应，遂夜遁。

狄仁杰为宁州[626]刺史。右台监察御史晋陵郭翰[627]巡察陇右，所至多所按劾[628]。入宁州境，耆老[629]歌刺史德美者盈路，翰荐之于朝，征为冬官侍郎[630]。

们才想到要作乱，于是英雄豪杰同时起义，而隋王室就灭亡了。大规模的狱讼一起，不可能不过滥，蒙冤的人忧叹，伤害了和谐气氛，发生各种疠疫，水灾旱灾相继而来，人们既然失去了生业，那么为祸作乱的想法就出现了。古代圣明的君主对刑罚很慎重，就是害怕这种情况。以前汉武帝时发生巫蛊之狱，使得太子逃亡，交战宫廷，无辜被害的人以千万计，国家宗庙几乎倾覆。幸亏武帝得到壶关三老的上书，豁然觉醒，诛杀江充三族，其他人的罪过不予追究，天下因此才安定下来。古人说：'以前的事情不忘记，可作为后来行事的借鉴。'希望陛下想想！"太后不听他的劝告。

夏，四月，太后铸造大仪，放置在北阙。

任命岑长倩为内史。六月初三日辛未，任命苏良嗣为左相，同凤阁鸾台三品韦待价为右相。十一日己卯，任命韦思谦为纳言。

苏良嗣在朝堂碰到僧人薛怀义，薛怀义傲慢地不向苏良嗣行礼，苏良嗣大怒，命令左右侍卫揪住薛怀义，打了几十个耳光。薛怀义向太后申诉，太后说："师傅你应当从北门出入，南衙是宰相来往的地方，不要冒犯。"

太后借口薛怀义有巧妙的构思，所以让他进入宫禁营建工程。补阙长社人王求礼上表太后，认为"太宗时，有个名叫罗黑黑的善弹琵琶，太宗把他阉割，作为供给使唤之用，让他教授宫人。陛下如果认为薛怀义有奇巧的秉性，打算让他在宫中供使唤的话，臣请求把他阉掉，差不多可以不淫乱宫禁"。奏表被搁置不送达台省。

秋，九月初十日丁未，任命西突厥继往绝可汗的儿子斛瑟罗为右玉钤卫将军，承袭继往绝可汗，统领五弩失毕部落。

十月初二日己巳，雍州报告新丰县东南有山从地面冒出，把新丰改为庆山县。四方都来祝贺。江陵人俞文俊上书说："天气不和谐而寒暑交错，人气不和谐而疣赘生长，地气不和谐而丘阜出现。现在陛下以女君之身处在阳位，颠倒刚柔，所以地气壅塞隔绝，而山岭变化成为灾异。陛下称之为'庆山'，臣认为不值得庆贺。愚臣认为陛下应该侧身修养德行，以回应上天的谴责，不然的话，灾祸就来临了！"太后非常生气，把俞文俊流放岭外，后来被六道使所杀。

突厥入寇边境，左鹰扬卫大将军黑齿常之抵抗。到达两井，遇到突厥三千多人，他们看见唐兵，都下马穿上铠甲，黑齿常之利用二百多骑兵冲击他们，突厥人全都弃甲逃走。黄昏时，突厥大军到达，黑齿常之让军营中烧起火，东南又有火光出现，敌人怀疑有部队相呼应，就乘夜逃走了。

狄仁杰担任宁州刺史。右台监察御史晋陵人郭翰巡察陇右，所到之处对官吏多所按察弹劾。进入宁州界内，歌颂刺史美德的老人沿路都是，郭翰向朝廷荐举，朝廷征召狄仁杰为冬官侍郎。

【段旨】

以上为第十四段，写武则天拒谏，用酷吏，纵男宠，编织祥瑞，开启了武则天时代。

【注释】

⑤⑦⑧首乱唱祸：首先发动叛乱，造成祸端。⑤⑦⑨逮引：引及。⑤⑧⓪考按：考问案验。⑤⑧①荧惑：犹炫惑、迷惑。⑤⑧②伐罪吊人：讨伐罪人，吊慰百姓。人，本作民，避唐太宗讳而改。⑤⑧③扬州构逆：指徐敬业等在扬州发动叛乱。⑤⑧④玄默：虚玄安静。⑤⑧⑤囚累百千辈：囚犯数百上千。极言其多，并非指实。⑤⑧⑥穷竟：追究到最后。⑤⑧⑦睚眦之嫌：比喻很小的矛盾。睚眦，本指瞪眼怒目而视，引申为小怨小忿。⑤⑧⑧冠盖如市：车马冠盖之多如同集市。冠盖，旧指仕宦的礼帽和车盖。⑤⑧⑨天下喁喁：天下人低声细语。⑤⑨⓪莫知宁所：不知道什么地方是安定的处所。⑤⑨①杨玄感作乱：时在隋炀帝大业九年（公元六一三年）。杨玄感是隋朝宰相杨素的儿子，官至礼部尚书。传见《隋书》卷七十。⑤⑨②蒸人：即蒸民。指众人。避唐太宗李世民讳，改“民”为“人”。⑤⑨③樊子盖：字华宗，无谋略，治军持重，未尝负败。但严酷少恩，敢于杀戮，临死时，见断头鬼前后重沓。传见《隋书》卷六十三、《北史》卷七十六。⑤⑨④靡然：形容人心分散的样子。⑤⑨⑤吁嗟：愁叹。⑤⑨⑥怵然：恐惧的样子。⑤⑨⑦昔汉武帝时巫蛊狱起：古时认为用巫术咒语或埋木偶于地下可以害人，称之为“巫蛊”。武帝晚年多病，疑为巫蛊所致。江充诬告太子据宫中木人甚多，太子杀江充，与官军交锋，兵败被杀。这是汉武帝晚年时的一件重大政治事件，交战及被株连而死的人有十多万，史称“巫蛊之祸”。⑤⑨⑧宗庙几覆：宗庙社稷差点倾覆。⑤⑨⑨壶关三老书：壶关系县名，属上党郡。因山形似壶，设关于此，故名。故城在今山西长治东南。三老，官名，汉代乡、县均置三老，掌教化。一般以年长、有修行、能率众向善者充任。壶关三老茂上书武帝为太子辩护，事载《汉书》之《武五子戾太子传》。⑥⓪⓪江充（？至公元前九一年）：汉武帝宠信的一个奸臣，是他一手制造了“巫蛊之祸”，为戾太子刘据所杀。传见《汉书》卷四十五。⑥⓪①大仪：太极图案。⑥⓪②北阙：在洛阳宫城玄武门之北。⑥⓪③以岑长倩为内史：据《新唐书》之《则天纪》及《宰相表》，时在四月庚辰，即四月十一日。⑥⓪④辛未：六月初三日。⑥⓪⑤己卯：六月十一日。⑥⓪⑥偃蹇：傲慢。⑥⓪⑦捽曳：揪、拉；抓住。⑥⓪⑧批其颊数十：打了他几十个耳光。⑥⓪⑨南牙：即南衙。指宫禁以南的行政官署。⑥①⓪王求礼（？至公元七〇五年）：许州长社（今河南许昌）人，刚正不阿，官至卫王掾。传见《旧唐书》卷一百一、卷一百八十七上、《新唐书》卷一百十二。⑥①①罗黑黑：元吴莱说他“艺倾一国”。事见《朝野佥载》五、《太平广记》卷二百五。⑥①②阉：阉割；割去生殖腺。⑥①③给使：供差役的人。此处指内侍。⑥①④乱：淫乱。⑥①⑤丁未：九月初十日。⑥①⑥斛瑟罗：即阿史那斛瑟罗。曾被武则天封为“竭忠事主可汗”。事见《旧唐书》卷

一百九十四下《突厥传》、《新唐书》卷二百十五下《突厥传》。⑰ 己巳：九月戊戌朔，无己巳。《新唐书》卷四《则天纪》作十月己巳，即十月初二日。当在己巳前添“十月”二字。⑱ 新丰县东南有山踊出：新丰县，属雍州，县治在今陕西西安市临潼区东北。“有山踊出”即“踊出一山”。两《唐书》载，这种现象系风雨在一夜之间所为。宋人程大昌则认为是人力所成。⑲ 毕贺：皆贺。⑳ 俞文俊：荆州江陵（今湖北荆州）人。传见《新唐书》卷一百八十七上。㉑ 疣赘：皮肤上的病毒感染，亦称“瘊子”。㉒ 塠阜：小丘。㉓ 后为六道使所杀：长寿二年（公元六九三年）武则天派刘光业、王德寿等人分六道出使，推案流人，流人多被诛杀。见《旧唐书》卷一百八十六《酷吏传》。㉔ 擐甲：套甲。㉕ 东南又有火起：《旧唐书》之《黑齿常之传》作“时东南忽有大风起”。㉖ 宁州：州名，治所定安，在今甘肃宁县。㉗ 郭翰：传见《新唐书》卷一百十七。㉘ 按劾：按问弹劾。㉙ 耆老：老人。特指受人尊敬的老者。㉚ 冬官侍郎：工部侍郎。

【校记】

［28］法：据章钰校，十二行本、乙十一行本、孔天胤本皆作“罚”。

【研析】

本卷记载唐高宗辞世，武则天掌政，中国历史上唯一的女皇即将出世。武则天登基，看似平静，实质是一场不流血的宫廷政变，伴随慢性流血的高压政治。政权更迭，总是多事之秋，有许多突发事件值得研析。中宗被废、徐敬业起兵、诛裴炎、军中斩程务挺，这些都是突发事件，每一事件都伴随着血腥，这就是慢性流血。武则天以垂帘形式登基，牢牢地掌控着局面，表现了武则天非凡的政治才能。次第研析上述各项突发事件。

第一，中宗被废。弘道元年（公元六八三年）十二月初四日丁巳，唐高宗驾崩。十二月十一日甲子，皇太子李显即位，是为中宗。武则天为皇太后。裴炎为中书令，是首辅大臣。弘道二年正月，中宗改元嗣圣，要任命皇后之父韦玄贞为侍中，又欲任命乳母之子为五品官。裴炎不同意，固执地与中宗争论。中宗一时火起，说了一句气话：“我想把天下都给予韦玄贞，难道会舍不得一个侍中吗?”裴炎向武则天报告，而武则天正要找机会收回皇权，此时裴炎还是武则天的心腹，两人一合计，决定废中宗，另立武则天的幼子，即第四子李旦为皇帝。李旦天性懦弱，也不贪恋权位。武则天要夺回皇权，裴炎要掌控皇帝，一个是太后，一个是首辅，两人合谋，无须廷议。一个皇帝的废立大事，如同儿戏一般上演了。二月初六日戊午，武则天在乾元殿召集百官会议，中书令裴炎与中书侍郎刘祎之、羽林将军程务挺、张虔勖带兵入宫。此时武则天以太后诏宣布废中宗为庐陵王，中宗说：“我有什么罪?”太后说：“你要把天下送给韦玄贞，怎么说没有罪?”第二天，二月初七日己未，豫王李旦即位，是为睿宗，改元文明。睿宗从即位的当天就被软禁在别殿，不得干预政事。武则天以太后身份垂帘听政，事实上已经登基做了皇帝。因此，中宗与睿宗的废立，是一场不流血的宫廷政变。中宗只做了两个月的皇帝，睿宗连皇位的边也没沾上，他的皇帝名分只不过是替武则天撑起的一把遮阳伞。

高宗之死，也十分突然。高宗长期患中风病、头疼，在死前一个月，即光宅元年十一月，头疼加重，召侍医秦鸣鹤诊断。秦鸣鹤说，可用针灸刺头出血治愈。武则天在帘后厉声说："秦鸣鹤可斩，敢用针刺天子之头。"武则天不满"二圣"并立，早就想高宗死去，所以十分厌恶秦鸣鹤治高宗的病。高宗坚持针灸，不仅止了疼，眼睛也明亮起来。不久，高宗病势转重，但武则天隔断内外，连宰相都见不到高宗的面。高宗之死，武则天是否做了手脚，史籍没有记载，不可妄猜。毒害天子，那可是非常事件。后来韦皇后下毒害死了睿宗，激起事变，招来杀身之祸。武则天的高明就在于，长期等待，让高宗慢慢死去，不让大夫好好治疗，加速高宗的死亡，让天下人抓不到她篡权的把柄。她不急于直接称帝，用废立的办法，做事实上的皇帝。文明元年九月初六日甲寅，武则天改元光宅，赦天下，易服色，改官名，可以说是发动了一场去李唐化的运动。但武则天仍以太后垂帘的身份渐进改变。她还在等待根基牢固之后，再来"革命"，不仅直接做皇帝，还要改国号。武则天的政治权术，何等高明。裴炎助成其事，已堕入武则天术中。当时的群臣，都不是武则天的对手。

这一场皇帝的非常废立，武则天获得了完胜。

第二，徐敬业起兵。武则天垂帘，杀废太子李贤，流放庐陵王于均州，随即改流放地于房州，把庐陵王禁锢在唐太宗的废太子李承乾的故宅中。其时，武氏外戚得势，诸武用事，武承嗣入相，以礼部尚书为太常卿、同中书门下三品，以分裴炎之权。接着武则天立武氏七庙，违反礼制，裴炎固争而得罪太后。武则天易服色，改官名，贬诸王，一系列去李唐运动使宗室人人自危。在这种形势下，李勣之子徐敬业以名臣之后，在扬州起兵，以匡复庐陵王为辞，发檄文声讨武则天。旬日之间，拥众十余万。

徐敬业谋主魏思温建言，徐敬业集中主力，大张旗鼓直指洛阳，表明志在勤王，将会得到全天下人的响应。徐敬业所署右司马薛仲璋，是裴炎的外甥，曾任监察御史，在起事叛军中有较高的地位。他反对魏思温的策谋，说什么金陵有王气，要徐敬业占领南京为根据地，站稳脚跟，徐图中原。魏思温说："山东豪杰不满意武则天专政，他们日夜等待南军北上，明公不趁此时机北上，先谋巢穴，人心失望，一旦解体，大势去矣。"徐敬业没有听从魏思温的谋划，采纳薛仲璋的建议，留下左长史唐之奇守扬州，自己带兵不是北上渡淮，而是南下攻克润州。魏思温说："兵力集中则强，兵力分散则弱。徐敬业不全力渡淮，凝聚山东之众以取洛阳，失败就在眼前。"果如魏思温所料。武则天派左玉钤卫大将军，宗室李孝逸率领三十万大军讨伐叛逆。徐敬业很快被击败，完全应验了魏思温的预料。徐敬业起兵，声势浩大，不到三个月就失败了。

唐代史学家陈岳对徐敬业起兵，有如下评价。陈岳说："徐敬业如果采用魏思温的计谋，大军直指洛阳，以匡复唐室为号召，即使失败而被杀，至少留下忠义精神。但他却妄想依赖金陵王气，却使自己变成了真正的叛逆，怎能不失败呢！"陈岳的评论，可以说是一针见血。

徐敬业不采纳魏思温的善计，表现了他不是一个真正的勤王者，也没有干大事业的本领。当时人心思唐，所以徐敬业振臂一呼，四面云集，虽是十万乌合之众，却能连败李孝逸的三十万大军。由于徐敬业没有渡淮，不能凝聚中原之众，当他割据者的面目暴露，人心也就散了。徐敬业的对手武则天，却显示了一个君王的大度，策谋得当，赢得了人心。不得志的大文学家骆宾王，投靠徐敬业做了记室。他写的檄文痛骂武则天，甚至人身攻击。武则天却不动怒，连声称赞文章写得好，还责备宰相没有发现和启用这样的人才是十分错误的。如此大度，震慑人心。武则天用唐宗室为将，自己又没有称帝，太后讨逆，堂堂正正。于是扭转了人心，武则天非凡的政治才能，化解危局，平安度过了风浪。

第三，诛裴炎，斩程务挺。裴炎是忠于唐室的政治首领，程务挺是忠于唐室的军事领袖。两人都受到武则天的器重。武则天拉拢两人，想收买两人，委以重任，示之以信，示之以诚。武则天在东都洛阳，把稳定与防守长安的重任交给程务挺，尊奖他为"唐之萧何"。但两人都不赞同武则天垂帘，要武则天还政于睿宗，程务挺直言谏劝，以西汉吕后之祸警示武则天。武则天手谕褒奖，然后把他从长安调走，任命程务挺为单于道安抚大使，督军以御突厥，驻军云中（在今山西大同西北）。武则天抓住裴炎外甥薛仲璋助逆的把柄，诬陷裴炎谋反。程务挺上表替裴炎申理而被株连为裴炎同党。为了防止兵变，武则天遣使即在军中斩杀程务挺，如同当年秦二世诛杀蒙恬一样。武则天以皇权之重临之，忠臣不能辨其冤。裴炎则在京都明正典刑。《唐统纪》载，武则天杀了裴炎和程务挺后，在朝堂上向群臣训话说："朕事先帝二十余年，忧天下至矣！公卿富贵，皆朕与之；天下安乐，朕长养之。及先帝弃群臣，以天下托顾于朕，不爱身而爱百姓。今为戎首，皆出于将相，群臣何负朕之深也。且卿辈有受遗老臣，倔强难制过裴炎者乎？有将门贵种，能纠合亡命过徐敬业者乎？有握兵宿将，攻战必胜过程务挺者乎？此三人者，人望也，不利于朕，朕能戮之。卿等有能过此三者，当即为之；不然，须革心事朕，无为天下笑。"武则天铁腕刚毅的个性展示无遗。中宗不听话，立即废除；李贤有可能被奉为旗帜，立即诛杀；大臣有异心，斩立决。睿宗唯唯诺诺，就掌控在手中作木偶。此时武则天根基还不牢，所以不直接称帝，而以太后临朝的方式假皇权以压臣民。武则天的机权干略与果决处事，的确是千载难遇。武则天之所以能够化险为夷，不是偶然的。

诛裴炎，斩程务挺，仅仅是武则天以威临天下杀伐的开始。

卷第二百四　唐纪二十

起强圉大渊献（丁亥，公元六八七年），尽重光单阏（辛卯，公元六九一年），凡五年。

【题解】

本卷记事起公元六八七年，迄公元六九一年，凡五年，当武则天垂拱三年到天授二年。武则天执政二十年，这一时期是武则天前期执政最重要的阶段。由于女人当皇帝不合礼制，加之内行不检，诸多物议，而且又改国号为周，必然遭到唐宗室的反抗。武则天不愧为一个铁腕女人，她先下手为强，推行血腥政治来镇压反对派。一是建立告密制度。凡捕风捉影，只要是告密者皆给予重赏。二是大量起用酷吏。于是群丑登场，侯思业、王弘义、周兴、索元礼、来俊臣等酷吏，竞相攀比苛酷，一个比一个凶残。武则天借惩治徐敬业余党之名，大兴冤狱，大杀唐宗室，以及不满武氏专政的大臣，动辄诛杀成千累万。凤阁侍郎刘祎之，只

【原文】

则天顺圣皇后上之下

垂拱三年（丁亥，公元六八七年）

春，闰正月丁卯[①]，封皇子成美为恒王[②]，隆基为楚王，隆范为卫王，隆业为赵王。

二月丙辰[③]，突厥骨笃禄等寇昌平[④]，命左鹰扬大将军[⑤]黑齿常之帅诸军讨之。

三月乙丑[⑥]，纳言韦思谦以太中大夫致仕。

夏，四月，命苏良嗣留守西京。时尚方监[⑦]裴匪躬[⑧]检校[⑨]京苑[⑩]，将鬻苑中蔬果[⑪]以收其利。良嗣曰："昔公仪休[⑫]相鲁，犹能拔葵、去织妇[⑬]，未闻万乘之主鬻蔬果也。"乃止。

壬戌[⑭]，裴居道[⑮]为纳言[⑯]。

因一句背后私议，说武则天应还政于睿宗，被凤阁舍人贾大隐告密而赐死。功臣亦被武则天忌疑。黑齿常之，捍卫疆土，立有大功，一旦被告密，立即被诛杀。武则天以刑杀立威，朝野人士，人人自危，可以说武则天的前期政治是一片黑暗。但在这一背景下，有狄仁杰、徐有功、杜景俭等执法宽平的大臣，仍有陈子昂的直谏，武则天也能兼容，甚至对狄仁杰十分敬重，表现了武则天政治的多面性与雄才。这也是武周政权得以存在的一个方面。本卷还记述了武则天明堂建成，行大礼，既尊号武氏列祖列宗，也尊礼唐室李氏祖宗，表现了武则天政治权术的老练与成熟。

【语译】

则天顺圣皇后上之下

垂拱三年（丁亥，公元六八七年）

春，闰正月初二日丁卯，封皇子李成美为恒王，李隆基为楚王，李隆范为卫王，李隆业为赵王。

二月二十二日丙辰，突厥骨笃禄等侵犯昌平，命令左鹰扬大将军黑齿常之统率各部军队前去讨伐。

三月初一日乙丑，纳言韦思谦以太中大夫身份离职。

夏，四月，命令苏良嗣留守西京。当时尚方监裴匪躬正在检查西京禁苑，准备卖掉苑囿中的蔬菜水果，来获取一些收益。苏良嗣说："以前公仪休做鲁国宰相时，还能够拔掉葵菜，休掉织帛的妻子，不与百姓争利。我没有听说过大国之君售卖蔬菜水果。"裴匪躬于是取消了这个计划。

二十九日壬戌，任命裴居道为纳言。

五月丙寅⑰，夏官侍郎⑱京兆张光辅⑲为凤阁侍郎⑳、同平章事。

凤阁侍郎、同凤阁鸾台三品㉑刘祎之窃谓㉒凤阁舍人㉓永年贾大隐㉔曰："太后既废昏立明㉕，安用临朝称制㉖！不如返政[1]，以安天下之心。"大隐密奏之，太后不悦，谓左右曰："祎之我所引㉗，乃复叛我！"或诬祎之受归诚州都督孙万荣金㉘，又与许敬宗妾有私㉙，太后命肃州刺史王本立推之。本立宣敕示之，祎之曰："不经凤阁鸾台，何名为敕㉚！"太后大怒，以为拒捍制使㉛，庚午㉜，赐死于家。

祎之初下狱，睿宗为之上疏申理，亲友皆贺之，祎之曰："此乃所以速吾死也。"临刑，沐浴，神色自若，自草谢表，立成数纸。麟台郎㉝郭翰、太子文学㉞周思钧称叹其文。太后闻之，左迁翰巫州㉟司法㊱，思钧播州㊲司仓㊳。

【段旨】

以上为第一段，写凤阁侍郎刘祎之因凤阁舍人贾大隐的告密而被赐死，可见当时告密之风已盛行政坛。

【注释】

①丁卯：闰正月初二日。②封皇子成美为恒王：《考异》，"《唐历》《旧本纪》《新传》皆作'成义'。今从《实录》"。〖按〗李成美、李隆基、李隆范、李隆业，皆睿宗李旦之子。③丙辰：二月二十二日。④昌平：县名，属幽州，县治在今北京市昌平区西南，其西北三十五里有军都关，即居庸关。⑤左鹰扬大将军：即左武卫大将军，正三品，掌宫廷警卫。⑥乙丑：三月初一日。⑦尚方监：官名，原名少府监，光宅元年（公元六八四年）改名尚方监，掌百工技巧之事。⑧裴匪躬：后因私谒皇嗣而被腰斩。事见《旧唐书》卷七十五《苏世长传》，《新唐书》卷七十六《后妃·则天武皇后传》、卷一百三《苏世长传》。⑨检校：检查。⑩京苑：京师苑囿。唐京师长安有三苑，即东内苑、西内苑和禁苑，均在长安城北。⑪蔬果：蔬菜水果。⑫公仪休：春秋时鲁国贤相。传见《史记》卷一百十九。⑬拔葵、去织妇：公仪休回家见其妻织帛、食葵，遂拔葵，又休其妻，表示做官的人家已有俸禄，不应该与民争利。⑭壬戌：四月二十九日。⑮裴居道：绛州闻喜（今属山西）人，武则天时历官纳言、内史、太子少保，封翼国公。载初元年（公

五月初三日丙寅，任夏官侍郎京兆人张光辅为凤阁侍郎、同平章事。

凤阁侍郎、同凤阁鸾台三品刘祎之私下对凤阁舍人、永年人贾大隐说：“太后既然废除了昏庸的中宗，册立了贤明的睿宗，怎么还当朝处理国事，行使皇帝权力呢！不如返政于睿宗，以安定天下的人心。”贾大隐把这些话暗中向太后奏报，太后很不高兴，对身边大臣说：“刘祎之是我一手提拔的，竟然又背叛我！”有人诬陷刘祎之接受归诚州都督孙万荣的金钱，又与许敬宗的侍妾私通，太后命令肃州刺史王本立追究查办。王本立向刘祎之宣示了太后敕令，刘祎之说：“不经过凤阁和鸾台，怎么可以称作敕令！”太后大怒，认为这是抗拒天子的使臣，五月初七日庚午，将刘祎之赐死在家中。

刘祎之刚入狱时，睿宗为他上疏申诉辩护，亲戚朋友都向他祝贺，刘祎之说：“这样做恰恰是加速我的死亡。”临刑时，他先沐浴，神色泰然自若，亲自书写谢表，立刻写了几张纸。麟台郎郭翰、太子文学周思钧赞叹他的文章。太后知道后，将郭翰贬为巫州司法，周思钧为播州司仓。

元六八九年）为酷吏所陷，下狱死。⑯纳言：官名，武则天光宅元年改门下省侍郎为纳言，掌出纳帝命，正四品。⑰丙寅：五月初三日。⑱夏官侍郎：官名，即兵部侍郎。兵部长官为尚书，正三品。副职为侍郎，员二人，正四品下。⑲张光辅（？至公元六八九年）：少明辩，有吏才。讨越王贞有功。传见《旧唐书》卷九十。⑳凤阁侍郎：官名，即中书侍郎。中书省长官为令，掌军国政令，出纳章奏。唐中书令常空缺，只设副职侍郎，员二人，正四品。武则天光宅元年改中书省为凤阁。凤阁侍郎加“同平章事”，即为宰相。㉑鸾台三品：官名，即门下侍郎，正三品。武则天光宅元年改门下省为鸾台。唐代宰相由三省长官共任。三省为中书省取旨，门下省审核，尚书省执行。他官加“同凤阁鸾台三品”，即为宰相。㉒窃谓：私下对人说悄悄话。㉓凤阁舍人：即中书舍人，员六人，正五品，掌侍奉进奏，参议表章。㉔贾大隐：洺州永年（今河北邯郸市永年区东南）人，官至礼部侍郎。著有《老子述义》十卷。事见《旧唐书》卷一百八十九上《贾公彦传》、《新唐书》卷一百九十八《张士衡传》。㉕废昏立明：废除昏君，另立明主。指废中宗为庐陵王，另立睿宗为帝。㉖临朝称制：当朝处理国事，行使皇帝权力。㉗引：荐举。㉘受归诚州都督孙万荣金：接受归诚州都督孙万荣的贿赂。归诚州，属松漠都督府（治所在今内蒙古翁牛特旗西北），贞观二十三年（公元六四九年）以契丹别部设置。孙万荣（？至公元六九七年），契丹别部首领孙敖曹之曾孙。与李尽忠发动叛乱，兵败被杀。事详《旧唐书》卷一百九十九下《契丹传》、《新唐书》卷二百一十九《契丹传》

等。㉙有私：有暧昧关系。㉚"不经凤阁鸾台"二句：唐制，制敕由中书省（凤阁）草定，由门下省（鸾台）审覆，呈交皇帝批准，然后实施。王本立所宣之敕未经此二省，直接由武则天颁发，所以刘祎之认为它不是敕书。㉛拒捍制使：抵抗天子所派的使臣。㉜庚午：五月初七日。㉝麟台郎：麟台即秘书省，置有秘书郎、校书郎、著作郎佐郎等职，均系郎官。㉞太子文学：东宫官名，《唐六典》卷二十六，太子司经局，文学三人，正六品，掌分知经籍，侍奉文章。㉟巫州：治所在今湖南怀化西南。㊱司法：官名，即司法参军事，掌刑法。州置功、仓、户、兵、法、士六曹，参军事为诸曹之长。依州大小，或从七品下，或正八品下，或从八品下。㊲播州：治所在今贵州遵义。㊳司仓：即司仓参军事，掌仓库、租赋、度量、市肆、公廨诸事。

【原文】

秋，七月壬辰[39]，魏玄同检校纳言。

岭南俚[40]户旧输半课[41]，交趾都护[42]刘延祐[43]使之全输，俚户不从，延祐诛其魁首[44]。其党李思慎等作乱，攻破安南府城[45]，杀延祐[46]。桂州司马[47]曹玄静将兵讨思慎等，斩之。

突厥骨笃禄、元珍寇朔州，遣燕然道大总管黑齿常之击之，以左鹰扬大将军李多祚[48]为之副，大破突厥于黄花堆[49]，追奔四十余里，突厥皆散走碛北[50]。多祚世为靺鞨酋长，以军功得入宿卫。黑齿常之每得赏赐，皆分将士；有善马为军士所损，官属请笞[51]之，常之曰："奈何以私马笞官兵乎[52]！"卒不问。

九月己卯[53]，虢州人杨初成[54]诈称郎将[55]，矫制于都市募人迎庐陵王于房州，事觉，伏诛。

冬，十月庚子[56]，右监门卫中郎将[57]爨宝璧[58]与突厥骨笃禄、元珍战，全军皆没，宝璧轻骑遁归。宝璧见黑齿常之有功，表请穷追余寇。诏与常之计议，遥为声援。宝璧欲专其功，不待常之，引精卒万三千人先行，出塞二千余里，掩击其部落。既至，又先遣人告之，使得严备，与战，遂败。太后诛宝璧，改骨笃禄曰不卒禄。

命魏玄同留守西京。

【校记】

［1］政：原作“正”。据章钰校，十二行本、乙十一行本皆作“政”，张瑛《通鉴校勘记》同，今据改。〖按〗两《唐书》中《刘祎之传》皆作“政”。

【语译】

秋，七月壬辰日，魏玄同代理纳言。

岭南俚族人家过去只缴纳一半的赋税，交趾都护刘延祐要他们全额缴纳，俚人不接受，刘延祐把他们的首领杀掉了。首领的党徒李思慎等作乱，攻破安南府城，杀死了刘延祐。桂州司马曹玄静领兵讨伐李思慎等人，把他们杀了。

突厥骨笃禄、元珍入寇朔州，派遣燕然道大总管黑齿常之反击，任命左鹰扬大将军李多祚作为他的副将，在黄花堆大败突厥，追赶逃敌四十多里，突厥全部散逃漠北。李多祚世代为靺鞨酋长，凭借战功进宫宿卫。黑齿常之每次得到的赏赐，都分给将士。他有一匹好马被军士伤害了，属僚要求鞭打军士，黑齿常之说：“怎么能为了私人的马而鞭打官兵呢！”最终没有追究这件事。

九月十八日己卯，虢州人杨初成诈称自己是郎将，假托太后命令在都市招募人马去房州接回庐陵王。事情被发觉后，被处死。

冬，十月初九日庚子，右监门卫中郎将爨宝璧与突厥骨笃禄、元珍交战，全军覆没，爨宝璧轻骑逃了回来。爨宝璧看到黑齿常之立了功，上表请求穷追突厥余众。太后下诏让他和黑齿常之商议，遥相声援。爨宝璧想独占功劳，不等待黑齿常之，就带领精兵一万三千人率先出发，出塞二千多里，准备突袭突厥部落。到了以后，又先派人通报对方，使得突厥部落严加戒备，爨宝璧和对方交战，便被打败了。太后处死爨宝璧，把骨笃禄改名为不卒禄。

命令魏玄同留守西京。

武承嗣又使人诬李孝逸自云“名中有兔，兔，月中物，当有天分”[59]。太后以孝逸有功，十一月戊寅[60]，减死除名，流儋州[61]而卒。

太后欲遣韦待价将兵击吐蕃[62]，凤阁侍郎韦方质奏，请如旧制遣御史[63]监军，太后曰：“古者明君遣将，阃外之事悉以委之。比闻御史监军，军中事无大小皆须承禀[64]。以下制上，非令典[65]也，且何以责[66]其有功！”遂罢之[67]。

是岁，天下大饥，山东、关内尤甚。

【段旨】

以上为第二段，写黑齿常之大破突厥，爨宝璧贪功冒进而致败。

【注释】

㊴壬辰：七月癸亥朔，无壬辰。关于魏玄同检校纳言的时间，《旧唐书》之《则天纪》作“秋八月”。《新唐书》卷四《则天纪》、卷六十一《宰相表》作“八月壬子”，即八月二十一日。㊵俚：生活在岭南地区的少数民族，即后来的黎族。㊶半课：缴纳一半赋税。㊷都护：官名，都护府最高长官，正三品，管理辖区内军政事务和民族事务。㊸刘延祐（？至公元六八七年）：徐州彭城（今江苏徐州）人，少举进士，精明强干。曾任箕州刺史等职。事见《旧唐书》卷一百九十上《刘胤之传》、《新唐书》卷二百一《刘延祐传》。㊹魁首：头领。据两《唐书》之《刘延祐传》，延祐所诛俚户头领为李嗣仙。㊺安南府城：即安南都护府治所宋平县，在今越南河内。㊻杀延祐：《新唐书》之《则天纪》及《旧唐书》之《冯元常传》载，李嗣仙杀刘延祐。其时嗣仙已死，杀延祐者实为其党徒丁建、李思慎等。㊼司马：官名，州司马上州从五品下，中州正六品上，下州从六品下，与别驾、长史共同协助刺史分理一州庶务。㊽左鹰扬大将军李多祚：唐制，左鹰扬大将军一员。其时黑齿常之为左鹰扬大将军，李多祚岂能为之？据《新唐书》卷一百十《李多祚传》，“左”当为“右”之误。㊾黄花堆：地名，当今山西山阴东北一

武承嗣又指使人诬告李孝逸，说他自己说“名字中有兔，兔子是月亮里的东西，应当有天子的名分”。太后考虑到李孝逸有功，十一月十八日戊寅，免去死罪，废除了他做官的身份，流放儋州而死。

太后想要派韦待价率兵攻打吐蕃，凤阁侍郎韦方质上奏，请求按照以前的制度，派遣御史监督部队，太后说：“古代贤明的君主派遣将领，统兵在外的事情全都委托他来处理。近来听说御史监督部队时，军中事无大小，都需要向监军禀报。由下职控制上职官员，不是好的制度，况且这样做，又怎么能要求将领立功呢！”于是作罢。

这一年，天下出现严重饥荒，山东、关内尤为厉害。

带。㊿碛北：大漠以北。51 笞：鞭打；杖击。52 奈何以私马笞官兵乎：怎么能为了私人的马而鞭打官兵呢！53 己卯：九月十八日。54 杨初成（？至公元六八七年）：虢州（今河南灵宝一带）人。事见《新唐书》卷四《则天纪》。55 郎将：官名。唐诸卫五府置有中郎将，率本府之属负责宫廷宿卫。其下有郎将为其副官，分设左右。56 庚子：十月初九日。57 右监门卫中郎将：右监门卫大将军之下置将军、中郎将，中郎将正四品下，掌监宫禁诸门，检校出入。58 爨宝璧：事见《旧唐书》卷一百九《黑齿常之传》、卷一百九十四上《突厥传》，《新唐书》卷一百十《黑齿常之传》、卷二百十五《突厥传》。59“诬李孝逸自云名中有兔”四句：《旧唐书》卷六十载，“承嗣等又使人诬告孝逸往任益州，尝自解逸字云：‘走绕兔者，常在月中，月既近天，合有天分’”。有天分，指有当天子之分。60 戊寅：十一月十八日。61 儋州：州名，治所义伦，在今海南儋州西北。62 太后欲遣韦待价将兵击吐蕃：司马光在《考异》中说：“《实录》：‘十二月壬辰，命待价为安息道大总管，督三十六总管以讨吐蕃。’不言师出胜败如何。至永昌元年五月，又云：‘命待价击吐蕃，七月败于寅识河。’按本传不云两度出兵，今删此事。”63 御史：官名，隶属御史台。有侍御史，掌纠举百官，审狱讼；监察御史，掌分察巡按郡县。64 承禀：承奉启禀，禀报。65 令典：国家的宪章法令。非令典，意为不是好的制度。66 责：要求。67 遂罢之：罢，作罢。太后于是在军中裁撤了监军之职。

【原文】

四年（戊子，公元六八八年）

春，正月甲子[68]，于神都立高祖、太宗、高宗三庙，四时享祀如西庙[69]之仪。又立崇先庙以享武氏祖考[70]。太后命有司议崇先庙室数，司礼博士[71]周悰请为七室，又减唐太庙为五室。春官侍郎[72]贾大隐奏："《礼》：'天子七庙，诸侯五庙'，百王不易[73]之义。今周悰别引浮议[74]，广述异闻[2]，直崇临朝权仪[75]，不依国家常度。皇太后亲承顾托，光显大猷，其崇先庙室应如诸侯之数，国家宗庙不应辄有变移。"太后乃止。

太宗、高宗之世，屡欲立明堂[76]，诸儒议其制度，不决而止。及太后称制，独与北门学士议其制，不问诸儒。诸儒以为明堂当在国阳丙巳之地[77]，三里之外，七里之内。太后以为去宫太远。二月庚午[78]，毁乾元殿[79]，于其地作明堂，以僧怀义为之使，凡役数万人。

夏，四月戊戌[80]，杀太子通事舍人[81]郝象贤[82]。象贤，处俊之孙也。

初，太后有憾于处俊[83]，会奴诬告象贤反，太后命周兴鞫之，致象贤族罪[84]。象贤家人诣朝堂，讼冤于监察御史乐安任玄殖[85]。玄殖奏象贤无反状，玄殖坐免官。象贤临刑，极口骂太后[86]，发扬宫中隐慝[87]，夺市人柴以击刑者，金吾兵[88]共格杀[89]之。太后命支解其尸，发其父祖坟，毁棺焚尸。自是终太后之世，法官每刑人，先以木丸塞其口[90]。

武承嗣使凿白石为文曰"圣母临人，永昌帝业"。末紫石杂药物填之[91]。庚午[92]，使雍州人唐同泰[93]奉表献之，称获之于洛水。太后喜，命其石曰"宝图"。擢同泰为游击将军。五月戊辰[94]，诏当亲拜洛，受"宝图"；有事南郊，告谢昊天[95]，礼毕，御明堂，朝群臣。命诸州都督、刺史及宗室、外戚以拜洛前十日集神都。乙亥[96]，太后加尊号为圣母神皇。

【语译】

四年（戊子，公元六八八年）

春，正月初五日甲子，在神都建立高祖、太宗、高宗三庙，四季祭祀的礼仪都和西京的太庙一样。又建立崇先庙以祭祀武氏祖先。太后命有关官员讨论崇先庙房间的数目，司礼博士周悰请求设立七室，又把唐的太庙减为五室。春官侍郎贾大隐上奏说："《礼记》规定：'天子七庙，诸侯五庙'，这是百代君王不变的原则。现在周悰引用无稽之谈，多方陈述异闻，只为尊崇临朝称制者的威仪，不遵循国家的常规。皇太后亲承先帝的重托，彰显帝王的大道，崇先庙的室数应该和诸侯相同，国家的宗庙不应该随意变更。"太后于是打消了这个念头。

太宗、高宗之世，几次准备设立明堂，因儒士们讨论它的制度没有结果而作罢。等到太后临朝听政，独自和北门学士讨论明堂制度，不再征询儒士们的意见。儒士们认为明堂应当设在国都南面丙巳方位，在三里之外，七里之内。太后认为离皇宫太远。二月庚午日，毁掉乾元殿，在原地建造明堂，任命和尚怀义为主管使者，共役使几万人。

夏，四月十一日戊戌，杀掉太子通事舍人郝象贤。郝象贤，是郝处俊的孙子。

当初，太后对郝处俊有所怀恨，遇上奴仆诬告郝象贤谋反，太后命令周兴审讯，郝象贤被判灭族。郝象贤家人前往朝廷，向监察御史、乐安人任玄殖诉说冤情。任玄殖上奏说郝象贤没有谋反的证据，任玄殖获罪免官。郝象贤临刑时，破口大骂太后，揭发宫中的隐私丑事，抢过市上百姓的木柴击打行刑的人，金吾兵多人一起将郝象贤击杀。太后命令肢解他的尸体，挖开他父亲、祖父的坟墓，毁棺焚尸。从此直到太后死，法官每次处决犯人，先用木丸把他的嘴巴塞住。

武承嗣派人凿治白石，刻上文字说"圣母临人，永昌帝业"。把紫石捣为粉末，混杂药物填在字里。庚午日，指使雍州人唐同泰呈表献石，声称这白石是在洛水得到的。太后很高兴，把石头命名为"宝图"。把唐同泰提升为游击将军。五月十一日戊辰，下诏令要亲自到洛水祭拜，接受"宝图"；在南郊举行祭祀，以告谢上天，祭祀完毕，亲临明堂，朝见群臣。命令各州都督、刺史以及宗室、外戚，要在祭拜洛水之前十天到神都集合。十八日乙亥，太后加尊号为圣母神皇。

【段旨】

以上为第三段，写武则天建明堂，造祥瑞，自加尊号为"圣母神皇"。

【注释】

(68)甲子：正月初五日。(69)西庙：指京师太庙。京师又称西京，故称太庙为西庙。(70)祖考：祖先。(71)司礼博士：即太常博士。光宅元年（公元六八四年）改太常曰司礼。(72)春官侍郎：官名，光宅间改礼部侍郎为春官侍郎，正四品下，掌天下礼仪、祭享、贡举之政令。(73)易：更易。(74)浮议：无稽之谈。(75)直崇临朝权仪：只推崇临朝称制者的威仪。(76)明堂：相传为古代帝王布政、祭祀、大享、朝会的地方。《事物纪原》说明堂创自周公，汉魏六朝多有设置，但制度不详，形状各异。唐太宗、唐高宗多次想立明堂，因诸儒议论纷然，未能实现。事见《旧唐书》卷二十二《礼仪志二》、《新唐书》卷十三《礼乐志三》、《唐会要》卷十一《明堂制度》。(77)国阳丙巳之地：国都南三里之外，七里之内的光明之地。(78)庚午：二月庚寅朔，无庚午。关于武则天下令毁乾元殿，于其地作明堂的时间，史书记载不一，除《通鉴》作二月庚午外，尚有六种说法，《唐会要》卷十一作"垂拱三年"；《旧唐书》卷二十二作"垂拱三年春"；《旧唐书》卷一百八十三作"垂拱四年"；《新唐书》卷四作"垂拱四年正月庚午"；《旧唐书》卷六作"四年春二月"；《唐会要》卷三十作"四年二月十日"。〖按〗《全唐文》卷一百六十四刘允济《万象明堂赋》云："粤正月庚午，始创明堂之制焉。"垂拱三年正月丙申朔，无庚午。四年正月有之，为十一日。故当以《新唐书》卷四《则天纪》所载为是。(79)乾元殿：在东都乾元门内，是洛阳最重要的宫殿之一。(80)戊戌：四月十一日。(81)通事舍人：太子官属，正七品下，掌导引宫臣辞见及劳问之事。(82)郝象贤（？至公元六八八年）：高宗朝宰相

【原文】

六月丁亥朔[97]，日有食之。

壬寅[98]，作神皇三玺[99]。

东阳大长公主[100]削封邑，并二子徙巫州。公主适高履行[101]，太后以高氏长孙无忌之舅族，故恶之。

江南道[3]巡抚大使、冬官侍郎狄仁杰以吴、楚多淫祠[102]，奏焚其一千七百余所，独留夏禹[103]、吴太伯[104]、季札[105]、伍员[106]四祠。

秋，七月丁巳[107]，赦天下。更命"宝图"为"天授圣图"；洛水为永昌洛水，封其神为显圣侯，加特进，禁渔钓，祭祀比四渎[108]。名图所出曰

郝处俊之孙。事见《旧唐书》卷八十四《郝处俊传》、《新唐书》卷一百十五《郝处俊传》。㉝“初”二句：事指上元二年（公元六七五年）三月，高宗病重，欲让武氏摄知国政，郝处俊曾予以谏阻。㉞致象贤族罪：处郝象贤以灭族之罪。㉟任玄殖：《元和姓纂》卷五及《李文公集》卷十四作“任玄植”。㊱极口骂太后：破口大骂武则天。㊲发扬宫中隐慝：揭发宫中的隐私丑事。㊳金吾兵：左右金吾卫的士卒。㊴格杀：击杀。㊵“自是终太后之世”三句：此说不可尽信。《通鉴》卷二百四永昌元年八月条载：“（张）楚金等皆为敬真所引，云与敬业通谋。临刑，太后使凤阁舍人王隐客驰骑传声赦之。声达于市，当刑者皆喜跃欢呼，宛转不已；（魏）元忠独安坐自如，或使之起，元忠曰：‘虚实未知。’隐客至，又使起，元忠曰：‘俟宣敕已。’”受刑者既能欢呼言语，可见其口未被堵塞。㊶末紫石杂药物填之：即以紫石末和药嵌之。见《朝野佥载》卷三。㊷庚午：四月戊子朔，无庚午。《新唐书》卷四《则天纪》作五月庚申。五月无庚申而有庚午，即五月十三日。然观下文五月戊辰（十一日）下诏拜洛受图，则五月庚午亦误。《旧唐书》卷二十四《礼仪志》作四月。当以四月为是，而庚午日则误，唯具体干支难以断定。㊸唐同泰：事迹不详，散见于《旧唐书》卷二十四、《新唐书》卷七十六等。㊹戊辰：五月十一日。㊺昊天：泛称上天。㊻乙亥：五月十八日。

【校记】

［2］闻：据章钰校，十二行本、乙十一行本皆作“文”，张敦仁《通鉴刊本识误》同。

【语译】

六月初一日丁亥，发生日食。

十六日壬寅，制作了神皇的三尊印玺。

东阳大长公主被削夺封邑，和两个儿子一起迁徙到巫州。东阳大长公主嫁给高履行，太后认为高氏是长孙无忌舅父的同族，所以厌恶他们。

江南道巡抚大使、冬官侍郎狄仁杰认为吴、楚两地有很多滥建的祠庙，奏报太后烧毁一千七百多处，只留下夏禹、吴太伯、季札、伍员等四人的祠庙。

秋，七月初一日丁巳，大赦天下。把“宝图”改名为“天授圣图”；把洛水改名为永昌洛水，封洛水之神为显圣侯，加封特进，禁止打鱼垂钓，按照祭祀四渎的

"圣图泉"，泉侧置永昌县。又改嵩山为神岳，封其神为天中王，拜太师、使持节、神岳大都督，禁刍牧⑲。又以先于汜水得瑞石⑩，改汜水为广武。

太后潜谋革命⑪，稍除⑫宗室。绛州刺史韩王元嘉⑬、青州刺史霍王元轨⑭、邢州刺史鲁王灵夔⑮、豫州刺史越王贞⑯及元嘉子通州刺史黄公譔、元轨子金州刺史江都王绪、虢王凤子申州刺史东莞公融、灵夔子范阳王蔼、贞子博州刺史琅邪王冲，在宗室中皆以才行有美名，太后尤忌之。元嘉等内不自安，密有匡复之志。

譔谬为书与贞云："内人⑰病浸重，当速疗之，若至今冬，恐成痼疾。"及[4]太后召宗室朝明堂，诸王因递相惊曰："神皇欲于大飨之际，使人告密，尽收宗室，诛之无遗类[5]。"譔诈为皇帝玺书与冲云："朕遭幽絷，诸王宜各发兵救我。"冲又诈为皇帝玺书云："神皇欲移李氏社稷以授武氏。"八月壬寅⑱，冲召长史萧德琮等令募兵，分告韩、霍、鲁、越及贝州刺史纪王慎⑲，令各[6]起兵共趣⑳神都。太后闻之，以左金吾将军丘神勣为清平道行军大总管以讨之。

冲募兵得五千余人，欲渡河取济州㉑，先击武水㉒，武水令郭务悌诣魏州㉓求救。莘㉔令马玄素将兵千七百人中道邀冲，恐力不敌，入武水，闭门拒守。冲推草车塞其南门，因风纵火焚之，欲乘火突入。火作而风回，冲军不得进，由是气沮。堂邑㉕董玄寂为冲将兵击武水，谓人曰："琅邪王与国家交战，此乃反也。"冲闻之，斩玄寂以徇，众惧而散入草泽，不可禁止，惟家僮左右数十人在。冲还走博州㉖，戊申㉗，至城门，为守门者所杀㉘，凡起兵七日而败。丘神勣至博州，官吏素服出迎，神勣尽挥刃[7]杀之，凡破千余家。

越王贞闻冲起，亦举兵于豫州㉙，遣兵陷上蔡㉚。九月丙辰㉛，命左豹韬大将军麹崇裕㉜为中军大总管，岑长倩为后军大总管，将兵十万以讨之，又命张光辅为诸军节度㉝。削贞[8]、冲属籍㉞，更姓虺㉟氏。贞闻冲败，欲自锁诣阙谢罪，会所署新蔡㊱令傅延庆募得勇士二千余人，贞乃宣言于众曰："琅邪已破魏、相数州㊲，有兵二十万，朝夕㊳至矣。"发属县兵共得五千，分为五营，使汝南县㊴丞裴守德等将之，署

规格来祭祀洛水。把宝图所出地命名为“圣图泉”，在泉的旁边设置永昌县。又把嵩山改称神岳，封其神为天中王，拜为太师、使持节、神岳大都督，禁止割草放牧。又因为以前在汜水得到瑞石，所以把汜水县改名为广武。

太后暗中计划取代唐朝，逐渐除去皇族宗室。绛州刺史韩王李元嘉、青州刺史霍王李元轨、邢州刺史鲁王李灵夔、豫州刺史越王李贞以及李元嘉的儿子通州刺史黄公李譔、李元轨的儿子金州刺史江都王李绪、虢王李凤的儿子申州刺史东莞公李融、李灵夔的儿子范阳王李蔼、李贞的儿子博州刺史琅邪王李冲，在宗室中都因才学德行享有好名声，太后格外忌恨他们。李元嘉等人自己心感不安，暗中有挽救恢复大唐天下的志向。

李譔虚假地写信给李贞说：“妻子病情越来越重，应当赶紧治疗，如果到了今年冬天，恐怕会变成顽疾。”等到太后召来宗室朝见明堂，诸王乘机相互警告说：“神皇要在举行大飨祭礼时，派人告密，把宗室全部逮捕，一个不留地都杀掉。”李譔假造皇帝给李冲的玺书说：“朕遭受幽禁，诸王应各自发兵救我。”李冲也假造皇帝的玺书说：“神皇打算把李氏的天下转交给武氏。”八月十七日壬寅，李冲叫来长史萧德琮等人，命令他们招募士兵，分头通知韩、霍、鲁、越各王及贝州刺史纪王李慎，让他们各自起兵，一同奔赴神都。太后听到消息后，任命左金吾将军丘神勣为清平道行军大总管，讨伐他们。

李冲招募到五千多士兵，打算渡过黄河夺取济州，首先攻打武水，武水县令郭务悌前往魏州求救。莘县县令马玄素率领士兵一千七百人在半路截击李冲，担心兵力抵挡不住，便进入武水，闭门防守。李冲推草车堵塞南面城门，利用风势纵火焚烧，想趁着大火冲进城去。不料火起后风向逆转，李冲的军队不能前进，因此士气低落。堂邑人董玄寂为李冲率兵攻打武水，对人说：“琅邪王和朝廷作战，这就是反叛啊。”李冲听说后，就把董玄寂斩首示众，士兵们害怕，逃散了，进入草泽，无法阻止，在身边的只有家童和左右侍卫几十个人。李冲退往博州，八月二十三日戊申，到了城门，被守城门的人杀死，起兵总共七天就失败了。丘神勣到达博州，官吏穿着丧服出城迎接，丘神勣乱刀把他们全部杀掉，总共一千多户家破人亡。

越王李贞听说李冲起兵，也在豫州起兵，派兵攻陷上蔡。九月初一日丙辰，朝廷任命左豹韬大将军麹崇裕为中军大总管，岑长倩为后军大总管，率兵十万讨伐越王李贞，又命令张光辅为各军节度。削除李贞、李冲宗属的名籍，将他们改姓为虺氏。李贞听说李冲失败，本想要绑上自己前往朝廷请罪，恰好所辖的新蔡县县令傅延庆招募了勇士二千多人，李贞便向大家宣告说：“琅邪王李冲已经攻破了魏、相几个州，拥兵二十万，很快就要到了。”又征调所属各县士兵五千人，分为五营，派汝

九品以上官五百余人。所署官皆受迫胁，莫有斗志，惟守德与之同谋，贞以其女妻之，署大将军，委以腹心。贞使道士及僧诵经以求事成，左右及战士皆带辟兵符[140]。麴崇裕等军至豫州城东四十里，贞遣少子规及裴守德拒战，兵溃而归。贞大惧，闭阁自守。崇裕等至城下，左右谓贞曰："王岂可坐待戮辱！"贞、规、守德及其妻皆自杀[141]。与冲皆枭首东都阙下。

初，范阳王蔼遣使语贞及冲曰："若四方诸王一时并起，事无不济。"诸王往来相约结，未定而冲先发，惟贞狼狈应之，诸王皆不敢发，故败。

贞之将起兵也，遣使告寿州刺史赵瓌[142]，瓌妻常乐长公主[143]谓使者曰："为我语越王：昔隋文帝[144][9]将篡周室，尉迟迥[145]，周之甥也，犹能举兵匡救社稷，功虽不成，威震海内，足为忠烈。况汝诸王，先帝之子，岂得不以社稷为心[146]！今李氏危若朝露[147]，汝诸王不舍生取义，尚犹豫不发，欲何须[148]邪！祸且至矣，大丈夫当为忠义鬼，无为徒死[149]也。"

及贞败，太后欲悉诛韩、鲁等诸王，命监察御史蓝田苏珦[150]按其密状。珦讯问，皆无明验，或告珦与韩、鲁通谋，太后召珦诘之，珦抗论不回。太后曰："卿大雅之士[151]，朕当别有任使，此狱不必卿也。"乃命珦于河西监军，更使[152]周兴等按之，于是收韩王元嘉、鲁王灵夔、黄公譔、常乐公主于东都，迫胁皆自杀，更其姓曰"虺"，亲党皆诛。

【段旨】

以上为第四段，写武则天逼反诸亲王，借势大开杀戒，清除唐室宗亲。

南县丞裴守德等人来率领，委任九品以上官员五百多人。所委任的官员都受到胁迫，没有斗志，只有裴守德与李贞一起谋划，李贞把女儿嫁给裴守德，任命他为大将军，把他当成心腹。李贞派道士、和尚念经，祈求事情能够成功，身边的人和士兵都带着避兵符。麹崇裕等人的军队到达豫州城东四十里，李贞派小儿子李规和裴守德迎战，兵败逃回，李贞大为恐惧，闭门自守。麹崇裕等人攻到了城下，身边的人对李贞说："您怎么可以坐等被杀受辱！"李贞、李规、裴守德以及裴守德的妻子都自杀了。他们和李冲都在东都宫门前被斩首示众。

当初，范阳王李蔼派遣使者告诉李贞和李冲说："如果四方诸王同时起事，事情没有不成功的。"诸王来往互相联络，事情还没决定下来，李冲就率先起事，只有李贞一人匆忙响应，其他诸王都不敢行动，所以失败了。

李贞即将起兵时，派遣使者通知了寿州刺史赵瓌，赵瓌的妻子常乐长公主对使者说："替我告诉越王：过去隋文帝要篡夺北周帝位时，尉迟迥是北周皇帝的外甥，还能够起兵匡救国家社稷，虽然没有成功，但威震海内，足为忠烈之士。何况你们诸王，都是先帝的儿子，怎么可以不关心国家社稷！现在李氏王朝就像早上的露水一样危险，你们诸王不能舍生取义，还在犹豫不决，想等什么呢！马上就大祸临头了，大丈夫应该做忠义之鬼，不要白白地死去。"

等到李贞兵败，太后准备把韩、鲁诸王全都杀掉，命令监察御史、蓝田人苏珦调查他们密谋的情况。苏珦加以讯问，都没有明显证据。有人举报苏珦和韩、鲁诸王通谋，太后召见苏珦责问他，苏珦据理抗争不改变看法。太后说："你是高雅之士，朕会另有任用，这件案子不必用你了。"便命令苏珦到河西监军，改派周兴等人审理，于是拘捕韩王李元嘉、鲁王李灵夔、黄公李譔、常乐公主，将他们囚禁在东都，逼迫他们全部自杀，把他们的姓氏改为"虺"，亲戚党羽全部被处死。

【注释】

⑰丁亥朔：六月初一日。⑱壬寅：六月十六日。⑲玺：印。先秦时为印章的统称，秦以后专指皇帝的大印。⑳东阳大长公主：唐太宗第九女。汉制，皇帝女称公主，姐妹称长公主，姑称大长公主。历代因而不改。东阳公主是唐睿宗之姑，故为大长公主。㉑高履行：高士廉之子。传见《旧唐书》卷六十五、《新唐书》卷九十五。㉒淫祠：在礼制之外滥设的祠庙。㉓夏禹：传说中的部落联盟领袖，治水有功，为夏朝的奠基人。事见《史记》卷二《夏本纪》。㉔太伯：或作泰伯，周代吴国的始祖。事见《史记》卷四《周本纪》、《论语·泰伯》。㉕季札：又名公子札，春秋时吴国贵族，曾多次推让王位。传见

《史记》卷三十一《吴太伯世家》。⑯伍员：字子胥，春秋时的吴国大夫，对吴国的发展有一定贡献。传见《史记》卷六十六《伍子胥列传》。⑰丁巳：七月初一日。⑱祭祀比四渎：四渎，指长江、黄河、淮河、济水。据《唐六典》卷四，唐代祭祀分为三等，四渎为中祀。⑲禁刍牧：禁止割草放牧。⑪先于汜水得瑞石：时在垂拱四年六月一日。汜水，县名，属河南府，县治在今河南荥阳西北汜水边上。瑞石，吉祥的石头。⑪谋革命：指计划取代唐朝。⑫稍除：渐除。⑬韩王元嘉：唐高祖第十一子。⑭霍王元轨：高祖第十四子。⑮鲁王灵夔：高祖第十九子。与上文韩王元嘉、霍王元轨均见《旧唐书》卷六十四、《新唐书》卷七十九。⑯越王贞（？至公元六八八年）：唐太宗第八子，燕妃所生。越王贞善骑射，颇涉文史，兼有吏才，被称为“材王”，但德望很差。传见《旧唐书》卷七十六、《新唐书》卷八十。⑰内人：对其妻的称呼。⑱壬寅：八月十七日。⑲纪王慎：唐太宗第十子。长于文史，在皇族中与越王贞齐名。传见《旧唐书》卷七十六、《新唐书》卷八十。⑳趣：通“趋”，奔赴。㉑济州：州名，治所在今山东聊城市茌平区西南。㉒武水：县名，属博州，县治在今山东聊城西南。㉓魏州：州名，治所在今河北大名东北，武水之西。㉔莘：县名，属魏州，与武水接壤，县治在今山东莘县。㉕堂邑：县名，属博州，县治在今山东聊城西北。㉖博州：治所在今山东聊城东北。㉗戊申：八月二十三日。㉘为守门者所杀：两《唐书》中《丘神勣传》云，为勋官吴希智、白丁孟青棒所杀。㉙豫州：治所汝阳，在今河南汝南县。㉚上蔡：县名，在汝阳西北，县治即今河南上蔡。㉛丙辰：九月初一日。㉜麹崇裕：高昌王后裔。官至左武卫大将军，封交河郡王。事见《旧唐书》卷一百九十八、《新唐书》卷二百二十一上《高昌传》。㉝节度：节制调度。㉞属籍：宗属名籍。㉟虺：毒蛇；毒虫。㊱新蔡：县名，县治在今河南新蔡。㊲琅邪已破魏、相数州：琅邪王冲已攻克魏、相几个州。㊳朝夕：本指早晚。此处言时间之短。㊴汝南县：在豫州之西。㊵辟兵符：能够避免兵器伤害的符箓，相当于后

【原文】

以文昌左丞[153]狄仁杰为豫州刺史。时治越王贞党与，当坐者六七百家，籍没[154]者五千口，司刑[155]趣[156]使行刑。仁杰密奏：“彼皆诖误[157]，臣欲显奏，似为逆人申理，知而不言，恐乖陛下仁恤之旨。”太后特原之，皆流丰州。道过宁州，宁州父老迎劳之曰：“我狄使君活汝邪？”[158]相携哭于德政碑[159]下，设斋三日而后行。

时张光辅尚在豫州，将士恃功，多所求取[160]，仁杰不之应[161]。光辅

世的护身符。辟，通“避”。⑭ 贞、规、守德及其妻皆自杀：时在九月丙寅，即九月十一日。越王贞起兵，凡二十日而败。⑭ 赵瓌：事散见《旧唐书》卷七十六《太宗诸子·越王贞传》、《新唐书》卷七十六《后妃上·中宗和思顺圣皇后赵氏传》等篇。⑭ 常乐长公主：唐高祖第十九女。传见《新唐书》卷八十三。⑭ 隋文帝：杨坚（公元五四一至六〇四年），弘农华阴（今陕西华阴）人，隋朝的建立者，公元五八一至六〇四年在位。传见《隋书》卷一、《北史》卷十一。⑭ 尉迟迥（？至公元五八〇年）：官至相州总管。曾与益州总管王谦、郧州总管司马消难起兵反抗杨坚篡周。传见《周书》卷二十一、《北史》卷六十二。⑭ 为心：为意。⑭ 危若朝露：朝露见日即晞，比喻极端危险。⑭ 何须：何待。⑭ 徒死：空死；白白地死去。⑮ 苏珦（公元六三五至七一五年）：雍州蓝田（今陕西蓝田）人，官至太子宾客。传见《旧唐书》卷一百、《新唐书》卷一百二十八。⑮ 大雅之士：宏达雅正之士。⑮ 更使：改派。

【校记】

［3］江南道：据章钰校，十二行本、乙十一行本皆作“河南道”。［4］及：原无此字。据章钰校，十二行本、乙十一行本、孔天胤本皆有此字，今据补。［5］类：原无此字。据章钰校，十二行本、乙十一行本、孔天胤本皆有此字，张敦仁《通鉴刊本识误》同，今据补。［6］令各：据章钰校，十二行本、乙十一行本、孔天胤本二字皆互乙。［7］挥刃：原无此二字。据章钰校，十二行本、乙十一行本、孔天胤本皆有此字，今据改。〖按〗张敦仁《通鉴刊本识误》作“挥刀”、《旧唐书》之《酷吏·丘神勣传》作“挥刃”。［8］贞：原无此字。据章钰校，十二行本、乙十一行本皆有此字，张敦仁《通鉴刊本识误》同，今据补。〖按〗《新唐书》之《则天皇后纪》亦言削李贞属籍。［9］文帝：张敦仁《通鉴刊本识误》作“杨氏”。

【语译】

任命文昌左丞狄仁杰为豫州刺史。当时查办越王李贞的同党，应该获罪的有六七百家，被籍没入官府为奴的有五千人，司刑寺催促行刑。狄仁杰秘密上奏说：“那些人都是受牵连的，臣想公开上奏，似乎是在为叛逆者申辩，但知而不言，又担心违背了陛下仁慈怜悯的旨意。”太后特例原宥了这些人，将他们全部流放到丰州。这些人途经宁州时，宁州父老兄弟迎接慰劳他们说：“是我们的狄使君救下你们的吧?”大家相互搀扶着在狄仁杰的德政碑前痛哭，斋戒三日后上路。

当时张光辅还在豫州，将士倚仗有功，多方勒索，狄仁杰不予理睬。张光辅生

怒曰："州将[162]轻元帅邪？"仁杰曰："乱河南[163]者一越王贞耳，今一贞死，万贞生！"光辅诘其语[164]，仁杰曰："明公总兵三十万，所诛者止于越王贞。城中闻官军至，逾城出降者四面成蹊[165]，明公纵将士暴掠，杀已降以为功，流血丹野[166]，非万贞而何！恨不得尚方斩马剑[167]，加于明公之颈，虽死如归[168]耳！"光辅不能诘，归，奏仁杰不逊，左迁复州刺史[169]。

丁卯[170]，左肃政大夫骞味道、夏官侍郎王本立并同平章事。

太后之召宗室朝明堂也，东莞公融[171]密遣使问成均助教高子贡，子贡曰："来必死。"融乃称疾不赴。越王贞起兵，遣使约融，融苍猝不能应，为官属所逼，执使者以闻，擢拜右赞善大夫[172]。未几，为支党所引，冬，十月己亥[173]，戮于市，籍没其家。高子贡亦坐诛。

济州刺史薛颉、颉弟绪、绪弟驸马都尉绍，皆与琅邪王冲通谋。颉闻冲起兵，作兵器，募人。冲败，杀录事参军[174]高纂以灭口。十一月辛酉[175]，颉、绪伏诛，绍以太平公主故[176]，杖一百，饿死于狱。

十二月乙酉[177]，司徒、青州刺史霍王元轨坐与越王连谋，废徙黔州[178]，载以槛车[179]，行至陈仓[180]而死。江都王绪、殿中监郕公裴承先皆戮于市。承先，寂之孙也[181]。

命裴居道留守西京。

左肃政大夫、同平章事骞味道素不礼于殿中侍御史周矩[182]，屡言其不能了事[183]。会有罗告味道者，敕矩按之。矩谓味道曰："公常责矩不了事，今日为公了之。"乙亥[184]，味道及其子辞玉皆伏诛[185]。

气地说："你一个刺史轻视我这个元帅吗？"狄仁杰说："在河南作乱的不过是越王李贞一人罢了，现在一个李贞死了，一万个李贞却出现了！"张光辅责问他这话是什么意思，狄仁杰说："您统领军队三十万，所杀的仅仅是越王李贞。城里百姓听说官军到了，翻城墙出来投降的人把城外四周都踏出了条条小路，您却放纵将士暴加掠夺，杀死已投降的人用以报功，血迹染红了原野，这些人不是一万个李贞又是什么！我恨不得拿到尚方斩马剑，架在您的脖子上，我虽死如归！"张光辅无法再责问，回朝后，上奏说狄仁杰傲慢不逊，把狄仁杰降职为复州刺史。

九月十二日丁卯，左肃政大夫骞味道、夏官侍郎王本立都被任命为同平章事。

太后召宗室朝拜明堂时，东莞公李融暗中派人询问成均助教高子贡，子贡说："前来必死。"李融就说有病没有去。越王李贞起兵，派遣使者联络李融，李融匆忙间不能回答，被部下官属所逼迫，逮捕了李贞的使者，把情况上报，朝廷擢升李融为右赞善大夫。不久，李融被亲党所牵连，冬，十月十四日己亥，被处死于街市，家产被抄没。高子贡也获罪被杀。

济州刺史薛顗，薛顗的弟弟薛绪，薛绪的弟弟、驸马都尉薛绍，都和琅邪王李冲串通谋反。薛顗听说李冲起兵，就制造兵器，招募人员。李冲失败后，薛顗杀了录事参军高纂来灭口。十一月初六日辛酉，薛顗、薛绪伏罪被杀，薛绍因是太平公主丈夫的缘故，被杖打一百下，饿死在监狱里。

十二月初一日乙酉，司徒、青州刺史霍王李元轨因犯与越王串联谋反之罪，被废为庶人，流放黔州，用槛车押送，走到陈仓就死了。江都王李绪、殿中监郕公裴承先都被处死在街市上。裴承先，是裴寂的孙子。

命令裴居道留守西京。

左肃政大夫、同平章事骞味道一向不尊重殿中侍御史周矩，一再说他不能解决问题，正好有人罗织罪名控告骞味道，太后下敕书令周矩查办。周矩对骞味道说："你常责备我周矩不能解决问题，今天就为你解决问题。"乙亥日，骞味道和他的儿子骞辞玉一起伏罪被杀。

【段旨】

以上为第五段，写酷吏治狱，诛杀无限扩大，豫州刺史狄仁杰护佑无辜，存活者五千余口。

【注释】

⑬文昌左丞：官名，光宅元年（公元六八四年）改尚书左丞为文昌左丞。⑭籍没：中国古代法律规定将某些罪犯的家人和财产登记没收的制度。⑮司刑：大理寺。则天光宅年间改大理寺为司刑。⑯趣：促，催促。⑰诖误：亦作“挂误”“缝误”，指受到牵连。⑱“宁州父老迎劳之曰”二句：狄仁杰垂拱年间（公元六八五至六八八年）曾任宁州刺史。《旧唐书》卷八十九《狄仁杰传》载：“（仁杰）俄转宁州刺史，抚和戎夏，人得欢心，郡人勒碑颂德。”使君，本是汉代对州刺史的称呼，后世用作对州郡长官的尊称。⑲德政碑：颂扬官吏政绩的碑刻。此处指宁州父老为狄仁杰所立的德政碑。⑳求取：索要财物。㉑不之应：不应之，不予理睬。㉒州将：本是汉代对州刺史的称呼，后代或因之。此处指狄仁杰。㉓河南：胡三省注，“当作汝南”。㉔诘其语：责问他这话是什么意思。㉕四面成蹊：言出城降者极多，把城外四周都踩踏出了条条道路。蹊，径。㉖流血丹野：血迹把原野都染红了。喻死人之多。㉗尚方斩马剑：尚方原系汉代少府官属，掌作御刀剑及玩物。尚方斩马剑又称尚方剑、尚方宝剑，指皇帝所用之剑。㉘虽死如归：即使死了，也如同回到家里一样，没有什么遗憾。㉙左迁复州刺史：

【原文】

己酉[186]，太后拜洛受图[187]，皇帝、皇太子皆从，内外文武百官、蛮夷酋长[10]各依方叙立[188]，珍禽、奇兽、杂宝列于坛[189]前，文物卤簿[190]之盛，唐兴以来未之有[191]也。

辛亥[192]，明堂成[193]，高二百九十四尺，方三百尺[194]。凡三层：下层法四时，各随方色[195]；中层法十二辰[196]，上为圆盖，九龙捧之。上层法二十四气[197]，亦为圆盖[11]，上施铁凤，高一丈，饰以黄金。中有巨木十围，上下通贯，栭栌樽槐[198]藉以为本[199]。下施铁渠[200]，为辟雍[201]之象。号曰万象神宫。宴赐群臣，赦天下，纵民入观[202]。改河南为合宫县。又于明堂北起天堂五级以贮大像；至三级，则俯视明堂矣[203]。僧怀义以功拜左威卫大将军、梁国公[204]。

侍御史王求礼[205]上书曰：“古之明堂，茅茨不翦，采椽不斫[206]。今者饰以珠玉，涂[12]以丹青，铁鹫入云，金龙隐雾，昔殷辛琼台[207]，夏癸瑶室[208]，无以加[209]也。”太后不报。

复州，治所在今湖北天门西北。狄仁杰先任豫州刺史，从三品，后任复州刺史，正四品下，故称“左迁”。⑰丁卯：九月十二日。⑱东莞公融（？至公元六八八年）：虢王李凤之子。《新唐书》卷七十九《高祖诸子传》作“茂融”。官至申州刺史。⑲右赞善大夫：官名，掌翼赞太子，以规讽谏，正五品上。⑳己亥：十月十四日。㉑录事参军：官名，掌管各曹文书、纠查府事。㉒辛酉：十一月初六日。㉓绍以太平公主故：薛绍因是太平公主的丈夫的缘故。㉔乙酉：十二月初一日。㉕废徙黔州：废为庶人，流放黔州。黔州治所彭水，在今重庆市彭水苗族土家族自治县。㉖槛车：装载猛兽或囚犯的车子。㉗陈仓：县名，地当关中与汉中之间的交通要冲，县治在今陕西宝鸡东。㉘“承先”二句：裴承先是唐朝开国功臣裴寂的孙子。〖按〗“承先”之名，《旧唐书》卷六十四《霍王元轨传》、《新唐书》卷四《则天纪》及卷七十一上《宰相世系表》作“承光”。岑仲勉认为光、先字形相近，其中当有一讹。依唐人家讳及命子方法，当以承光为是。详见《唐史余渖》卷一。㉙周矩：事迹散见于《旧唐书》卷一百八十三，《新唐书》卷五十六、七十六、二百九等。㉚了事：犹办事，解决问题。㉛乙亥：十二月乙酉朔，无乙亥。《新唐书》卷四《则天纪》、卷六十一《宰相表》均作“己亥”。即十二月十五日。㉜味道及其子辞玉皆伏诛：《考异》引《御史台记》作“味道陷周兴狱”，《通鉴》未予采用。

【语译】

十二月二十五日己酉，太后朝拜洛水，接受“圣图”，睿宗、皇太子都跟随着，朝廷内外文武百官、蛮夷首领，各按方位依次站立，珍禽、奇兽、各种珍宝排列在祭坛前，华丽宝物和车马仪仗之盛，是自唐开国以来从未有过的。

十二月二十七日辛亥，明堂修建完毕，高二百九十四尺，四周每边三百尺。共有三层：下层效法四季，各自随着四方的颜色；中层效法十二时辰，上层为圆盖，由九条龙捧起。上层效法二十四节气，也是圆盖，装有铁制的凤鸟，高一丈，外饰黄金。中间有十围粗的巨大木头，上下贯通，栭、栌、欂、棍都以它作为支撑点。下面设有铁制的水渠，做成辟雍的样子，称为万象神宫。太后设宴款待群臣，大赦天下，准许百姓进入明堂观看。把河南县改为合宫县。又在明堂北面建造五层天堂摆放大型佛像；到第三层，就可以俯视明堂了。僧人薛怀义因为修建明堂有功被拜为左威卫大将军、梁国公。

侍御史王求礼上书说：“古时的明堂，所用的茅草不加修剪，采用的木椽不加砍削。现在使用珠宝玉石装饰，涂上各种颜色，铁制的凤凰高耸入云，金制的龙隐现雾中，过去商纣的琼台，夏桀的瑶室，都超不过它。”太后不予理睬。

【段旨】

以上为第六段，写明堂建成，武则天男宠薛怀义因监造之功，受封梁国公。

【注释】

⑱己酉：十二月二十五日。⑱拜洛受图：朝拜洛水，接受“宝图”，即唐同泰所献瑞石。⑱各依方叙立：各按方位依次而立。⑱坛：祭坛，即拜洛坛，在神都洛阳圣图泉北，承福坊南。专为拜洛受图而筑。⑲卤簿：帝王出行时扈从的仪仗队。封演《封氏闻见记》：“舆驾行幸，羽仪导从谓之卤簿。”唐代四品以上亦给卤簿，规模编制各不相同。⑲未之有：即未有之。⑲辛亥：十二月二十七日。⑲明堂成：关于明堂建成的时间，史书记载有不同。《旧唐书》卷六《则天纪》作垂拱四年十二月，卷二十二《礼仪志二》作四年正月初五日。据《唐大诏令集》卷七十三等推测，当以《通鉴》所载十二月二十七日为是。⑲“高二百九十四尺”二句：明堂的大小，各书都说是高二百九十四尺，方三百尺。唐尺有大小二种：大尺合今三十一厘米，小尺合二十五厘米。土木工程用大尺，据此，可知明堂高九一点一四米，地面东西南北各长九十三米。⑲“下层法四时”二句：四时，即四季，指春、夏、秋、冬。方色，东方青色，南方红色，西方白色，北方黑色。⑲十二辰：指自子至亥十二时。古人分一昼夜为十二时，而以干支中的地支表示，每个时辰等于现代的两小时。这种记时法起于汉代。参见赵翼《陔余丛考》卷三十四。⑲二十四气：二十四节气。⑲楠栌欂櫨：房顶上的斗拱结构。楠、欂，斜柱。栌、

【原文】

太后欲发梁、凤、巴蜑[210]，自雅州[211]开山通道，出击生羌，因袭吐蕃。正字陈子昂上书，以为“雅州边羌，自国初以来未尝为盗。今一旦无罪戮之，其怨必甚，且惧诛灭，必蜂起为盗。西山[212]盗起，则蜀之边邑不得不连兵备守，兵久不解，臣愚以为西蜀之祸，自此结矣。臣闻吐蕃爱蜀富饶，欲盗之久矣，徒以山川阻绝，障隘不通，势不能动。今国家乃乱边羌，开隘道，使其收奔亡之种，为乡导以攻边，是借寇兵为贼除道，举全蜀以遗[213]之也。蜀者国家之宝库，可以兼济中

楹，柱上架构。⑲ 藉以为本：借巨木为支撑点。⑳ 铁渠：用铁铸渠以通水。㉑ 辟雍：本为周代为贵族子弟所设学校，四周环水。其后多用以象征教化。㉒ 纵民入观：即开放明堂，让老百姓随便参观。《旧唐书》卷二十二："自明堂成后，纵东都妇人及诸州父老入观，兼赐酒食，久之乃止。" ㉓ "至三级"二句：《旧唐书》之《薛怀义传》说天堂"广袤亚于明堂"。司马光采小说及《通典》。但就当时情况分析，《薛怀义传》所言较合情理。㉔ 僧怀义以功拜左威卫大将军、梁国公：《考异》引《实录》云，"怀义监造明堂，以功擢授左武卫大将军，固辞不拜"。司马光系据《旧唐书》。㉕ 王求礼：许州长社（今河南长葛）人，武后时为左拾遗、监察御史，终卫王府参军。为人刚正，仕途龃龉。传见《旧唐书》卷一百一、卷一百八十七上、《新唐书》卷一百十二。㉖ "茅茨不翦"二句：所用的茅茨不加修剪，采用的木椽不加砍削。㉗ 殷辛琼台：殷纣王所造琼台。纣王名辛。㉘ 夏癸瑶室：夏桀所造瑶室。桀王名履癸。㉙ 加：过。

【校记】

[10] 酋长：原无此二字。据章钰校，十二行本、乙十一行本皆有此二字，张敦仁《通鉴刊本识误》同，今据补。[11] 上层法二十四气，亦为圆盖：原无此十一字。据章钰校，十二行本、乙十一行本、孔天胤本皆有此十一字，今据补。〖按〗前已述下层、中层之状，不应舍上层不述，且《旧唐书》之《礼仪志》、《唐会要》卷十一《明堂》皆述上层状貌，如章校。[12] 涂：据章钰校，十二行本、乙十一行本、孔天胤本皆作"图"。

【语译】

太后打算征发梁州、凤州、巴州蜑人，从雅州开山通道，出兵攻打生羌，乘机袭击吐蕃。正字陈子昂上书朝廷，认为"雅州边地的羌人，从建国初期以来，从未做过盗贼。现在一旦无罪而去杀戮他们，他们一定极为怨恨，而且他们因害怕被消灭，必定会群起为盗。西山盗贼一起，那么蜀地边境县邑不得不联合兵力防御，战争长期不能消除，臣认为西蜀的祸乱，从此形成了。臣听说吐蕃喜欢蜀地的富饶，很久前就想窃取它，只因山川阻绝，阻塞不通，形势使它不能有所举动。现在朝廷扰乱边地的羌人，开通隘道，让吐蕃收留逃亡的羌人，做向导来攻击边境，这是借给敌人士卒替敌人开路，把整个蜀地都送给吐蕃。蜀地是国家的宝库，可以接济中

国[214]。今执事者乃图侥幸之利以事西羌，得其地不足以稼穑，财不足以富国，徒为糜费，无益圣德，况其成败未可知哉！夫蜀之所恃者险也，人之所以安者无役也。今国家乃开其险，役其人，险开则便寇，人役则伤财，臣恐未见羌戎，已有奸盗在其中矣。且蜀人尫劣[215]，不习兵战，山川阻旷，去中夏[216]远，今无故生西羌、吐蕃之患，臣见其不及百年，蜀为戎矣。国家近废安北，拔单于，弃龟兹，放疏勒[217]，天下翕然谓之盛德者，盖以陛下务在养人，不在广地也。今山东饥，关、陇弊，而徇[218]贪夫之议，谋动甲兵，兴大役，自古国亡家败，未尝不由黩兵[219]，愿陛下熟计之。"既而役不果兴[220]。

【段旨】

以上为第七段，写武则天停开西川山道，不失为英明。陈子昂建言免西川用兵，不失为忠臣。

【注释】

⑩ 巴蜑：西南少数民族之一，生活在巴州一带山区。⑪ 雅州：治所在今四川雅安

【原文】

永昌元年（己丑，公元六八九年）

春，正月乙卯朔[221]，大飨万象神宫，太后服衮冕[222]，搢大圭[223]，执镇圭[224]为初献，皇帝为亚献，太子为终献。先诣昊天上帝座，次高祖、太宗、高宗，次魏国先王[225]，次五方帝座。太后御则天门，赦天下，改元[226]。丁巳[227]，太后御明堂，受朝贺。戊午[228]，布政于明堂，颁九条以训百官。己未[229]，御明堂，飨群臣。

原。现在当政者居然贪图侥幸的利益，要对西羌进行讨伐，得到了土地不能种庄稼，得到了财物也不足以使国家富裕，白白损耗国力，无益于天子圣德，何况成败还无法知道呢！蜀地所依赖的是险阻，百姓所以能够安定在于没有劳役。现今朝廷要打通当地的险阻，役使当地的百姓，险阻一开就方便了敌人，百姓受役使就会耗费财物，臣担心还没看到羌戎，已有奸人盗贼为乱蜀中了。而且蜀人瘦小陋劣，不习战事，山川阻绝，距离中原遥远，如今无故挑起西羌、吐蕃的祸患，臣看不到一百年，蜀地就要变成戎人的地方了。朝廷最近放弃了安北、单于、龟兹、疏勒，天下人一致称之为美德，是因为陛下致力于休养百姓，不注重扩大土地。如今山东发生饥荒，关、陇等地荒废，却听从贪心人的提议，计划要挑起战争，大规模兴发徭役，自古家破国亡，没有不是因为穷兵黩武的，希望陛下深思熟虑。”其后征役开山道、击生羌、袭吐蕃的事没有进行。

西。贞观五年（公元六三一年），唐太宗置西雅州管理生羌，贞观八年去西字。㉑② 西山：地名，在成都西。松、茂二州都督府所统诸州，即今四川松潘、茂县一带，为羌人聚居地。西山盗起，指这一带羌人发生动乱。㉑③ 遗：赠；送。㉑④ 中国：指中原地区。㉑⑤ 尫劣：瘦小陋劣。㉑⑥ 中夏：犹中原。㉑⑦ “废安北”四句：安北，指安北都护府，治所初在大同镇（在今内蒙古额尔济纳旗），垂拱元年（公元六八五年）移治西安城（在今甘肃民乐）。胡三省注：“废安北，拔单于，因突厥畔援也。弃龟兹，放疏勒，以吐蕃侵逼也。”㉑⑧ 徇：顺从。㉑⑨ 黩兵：穷兵黩武。㉒⓪ 役不果兴：征役开山道，击生羌、袭吐蕃的事没有进行。

【语译】

永昌元年（己丑，公元六八九年）

春，正月初一日乙卯，在万象神宫举行大飨祭礼，太后身服衮冕，腰间插着大圭，手握镇圭率先进献，睿宗随后进献，太子最后进献。首先来到昊天上帝的灵位，其次是高祖、太宗、高宗，再次是魏国先王，再次是五方帝的灵位。太后亲临则天门，大赦天下，更改年号。初三日丁巳，太后亲临明堂，接受朝贺。初四日戊午，在明堂处理政务，颁布九条政令训示百官。初五日己未，太后亲临明堂，宴享群臣。

二月丁酉[230]，尊魏忠孝王曰周忠孝太皇[231]，妣曰忠孝太后，文水陵曰章德陵，咸阳陵[232]曰明义陵。置崇先府官。戊戌[233]，尊鲁公曰太原靖王，北平王曰赵肃恭王，金城王曰魏义康王，太原王曰周安成王。

三月甲子[234]，张光辅守纳言。

壬申[235]，太后问正字陈子昂当今为政之要。子昂退，上疏，以为“宜缓刑崇德，息兵革，省赋役，抚慰宗室，各使自安”。辞婉意切，其论甚美，凡三千言。

癸酉[236]，以天官尚书武承嗣为纳言，张光辅守内史。

夏，四月甲辰[237]，杀辰州别驾汝南王炜、连州别驾鄱阳公諲等宗室十二人[238]，徙其家于巂州。炜，恽之子；諲，元庆之子也。

己酉[239]，杀天官侍郎蓝田邓玄挺[240]。玄挺女为諲妻，又与炜善。諲谋迎中宗于庐陵，以问玄挺；炜又尝谓玄挺曰：“欲为急计，何如？”玄挺皆不应[241]。故坐知反不告，同诛。

五月丙辰[242]，命文昌右相韦待价为安息道行军大总管，击吐蕃。

浪穹州蛮[243]酋傍时昔等二十五部，先附吐蕃，至是来降；以傍时昔为浪穹州刺史，令统其众。

己巳[244]，以僧怀义为新平军大总管[245]，北讨突厥。行至紫河[246]，不见虏，于单于台[247]刻石纪功而还。

诸王之起兵也，贝州刺史纪王慎[248]独不预谋，亦坐系狱。秋，七月丁巳[249]，槛车徙巴州，更姓虺氏，行及蒲州[250]而卒。八男徐州刺史东平王续等，相继被诛[251]。家徙岭南。

女东光县主楚媛[252]，幼以孝谨称[253]，适司议郎[254]裴仲将，相敬如宾；姑有疾，亲尝药膳；接遇娣姒[255]，皆得欢心。时宗室诸女皆以骄奢相尚，诮[256]楚媛独俭素，曰：“所贵于富贵者，得适志也，今独守勤苦，将以何求？”楚媛曰：“幼而好礼，今而行之，非适志欤！观自古女子，皆以恭俭为美，纵侈为恶。辱亲是惧，何所求乎！富贵傥来之物[257]，何足骄人！”众皆惭服。及慎凶问[258]至，楚媛号恸，呕血数升。免丧，不御膏沐[259]者垂二十年。

二月十四日丁酉，太后追尊魏忠孝王为周忠孝太皇，其母为忠孝太后，把文水祖陵改称为章德陵，咸阳陵改称为明义陵，设置崇先府官员。十五日戊戌，尊称鲁公为太原靖王，北平王为赵肃恭王，金城王为魏义康王，太原王为周安成王。

三月十一日甲子，张光辅代理纳言。

十九日壬申，太后询问正字陈子昂当今执政的要点。陈子昂退朝后，上疏认为“应该减轻刑罚，崇尚仁德，停止战争，减轻赋税和徭役，安抚皇族宗室，使他们各自安心”。言辞委婉，情真意切，他的论述很好，共有三千字。

二十日癸酉，任命天官尚书武承嗣为纳言，张光辅代理内史。

夏，四月二十二日甲辰，处死了辰州别驾汝南王李炜、连州别驾鄱阳公李諲等宗室十二人，把他们的家属流放到嶲州。李炜，是李恽的儿子；李諲，是李元庆的儿子。

二十七日己酉，处死了天官侍郎、蓝田人邓玄挺。邓玄挺的女儿是李諲的妻子，又和李炜要好。李諲谋划到庐陵迎立中宗，就此事询问邓玄挺；李炜又曾经对邓玄挺说:“想制定应急计划，怎么样?”邓玄挺都没有回答。所以犯了知道反叛而不举报的罪，一同处死。

五月初五日丙辰，任命文昌右相韦待价为安息道行军大总管，攻打吐蕃。

浪穹州蛮族酋长傍时昔等二十五部落原先归附吐蕃，这时前来投降；任命傍时昔为浪穹州刺史，让他统领自己的部众。

十八日己巳，任命僧人薛怀义为新平军大总管，北去讨伐突厥。进军到紫河，没有看到敌人，就在单于台上刻石记功后返回。

诸王起兵时，只有贝州刺史纪王李慎没有参与谋划，但也被牵连入狱。秋，七月初七日丁巳，坐囚车被流放到巴州，改姓为虺氏，走到蒲州就死了。八个儿子徐州刺史东平王李续等人，相继被杀，家眷被流放到岭南。

李慎的女儿东光县主李楚媛，年幼时就以孝顺谨慎著称，嫁给司议郎裴仲将，夫妇相敬如宾；婆婆生病，她亲口品尝药物膳食；对待妯娌，都让她们很高兴。当时宗室女子都以骄奢相攀比，讥笑李楚媛就她一个人节俭朴素，说:“富贵的可贵就在于能满足自己的欲望，现在你一个人坚守勤苦，要追求什么呢?”李楚媛说:“小时候我就喜欢礼节，现在践行它，这不是满足了我的心愿吗！审视自古以来的女子，都以恭谨节俭为美，骄纵奢侈为丑。我害怕给亲人带来耻辱，别的还有什么要求呢！富贵是无意得来的东西，不值得向人炫耀！”大家都感到既惭愧又佩服。等到李慎死亡的消息传来，李楚媛号哭哀恸，吐血数升。除丧后，近二十年不用化妆品。

韦待价军至寅识迦河 ⑳，与吐蕃战，大败。会大雪，粮运不继[13]，待价既 ㉑ 无将领之才，狼狈失据，士卒冻馁 ㉒，死亡甚众，乃引军还。太后大怒，丙子 ㉓，待价除名，流绣州 ㉔，斩副大总管安西大都护阎温古 ㉕。安西副都护唐休璟收其余众，抚安西土，太后以休璟为西州都督。

戊寅 ㉖，以王本立同凤阁鸾台三品。

徐敬业之败 ㉗ 也，弟敬真流绣州，逃归，将奔突厥。过洛阳，洛州司马弓嗣业 ㉘、洛阳令张嗣明 ㉙ 资遣之。至定州，为吏所获，嗣业缢死。嗣明、敬真多引海内知识 ㉚，云有异图 ㉛，冀以免死 ㉜；于是朝野之士为所连引坐死者甚众。嗣明诬内史张光辅，云"征豫州日，私论图谶 ㉝、天文 ㉞，阴怀两端"。八月甲申 ㉟，光辅与敬真、嗣明等同诛，籍没其家。

乙未 ㊱，秋官尚书太原张楚金、陕州刺史郭正一、凤阁侍郎元万顷、洛阳令魏元忠，并免死流岭南 ㊲。楚金等皆为敬真所引，云与敬业通谋。临刑，太后使凤阁舍人王隐客驰骑传声赦之 ㊳。声达于市，当刑者皆喜跃欢呼，宛转不已，元忠独安坐自如，或使之起，元忠曰："虚实未知。"隐客至，又使起，元忠曰："俟宣敕已。"既宣敕，乃徐起，舞蹈再拜，竟无忧喜之色。是日，阴云四塞，既释楚金等，天气晴霁 ㊴。

九月壬子 ㊵，以僧怀义为新平道行军大总管，将兵二十万讨突厥骨笃禄。

初，高宗之世，周兴以河阳 ㊶ 令召见，上欲加擢用，或奏以为非清流 ㊷，罢之。兴不知，数于朝堂俟命 ㊸。诸相皆无言，地官尚书、检校纳言魏玄同，时同平章事，谓之曰："周明府 ㊹ 可去矣。"兴以为玄同沮己 ㊺，衔之。玄同素与裴炎善，时人以其终始不渝，谓之"耐久朋"。周兴奏诬玄同言："太后老矣，不若奉嗣君为耐久。"太后怒，闰月甲午 ㊻，赐死于家。监刑御史房济谓玄同曰："丈人 ㊼ 何不告密，冀得召见，可以自直 ㊽！"玄同叹曰："人杀、鬼杀，亦复何殊，岂能作告密人邪！"乃就死。又杀夏官侍郎崔詧于隐处 ㊾。自余内外大臣坐死及流贬者甚众。

彭州 ㊿ 长史刘易从 (291) 亦为徐敬真所引；戊申 (292)，就州诛之。易从

韦待价的军队到了寅识迦河，与吐蕃交战，被打得大败。刚好遇上大风雪，军粮接继不上，韦待价完全没有将领之才，困窘无依，士卒受冻挨饿，死亡很多，只好领军返回。太后大怒，七月二十六日丙子，撤销韦待价的官籍，将他流放到绣州，处死副大总管、安西大都护阎温古。安西副都护唐休璟收聚残部，安抚西部边地，太后任命唐休璟为西州都督。

二十八日戊寅，任命王本立为同凤阁鸾台三品。

徐敬业失败时，他的弟弟徐敬真被流放到绣州，逃了回来，即将投奔突厥。路过洛阳，洛州司马弓嗣业、洛阳令张嗣明给予资助，送他上路。到了定州，被官吏查获，弓嗣业自缢而死。张嗣明、徐敬真牵连了很多天下他所相知相识的人，说那些人有谋反企图，希望借此免于一死；于是朝野的士人被他们牵连获死罪的特别多。张嗣明诬陷内史张光辅，说“征讨豫州的时候，私下论说图箓谶纬和天文，暗怀二心”。八月初四日甲申，张光辅和徐敬真、张嗣明等人一起被杀，家产被抄没。

八月十五日乙未，秋官尚书太原人张楚金、陕州刺史郭正一、凤阁侍郎元万顷、洛阳令魏元忠，都被免除死罪，被流放到岭南。张楚金等人都是被徐敬真所举报，说他们和徐敬业一起串通谋反。临刑时，太后派凤阁舍人王隐客快马传达口头命令赦免他们，声音传到街市上，受刑的人都高兴得欢呼跳跃，辗转不停，只有魏元忠安坐自如，有人要他起来，魏元忠说：“情况真假还不知道。”王隐客到了后，又让他起来，魏元忠说：“等宣布完赦令吧。”已经宣布了赦令，他才慢慢起来，行舞蹈礼，拜了两拜，竟然没有忧愁或高兴的表情。当天，四周阴云密布，释放张楚金等人后，天空放晴。

九月初三日壬子，任命僧人薛怀义为新平道行军大总管，统兵二十万讨伐突厥骨笃禄。

当初，在高宗时候，周兴以河阳县令的身份被召见，高宗想要提拔任用他，有人上奏说周兴不是清流出身，此事作罢。周兴不知道情况，多次在朝堂等候高宗的新任命。各位宰相都默不作声，地官尚书、检校纳言魏玄同，当时任同平章事，对他说：“周县令可以离去了。”周兴认为魏玄同坏了自己的前途，衔恨在心。魏玄同一向和裴炎要好，当时的人因为他们的友情始终不变，称他们是“耐久朋”。周兴上奏诬陷魏玄同说过：“太后年老了，不如奉立中宗，时间较为长久。”太后大怒，闰九月十五日甲午，将他赐死在家里。监刑御史房济对魏玄同说：“您为什么不告密，以求获得太后召见，可以自我申诉！”魏玄同叹息说：“人杀我、鬼杀我，又有什么不同，怎么能做告密的人呢！”随即自杀。又在隐蔽的地方处死了夏官侍郎崔詧。其他朝廷内外大臣因此获罪而死，以及被流放贬官的非常多。

彭州长史刘易从也被徐敬真所牵连；闰九月二十九日戊申，到彭州就被杀了。刘易

为人，仁孝忠谨，将刑于市，吏民怜其无辜，远近奔赴，竞解衣投地曰："为长史求冥福[293]。"有司平准[294]，直[295]十余万。

周兴等诬右武卫大将军燕公黑齿常之谋反，征下狱。冬，十月戊午[296]，常之缢死。

己未[297]，杀宗室鄂州刺史嗣郑王璥[298]等六人。庚申[299]，嗣滕王脩琦等六人免死，流岭南[300]。

丁卯[301]，春官尚书范履冰[302]、凤阁侍郎邢文伟并同平章事。

己卯[303]，诏太穆神皇后、文德圣皇后宜配皇地祇，忠孝太后[304]从配。

右卫胄曹参军[305]陈子昂上疏，以为"周颂成、康[306]，汉称文、景[307]，皆以能措刑[308]故也。今陛下之政，虽尽善矣，然太平之朝，上下乐化，不宜有乱臣贼子，日犯天诛[309]。比者[310]大狱增多，逆徒滋广[311]，愚臣顽昧[312]，初谓皆实，乃去月十五日，陛下特察系囚李珍等无罪，百僚庆悦，皆贺圣明，臣乃知亦有无罪之人挂于疏网者。陛下务在宽典[313]，狱官务在急刑，以伤陛下之仁，以诬太平之政，臣窃恨之。又，九月二十一日[314]敕免楚金等死，初有风雨，变为景云[315]，臣闻阴惨者刑也，阳舒者德也，圣人法天，天亦助圣，天意如此，陛下岂可不承顺之哉！今又阴雨，臣恐过在狱官。凡系狱之囚，多在极法[316]，道路之议，或是或非，陛下何不悉召见之，自诘其罪！罪有实者显示明刑，滥者严惩狱吏，使天下咸服，人知政刑[317]，岂非至德克明哉！"

【段旨】

以上为第八段，写武则天以穷治徐敬业党羽之名，屡兴大狱，大杀唐宗室以及清廉之臣。永昌元年（公元六八九年）不昌而黯，是武则天执政时代最黑暗时期开始的一年。

从为人仁慈孝顺，忠诚谨慎，在街市上即将行刑时，官员和百姓怜悯他无辜，不论远近都赶往刑场，争着脱掉衣服扔到地上说："为长史祈祷阴间的福禄。"官员估价，这些衣服价值有十几万。

周兴等人诬告右武卫大将军燕公黑齿常之谋反。黑齿常之被召回下狱。冬，十月初九日戊午，黑齿常之自缢而死。

初十日己未，杀死宗室鄂州刺史嗣位郑王李璥等六人。十一日庚申，嗣滕王李脩琦等六人免除死罪，被流放到岭南。

十八日丁卯，春官尚书范履冰、凤阁侍郎邢文伟都担任同平章事。

三十日己卯，太后下诏令把太穆神皇后、文德圣皇后和皇地祇配祭，忠孝太后跟着配享。

右卫胄曹参军陈子昂上疏，认为"周朝，人们颂扬成王、康王，汉朝，人们赞美文帝、景帝，都是因为弃置刑法的缘故。如今陛下的政治，虽然尽善尽美了，但太平的时代，上下都乐于陛下的教化，不应有乱臣贼子，天天因触犯天子被杀。近来重大案件增多，叛逆的人也日渐加多，愚臣冥顽无知，原以为他们都有犯罪的确凿证据，可是上月十五日，陛下特地查明关在监狱的犯人李珍等人无罪，百官庆贺欢悦，齐贺圣上英明，臣才知道也有无罪之人落入疏阔的法网上。陛下力求宽刑，狱官力求严刑，损害了陛下之仁，玷污了太平之政，臣私下为此很遗憾。还有，九月二十一日下敕令免除张楚金等人的死罪，开始时天有风雨，后来变为祥云。臣听说天空阴暗是刑罚所致，阳气舒展是德政所致，圣人效法上天，上天也帮助圣人，天意如此，陛下怎么能不承顺天意呢！现在阴沉下雨，臣担心过错在狱官身上。凡是关在狱中的囚犯，大多被判处死刑，路上行人的议论，或是或非，陛下为什么不召见全部犯人，亲自审问他们的罪过！罪有实据的，公开处死示众。滥加刑罚的就严惩狱吏，使天下都能心悦诚服，人人都明白政令与刑法的不滥、不欺，这难道不是大德清明的政治吗！"

【注释】

㉑ 乙卯朔：正月初一日。㉒ 服衮冕：穿着礼服。衮，指衮衣。冕，指冠冕。唐制，天子衣服有十二等，衮冕是其中一种。诸祭祀、遣上将、征还、饮至、践阼、加元服、纳后、元日受朝则服衮冕。㉓ 搢大圭：搢，插着。大圭，插在衣带间作记事用的佩玉。㉔ 执镇圭：拿着镇圭。镇圭，是一种吉祥物，帝王执镇圭是安定四方的意思。㉕ 魏国先王：指武士彟。㉖ 改元：改元为永昌元年。㉗ 丁巳：正月初三日。㉘ 戊午：正月初四日。㉙ 己未：正月初五日。㉚ 丁酉：二月十四日。㉛ 尊魏忠孝王曰周忠孝太皇：魏忠孝王即武士

彟。光宅元年（公元六八四年）九月，尊武士彟为太师、魏王；十月，追谥忠孝。高宗永徽中，赠武士彟并州都督、司徒、周国公，此又加尊号为周忠孝太皇。㉜咸阳陵：胡三省注，“士彟及其妻葬咸阳”。这种说法是错误的。据《全唐文》卷二百四十九《攀龙台碑》，武士彟死后葬于山西文水。其墓于永昌元年（公元六八九年）被尊为章德陵，天授元年（公元六九〇年）改称昊陵，圣历二年（公元六九九年）又改为攀龙台。墓前有“大周无上孝明高皇帝碑”，即所谓“攀龙台碑”。这一点后世志书中也有明确的记载。如《太平寰宇记》卷四十《河东道·并州文水》条载：“大（太）原王墓在县西北十五里，即唐则天氏（父）武士彟也。”《永乐大典》卷五千二百四《古迹》引《太原志》云：“唐武士彟墓在文水县北十里，唐则天皇后父也。”《山西道志》卷一百七十二《陵墓》条亦有类似记载。武士彟既葬于文水，则胡注之误可知。从《全唐文》卷二百三十九《大周无上孝明高皇后碑铭并序》及《册府元龟》卷三百三《外戚部》的记载看，咸阳陵是则天母杨氏的单人墓。㉝戊戌：二月十五日。㉞甲子：三月十一日。㉟壬申：三月十九日。㊱癸酉：三月二十日。㊲甲辰：四月二十二日。㊳“杀辰州别驾汝南王炜”句：此次所杀主要是蒋王恽、道王元庆、徐王元礼、曹王明的子孙。见《旧唐书》卷六《则天纪》。《新唐书》卷四载，“四月甲辰，杀汝南郡王玮、鄱阳郡公諲、广汉郡公谧、汶山郡公蓁、零陵郡王俊、广都郡公璹”，凡六人，不足十二之数。㊴己酉：四月二十七日。㊵邓玄挺（？至公元六八九年）：雍州蓝田（今陕西蓝田）人，在州县任职，皆有善政，迁任吏部侍郎，极不称职。传见《旧唐书》卷一百九十上。㊶不应：不予回答。㊷丙辰：五月初五日。㊸浪穹州蛮：生活在今云南洱源一带的少数民族。据《新唐书》之《南诏传》，南诏由六部组成，浪穹诏为其中之一。㊹己巳：五月十八日。㊺为新平军大总管：《旧唐书》之《薛怀义传》作“为清平道大总管”。新平军，镇豳州，在今陕西彬州。㊻紫河：河名，发源于今晋西北，经内蒙古清水河县入黄河。㊼单于台：在今内蒙古呼和浩特西。㊽纪王慎（？至公元六八九年）：太宗第九子。传见《旧唐书》卷七十六、《新唐书》卷八十。㊾丁巳：七月初七日。㊿蒲州：治所在今山西永济西蒲州镇。(251)“八男徐州刺史东平王续等”二句：此条系司马光据《实录》而书。《新唐书》卷七十下《宗室世系表》载，纪王慎有十子：续、琮、叡、庄、睿、秀、献、钦、旷、澄。《新唐书》卷八十《太宗诸子传》则说李慎七子：续、琮、睿、秀、献、钦、证，与《世系表》不合。不过两《唐书》之《纪王慎传》都说其长子东平王续早卒，而非被杀；被杀者为义阳王琮、楚国公睿、遂州别驾襄郡公秀、广化郡公献、建平郡公钦等五人。唐中宗时以其少子铁诚为嗣纪王，改名澄。(252)女东光县主楚媛：即纪王慎之女东光县主楚媛。《唐六典》卷二：“王之女封县主，视正二品。”(253)以孝谨称：以孝顺谨慎著称。(254)司议郎：太子左春坊官。《唐六典》卷二十六，司议郎掌侍从规谏，驳正启奏，以佐庶子，中允之阙。(255)娣姒：妯娌。(256)诮：讥笑。(257)傥来之物：无意中得来的东西。(258)凶问：凶信。(259)不御膏沐：不用化妆品。(260)寅识迦河：据《旧唐书》之《韦待价传》，寅识迦河当在弓月西南，弓月城在今新疆霍城西。㉖①既：尽；全。㉖②冻馁：冻饥；受冻挨饿。㉖③丙子：七月二十六日。㉖④绣州：州名，治所在今广西桂平南。唐武德四年（公元六二一年）分郁林郡置林州，武德六年改为绣州。㉖⑤阎温古（？至公元六八九年）：事迹不详。《旧唐书》卷七十七《韦挺传》，“副将阎温古以逗留伏法”。㉖⑥戊寅：七月二十八日。㉖⑦徐敬业之败：时在光宅元年（公元六八四年）十一月。㉖⑧弓嗣业：《旧唐书》卷九十《张光辅传》作房嗣业。《朝野佥载》及《新唐书》作弓嗣业。㉖⑨张嗣明：《新唐书》卷四《则天纪》作“弓嗣明”。㉗⓪知识：相知相识的人。㉗①异图：犹异谋，思谋叛逆。㉗②冀以免死：指希望通过株连多人以立功免死。㉗③图谶：汉代宣扬符命占验的谶书。此处指图箓谶纬。㉗④天文：指日月星辰等天体在宇宙间的分布、运行等现象。㉗⑤甲申：八月初四日。㉗⑥乙未：八月十五日。㉗⑦并免死流岭南：岑仲勉据《伯玉集》卷九《谏刑书》等认为“乙未（十五日）止赦魏元忠及重推元万顷。若楚金、正一，则至辛丑（二十一日）始赦死流岭南，非同一日事”。详见《通鉴隋唐纪比事质疑》。㉗⑧驰骑传声赦之：一边骑马奔驰，一边大声宣布赦令。㉗⑨“既释楚金等”二句：晴霁，放晴。《考异》云：“《唐历》：‘七月二十四日，张楚金绞死；八月二十一日，郭正一绞死。’《年代纪》：‘七月甲戌，楚金绞死；八月辛亥，郭正一绞死。’《新书纪》：‘八月辛丑，杀郭正一。’今据《实录》，楚金等皆流配未死。《旧书》楚金、正一、万顷传，皆云流岭南。《御史台记》云：‘元忠将刑，至于市，神色自若。则天以扬、楚功免死流放，复叙授御史中丞。复陷来俊臣狱，复至市，将刑，神色如初……敕罢刑，复放岭南。’又云：‘前后坐弃市、流放者四。’《旧传》云‘前后三被流’。今从《旧传》。”㉘⓪壬子：九月初三日。《新唐书》卷四作八月癸未，即八月初三日。㉘①河阳：县名，县治在今河南孟州南。㉘②非清流：不是清流出身。周兴起家为尚书都事，属流外官。㉘③俟命：等待新的任命。㉘④明府：汉魏以来对太守牧尹的代称。隋唐时亦称县令为明府。㉘⑤沮己：坏了自己的前途。㉘⑥甲午：闰九月十五日。㉘⑦丈人：对年高德劭者的尊称。㉘⑧自直：自行申理，以直冤屈。㉘⑨隐处：暗处。将崔詧秘密处死。㉙⓪彭州：州名，治所在今四川彭州西北。㉙①刘易从（？至公元六八九年）：刘审礼之子，以孝行著称，时号“孝义刘家”。事见《旧唐书》卷七十七《刘德威传》、《新唐书》卷一百六《刘德威传》。㉙②戊申：闰九月二十九日。㉙③冥福：阴间福禄。即死后之福。㉙④平准：本为官府平抑物价的措施，此处指估价。㉙⑤直：通“值”。㉙⑥戊午：十月初九日。㉙⑦己未：十月初十日。㉙⑧嗣郑王璥：璥，《旧唐书》之《高祖诸子传》作“敬”。唐高祖之孙，郑王元懿的长子。《新唐书》卷七十九说嗣郑王璥“薨”，不言被杀。㉙⑨庚申：十月十一日。㉚⓪“嗣滕王脩琦等六人免死”二句：胡三省注云：“《考异》曰：《统纪》云：‘元婴男脩瑶等五人免死配流。’今从《旧传》。”〖按〗脩琦，《旧唐书》本传作“循琦”，李元婴之长子。李元婴，唐高祖第二十二子，封滕王。㉚①丁卯：十月十八日。㉚②范履冰（？至公元六九〇年）：怀州河内（今河南沁阳）人，北门学士之一。曾为相。传见《旧唐书》卷一百九十中、《新唐书》卷二百一。⑶⒀己卯：十月三十日。⑶⒁忠孝太后：即则天母杨氏。⑶⒂右卫胄曹参军：官名，正八品下，掌戎杖器械及公廨兴造、决罚之事。岑仲勉认为陈子昂此次上疏应系之于九月，否则，与疏文所言不合。⑶⒃成、康：即周成王、周康王。周成王名诵，曾在周公辅佐下实行分封。周康王名钊，在位时继续推行成王之政，"明德慎罚"。史载："成、康之际，天下安宁，刑错四十余年不用。"事见《史记》卷四《周本纪》等。⑶⒄文、景：即汉文帝、汉景帝。汉文帝，名刘恒（公元前二〇二至前一五七年），西汉第四位皇帝，公元前一八〇至前一五七年在位。推行"与民休息"的政策。汉景帝，名刘启（公元前一八八至前一四一年），西汉第五位皇帝，公元前一五七至前一四一年在位。继续轻徭薄赋，发展经济。在他们统治时期，土地开辟，人口增加，国家逐渐富强，史家称之为"文景之治"。⑶⒅措刑：搁置刑罚。⑶⒆天诛：旧指上天对罪人的惩罚。此指天子施行的

【原文】

天授元年[318]（庚寅，公元六九〇年）

十一月庚辰朔[319]，日南至[320]。太后享万象神宫[321]，赦天下。始用周正[322]，改永昌元年十一月为载初元年正月，以十二月为腊月，夏正月为一月。以周、汉之后为二王后[323]，舜、禹、成汤之后为三恪[324]，周、隋之嗣同列国[325]。

凤阁侍郎河东宗秦客[326]改造"天""地"等十二字以献[327]，丁亥[328]，行之，太后自名"曌[329]"，改诏曰制[330]。秦客，太后从父姊之子也。

乙未[331]，司刑少卿周兴奏除唐亲属籍[332]。

腊月辛未[333]，以僧怀义为右卫大将军[334]，赐爵鄂国公。

春，一月戊子[335]，武承嗣迁文昌左相，岑长倩迁文昌右相、同凤阁鸾台三品，凤阁侍郎武攸宁[336]为纳言，邢文伟守内史，左肃政大夫、同凤阁鸾台三品王本立罢为地官尚书。攸宁，士彟之兄孙也。

时武承嗣、三思用事[337]，宰相皆下之[338]。地官尚书、同凤阁鸾台三品韦方质有疾，承嗣、三思往问之，方质据床不为礼[339]。或谏之，方质曰："死生有命，大丈夫安能曲事近戚以求苟免乎！"寻为周兴等所构，甲午[340]，流儋州，籍没其家。

诛杀。⑶10 比者：近来。⑶11 滋广：渐多。⑶12 顽昧：顽固愚昧。⑶13 宽典：宽刑。⑶14 九月二十一日：《陈伯玉集》卷九作“其月二十一日”，即八月二十一日。⑶15 景云：庆云；祥云。古人认为，有至德或天下太平，才会出现景云。⑶16 极法：最高的刑罚，即死刑。⑶17 人知政刑：指人知政刑不滥、不欺。

【校记】

［13］会大雪，粮运不继：原无此七字。据章钰校，十二行本、乙十一行本、孔天胤本皆有此七字，张瑛《通鉴校勘记》同，今据补。〖按〗《旧唐书》之《韦挺传附子待价传》亦载大雪与粮运不利事，《新唐书》同传所载略同。

【语译】

天授元年（庚寅，公元六九〇年）

十一月初一日庚辰，冬至。太后在万象神宫享祭，大赦天下。开始使用周代的历法，改永昌元年十一月为载初元年正月，以十二月称为腊月，夏正月为一月。封周朝、汉朝的后代为二王之后，舜、禹、成汤的后代为三恪，使后周、隋朝的子孙后裔和列国中诸侯的地位同等。

凤阁侍郎河东人宗秦客改造“天”“地”等十二字呈上，正月初八日丁亥，下令推行。太后将自己命名为“曌”，把“诏”改称“制”。宗秦客，是太后堂姐的儿子。

正月十六日乙未，司刑少卿周兴上奏请求削除唐宗室的属籍。

腊月二十三日辛未，任命僧人薛怀义为右卫大将军，赐爵号为鄂国公。

春，一月初十日戊子，武承嗣升迁为文昌左相，岑长倩升迁为文昌右相、同凤阁鸾台三品，凤阁侍郎武攸宁为纳言，邢文伟代理内史，左肃政大夫、同凤阁鸾台三品王本立免除原职改任地官尚书。武攸宁，是武士彟哥哥的孙子。

当时武承嗣、武三思当政，宰相都居于下位。地官尚书、同凤阁鸾台三品韦方质生病，武承嗣、武三思前往问候，韦方质靠在床上不行礼。有人劝他，韦方质说：“生死有命，大丈夫岂能屈身侍奉太后的近亲以求苟且免祸呢！”他不久便被周兴等人构陷，一月十六日甲午，被流放儋州、抄没家产。

二月辛酉[341]，太后策贡士于洛城殿[342]。贡士殿试自此始[343]。

丁卯[344]，地官尚书王本立薨[345]。

三月丁亥[346]，特进、同凤阁鸾台三品苏良嗣薨。

夏，四月丁巳[347]，春官尚书、同平章事范履冰坐尝举犯逆者[348]下狱死。

醴泉人侯思止[349]，始以卖饼为业，后事游击将军高元礼为仆[350]，素诡谲无赖[351]。恒州刺史裴贞杖一判司[352]，判司使思止告贞与舒王元名[353]谋反，秋，七月辛巳[354]，元名坐废，徙和州[355]，壬午[356]，杀其子豫章王亶，贞亦族灭[357]。擢思止为游击将军。时，告密者往往得五品，思止求为御史，太后曰："卿不识字，岂堪御史[358]！"对曰："獬豸[359]何尝识字，但能触邪耳。"太后悦，即以为朝散大夫、侍御史[360]。他日[361]，太后以先所籍没宅赐之，思止不受，曰："臣恶反逆之人，不愿居其宅。"太后益赏之。

衡水人王弘义[362]，素无行[363]，尝从邻舍乞瓜，不与，乃告县官，瓜田中有白兔。县官使人搜捕，蹂践瓜田立尽。又游赵、贝[364]，见闾里耆老作邑斋[365]，遂告以谋反，杀二百余人。擢授游击将军，俄迁殿中侍御史。或告胜州[366]都督王安仁谋反，敕弘义按之。安仁不服，弘义即于枷上刎其首；又捕其子，适至，亦刎其首，函之以归。道过汾州[367]，司马毛公与之对食，须臾[368]，叱毛公下阶，斩之，枪揭其首入洛，见者无不震栗[369]。

时置制狱[370]于丽景门[371]内，入是狱者，非死不出，弘义戏呼曰"例竟门[372]"。朝士人人自危，相见莫敢交言[373]，道路以目[374]。或因入朝密遭掩捕，每朝[375]，辄与家人诀[376]曰："未知复相见否？"

【段旨】

以上为第九段，写酷吏侯思止、王弘义等人的凶残嘴脸。

二月十四日辛酉，太后在洛城殿策问贡士。贡士的殿试制度是从这时开始的。

二十日丁卯，地官尚书王本立去世。

三月初十日丁亥，特进、同凤阁鸾台三品苏良嗣去世。

夏，四月十一日丁巳，春官尚书、同平章事范履冰因曾举荐犯有叛逆之罪的人，获罪入狱并死去。

醴泉人侯思止，最早以卖饼为生，后来侍奉游击将军高元礼，成为奴仆，他一向狡黠诡作、品行不端。恒州刺史裴贞杖罚一个判司，判司指使侯思止举报裴贞与舒王李元名图谋造反。秋，七月初七日辛巳，李元名获罪免官，被调往和州。初八日壬午，李元名的儿子豫章王李亶被处死，裴贞也被灭族。太后擢升侯思止为游击将军。当时，告密的人往往得到五品官，侯思止要求做御史，太后说："你不识字，怎能胜任御史之职！"侯思止回答说："獬豸何尝识字，但能头触邪恶之人。"太后很高兴，立刻任命他为朝散大夫、侍御史。另外一天，太后把以前所抄没的宅第赏赐给他，侯思止不肯接受，说："臣憎恨叛逆的人，不愿居住他们的宅第。"太后更加赏识他。

衡水人王弘义，一向品行不好，曾经向邻居讨瓜吃，邻居不给，他就告诉县官，瓜田里有白兔。县官派人搜捕，马上把瓜田践踏完了。他又游历赵州、贝州，看到乡里老人设斋请僧侣祈祷，就告发说他们谋反，杀死两百多人。王弘义被提拔为游击将军，不久又升任殿中侍御史。有人告发胜州都督王安仁谋反，太后敕令王弘义查办。王安仁不服，王弘义就在王安仁的枷上把他的头砍了下来；又抓捕王安仁的儿子，正好王安仁的儿子回来，也砍了他的头，用匣子装着回朝。路过汾州，司马毛公和王弘义对坐饮食，不一会儿，喝令毛公走下台阶，杀了他，用枪挑着毛公的头颅进入洛阳，看到的人没有不震惊战栗的。

当时在丽景门里设置制狱，进入这种监狱的，不死是出不去的，王弘义开玩笑地称之为"例竟门"。朝中士大夫人人自危，相互见面不敢交谈，路上相见，以目示意。因为有人入朝时暗中突然被逮捕，所以官员每入朝，常常和家人诀别说："不知道还能不能相见。"

【注释】

㉘天授元年：武则天于永昌元年（公元六八九年）十一月改元载初，始用周历，以十一月为正月，十二月为腊月，夏正月为一月，故纪年先有正月（夏历十一月）、腊月（夏历十二月）、一月（夏历正月）。到公元六九〇年，即载初元年九月改元天授，改国号为周。《通鉴》行文，省去载初元年，即天授元年包有载初元年。㉙庚辰朔：十一月一日。㉚日南至：冬至。㉛万象神宫：即明堂。㉜周正：三正之一。所谓三正即指夏

正、殷正、周正。夏正建寅，以农历正月初一日为一年之始；殷正建丑，以农历十二月为正月；周正建子，以农历十一月为正月。(323)以周、汉之后为二王后：古者建国，有宾有恪。二王之后为宾，待以客礼。唐本以后周及隋后为二王后，今改为周汉之后。(324)舜禹成汤之后为三恪：给舜、禹、成汤的子孙以王侯的名号，待之如宾。恪，敬也，待之以敬，即亦宾也。(325)周、隋之嗣同列国：待后周和隋朝的直系后裔，如同列国中的诸侯。(326)宗秦客：蒲州河东（今山西永济西）人，宗楚客之兄，武则天堂姐之子。曾劝武则天称帝，担任过宰相。事附《旧唐书》卷九十二《宗楚客传》。(327)改造“天”“地”等十二字以献：则天时所造新字数目，各书所载有差异。《新唐书》卷七十六、《续通志》卷七十一作十有二文。《通志》卷三十五作十八字。《宣和书谱》卷一作十九字。此外，《正字通》所录则天朝新字八个，《集韵》所录凡十六字。〖按〗《唐大诏令集》卷四《改元载初赦》云：“特创制一十二字，率先百辟”。据此可知则天朝所制新字最初为十二字，以后又有增加。最初十二字为曌（照）、𠀑（天）、埊（地）、乙（日）、★（月）、〇（星）、𤯔（君）、恵（臣）、𤯔（人）、𠁈（载）、𠦚（年）、𠙺（正）。以后，出现的新字计有𡔈（初）、䇷（证）、𨲢（圣）、𥠢（授）、圀（国）等。其中𠀑、埊、乙、圀四字古已有之，为武则天所启用。这些文字在武周时期通行全国，现在在当时留下的碑刻和文书如敦煌吐鲁番文书中仍可以看到。(328)丁亥：正月初八日。永昌元年（公元六八九年）十一月至久视元年（公元七〇〇年）十月用周正。此外正月实即寅正永昌元年十一月。(329)曌：武周新字之一。合明空二字为一字，取光明普照天下之意。(330)改诏曰制：诏与曌音同，为避讳而改。(331)乙未：正月十六日。(332)除唐亲属籍：即削除唐宗室的属籍。(333)辛未：腊月二十三日。(334)右卫大将军：正三品，掌统领宫廷警卫。(335)戊子：一月初十日。(336)武攸宁：武士让之孙，武怀道之子，武则天之侄。曾三度为相。传见《新唐书》卷二百六。(337)用事：当政，当权。(338)宰相皆下之：宰相都居于下位。(339)据床不为礼：靠在床上不行礼。(340)甲午：一月十六日。(341)辛酉：二月十四日。(342)洛城殿：在洛阳宫城西南。东为集贤殿书院，西为丽景夹城，南为洛城南门，北为饮羽殿，是东都比较重要的宫殿之一。此次殿试规模宏大，应试者很多，考试持续进行了数日方毕。(343)贡士

【原文】

时法官竞为深酷，唯司刑丞[377]徐有功[378]、杜景俭[379]独存平恕[380]，被告者皆曰：“遇来、侯必死，遇徐、杜必生。”

有功，文远之孙也[381]，名弘敏，以字行。初为蒲州司法[382]，以宽为治，不施敲朴[383]。吏相约有犯徐司法杖者，众共斥之。迨[384]官满，不杖

殿试自此始：所谓殿试即皇帝在殿廷上亲发策问的考试。殿试之制始创于此。㉝④丁卯：二月二十日。㉝⑤王本立薨：《考异》："《新纪》：'丁卯，杀王本立。'《御史台记》：'本立为周兴所诛。'今从《实录》。"㉝⑥丁亥：三月初十日。㉝⑦丁巳：四月十一日。㉝⑧坐尝举犯逆者：因所荐举的人犯了叛逆之罪而受到牵连。㉝⑨侯思止（？至公元六九三年）：雍州醴泉（今陕西礼泉北）人，武周时期的酷吏之一。传见《旧唐书》卷一百八十六上、《新唐书》卷二百九。㉟⓪为仆：成为奴仆。㉟①诡谲无赖：狡黠诡诈，品行不端。㉟②判司：官名，为州曹参军的通称。唐人有时亦称州郡佐吏为判司。㉟③舒王元名：唐高祖第十八子。历任州刺史，有善政，是高祖诸子中较贤的一位。传见《旧唐书》卷六十四、《新唐书》卷七十九。㉟④辛巳：七月初七日。㉟⑤"元名坐废"二句：和州治所在今安徽和县。《旧唐书》卷六十四载：元名"与子亶俱为丘神勣所陷，被杀"。《新唐书》卷七十九载："元名坐迁利州，寻被杀。"与《通鉴》及两《唐书》之《则天纪》所载不合。㉟⑥壬午：七月初八日。㉟⑦贞亦族灭：裴贞也被灭族。㉟⑧岂堪御史：怎么能够胜任御史之职。㉟⑨獬豸：传说中的异兽，能辨别是非。见人斗，触不直者。㊱⓪侍御史：御史台官，从六品下，掌纠举百僚，推鞫狱讼。㊱①他日：另外一天。㊱②王弘义（？至公元六九四年）：冀州衡水（今河北衡水市西）人，曾与来俊臣罗告无辜。传见《旧唐书》卷一百八十六上、《新唐书》卷二百九。㊱③无行：没有德行；品行不好。㊱④赵、贝：即赵州、贝州。赵州治所在今河北赵县。贝州治所在今河北清河县西。㊱⑤作邑斋：设斋请僧侣祈祷。㊱⑥胜州：州名，治所在今内蒙古准格尔旗东北黄河南岸十二连城。㊱⑦汾州：州名，治所在今山西汾阳。㊱⑧须臾：不一会儿；片刻。㊱⑨震栗：震惊战栗。栗，通"栗"，发抖。㊲⓪制狱：即汉代的诏狱，为皇帝特命监禁罪囚之处。㊲①丽景门：洛阳皇城西面二门之一。门内有丽景夹城，可暗通上阳宫。㊲②例竟门：意思是说，入此门者，没有生还的希望。例，一概。竟，尽。《旧唐书》卷一百八十六上《来俊臣传》载：则天"于丽景门别置推事院，俊臣推勘必获，专令俊臣等按鞫，亦号为新开门。但入新开门者，百不全一。弘义戏谓丽景门为'例竟门'，言入此门者，例皆竟也"。㊲③交言：交谈。㊲④道路以目：路上相见，以目示意。㊲⑤每朝：即每入朝。㊲⑥诀：诀别。

【语译】

当时审案的官员争为严酷，只有司刑丞徐有功、杜景俭独自保持平和宽恕的态度，被告发的人都说："遇到来俊臣、侯思止一定死，遇到徐有功、杜景俭一定能活。"

徐有功，是徐文远的孙子，名叫弘敏，以表字行世。起初任蒲州司法，办事宽和，不施棍棒。他的下属相约，有违背徐司法的规定而使用杖刑的，大家一起斥责

一人，职事亦修。累迁司刑丞，酷吏所诬构者，有功皆为直[385]之，前后所活数十百家[386]。尝廷争狱事，太后厉色诘之，左右为战栗，有功神色不挠[387]，争之弥[388]切。太后虽好杀，知有功正直，甚敬惮之。景俭，武邑人也。

司刑丞荥阳李日知[389]亦尚平恕。少卿胡元礼欲杀一囚，日知以为不可，往复数四，元礼怒曰："元礼不离刑曹[390]，此囚终无生理！"日知曰："日知不离刑曹，此囚终无死法！"竟以两状列上，日知果直。

东魏国寺僧法明等撰《大云经》四卷[391]，表上之，言太后乃弥勒佛[392]下生，当代唐为阎浮提[393]主，制颁于天下。

武承嗣使周兴罗告隋州刺史泽王上金、舒州刺史许王素节谋反，征诣行在[394]。素节发舒州[395]，闻遭丧哭者，叹曰："病死何可得，乃更哭邪！"丁亥[396]，至龙门[397]，缢杀之。上金自杀。悉诛其诸子及支党。

太后欲以太平公主妻其伯父士让之孙攸暨[398]，攸暨时为右卫中郎将，太后潜使人杀其妻而妻之。公主方额广颐[399]，多权略[400]，太后以为类己[401]，宠爱特厚，常与密议天下事。旧制，食邑[402]，诸王不过千户，公主不过三百五十户，太平食邑独累加至三千户[403]。

八月甲寅[404]，杀太子少保、纳言裴居道；癸亥[405]，杀尚书左丞张行廉。辛未[406]，杀南安王颖等宗室十二人[407]，又鞭杀故太子贤二子[408]，唐之宗室于是殆尽矣，其幼弱存者亦流岭南，又诛其亲党数百家[409]。惟千金长公主[410]以巧媚得全，自请为太后女，仍改姓武氏，太后爱之，更号延安大长公主。

【段旨】

以上为第十段，写徐有功、杜景俭为法宽平，但无补于酷吏之残虐，武则天仍在大开杀戒，唐宗室继续遭诛灭。

他。等到徐有功任职期满，没有杖打过一个人，职内的事也办得很好。他在多次升迁后任司刑丞，为酷吏所诬害，徐有功都替他们申冤，前后救活了数十百家。他曾经在朝堂争论刑狱之事，太后脸色严厉地责问他，左右大臣为之颤抖，徐有功神色不改，争执得更激烈。太后虽然好杀戮，但知道徐有功正直，极为敬重畏惧他。杜景俭，是武邑人。

司刑丞荥阳人李日知也崇尚平和宽恕。司刑少卿胡元礼要处决一个犯人，李日知认为不可以，多次反复争论，胡元礼恼怒地说："我胡元礼不离开刑曹，这个犯人终究没有生还的理由！"李日知说："我李日知不离开刑曹，这个犯人终究没有判处死刑的道理！"最后把两人定案的卷宗上报，果然李日知断案正确。

东魏国寺和尚法明等人撰写《大云经》四卷，奉表呈献太后，说太后是弥勒佛转生下世，应当取代唐成为人世的主宰，太后下诏颁布天下。

武承嗣派周兴罗织罪名诬告隋州刺史泽王李上金、舒州刺史许王李素节谋反，太后征召他们到太后所在的洛阳。李素节从舒州出发，听到遭遇丧事痛哭的，感叹说："人病死了怎么能活过来，还有什么好哭的！"七月十三日丁亥，到了龙门，把李素节缢死。李上金也自杀了。处死了他们全部的儿子和宗支党羽。

太后想把太平公主嫁给她伯父武士让的孙子武攸暨，武攸暨当时任右卫中郎将，太后暗中派人杀掉了武攸暨的妻子，把公主嫁给武攸暨。公主方额头、宽面颊，多权智谋略，太后认为她很像自己，对她特别厚加宠爱，常常和她密议天下大事。过去规定，诸王所封食邑不超过一千户，公主不超过三百五十户，独有太平公主的食邑累积加到三千户。

八月十一日甲寅，处死太子少保、纳言裴居道；二十日癸亥，处死尚书左丞张行廉。二十八日辛未，处死南安王李颍等唐宗室十二人，又用鞭子打死故太子李贤的两个儿子。至此，唐朝宗室几乎没有人了，那些留下来的年幼弱小的人，也都被流放到岭南。又杀了他们的亲戚党羽几百家。只有千金长公主因为巧言谄媚得以保全性命，自己请求做太后的女儿，便改姓武氏，太后宠爱她，将她改换名号为延安大长公主。

【注释】

㊂㊆㊆ 司刑丞：大理丞。掌分判寺事，凡囚犯皆据其本状，以正刑名。㊂㊆㊇ 徐有功（公元六四一至七〇二年）：本名弘敏，避孝敬皇帝讳，以字行，洛州偃师（今河南洛阳市偃师区）人，历任司刑丞、左台侍御史、司刑少卿等职，刚正不阿，持法宽平，时人称之。传见《旧唐书》卷八十五、《新唐书》卷一百十三。言论保存在《全唐文》卷一百六十三

中。[379]杜景俭：初名元方，垂拱中改名，冀州武邑（今河北武邑）人，善守法，两度为相。传见《旧唐书》卷九十、《新唐书》卷一百十六。《考异》："《实录》及《新纪》《表》《传》皆作'景佺'，盖《实录》以草书致误，《新书》因承之耳。"〖按〗《通典》卷二十五、《文苑英华》卷三百九十八、《全唐文》卷二百四十二等原始资料皆作"景俭"，《朝野佥载》卷六亦然。疑《考异》有误。[380]平恕：平和宽恕。[381]"有功"二句：徐有功是徐文远的孙子。徐文远，博学多识，隋时任国子博士。入唐，复任该职。传见《旧唐书》卷一百八十九上、《新唐书》卷一百九十八。[382]司法：官名，全称司法参军事，州刺史属吏，掌律令格式、鞫狱定刑、督捕盗贼、察纠奸非之事。[383]敲朴：以杖击人。[384]迨：及；到。[385]直：犹正。此指平反洗冤。[386]数十百家：数十家至一百家。此为大概的说法，旨在说明家数之多。[387]神色不挠：神色不改。[388]弥：更加；愈益。[389]李日知（？至公元七一五年）：郑州荥阳（今河南荥阳）人。历官给事中、黄门侍郎，景云间，为同中书门下平章事，转御史大夫，仍知政事。传见《旧唐书》卷一百八十八、《新唐书》卷一百十六。[390]刑曹：司法机关。此处指司刑寺。[391]法明等撰《大云经》四卷：此说法与事实不符。《大云经》早已有之。唐高宗时，释道宣所编《大唐内典录》中就著录了后秦竺佛念和北凉昙无谶的两个译本。宋人赞宁认为法明等所上《大云经》为重译本。〖按〗王国维根据敦煌石室发现的《大云经疏》残卷指出：《大云经疏》所引经文与凉译"无甚差池"。陈寅恪在王氏研究的基础上进一步探讨，说法明等所上"既非伪造，亦非重译"，而是取凉译旧本，"附以新疏，巧为传会"。这种见解虽不完美，但较为深刻。事实上，僧法明等所取《大云经》是后秦沙门竺佛念的译本而不是昙无谶的译本。这个译本武则天是亲眼看到过的。法明等所撰的是《大云经疏》而不是《大云经》。后来武则天下诏赐撰疏人紫袈裟、银龟袋而不及撰（译）经人，正说明经为旧本，疏为新撰。参《沙州文录

【原文】

九月丙子[411]，侍御史汲人傅游艺[412]帅关中百姓九百余人诣阙上表，请改国号曰周，赐皇帝姓武氏；太后不许，擢游艺为给事中[413]。于是百官及帝室宗戚、远近百姓、四夷酋长[414]、沙门[415]、道士合六万余人[416]，俱上表如游艺所请，皇帝亦上表自请赐姓武氏。戊寅[417]，群臣上言：有凤皇自明堂飞入上阳宫[418]，还集左台[419]梧桐之上，久之，飞东南去，及赤雀数万集朝堂。

补》《金明馆丛稿二编》《历代三宝记》《高僧传》《全唐文》卷九十七。㊇弥勒佛：佛名之一。见唐释湛然《维摩经略疏》卷五。㊈阎浮提：梵语，意为南赡部洲。此处指人世。胡三省注："释氏以人世为阎浮提。"㊉行在：天子驻跸之处。此处指洛阳。〖按〗泽王李上金、许王李素节，皆唐高宗之子。㊊舒州：州名，治所怀宁，在今安徽潜山。㊋丁亥：七月十三日。㊌龙门：山名，即伊阙，在河南洛阳南十二·五公里处，为洛阳南面门户。㊍"太后欲以太平公主"句：薛绍饿死狱中以后，太平公主寡居，武则天欲使她再嫁。攸暨，武攸暨。传见《旧唐书》卷一百八十三、《新唐书》卷二百六。㊎方额广颐：方额头、宽面颊。㊏权略：权智谋略。㊐类己：和自己相似。㊑食邑：即采邑、封地。㊒太平食邑独累加至三千户：唐制，公主食封三百户，但实际上往往突破此数。太平公主尤为明显，神龙元年（公元七〇五年）食封至一万户。㊓甲寅：八月十一日。㊔癸亥：八月二十日。㊕辛未：八月二十八日。㊖杀南安王颍等宗室十二人：《新唐书》卷四《则天纪》作"杀南安郡王颍、鄅国公昭及诸宗室李直、李敞、李然、李勋、李策、李越、李黯、李玄、李英、李志业、李知言、李玄贞"。据此，则所杀不止十二人。南安王颍为密贞王李元晓之子。《新唐书》卷七十九《元晓传》略载其事，不言被杀。㊗又鞭杀故太子贤二子：此说不确。太子贤共有三子，即光顺、守礼、守义。《通鉴》卷二百四天授二年（公元六九一年）二月条载："立故太子贤之子光顺为义丰王。"八月条载："义丰王光顺、嗣雍王守礼、永安王守义、长信县主（李贤女）等皆赐姓武氏。"若天授元年已鞭杀二人，这些记载是无法解释的。据《章怀太子传》，当时并无鞭杀二子之事。㊘又诛其亲党数百家：《考异》："《实录》作数千家。今从《旧本纪》。"〖按〗《旧唐书》之《则天纪》天授元年不载，垂拱四年（公元六八八年）有此语。㊙千金长公主：唐高祖第十八女，下嫁温挺。传见《新唐书》卷八十三。

【语译】

九月初三日丙子，侍御史、汲县人傅游艺率领九百多名关中百姓前往皇宫上表，请求改国号为周，赐姓睿宗武氏；太后没有答应，擢升傅游艺为给事中。于是百官和皇帝宗族亲戚、远近的百姓、四方夷狄的首领、僧侣、道士共计六万多人，一起上表，所请求的和傅游艺一样，睿宗也上表请求赐姓武氏。初五日戊寅，群臣上书说：有凤凰从明堂飞入上阳宫，回来落在左肃政台的梧桐上，很长时间，飞向东南，还有几万只赤雀落在朝堂。

庚辰[420]，太后可皇帝及群臣之请。壬午[421]，御则天楼[422]，赦天下，以唐为周[423]，改元[424]。乙酉[425]，上尊号曰圣神皇帝，以皇帝为皇嗣，赐姓武氏，以皇太子为皇孙。

丙戌[426]，立武氏七庙于神都，追尊周文王曰始祖文皇帝[427]，妣姒氏[428]曰文定皇后；平王少子武曰睿祖康皇帝，妣姜氏曰康惠[14]皇后；太原靖王曰严祖成皇帝，妣曰成庄皇后；赵肃恭王曰肃祖章敬皇帝，魏义康王曰烈祖昭安皇帝，周安成王曰显祖文穆皇帝，忠孝太皇曰太祖孝明高皇帝，妣皆如考谥，称皇后[429]。立武承嗣为魏王，三思为梁王，攸宁为建昌王，士彟兄孙攸归、重规、载德、攸暨、懿宗、嗣宗、攸宜、攸望、攸绪、攸止皆为郡王[430]，诸姑姊皆为长公主。

又以司宾卿[431]溧阳史务滋[432]为纳言，凤阁侍郎宗秦客检校内史，给事中傅游艺为鸾台侍郎、平章事。游艺与岑长倩、右玉钤卫大将军张虔勖、左金吾大将军丘神勣、侍御史来子珣[433]等并赐姓武。秦客潜劝太后革命，故首为内史[434]。游艺期年之中历衣青、绿、朱、紫[435]，时人谓之"四时仕宦"[436]。

敕改州为郡。或谓太后曰："陛下始革命而废州，不祥[437]。"太后遽追止之。命史务滋等十人巡[15]抚诸道。癸卯[438][16]，太后立兄孙延基等六人[439]为郡王。

冬，十月甲子[440]，检校内史宗秦客坐赃贬遵化[441]尉，弟楚客、晋卿[17]亦以奸赃流岭外。

丁卯[442]，杀流人韦方质[443]。

辛未[444]，内史邢文伟坐附会宗秦客贬珍州[445]刺史。顷之，有制使[446]至州，文伟以为诛己，遽自缢死。

壬申[447]，敕两京诸州各置大云寺一区[448]，藏《大云经》，使僧升高座讲解，其撰疏僧[449]云宣等九人皆赐爵县公[450]，仍赐紫袈裟[451]、银龟袋[452]。

制天下武氏咸蠲课役[453]。

西突厥十姓，自垂拱以来为东突厥所侵掠，散亡略尽。濛池都护继往绝可汗斛瑟罗收其余众六七万人入居内地，拜右[18]卫大将军，

九月初七日庚辰，太后同意了睿宗和群臣的请求。初九日壬午，亲临则天门楼，大赦天下，改唐为周，更改年号。十二日乙酉，太后自上尊号为圣神皇帝，以睿宗为皇嗣，赐姓武氏，把皇太子立为皇孙。

九月十三日丙戌，在神都设立武氏七庙，追尊周文王为始祖文皇帝，他的夫人姒氏为文定皇后；平王的小儿子武为睿祖康皇帝，他的夫人姜氏为康惠皇后；太原靖王为严祖成皇帝，他的夫人为成庄皇后；赵肃恭王为肃祖章敬皇帝，魏义康王为烈祖昭安皇帝，周安成王为显祖文穆皇帝，忠孝太皇为太祖孝明高皇帝，他们的妻子都随他们的谥号，称为皇后。立武承嗣为魏王，武三思为梁王，武攸宁为建昌王，武士彟哥哥的孙子武攸归、武重规、武载德、武攸暨、武懿宗、武嗣宗、武攸宜、武攸望、武攸绪、武攸止都封为郡王，诸位姑姐都封为长公主。

又任命司宾卿溧阳人史务滋为纳言，凤阁侍郎宗秦客为检校内史，给事中傅游艺为鸾台侍郎、平章事。傅游艺和岑长倩、右玉钤卫大将军张虔勖、左金吾大将军丘神勣、侍御史来子珣等人都赐姓武。宗秦客暗中劝太后改朝换代，所以他第一个被任为内史。傅游艺一年中，穿遍青、绿、朱、紫四种颜色的朝服，当时人们说他“四时仕宦”。

下敕令把州改称郡。有人对太后说：“陛下刚刚改朝换代就废了州，不吉利。”太后马上追回敕令，停止改州为郡。命令史务滋等十人巡察安抚各道。九月三十日癸卯，太后封她哥哥的孙子延基等六人为郡王。

冬，十月二十一日甲子，检校内史宗秦客犯贪赃罪，被贬为遵化尉，宗秦客的弟弟宗楚客、宗晋卿也因作奸贪赃，被流放岭南。

二十四日丁卯，杀死流放人员韦方质。

二十八日辛未，内史邢文伟犯附和宗秦客罪，被贬为珍州刺史。不久，有制使到达珍州，邢文伟以为是来杀自己的，便急忙自缢而死。

二十九日壬申，太后下敕令两京及诸州各建大云寺一座，收藏《大云经》，让和尚升座讲经，撰写《大云经疏》的和尚云宣等九人都赐爵县公，还赐给紫袈裟、银龟袋。

下诏令天下姓武的人全部蠲免赋税劳役。

西突厥十姓部落从垂拱年间以来被东突厥所侵夺，四散逃亡殆尽。濛池都护继往绝可汗斛瑟罗收罗余部六七万人入居内地，朝廷授予他右卫大将军一联，更改其名号为竭忠事主可汗。

改号竭忠事主可汗。

道州刺史李行褒㊺㊹兄弟为酷吏所陷，当族，秋官郎中徐有功固争不能得㊺㊺。秋官侍郎周兴奏有功，故[19]出反囚㊺㊻，当斩㊺㊼，太后虽不许，亦免有功官。然太后雅重㊺㊽有功，久之，复起为侍御史。有功伏地流涕固辞曰："臣闻鹿走山林而命悬庖厨，势使之然也。陛下以臣为法官，臣不敢枉陛下法，必死是官矣。"太后固授之，远近闻者相贺。

是岁，以右卫大将军泉献诚㊺㊾为左卫大将军。太后出金宝，命选南北牙善射者五人赌之，献诚第一，以让右玉钤卫大将军薛咄摩㊻⓪，咄摩复让献诚，献诚乃奏言："陛下令选善射者，今多非汉官㊻①，窃恐四夷轻汉㊻②，请停此射。"太后善而从之。

【段旨】

以上为第十一段，写武则天终于爬上皇帝宝座，称帝，改国号为周。

【注释】

㊶① 丙子：九月初三日。㊶② 傅游艺（？至公元六九一年）：卫州汲（今河南卫辉）人，历任合宫主簿、左补阙宰相等职。曾劝武则天发六道使捕杀流人，后被亲友所告，伏诛。传见《旧唐书》卷一百八十六上、《新唐书》卷二百二十三上。㊶③ 给事中：门下省属吏，高宗龙朔间称东台舍人，正五品上，掌陪侍皇帝左右，分管省事。有封驳权、人事审查权和部分司法权。㊶④ 四夷酋长：四方夷狄的首领。㊶⑤ 沙门：佛教徒；僧侣。原为古印度各教派信徒的通称，后专指依照佛教戒律出家修行的人。㊶⑥ 合六万余人：据时人陈子昂所言，请愿活动共进行了三次：第一次关中耆老数百人在傅游艺的率领下请愿；第二次是"神都耆老、遐荒夷貊、缁衣黄冠等"一万二千余人；第三次是"远近百姓、四夷酋长、沙门道士"、文武百官、帝室宗亲及睿宗皇帝共五万多人。见《全唐文》卷二百九。㊶⑦ 戊寅：九月初五日。㊶⑧ 上阳宫：洛阳地区最重要的离宫之一。《唐六典》卷五，"东都上阳宫，在皇城之西南，苑之东垂也。南临洛水，西拒谷水，东面即皇城右掖门之南。上元中营造，高宗晚年，常居此宫以听政焉"。㊶⑨ 左台：即左肃政台。㊷⓪ 庚辰：九月初七日。㊷① 壬午：九月初九日。㊷② 则天楼：则天门楼。㊷③ 以唐为周：即改国号为周。

道州刺史李行褒兄弟被酷吏所陷害，应当灭族，秋官郎中徐有功再三力争，没有成功。秋官侍郎周兴奏报徐有功，故意开脱谋反的囚犯，应该斩首，太后虽然没有答应，但也免去了徐有功的官职。然而太后素来器重徐有功，时间长了，又起用他为侍御史。徐有功跪伏地上，流着泪坚决推辞说："臣听说鹿奔跑在山林，而生命却系于庖厨，这是形势所造成的。陛下任命臣为法官，臣不敢违背陛下的法令，必定死在这官职上。"太后坚持任命他，远近士民听到这一消息的，都相互庆贺。

这一年，任命右卫大将军泉献诚为左卫大将军。太后拿出金银珠宝，命令从南北牙中挑选五名善于射箭的进行比赛，泉献诚获得第一，他把第一让给右玉钤卫大将军薛咄摩，薛咄摩又让给泉献诚，泉献诚就上奏说："陛下命令选拔善于射箭的人，现在选出来的人多非汉族官吏，臣私下担心四方夷狄轻视汉人，请求陛下停止这种射箭比赛。"太后认为很对，接受了这一建议。

武则天改国号为周，主要有两个原因：一是为了显姓氏，崇根本。相传武氏出自姬姓，"周平王少子生而有文在手曰'武'，遂以为氏"。武则天本人也常以周氏苗裔自居，高宗时又封其父武士彟为周国公。以"周"为国号，可以表明来历。二是表示要效法古代盛世，创造新的奇迹。在唐人看来，古代盛世有周有汉。武则天认为周用王道，汉杂霸道，汉不如周。所以用"周正"，改唐为周也有表明政治抱负的意思。㉔改元：改元天授。㉕乙酉：九月十二日。㉖丙戌：九月十三日。㉗追尊周文王曰始祖文皇帝：周文王，商末周族领袖，姓姬名昌，在位五十年，使周族势力大增，"三分天下有其二"，为西周的建立奠定了基础。西周建立，追尊为文王。传见《史记》卷四。武则天攀附为姬氏之后，追尊周文王为文皇帝。胡三省评曰："后远祖姬周，诬神甚矣，文王其肯飨非鬼之祭乎！"㉘妣姒氏：指周文王夫人太姒氏。妣，对已死的女性祖先的称呼，一般称母亲。㉙"妣皆如考谥"二句：被追尊为皇帝者的妻都尊称为皇后。如尊其母杨氏为孝明高皇后。㉚"士彟兄孙攸归"句：攸宜、攸绪、攸暨、攸归、攸止、攸望皆士彟次兄武士让之孙。懿宗、嗣宗、重规、载德系士彟三兄武士逸之孙。见《旧唐书》卷一百八十三、《新唐书》卷二百六等。㉛司宾卿：官名，光宅元年（公元六八四年）改鸿胪为司宾，卿为长官，掌外事接待与凶丧之仪，从三品。㉜史务滋（？至公元六九一年）：宣州溧阳（今江苏溧阳西北）人，曾为相。传见《旧唐书》卷九十、《新唐书》卷一百十四。㉝来子珣（？至公元六九二年）：雍州万年人，酷吏。传见《旧唐书》卷一百八十

六上、《新唐书》卷二百九。㉞首为内史：改唐为周后，第一个被任为内史。内史即中书令。㉟期年之中历衣青、绿、朱、紫：此处用服色的变化来说明官阶的升迁。唐制，文武官三品以上服紫，四品服深绯，五品服浅绯，六品服深绿，七品服浅绿，八品服深青，九品服浅青。绯色即大红色。期年，一周年。历衣青、绿、朱、紫，即自八、九品迁至三品。㊱四时仕宦：每季一迁官职。㊲“废州”二句：因“州”“周”同音，故认为废州不祥。㊳癸卯：九月三十日。㊴兄孙延基等六人：指延基、延秀、崇训、崇烈、延晖、延祚。武崇训、武崇烈是武则天长兄武元庆之孙，梁王武三思之子。其余皆则天次兄武元爽之孙。其中延晖、延祚为武承业之子；延基、延秀系武承嗣之子。见两《唐书》之《外戚传》。㊵甲子：十月二十一日。㊶遵化：县名，属钦州，县治在今广西灵山县西南。㊷丁卯：十月二十四日。㊸杀流人韦方质：《旧唐书》之《韦方质传》云，“配流儋州，寻卒”。本书依《统纪》和《新唐书》本传。韦方质，官至宰相，因不附武承嗣、武三思而被构陷遭流放，寻被诛杀。㊹辛未：十月二十八日。㊺珍州：州名，其地有隆珍山，取“珍”字名州。治所丽皋，在今贵州正安西北。㊻制使：奉制出巡的使者。后世称为钦差。㊼壬申：十月二十九日。㊽两京诸州各置大云寺一区：即京师长安、神都洛阳和天下诸州各建大云寺一座。区，计量单位，唐人习称寺庙一座为一区。㊾撰疏僧：撰写《大云经疏》的和尚。㊿县公：爵号之一，属第五等。唐制，县公从二品，食邑一千五百户。[451]紫袈裟：紫色袈裟，袈裟为佛教僧尼的法衣。胡僧袈裟用毛皮，中土用缯帛，缁色，皇上赐紫者才能衣紫。[452]银龟袋：银饰龟袋。《新唐书》之《车服志》，高宗给五品以上随身银鱼袋，以防召命之诈，出内必合之，三品以上金饰袋。垂拱中，都督刺史始赐鱼。天授二年（公元六九一年）改佩鱼皆为龟。其后三品以上龟袋饰以金，四品以银，五品以铜。中宗又废龟袋，复给鱼袋。品官要随身佩鱼袋以明身份，防召命有

【原文】

二年（辛卯，公元六九一年）

正月癸酉朔[463]，太后始受尊号[464]于万象神宫，旗帜尚赤[465]。

甲戌[466]，改置社稷于神都。辛巳[467]，纳武氏神主于太庙；唐太庙之在长安者，更命曰享德庙[468]，四时唯享高祖已下三庙[469][20]，余四室[470]皆闭不享。又改长安崇先庙[471]为崇尊庙。乙酉[472]，日南至，大享明堂，祀昊天上帝，百神[473]从祀，武氏祖宗配飨，唐三帝[474]亦同配。

御史中丞知大夫事李嗣真[475]以酷吏纵横，上疏，以为“今告事纷

诈。⑮ 蠲课役：蠲，免除。课役，赋税力役。⑭ 李行褒：两《唐书》之《徐有功传》皆作“李仁褒”。李行褒时任梁州都督，与徐有功无关。见《旧唐书》卷九十八《韩休传》、《新唐书》卷一百二十六《韩休传》。当改“行”为“仁”。⑮ 不能得：没有成功。⑯ 出反囚：出，与“入”相对，在此为法律用语，意为出脱、开脱罪名。反囚，谋犯之囚。⑰ 当斩：应当斩首。⑱ 雅重：甚重。⑲ 泉献诚：右卫大将军泉男生之子，后为来俊臣所诬杀。事见《旧唐书》卷一百九十九上《高丽传》、《新唐书》卷一百十《泉男生传》。⑳ 薛咄摩：薛延陀人，《新唐书》之《泉男生传附泉献诚传》及《旧唐书》之《高丽传》作“薛吐摩支”。㉑ 今多非汉官：现在选出来的人多非汉族官吏。㉒ 恐四夷轻汉：担心四方夷狄轻视汉人。因为他们会从这件事中看出汉人不善于射箭。

【校记】

［14］惠：原作“睿”。据章钰校，十二行本、乙十一行本皆作“惠”，今据改。〖按〗《新唐书》之《则天皇后纪》亦作“惠”。［15］巡：据章钰校，十二行本、乙十一行本皆作“存”。［16］癸卯：原无此二字。据章钰校，十二行本、乙十一行本、孔天胤本皆有此二字，张敦仁《通鉴刊本识误》、张瑛《通鉴校勘记》同，今据补。［17］晋卿：原无此二字。据章钰校，十二行本、乙十一行本皆有此二字，今据补。〖按〗两《唐书》之《宗楚客传》皆载其弟晋卿俱流岭外之事。［18］右：据章钰校，十二行本、乙十一行本、孔天胤本皆作“左”。〖按〗《旧唐书》之《突厥传》亦作“左卫”，然《新唐书》之《突厥传》载斛瑟罗任左卫大将军在圣历二年（公元六九九年），未知孰是。［19］故：原无此字。据章钰校，十二行本、乙十一行本、孔天胤本皆有此字，张敦仁《通鉴刊本识误》同，今据补。

【语译】

二年（辛卯，公元六九一年）

正月初一日癸酉，太后开始在万象神宫接受尊号，旗帜崇尚红色。

初二日甲戌，把社稷坛改设在神都。初九日辛巳，把武氏神主纳入太庙；改长安的唐太庙为享德庙。四季只祭祀高祖及以下的三位先帝，余下的四个庙室都关闭不再举行祭礼，又改长安的崇先庙为崇尊庙。十三日乙酉，冬至，太后在明堂举行大祭，祭祀昊天上帝，众神陪祭。武氏祖宗配祭，唐三帝也同样配祭。

御史中丞知大夫事李嗣真因为酷吏横行无忌，上奏认为：“如今密告的案件繁纭[476]，虚多实少，恐有凶慝阴谋离间陛下君臣。古者狱成，公卿参听，王必三宥，然后行刑[477]。比日狱官单车奉使，推鞫既定，法家[478]依断，不令重推。或临时专决，不复闻奏。如此，则权由臣下，非审慎之法，傥[479]有冤滥，何由可知！况以九品之官专命推覆，操杀生之柄，窃人主之威，按覆既不在秋官[480]，省审复不由门下[481]，国之利器[482]，轻以假人，恐为社稷之祸。”太后不听。

饶阳尉姚贞亮等数百人表请上尊号曰上圣大神皇帝，不许。

侍御史来子珣诬尚衣奉御刘行感兄弟谋反，皆坐诛。

春，一月，地官尚书武思文[483]及朝集使二千八百人，表请封中岳[484]。

己亥[485]，废唐兴宁、永康、隐陵署官[486]，唯量置守户[487]。

左金吾大将军丘神勣以罪诛[488]。

纳言史务滋与来俊臣同鞫刘行感狱，俊臣奏务滋与行感亲密，意欲寝其反状[489]。太后命俊臣并推之。庚子[490][21]务滋恐惧自杀。

或告文昌右丞周兴与丘神勣通谋，太后命来俊臣鞫之，俊臣与兴方推事对食[491]，谓兴曰：“囚多不承[492]，当为何法[493]？”兴曰：“此甚易耳！取大瓮，以炭四周炙之[494]，令囚入中，何事不承！”俊臣乃索大瓮，火围如兴法[495]，因起谓兴曰：“有内状[496]推兄，请兄入此瓮[497]！”兴惶恐叩头伏罪。法当死，太后原之，二月，流兴岭南，在道，为仇家所杀。

兴与索元礼、来俊臣竞为暴刻，兴、元礼所杀各数千人，俊臣所破千余家。元礼残酷尤甚，太后亦杀之以慰人望[498]。

【段旨】

以上为第十二段，写武则天登基受尊号与酷吏苛刻所形成鲜明对照，即恐怖政治是武氏专政的基础。

多，但虚多实少，恐怕会有凶险小人，阴谋离间陛下和群臣的关系。古代狱讼结案时，公卿参与听断，帝王定要三次下达宽赦复审之令，然后才能行刑。近来狱官一个人奉命为使者，独自审问，审定之后，法官依此断案，不让重新审问。有时狱官自己临时独断，不复奏闻。这样下去，权力就落在臣下手里，这可不是周密慎重的方法，假如有冤枉过失，怎么可能知道呢！何况以九品官的身份专断推问复核，掌握生杀大权，窃取君主的权威，审查复核的职事不归刑部，省察审核又不经过门下省，国家的权力，轻易地交给别人，恐怕是国家社稷的祸害。”太后没有听从。

饶阳县尉姚贞亮等数百人上表请太后加尊号为上圣大神皇帝，太后没有答应。

侍御史来子珣诬陷尚衣奉御刘行感兄弟图谋反叛，刘行感兄弟都获罪被杀。

春，一月，地官尚书武思文和朝集使二千八百人，上表请求到中岳嵩山封禅。

二十七日己亥，废除唐兴宁、永康、隐陵陵寝官署的官员，只酌量设置守陵户。

左金吾大将军丘神勣因犯罪被杀。

纳言史务滋和来俊臣一起审理刘行感的案件，来俊臣奏言史务滋和刘行感关系密切，想要掩盖刘行感谋反之事。太后命令来俊臣同时审讯史务滋。一月二十八日庚子，史务滋恐惧自杀。

有人告发文昌右丞周兴和丘神勣串通谋反，太后命令来俊臣审理，来俊臣和周兴正因审案之事相对坐着就餐，来俊臣对周兴说：“犯人多不认罪，应当使用什么方法？”周兴说：“这极为容易！拿一口大缸，用木炭在缸的四周烧它，让犯人进到缸里，还有什么事情不招认！”来俊臣就找来一口大缸，按周兴所说的办法，围缸烧烤，然后起身对周兴说：“朝廷密旨要审问老兄，请兄入瓮！”周兴害怕得磕头认罪。依法周兴应该处死，太后原谅了他，二月，把周兴流放到岭南，在路上被仇家杀死了。

周兴和索元礼、来俊臣竞为残暴，周兴、索元礼各杀了几千人，来俊臣所毁家庭有一千多家。索元礼尤其残酷，太后也把他杀了来慰抚人们的心愿。

【注释】

㊻㊸癸酉朔：正月初一日。㊻㊹尊号：尊崇皇帝、皇后的称号。尊号秦已有之，唐朝以后越来越多。唐玄宗在位时六次上尊号。参唐封演《封氏闻见记》卷四、宋叶梦得《石林燕语》卷五等。㊻㊺旗帜尚赤：即尚红。先此，旗帜尚白。㊻㊻甲戌：正月初二日。㊻㊼辛巳：正月初九日。㊻㊽“唐太庙之在长安者”二句：改长安的唐太庙为享德庙。㊻㊾三庙：即高祖、太宗、高宗三室。㊼⓪余四室：其余四室指唐高祖以上的宣帝、元帝、光帝、景帝的庙室。㊼①崇先庙：武则天在垂拱四年（公元六八八年）为武氏先祖所立的祭

庙。⑫乙酉：正月十三日。⑬百神：泛指众神。⑭唐三帝：指高祖、太宗、高宗。⑮李嗣真（？至公元六九六年）：滑州匡城（今河南长垣西南）人，博学，晓音律，兼通阴阳推算之术。著有《明堂新礼》十卷，《孝经指要》《诗品》《书品》《画品》各一卷。传见《旧唐书》卷一百九十一、《新唐书》卷九十一。⑯纷纭：繁多。⑰“古者狱成”四句：《礼记·王制》，结案后，史以狱成告于正，正听之；正以狱成告于大司寇，大司寇听之于棘木之下；大司寇以狱成告于王，王命三公参听之；三公以狱成告于王，王三宥，然后行刑。三宥，三次下达宽赦复审之令，以示对死刑的重视。⑱法家：法官。⑲傥：假若。⑳秋官：刑部。㉑门下：即门下省。其中心工作是审议与封驳。㉒国之利器：国家的权力。古人常用“利器”比喻刑罚、赏赐及兵柄。此处指刑罚。㉓武思文：李思文，徐敬业之叔。因反对徐敬业叛乱有功，赐姓为武。其事散见《旧唐书》卷六十七《李敬业传》、《新唐书》卷七十六《后妃上》之《则天武皇后传》等篇。㉔中岳：嵩山。在今河南登封。㉕己亥：一月二十七日。㉖废唐兴宁、永康、隐陵署官：兴宁陵，系世祖元皇帝李昺（追尊）之墓，在陕西咸阳境内。永康陵，系太祖景皇帝李虎（追尊）之墓，在陕西三原县北。隐陵，系太子建成之墓，在陕西西安。据《唐六典》卷十四，唐陵皆设署置官。永康、兴宁二陵署，各有陵令一人，掌山陵，率陵户守护，从七品下。其下有丞，丞二人，从八品下。隐太子陵令一人，从八品下，丞一人，从九品下。今废官署，

【原文】

徙左卫大将军千乘王武攸暨为定王。立故太子贤之子光顺为义丰王[499]。

甲子[500]，太后命始祖墓曰德陵，睿祖墓曰乔陵，严祖墓曰节陵，肃祖墓曰简陵，烈祖墓曰靖陵，显祖墓曰永陵，改章德陵为昊陵，显义陵为顺陵。

追复李君羡官爵[501]。

夏，四月壬寅朔[502]，日有食之。

癸卯[503]，制以释教开革命之阶[504]，升于道教之上[505]。

命建安王攸宜留守长安。

丙辰[506]，铸大钟，置北阙。

五月，以岑长倩为武威道行军大总管，击吐蕃，中道召还，军竟不出。

只置守陵户，降低规格，贬抑李唐皇室。㊼量置守户：酌量设置守陵户。守户，即守陵户，指看守帝王陵墓的人家。㊽以罪诛：因犯罪被杀。㊾欲寝其反状：想掩盖刘行感谋反之事。寝，止息，此指掩盖。㊿庚子：一月二十八日。491 方推事对食：正因审案相对坐着就餐。492 承：顺承。在此引申为招供、认罪。493 当为何法：应当使用什么方法，才能使他们坦白。494 以炭四周炙之：用炭火在四周烧它。495 火围如兴法：按照周兴所说的办法，围缸烧烤。496 内状：犹密旨。497 请兄入此瓮：成语"请君入瓮"即源于此。比喻用某人整治别人的办法来整治他。498 以慰人望：来慰抚人们的心愿。

【校记】

［20］三庙：原无此二字。据章钰校，十二行本、乙十一行本皆有此二字；孔天胤本、张敦仁《通鉴刊本识误》皆作"四庙"，今据十二行本补。〖按〗唐自高祖至高宗崩，太庙皆为六室，加上一直虚设的太祖之室，合为七庙。此处若为四庙，加上所余四室，合为八庙，于礼制不符，且《旧唐书》之《礼仪志》载"唯享高祖已下三室"，故以三庙为宜。［21］庚子：原无此二字。据章钰校，十二行本、乙十一行本皆有此二字，张敦仁《通鉴刊本识误》同，今据补。〖按〗《新唐书》之《则天皇后纪》亦有"庚子"。

【语译】

把左卫大将军千乘王武攸暨徙为定王。封前太子李贤的儿子李光顺为义丰王。

二月二十二日甲子，太后下令，始祖墓称德陵，睿祖墓称乔陵，严祖墓称节陵，肃祖墓称简陵，烈祖墓称靖陵，显祖墓称永陵，把章德陵改为昊陵，显义陵改为顺陵。

追复李君羡的官爵。

夏，四月初一日壬寅，发生日食。

初二日癸卯，下诏令说，因为佛教开创了以周代唐的基础，把佛教提升到道教之上。

命令建安王武攸宜留守长安。

十五日丙辰，铸造大钟，放置在宫殿北面的门楼上。

五月，任命岑长倩为武威道行军大总管，攻打吐蕃。军队半路又被召了回来，最终没有出征。

六月，以左肃政大夫格辅元[507]为地官尚书，与鸾台侍郎乐思晦[508]、凤阁侍郎任知古[509]并同平章事。思晦，彦玮[22]之子也。

秋，七月，徙关内户数十万以实[510]洛阳。

八月戊申[511]，纳言武攸宁罢为左羽林大将军；夏官尚书欧阳通[512]为司礼卿兼判纳言事。

庚申[513]，杀玉钤卫大将军张虔勖[514]。来俊臣鞫虔勖狱，虔勖自讼于徐有功，俊臣怒，命卫士以刀乱斫杀之，枭首于市。

义丰王光顺、嗣雍王守礼、永安王守义、长信县主[515]等皆赐姓武氏，与睿宗诸子[516]皆幽闭宫中，不出门庭者十余年。守礼、守义，光顺之弟也。

或告地官尚书武思文初与徐敬业通谋；甲子[517]，流思文于岭南，复姓徐氏[518]。

九月乙亥[519]，杀岐州刺史云弘嗣。来俊臣鞫之，不问一款[520]，先断其首，乃伪立案[521]奏之，其杀张虔勖亦然。敕旨皆依，海内钳口[522]。

鸾台侍郎、同平章事傅游艺梦登湛露殿，以语所亲，所亲告之。壬辰[523]，下狱，自杀。

【段旨】

以上为第十三段，写酷吏来俊臣之凶残。

【注释】

⑲义丰王:《旧唐书》之《李贤传》作安乐王。⑳甲子：二月二十二日。㉑追复李君羡官爵：李君羡（？至公元六四八年），洺州武安（今河北武安）人，唐初屡立战功，官至左武候中郎将，封武连县公。贞观二十二年（公元六四八年），太白星昼现，太史占卜的结果是“女主昌”，民间又谣传说“当有女武王者”。唐太宗以李君羡官邑、属县皆有“武”字，小字又叫“五娘子”，与传说中的人物颇为相似，怀疑他可能威胁到自己的统治，便把他贬为华州刺史，旋又杀之。至此雪冤，追复官爵，以礼改葬。事详见《旧唐书》卷六十九《薛万彻传》附传、《新唐书》卷九十四《薛万均传》附传，以及本书卷

六月，任命左肃政大夫格辅元为地官尚书，和鸾台侍郎乐思晦、凤阁侍郎任知古都担任同平章事。乐思晦，是乐彦玮的儿子。

秋，七月，迁徙关内几十万民户充实洛阳。

八月初十日戊申，纳言武攸宁被免去官职，担任左羽林大将军；夏官尚书欧阳通任司礼卿，兼代纳言的事务。

二十二日庚申，杀了玉钤卫大将军张虔勖。来俊臣审问张虔勖一案，张虔勖自诉于徐有功，来俊臣很生气，命令卫士把张虔勖乱刀砍死，在街市上悬首示众。

义丰王李光顺、嗣雍王李守礼、永安王李守义、长信县主等人都赐姓武氏，和睿宗的儿子们都被幽禁在宫内，十多年不出家门。李守礼、李守义，是李光顺的弟弟。

有人告发地官尚书武思文当初曾与徐敬业合谋反叛；八月二十六日甲子，把武思文流放到岭南，恢复本姓徐氏。

九月初八日乙亥，处死岐州刺史云弘嗣。来俊臣审问他，不问一句口供，先砍了他的头，便假造案卷奏报。来俊臣杀张虔勖时也是这样。太后敕令都同意了，天下闭口不敢言。

鸾台侍郎、同平章事傅游艺梦中登上了湛露殿，把这事告诉了亲近的人，他所亲近的人举报了他。九月二十五日壬辰，傅游艺入狱自杀。

一百九十九唐太宗贞观二十二年。㊿② 壬寅朔：四月初一日。㊿③ 癸卯：四月初二日。㊿④ 释教开革命之阶：释教即佛教。阶，因由；阶梯，基础。佛教为武则天改唐为周、当上皇帝提供了理论根据。在中国历史上，没有女人当皇帝的先例。儒家经典严戒妇女参政，说“牝鸡之晨，惟家之索”。道教中也没有女子可以当权的说法。佛教经典则不同，《大云经》中有女子可以为王的文字。僧法明等作《大云经疏》，巧妙地将佛教经典与现实生活联系起来，对武周政权的建立起了很大的舆论作用。㊿⑤ 升于道教之上：这是唐代佛教势力发展的第一个高峰。唐太宗贞观年间，规定道士女冠在僧尼之前。唐高宗上元时，规定佛道地位平等，不分高低先后。至此，佛教地位超过了道教。㊿⑥ 丙辰：四月十五日。㊿⑦ 格辅元（？至公元六九一年）：汴州浚仪（今河南开封）人，曾任殿中侍御史、宰相等职。事见《旧唐书》卷七十、《新唐书》卷一百二《岑文本传》。㊿⑧ 乐思晦（？至公元六九一年）：雍州长安人，曾为相。其父乐彦玮，高宗时亦位至宰相。事见《旧唐书》卷八十一《乐彦玮传》。㊿⑨ 任知古：曾为相。事散见《新唐书》卷六十一、卷一百一十三、卷一百十五等处。510 实：充实。511 戊申：八月初十日。512 欧阳通（？至公元六九一年）：潭州临湘（今湖南长沙）人，著名书法家欧阳询之子，亦以善书著称。曾为相。

传见《旧唐书》卷一百八十九上、《新唐书》卷一百九十八及《宣和书谱》卷八。⑬庚申：八月二十二日。⑭玉钤卫大将军张虔勖：唐制，玉钤卫大将军有左右之分。据《新唐书》卷四《则天纪》，张虔勖时任右玉钤卫大将军。⑮义丰王光顺、嗣雍王守礼、永安王守义、长信县主：此数人都是章怀太子的子女。唐制，皇兄弟、皇子皆封国，称为亲王。亲王诸子中承嫡袭爵的称为嗣王。皇太子诸子称为郡王。⑯睿宗诸子：即李重润、李重福、李重俊、李重茂。⑰甲子：八月二十六日。⑱复姓徐氏：徐思文，光宅元年（公元六八四年）改姓武氏，今复故姓。⑲乙亥：九月初八日。⑳款：指法令、制度等分条列举的项目。罪人受审讯，每回答一项记录在案称为一款。款，诚信之意，谓所录口供皆真实，故称款。胡三省注认为"狱辞之出于囚口者为款"，可供参考。㉑案：案卷。凡官文书可考据者皆曰案。㉒钳口：亦作"拑口""箝口"，指闭口不敢言语。㉓壬辰：九月二十五日。

【原文】

癸巳㉔，以左羽林卫大将军建昌王武攸宁为纳言，洛州司马狄仁杰为地官侍郎，与冬官侍郎裴行本㉕并同平章事。太后谓仁杰曰："卿在汝南，甚有善政㉖，卿欲知谮㉗卿者名乎？"仁杰谢曰："陛下以臣为过㉘，臣请改之；知臣无过，臣之幸也，不愿知谮者名。"太后深叹美之。

先是，凤阁舍人修武张嘉福㉙使洛阳人王庆之㉚等数百人㉛上表，请立武承嗣为皇太子。文昌右相、同凤阁鸾台[23]三品岑长倩以皇嗣㉜在东宫，不宜有此议，奏请切责㉝上书者，告示令散。太后又问地官尚书、同平章事格辅元，辅元固称不可㉞。由是大忤诸武意，故斥长倩令西征吐蕃，未至，征还，下制狱。承嗣又谮辅元。来俊臣又胁长倩子灵原，令引司礼卿兼判纳言事欧阳通等数十人，皆云同反。通为俊臣所讯，五毒㉟备至，终无异词，俊臣乃诈为通款㊱。冬，十月己酉㊲，长倩、辅元、通等皆坐诛。

王庆之见太后，太后曰："皇嗣我子，奈何废之㊳？"庆之[24]对曰："'神不歆㊴非类，民不祀非族。'今谁有天下，而以李氏为嗣乎？"太后谕遣之。庆之伏地，以死泣请，不去，太后乃以印纸㊵遗之曰："欲见我，以此示门者。"自是庆之屡求见，太后颇怒之，命凤阁侍郎

【校记】

［22］彦玮：原作“彦晔”。据章钰校，十二行本、乙十一行本皆作“彦玮”，今据改。〖按〗乐彦玮，雍州长安人，官至给事中、中书舍人、御史大夫，《旧唐书》有传，《新唐书》之《百官志》《刘洎传》亦载其事迹。

【语译】

九月二十六日癸巳，任命左羽林卫大将军建昌王武攸宁为纳言，洛州司马狄仁杰为地官侍郎，和冬官侍郎裴行本一起任同平章事。太后对狄仁杰说：“你在汝南，有很好的政绩，你想知道诽谤你的人的姓名吗？”狄仁杰谢罪说：“陛下认为臣有过错，臣请求改正；知道臣没有过错，那是臣的幸运，不愿意知道毁谤人的名字。”太后深为叹美。

此前，凤阁舍人、修武人张嘉福派洛阳人王庆之等几百人上表，请求册立武承嗣为皇太子。文昌右相、同凤阁鸾台三品岑长倩认为已有皇嗣在东宫，不应有此议论，奏请严厉斥责上书的人，告诉他们散去。太后又询问地官尚书、同平章事格辅元，格辅元坚决说不可以。由此大大地违背了武氏家族的心意，所以他们排斥岑长倩，让他西征吐蕃，还没有到达，又将他征召回来，关入制狱。武承嗣又诬陷格辅元。来俊臣还威胁岑长倩的儿子岑灵原，让他牵连出司礼卿兼判纳言事欧阳通等数十人，说他们都一起造反。欧阳通被来俊臣审讯，用遍五种毒刑，供词始终如一，来俊臣就伪造了欧阳通的口供。冬，十月十二日己酉，岑长倩、格辅元、欧阳通等人都因罪被杀。

王庆之见到太后，太后说：“皇嗣是我的儿子，为什么要废掉他？”王庆之回答说：“‘神灵不享用不同族类的祭祀，百姓也不祭祀不同家族的人。’当今是谁拥有天下，为什么要以李氏作为继承人呢？”太后指示臣下打发他走。王庆之伏在地上，哭着以死相请，不肯离去，太后就把盖印的纸片送给王庆之说：“想见我的话，就拿这个出示给守门的人。”从此王庆之屡屡求见，太后十分恼怒他，命令凤阁侍郎李昭德

李昭德[541]赐庆之杖。昭德引出光政门[542]外，以示朝士曰："此贼欲废我皇嗣，立武承嗣。"命扑之[543]，耳目皆血出，然后杖杀之[544]，其党乃散。

昭德因言于太后曰："天皇[545]，陛下之夫；皇嗣，陛下之子。陛下身有天下[546]，当传之子孙为万代业[547]，岂得以侄为嗣乎！自古未闻侄为天子而为姑立庙者也[548]！且陛下受天皇顾托，若以天下与承嗣，则天皇不血食矣[549]。"太后亦以为然。昭德，乾祐[550]之子也。

壬辰[551]，杀鸾台侍郎、同平章事乐思晦，右卫将军李安静[552]。安静，纲[553]之孙也。太后将革命，王公百官皆上表劝进，安静独正色拒之。及下制狱，来俊臣诘其反状，安静曰："以我唐家老臣，须杀即杀[554]！若问谋反，实无可对。"俊臣竟杀之。

太学生[555]王循之上表，乞假还乡[556]，太后许之。狄仁杰曰："臣闻君人者唯杀生之柄不假[557]人，自余皆归之有司[558]。故左、右丞，徒以下不句[559]；左、右相，流以上乃判，为其渐贵故也。彼学生求假，丞、簿事耳[560]，若天子为之发敕，则天下之事几敕可尽乎！必欲不违其愿，请普为立制[561]而已。"太后善之。

【段旨】

以上为第十四段，写武则天敬仰狄仁杰，默许李昭德诛杀无赖小人王庆之，表现了武则天政治的多面性。

【注释】

㉔癸巳：九月二十六日。㉕裴行本：曾担任宰相。事迹散见《旧唐书》卷八十五和《新唐书》卷四、卷六十一、卷七十一上、卷一百十三。㉖"卿在汝南"二句：指狄仁杰在豫州刺史任上，有很多优秀的政绩。㉗谮：进谗言；说坏话。㉘以臣为过：认为臣有过错。㉙张嘉福：怀州修武（今河南修武）人。事散见《旧唐书》卷七、卷七十、卷九十三、卷一百八十九上及《新唐书》卷一百十一。㉚王庆之：事散见《旧唐书》卷七十、卷八十七、卷九十三，《新唐书》卷一百二、卷一百十一、卷一百十七等。㉛数百人：《考异》，"《御史台记》作千余人。今从《旧传》"。㉜皇嗣：即睿宗李旦。㉝切责：

赐王庆之杖刑。李昭德把他带出光政门外，让朝臣们看，说：“这个贼子要废掉我们皇嗣，册立武承嗣。”命令手下打他，令他的耳朵、眼睛都流出了血，然后用棍棒将他打死，他的党羽便散去了。

李昭德趁机对太后说：“天皇，是陛下的丈夫；皇嗣，是陛下的儿子。陛下亲有天下，应当传给子孙成就万世基业，怎么可以让侄子作为继承人呢！自古以来没听说侄子为天子而替姑姑立庙的！况且陛下接受天皇的临终托付，如果把天下让给武承嗣，那么天皇就得不到庙享了。”太后也认为是这样。李昭德，是李乾祐的儿子。

壬辰日，杀了鸾台侍郎、同平章事乐思晦和右卫将军李安静。李安静，是李纲的孙子。太后将要以周代唐时，王公百官都上表劝武后登上皇位，只有李安静厉色拒绝。等到身入制狱，来俊臣诘问他谋反的情况，李安静说：“我是唐家老臣，要杀就杀！如果问我谋反，实在没有可回答的。”来俊臣最终还是杀了他。

太学生王循之上表，请假回家，太后答应了。狄仁杰说：“臣听说为人君主的，只有生杀之权不假手他人，其他的都归给职官办理。所以凡是左、右丞，士庶以下的事就不必处理；左、右相，入流官吏以上的事才予以判理，这是因为这些人地位逐渐尊贵的缘故。那个学生请假，属于国子监丞、主簿的事，如果天子还替他发布敕令，那么天下事几乎全都要发布敕令才可以处理了！若真不想违背他的意愿，制定一个普遍适用的制度即可。”太后认为建议很好。

严厉斥责；深加斥责。㉞ 固称不可：坚决说不可以立武承嗣为皇太子。㉟ 五毒：五种酷刑，指鞭、箠、灼、徽、缧。泛指各种残酷的刑法。㊱ 诈为通款：伪造欧阳通的口供。㊲ 己酉：十月十二日。㊳ 奈何废之：为什么要废掉他。㊴ 歆：歆享。㊵ 印纸：盖有皇帝玺印的纸片。㊶ 李昭德（？至公元六九七年）：雍州长安人，精明强干，颇受武则天器重。担任过宰相，曾劝武则天打消立武承嗣为皇太子的念头。后与酷吏来俊臣同日被杀。传见《旧唐书》卷八十七、《新唐书》卷一百十七。㊷ 光政门：东都宫城南面有三门，西边的曰光政门，即长乐门。㊸ 扑之：击之。㊹ 然后杖杀之：李昭德借武则天一时之怒杖杀投机小人王庆之，实快人心。而杖杀王庆之的时间，史籍记载不一。司马光采信《实录》、《御史台记》、《旧唐书》之《李昭德传》，认为应在李昭德任凤阁侍郎时，非在其任宰相时。㊺ 天皇：唐高宗李治。李治上元元年（公元六七四年）称天皇，死后被追谥为天皇大帝。㊻ 身有天下：亲有天下。㊼ 万代业：万世基业。㊽ 自古未闻侄为天子而为姑立庙者也：侄为天子，则为其祖考立庙，而不为姑立庙。㊾ 不血食矣：得不到庙

享了。古时祭祀，多杀牲取血，故曰血食。550乾祐：李乾祐贞观初为殿中侍御史。贞观初救裴仁轨免于难。事见两《唐书》之《李昭德传》。551壬辰：十月戊戌朔，无壬辰。乐思晦被杀的时间，《新唐书》卷四《则天纪》及卷六十一《宰相表》均作十月“壬戌”，即十月二十五日。552右卫将军李安静（？至公元六九一年）：传见《新唐书》卷九十九。《新唐书》卷四作左卫将军，误。553纲：李纲，为人慷慨。隋时为太子洗马，入唐后官至太子少师。传见《旧唐书》卷六十二、《新唐书》卷九十九。554须杀即杀：要杀就杀。李纲以刚直著称于隋唐之际，李安静有乃祖之风。555太学生：在太学读书的学生。太学为国子监所属六学之一，有学生五百人。556乞假还乡：请假回家。557假：借。558有司：官吏，职官。古代设官分职，各有专司，“有司”遂成为官吏的代称。559句：通“勾”。意为勾当、处理。560丞、簿事耳：此指太学生告假，应是国子监丞和主簿应管的事。国子监丞，掌判监事，从六品下。主簿，从七品下。561普为立制：制定一个普遍适用的或通行的制度。

【校记】

［23］凤阁鸾台：原作“鸾台凤阁”。据章钰校，十二行本、乙十一行本皆作“凤阁鸾台”，今据改。〖按〗凤阁鸾台及中书门下，有唐一代未见同门下中书三品者。［24］庆之：据章钰校，十二行本、乙十一行本皆无此二字。

【研析】

本卷记载武则天正式登基为皇帝，改国号为周，表示改朝换代，被称为“革天命”。改朝换代的“革命”，总是伴随血腥。武则天作为女性，“革命”难度更艰巨。本卷看点与研析的重点，就是武则天如何完成武周的“革命”。请看武则天的“革命”招数。

第一招，建立告密制度，以刑杀立威。早在文明元年（公元六八四年），武则天发动宫廷政变，废中宗立睿宗。宫廷禁卫军飞骑有十几个小兵对未得封赏而发牢骚，他们在酒店聚会时，其中一个随意说了一句：“早知没有封赏，还不如扶立庐陵王呢！”当即有一个离席赴北门告状，席还没散，飞骑们就都被抓了起来。说话的人被斩首，知情不举的人处绞刑，告密的被授予五品官。十来个小兵发牢骚，本无足轻重，武则天却小题大做，处以极刑，其目的是为自己立威。武则天从这一事件中受到启发，规定今后凡告密者，任何人不得干涉，并应向其提供驿马和相当于五品官的伙食，京师还要设置专门接待告密者的宾馆。告密有功，可以马上当官；即使是诬告，也绝不治罪。此例一开，告密之风大盛，告密者纷至沓来。著名酷吏索元礼、来俊臣、来子珣等人都是靠告密起家的。垂拱二年（公元六八六年），武则天设置铜匦，收受告密信。铜匦器形特殊，“其器共为一室，中有四隔，上各有窍，以受表疏，可入不可出”。既然投书铜匦又保密又安全，告密的人就更加肆无忌惮了，从此告密成为武则天专政的一项制度。宰相刘祎之与凤阁舍人贾大隐闲谈说：“太后既然废了昏庸的中宗，立了贤明的睿宗，就应当还政于皇帝以安定天下，还要临朝干什么呢！”贾大隐向武则天密告，武则天立即将刘祎之赐死于家中。告密使人人自危，武则天坐收渔利。告密是一种丑恶行为，它只能施之于专制政体。即使封建社会，开明的君主也反对这种丑恶行为。唐太宗就反对告密和进行政治陷害，他说：“有上书讦人小恶者，当以谗人之罪罪之。”（《贞观政要》卷六）唐高宗在位时，也曾经下令“禁酷刑及匿名信”，说：“匿名信，国有常禁……此风若扇，为文蠹深。”（《全唐文》卷十一）因告密者大都不是善类。武则天一反常态，抛弃祖宗之法，运用强大的政治力量把告密这一恶行推向全社会。告密恶行冲击社会的人伦底线，使是非完全颠倒。武则天为什么这样做呢？因为女主干政，在封建社会中名不正、言不顺。武则天始终多疑，怀疑有人要推翻自己，因此，鼓励告密、重用酷吏就成了她防患于未然的重要手段。告密与酷吏政治是孪生兄弟。关于酷吏，留待以后研析。

第二招，造祥瑞。古人宣扬天人感应，武则天充分利用这一哲学思维，给自己登基得天命制造舆论。垂拱四年（公元六八八年）五月，武则天首先在神都洛阳举行了盛大的朝会，诸州都督、刺史及宗室、外戚云集，庆贺“宝图”出世。所谓“宝图”不过是一块白石头，石上刻有“圣母临人，永昌帝业”八字，暗示武则天就是当代的“圣母”。这是武则天的侄子武承嗣搞的把戏，故意事先叫人在石头上刻好字，然后指使雍州人唐同泰献上，诓说是在洛水中得到的。武则天假戏真做，亲拜洛水，祷告上天，并授唐同泰为游击将军，将白石命名为“天授神图”，洛水命名为“永昌洛水”，改“宝图”所出地为“永昌县”，自称为“圣母神皇”。武则天还利用佛教为女主登基造舆论。在后凉昙无谶所译的《大云经》中，有这样一种说法，即菩萨为救天下众生，化为女身。洛阳僧人法明等人附会这种说法，作了《大云经疏》献给武则天。疏中“言则天是弥勒下生，作阎浮提（人世）主，唐氏合微”（《旧唐书》之《薛怀义传》）。法明等人编造的鬼话却给武则天代唐君临天下抹上了一层神秘的灵光，它正中武则天的下怀。武则天下令在全国各州都要建一座大云寺，藏一部《大云经》；剃度一千名僧侣，由寺僧向大众宣讲《大云经》。武则天重赏了投机撰写《大云经疏》的法明和尚等九人，全部赐爵为县公。

第三招，杀戮唐宗室而重用武氏外戚。这是渐进完成政权过渡。大杀唐宗室，削弱唐皇室根基，史称“太后潜谋革命，稍除宗室”。绛州刺史韩王李元嘉，青州刺史霍王李元轨，邢州刺史鲁王李灵夔，豫州刺史越王李贞，李贞子博州刺史琅邪王李冲，还有李元嘉、李元轨之子，这些人在唐宗室中皆有才行美名，深为武则天所忌。武则天借诸王谋反，加以杀灭。与之同时，大批重用武氏亲族，以壮大自己的根基。如用其兄武元爽之子武承嗣为文昌左相、同凤阁鸾台三品，用其兄武元庆子武三思为夏官尚书；用其伯父武士让孙武攸宁为凤阁侍郎、纳言，武攸暨为右卫中郎将、尚太平公主，用其从父姐之子宗秦客为内史、宗楚客为夏官侍郎；用其伯父武士逸孙武懿宗为左金吾卫大将军；用其母杨氏本家的杨执柔为夏官尚书、同平章事等。武则天曾得意地宣称："我令当宗（武氏）及外家（杨氏）常一人为宰相。"（《旧唐书》之《杨恭仁传》）这种一朝天子一朝臣的用人政策，是武则天得以顺利称帝的重要保障。

第四招，建明堂。建明堂是盛世的标志。明堂法天，上圆下方，复庙重屋，既是帝王最重要的布政之所，也是祭天的场所。唐朝重视礼乐，建明堂是施礼的重要场所，唐太宗、唐高宗都想建明堂而因工程浩大没有施行。光宅元年（公元六八四年）陈子昂上疏："于国南郊，建立明堂，与天下更始，不其盛哉！"陈子昂要为唐建明堂，武则天抓住机会为武周建明堂。武则天派她的男宠薛怀义监修。垂拱四年（公元六八八年）二月，建造明堂工程启动。武则天动用民夫数万人，拆毁乾元殿，在其基础上修造。明堂于同年十二月完工，前后只用了十个月的时间，速度实在惊人。明堂成，高二百九十四尺（约合今七十二米），方三百尺（约合今七十四米）。凡三层：下层法四时，各随方色；中层法十二辰，上为圆盖，九龙捧之。上层法二十四气，亦为圆盖，上施铁凤，高一丈，饰以黄金。中有巨木十围，上下通贯，栭栌樽槐藉以为本。下施铁渠，为辟雍之象。号曰万象神宫。

第五招，预演登基。永昌元年（公元六八九年）十一月，武则天大赦天下，改元载初，用周正，以永昌元年十一月为载初元年正月。这又是改朝换代的一个重要标志。凤阁侍郎宗秦客是武则天从父姐之子，他特地趁机向武则天献上"天""地"等新造的字。武则天将其中的"曌"字选为自己的名字。此后，为避武则天之讳，将颁布的"诏书"均改称为"制书"。

第六招，发动请愿，顺从民情。武则天经过五年临朝称制的精心准备，认为"革命"的时机成熟。武则天于载初元年（公元六九〇年）九月，指使汲人傅游艺带着关中九百多人到神都洛阳诣阙上书，请求改国号为"周"，赐皇帝姓武氏。对这一提议，武则天表面上拒不接受，但立即将傅游艺提升为给事中，这种"此地无银三百两"的做法再清楚不过地泄露了武则天的"天机"。于是，朝中百官及皇室亲戚、四夷酋长、和尚道士共六万多人纷纷上表，演出了一场劝进的闹剧，连傀儡皇帝睿宗也迫于形势，上表自请赐姓为武氏。

载初元年九月九日，适逢重阳佳节，六十七岁的武则天终于同意了皇帝及群臣的"请求"，在则天门楼上宣布，以唐为周，改元天授，立武氏七庙于洛阳，以皇帝李旦为皇嗣，正式登上了大周"圣神皇帝"的宝座。可笑的是，武则天竟追尊周文王为始祖文皇帝、周平王少子姬武为睿祖康皇帝，把姬周和自己的武周硬嫁接在一起，真是不伦不类。

武则天一当上皇帝，就立即封武承嗣为魏王，武三思为梁王，武攸宁为建昌王；其余武氏诸男皆封郡王，诸女皆为公主；连普天下姓武的人也跟着沾了光，可以免服劳役。带头劝进的傅游艺一时也身价百倍，被封为鸾台侍郎、平章事，赐姓武氏。这位改了姓的武游艺出尽了风头，一年之中，从九品官升至三品官，官服连续换了青、绿、朱、紫四种，人称“四时仕宦”。

作为中国历史上唯一的女皇，武则天是一个成功者。正因唯一，说明她是一次偶然的出现。这一偶然的客观原因是唐太宗给了武则天机会。是唐太宗召武则天入宫，又是唐太宗选错了接班人，高宗的懦弱与依赖，成就了武则天。偶然的主观原因是武则天才能卓著，她是一个大政治家。她从皇后到太后，是事实上的皇帝代理人，但她却用垂帘的方式把握一个又一个时机，一步一个脚印通向女皇之位。用孟子“动心忍性”四个字来评价武则天，一点也不过分。

卷第二百五　唐纪二十一

起玄黓执徐（壬辰，公元六九二年），尽柔兆涒滩（丙申，公元六九六年），凡五年。

【题解】

本卷记事起公元六九二年，迄公元六九六年，凡五年，当武则天长寿元年到万岁通天元年。这是武则天执政中期的前段。一方面是恐怖的酷吏政治达到登峰造极，名臣任知古、狄仁杰、裴行本、裴宣礼、卢献、魏元忠、李嗣真等七人被来俊臣诬奏谋反，震动朝野，诸贤差点死于冤狱。武则天明知诬枉，但为了鼓励酷吏，只是不族灭诸贤，仍然将他们全部贬官降职。武则天自垂拱以来至长寿元年（公元六八五至六九二年）八年间，任用酷吏诛杀唐宗室贵戚数百人，次及大臣数百家，刺史、郎将以下不可胜数。长寿二年，酷吏万国俊一次诛杀流人三百余人，骇人听闻。另一方面，武则天已觉察恐怖政治造成人人自危的负面影

【原文】

则天顺圣皇后中之上

长寿元年[①]（壬辰，公元六九二年）

正月戊辰朔[②]，太后享万象神宫。

腊月，立故于阗王尉迟伏阇雄[③]之子璥[④]为于阗王。

春，一月丁卯[⑤]，太后引见存抚使所举人[⑥]，无问贤愚，悉加擢[⑦]用，高者试[⑧]凤阁舍人、给事中，次试员外郎、侍御史、补阙、拾遗、校书郎[⑨]。试官自此始[⑩]。时人为之语曰："补阙连车载，拾遗平斗量。欔推侍御史，碗脱校书郎[⑪]。"有举人沈全交续之曰[⑫]："糊心存抚使，眯目圣神皇。"为御史纪先知[⑬]所擒，劾其诽谤朝政，请杖之朝堂，然后付法，太后笑曰："但使卿辈不滥[⑭]，何恤人言[⑮]！宜释其罪。"先知大惭。太后虽滥以禄位[⑯]收天下人心，然不称职者，寻

响，告密一度危及睿宗，加之朱敬则、周矩等人谏诤，武则天着手清除酷吏政治。武则天当众揭露告密人杜肃，又令监察御史严善思惩治诬告者八百余人，诬告之风少衰。来俊臣失势，王弘义被杖杀，狄仁杰、姚元崇、徐有功等贤臣的被起用，可以说是武则天政治转轨的一个信号。这一时期，也是武则天个人志得意满的最高潮时期，加尊号称“金轮圣神皇帝”。武则天在薛怀义火烧明堂后，只用了十四个月的时间又重建了明堂，显示了当时武周国力之盛。但当时仍边衅不断，吐蕃时服时叛，契丹反叛，战费支出，以及大兴土木，给人民带来了沉重的负担。

【语译】

则天顺圣皇后中之上

长寿元年（壬辰，公元六九二年）

正月初一日戊辰，太后在万象神宫祭祖。

腊月，册立原于阗国王尉迟伏阇雄的儿子尉迟瑕为于阗王。

春，一月初一日丁卯，太后接见存抚使所荐举的人才，不论贤愚优劣，一律提拔任用。才高的试用为凤阁舍人、给事中，次等的试用为员外郎、侍御史、补阙、拾遗、校书郎。试用官吏的制度从此兴起。当时人针对这种情形说：“补阙连车载，拾遗平斗量。欋推侍御史，碗脱校书郎。”有个被推举的人沈全交补充说：“糊心存抚使，迷目圣神皇。”结果被御史纪先知所捕，弹劾他诽谤朝政，请求在朝堂上处以杖刑，然后交付法官。太后笑着说：“只要诸位恪守本分，何必怕人议论！应当宽免他的罪过。”纪先知极为羞愧。太后虽然滥用俸禄官位来笼络天下人心，但是对于不称职的人，也会随即罢免，或判刑或斩首。她掌控着赏罚大权以统治天下，政由己出，

亦黜[17]之，或加刑诛。挟刑赏之柄以驾御天下，政由己出，明察善断，故当时英贤亦竞为之用[18]。

宁陵[19]丞庐江郭霸[20]以谄谀干[21]太后，拜监察御史。中丞魏元忠病，霸往问之，因尝其粪，喜曰："大夫[22]粪甘则可忧，今苦，无伤也[23]。"元忠大恶之，遇人辄告之。

戊辰[24]，以夏官尚书杨执柔[25]同平章事。执柔，恭仁弟之孙也[26]，太后以外族用之[27]。

初，隋炀帝作东都[28]，无外城，仅有短垣而已，至是，凤阁侍郎李昭德始筑之[29]。

【段旨】

以上为第一段，写武则天滥用官吏，壮大统治基础，乃有郭霸这样吃人粪便的人升为京官。

【注释】

①长寿元年：此时为天授三年（公元六九二年），是年四月朔改元如意，九月庚子改元长寿。即长寿元年包有天授三年以及如意元年。②戊辰朔：正月初一日。③尉迟伏阇雄（？至公元六九二年）：上元元年（公元六七四年）入朝，击吐蕃有功，被任命为毗沙都督。事见《旧唐书》卷五《高宗纪》下、卷一百九十八《于阗传》，《新唐书》卷二百二十一上《于阗传》。④瑕：两《唐书》之《于阗传》均作"璥"。⑤丁卯：一月初一日。⑥引见存抚使所举人：天授元年（公元六九〇年）九月派遣存抚使分十道巡行天下。⑦擢：提拔。⑧试：试署。非正授。⑨补阙、拾遗、校书郎：皆官名。垂拱元年（公元六八五年）置左右补阙各二员，从七品；左右拾遗各二员，从八品上，掌供奉讽谏。至天授二年二月五日各加置三员，通前共为五员。见《唐会要》卷五十六。⑩试官自此始：试官即试用待录之官。先让担任某种职务，看是否称职。若称职，即予以正除；否则则予以罢免。〖按〗关于试官的起源，《唐会要》卷六十七说："天授二年二月十五日，十道使举人石艾县令王山辉等六十一人，并授拾遗补阙；怀州录事参军霍献可等二十四人，并授侍御史；并州录事参军徐昕等二十四人，授著作郎；魏州内黄县尉崔宣道等二十三人，授卫佐校书。盖天后收人望也……试官自此始也。"《通鉴考异》所引

明于观察，善于决断，所以当时的杰出人才也竞相为她效力。

宁陵县丞庐江人郭霸，利用谄媚奉承太后来谋求职位，拜官监察御史。中丞魏元忠病了，郭霸前去慰问，乘机尝了他的粪便，高兴地说："大夫，您的粪便如果有甜味便可忧了，如今是苦味，病无大碍了。"魏元忠对此非常厌恶，逢人就说这件事。

一月初二日戊辰，任命夏官尚书杨执柔为同平章事。杨执柔，是杨恭仁弟弟的孙子，太后因他是母亲家族的人而任用他。

当初，隋炀帝营造东都，没有外城，只有短墙而已。到此时，凤阁侍郎李昭德才开始修筑外城。

《唐统纪》所载略同，疑与长寿元年一月丁卯引见存抚使所举人同为一事。⑪"补阙连车载"四句：此谣系时人张鷟所作，见《朝野佥载》卷四。全句都是一个意思，就是说当时补阙、拾遗等试官极多、极滥。平斗，即满斗。欋推，耙推。欋，农具四齿耙。碗脱，食器模型，指从一个模子中倒出。⑫沈全交续之曰：沈全交系诗人沈佺期之弟。据《朝野佥载》卷四，沈全交所续亦四句，即："评事不读律，博士不寻章。面糊存抚使，眯目圣神皇。"面糊，《通鉴》作"麴心"。心为面浆所糊，昏迷不清。眯目，指眼睛被尘埃迷住，看不明白。圣神皇，即武则天。后二句旨在揭示造成补阙连车载等现象的原因，近似人身攻击。⑬纪先知：中宗朝宰相纪处讷的堂兄弟。见《新唐书》卷七十五上《宰相世系表》五上。⑭滥：过度；无节制。⑮何恤人言：何怕人议论。恤，忧。⑯禄位：俸禄官位。⑰黜：罢免。⑱竞为之用：争着为她所用，为她效力。⑲宁陵：县名，治所在今河南宁陵。⑳郭霸（？至公元六九八年）：庐州庐江（今安徽庐江县）人，《新唐书》卷二百九作"郭弘霸"。《通鉴》作"郭霸"，系从《御史台记》。但据《旧唐书》卷五十《刑法志》及杜佑《通典》，其名本为"郭弘霸"，"郭霸"系避讳所改。传见《旧唐书》卷一百八十六上、《新唐书》卷二百九。㉑干：求。㉒大夫：对魏元忠的谀称。当时魏元忠官御史中丞，尚未至大夫。㉓无伤也：无碍；没事。㉔戊辰：一月初二日。㉕杨执柔：弘农华阴（今陕西华阴）人，曾任宰相。传见《旧唐书》卷六十二、《新唐书》卷一百。㉖"执柔"二句：杨执柔是杨恭仁弟杨续的孙子。杨恭仁，高祖朝宰相。传见《旧唐书》卷六十二、《新唐书》卷一百。㉗太后以外族用之：则天母杨氏系杨达之女，杨达为杨恭仁之叔。杨执柔与杨氏同宗，故武则天视之为外戚。㉘隋炀帝作东都：时在大业元年（公元六〇五年）。㉙李昭德始筑之：李昭德所筑除外郭外，尚有文昌台、定鼎门、上东门等，时人以为能。事见两《唐书》之《李昭德传》。

【原文】

左台中丞来俊臣罗告同平章事任知古、狄仁杰、裴行本、司农[1]卿裴宣礼[2]、前文昌左丞卢献、御史中丞魏元忠、潞州刺史李嗣真谋反。先是，来俊臣奏请降敕，一问即承反㉚者得减死。及知古等下狱，俊臣以此诱之，仁杰对曰："大周革命，万物惟新，唐室旧臣，甘从诛戮。反是实㉛！"俊臣乃少宽之。判官㉜王德寿谓仁杰曰："尚书㉝定减死矣。德寿业受驱策，欲求少阶级㉞，烦尚书引㉟杨执柔，可乎？"仁杰曰："皇天后土遣狄仁杰为如此事㊱！"以头触柱，血流被面㊲，德寿惧而谢之㊳。

侯思止鞫魏元忠，元忠辞气不屈，思止怒，命倒曳之。元忠曰："我薄命，譬如坠驴㊴，足绊于镫，为所曳耳。"思止愈怒，更曳之，元忠曰："侯思止，汝若须魏元忠头则截取，何必使承反也！"

狄仁杰既承反，有司待报㊵行刑，不复严备。仁杰裂衾帛㊶书冤状，置绵衣中，谓王德寿曰："天时㊷方热㊸，请授家人去其绵㊹。"德寿许之。仁杰子光远㊺得书，持之告[3]变，得召见。则天览之，以问俊臣，对曰："仁杰等下狱，臣未尝褫㊻其巾带，寝处甚安，苟无事实，安肯承反！"太后使通事舍人㊼周綝往视之，俊臣暂假㊽仁杰等巾带，罗立㊾于西，使綝视之，綝不敢视，惟东顾唯诺而已。俊臣又诈为仁杰等谢死表㊿，使綝奏之。

乐思晦男未十岁，没入司农(51)，上变(52)，得召见，太后问状，对曰："臣父已死，臣家已破，但惜陛下法为俊臣等所弄(53)，陛下不信臣言，乞择朝臣之忠清、陛下素所信任者，为反状以付俊臣，无不承反矣。"太后意稍寤，召见仁杰等，问曰："卿承反何也？"对曰："不承，则已死于拷掠(54)矣。"太后曰："何为作谢死表？"对曰："无之。"出表示之，乃知其诈，于是出此七族(55)。庚午(56)，贬知古江夏(57)令，仁杰彭泽(58)令，宣礼夷陵(59)令，元忠涪陵(60)令，献西乡(61)令。流行本、嗣真于岭南。

【语译】

左台中丞来俊臣罗织罪名诬告同平章事任知古、狄仁杰、裴行本、司农卿裴宣礼、前文昌左丞卢献、御史中丞魏元忠、潞州刺史李嗣真谋反。此前，来俊臣奏请朝廷发出敕令：凡一审就承认造反的人可减免死罪。等到任知古等人入狱后，来俊臣便拿这条敕令诱使他们招认。狄仁杰回答说：“大周改朝换制，万物革新；我是唐室旧臣，甘愿受到诛杀。谋反属实！”这时来俊臣对狄仁杰案才稍加放松。判官王德寿对狄仁杰说：“尚书您一定会减免死罪的。我已受人指点，也想官阶上稍有升迁，烦劳尚书把杨执柔牵连到案中来，可以吗？”狄仁杰说：“皇天后土岂能叫我狄仁杰干这种事情！”一头撞在柱上，血流满面，王德寿心生畏惧，向狄仁杰道歉。

侯思止审问魏元忠，魏元忠义正词严，不屈不挠，侯思止大怒，教人倒拖着他走。魏元忠说：“我命薄，如同从驴背上跌落，双足挂在镫上，被驴拖着走。”侯思止愈加愤怒，再次拖拽他。魏元忠说：“侯思止，你如果要魏元忠的脑袋就砍吧，何必让我承认谋反！”

狄仁杰已承认谋反，相关职官等待判决后行刑，不再严加防备。狄仁杰撕下一块被单，写明冤案情委，放在棉衣里面，对王德寿说：“天气将热，请将棉衣交给我家人，把其中的棉絮抽掉。”王德寿答应了。狄仁杰的儿子狄光远得到冤状，便拿去告发变故，得到太后召见。武则天看后，以此事质问来俊臣，来俊臣回答说：“狄仁杰等人入狱，臣并未撤除他们的巾衣腰带，生活起居也很安适，若无其事，他们岂肯承认谋反！”太后派通事舍人周綝去视察，来俊臣临时把巾衣腰带给狄仁杰等人，让他们排队站在西边，安排周綝去看，周綝不敢西视，只是向东看，口中应诺而已。来俊臣又伪造狄仁杰等人的谢死罪表，让周綝上奏太后。

乐思晦的儿子不满十岁，被籍没入司农寺为奴，他上书申诉冤情，得到召见。太后询问情况，他回答说：“臣父亲已死，家已败亡，只可惜陛下的法制已被来俊臣等所玩弄。陛下若不信臣言，乞请选择一个忠良清廉而素来又为陛下所信任的臣子，说他有谋反的行为，交来俊臣去审问，没有不承认造反的。”太后心中稍有醒悟，召见狄仁杰等，问道：“你为何承认造反呢？”回答说：“不承认，便早已死在拷打之下了。”太后说：“为何又作谢死罪表？”回答说：“没有此事。”太后拿出奏表给他看，这才知道奏表是伪造的，于是从轻从理狄仁杰等七人及其家族。一月初四日庚午，贬职任知古为江夏县令，狄仁杰为彭泽县令，裴宣礼为夷陵县令，魏元忠为涪陵县令，卢献为西乡县令。流放裴行本、李嗣真到岭南。

俊臣与武承嗣等固请诛之，太后不许。俊臣乃独称行本罪尤重，请诛之，秋官郎中徐有功驳之，以为“明主有更生[62]之恩，俊臣不能将顺[63]，亏损恩信”。殿中侍御史贵乡霍献可[64]，宣礼之甥也，言于太后曰：“陛下不杀裴宣礼，臣请陨[65]命于前。”以头触殿阶，血流沾地，以示为人臣者不私其亲。太后皆不听。献可常以绿帛裹其伤，微露之于幞头[66]下，冀太后见之以为忠。

【段旨】

以上为第二段，写来俊臣等酷吏假公济私，故意诬告朝臣，制造冤狱，武则天已感事态严重，用流刑代替死刑。

【注释】

㉚承反：承认谋反。㉛反是实：谋反属实。㉜判官：官名，唐制，特派担任临时职务的大臣皆可自选中级官员奏请充任判官，佐理庶务。此处指来俊臣所选的属官。㉝尚书：指狄仁杰。时狄仁杰任地官侍郎、判尚书、同凤阁鸾台平章事。㉞欲求少阶级：想有所升迁。㉟引：援引，此指牵连。㊱皇天后土遣狄仁杰为如此事：意思是说皇天后土不容狄仁杰干这样的昧心之事。皇天后土，指天地。《新唐书》之《狄仁杰传》作“皇天后土，使仁杰为此乎”！语意较为明白。㊲被面：满面。㊳谢之：指王德寿向狄仁杰道歉。谢，道歉。㊴坠驴：从驴背上掉下来。㊵报：判决。㊶裂衾帛：撕下被单。㊷天时：本指自然运行的时序，此处指天气。㊸方热：将热。㊹请授家人去其绵：请把棉衣交给家人，把其中的棉絮抽掉。㊺光远：狄仁杰之次子，官至州司马。见《新唐书》卷七十四下。㊻褫：剥；脱。㊼通事舍人：中书省属官，从六品上。掌朝臣进退之节，凡军旅之出，则承命慰劳送迎。㊽暂假：暂时给。㊾罗立：罗列而立；排队站立。㊿俊臣又诈为仁杰等谢死表：两《唐书》之《狄仁杰传》作“来俊臣令王德寿代仁杰作谢死表”。谢死表，谢表之一。其意有二：一是感谢将自己处死；二是请求将自己处死。本文属后者。51“乐思晦男未十岁”二句：乐思晦于天授二年（公元六九一年）十月被杀。未

来俊臣与武承嗣等坚决请求处死他们，太后不答应。来俊臣便单独提出裴行本罪行尤其严重，请求处死他，秋官郎中徐有功予以驳斥，认为“贤明的君主对臣子有再生的恩典，来俊臣不能随顺助成，有损主上的恩信”。殿中侍御史贵乡人霍献可，是裴宣礼的外甥，他对太后说：“陛下不杀裴宣礼，臣愿死在殿前。”用头撞殿上石阶，血流浸湿地面，以此表示为臣不偏私于亲戚。太后均未听从。霍献可常用绿帛包扎伤口，故意露出一点在头巾外，希望太后看见而认为他忠诚。

十岁，不满十岁。没入司农，籍没后进入司农寺当仆隶。㊽上变：上书申冤。㊾弄：玩弄。㊿拷掠：拷打。泛指刑讯。㊹出此七族：减轻对这七个人及其家族成员的处罚。出，法律用词，指量刑从轻。族，家族。〖按〗《唐律》规定，谋反罪首从皆斩，其父及子年十六以上皆绞，十五以下及母、女、妻、妾、祖、孙、兄、弟、姐、妹及部曲，资财、田宅一律没官，伯叔父及兄弟之子，亦流放三千里，不限籍之异同。一人犯法，涉及一族。此次狄仁杰等被诬谋反者共七人，故有“七族”之说。㊺庚午：一月初四日。㊻江夏：县名，县治在今湖北武汉。㊼彭泽：县名，县治在今江西彭泽东北。㊽夷陵：县名，县治在今湖北宜昌东南。㊾涪陵：县名，县治在今重庆市涪陵。㊿西乡：县名，县治在今陕西西乡。⑥²更生：再生。⑥³将顺：随顺；顺势助成。⑥⁴霍献可：魏州贵乡（今河北大名东北）人。事散见于《旧唐书》卷五十、卷八十九、卷一百八十六上，《新唐书》卷一百二、卷二百九及《太平广记》卷二百五十九。⑥⁵陨：同“殒”。⑥⁶幞头：头巾，亦称“四脚”“折上巾”。本为军服，后渐流行。有四带，二条系于脑后，留部分下垂；二条反系头上，令曲折附顶。

【校记】

［1］农：原作“礼”。据章钰校，十二行本、乙十一行本、孔天胤本皆作“农”，张敦仁《通鉴刊本识误》、张瑛《通鉴校勘记》同，今据改。［2］裴宣礼：原作“崔宣礼”。据章钰校，十二行本、乙十一行本皆作“裴宣礼”，今据改。〖按〗两《唐书》之《李峤传》亦作“裴宣礼”。［3］告：据章钰校，十二行本、乙十一行本皆作“称”。

【原文】

甲戌[67]，补阙薛谦光[68]上疏，以为"选举之法，宜得实才，取舍之间，风化[69]所系。今之选人，咸称觅举[70]，奔竞相尚，喧诉无惭[71]。至于才应经邦，惟令试策[72]；武能制敌，止验弯弧[73]。昔汉武帝见司马相如[74]赋，恨不同时，及置之朝廷，终文园令，知其不堪公卿之任故也。吴起[75]将战，左右进剑，起曰：'将者提鼓挥桴[76]，临敌[4]决疑，一剑之任，非将事也。'然则虚文[77]岂足以佐时[78]，善射岂足以克敌！要[79]在文吏察其行能，武吏观其勇略，考居官之臧否[80]，行举者赏罚而已[81]。"

来俊臣求金于左卫大将军泉献诚，不得，诬以谋反，下狱，乙亥[82]，缢杀之。

庚辰[83]，司刑卿、检校陕州刺史李游道[84]为冬官尚书、同平章事。

二月己亥[85]，吐蕃党项部落万余人内附，分置十州。

戊午[86]，以秋官尚书袁智弘[87]同平章事。

夏，四月丙申[88]，赦天下，改元如意。

五月丙寅[89]，禁天下屠杀及捕鱼虾。江淮旱，饥，民不得采鱼虾[90]，饿死者甚众[91]。

右拾遗张德，生男[92]三日，私杀羊会[93]同僚，补阙杜肃怀一餤[94]，上表告之。明日，太后对仗，谓德曰："闻卿生男，甚喜。"德拜谢。太后曰："何从得肉？"德叩头服罪。太后曰："朕禁屠宰，吉凶不预[95]。然卿自今召客，亦须择人。"出肃表示之。肃大惭，举朝[96]欲唾其面。

吐蕃酋长曷苏[97]帅部落请内附，以右玉钤卫将军张玄遇[98]为安抚使，将精卒二万迎之。六月，军至大渡水[99]西，曷苏事泄，为国人所擒。别部酋长昝捶[100]帅羌蛮八千余人内附，玄遇以其部落置莱川州[5]而还。

【语译】

一月初八日甲戌，补阙薛谦光上疏，认为“选拔人才的制度，应当获得真正的人才，录取和舍弃什么样的人，关系到国家的教化。现在参加选拔的士子，都是自求举荐的人，他们竞相奔走门路，攀比争胜，喧哗吹嘘，不知羞耻。至于才干是否适应治国，只令参加策试；武功能否克敌，仅仅考验箭法。从前汉武帝看到了司马相如的《子虚赋》，恨不能与他同世，等到安置他到朝廷做官，最终是让他做主管孝文帝陵园的小官，因为了解他不能胜任公卿大臣。吴起即将出战，身边的人献上剑来，吴起说：‘当将军的做的是提鼓挥槌，临阵决断疑难的大事；持剑杀人的任务，不是将军的事。’那么，空谈的文章岂能足以辅佐时政，擅长射箭岂能足以战胜敌人！关键在于对文官要察看他的德行才能，对武官要观察他的胆识韬略，考核他们居官时政绩的得失，对荐举之人进行赏罚而已。”

来俊臣向左卫大将军泉献诚索取钱财，没有得到，便诬告他谋反，逮捕入狱。一月初九日乙亥，泉献诚被勒死。

十四日庚辰，司刑卿、检校陕州刺史李游道任冬官尚书、同平章事。

二月初三日己亥，吐蕃役属下的党项部落一万多人归附朝廷，分别被安置在十个州居住。

二十二日戊午，任秋官尚书袁智弘同平章事。

夏，四月初一日丙申，赦免天下罪犯，改年号为如意。

五月初一日丙寅，禁止天下屠杀牲畜及捕捞鱼虾。江淮间旱灾，出现饥荒，百姓不能捕捞鱼虾，饿死的人很多。

右拾遗张德，生下儿子的第三天，私自杀羊宴请同事，补阙杜肃在怀里藏了一块肉馅饼，上表告发他。次日，太后临朝听政，对着仪仗，跟张德说：“听说你生了个儿子，很是高兴。”张德拜谢。太后说：“从哪里得到的肉？”张德磕头认罪。太后说：“我禁止屠宰牲畜，对喜庆丧葬之事不干预。但你今后请客，也应该选择宾客。”说完拿出杜肃的奏表给他看。杜肃非常羞惭，满朝的官员都想啐他的脸。

吐蕃酋长曷苏率领部落请求归附朝廷，朝廷任命右玉钤卫将军张玄遇为安抚使，率领精兵二万迎接他。六月，大军行至大渡水西岸，曷苏归附之事泄漏，被本国人抓获。另一部落酋长昝捶率羌蛮八千多人来归附，张玄遇在把他的部落安置在莱川州后撤兵。

【段旨】

以上为第三段，写薛谦光上奏慎选举。武则天自己当众揭露告密者杜肃，武后的权变之术非常人所及。

【注释】

㊲ 甲戌：一月初八日。㊳ 薛谦光（公元六四七至七一九年）：字登，常州义兴（今江苏宜兴）人，博涉文史，不畏权贵。官至太子宾客。传见《旧唐书》卷一百一、《新唐书》卷一百十二、《咸淳毗陵志》卷七。㊴ 风化：风俗教化。㊵ 觅举：当时士子请托以求荐举，此处是对举人的贬称。㊶ 无慚：不知羞耻。㊷ 试策：考作策文。㊸ 弯弧：弯弓，此指箭法。㊹ 司马相如（约公元前一七九至前一一八年）：字长卿，蜀郡成都（今四川成都）人，西汉时的著名文学家，被誉为汉代辞宗。汉武帝对他的《子虚赋》十分赏识，曾说恨不与他同世。但召见后并未予以重用。事见《史记》卷一百十七《司马相如列传》、《汉书》卷五十七《司马相如传》。㊺ 吴起（约公元前四四〇至公元前三八一年）：卫国左氏（今山东曹县北）人，战国时期的军事家。曾先后在鲁、魏二国为将，屡立战功。后辅佐楚悼王实行变法，被贵族杀害。传见《史记》卷六十五《孙子吴起列传》。㊻ 桴：鼓槌。㊼ 虚文：空文，空谈的文章。㊽ 佐时：犹济世，辅佐时政。㊾ 要：关键。㊿ 臧否：犹好坏、得失。⑧① 行举者赏罚而已：对荐举之人进行赏罚而已。此句薛

【原文】

辛亥[101]，万年主簿徐坚[102]上疏，以为："书有五听[103]之道，令著三覆之奏[104]。窃见比有敕推按反者，令使者得实，即行斩决。人命至重，死不再生，万一怀枉，吞声赤族[105]，岂不痛哉！此不足肃奸逆[106]而明典刑[107]，适所以长威福而生疑惧。臣望绝此处分，依法覆奏。又，法官之任，宜加简择，有用法宽平，为百姓所称者，愿亲而任之；有处事深酷，不允[108]人望者[6]，愿疏而退之。"坚，齐聃[109]之子也。

夏官侍郎[110]李昭德密言于太后曰："魏王承嗣权太重。"太后曰："吾侄也，故委以腹心[111]。"昭德曰："侄之于姑，其亲何如子之于父？子犹有篡弑其父者，况侄乎！今承嗣既陛下之侄，为亲王，又为宰相，权侔人主[112]，臣恐陛下不得久安天位[113]也！"太后瞿然[114]曰："朕未

谦光疏文作“有称职者受荐贤之赏，滥举者抵欺罔之罪，自然举得贤行”。见《旧唐书》卷一百一《薛登传》。⑧² 乙亥：一月初九日。⑧³ 庚辰：一月十四日。⑧⁴ 李游道：赵州高邑（今河北高邑）人，曾任宰相。事见《旧唐书》卷一百八十五上《李素立传》。⑧⁵ 己亥：二月初三日。⑧⁶ 戊午：二月二十二日。⑧⁷ 袁智弘：曾为相。见《新唐书》卷六十一《宰相上》、卷七十四下《宰相世系四下》。⑧⁸ 丙申：四月初一日。⑧⁹ 丙寅：五月初一日。⑨⁰ 采鱼虾：捕鱼虾。⑨¹ 饿死者甚众：武则天佞佛，禁杀生，不准屠宰和捕鱼，活活饿死了许多民众。⑨² 生男：生子。⑨³ 会：宴请。⑨⁴ 餤：肉饼。⑨⁵ 吉凶不预：指对吉凶之事不予干涉，可以破例。⑨⁶ 举朝：满朝官员。⑨⁷ 曷苏：吐蕃大首领。事见《旧唐书》卷一百九十六上《吐蕃传》、《新唐书》卷二百十六上《吐蕃传》。⑨⁸ 张玄遇：事散见于《旧唐书》卷六、卷一百九十六上、卷一百九十九下。⑨⁹ 大渡水：即大渡河。在今四川境内。⑩⁰ 昝捶：《新唐书》卷二百十六上《吐蕃传》作“昝插”。《考异》：“《唐纪》作‘沓摇’，今从《实录》。”

【校记】

［4］敌：据章钰校，十二行本、乙十一行本皆作“称”。［5］莱川州：胡三省注云：“黎州都督府所管羁縻州有米川州，《新书》作‘叶州’。”严衍《通鉴补》改作“叶川州”，未知孰是。〖按〗《旧唐书》之《吐蕃传》作“叶川州”。

【语译】

辛亥日，万年县主簿徐坚上奏章，认为“书上记载了审案五听之法，诏令中明示死刑要经三次复勘奏闻的程序。我看见先前有命令对谋反者进行推究审问，让使者一旦查实，就可立即处以斩刑。人命至关重要，死了不能复生，万一含冤，无声息而被族灭，怎不令人痛心！这不足以肃清奸臣叛逆而彰显刑典，恰好助长刑吏的威福，而使人们产生疑惧。我希望杜绝这种处置，依法复审再奏。还有，法官的任用，要加以选择。有执法宽大公平，为百姓所称道的，希望亲信而任用他；有处事苛刻严酷，不孚众望的，希望疏远而罢免他”。徐坚，是徐齐聃的儿子。

夏官侍郎李昭德对太后秘密进言说：“魏王武承嗣权位太重。”太后说：“他是我的侄子，所以委以腹心之任。”李昭德说：“侄子对于姑母，他们亲近的程度怎么能比得上儿子对于父亲？儿子还有杀父篡位的，何况是侄子呢！今武承嗣既是陛下的侄子，为亲王，又为宰相，权力等于君主，我恐怕陛下不能长久安坐天子之位了！”

之思[115]。”秋，七月戊寅[116]，以文昌左相[117]、同凤阁鸾台[118]三品武承嗣为特进[119]，纳言[120]武攸宁为冬官尚书[121]，夏官尚书[122]、同平章事杨执柔为地官尚书[123]，并罢政事。以秋官侍郎[124]新郑崔元综[125]为鸾台侍郎[126]，夏官侍郎李昭德为凤阁侍郎[127]，检校天官侍郎[128]姚璹[129]为文昌左丞[130]，检校地官侍郎李元素[131]为文昌右丞，与司宾[132]卿崔神基[133]并同平章事。璹，思廉[134]之孙。元素，敬玄[135]之弟也。辛巳[136]，以营缮大匠[137]王璇[138]为夏官尚书、同平章事。承嗣亦毁昭德于太后，太后曰："吾任昭德，始得安眠，此代吾劳，汝勿言也。"

是时，酷吏恣横[139]，百官畏之侧足[140]，昭德独廷奏其奸。太后好祥瑞[141]，有献白石赤文[142]者，执政诘其异[143]，对曰："以其赤心[144]。"昭德怒曰："此石赤心，他石尽反邪？"左右皆笑。襄州人胡庆以丹漆书龟腹曰："天子万万年。"诣阙献之。昭德以刀刮尽，奏请付法[145]。太后曰："此心亦无恶[146]。"命释之。

太后习猫[147]，使与鹦鹉[148]共处。出示百官，传观未遍，猫饥，搏[149]鹦鹉食之，太后甚惭。

太后自垂拱[150]以来，任用酷吏，先诛唐宗室贵戚数百人，次及大臣数百家，其刺史、郎将以下，不可胜数。每除一官，户婢[151]窃相谓曰："鬼朴[152]又来矣。"不旬月，辄遭掩捕、族诛。监察御史朝邑严善思[153]，公直敢言[154]。时告密者不可胜数，太后亦厌其烦，命善思按问，引虚伏罪[155]者八百五十余人。罗织之党为之不振，乃相与共[7]构陷善思，坐流驩州[156]。太后知其枉，寻复召为浑仪监丞[157]。善思名譔，以字行。

右补阙新郑朱敬则[158]以太后本任威刑以禁异议，今既革命，众心已定，宜省刑尚宽，乃上疏，以为"李斯[159]相秦，用刻薄变诈以屠诸侯[160]，不知易之以宽和，卒至土崩，此不知变之祸也。汉高祖定天下，陆贾、叔孙通说之以礼义[161]，传世十二，此知变之善[162]也。自文明[163]草昧[164]，天地屯蒙[165]，三叔流言[166]，四凶构难[167]，不设钩距[168]，无以应天顺人，不切[169]刑名，不可摧奸息暴。故置神器，开告端[170]，曲直之影必呈，包藏之心尽露，神道助直，无罪不除，苍生晏然[171]，紫宸[172]易主。

太后惊视说："我没有考虑到这种事。"秋，七月戊寅日，任命文昌左相、同凤阁鸾台三品武承嗣为特进，纳言武攸宁为冬官尚书，夏官尚书、同平章事杨执柔为地官尚书，一并罢免他们的政务。委任秋官侍郎新郑人崔元综为鸾台侍郎，夏官侍郎李昭德为凤阁侍郎，检校天官侍郎姚璹为文昌左丞，检校地官侍郎李元素为文昌右丞，与司宾卿崔神基并为同平章事。姚璹，是姚思廉的孙子。李元素，是李敬玄的弟弟。辛巳日，以营缮大匠王璇为夏官尚书、同平章事。武承嗣也在太后前诋毁李昭德，太后说："我任用李昭德，才得安睡；他能分担我的操劳，你不必说了。"

这时，酷吏纵恣骄横，百官畏惧他们，侧足而立，独有李昭德在朝廷上奏明他们的邪恶。太后喜欢吉祥的征兆，有人进献带有红色纹理的白石，执政官追问这块石头的奇异之处，那人回答说："因为它有红心。"李昭德发怒说："这块石头有红心，别的石头都是叛逆吗?"左右的人都笑了。襄州人胡庆用红漆在龟腹写上："天子万万年。"到皇宫门前来进献。李昭德用刀刮尽字迹，奏请交付法司治罪。太后说："此心并无恶意。"下令释放他。

太后驯猫，让它和鹦鹉相处。有一次带出来向百官展示，传看还没有完毕，猫饿了，抓住鹦鹉吃了，太后很羞愧。

太后自垂拱年以来，任用残酷的官吏，首先杀戮唐室皇亲国戚数百人，其次再杀大臣几百家，至于迫害刺史、郎将以下官吏，难以数清。每任命一官，宫门奴婢就会私下相告："做鬼的材料又来了。"不到十天个把月，即遭意外逮捕，全族被杀。监察御史朝邑人严善思，公正率直，敢说话。当时告密的人多到数不清，太后也厌其烦，便派严善思去查究审问，因举报虚妄而伏罪的有八百五十多人。罗织陷害人的团伙为之丧气，于是他们共同诬陷严善思，严善因此思获罪而被流放驩州。太后知道他冤枉，不久又召他回来担任浑仪监丞。严善思名譔，以表字善思行于世。

右补阙新郑人朱敬则认为太后原是用严厉的刑法来禁止不同的意见，如今天命已变更，众人心绪已定，应该减少刑罚，崇尚宽大，于是上书认为："李斯做秦国的丞相，用刻薄欺诈的手段屠杀诸侯，不知道改用宽大温和的政策，终于土崩瓦解，这是不知应变的祸害。汉高祖平定天下，陆贾、叔孙通说服他用礼义治理，结果帝位传了十二代，这是知道应变的好处。自文明年间帝业初创，如天地混沌初开，三位亲王散布流言，四个元凶起兵作乱，不用机谋之法，便不能应天意顺民心，不严施刑法，便不能破奸止暴。所以设置铜匦，开告密之始，使曲直善恶的状况必定显现，包藏的祸心全部暴露，天道帮助正直之人，没有罪恶不被清除，百姓安定，宫禁换了主人。

然而急趋无善迹[173]，促柱少和声[174]，向时[175]之妙策，乃当今之刍狗[176]也。伏愿览秦、汉之得失，考时事之合宜，审[177]糟粕之可遗[178]，觉蘧庐[179]之须毁，去萋菲之牙角[180]，顿奸险之锋芒，窒[181]罗织之源，扫[182]朋党之迹，使天下苍生坦然大悦，岂不乐哉！”太后善之，赐帛三百段。

侍御史周矩[183]上疏曰：“推劾之吏皆相矜以虐[184]，泥耳笼头[185]，枷研楔毂[186]，折膺签爪[187]，悬发薰[188]耳，号曰‘狱持’。或累日节食，连宵缓问，昼夜摇撼，使不得眠，号曰‘宿囚’。此等[189]既非木石，且救目前，苟求赊死[190]。臣窃听舆议[191]，皆称天下太平，何苦须反[192]！岂被告者尽是英雄，欲求帝王邪？但不胜楚毒自诬[193]耳。愿陛下察之。今满朝侧息[194]不安，皆以为陛下朝与之密，夕与之仇，不可保也。周用仁而昌，秦用刑而亡。愿陛下缓刑用仁，天下幸甚！”太后颇采其言，制狱稍衰[195]。

【段旨】

以上为第四段，写武则天调整执政班子，掌控朝政，裁抑武承嗣等人的权势，冷静听取徐坚、李昭德、朱敬则、周矩等大臣对酷吏政治的批评。

【注释】

⑩¹辛亥：六月甲子朔，无辛亥。疑误。⑩²徐坚（？至公元七二九年）：字符固，湖州长城（今浙江长兴）人，博学多识，举进士，历则天、中宗、睿宗、玄宗四朝，官至集贤院学士。曾参与《三教珠英》《则天皇后实录》《初学记》等书的编写，著有《徐坚集》三十卷。传见《旧唐书》卷一百二、《新唐书》卷一百九十九、《嘉泰吴兴志》卷十六。⑩³五听：指审案的五种方法。一曰辞听，二曰色听，三曰气听，四曰耳听，五曰目听。⑩⁴令著三覆之奏：贞观五年（公元六三一年），唐太宗认为处死刑应极为审慎，遂下诏三复奏，即三次审查上奏。⑩⁵吞声赤族：无声息而被族灭。⑩⁶肃奸逆：肃清奸臣叛逆。⑩⁷明典刑：彰显刑典。⑩⁸不允：不孚。⑩⁹齐聃：徐齐聃，高宗时官至西台舍人（即中书舍人）。善写文诰，为当时所称，唐高宗颇爱其文。传见《旧唐书》卷一百九十上、《新唐书》卷一百九十九及《嘉泰吴兴志》卷十六。⑪⁰夏官侍郎：兵部侍郎。⑪¹委以腹心：委以腹心之任。腹心，喻亲信。⑪²权侔人主：权力与帝王相等。侔，均、等。⑪³天位：帝位。⑪⁴矍然：惊视的样子。⑪⁵未之思：即未思之，没有考虑到这种事。⑪⁶七月戊寅：七月甲午朔，无戊

然而急奔留不下完好的足迹，绷紧的琴弦弹不出和谐之声，从前的好政策，今日便成了无用之物。恳切希望借鉴秦、汉的得失，考求现时的合适措施，明白糟粕应当被遗弃，认识到旅舍草屋应当被毁弃，拔去进谗言者的齿舌，挫败险恶的锋芒，塞住诬陷的源头，扫除结党的现象，让天下百姓皆舒坦欢悦，岂不快乐！”太后嘉许他，赐给丝帛三百段。

侍御史周矩上疏说：“审讯犯人的官吏都以暴虐相互矜夸，泥糊耳朵，笼罩脑袋，用重枷磨颈，用铁圈束头并加楔子，打断肋骨，用竹签钉指头，吊头发，薰耳朵，号称‘狱持’。或者连着几天减少食物，通宵达旦不停地审问，昼夜摇撼，不让睡眠，号称‘宿囚’。这些人并非木石，为了避免眼前的痛苦，苟且招供以求晚死几天。臣私下听到的舆论，都说天下太平，何苦必须造反！难道被告都是英雄，想做皇帝吗？只是受不了酷刑苦楚而自诬。请陛下明察这一情况。当今满朝官吏惶恐不安，都以为陛下早晨亲信他，晚上便以他为仇敌，难以保命。周代用仁政而强盛，秦朝用刑戮而灭亡。愿陛下减缓刑罚，施行仁政，天下人就非常庆幸了！”太后采纳了他的很多意见，诏狱案件稍减。

寅。此当为八月。八月戊寅，八月十六日。⑰文昌左相：官名，尚书省长官。尚书省长官二人，为左右仆射，光宅元年（公元六八四年）改为文昌左、右相，从第二品。⑱凤阁鸾台：即中书省与门下省。高宗龙朔二年（公元六六二年）改中书省为西台，门下省为东台。武后光宅元年，又改西台为凤阁，东台为鸾台。武承嗣以文昌左相，加同凤阁鸾台三品，即为宰相。凤阁、鸾台长官，正三品。⑲特进：文散官第二等，正二品。⑳纳言：门下省长官尚书。㉑冬官尚书：工部尚书。㉒夏官尚书：兵部尚书。㉓地官尚书：户部尚书。㉔秋官侍郎：刑部侍郎。㉕崔元综：郑州新郑（今河南新郑西南）人，曾为相，颇勤于政事。传见《旧唐书》卷九十、《新唐书》卷一百十四。㉖鸾台侍郎：门下侍郎，为门下省副长官，正三品。㉗夏官侍郎李昭德为凤阁侍郎：凤阁侍郎，即中书侍郎。《旧唐书》之《李昭德传》，“举明经，累迁至凤阁侍郎。长寿二年增置夏官侍郎三员，时选昭德与娄师德、侯知一为之；是岁，又迁凤阁鸾台平章事”。《新纪》《表》《传》皆云昭德自夏官侍郎迁凤阁侍郎同平章事。司马光认为李昭德自凤阁为夏官，自夏官复为凤阁。㉘天官侍郎：吏部侍郎，吏部副长官。吏部长官为尚书。龙朔二年（公元六六二年），改尚书为太常伯，侍郎为少常伯。㉙姚璹（公元六三二至七〇五年）：雍州长安（今陕西西安）人，刻苦好学，博涉经史，曾参与《瑶山玉彩》等书的撰写。两度为相。传见《旧唐书》卷八十九、《新唐书》卷一百二。㉚文昌左丞：官名，尚书省副长官。尚书省长官为左右仆射，光宅元年改为文昌左右相。副长官为左右丞。左丞，正四品上。右丞，正四品下。㉛李元

素（？至公元六九七年）：初为武德令，刚正敢谏。两度为相。事见《旧唐书》卷八十一、《新唐书》卷一百六《李敬玄传》。⑬² 司宾：官名，司宾卿，户部属官。⑬³ 崔神基：以门荫入仕。曾为相。事见《旧唐书》卷七十七、《新唐书》卷一百九《崔义玄传》。⑬⁴ 思廉：姚琦祖父姚思廉，隋时任代王侍读，唐初官至弘文馆学士。著有《梁书》五十六卷、《陈书》三十六卷，行于世，收入廿四史之中。⑬⁵ 敬玄：李敬玄，李元素之兄，相唐高宗。⑬⁶ 辛巳：七月甲午朔，无辛巳。此当为八月辛巳，八月十九日。⑬⁷ 营缮大匠：官名，即将作大匠。光宅元年改将作监为营缮监。⑬⁸ 王璇：曾为相。事见《新唐书》卷四《则天皇后纪》、卷六十一《宰相上》。⑬⁹ 恣横：纵恣骄横。⑭⁰ 侧足：形容因畏惧而不敢正立。⑭¹ 祥瑞：吉祥的征兆。⑭² 白石赤文：有红色纹理的白石块。⑭³ 诘其异：追问他这块石头的奇异之处。⑭⁴ 以其赤心：因为它有红心。红心意味着赤诚。⑭⁵ 付法：交付法司治罪。⑭⁶ 无恶：没有恶意。⑭⁷ 习猫：驯猫。⑭⁸ 鹦鹉：鸟名，俗称"鹦哥"。羽毛美丽，经过训练能模仿人的声音。⑭⁹ 搏：捕，抓。⑮⁰ 垂拱：武则天年号（公元六八五至六八八年）。⑮¹ 户婢：在宫门听候驱使的奴婢。⑮² 鬼朴：作鬼的材料。⑮³ 严善思（公元六四五至七二九年）：同州朝邑（今陕西大荔东）人，擅天文历数及卜相之术。则天时屡上表陈述时政得失，多被采纳。传见《旧唐书》卷一百九十一、《新唐书》卷二百四。⑮⁴ 公直敢言：公正率直，敢于说话。⑮⁵ 引虚伏罪：举报虚妄而伏罪。⑮⁶ 驩州：州名，治所在今越南义安演州西安城。⑮⁷ 浑仪监丞：官名，即司天监丞，从七品下。⑮⁸ 朱敬则（公元六三五至七〇九年）：字少连，亳州永城（今河南永城）人，《通鉴》作新郑人，不知所据。生于孝义之家，为官清廉正直。曾任宰相，执政以用人为先。著有《十代兴亡论》。传见《旧唐书》卷九十、《新唐书》卷一百十五。⑮⁹ 李斯（？至公元前二〇八年）：秦代政治家。曾任廷尉、丞相等职，对秦国政治有较大影响。传见《史记》卷八十七。⑯⁰ 用刻薄变诈以屠诸侯：李斯曾建议对六国实行各个击破的政策。担任丞相后，反对分封，主张焚书坑儒，加强专制统治。⑯¹ 陆贾、叔孙通说之以礼义：两人均为西汉开国功臣。事详《史记》卷九十七、卷九十九，《汉书》卷一、卷四十三。⑯² 善：好处；益处。⑯³ 文明：唐睿宗年号。仅施行于文明元年（公元六八四年）二月至九月。⑯⁴ 草昧：草创；创始。⑯⁵ 天地屯蒙：天地初开时的混沌状态。指武则天临朝称制之初，如天地生物之始。屯，谓事物初始。蒙，谓事物冥昧。⑯⁶ 三叔流言：

【原文】

太后春秋虽高[196]，善自涂泽[197]，虽左右不觉其衰[198]。丙戌[199]，敕以齿落更生[200]，九月庚子[201]，御则天门，赦天下，改元[202]。更以九月为社[203]。

制于并州置北都[204]。

本指周初管叔、蔡叔、霍叔诽谤周公。此处借指韩王元嘉、霍王元轨等诬蔑武则天。⑯⑦四凶构难：原指不服从舜控制的浑敦、穷奇、梼杌、饕餮等四凶作怪。这里指徐敬业等人发动叛乱。⑯⑧钩距：古代连接弩车弩机的部件，此指机谋之法。⑯⑨切：严厉。⑰⓪"置神器"二句：指铸匦以开告密之门。〖按〗铸匦是垂拱二年（公元六八六年）的事。在此之前，告密之门已开。⑰①晏然：安然。⑰②紫宸：本为天文学术语。紫微星居北辰之中，象征帝座，故曰紫宸。唐代帝王朝见群臣的内朝正殿取其意，称为紫宸殿。此处泛指宫禁。⑰③急趋无善迹：急奔留不下完好的足迹。是以走路为喻。趋，跑；疾行。迹，足迹。⑰④促柱少和声：绷紧的琴弦弹不出和谐之声。以弹琴打比方。促柱，使弦绷紧。和声，和谐之声。⑰⑤向时：从前；过去。⑰⑥刍狗：用茅草扎成的狗。用于祭祀，祭毕即弃去。⑰⑦审：明悉。⑰⑧遗：弃。⑰⑨蘧庐：旅舍。典出《庄子·天运》，"仁义，先王之蘧庐也，止可以一宿，而不可久处"。⑱⓪去萋菲之牙角：萋菲，指进谗言的人。典出《诗·小雅·巷伯》："萋兮斐兮，成是贝锦。彼谮人者，亦已大甚。"牙角，齿舌。⑱①窒：塞。⑱②扫：除。⑱③周矩：人名。事见《旧唐书》卷一百八十三《薛怀义传》、《新唐书》卷五十六《刑法志》、《全唐文》卷二百六十。⑱④相矜以虐：以暴虐相矜夸。⑱⑤泥耳笼头：泥耳，把犯人耳朵研成肉泥。笼头，给犯人头上套上铁圈子，即铁笼首，一种特制的刑具。⑱⑥枷研楔毂：枷研，以重枷研其颈。楔毂，以铁圈毂其首而加楔。⑱⑦签爪：用竹签刺犯人的十根手指。⑱⑧薰："熏"的异体字。以火烟熏炙。⑱⑨此等：这些人。⑲⓪苟求赊死：苟且招供，以求晚死几天。赊，远。⑲①舆议：舆论。⑲②何苦须反：何苦必须造反。⑲③自诬：自己诬陷自己；本来无罪而被迫认罪。⑲④侧息：侧足屏息。形容惶恐不安的样子。⑲⑤"太后颇采其言"二句：此事各书所载不一。如《新唐书》卷五十六《刑法志》说："武后不纳。"同书卷二百九《酷吏传》则说："后寤，狱乃稍息，而酷吏寖寖以罪去。"

【校记】

［6］者：原无此字。据章钰校，十二行本、乙十一行本、孔天胤本皆有此字，张敦仁《通鉴刊本识误》同，今据补。［7］共：原无此字。据章钰校，十二行本、乙十一行本、孔天胤本皆有此字，今据补。

【语译】

太后年纪虽老，但善于修饰容貌，即使左右之人也觉察不出她的衰老。八月二十四日丙戌，下敕令，由于牙脱落后长出新齿，九月初九日庚子，驾幸则天门，大赦天下，改换年号。改在九月祭祀土地神。

下令在并州设立北都。

癸丑[205]，同平章事李游道、王璇、袁智弘、崔神基、李元素、春官侍郎孔思元[206]、益州长史任令辉，皆为王弘义[207]所陷，流岭南。

左羽林中郎将来子珣[208]坐事流爱州[209]，寻卒。

初，新丰王孝杰[210]从刘审礼击吐蕃为副总管，与审礼皆没于吐蕃。赞普[211]见孝杰泣曰："貌类吾父。"厚礼之[212]，后竟得归，累迁右鹰扬卫将军[213]。孝杰久在吐蕃，知其虚实。会西州都督唐休璟请复取龟兹、于阗、疏勒、碎叶四镇[214]，敕以孝杰为武威军总管，与左[8]武卫大将军阿史那忠节[215]将兵击吐蕃。冬，十月丙戌[216]，大破吐蕃，复取四镇。置安西都护府于龟兹[217]，发兵戍之。

【段旨】

以上为第五段，写武则天年老生齿，以及败吐蕃，复置安西四镇。

【注释】

⑯太后春秋虽高：武则天时年六十九岁，已为高龄。春秋，年龄。⑰涂泽：涂脂润泽，修饰容貌。⑱衰：衰老。⑲丙戌：八月二十四日。⑳更生：复生。㉑庚子：九月初九日。㉒改元：改元长寿。武则天因年老而齿重生，于是改元长寿。㉓更以九月为社：将社日改在九月。社日系祭祀土神的日子，一般在立春、立秋后的第五个戊日。㉔北都：即太原。关于置北都的时间，两《唐书》之《地理志》作天授元年（公元六九〇年），与《通鉴》所载不同。㉕癸丑：九月二十二日。㉖孔思元：岑仲勉据《元和姓纂》及郎官石柱题名认为思元当为惠元之讹。见《通鉴隋唐纪比事质疑》。㉗王弘义（？至公元六九四年）：冀州衡水（今河北衡水市西）人，武周时期的酷吏之一。传见《旧唐书》卷一百八十六上、《新唐书》卷二百九。㉘来子珣（？至公元六九二年）：武周时期的酷吏。传

【原文】

二年（癸巳，公元六九三年）

正月壬辰朔[218]，太后享万象神宫，以魏王承嗣为亚献，梁王三思为终献。太后自制神宫乐，用舞者九百人[219]。

九月二十二日癸丑，同平章事李游道、王璇、袁智弘、崔神基、李元素、春官侍郎孔思元、益州长史任令辉，皆被王弘义陷害，流放到岭南。

左羽林中郎将来子珣，受事牵连，被流放到爱州，不久后死去。

当初，新丰人王孝杰随着刘审礼攻击吐蕃，任副总管，与刘审礼一道沦陷在吐蕃。吐蕃赞普见到王孝杰，流着泪说："你的相貌像我父亲。"对王孝杰厚加礼遇，后来终于得以返回，累迁右鹰扬卫将军。王孝杰久居吐蕃，知道那里的实情。时逢西州都督唐休璟请求再次收复龟兹、于阗、疏勒、碎叶四镇，诏命王孝杰为武威军总管，与左武卫大将军阿史那忠节领兵征吐蕃。冬，十月二十五日丙戌，大败吐蕃，再次夺取四镇。在龟兹设立安西都护衙门，派兵驻守。

见《旧唐书》卷一百八十六上、《新唐书》卷二百九。⑳⑨爱州：州名，治所在今越南清化。⑳⑩王孝杰（？至公元六九七年）：京兆新丰（今陕西西安临潼区）人，以军功历任右鹰扬卫将军等职，曾率兵收复安西四镇。担任过宰相。传见《旧唐书》卷九十三、《新唐书》卷一百十一。㉑①赞普：吐蕃君长的称号。《新唐书》之《吐蕃传》，"其俗谓强雄曰赞，丈夫曰普，故号君长曰赞普"。㉑②厚礼之：对他厚加优礼。㉑③右鹰扬卫将军：即右武卫将军。㉑④唐休璟请复取龟兹、于阗、疏勒、碎叶四镇：咸亨元年（公元六七〇年），安西四镇陷于吐蕃，故唐休璟有此奏请。㉑⑤武卫大将军阿史那忠节：此时既改武卫为鹰扬卫，不应复以旧官名命忠节。大概是史家仍按旧官名记事。㉑⑥丙戌：十月二十五日。㉑⑦置安西都护府于龟兹：咸亨元年（公元六七〇年），龟兹失陷，安西都护府被迫侨迁。至此，复置安西都护府于龟兹。

【校记】

［8］左：原无此字。据章钰校，十二行本、乙十一行本、孔天胤本皆有此字，今据补。〖按〗《旧唐书》之《王孝杰传》亦载阿史那忠节为左武卫大将军。

【语译】

二年（癸巳，公元六九三年）

正月初一日壬辰，太后在万象神宫举行大飨祭礼，让魏王武承嗣为亚献，梁王武三思为终献。太后自作神宫乐，舞者用了九百人。

户婢团儿为太后所宠信，有憾于皇嗣，乃谮皇嗣妃刘氏[220]、德妃窦氏[221]为厌咒[222]。癸巳[223]，妃与德妃朝太后于嘉豫殿，既退，同时杀之，瘗[224]于宫中，莫知所在。德妃，抗之曾孙也[225]。皇嗣畏忤旨，不敢言，居太后前，容止自如。团儿复欲害皇嗣，有言其情于太后[226]者，太后乃杀团儿。

是时，告密者皆诱人奴婢告其主，以求功赏。德妃父孝谌为润州刺史，有奴妄为妖异以恐[227]德妃母庞氏，庞氏惧，奴请夜祠祷解[228]，因发其事。下监察御史龙门薛季昶[229]按之，季昶诬奏，以为与德妃同祝诅，先涕泣不自胜，乃言曰："庞氏所为，臣子所不忍道。"太后擢季昶为给事中。庞氏当斩，其子希瑊[230]诣侍御史徐有功讼冤，有功牒[231]所司停刑，上奏论之，以为无罪。季昶奏有功阿党恶逆，请付法，法司处有功罪当绞。令史[232]以白有功，有功叹曰："岂我独死，诸人永不死邪！"既食，掩扇而寝[233]。人以为有功苟自强，必内忧惧，密伺之，方熟寝。太后召有功，迎谓曰："卿比按狱，失出[234]何多？"对曰："失出，人臣之小过；好生[235]，圣人之大德。"太后默然。由是庞氏得减死，与其三子皆流岭南[236]，孝谌贬罗州[237]司马，有功亦除名[238]。

戊申[239]，姚璹奏请令宰相撰《时政记》[240]，月送史馆[241]。从之。《时政记》自此始。

腊月丁卯[242]，降皇孙成器为寿春王[243]，恒王成义为衡阳王，楚王隆基为临淄王，卫王隆范为巴陵王，赵王隆业为彭城王，皆睿宗之子也。

春，一月庚子[244]，以夏官侍郎娄师德[245]同平章事。师德宽厚清慎，犯而不校[246]。与李昭德俱入朝，师德体肥行缓，昭德屡待之不至，怒骂曰："田舍夫[247]！"师德徐笑曰："师德不为田舍夫，谁当为之！"其弟除代州[248]刺史，将行，师德谓曰："吾备位[249]宰相，汝复为州牧[250]，荣宠过盛，人所疾[251]也，将何以自免？"弟长跪[252]曰："自今虽有人唾某面[253]，某拭之而已，庶[254]不为兄忧。"师德愀然[255]曰："此所以为吾忧也！人唾汝面，怒汝也。汝拭之，乃逆其意，所以重其怒。夫唾，不拭自干[256]，当笑而受之。"

甲寅[257]，前尚方监[258]裴匪躬、内常侍[259]范云仙坐私谒皇嗣腰斩于市，自是公卿以下皆不得见。又有告皇嗣潜有异谋者，太后命来俊臣

值守宫门婢女团儿受到太后的宠信，她对皇太子不满，于是诬陷皇太子妃刘氏、德妃窦氏搞厌胜诅咒。正月初二日癸巳，刘妃和德妃在嘉豫殿朝见太后，退出后，同时被杀，被埋在宫中，无人知道下落。德妃是窦抗的曾孙女。皇太子怕违逆太后的旨意，不敢声张。在太后面前，表情举止和平常一样。团儿又想害皇太子，有人把实情告诉太后，太后便处死了团儿。

当时，告密的人全都引诱人家的奴婢去举报主人，以求得功劳和赏赐。德妃的父亲窦孝谌任润州刺史，有家奴装作妖怪来恐吓德妃的母亲庞氏，庞氏害怕，家奴便让她夜晚祭祀鬼神祈求免灾，家奴再趁机予以告发。案子交给监察御史龙门人薛季昶审理。薛季昶上奏诬陷，说庞氏和德妃一同诅咒，他先是哭泣着装出一副经受不住的样子，然后说："庞氏所干的事，我不忍说出口。"太后便升薛季昶为给事中。庞氏罪当斩首，她的儿子窦希瑊去侍御史徐有功那里申冤，徐有功向主管部门发文停止行刑，上奏章申辩，认为她没罪。薛季昶奏告徐有功偏私叛逆，请求交付法司，法司判徐有功罪当绞刑。令史把案情告诉徐有功，徐有功叹息说："难道只有我一人死，他们永远不会死吗！"吃完饭，关上门就睡。人们认为徐有功表面勉为刚强，内心一定忧惧，暗中窥伺他，看到他正在熟睡。太后召见徐有功，迎面说："你近来审理案子，误判轻判的为何多起来了？"答说："误判轻判，是臣子的小过；爱惜生灵，是圣人的大德。"太后沉默不语。因此庞氏得以减免死罪，和她的三个儿子都流放到岭南。窦孝谌被贬为罗州司马，徐有功也被免除了做官的身份。

正月十七日戊申，姚璹上奏请求命宰相撰写《时政记》，每月送交史馆。太后听从了。《时政记》便从这时开始。

腊月初七日丁卯，降皇孙李成器为寿春王，恒王李成义为衡阳王，楚王李隆基为临淄王，卫王李隆范为巴陵王，赵王李隆业为彭城王，他们都是睿宗的儿子。

春，一月初十日庚子，任命夏官侍郎娄师德为同平章事。娄师德宽宏厚道，清廉谨慎，人家冒犯他也不计较。与李昭德一起上朝，娄师德身体肥胖，行动迟缓，李昭德多次等他他也赶不上，便怒骂说："种田的农夫！"娄师德微笑说："我不做农夫，该谁做呢！"他的弟弟拜为代州刺史，将上任，娄师德对他说："我充数于相位，你又任刺史，恩宠太厚，是人们所嫉恨的，自己将用什么办法来避免呢？"弟弟直身而跪说："从现在起，即使有人在我脸上吐唾沫，我擦掉而已，希望不致让哥哥担忧。"娄师德忧虑地说："这正是使我担心的！人家唾你脸，是生你的气。你擦去，便是违背人家的意愿，更加重人家的怒气。那唾液，不拭自干，应该笑着承受它。"

一月二十四日甲寅，前任尚方监裴匪躬、内常侍范云仙因犯了私谒皇太子的罪被腰斩于街市，从此公卿以下官员都不能见皇太子。又有人告发说皇太子暗中有异

鞫其左右，左右不胜楚毒，皆欲自诬。太常工人[260]京兆安金藏[261]大呼谓俊臣曰："公既不信金藏之言，请剖心以明皇嗣不反。"即引佩刀自剖其胸，五藏皆出，流血被地。太后闻之，令舉[262]入宫中，使医内五藏[263]，以桑皮线缝之，傅以药[264]，经宿始苏[265]。太后亲临视之，叹曰："吾有子不能自明，使汝至此。"即命俊臣停推[266]。睿宗由是得免。

罢举人习《老子》，更习太后所造《臣轨》[267]。

二月丙子[268]，新罗王政明卒[269]，遣使立其子理洪为王。

乙亥[270]，禁人间锦[271]。侍御史侯思止[272]私畜锦，李昭德按之，杖杀于朝堂。

【段旨】

以上为第六段，写酷吏告密、治狱，危及皇储睿宗。

【注释】

[218]壬辰朔：正月初一日。[219]"太后自制神宫乐"二句：《旧唐书》卷二十八《音乐志》，"先是，上自制《神宫大乐》，舞用九百人，至是舞于神宫之庭"。[220]皇嗣妃刘氏：刘德威之女，睿宗即位之初，曾被立为皇后。传见《旧唐书》卷五十一、《新唐书》卷七十六。[221]德妃窦氏：唐睿宗的妃嫔，生玄宗及金仙、玉真二公主。后被追谥为昭成顺圣皇后。与刘氏同传。[222]厌咒：厌胜诅咒。[223]癸巳：正月初二日。[224]瘗：埋。[225]"德妃"二句：皇太子李旦妃窦氏，是窦抗的曾孙女。窦抗是高祖太穆顺圣皇后窦氏的从兄。传见《旧唐书》卷六十一、《新唐书》卷九十五。[226]言其情于太后：有人把这些情况向太后做了报告，太后便杀了韦团儿。《通鉴考异》引刘知幾《太上皇实录》云："韦团儿谄佞多端，天后尤所信任。欲私于上而拒焉，怨望，遂作桐人潜埋于二妃院内，谮杀之，又矫制按问上。"[227]恐：恐吓。[228]祷解：祈福解殃。[229]薛季昶：绛州龙门（今山西河津）人，因上封事拜监察御史，为政颇有威名。后参与张柬之政变。传见《旧唐书》卷一百八十五上、《新唐书》卷一百二十。[230]希瑊：窦希瑊，官至太子少傅。传见《旧唐书》卷一百八十三。[231]牒：唐代的一种公文，多用于平行机关。[232]令史：流外官名，据《唐六典》卷十三，御史台有侍御史四人，侍御史下有令史十五人。[233]掩扇而寝：关上门扇而卧。[234]失出：指判案错误或重罪轻判。[235]好生：爱惜生灵，不滥诛杀。[236]与其三子皆流

常的图谋，太后命令来俊臣审问太子左右的人，他们受不了酷刑拷打，都想屈认有罪。太常寺工人京兆人安金藏大声对来俊臣说："大人既不信我的话，愿意剖心来证明太子没有造反。"便自己用佩刀剖开胸腹，五脏都出来了，血流满地。太后听说，令人将他用轿子抬进宫中，让医师把他的内脏放回体内，用桑皮线缝合，敷上药。经过一夜，他才醒过来。太后亲自去看他，叹息说："我有儿子不能自明有罪无罪，而让你到这种地步。"立刻令来俊臣停止审问。睿宗因此而免祸。

停止举人研读《老子》，改为学习太后所撰的《臣轨》。

二月十六日丙子，新罗王政明死了，派使者去立他的儿子理洪为国王。

十五日乙亥，禁止民间用锦制品。侍御史侯思止私藏锦物，李昭德查办他，用杖刑把他打死在朝堂上。

岭南:《新唐书》卷七十一下载窦孝谌有四子：希瑊、希球、希瓌、希琬，不知庞氏所生为哪三位。㉗罗州：州名，治所在今广东廉江市东北。㉘有功亦除名：此事各书记载略有差异。《旧唐书》之《徐有功传》云有功为御史，坐庞氏除名，寻起为左司郎中。《御史台记》云："有功自秋官员外郎，坐庞氏除名为流人，月余，授御史。"司马光在《考异》中说："按《实录》，有功天授初，累补司刑丞、秋官员外郎，稍迁郎中，后以公事免。万岁通天元年，擢拜殿中侍御史。今从之。"㉙戊申：正月十七日。㉚《时政记》：是宰相亲自记录的皇帝与宰相等人商讨军国大事的文件。㉛月送史馆：每月一次，送往史馆。史馆，国家修撰史书的机构。㉜丁卯：腊月初七日。㉝寿春王：即寿春郡王，以下诸王亦为郡王。㉞庚子：一月初十日。㉟娄师德（公元六三〇至六九九年）：字宗仁，郑州原武（今河南原阳西）人，进士。为人宽厚，颇有军功。长期主持西北屯田，深受武则天器重。两度担任宰相。传见《旧唐书》卷九十三、《新唐书》卷一百八。㊱犯而不校：被冒犯也不计较。㊲田舍夫:《新唐书》卷一百八《娄师德传》作"田舍子"。《隋唐嘉话》卷下作"田舍汉"。三者意思相同，为讥讽语，谓像农夫一样鄙俗。㊳代州：州名，治所雁门，在今山西代县。㊴备位：谦辞。意为徒占其位，聊以充数。㊵州牧：州刺史。汉武帝初置州刺史，汉成帝改刺史为州牧。东汉以降，废置不常。唐代仅雍州置牧，其余各州均置刺史，但人们按习惯有时也将刺史称作州牧。㊶疾：恨。㊷长跪：直身而跪。古人席地而坐，跪则伸直腰股以示敬重。㊸唾某面：唾在我脸上。某，自称。这种用法早已有之，至唐渐趋流行。文人书启，多自称为"某"。㊹庶：也许可以。表示希望。㊺愀然：脸色骤变，表示忧愁的样子。㊻"夫唾"二句：典故"唾面自干"本此。

娄师德尚且如此告诫弟弟，可见当时人人自危的情况。㉕⑦甲寅：一月二十四日。㉕⑧尚方监：官名，即少府监，从三品，掌管百工技巧之政令。㉕⑨内常侍：内侍省官，正五品下，地位仅次于内侍。协助内侍，常在内侍奉，出入宫掖，宣传制令。㉖⓪太常工人：属籍于太常寺的工伎。㉖①安金藏：京兆长安（今陕西西安）人，因救睿宗有功，官至右骁卫将军，开元二十年（公元七三二年），特封代国公。传见《旧唐书》卷一百八十七下、《新唐书》卷一百九十一。㉖②轝：本指车厢，后成为车的代称，俗称为轿子。㉖③使医内五藏：让太医把内脏放回体内。㉖④傅以药：抹上药。傅，通“敷”。㉖⑤经宿始苏：经过一夜才苏醒过来。㉖⑥停推：停其狱，不再推鞫。㉖⑦“罢举人习《老子》”二句：高宗上元元年

【原文】

或告岭南流人[273]谋反，太后遣司刑评事[274]万国俊[275]摄监察御史就按之。国俊至广州，悉召流人，矫制赐自尽。流人号呼不服，国俊驱就水曲[276]，尽斩之，一朝杀三百余人。然后诈为反状，还奏，因言诸道流人，亦必有怨望谋反者，不可不早诛。太后喜，擢国俊为朝散大夫、行侍御史[277]。更遣右翊卫兵曹参军[278]刘光业、司刑评事王德寿、苑南面监丞[279]鲍思恭、尚辇直长[280]王大贞、右武威卫兵曹参军屈贞筠皆摄监察御史，诣诸道按流人。光业等以国俊多杀蒙赏，争效之，光业杀七百人，德寿杀五百人，自余少者不减百人，其远年杂犯流人亦与之俱毙。太后颇知其滥，制：“六道流人未死者并家属皆听还乡里。”国俊等亦相继死，或得罪流窜。

来俊臣诬冬官尚书苏幹[281]，云在魏州与琅邪王冲通谋[282]，夏，四月乙未[283]，杀之。

五月癸丑[284]，棣州[285]河溢，流二千余家[9]。

秋，九月丁亥朔[286]，日有食之。

魏王承嗣等五千人表请加尊号曰金轮圣神皇帝。乙未[287]，太后御万象神宫，受尊号，赦天下。作金轮等七宝[288]，每朝会，陈之殿庭。

庚子[289]，追尊昭安皇帝曰浑元昭安皇帝[290]，文穆皇帝曰立极文穆皇帝，孝明高皇帝曰无上孝明高皇帝，皇后从帝号。

（公元六七四年）令贡举人习《老子》。《臣轨》，凡两卷、十章，讲为臣之道。关于罢学《老子》、更习《臣轨》的时间，各书记载不一。《通鉴》作“长寿二年一月”。《册府元龟》卷六百三十九《贡举部·条制一》作“二月”。《唐会要》卷七十五《明经》作“三月”。待考。㉖⑧丙子：二月十六日。㉖⑨新罗王政明卒：新罗王政明死亡的时间，《旧唐书》卷一百九十九上《新罗传》作“天授三年”。《唐会要》卷九十五则作“长寿二年”，与《通鉴》所载大体接近。㉗⓪乙亥：二月十五日。乙亥当在丙子之前。㉗①禁人间锦：禁止民间使用锦制品。㉗②侯思止（？至公元六九三年）：雍州醴泉（今陕西礼泉北）人，武周酷吏之一。传见《旧唐书》卷一百八十六上、《新唐书》卷二百九。

【语译】

有人告发岭南那些被流放的人图谋造反，太后派遣司刑评事万国俊代理监察御史就地查问。万国俊到广州，召集所有被流放的人，假借太后的诏命赐令自杀。被流放的人哭叫着不服从，万国俊把他们驱赶到水边，将他们全部斩首，一个早上就杀了三百多人。然后假造谋反的罪状，回奏太后，趁机说各地方的流放人员，也一定有因愤恨而谋反的，不可不早些杀掉。太后很高兴，提升万国俊为朝散大夫、行侍御史。又另派右翊卫兵曹参军刘光业、司刑评事王德寿、苑南面监丞鲍思恭、尚辇直长王大贞、右武威卫兵曹参军屈贞筠都代理监察御史，前往各地审问被流放的人。刘光业等人因万国俊杀人多而得到赏赐，竞相效法，刘光业杀了七百人，王德寿杀了五百人，其他少的也不下百人，那些早年因各类犯罪而被流放的也都跟着被杀。太后颇为清楚他们滥杀，下令：“六道流放的人没死的连同他们的家属，都准许返回家乡。”万国俊等也相继死去，有的获罪不被流放。

来俊臣诬陷冬官尚书苏幹，说他在魏州与琅邪王李冲串通谋反，夏，四月乙未日，把他杀了。

五月二十五日癸丑，棣州河水泛滥，冲坏了二千多户民居。

秋，九月初一日丁亥，出现日食。

魏王武承嗣等五千人上表太后，请加尊号为“金轮圣神皇帝”。九月初九日乙未，太后驾临万象神宫，接受尊号，赦免天下。制作了金轮等七件宝器，每次朝会，便陈列在殿上。

九月十四日庚子，追尊称昭安皇帝为浑元昭安皇帝，文穆皇帝为立极文穆皇帝，孝明高皇帝为无上孝明高皇帝，皇后的尊号随帝号。

辛丑[291]，以文昌左丞、同平章事姚璹为司宾卿[292]，罢政事。以司宾卿万年豆卢钦望[293]为内史，文昌左丞韦巨源[294]同平章事，秋官侍郎吴人陆元方[295]为鸾台侍郎、同平章事。巨源，孝宽[296]之玄孙也。

【段旨】

以上为第七段，写酷吏政治的最高峰，大杀流人，此与武则天上尊号曰“金轮圣神皇帝”成鲜明对照。

【注释】

㉗③流人：被流放的犯人。唐代流刑仅次于死刑，分为三等：二千里、二千五百里、三千里。㉗④司刑评事：官名，即大理评事。《旧唐书》之《职官志三》，“大理寺，光宅为司刑卿……评事十二人，从八品下”。㉗⑤万国俊（？至公元六九三年）：洛阳（在今河南洛阳）人，武周酷吏，曾与来俊臣等造《罗织经》陷害宗室朝贵。传见《旧唐书》卷一百八十六上。㉗⑥水曲：水流曲折的地方。此处指水滨。㉗⑦行侍御史：兼代侍御史官职。阶高兼代卑职称为“行”。㉗⑧右翊卫兵曹参军：官名，《唐六典》卷二十四“左右卫”条载，唐初改左右翊卫为左右卫府，龙朔二年（公元六六二年）除府字，为左右卫。据此，“翊”为衍字。㉗⑨苑南面监丞：官名，据《旧唐书》之《职官志三》，唐京都禁苑四面皆置监。每面有监一人，从六品下，丞二人，正八品下。“四面监掌所管面苑内宫馆园池，与其种植修葺之事，副监为之贰，丞掌判监事。”㉘⓪尚辇直长：官名，尚辇局副职。㉘①苏幹：宰相苏瓌从父兄。传见《旧唐书》卷八十八、《新唐书》卷一百二十五。㉘②云在魏州与琅邪王冲通谋：来俊臣诬奏苏幹在魏州与琅邪王冲私书往复。时苏幹任魏州刺史。㉘③乙未：四月庚申朔，无乙未。《新唐书》卷四作五月乙未，即五月七日。关于苏幹

【原文】

延载元年[297]（甲午，公元六九四年）

正月丙戌[298]，太后享万象神宫。

突厥可汗骨笃禄卒，其子幼，弟默啜[299]自立为可汗。腊月甲戌[300]，默啜寇灵州。

九月十五日辛丑，任命文昌左丞、同平章事姚璹为司宾卿，免除他的政务职权。任司宾卿万年人豆卢钦望为内史，文昌左丞韦巨源同平章事，秋官侍郎吴人陆元方为鸾台侍郎、同平章事。韦巨源，是韦孝宽的玄孙。

之死，两《唐书》之《苏幹传》云“系狱，发愤卒”。㉘④癸丑：五月二十五日。㉘⑤棣州：治所厌次，在今山东惠民东南。㉘⑥丁亥朔：九月初一日。㉘⑦乙未：九月初九日。㉘⑧七宝：即金轮宝、白象宝、女宝、马宝、珠宝、主兵臣宝、主藏臣宝。㉘⑨庚子：九月十四日。㉙⓪追尊昭安皇帝曰浑元昭安皇帝：昭安皇帝即武则天曾祖武俭。这是武则天临朝后第四次追尊其祖先。㉙①辛丑：九月十五日。㉙②司宾卿：官名，即鸿胪寺卿，掌宾客及凶仪之事。㉙③豆卢钦望（公元六三〇至七〇九年）：京兆万年（在今陕西西安东）人，出身于士族。则天朝曾三度担任宰相。中宗复位后复为尚书左仆射、平章军国重事。执政十余年，无所裁抑。传见《旧唐书》卷九十、《新唐书》卷一百十四。豆卢，复姓，豆卢氏本姓慕容，北地王慕容精降后魏，北方人称归义为“豆卢”，因以为氏。㉙④韦巨源（公元六三一至七一〇年）：京兆万年人，与韦安石同宗，则天、中宗朝，数为宰相。后为乱兵所杀。传见《旧唐书》卷九十二、《新唐书》卷一百二十三。㉙⑤陆元方（公元六三九至七〇一年）：字希仲，苏州吴县（在今江苏苏州）人，为官清谨，两度为相，颇受武则天信任。传见《旧唐书》卷八十八、《新唐书》卷一百十六。㉙⑥孝宽：即韦孝宽，韦巨源的曾祖。韦孝宽事宇文氏，为名将。传见《周书》卷三十一、《北史》卷六十四。

【校记】

［9］流二千余家：原无此五字。据章钰校，十二行本、乙十一行本、孔天胤本皆有此五字，张敦仁《通鉴刊本识误》、张瑛《通鉴校勘记》同，今据补。〖按〗《新唐书》之《五行志》载：“棣州河溢，坏居民二千余家。”

【语译】

延载元年（甲午，公元六九四年）

正月初一日丙戌，太后在万象神宫举行大飨祭礼。

突厥可汗骨笃禄死了，他的儿子幼小，弟弟默啜自立为可汗。腊月十九日甲戌，默啜侵犯灵州。

室韦[301]反，遣右鹰扬卫大将军李多祚[302]击破之。

春，一月，以娄师德为河源等军检校营田大使。

二月，武威道总管王孝杰破吐蕃勃论赞与[10]突厥可汗偻子[303]等于冷泉[304]及大岭[305]，各三万余人，碎叶镇守使韩思忠破泥熟俟斤等万余人[306]。

庚午[307]，以僧怀义为代北道行军大总管，以讨默啜。

三月甲申[308]，以凤阁舍人苏味道为凤阁侍郎、同平章事，李昭德检校内史。更以僧怀义为朔方道行军大总管，以李昭德为长史，苏味道为司马，帅契苾明、曹仁师、沙吒忠义等十八将军以讨默啜，未行，虏退而止。昭德尝与怀义议事，失其旨，怀义挞之，昭德惶惧请罪。

夏，四月壬戌[309]，以夏官尚书、武威道大总管王孝杰同凤阁鸾台三品。

五月，魏王承嗣等二万六千余人上尊号曰越古金轮圣神皇帝[310]。甲午[311]，御则天门楼受尊号，赦天下，改元[312]。

天授中，遣监察御史寿春裴怀古[313]安集西南蛮。六月癸丑[314]，永昌蛮酋董期[11]帅部落二十余万户内附[315]。

河内[316]有老尼居神都麟趾寺，与嵩山人韦什方[317]等以妖妄惑众。尼自号净光如来，云能知未然[318]，什方自云吴赤乌[319]元[12]年生。又有老胡亦自言五百岁，云见薛师[320]已二百年矣，容貌愈少。太后甚信重之，赐什方姓武氏。秋，七月癸未[321]，以什方为正谏大夫、同平章事，制云："迈轩代[322]之广成[323]，逾汉朝之河上[324]。"八月，什方乞还山，制罢遣之。

戊辰[325]，以王孝杰为瀚海道行军总管，仍受朔方道行军大总管薛怀义节度。

【段旨】

以上为第八段，写武则天迷恋尊号，受胡僧愚弄。

室韦反叛，派右鹰扬卫大将军李多祚击败室韦。

春，一月，任命娄师德为河源等军检校营田大使。

二月，武威道总管王孝杰在冷泉和大岭打败吐蕃勃论赞与突厥可汗俀子等各三万多人。碎叶镇守使韩思忠打败泥熟俟斤等一万多人。

十六日庚午，任命僧人薛怀义为代北道行军大总管，去讨伐默啜。

三月初一日甲申，任命凤阁舍人苏味道为凤阁侍郎、同平章事，李昭德为检校内史。另外任命僧人薛怀义为朔方道行军大总管，任命李昭德为长史，苏味道为司马，率契苾明、曹仁师、沙吒忠义等十八位将军征讨默啜，但没有出发，因敌人退走而作罢。李昭德曾和薛怀义商量事情，因不合薛怀义的想法，被薛怀义打了，李昭德恐惧而请罪。

夏，四月初九日壬戌，任夏官尚书、武威道大总管王孝杰为同凤阁鸾台三品。

五月，魏王武承嗣等二万六千多人给太后上尊号为“越古金轮圣神皇帝”。十一日甲午，太后驾临则天门楼接受尊号，大赦天下，更改年号。

天授年间，派监察御史寿春人裴怀古安抚西南蛮。六月初一日癸丑，永昌蛮酋长董期率部落二十多万户归附朝廷。

河内有个老尼姑住在神都麟趾寺，与嵩山人韦什方等用妖妄邪说迷惑民众。老尼姑自称为净光如来，说能预知未来事，韦什方自称生在孙吴赤乌元年。又有个年老的胡人也自称有五百岁了，说见到薛怀义已有二百年了，他的容貌愈来愈年轻。太后很信任器重他们，赐韦什方姓武。秋季，七月初一日癸未，任用武什方为正谏大夫、同平章事，制书中说他：“超过轩辕时的广成子，逾越汉代的河上公。”八月，武什方请求回山，于是下诏免职，送他回去。

八月十七日戊辰，任王孝杰为瀚海道行军总管，仍受朔方道行军大总管薛怀义节制。

【注释】

㉙⑦延载元年：武则天于长寿三年（公元六九四年）五月甲午改元延载。即延载元年包有长寿三年。㉙⑧丙戌：正月初一日。㉙⑨默啜：姓阿史那，后来又称默啜可汗、迁善可汗、立功报国可汗等。事详《旧唐书》卷一百九十四上、《新唐书》卷二百十五上《突厥传》。㉚⓪甲戌：腊月十九日。㉚①室韦：东北少数民族之一，契丹别种。居住在黑龙江上游两岸及额尔古纳河一带，主要靠狩猎生活。自北朝以来即与中原王朝有较为密切的关系，后为契丹所并。详见《文献通考》卷三百四十七及两《唐书》之《室韦传》。㉚②李多

祚（？至公元七〇七年）：靺鞨人，骁勇善射，以军功官至右羽林大将军，宿卫北门二十余年，曾参加张柬之政变。后随节愍太子起事，为左右所杀。传见《旧唐书》卷一百九、《新唐书》卷一百十。[303] 俀子：西突厥部新立之可汗，姓阿史那氏。见《新唐书》卷二百十五下《突厥传》。[304] 冷泉：地名，当与下文“大岭”相去不远，应在今青海境内。[305] 大岭：即大岭城，在今青海西宁西。[306] 韩思忠破泥熟俟斤等万余人：《考异》云：“此事诸书皆无，唯《统纪》有之。《统纪》：‘又破吐蕃万泥勋没驮城。’此语不可晓，今删去。”〖按〗此处《考异》有误。《新唐书》卷二百十五下《突厥传》载，“碎叶镇守使韩思忠又破泥熟俟斤及突厥施质汗、胡禄等，因拔吐蕃泥熟没斯城”。同书卷二百十六上《吐蕃传》亦载：“碎叶镇守使韩思忠破泥熟没斯城。”可见“此事诸书皆无”说法不确。又《统纪》所谓“万泥勋没驮城”，似为“泥熟没斯城”之异译。[307] 庚午：二月十六日。[308] 甲申：三月初一日。[309] 壬戌：四月初九日。[310] 越古金轮圣神皇帝：超越前古的金轮圣神皇帝。长寿二年九月始称“金轮圣神皇帝”，至此又加“越古”二字。[311] 甲午：五月十一日。[312] 改元：改元延载。[313] 裴怀古：寿州寿春（今安徽寿县）人，历任监察御史、相州刺史、并州大都督长史，所至吏民怀爱，号称循吏。传见《旧唐书》卷一百八十五下、《新唐书》卷一百九十七。[314] 癸丑：六月初一日。[315] 永昌蛮酋董期帅部落二十余万户内附：姚州境有永昌蛮，居永昌郡地。部落二十余万户，《新唐书》卷二百二十二下作“部

【原文】

己巳[326]，以司宾少卿姚璹为纳言，左肃政中丞原武杨再思[327]为鸾台侍郎，洛州司马杜景俭为凤阁侍郎，并同平章事。

豆卢钦望请京官九品已上输两月俸以赡军[328]，转[329]帖百官，令拜表[330]。百官但赴拜，不知何事，拾遗王求礼[331]谓钦望曰：“明公禄厚，输之无伤；卑官贫迫，奈何不使其知而欺夺之[332]乎？”钦望正色拒之。既上表，求礼进言曰：“陛下富有四海，军国有储，何藉贫官九品之俸而欺夺之！”姚璹曰：“求礼不识大体。”求礼曰：“如姚璹，为识大体者邪！”事遂寝。

戊寅[333]，鸾台侍郎、同平章事崔元综坐事流振州[334]。

武三思帅四夷酋长请铸铜铁为天枢[335]，立于端门[336]之外，铭纪功德，黜唐颂周；以姚璹为督作使。诸胡聚钱百万亿，买铜铁不能足，赋民间农器以足之[337]。

落二万”。“十余”二字疑衍。㉛河内：旧县名，隋开皇十六年（公元五九六年）改野王县置，县治在今河南沁阳。㉛韦什方：生平不详。赐姓武，曾为相。见《新唐书》卷四《则天皇后纪》及卷六十一《宰相上》。㉛未然：未来；尚未发生的事。㉛赤乌：东吴孙权年号（公元二三八至二五〇年）。㉜薛师：即薛怀义。怀义为白马寺主，显赫一时，人称“薛师”。㉜癸未：七月初一日。㉜轩代：黄帝时代。黄帝名轩辕，故以轩代指黄帝之世。㉜广成：即广成子。传说黄帝时仙人，居崆峒山中。㉜逾汉朝之河上：逾，越。河上，即河上公。西汉人，姓名不详。据葛洪《神仙传》，汉文帝曾向他请教过《道德经》中的一些问题。河上公送给汉文帝素书二卷，说“余注是经以来千七百余年”。㉜戊辰：八月十七日。

【校记】

［10］与：原作“刃”。严衍《通鉴补》改作“与”，今从改。〖按〗《新唐书》之《吐蕃传》载：“勃论赞与突厥伪可汗阿史那俀子南侵。”［11］董期：原作“薰期”。胡三省注云：“‘薰期’，《新书》作‘董期’。”严衍《通鉴补》改作“董期”，今据以校正。［12］元：原无此字。据章钰校，十二行本、乙十一行本、孔天胤本皆有此字，张敦仁《通鉴刊本识误》同，今据补。

【语译】

八月十八日己巳，任命司宾少卿姚璹为纳言，左肃政中丞原武人杨再思为鸾台侍郎，洛州司马杜景俭为凤阁侍郎，皆同平章事。

豆卢钦望要求九品以上的京官捐出两个月的薪俸来补助军队费用，通过帖子转告众官，让他们一起上奏章。百官只知赴朝上表，不知表奏什么事。拾遗王求礼对豆卢钦望说：“明公俸禄丰厚，捐点不伤大体，低级官吏清贫困窘，怎能不让他们知道而欺蒙侵夺他们的俸禄呢？”豆卢钦望态度严肃地拒绝了劝告。表奏上后，王求礼进言说：“陛下富有四海，军队国家都有储备，何以用得着贫官九品的俸禄而对其加以骗取呢！”姚璹说：“王求礼不识大体。”王求礼说：“像你姚璹就是识大体的人吗！”这事也就放下了。

八月二十七日戊寅，鸾台侍郎、同平章事崔元综因事获罪被流放振州。

武三思率四夷酋长请求镕铸铜铁天枢，立于端门外，刻文字纪功德，贬唐颂周；任命姚璹为督作使。胡人集资百万亿，买铜铁尚不足用，征收民间的农具来补足缺额。

九月壬午朔[338]，日有食之。

殿中丞[339]来俊臣坐赃贬同州参军[340]。王弘义流琼州[341]，诈称敕追还，至汉北[342]，侍御史胡元礼[343]遇之，按验，得其奸状，杖杀之。

【段旨】

以上为第九段，写酷吏来俊臣失势，王弘义被杖杀。

【注释】

[326]己巳：八月十八日。[327]杨再思（？至公元七〇九年）：郑州原武（今河南原阳西）人，为人巧媚，历事三主，知政十余年。传见《旧唐书》卷九十、《新唐书》卷一百九。[328]请京官九品已上输两月俸以赡军：据《唐会要》卷九十一，一品月俸八千，食料一千八百，杂用一千二百文；二品月俸六千，食料一千五百，杂用一千文；三品月俸五千，食料一千一百，杂用九百文；四品月俸四千五百，食料七百，杂用六百文；五品月俸三千，食料六百，杂用五百文；六品月俸二千三百，食料四百，杂用四百文；七品月俸一千七百五十，食料三百五十，杂用三百五十文；八品月俸一千三百，食料三百，杂

【原文】

内史李昭德恃太后委遇，颇专权使气，人多疾之，前鲁王府功曹参军[344]丘愔[345]上疏攻之，其略曰："陛下天授以前，万机独断。自长寿以来，委任昭德，参奉机密，献可替否[346]。事有便利，不预谘谋，要待画日[347]将行，方乃别生驳异。扬露专擅，显示于人，归美引愆[348]，义不如此。"又曰："臣观其胆，乃大于身，鼻息所冲，上拂云汉。"又曰："蚁穴坏堤，针芒写[349]气，权重一去，收之极难。"长上果毅[350]邓注[351]，又著《石论》数千言，述昭德专权之状。凤阁舍人逄弘敏[352]取奏之，太后由是恶昭德。壬寅[353]，贬昭德为南宾[354]尉，寻又免死流窜。

太后出黎花一枝以示宰相，宰相皆以为瑞[355]。杜景俭独曰："今草

九月初一日壬午，出现日食。

殿中丞来俊臣犯贪赃罪，被贬为同州参军。王弘义被流放琼州，诈称有敕令让他回都，到达汉水北部，侍御史胡元礼遇到他，通过追查审核，取得他作奸罪状，用棍杖打死了他。

用二百五十文；九品月俸一千五十，食料二百五十，杂用二百文。赡军，助军。㉙转：传送。㉚拜表：上奏章。臣子上表，例须先拜，故称拜表。㉛王求礼：许州长社（今河南许昌）人，为人刚正。官至卫王府参军。传见《旧唐书》卷一百一、卷一百八十七上，《新唐书》卷一百十二。㉜欺夺之：欺蒙侵夺俸禄。㉝戊寅：八月二十七日。㉞振州：治所宁远，在今海南三亚西。㉟天枢：本为星名，指北斗第一星，象征国家权柄。此处指八棱形铁柱。㊱端门：洛阳皇城南面正门。㊲赋民间农器以足之：赋敛民间农器来补足缺额。㊳壬午朔：九月初一日。㊴殿中丞：官名，掌殿中省副监事，兼勾检稽失，省署抄目。㊵来俊臣坐赃贬同州参军：来俊臣坐赃事的时间，各书记载不同。司马光经过考异，据《旧唐书》之《来俊臣传》认为应在这时。㊶琼州：州名，治所琼山，在今海南海口市琼山区东南。㊷汉北：汉水之北。㊸胡元礼：曾任司刑少卿等职。事迹散见于两《唐书》之《李日知传》及《王弘义传》。

【语译】

内史李昭德仗着太后的信任，颇为专权而意气用事，人们大多恨他。前任鲁王府功曹参军丘愔上疏攻击他，奏疏大略说："陛下在天授年以前，万端政务均独自决断。自长寿年间以来，太后委任李昭德，让他参与机密大事，诤言进谏。事务中有些是方便宜行的，李昭德不预先咨政献策，直到只待太后批示，即将施行，这时他才提出异议，扬才露己，专权独断，炫耀于人。臣下应归善于君，引过于己。从道义上说，不应像李昭德这样。"又说："臣看他的胆子，比身体还大，鼻孔出的气，都冲到云霄上去了。"又说："蚁穴可以坏堤，针尖可使气泄，大权一旦失去，要收回就太难了。"长上果毅邓注又撰《石论》数千字，记述李昭德专权的情况。凤阁舍人逄弘敏拿去呈奏，太后因此厌恶李昭德。九月二十一日壬寅，贬李昭德为南宾县尉，不久又被免除死罪被流放。

太后出示一枝梨花给宰相们看，宰相们都认为是祥瑞。唯独杜景俭说："现在草

木黄落，而此更发荣，阴阳不时[356]，咎在臣等。”因拜谢[357]。太后曰：“卿真宰相[358]也！”

冬，十月壬申[359]，以文昌右丞李元素为凤阁侍郎，左肃政中丞周允元[360]检校凤阁侍郎，并同平章事。允元，豫州人也。

岭南獠反，以容州都督张玄遇[361]为桂、永等州经略大使以讨之。

【段旨】

以上为第十段，写李昭德擅权遭流放，可见武则天大权始终未旁落。

【注释】

㉞鲁王府功曹参军：据《唐六典》卷二十九，亲王府功曹参军一人，正七品上，掌文官簿书、考课陈设仪式等事。㉟丘愔：生平不详。以上疏弹劾李昭德而闻名，疏文见《旧唐书》卷八十七、《新唐书》卷一百十七及《全唐文》卷二百六十。㊱献可替否：进献可行者，废弃不可行者，意谓诤言进谏。《左传》昭公二十年云：“君所谓可，而有否焉，臣献其否，以成其可；君所谓否，而有可焉，臣献其可，以去其否：是以致平而民不干。”㊲画日：《旧唐书》之《李昭德传》作“画旨”，《新唐书》之《李昭德传》作“画可”。唐制，皇太子监国，下令书时须画日，犹天子画可。见《新唐书》之《百官志》

【原文】

天册万岁元年[362]（乙未，公元六九五年）

正月辛巳朔[363]，太后加号慈氏越古金轮圣神皇帝[364]，赦天下，改元证圣。

周允元与司刑少卿皇甫文备[365]奏内史豆卢钦望、同平章事韦巨源、杜景俭、苏味道、陆元方附会李昭德，不能匡正，钦望贬赵州[366]，巨源贬麟州[367]，景俭贬溱州[368]，味道贬集州[369]，元方贬绥州[370]刺史。

初，明堂既成[371]，太后命僧怀义作夹纻大像[372]，其小指中犹容数十

木枯黄凋落，而此花再开，是阴阳失序，过失在我们人臣。”因而再拜谢罪。太后说：“你是真宰相！”

冬，十月二十二日壬申，任命文昌右丞李元素为凤阁侍郎，左肃政中丞周允元为检校凤阁侍郎，都任同平章事。周允元，是豫州人。

岭南獠人造反，任命容州都督张玄遇为桂、永等州经略大使去讨伐。

太子左春坊条。此处丘愔上书不可能用“画日”字样，“日”字显系后人妄改。㊽归美引愆：意谓臣下应归善于君，引过于己，而不应自我炫耀。愆，咎。㊾写：通“泻”，流泻，泄气。㊿长上果毅：府兵军府的副将称果毅都尉，简称果毅。长上果毅是不轮番入值，长期番上的军府副将。351邓注：事见《旧唐书》卷八十七、《新唐书》卷一百十七《李昭德传》。352逄弘敏:《元和姓纂》作“逄弘敏”,《旧唐书》卷二十二作“逄敏”。事见两《唐书》之《李昭德传》。353壬寅：九月二十一日。354南宾：县名，县治在今广西灵山县西。355瑞：祥瑞。356不时：不合时节。357拜谢：再拜谢罪。谢有谢恩、谢罪之分。此处意为谢罪。358真宰相：名副其实的宰相。359壬申：十月二十二日。360周允元（？至公元六九五年）：字汝良，豫州（治所在今河南汝南县）人，进士。曾为相。传见《旧唐书》卷九十、《新唐书》卷一百十四。361张玄遇：官至右金吾卫大将军。曾率兵击契丹、安抚党项。事见《旧唐书》卷一百九十六上《吐蕃传》、卷一百九十九下《契丹传》。

【语译】

天册万岁元年（乙未，公元六九五年）

正月初一日辛巳，太后加尊号为慈氏“越古金轮圣神皇帝”，大赦天下，改年号为证圣。

周允元与司刑少卿皇甫文备奏内史豆卢钦望以及同平章事韦巨源、杜景俭、苏味道、陆元方附和李昭德，不能纠正他的过失。豆卢钦望被贬为赵州刺史，韦巨源被贬为麟州刺史，杜景俭被贬为溱州刺史，苏味道被贬为集州刺史，陆元方被贬为绥州刺史。

当初，明堂建成后，太后命令僧人薛怀义制作用麻布夹层缝制的大像，像的小

人，于明堂北构天堂[373]以贮之。堂始构，为风所摧，更构之，日役万人，采木江岭[374]，数年之间，所费以万亿计，府藏为之耗竭。怀义用财如粪土，太后一听之，无所问。每作无遮会[375]，用钱万缗[376]。士女云集，又散钱十车，使之争拾，相蹈践有死者。所在公私田宅，多为僧有，怀义颇厌入宫，多居白马寺，所度力士为僧者满[13]千人。侍御史周矩疑有奸谋，固请按之。太后曰："卿姑退，朕即令往[377]。"矩至台，怀义亦至，乘马就阶而下，坦腹于床[378]。矩召吏将按之，遽跃马而去。矩具奏其状，太后曰："此道人病风[379]，不足诘，所度僧，惟卿所处[380]。"悉流远州。迁矩天官员外郎。

乙未[381]，作无遮会于朝[14]堂，凿地为坑[382]，深五丈，结彩为宫殿，佛像皆于坑中引出之，云自地涌出。又杀牛取血，画大像，首高二百尺，云怀义刺膝血为之。丙申[383]，张像于天津桥南，设斋。时御医[384]沈南璆[385]亦得幸于太后，怀义心愠[386]，是夕，密烧天堂，延及明堂，火照城中如昼，比明皆尽，暴风裂血像为数百段。太后耻而讳之，但云内作工徒误烧麻主，遂涉明堂。时方酺宴[387]，左拾遗刘承庆[388]请辍朝[389]停酺以答天谴[390]，太后将从之。姚璹曰："昔成周宣榭[391]，卜代愈隆；汉武建章[392]，盛德弥永。今明堂布政之所，非宗庙也，不应自贬损。"太后乃御端门，观酺如平日。命更造明堂、天堂，仍以怀义充使。又铸铜为九州鼎[393]及十二神[394]，皆高一丈[395]，各置其方[396]。

先是，河内老尼昼食一麻一米，夜则烹宰宴乐，畜弟子百余人，淫秽靡[397]所不为。武什方自言能合长年药[398]，太后遣乘驿于岭南采药。及明堂火，尼入唁[399]太后，太后怒叱之，曰："汝常言能前知，何以不言明堂火？"因斥还河内，弟子及老胡等皆逃散。又有发[400]其奸者，太后乃复召尼还麟趾寺，弟子毕集，敕给使[401]掩捕，尽获之，皆没为官婢。什方还，至偃师[402]，闻事露[403]，自绞死。

指就能容纳几十个人，在明堂的北面修筑了天堂殿屋贮放它。天堂初建时，被风吹坏了，再次建造，每天役使万人，到江南岭南采伐木材，几年内，费用以万亿计算，国库因此耗竭。薛怀义花费钱财如同粪土，太后一概听从他，不加过问。每次作无遮法会，用钱万贯。士女云集，又散发十车钱，让人们争着拾取，相互践踏，有被踩死的人。各地公私田地房舍，多被僧人占有。薛怀义很不愿意进宫，大多数时间住在白马寺，经他剃度做僧人的壮士达一千人。侍御史周矩怀疑他有奸谋，一再请求审查他。太后说："你暂且回去，我立刻命令他前往御史台。"周矩回到御史台，薛怀义也到了，他就着台阶从马上下来，坦腹坐在床上。周矩召来吏卒将要审他，他立刻跨马而去。周矩上奏禀明他的无礼，太后说："这道人有疯病，不值得追究，他所剃度的僧人，任你去处置。"这些僧人全部被流放到边远的州县去了。提升周矩为天官员外郎。

正月十五日乙未，在朝堂做无遮法会，在地上掘了个坑，五丈深，用彩绸扎成宫殿，佛像都从坑中引出来，说是从地下涌出的。又杀牛取血，用来画大像，头高二百尺，说是薛怀义刺膝取血所画。十六日丙申，把像挂在天津桥南，设斋。当时御医沈南璆也是太后宠信的人，薛怀义心存怨恨，当晚，暗地纵火烧天堂，波及明堂，火焰照得城内像白天一样，到天亮明堂全都被烧光了。暴风把血像刮成几百段。太后感到羞耻而隐瞒真相，只说宫内作坊的徒工误燃麻像，便延烧到明堂。当时正在聚会饮食，左拾遗刘承庆奏请停止上朝及宴会以回答上天的谴责，太后将要听从。姚璹说："从前成周宣榭失火，占卜谓周代更加兴隆；汉武帝建章宫再造，盛德更加久远。现在明堂只是布政的地方，不是宗庙，不宜贬低抑损自己。"太后于是驾临端门，如平常一样观赏宴饮。下令再造明堂、天堂，仍然派薛怀义负责。又铸成九个以九州命名的铜鼎，还有十二生肖神像，皆一丈高，按它们所属的方位安置。

此前，河内老尼白天吃一麻一米，夜里便宰杀烹煮、宴饮作乐，收养弟子一百多人，淫荡污秽无所不为。武什方自称能配长生药，太后派他乘驿车到岭南采药。后来明堂火灾，老尼入宫慰问太后，太后怒斥她，说："你常说能预知未来事，为何不说明堂失火？"由此斥逐她返回河内，她的弟子和老胡人都逃散了。又有人告发她们奸恶之事，太后便又召老尼返回麟趾寺，她的弟子们也都回来了，太后敕令宫闱给使乘其不备逮捕她们，将之全部抓获，都没入官府为奴。武什方返回，到了偃师县，听说事已败露，自缢而死。

【段旨】

以上为第十一段，写武则天男宠薛怀义胆大妄为，因争风吃醋火烧明堂。

【注释】

㊱天册万岁元年：武则天于延载元年（公元六九四年）九月甲辰改元天册万岁元年，腊月又改元为万岁登封。㊲辛巳朔：正月初一日。㊳慈氏越古金轮圣神皇帝：去年五月始称“越古金轮圣神皇帝”，至此加“慈氏”二字。慈氏为梵语弥勒的义译。这种尊号在一定程度上反映了武则天与佛教的关系。㊴皇甫文备：武周酷吏。事见《旧唐书》卷七《中宗纪》、卷五十《刑法志》。㊵赵州：州名，治所在今河北赵县。㊶麟州：治所新秦县，在今陕西神木。关于韦巨源被贬之处，各书所载不一。两《唐书》载作“鄜州”。鄜州，治所在今陕西富县。《通鉴》系据《实录》《唐历》。㊷溱州：州名，治所在今重庆市綦江区南。㊸集州：州名，治所在今四川南江县。㊹绥州：州名，治所在今陕西绥德。㊺明堂既成：明堂成于垂拱四年（公元六八八年）十二月二十七日。㊻夹纻大像：用麻布夹层缝制的大佛像。后世称之为“麻主”。纻，苎麻。此指粗麻布。㊼天堂：此处指储放大像的殿堂。据《朝野佥载》卷五，天堂又叫“功德堂”，高一千尺。㊽江岭：江南岭表。㊾无遮会：佛教徒举行的布施僧俗的法会。无遮，有宽容无阻，无所遮拦之意。佛教宣称，无论富贵、贫贱，也不管僧俗，都可平等参加此会。㊿缗：本为穿钱的绳子。后亦指成串的钱。一千文为一缗。377令往：令往御史台。378坦腹于床：坦腹坐于床上。379病风：患疯癫之症。380处：处置。381乙未：正月十五日。382坑：同“坑”。383丙申：正月十六日。384御医：唐制，御医四人，从六品上，掌诊候调和。385沈南璆：事见《旧唐书》卷一百八十三《薛怀义传》、《新唐书》卷七十六《则天顺圣皇后武氏传》。386心愠：内心怨恨。387酺宴：臣民聚饮。酺，众人合聚饮食。388刘承庆：官

【原文】

庚子[404]，以明堂火告庙，下制求直言。刘承庆上疏，以为“火发既从麻主，后及总章[405]，所营佛舍，恐[15]劳无益[406]，请罢之。又，明堂所以统和天人，一旦焚毁，臣下何心犹为酺宴！忧喜相争，伤于情性。又，陛下垂制[407]博访，许陈至理，而左史张鼎以为今既火流王屋[408]，弥显大周之祥，通事舍人逄敏[409]奏称，弥勒成道时有天魔烧宫，七宝台须臾散坏，斯实谄妄之邪言，非君臣之正论。伏愿陛下乾乾翼翼[410]，无戾[411]天人之心而兴不急之役，则兆人蒙赖，福禄无穷。”

获嘉[412]主簿彭城刘知幾[413]表陈四事：其一，以为“皇业权舆[414]，天

至太常博士。事见《旧唐书》卷二十二《礼仪志》二、卷二十五《礼仪志》五、卷八十九《姚璹传》等。㊴辍朝：停止上朝。㊵以答天谴：以回应上天的警告。㊶成周宣榭：成周，相对宗周而言，指洛邑。宣榭，西周设在洛邑的讲武之所，被火灾焚毁。㊷建章：汉武帝太初元年（公元前一〇四年）建造的宫殿。位于汉未央宫西。时柏梁台遭受火灾，乃大修此宫，极尽豪华。㊸九州鼎：象征国家政权的九个大鼎，古代分天下为九州，铸九鼎，象九州。据《旧唐书》之《礼仪志二》及《通典》卷四十四，天册万岁元年（公元六九五年）所铸九州鼎都有名称：豫州鼎名永昌，冀州鼎名武兴，雍州鼎名长安，兖州鼎名日观，青州鼎名少阳，徐州鼎名东原，扬州鼎名江都，荆州鼎名江陵，梁州鼎名成都。其中豫州鼎高一丈八尺，各受一千八百石，另外八鼎皆高一丈四尺，各受一千二百石。共享铜五十六万七百一十二斤（约合今六十六万八千斤）。鼎上图有本州山川物产之像。㊹十二神：十二生肖。㊺皆高一丈：此言十二神高度。㊻各置其方：各放在相应的位置上。㊼靡：无。㊽长年药：长生不老之药。㊾唁：吊。㊿发：告发。(401)给使：供差遣的人。凡宦人无官品者，称内给使，属宫闱局管理，掌诸门进物出物之事。(402)偃师：县名，县治在今河南洛阳市偃师区。(403)闻事露：听说事情败露。

【校记】

［13］满：张敦仁《通鉴刊本识误》作“数”。［14］朝：原作“明”。据章钰校，十二行本、乙十一行本皆作“朝”，今据改。〖按〗《朝野佥载》卷五载：“起无遮大会于朝堂。掘地深五丈，以乱彩为宫殿台阁。”

【语译】

正月二十日庚子，因明堂火灾告祭宗庙，下诏征求直言。刘承庆上疏，认为“火灾既然生自麻主，后来延烧到明堂，所要建的佛舍，恐徒劳无益，希望停止。还有，明堂是统一协和天人的场所，一旦焚毁，臣下哪有心情聚会饮食呢！忧喜冲突，伤害性情。还有，陛下降旨广泛访求，允许人们讲述真理，然而左史张鼎竟认为现在火烧帝王屋室，更加显示大周的祥瑞。通事舍人逢敏上奏说，弥勒佛成道的时候，有天魔来烧他的宫室，七宝台立刻毁坏，这些实在是谄媚虚妄的邪说，不是君臣间的正确道理。伏请陛下终日乾乾，小心翼翼，不要违逆天理人心而兴起并不急迫的工役，那么将受亿万人仰赖，福禄无穷。”

获嘉县主簿彭城人刘知幾上表陈述四事：第一，他认为“帝业创始，开天辟地，

地开辟，嗣君即位，黎元更始，时则[16]藉非常之庆以申再造㊸之恩。今六合清晏而赦令不息，近则一年再降，远则每岁无遗㊹，至于违法悖礼之徒，无赖不仁之辈，编户㊺则寇攘为业，当官则赃贿是求。而元日㊻之朝，指期天泽㊼，重阳之节㊽，伫降皇恩，如其忖度，咸果释免。或有名垂结正㊾，罪将断决，窃行货贿，方便规求，故致稽延㊿，毕沾宽宥。用使俗多顽悖，时罕廉隅，为善者不预恩光，作恶者独承徼幸[423]。古语曰‘小人之幸，君子之不幸。’斯之谓也。望陛下而今而后，颇节于赦，使黎氓[424]知禁，奸宄[425]肃清”。其二，以为“海内具僚[426]九品以上，每岁逢赦，必赐阶勋[427]，至于朝野宴集，公私聚会，绯服众于青衣[428]，象板多于木笏[429]。皆荣非德举[430]，位罕才升，不知何者为妍蚩[431]，何者为美恶。臣望自今以后，稍息私恩，使有善者逾效忠勤，无才者咸知勉励”。其三，以为“陛下临朝践极，取士太广，六品以下职事清官，遂乃方[432]之土芥，比之沙砾，若遂不加沙汰[433]，臣恐有秽皇风[434]”。其四，以为“今之牧伯[435]迁代太速，倏来忽往，蓬转萍流[436]，既怀苟且之谋[437]，何暇循良之政[438]！望自今刺史非三岁以上不可迁官，仍明察功过，尤甄赏罚[439]”。疏奏，太后颇嘉之。是时官爵易得而法网严峻，故人竞为趋进而多陷刑戮，知幾乃著《思慎赋》[440]以刺时见志焉。

【段旨】

以上为第十二段，写武则天因明堂火灾而下诏求言，刘知幾上奏直言四事：一是赦令太滥，二是升转官吏品秩太滥，三是任官太滥，四是州官迁调太滥。切中时弊。

【注释】

[404]庚子：正月二十日。[405]总章：明堂朝西的三个房间，各种礼仪皆于此举行。此处代指明堂。[406]恐劳无益：恐徒劳无益。[407]垂制：下制；颁发制书。[408]火流王屋：此处指火烧明堂。王屋，指王所居室。[409]逢敏：逢弘敏。[410]乾乾翼翼：乾乾，语出《易经·乾卦》“君子终日乾乾”，意为健强不息。翼翼，出《诗经·大雅·大明》“小心翼翼”，比

嗣君即位，黎民有了新的开始，当时借着非同一般的喜庆，颁赐再生之恩。如今天下清平而赦令不止，近了说一年赦两次，远了说年年没有漏过。至于那些犯法背礼的、无赖不仁的，如果是民众，便以抢劫为职业，如果是官吏，便贪赃求贿。而到新年初一朝会之时，指望天子的恩泽，重阳佳节，盼降皇上的恩典，到时就如他们所揣度的，都得到了释放赦免。有的罪名几乎已结案判定，刑罚即将执行，便暗中贿赂。有司乘机贪求，故意拖延结案时间，最终使之获得宽恕。以致世间多顽劣悖理之徒，当世罕见廉洁方正之人，行善的人得不到皇上的嘉奖，作恶的人独自得到非分的恩典。古话说'小人的幸运，就是君子的不幸。'就是这个意思。请陛下从今以后，稍稍节制赦令，让百姓知道禁忌，作奸犯法的人得到肃清"。第二，认为"国家具有九品以上的官僚，每年遇到大赦，必被赐予官阶勋级，以致朝野宴会，公私聚会，穿红衣的多于穿青衣的，拿象板的多于拿木笏的。这些荣耀不是起于德行，官位极少是因才能升迁；不晓得什么是美丑，什么是善恶。臣请陛下自今天起，稍稍停止私意加恩，使贤能的更加效忠于朝廷，无才能的都懂得勤勉努力"。第三，认为"陛下即位听政，取士太泛，六品以下政事清闲的职官，就像泥土草芥、沙子碎石一样多，如果最终不加以淘汰，臣恐怕有污陛下的风范"。第四，认为"现在的州刺史调任太快，匆匆来去，像飞蓬浮萍，既然怀有得过且过的打算，哪有心思做出循吏的政绩！请从今以后，刺史任期不到三年以上不能升迁，还要考察他们的功过，特别要甄别赏罚"。疏奏呈上，太后很是嘉许。当时官爵易得而法网严酷，因此竞争做官的人多而被杀害的也多，刘知幾便作《思慎赋》来讽时见志。

喻恭敬的样子。⑪ 戾：违。⑫ 获嘉：县名，县治在今河南获嘉。⑬ 刘知幾（公元六六一至七二一年）：字子玄，徐州彭城（今江苏徐州）人，唐代著名史学家。官至太子中允左散骑常侍，长期担任史职。参与修《三教珠英》《文馆词林》《姓族系录》《则天皇后实录》及《太上皇实录》。所著《史通》二十卷，是我国第一部史学评论专著。另有《刘子玄集》三十卷传世。传见《旧唐书》卷一百二、《新唐书》卷一百三十二。⑭ 权舆：创始。⑮ 再造：再生。⑯ 每岁无遗：每年都有赦书颁发。⑰ 编户：编于户籍的人。即平民。⑱ 元日：正月初一日。⑲ 指期天泽：指望君王的恩泽。⑳ 重阳之节：节令名，又叫重九，即阴历九月初九日。㉑ 结正：结案判定。㉒ 故致稽延：故意使之迟延。㉓ 徼幸：同"侥幸"。不应得而得之恩。㉔ 黎氓：黎民。氓，野民。㉕ 奸宄：亦作"奸轨"，指犯法作乱的人。㉖ 具僚：备位的官僚。㉗ 阶勋：唐制，文武散阶各二十九，勋级凡十二等。据《唐六典》卷二及卷五，文散阶为：开府仪同三司（从一品）、特进（正二品）、

光禄大夫（从二品）、金紫光禄大夫（正三品）、银青光禄大夫（从三品）、正议大夫（正四品上）、通议大夫（正四品下）、太中大夫（从四品上）、中大夫（从四品下）、中散大夫（正五品上）、朝议大夫（正五品下）、朝请大夫（从五品上）、朝散大夫（从五品下）、朝议郎（正六品上）、承议郎（正六品下）、奉议郎（从六品上）、通直郎（从六品下）、朝请郎（正七品上）、宣德郎（正七品下）、朝散郎（从七品上）、宣议郎（从七品下）、给事郎（正八品上）、征事郎（正八品下）、承奉郎（从八品上）、承务郎（从八品下）、儒林郎（正九品上）、登事郎（正九品下）、文林郎（从九品上）、将士郎（从九品下）。武散阶为：骠骑大将军（从一品）、辅国大将军（正二品）、镇军大将军（从二品）、冠军大将军、怀化大将军（正三品）、云麾将军、归德将军（从三品）、忠武将军（正四品上）、壮武将军（正四品下）、宣威将军（从四品上）、明威将军（从四品下）、定远将军（正五品上）、宁远将军（正五品下）、游骑将军（从五品上）、游击将军（从五品下）、昭武校尉（正六品上）、昭武副尉（正六品下）、振威校尉（从六品上）、振威副尉（从六品下）、致果校尉（正七品上）、致果副尉（正七品下）、翊麾校尉（从七品上）、翊麾副尉（从七品下）、宣节校尉（正八品上）、宣节副尉（正八品下）、御武校尉（从八品上）、御武副尉（从八品下）、仁勇校尉（正九品上）、仁勇副尉（正九品下）、陪戎校尉（从九

【原文】

丙午㊶，以王孝杰为朔方道行军总管，击突厥。

春，二月己酉朔㊷，日有食之。

僧怀义益骄恣，太后恶之。既焚明堂，心不自安，言多不顺，太后密选宫人有[17]力者百余人以防㊸之。壬子㊹，执之于瑶光殿前树下，使建昌王武攸宁㊺帅壮士殴杀之㊻，送尸白马寺，焚之以造塔。

甲子㊼，太后去“慈氏越古”之号。

三月丙辰㊽，凤阁侍郎、同平章事周允元薨。

夏，四月，天枢成㊾，高一百五尺㊿，径十二尺[451]，八面，各径五尺[452]。下为铁山，周百七十尺，以铜为蟠龙、麒麟萦绕之；上为腾云承露盘，径三丈，四龙人立[453]捧火珠，高一丈。工人毛婆罗[454]造模[455]，武三思为文，刻百官及四夷酋长名[456]，太后自书其榜[457]曰“大周万国颂德天枢[458]”。

品上）、陪戎副尉（从九品下）。勋级：十二转上柱国（比正二品）、十一转柱国（比从二品）、十转上护军（比正三品）、九转护军（比从三品）、八转上轻车都尉（比正四品）、七转轻车都尉（比从四品）、六转上骑都尉（比正五品）、五转骑都尉（比从五品）、四转骁骑尉（比正六品）、三转飞骑尉（比从六品）、二转云骑尉（比正七品）、一转武骑尉（比从七品）。㉘ 绯服众于青衣：四品、五品官多于八品、九品官。唐制，四品服绯，五品服浅绯，八品服深青，九品服浅青。㉙ 象板多于木笏：唐制，五品以上用象笏（板），以下用木笏。笏，臣僚朝见时所持的手板。㉚ 荣非德举：荣耀不是起于德行。㉛ 妍蚩：美好与丑恶。㉜ 方：比拟。㉝ 沙汰：淘汰。㉞ 皇风：皇家的风教。㉟ 牧伯：古时对州牧与方伯的合称。此处指州刺史。㊱ 蓬转萍流：像飞蓬旋转，浮萍流荡，很不稳定。㊲ 苟且之谋：得过且过的打算。㊳ 循良之政：做出循吏的政绩。㊴ 尤甄赏罚：特别要甄别赏罚。㊵《思慎赋》：见《全唐文》卷二百七十四。

【校记】

［15］恐：张敦仁《通鉴刊本识误》作“徒”。［16］时则：据章钰校，十二行本、乙十一行本二字皆互乙。

【语译】

正月二十六日丙午，任命王孝杰为朔方道行军总管，攻打突厥。

春，二月初一日己酉，出现日食。

僧人薛怀义愈来愈骄横放肆，太后厌恶他。明堂被烧毁后，他心中不安，言谈多不顺服，太后暗中选了一百多名有武力的官人防备他。二月初四日壬子，在瑶光殿前的树下逮住了薛怀义，派建昌王武攸宁率领壮士打死了他，尸体送到白马寺，焚尸造塔。

十六日甲子，太后去掉“慈氏越古”的尊号。

三月初九日丙辰，凤阁侍郎、同平章事周允元逝世。

夏，四月，天枢建成，柱高一百零五尺，直径十二尺，八个面，每面宽五尺。底部为铁山，周围一百七十尺，用铜铸成蟠龙、麒麟萦绕在上面；顶部铸有腾云承露盘，直径三丈，四条龙像人站立捧着火珠，高一丈。工人毛婆罗造模型，武三思撰文，刻有百官及四夷酋长名字，太后亲自书写榜额“大周万国颂德天枢”。

秋，七月辛酉[459]，吐蕃寇临洮[460]，以王孝杰为肃边道行军大总管以讨之。

九月甲寅[461]，太后合祭天地于南郊，加号天册金轮大圣皇帝，赦天下，改元[462]。

冬，十月，突厥默啜遣使请降，太后喜，册授左卫大将军、归国公。

【段旨】

以上为第十三段，写武则天男宠薛怀义之死，以及劳民的天枢建成。

【注释】

㊶ 丙午：正月二十六日。㊷ 己酉朔：二月初一日。㊸ 防：防备。㊹ 壬子：二月初四日。㊺ 武攸宁：武则天之侄。天授至圣历间三度为相。传见《新唐书》卷二百六。㊻ 殴杀之：击杀之。关于薛怀义之死，有几种说法。《旧唐书》之《薛怀义传》认为是太平公主乳母张夫人令壮士缢杀的。李商隐的《宜都内人传》认为是武则天下令诛杀的。《通鉴》系据《实录》。㊼ 甲子：二月十六日。㊽ 丙辰：三月初九日。㊾ 天枢成：天枢铸成。去年八月下令铸天枢，至此竣工。㊿ 高一百五尺：合今三十二点五五米。[451] 径十二尺：

【原文】

万岁通天元年[463]（丙申，公元六九六年）

腊月甲戌[464]，太后发神都；甲申[465]，封神岳[466]，赦天下，改元万岁登封，天下百姓无出今年租税，大酺九日。丁亥[467]，禅于少室[468]。己丑[469]，御朝觐坛受贺。癸巳[470]，还宫。甲午[471]，谒太庙。

右千牛卫将军安平王武攸绪[472]，少有志行，恬澹寡欲，扈从[473]封中岳还，即求弃官，隐于嵩山之阳[474]。太后疑其诈，许之，以观其所为。攸绪遂优游岩壑[475]，冬居茅椒[476]，夏居石室[477]，一如山林之士[478]。太后所秋，七月十五日辛酉，吐蕃侵犯临洮，任命王孝杰为肃边道行军大总管加以讨伐。

九月初九日甲寅，太后在南郊合祭天地，加尊号“天册金轮大圣皇帝”，大赦天下，改换年号。

冬，十月，突厥默啜派使者来请求受降，太后很高兴，授册拜官为左卫大将军、归国公。

即直径十二尺，合今三点七二米。㊿各径五尺：此处之“径”指每面的宽度。㊿四龙人立：四条龙向上升首，像人站着一样。㊿毛婆罗：东夷人。事见《新唐书》卷三十四、《历代名画记》卷九。㊿模：模子。㊿刻百官及四夷酋长名：四夷酋长曾参与立天枢的活动。延载元年（公元六九四年），请求献钱立天枢，武则天析洛阳、永昌二县，特置来庭县廨于神都从善坊，以领四方蕃客。天枢功成，乃刻其名。㊿榜：榜额。㊿大周万国颂德天枢：用铜五十万斤（约合今五十九万六千斤），用铁三百三十余万斤（合今三百九十三万八千余斤）。㊿辛酉：七月十五日。㊿临洮：古县名，治所在今甘肃岷县。㊿甲寅：九月初九日。㊿改元：改元天册万岁。

【校记】

［17］有：据章钰校，十二行本、乙十一行本皆作“多”。

【语译】

万岁通天元年（丙申，公元六九六年）

腊月初一日甲戌，太后从神都出发。十一日甲申，在神岳祭天，大赦天下，改年号为万岁登封，免除天下百姓今年的租税，大饮宴九天。十四日丁亥，在少室山祭地。十六日己丑，驾临朝覲坛接受群臣朝贺。二十日癸巳，回宫。二十一日甲午，谒告太庙。

右千牛卫将军安平王武攸绪年少时就有志向操守，淡泊寡欲，侍从太后封禅中岳回来，立刻请求弃职，隐居于嵩山南麓。太后怀疑他有诈，答应了他的请求，借以观察他的作为。武攸绪于是悠闲地居住在岩岭溪壑中，冬天居住茅椒屋，夏天居

赐及王公所遗野服[479]器玩，攸绪一皆置之不用，尘埃凝积。买田使奴耕种，与民无异。

春，一月甲寅[480]，以娄师德为肃边道行军副总管，击吐蕃。己巳[481]，以师德为左肃政大夫，知政事如故[482]。

改长安崇尊庙[483]为太庙。

二月辛巳[484]，尊神岳天中王[485]为神岳天中黄帝，灵妃[486]为天中黄后。启[487]为齐圣皇帝；封启母神为玉京太后[488]。

三月壬寅[489]，王孝杰、娄师德与吐蕃将论钦陵、赞婆战于素罗汗山[490]，唐兵大败，孝杰坐免为庶人，师德贬原州员外司马[491]。师德因署移牒，惊曰："官爵尽无邪[492]！"既而曰："亦善，亦善。"不复介意。

丁巳[493]，新明堂成，高二百九十四尺，方三百尺，规模率小于旧[494]。上施金涂铁凤[495]，高二丈，后为大风所损，更为铜火珠，群龙捧之，号曰通天宫。赦天下，改元万岁通天[496]。

大食请献师子[497]。姚璹上疏，以为"师子专食肉，远道传致[498]，肉既难得，极为劳费。陛下鹰犬不蓄，渔猎悉停，岂容菲薄于身而厚给于兽"！乃却之。

【段旨】

以上为第十四段，写唐军兵败于吐蕃；新建明堂落成。

【注释】

[463]万岁通天元年：武则天于天册万岁元年（公元六九五年）腊月改元万岁登封，只用了四个月，于万岁登封元年（公元六九六年）三月丁巳改元万岁通天。即万岁通天元年包有万岁登封元年。[464]甲戌：腊月初一日。[465]甲申：腊月十一日。[466]封神岳：在神岳峻极峰祭告昊天上帝。神岳，即嵩山，垂拱四年（公元六八八年），武则天把山名改称神岳。由峻极峰、太室、少室三大部分组成。峻极峰最高，海拔一千四百四十米。[467]丁亥：腊月十四日。[468]禅于少室：在少室下趾东南祭后土。少室在峻极峰之西，与太室相对，有三十六峰。[469]己丑：腊月十六日。[470]癸巳：腊月二十日。[471]甲午：腊月二十一日。[472]武攸绪（？

住石窟，与山林隐士一样。太后所赐及王公大臣所赠的隐居衣服玩物，武攸绪一概闲置不用，上面尘埃封积。他买田让奴仆耕种，与平民没有区别。

春，一月十一日甲寅，任命娄师德为肃边道行军副总管，攻打吐蕃。二十六日己巳，任命娄师德为左肃政大夫，仍旧主持政事。

把长安崇尊庙改为太庙。

二月初九日辛巳，尊神岳天中王为神岳天中黄帝、灵妃为天中黄后、夏后启为齐圣皇帝。封启母神为玉京太后。

三月初一日壬寅，王孝杰、娄师德与吐蕃将领论钦陵、赞婆在素罗汗山交战，唐军大败，王孝杰坐罪免官为平民，娄师德被贬官为原州员外司马。娄师德在签署送来的公文时，惊讶地说："官爵全没有了呀！"签署后说："也好，也好。"便不再介意。

三月十六日丁巳，新明堂落成，高二百九十四尺，方三百尺，规模比原来略小些。上面设有黄金涂饰的铁凤，高二丈，后被大风所坏，换成一个铜火珠，由群龙簇拥着，号称通天宫。大赦天下，改年号为万岁通天。

大食国请求进献狮子。姚璹上疏认为"狮子专吃肉，远道送来，肉食难以得到，极其耗费人力物力。陛下不养鹰犬，禁止一切渔猎，怎么能容得对自己菲薄而厚养狮兽"！于是拒绝此事。

至公元七二三年）：武则天堂兄惟良之子。传见《旧唐书》卷一百八十三、《新唐书》卷一百九十六。⑷⑺⑶扈从：随从天子车驾。⑷⑺⑷嵩山之阳：嵩山之南。⑷⑺⑸岩壑：岩岭溪壑。⑷⑺⑹茅椒：用茅草和椒木搭成的屋子。⑷⑺⑺石室：即石窟。⑷⑺⑻山林之士：山林隐士。⑷⑺⑼野服：田野平民的服装，此指隐居服装。⑷⑻⓪甲寅：一月十一日。⑷⑻⑴己巳：一月二十六日。⑷⑻⑵"以师德为左肃政大夫二"句：以娄师德为左肃政大夫，知政事如故的时间，各书记载不一，司马光据《实录》记载。⑷⑻⑶崇尊庙：本名崇先庙，垂拱四年造，以享武氏祖考。天授元年（公元六九〇年）九月，立武氏七庙于神都。次年正月，纳武氏神主于太庙，改西京崇先庙为崇尊庙，享祀一如太庙之仪。⑷⑻⑷辛巳：二月初九日。⑷⑻⑸神岳天中王：天中王为神岳之神。⑷⑻⑹灵妃：仙女宓妃。传说宓妃为洛水女神。⑷⑻⑺启：禹之子。禹死后，启继王位，确立传子制度，建立了夏朝。⑷⑻⑻封启母神为玉京太后：传说启母在嵩山生启而化为石。后世遂以为启母神，并为之建庙。⑷⑻⑼壬寅：三月初一日。⑷⑼⓪素罗汗山：据《旧唐书》之《娄师德传》，素罗汗山当在洮州（治所在今甘肃临潭）境内。⑷⑼⑴师德贬原州员外司马：原州，治所在今宁夏固原。王孝杰坐免为庶人与娄师德被贬原州是否同时，各书记载不一，司马光据《实录》记为同时。⑷⑼⑵官爵尽无邪：师德原任左肃政御史大夫、同凤阁鸾台平章事，封原武县男，现仅为员外司马，故有此感叹。⑷⑼⑶丁巳：三月十六日。⑷⑼⑷规模率小于旧：旧明

堂亦高二百九十四尺，方三百尺。见《旧唐书》卷二十二及本书卷二百四。所谓小于旧，当指构件而言。[495]金涂铁凤：鎏金铁凤。[496]“赦天下”二句：改元的时间，《旧唐书》卷六作“夏四月”，卷二十二作“四月朔日”即四月初一日，《唐会要》卷三同。〖按〗四月初一日武则天曾举行亲享明堂之礼，当以四月初一日赦天下、改元为是。[497]大食请献师子：大食，即阿拉伯帝国。师子，即狮子。师，与“狮”通。[498]传致：传递致送。

【原文】

以检校夏官侍郎孙元亨同平章事[499]。

夏，五月壬子[500]，营州契丹松漠都督李尽忠[501]、归诚州刺史孙万荣[502]举兵反，攻陷营州[503]，杀都督赵文翙[504]。尽忠，万荣之妹夫也，皆居于营州城侧。文翙刚愎，契丹饥，不加赈给，视酋长如奴仆，故二人怨而反。乙丑[505]，遣左鹰扬卫将军曹仁师、右金吾卫大将军张玄遇、左威卫大将军李多祚、司农少卿麻仁节等二十八将讨之。秋，七月辛亥[506]，以春官尚书梁王武三思为榆关道[507]安抚大使，姚璹副之，以备契丹。改李尽忠为李尽灭，孙万荣为孙万斩。

尽忠寻自称无上可汗，据营州，以万荣为前锋，略地，所向皆下；旬日，兵至数万，进围檀州[508]，清边前军副总管张九节击却之。

八月丁酉[509]，曹仁师、张玄遇、麻仁节与契丹战于硖石谷[510]，唐兵大败。先是，契丹破营州，获唐俘数百，囚之地牢，闻唐兵将至，使守牢霫[511]绐之曰：“吾辈家属，饥寒不能自存[512]，唯俟官军至即降耳。”既而契丹引出其俘，饲以糠粥，慰劳之曰：“吾养汝则无食，杀汝又不忍，今纵汝去。”遂释之。俘至幽州[513]，具言其状，诸军闻之，争欲先入。至黄獐谷[514]，虏又遣老弱迎降，故遗老牛瘦马于道侧。仁师等三军弃步卒，将骑兵先[18]进。契丹设伏横击之，飞索以缉[515]玄遇、仁节，生获之，将卒死者填山谷，鲜有脱者。契丹得军印，诈为牒，令玄遇等署[516]之，牒总管燕匪石、宗怀昌等云：“官军已破贼，若至营州，军将皆斩[517]，兵不叙勋。”匪石等得牒，昼夜兼行[518]，不遑[519]寝食以赴之，士马疲弊，契丹伏兵于中道邀之，全军皆没。

【语译】

任命检校夏官侍郎孙元亨同平章事。

夏，五月十二日壬子，营州契丹松漠都督李尽忠、归诚州刺史孙万荣起兵造反，攻陷营州，杀了都督赵文翙。李尽忠是孙万荣的妹夫，都住在营州城边。赵文翙刚愎自用，契丹发生饥荒，不救济，把酋长看成奴仆，所以李、孙二人怨恨他而造反。二十五日乙丑，派左鹰扬卫将军曹仁师、右金吾卫大将军张玄遇、左威卫大将军李多祚、司农少卿麻仁节等二十八位将领征讨他们。秋，七月十一日辛亥，派春官尚书梁王武三思为榆关道安抚大使，姚璹为副使，用来防备契丹。把李尽忠改名李尽灭，孙万荣改名孙万斩。

李尽忠不久自称无上可汗，占据营州，以孙万荣为先锋，侵夺土地，所到之处都攻了下来；十天之间，兵力达到数万，进兵包围檀州，清边前军副总管张九节击退了他。

八月二十八日丁酉，曹仁师、张玄遇、麻仁节跟契丹在硖石谷交战，唐兵大败。此前，契丹攻破营州，俘获几百名唐兵，将他们囚禁在地牢里。听说唐兵快到了，让把守地牢的霫人骗他们说："我们的家属，饥寒不能活命，只等官军到达立刻投降。"不久契丹放出唐俘，供给米糠粥，慰劳他们说："我们没有食物养活你们，杀掉你们又不忍心，现在放你们离去。"于是释放了唐俘。唐俘回到幽州，把情况详加说明，各部军队听了，争着想先攻入契丹。到了黄獐谷，契丹又派遣老弱迎降，故意在路边丢些老牛瘦马。曹仁师等三支部队便留下步兵，率骑兵先行。契丹设下埋伏，从侧面发动攻击，用套索投向张玄遇、麻仁节，生擒了他们，将士死尸填塞了山谷，很少有人逃脱。契丹获得军印，便假造公文，令张玄遇等签署，通知总管燕匪石、宗怀昌等说："官军已破契丹，如果到营州晚了，将军全要论斩，兵士不予论功加勋。"燕匪石等得到公文，日夜兼程而行，无暇寝食，赶赴营州，兵马疲乏，契丹在半路上设伏兵截击，燕匪石等全军覆没。

九月，制⑳："天下系囚及庶士家奴骁勇者，官偿其直㉑，发以击契丹。"初[19]令山东近边诸州置武骑团兵㉒，以同州刺史建安王武攸宜㉓为右武威卫大将军，充清边道行军大总管，以讨契丹。

右拾遗陈子昂为攸宜府参谋㉔，上疏曰："恩制免天下罪人及募诸色㉕奴充兵讨击契丹，此乃捷急㉖之计，非天子之兵。且比来刑狱久清，罪人全少，奴多怯弱，不惯征行，纵其募集，未足可用。况当[20]今天下忠臣义[21]士，万分未用其一。契丹小孽，假命待诛，何劳免罪赎奴，损国大体！臣恐此策不可威示天下。"

丁巳㉗，突厥寇凉州，执都督许钦明㉘。钦明，绍之曾孙也。时出按部，突厥数万奄至城下，钦明拒战，为所虏。

钦明兄钦寂㉙，时为龙山军㉚讨击副使，与契丹战于崇州㉛，军败，被擒。虏将围安东㉜，令钦寂说其属城未下者。安东都护裴玄珪㉝在城中，钦寂谓曰："狂贼天殃，灭在朝夕，公但励兵谨守以全忠节。"虏杀之。

【段旨】

以上为第十五段，写契丹族反叛，唐军征讨大败。

【注释】

⑲以检校夏官侍郎孙元亨同平章事：《新唐书》卷四《则天纪》及卷六十一《宰相表》将此事列于四月癸酉，即四月初二日。当在"以"前补"四月癸酉"四字。⑳壬子：五月十二日。㉑李尽忠（？至公元六九六年）：契丹酋长窟哥之孙。官至武卫大将军、松漠都督，自号无上可汗。事见《旧唐书》卷一百九十九下、《新唐书》卷二百十九《北狄列传》。㉒孙万荣（？至公元六九七年）：契丹别部酋长孙敖曹之曾孙，垂拱初累授右玉钤卫将军、归诚州刺史，封永乐县公。事详《旧唐书》卷一百九十九下、《新唐书》卷二百十九《契丹列传》。㉓营州：治所在今辽宁朝阳。㉔赵文翙（？至公元六九六年）：又称"赵翙"。事见《旧唐书》卷一百九十九下、《新唐书》卷二百十九《契丹列传》等。㉕乙丑：五月二十五日。㉖辛亥：七月十一日。㉗榆关道：此处榆关即指古渝关，即今山海关。渝，亦作"榆"。㉘檀州：治所在今北京市密云。㉙丁酉：八月二

九月，下诏："天下囚犯及庶民、士人的家奴中勇敢的，由官府出钱抵身价，征发攻打契丹。"始命山东近边塞各州设置武骑团兵，任命同州刺史建安王武攸宜为右武威卫大将军，充任清边道行军大总管，去征伐契丹。

右拾遗陈子昂任武攸宜军府的参谋，他上奏说："陛下降恩，诏令免除天下罪犯，及招募各类奴仆充当兵卒讨伐契丹，这是应急的办法，他们不是天子的士兵。而且近来刑狱公正已久，罪人减少，奴仆多数懦弱，不习惯行军打仗，即使募集了他们，未必能够使用得上。何况现在天下的忠臣义士，万分未用其一。契丹这小孽贼，苟活等死而已，何劳赦免罪人，赎取奴仆，这有损国家大体！臣恐怕这种政策不能向天下显示朝廷的威严。"

九月十八日丁巳，突厥侵犯凉州，抓了都督许钦明。许钦明是许绍的曾孙。当时正出去巡察部属，突厥几万人突然到达城下，许钦明抵抗，被俘。

许钦明的兄长许钦寂，当时任龙山军讨击副使，与契丹在崇州交战，军败，被俘。契丹将包围安东，命令许钦寂劝降他辖属的尚未攻下的城邑。安东都护裴玄珪在城中，许钦寂对他说："狂贼必遭上天的惩罚，亡在旦夕，您只管励兵谨守来保全忠贞气节。"契丹杀了许钦寂。

十八日。⑩ 硖石谷：在今河北卢龙东南一带。⑪ 守牢霫：看守地牢的霫人。霫，古民族名，唐时居潢水（今西拉木伦河）以北，以射猎为生，习俗与契丹基本相同。见《旧唐书》卷一百九十九下《北狄列传》。⑫ 存：存活。⑬ 幽州：治所蓟县，在今北京市城区西南。⑭ 黄獐谷：在西硖石。⑮ 羂：套。《朝野佥载》卷六载，天后时，将军李楷固，契丹人，善用羂索。李尽忠之败，麻仁节、张玄遇等并被羂。⑯ 署：签名。⑰ 军将皆斩：迟到将领将皆被斩首。⑱ 兼行：兼程而行。一天赶两天的路。⑲ 遑：暇。⑳ 制：即诏。载初元年（公元六八九年）正月，武则天自以"曌"字为名，"诏"与"曌"同音避讳，遂改诏书为制书。㉑ 官偿其直：官府偿其身价。㉒ 武骑团兵：地方武装。组织当地居民加以训练，以保卫家乡，抵御契丹。㉓ 武攸宜：则天堂兄惟良之子。曾任同州刺史，前后总禁兵十年。传见《新唐书》卷二百六。㉔ 为攸宜府参谋：以本官参谋军事，不列为品秩。㉕ 诸色：各种。㉖ 捷急：迅急。㉗ 丁巳：九月十八日。㉘ 许钦明：唐初功臣许绍之曾孙，曾任左玉钤卫将军、安西大都护等职。传见《旧唐书》卷五十九、《新唐书》卷九十。㉙ 钦明兄钦寂：袭封谯国公。传见《旧唐书》卷五十九、《新唐书》卷九十。㉚ 龙山军：军镇名。龙山，即慕容氏和龙之山。㉛ 崇州：羁縻府州名称，当在今辽宁朝阳一带。㉜ 安东：即安东都护府。时安东都护府的治所新城，在今辽宁抚顺北。㉝ 裴玄珪：官至安东都护。事见《旧唐书》卷五十九《许钦明传》、《新唐书》卷九十《许钦寂传》。

【校记】

[18] 先：据章钰校，十二行本、乙十一行本、孔天胤本皆作“轻”。[19] 初：张敦仁《通鉴刊本识误》作“又”。[20] 当：原无此字。据章钰校，十二行本、乙十一行本、孔天胤本皆有此字，张敦仁《通鉴刊本识误》同，今据补。[21] 义：据章钰校，十二行本、乙十一行本、孔天胤本皆作“勇”。

【原文】

吐蕃复遣使请和亲，太后遣右武卫胄曹参军[534]贵乡郭元振[535]往察其宜。吐蕃将论钦陵请罢安西四镇戍兵，并求分十姓突厥之地[536]。元振曰：“四镇、十姓与吐蕃种类本殊，今请罢唐兵，岂非有兼并之志乎？”钦陵曰：“吐蕃苟贪土地，欲为边患，则东侵甘、凉，岂肯规利[537]于万里之外邪！”乃遣使者随元振入请之。

朝廷疑未决，元振上疏，以为“钦陵求罢兵割地，此乃利害之机，诚不可轻举措[538]也。今若直拒其善意，则为边患必深。四镇之利远，甘、凉之害近，不可不深图也。宜以计缓之，使其和望[539]未绝则善矣。彼四镇、十姓，吐蕃之所甚欲也，而青海、吐谷浑，亦国家之要地也，今报之宜曰：‘四镇、十姓之地，本无用于中国，所以遣兵戍之，欲以镇抚西域，分吐蕃之势[540]，使不得并力[541]东侵也。今若果无东侵之志，当归我吐谷浑诸部及青海故地[542]，则五俟斤部[543]亦当以归吐蕃。’如此则足以塞钦陵之口[544]，而亦未与之绝也。若钦陵小有乖违，则曲在彼矣。且四镇、十姓款附[545]日[22]久，今未察其情之向背，事之利害，遥割而弃之，恐伤诸国之心，非所以御四夷也[546]”。太后从之。

元振又上言：“吐蕃百姓疲于徭戍[547]，早愿和亲，钦陵利于统兵专制，独不欲归款[548]。若国家岁发和亲使，而钦陵常不从命，则彼国之人怨钦陵日深，望国恩日甚，设欲大举其徒，固亦难矣。斯亦离间之渐，可使其上下猜阻[549]，祸乱内兴矣。”太后深然之。元振名震，以字行。

【语译】

吐蕃又遣使请求和亲，太后派右武卫胄曹参军、贵乡人郭元振去察看情况。吐蕃将领论钦陵要求撤去安西四镇的戍兵，并要求分得十姓突厥的土地。郭元振说：“四镇、十姓和吐蕃本是不同种族，现请求撤除唐兵，岂不是有兼并的企图吗？”论钦陵说：“吐蕃如贪求土地，想成为唐朝的边患，便向东侵扰甘州、凉州，怎会谋利于万里之外的地方呢！”于是派使者随郭元振入朝请求。

朝廷疑而不决，郭元振上奏，认为“论钦陵求撤兵割地，这是利害的关键，确实不可轻易行动。现在若直接拒绝他的善意，吐蕃则深为边患。四镇的利益遥远，甘州、凉州的危害则在近处，不可不深加考虑。应当用计谋来拖延他，使他对求和的希望不断绝就好了。那四镇、十姓，是吐蕃极想得到的，而青海、吐谷浑也是我国的重要地方，现在回答他应该说：‘四镇、十姓的地方，本对中国无用，之所以派兵戍守，是想镇抚西域，分散吐蕃的力量，使它不能合力向东侵扰。现在假如果真没有向东侵扰的意图，就应当归还我吐谷浑诸部以及青海旧地，那么五俟斤部也应当还给吐蕃。’这样便足以堵住论钦陵的嘴，而且也没有与他决裂。如果论钦陵稍有违背，则理屈在他们。而且四镇、十姓归诚已久，现在没有搞清吐蕃实情向背、此事的利害关系，就遥加割舍抛弃，恐会伤害各国人心，不是统御四夷的办法”。太后依从了他的意见。

郭元振又上奏说：“吐蕃百姓疲于徭役和兵役，早就愿意和亲，论钦陵贪图统兵专权之利，独不愿归顺；如朝廷每年派遣和亲大使，而论钦陵常不从命，那么吐蕃百姓埋怨论钦陵会日益加深，而盼望我国的恩惠也会日甚一日，论钦陵想大肆调动手下人马，自然困难。这也是离间吐蕃的步骤，可以使他们上下猜忌，祸乱从内部兴起。”太后非常赞同。郭元振名叫震，以表字行世。

【段旨】

以上为第十六段，写武则天用郭元振计羁縻吐蕃。

【注释】

㉞ 右武卫胄曹参军：官名，掌兵械及公廨兴建修缮等事。㉟ 郭元振（公元六五六至七一三年）：本名震，以字显，魏州贵乡（今河北大名东南）人，高宗咸亨时举进士，经则天、中宗、睿宗、玄宗四朝，历任凉州都督、安西大都护等职，甚有善政，后官至宰相。著有《定远安边策》三卷、《九谏书》一卷、《安邦策》一卷。传见《旧唐书》卷九十七、《新唐书》卷一百二十二。㊱ 十姓突厥之地：即五咄陆和五弩失毕活动的地方，约当今阿尔泰山以西、锡尔河以东的广大地区。㊲ 规利：求利。㊳ 轻举措：轻易行

【原文】

庚申[550]，以并州长史王方庆[551]为鸾台侍郎，与殿中监万年李道广[552]并同平章事。

突厥默啜请为太后子，并为其女求昏[553]，悉归河西降户[554]，帅其部众为国讨契丹。太后遣豹韬卫大将军阎知微[555]、左卫郎将摄司宾卿田归道[556]册授默啜左卫大将军、迁善可汗。知微，立德之孙。归道，仁会之子也。

冬，十月辛卯[557]，契丹李尽忠卒，孙万荣代领其众。突厥默啜乘间[558]袭松漠[559]，虏尽忠、万荣妻子而去。太后进拜默啜为颉跌利施大单于、立功报国可汗。

孙万荣收合余众，军势复振，遣别帅骆务整[560]、何阿小[561]为前锋，攻陷冀州[562]，杀刺史陆宝积，屠吏民数千人。又攻瀛州[563]，河北震动。制起彭泽令狄仁杰[564]为魏州刺史。前刺史独孤思庄[565]畏契丹猝至[566]，悉驱百姓入城，缮修守备。仁杰至，悉遣还农，曰：“贼犹在远，何烦如是！万一贼来，吾自当之。”百姓大悦。

动。539 和望：求和的希望。540 分吐蕃之势:《旧唐书》之《郭元振传》作“分蕃国之力”。《新唐书》作“扼诸蕃走集，以分其力”。541 并力：合力。542 当归我吐谷浑诸部及青海故地：咸亨元年（公元六七〇年）大非川之战，唐军败绩，吐蕃势力大振，据有青海一带，蚕食吐谷浑部落。三年，吐谷浑被迫迁往灵州，故地尽入吐蕃。543 五俟斤部：即五弩失毕部。西突厥五弩失毕部各有酋长，称为俟斤。五俟斤即代表五弩失毕。544 口：借口。545 款附：诚附。546 非所以御四夷也：不是驾驭四夷的办法。《旧唐书》之《郭元振传》作“非制驭之长算也”。547 徭戍：徭役戍守。548 归款：归附献诚，归顺。549 猜阻：猜疑阻隔，猜忌。

【校记】

［22］日：据章钰校，十二行本、乙十一行本、孔天胤本皆作“岁”。

【语译】

九月二十一日庚申，任命并州长史王方庆为鸾台侍郎，与殿中监、万年人李道广并为同平章事。

突厥阿史那默啜请求做太后的义子，并为他的女儿求婚，要求唐朝全部归还散处河西的突厥降户，率领他的部众为唐朝讨伐契丹。太后派豹韬卫大将军阎知微、左卫郎将代理司宾卿田归道奉策书授阿史那默啜为左卫大将军、迁善可汗。阎知微，是阎立德的孙子。田归道，是田仁会的儿子。

冬，十月二十二日辛卯，契丹李尽忠死了，孙万荣取代他统率契丹。突厥阿史那默啜趁机袭击松漠，俘获李尽忠、孙万荣的妻儿而去。太后晋升阿史那默啜为颉跌利施大单于、立功报国可汗。

孙万荣集合残余部众，军势复振，派遣别部将领骆务整、何阿小为先锋，攻陷冀州，杀了刺史陆宝积，屠杀官吏平民几千人。又攻打了瀛州，使河北动荡。颁下制书起用彭泽令狄仁杰为魏州刺史。前任刺史独孤思庄畏惧契丹突然到来，将百姓全部驱赶入城，修筑防御工事。狄仁杰到了，全部遣返他们回家务农，说：“贼兵尚在远处，何必这样烦扰！万一贼兵来了，我自己去抵挡。”百姓大为高兴。

时契丹入寇，军书填委⑰，夏官郎中硖石姚元崇⑱剖析如流，皆有条理，太后奇之，擢为夏官侍郎。

太后思徐有功用法平⑲，擢拜左台殿中侍御史，远近[23]闻者无不相贺。鹿城⑳主簿宗城潘好礼㉑著论，称有功蹈道依仁，固守诚节㉒，不以贵贱死生易其操履㉓。设客问曰："徐公于今谁与为比?"主人曰："四海至广，人物至多，或匿迹韬光㉔，仆不敢诬，若所闻见，则一人而已，当于古人中求之。"客曰："何如张释之㉕?"主人曰："释之所行者甚易，徐公所行者甚难，难易之间，优劣见矣。张公逢汉文之时，天下无事，至如盗高庙玉环及渭桥惊马㉖，守法而已，岂不易哉！徐公逢革命之秋，属惟新之运，唐朝遗老，或包藏祸心，使人主有疑。如周兴、来俊臣，乃尧年之四凶㉗也，崇饰恶言以诬盛德；而徐公守死善道㉘，深相明白㉙，几陷囹圄㉚，数挂网罗[24]，此吾子所闻，岂不难哉!"客曰："使为司刑卿㉛，乃得展其才矣。"主人曰："吾子徒见徐公用法平允，谓可置司刑，仆睹其人，方寸之地㉜，何所不容㉝，若其用之，何事不可，岂直㉞司刑而已哉!"

【段旨】

以上为第十七段，写狄仁杰、姚元崇、徐有功三位贤杰大臣再次登场。

【注释】

550 庚申：九月二十一日。551 王方庆（？至公元七〇二年）：名綝，以字行，雍州咸阳（在今陕西咸阳）人，曾任广州都督，有善政。为相将近二年，直言敢谏。著书二百余卷，尤精三礼。传见《旧唐书》卷八十九、《新唐书》卷一百十六。552 李道广：雍州万年（在今陕西西安）人，曾任汴州刺史，有善政。官至宰相，累封金城县侯。传见《旧唐书》卷九十八、《新唐书》卷一百二十六。553 昏：同"婚"。554 悉归河西降户：要求唐朝全部归还散处河西的突厥降户。事见《旧唐书》之《突厥传》。555 阎知微（？至公元六九八年）：唐初著名建筑学家阎立德之孙，官至右豹韬卫将军。屈事突厥可汗，被

当时契丹入侵，军事文书堆集，夏官郎中、硖石人姚元崇剖析流畅，皆有条理，太后视其为奇才，将他升为夏官侍郎。

太后念徐有功执法平允，提升他为左台殿中侍御史，远近听说的人无不互相道贺。鹿城县主簿、宗城人潘好礼撰写文章，称徐有功遵行大道，依从仁义，坚守忠诚的气节，不因贵贱死生改变操行。文中假设一客人问道："徐公在今天谁可跟他相比?"主人说："四海极广，人物极多，有的隐藏行迹，敛藏光彩，我不敢随便乱说；但就我所闻所见，只有他一人而已，应在古人中去找匹配者。"客人说："跟张释之比怎么样?"主人说："释之所做的很容易，徐公所做的很难，难易之间，可看出二人的优劣。张公遇上汉文帝时代，天下太平无事，至于像偷高祖庙中的玉环，以及渭桥惊扰汉文帝的车驾等案件，依法处理而已，难道不容易吗！徐公遇上变革的年代，正值改旧推新的世道，唐朝的遗老，有的心怀不轨，使君主产生猜疑。如周兴、来俊臣，便是尧时的四凶，粉饰恶言以诬陷贤良；而徐公死守善道，深明事理，几乎身陷牢狱，多次触犯刑网，这是您所听说的，难道不是很困难的吗！"客人说："假使他做司刑卿，便可施展他的才能了。"主人说："您只看到徐公执法平允，以为可任司刑，我看他这个人，方寸之心无所不容，如要用他，哪样职事不能胜任，何只可任司刑呢！"

诛。传见《旧唐书》卷七十七、《新唐书》卷一百。㊺田归道：雍州长安（在今陕西西安）人，良吏田仁会之子。累迁通事舍人内供奉、左卫郎将。出使突厥有功，官拜左金吾将军、司膳卿。传见《旧唐书》卷一百八十五上、《新唐书》卷一百九十七。557辛卯：十月二十二日。558乘间：乘隙；趁机。559松漠：松漠都督府，治所在今内蒙古翁牛特旗西北。560骆务整：契丹孙万荣之偏将，降唐后官至右武威卫将军。事见《旧唐书》卷八十九《狄仁杰传》、《新唐书》卷二百十九《契丹传》等。561何阿小：契丹骁将，杀人如麻，后为杨玄基所擒。事见《旧唐书》卷一百八十三《武懿宗传》、卷一百九十九下《契丹传》及《新唐书》卷二百十九《契丹传》等。562冀州：州名，治所在今河北衡水市冀州区。563瀛州：州名，治所在今河北河间。564彭泽令狄仁杰：狄仁杰为酷吏来俊臣所诬，长寿元年（公元六九二年）一月被贬为彭泽令。565独孤思庄：官至右金吾大将军。见《新唐书》卷七十五下。566猝至：突然到来。567填委：填塞委积；堆积。568姚元崇（公元六五〇至七二一年）：字符之，陕州硖石（今河南三门峡市南）人，后避开元年号，单名为"崇"。倜傥好学，为武则天、唐睿宗、唐玄宗三朝名相。有文集十卷。传见

《旧唐书》卷九十六、《新唐书》卷一百二十四。《咸淳毗陵志》卷七、《嘉泰会稽志》卷二亦载其事。言论又见于《全唐文》卷二百六、《唐文拾遗》卷十六等。569 太后思徐有功用法平：长寿二年（公元六九三年），徐有功为酷吏周兴所劾，免官，故太后思之。用法平，执法平允。570 鹿城：县名，县治在今河北深州西。571 潘好礼：贝州宗城（今河北清河县西南）人，开元时官至豫州刺史。勤俭清廉。传见《旧唐书》卷一百八十五下、《新唐书》卷一百二十八。言论保存在《全唐文》卷二百七十九。572 诚节：忠节。573 操履：犹操行。574 匿迹韬光：隐才不露。匿迹，隐匿行迹。韬光，敛藏光彩。575 张释之：西汉人，文景时期名臣。官至廷尉，以执法平允而著称。传见《史记》卷一百二、《汉书》卷五十。576 盗高庙玉环及渭桥惊马：事见本书卷十四汉文帝三年。577 尧年之四凶：尧时的四个凶残之人。尧年，尧世。四凶，即浑敦、穷奇、梼杌、饕餮。578 守死善道：用生命矢守善道。善道，《新唐书》卷一百十三作"明道"，意思相同。579 明白：懂道理。580 囹圄：牢狱。581 司刑卿：官名，即大理寺卿，从三品，掌邦国折狱详刑之事。582 方寸之地：指心而言。简作"方寸"或"方寸地"。583 容：容纳。584 直：但；只。

【校记】

［23］远近：原无此二字。据章钰校，十二行本、乙十一行本、孔天胤本皆有此二字，张敦仁《通鉴刊本识误》同，今据补。［24］罗：原作"维"。据章钰校，十二行本、乙十一行本、孔天胤本皆作"罗"，熊罗宿《胡刻资治通鉴校字记》同，今据改。

【研析】

本卷所载的五年史事，起公元六九二年，迄公元六九六年，是武则天建立的武周政权的极盛时期，也是武则天个人尊荣达到了顶点，同时也是武则天赖以生存的政治基础负面影响到了无法忍受的程度，可以说是物极必反，武则天不改弦易辙，武周政权有颠覆的危险。武则天不动声色地转危为安，表现了她的大智慧与大政治家的情怀。以此看点，本卷研析四个问题：武则天鼎盛的标志；酷吏政治的危害；官场腐败的积习；武则天第一个男宠薛怀义之死。

第一，武则天鼎盛的标志。武则天称制不久，在垂拱四年（公元六八八年），建明堂，这是盛世的标志。长寿二年（公元六九三年），武则天加尊号"金轮圣神皇帝"，同时追尊祖上武氏先皇加尊号。追尊昭安皇帝曰浑元昭安皇帝，文穆皇帝曰立极文穆皇帝，孝明高皇帝曰无上孝明高皇帝。"金轮圣神""浑元""立极""无上"，这些尊号表现了武则天自鸣得意的心境。第二年长寿三年五月，又改元为延载元年（公元六九四年），并改尊号为"越古金轮圣神皇帝"。八月，征铜铁在洛阳端门（洛阳皇城正南门）外修建颂扬大周国威的天枢，铭纪功德，黜唐颂周。第二年，天册万岁元年（公元六九五年）四月，"天枢成，高一百五尺，径十二尺，八面，各径五

尺。下为铁山，周百七十尺，以铜为蟠龙、麒麟萦绕之；上为腾云承露盘，径三丈，四龙人立捧火珠，高一丈。工人毛婆罗造模，武三思为文，刻百官及四夷酋长名，太后自书其榜曰‘大周万国颂德天枢’”。在此期间，武则天又重建明堂，比原建明堂更为壮丽。史称，初建明堂，“日役万人，所费以万亿计，府藏为之耗竭”。建天枢与重建明堂，工程更为浩大，并在短期内建成，标志了武周的鼎盛气象，也反映了武则天的好大喜功。武则天还大修佛寺，铸九鼎，耗尽了国库，加重了民众原已沉重的负担。刘承庆上疏指陈其弊，委婉地批评说："伏愿陛下乾乾翼翼，无戾天人之心而兴不急之役，则兆人蒙赖，福禄无穷。"

开元二年（公元七一四年），唐玄宗下令“毁天枢，发匠熔其铜铁，历月不尽”。历史总是和一切好大喜功的独裁者开玩笑，愈是要流芳百世的人，愈是历史上匆匆来往的过客。武则天的“大周万国颂德天枢”的寿命只存在了二十年，就是一个生动的例证。

第二，酷吏政治的危害。唐太宗贞观之治，完善国家制度，在当时世界上是最先进、最优越的政治制度，到唐高宗时完成的《唐律疏议》也是中国封建律令中先进的法典。《唐律》五百条，分为十二篇，对社会人与人的各种关系都制定了规范的行为。死罪有一百十几条，只有犯“十恶”的人才定死罪，为了避免法律的酷滥，《唐律》有关于诉讼、断狱严格的程序规定。诉讼要有确切的证据指陈犯罪，不得称疑，违者笞五十。投匿名信告人罪被查出，流放二千里，诬告谋反及大逆者，斩，从者绞，审判官与诉讼双方有亲属仇嫌者一律回避。严禁刑讯逼供，疑罪疑狱，可用钱赎。被判死罪的人，在京师执行时要经过五次覆奏，在外地的，要经过刑部五次覆奏。凡被冤枉的人，可以越级上诉，以至向皇帝申冤。唐初统治者吸取隋朝“政苛刑烦”而灭亡的教训，一部《唐律》充分体现了“轻刑慎杀，务从宽简”的特点。但是在封建社会，制度的废立由皇帝决定。武则天女人主政，在当时社会为非礼非法，所以武则天牢牢抓住法律为武器，以刑杀为威镇压反对派，公开建立告密制度，以酷吏专政为其政治基础。武则天的酷吏政治，完全推翻了《唐律》“轻刑慎杀，务从宽简”的特点，屡兴大狱，诛杀无算。史称“太后自垂拱以来，任用酷吏，先诛唐宗室贵戚数百人，次及大臣数百家，其刺史、郎将以下，不可胜数”。长寿二年，遣六道使杀流人案，滥杀无辜达到登峰造极。起因是补阙李秦授欲借人头来升官。他利用武则天多疑的心理，谎称“代武者刘”“刘者流也”，建议武则天诛灭被流放的诸王以及大臣的亲族。武则天立即派酷吏万国俊前往流放最多的岭南去查案。万国俊到了岭南，假传圣旨，召集流人，命其自杀。一次就杀了三百多人。万国俊回朝，谎报流人谋反，并建议武则天派员视察各地流人的动静。武则天立即升万国俊为朝散大夫、行侍御史，同时派刘光业、王德寿等五人分赴诸道巡查，“光业等见国俊盛行残杀，得加荣贵，乃共肆其凶忍，唯恐后之。光业杀九百人，德寿杀七百人，其余少者咸五百人。亦有远年流人，非革命时犯罪，亦同杀之”（《旧唐书》之《万国俊传》）。如此惨绝人寰的大屠杀，在历史上是罕见的，武则天滥施淫威，确实旷古未闻。

酷吏兴大狱的手法，先是使人诬告，说某某人谋反，接着用严刑逼供，株连勾引。来俊臣、索元礼等酷吏所用刑法，花样百出，残忍手段，令人发指。《旧唐书》之《来俊臣传》载：“俊臣每鞫囚，无问轻重，多以醋灌鼻，禁地牢中；或盛之瓮中，以火圜绕炙之，并绝其粮饷，至有抽衣絮以啖之者。又令寝处粪秽，备诸苦毒。自非身死，终不得出。每有赦令，俊臣先遣狱卒尽杀重囚，然后宣示。”酷吏索元礼发明有十种大枷，分别叫定百脉、喘不得、突如吼、著即承、失魂胆、实同反、反是实、死猪愁、求即死和求破家。这些枷名，光听听也会叫人毛骨悚然。此外，还有“凤皇晒翅”“猕猴钻火”等酷刑。长寿元年，同平章事任知古、狄仁杰、裴行本、司礼卿裴宣礼、前文昌左丞卢献、御史中丞魏元忠、潞州刺史李嗣真同时被来俊臣诬告谋反，朝野震动。酷吏王德寿因与宰相杨执柔有私仇，便在审问狄仁杰时，强迫狄仁杰将杨执柔牵连进来，狄仁杰不肯，以头触柱，血流满面，才得以作罢。杨执柔是武则天的本家外甥，狄仁杰为相深受武则天信任，酷吏对他们二人尚如此胡为，对其他人便可想而知了。事实查明狄仁杰等人蒙冤不反，武则天也只是免死，仍然将狄仁杰等贬官流放。酷吏们更加胆大妄为，竟然诬告皇嗣睿宗谋反。酷吏专横到如此地步，朝野人人自危，动摇了武则天的统治基础。右补阙朱敬则、侍御史周矩上疏劝谏，认为太后用“威刑以禁异议”，滥施酷刑，使“满朝侧息不安”。朱敬则说：“今既革命，众心已定，宜省刑尚宽。”周矩说：“周用仁而昌，秦用刑而亡。愿陛下缓刑用仁，天下幸甚。”武则天亦有所悟，她翻过手来诛杀酷吏以塞责。万国俊、来俊臣、周兴、傅游艺、丘神勣、索元礼、侯思止、来子珣、王弘义等酷吏先后均被武则天所杀或流放。

有唐一代，论任用酷吏之数量，实行恐怖统治时间之时长，武则天朝都是首屈一指的。在她的统治下，告密者相望于道，酷吏们横行不法，冤狱遍于寰中。武则天是这一历史悲剧的始作俑者。她利用酷吏维护了自身的统治，又用酷吏们的性命去减轻人们对自己的责难，一石二鸟。她的手腕是高明的，很多人都把仇恨记在酷吏们的账上。如来俊臣被杀时，“国人无少长皆怨之，竞剐其肉，斯须尽矣”（《旧唐书》之《来俊臣传》）。

酷吏政治是武则天畸形政权的产儿，酷吏政治也是独裁暴政所特有的历史现象。它不仅打击了李唐宗室和朝廷官僚，也给广大人民带来了苦难；武则天所导演的这幕血腥丑剧是一场民族的悲剧，这个沉重的历史教训必须记取。

第三，官场腐败的积习。为了培植自己的势力，武则天除了重用酷吏之外，还任用了大批冗官。唐太宗认为，“官在得人，不在员多”，他命令房玄龄进行了大规模的精减，中央一级官员只保留了六百四十三人（《资治通鉴》卷一百九十二）。到高宗时，官吏数目已经大大增加，武则天当政以后，官吏队伍的膨胀就越发不可收拾了。武则天除按正常科举取士外，又举行殿试、自举、试官、武举、南选，还扩充宦官和“不次授官”，只要合她的意，随时可以进入官僚阶层。

武则天之时，卖官之风已经很盛，据《朝野佥载》卷一说：“乾封以前选人，每年不越数千，垂拱以后，每岁常至五万。”“选司考练，总是假手冒名，势家嘱请。手不把笔，即送东司，眼不识文，被举南馆。正员不足，权补试、摄、检校之官，贿货纵横，赃污狼藉。流外行署，钱多即留。”“是以选人冗冗，甚于羊群，吏部喧喧，多于蚁聚。”天授二年（公元六九一年），武则天派专使赴七道授“试官”（见习之官），由于乱授拾遗、补阙、校书郎等官，“故当时谚曰：‘补阙连车载，拾遗平斗量。欋推侍御史，碗脱校书郎’”。大批冗官多系贿选，上任后便大肆搜刮钱财，人民的负担日益加重。

吏治冗滥，官场腐败成为积习。娄师德是唐代著名的将相，他竟然教诲弟弟在官场做人要“唾面自干”，中国的封建官僚，一个个对上级唯唯诺诺，任凭宰割，活得像一条虫蛆，而对下级和民众颐指气使，凶狠如狼。他们的人性被扭曲，娄师德的行为经验，便是一个鲜活的例证。更有甚者，为了当官和上爬，杜肃告密卖友，郭霸尝粪便谄谀，如此的修炼功夫，令人叹为观止。官场利禄的权力诱因，使人性堕落到这种程度，发人深思。

第四，武则天第一个男宠薛怀义之死。武则天男宠众多，最钟爱的是张易之、张昌宗兄弟。而武则天的第一个男宠则是薛怀义。薛怀义原名冯小宝，京兆户县（今陕西西安市鄠邑区）人，自幼不务正业，曾在洛阳市上卖药。一个偶然的机会，冯小宝结识了唐高祖的女儿千金公主，受到赏识。千金公主为了巴结武则天，便将冯小宝推荐给她，武则天果然对冯小宝十分宠幸。为便于冯小宝在宫廷出入，武则天命人将冯小宝剃度为僧，并起名怀义。又恐冯小宝出身微贱遭人耻笑，便让他与驸马都尉薛绍合宗，薛绍称他为叔父，所以他始改姓薛。洛阳市上的卖药人摇身一变成了武则天的幸臣薛怀义。武则天又特意大修洛阳白马寺，让薛怀义做白马寺住持。

薛怀义倚仗武则天的权势，到处胡作非为。他将一批市井无赖剃度为和尚，任意横冲直撞，遇见道士就随意殴打，并剃光道士的头发。薛怀义常骑着高头大马，前呼后拥，招摇过市，有靠近者，被打得头破血流。右台御史冯恩勖曾多次处罚薛怀义的不法僧徒，薛怀义怀恨在心，有一次恰好狭路相逢，薛怀义指使手下人将冯御史打个半死，也没人敢过问。一班武氏子弟，如武承嗣、武三思等人，虽然位居高官，但对薛怀义一味巴结，像仆人一样伺候他，甚至亲自为他牵马。他们不敢叫薛怀义的名字，将其称为“薛师”。

为了使薛怀义能经常入宫，武则天借故说薛怀义有“巧思”，派他监修明堂。明堂修成后，武则天封薛怀义为左威卫大将军、梁国公。武则天为了提高这位花和尚的身价，竟荒唐地委派薛怀义挂帅出征。永昌元年（公元六八九年）五月，武则天任命薛怀义为新平军大总管，北讨突厥。军队进至紫河，却不见敌人的踪影，薛怀义在单于台刻石记功后凯旋。九月，又任命薛怀义为新平道行军大总管，领兵二十万，再伐突厥。同年十二月，薛怀义被封为右卫大将军，赐爵鄂国公。延载元年（公元六九四年）二月，任命薛怀义为代北道行军大总管；三月，又改任朔方道行军大总管，受命讨伐突厥。恰遇突厥退兵，因此并没有进军。这位洛阳市上的无赖竟然多次担任了领兵元帅。薛怀义确也鸿运高照，幸得上苍保佑，每次出征，均未遇敌。倘若遭遇强敌，那后果不堪设想。

薛怀义的情敌御医沈南璆日渐得到武则天的宠爱，而他日益被疏远。薛怀义竟然妒火难禁，胆大妄为想报复武则天。天册万岁元年（公元六九五年）正月十六日己未，武则天在明堂做无遮大会，设斋。这样的佛事大会，武则天荣光无比。薛怀义却在当夜放了一把火，烧了天堂和明堂。史称“火照城中如昼，比明皆尽”。武则天明知是薛怀义所为，但为了掩盖丑行，不动声色，表面上仍对薛怀义示以恩宠，任命他重新建造明堂，暗地里选拔了百余个强健的宫人防范薛怀义作恶。公元六九六年二月初四日壬子，武则天宣召薛怀义到瑶光殿议事，薛怀义被宫人在殿前树下擒获。建昌王武攸宁奉命率领壮士把薛怀义活活地打死，送尸白马寺，火化后造塔供奉。这个以男色事人的和尚，最终没有好下场。

卷第二百六　唐纪二十二

起强圉作噩（丁酉，公元六九七年），尽上章困敦（庚子，公元七〇〇年）六月，凡三年有奇。

【题解】

本卷记事起公元六九七年，迄公元七〇〇年六月，凡三年又六个月，当武则天神功元年到久视元年六月。这一时期是武则天执政中期的后段。政治大势结束了酷吏政治，来俊臣东山再起又兴大狱，可是很快覆灭。来俊臣之死标志武周政权酷吏政治转轨的完成。姚元崇、狄仁杰、韦嗣立、韦庆之一批贤臣受到武则天的重用。狄仁杰献安边之策，击败突厥，护佑皇嗣，保护良将，安抚河北民众，做出了重大贡献。武则天亲信，酷吏之一的吉顼，也转变立场，反对苛酷，忠心唐室，在保护李唐皇嗣中起了决定性的作用。狄仁杰、吉顼等人努力，促使武则天最终做出了弃侄立子的决定。庐陵王返回神都，重新被立为太子。河北民众踊跃从军击贼，人心所向，志在复唐。这时期，武则天个人生活的荒唐也达到登峰造极，置控鹤监养蓄男宠。张易之、张昌宗兄弟登场，两人与武周外戚武氏诸王结成朋党，仍在政治上有重大的负面影响。例如临川王武嗣宗领兵平乱契丹，畏敌如虎却滥杀良民，诬为贼寇以邀功，给河北民众带来了深重的灾难。

【原文】

则天顺圣皇后中之下

神功元年①（丁酉，公元六九七年）

正月己亥朔②，太后享通天宫③。

突厥默啜寇灵州④，以许钦明自随⑤。钦明至城下大呼，求美酱、粱米⑥及墨，意欲城中选良将、引精兵、夜袭虏营，而城中无谕其意者。

箕州⑦刺史刘思礼⑧学相人⑨于术士张憬藏⑩，憬藏谓思礼当历箕州，位至太师。思礼念太师人臣极贵，非佐命无以致之，乃与洛州录事参军綦连耀⑪谋反，阴结朝士，托相术，许人富贵⑫，俟其意悦，因说以“綦连耀有天命⑬，公必因之以得富贵”。凤阁舍人王勮兼天官侍郎事，用思礼为箕州刺史。

明堂⑭尉河南[1]吉顼⑮闻其谋，以告合宫⑯尉来俊臣，使上变

【语译】

则天顺圣皇后中之下

神功元年（丁酉，公元六九七年）

正月初一日己亥，太后在通天宫举行大飨祭礼。

突厥阿史那默啜侵犯灵州，让许钦明随行。许钦明到城下大喊，要求好酱、粱米和墨，意思是想让城中选良将，率精兵，夜袭突厥营地，但是城中无人领会他的意思。

箕州刺史刘思礼向术士张憬藏学习相人之术，张憬藏说刘思礼将历官箕州，官位可做到太师。刘思礼想到太师是臣子中的极品高官，不是辅佐君主的人则不能担任，便和洛州录事参军綦连耀谋划造反，暗中交结朝廷官员，假借相术，称许他们都会富贵；等到对方心里高兴，便说"綦连耀有帝王的命，您一定依靠他而得到富贵"。凤阁舍人王勮兼天官侍郎，便起用刘思礼为箕州刺史。

明堂县尉河南人吉顼得知刘思礼的阴谋，告诉了合宫县尉来俊臣，让他向朝

告之。太后使河内王武懿宗⑰推之。懿宗令思礼广引朝士，许免其死，凡小忤意者[2]皆引之⑱。于是思礼引凤阁侍郎、同平章事李元素，夏官侍郎、同平章事孙元亨，知天官侍郎事石抱忠、刘奇，给事中周譒及王勮兄泾州刺史勔，弟监察御史助等，凡三十六家⑲，皆海内名士，穷楚毒以成其狱，壬戌⑳，皆族诛之，亲党连坐流窜㉑者千余人。

初，懿宗宽思礼于外，使诬引诸人。诸人既诛，然后收思礼，思礼始[3]悔之。懿宗自天授㉒以来，太后数使之鞫狱，喜诬陷人，时人以为周、来㉓之亚。

来俊臣欲擅其功，复罗告吉顼，顼上变，得召见，仅免。俊臣由是复用，而顼亦以此得进。

俊臣党人罗告司刑府史㉔樊惎㉕谋反，诛之。惎子讼冤于朝堂，无敢理者，乃援㉖刀自刳㉗其腹。秋官侍郎上邽刘如璇㉘见之，窃叹而泣。俊臣奏如璇党恶逆㉙，下狱，处以绞刑，制流㉚瀼州㉛。

【段旨】

以上为第一段，写酷吏来俊臣东山再起，又起大狱。

【注释】

①神功元年：武则天于万岁通天二年（公元六九七年），以契丹破灭，九鼎铸成，九月大享，改元神功。②己亥朔：正月初一日。③通天宫：明堂。上一年三月新明堂建成，号曰通天宫，改元万岁通天。④灵州：治所回乐，在今宁夏灵武西南。⑤以许钦明自随：许钦明任凉州都督，万岁通天元年九月，为突厥默啜所擒。⑥粱米：农作物名称，粟类。有青、黄、白三种，黄粱质量最佳。⑦箕州：武德八年（公元六二五年）辽州改名箕州，治所辽山，在今山西左权。⑧刘思礼（？至公元六九七年）：唐初功臣刘义节之侄。传见《旧唐书》卷五十七、《新唐书》卷八十八。⑨相人：相人之术；给人看相。⑩张憬藏：许州长社（今河南许昌）人，唐朝著名术士，与袁天罡齐名。传见《旧唐书》卷一百九十一、《新唐书》卷二百四。⑪綦连耀（？至公元六九七年）：事迹散见于《旧唐书》卷六、卷五十七、卷八十一、卷一百八十六、卷一百九十等。《元和姓纂》卷二："綦连，代北人号綦连部，因氏焉。"据此，綦连为代北胡姓。⑫许人富贵：称许看相的人都会富贵。⑬天命：

廷举报有谋叛之事。太后派了河内王武懿宗审理此案。武懿宗命令刘思礼广泛牵连朝廷官员，答应免除他的死罪，凡是稍有违逆自己心意的人都被牵连进来。于是刘思礼牵引凤阁侍郎、同平章事李元素，夏官侍郎、同平章事孙元亨，知天官侍郎事石抱忠、刘奇，给事中周譒及王勮的哥哥泾州刺史王勔，弟弟监察御史王助等，共三十六人，都是天下知名人士，用尽酷刑而使谋反案成立。正月二十四日壬戌，他们全被灭族，亲信党与受连累获罪放逐的有一千多人。

起初，武懿宗法外宽大刘思礼，让他诬陷牵连他人。等他人被处死，然后逮捕了刘思礼，刘思礼才后悔不已。武懿宗自天授年以来，太后多次命他审理案件，他喜欢诬陷人，当时人视他为周兴、来俊臣之流。

来俊臣想独占这次的功劳，又罗织罪名告发吉顼。吉顼向太后密告谋反之事，得到召见，才得以免罪。来俊臣由此再被重用，而吉顼也由此得到升迁。

来俊臣的党人罗织罪名告发司刑府史樊惎谋反，杀了樊惎。樊惎的儿子到朝廷申冤，无人敢受理，他便抽刀自己剖腹。秋官侍郎上邽人刘如璇见了，暗自叹息落泪。来俊臣便上奏说刘如璇徇私叛逆，逮捕入狱，判处绞刑，太后命令流放瀼州。

此处指当天子的命运。⑭明堂：县名，唐高宗乾封三年（公元六六八年）将建明堂，改元总章，分京师万年县置明堂县，县治在永乐坊。⑮吉顼（？至公元七〇〇年）：洛州河南（今河南洛阳）人，进士出身。武周酷吏，官至宰相。对中宗复位曾起过一些作用。传见《旧唐书》卷二百八十六上、《新唐书》卷一百十七。⑯合宫：县名，永昌元年（公元六八九年）改东都河南县为合宫县，县治在东都道德坊。⑰武懿宗：武则天之侄。自司农卿晋爵为郡王，曾任怀、洛二州刺史及神兵道大总管等职，以残暴酷烈著称。传见《旧唐书》卷一百八十三、《新唐书》卷二百六。其事又见《朝野佥载》卷四。⑱凡小忤意者皆引之：凡稍逆其意者皆予以牵引。⑲凡三十六家：共三十六人。据本书及《旧唐书》卷一百八十六上《吉顼传》、《新唐书》卷四《则天纪》等，仅得十二人姓名。其余二十四人不详。⑳壬戌：正月二十四日。㉑流窜：流放窜逐。㉒天授：武则天年号（公元六九〇至六九二年）。㉓周、来：指酷吏周兴和来俊臣。㉔司刑府史：流外官名，唐司刑寺（即大理寺）有史五十六人。㉕樊惎：事迹不详。《新唐书》卷二百九《来俊臣传》作“樊戬”。待考。㉖援：拿。㉗刳：剖。㉘刘如璇：秦州上邽（今甘肃天水市西）人，著有《议化胡经状》一卷。事散见《新唐书》卷二百九、《太平广记》卷二百六十九及《全唐文》卷一百六十五。㉙党恶逆：与恶逆之人为党。㉚制流：指武则天下制书裁定为流放罪。㉛瀼州：州名，治所临江县，在今广西上思西南。瀼，《新唐书》卷二百九作“汉”，误。

【校记】

［1］河南：原无此二字。据章钰校，十二行本、乙十一行本、孔天胤本皆有此二字，张敦仁《通鉴刊本识误》同，今据补。［2］者：原无此字。据章钰校，十二行本、乙十一行本皆有此字，张敦仁《通鉴刊本识误》同，今据补。［3］始：原无此字。据章钰校，十二行本、乙十一行本、孔天胤本皆有此字，今据补。

【原文】

尚乘奉御㉜张易之㉝，行成之族孙也，年少，美姿容，善音律。太平公主荐易之弟昌宗㉞入侍禁中，昌宗复荐易之，兄弟皆得幸于太后，常傅朱粉，衣锦绣。昌宗累迁散骑常侍㉟，易之为司卫少卿㊱。拜其母臧氏、韦氏为太夫人，赏赐不可胜纪，仍敕凤阁侍郎李迥秀㊲为臧氏私夫㊳。迥秀，大亮之族孙也。武承嗣、三思、懿宗、宗楚客、晋卿皆候易之门庭，争执鞭辔，谓易之为五郎，昌宗为六郎㊴。

【段旨】

以上为第二段，写武则天新欢男宠张易之、张昌宗兄弟登场。

【注释】

㉜尚乘奉御：官名，从五品上，隶殿中省。《唐六典》卷十一："尚乘奉御，掌内外闲厩之马，辨其粗良而率其习驭。"㉝张易之（？至公元七〇五年）：武则天之男宠，太宗朝宰相张行成之族孙。官至麟台监，后在张柬之政变中被杀。传见《旧唐书》卷七十八、《新唐书》卷一百四。㉞昌宗：张易之之弟，亦为武则天之男宠。㉟散骑常侍：官

【语译】

尚乘局奉御张易之，是张行成的族孙。年轻，相貌俊美，擅长音律。太平公主推荐张易之的弟弟张昌宗入皇宫侍奉太后，张昌宗又引荐张易之，兄弟都得到太后的宠爱，常涂脂抹粉，穿着锦绣。张昌宗积功升官到散骑常侍，张易之为司卫少卿。封他们的母亲臧氏、韦氏为太夫人，赏赐多得无法计算。还下敕命凤阁侍郎李迥秀为臧氏的姘夫。李迥秀是李大亮的族孙。武承嗣、武三思、武懿宗、宗楚客、宗晋卿都到张易之家去恭候，争着替他牵马执鞭，称张易之为五郎，张昌宗为六郎。

名。唐制，散骑常侍有左右之别，分隶于门下省和中书省。据《旧唐书》卷七十八，张昌宗所任官为左散骑常侍，掌侍奉规谏，以备顾问应对。㊱司卫少卿：官名，司卫寺第二长官，地位仅次于司卫卿，协助司卫卿掌邦国器械文物之政令。龙朔间改卫尉为司卫。㊲李迥秀：京兆泾阳（今陕西泾阳）人，高祖、太宗朝大臣李大亮之族孙。通过科举入仕，曾担任宰相。传见《旧唐书》卷六十二、《新唐书》卷九十九。㊳私夫：非正式丈夫，民间称之为“姘夫”。㊴“谓易之为五郎”二句：把张易之称为五郎，张昌宗称为六郎。“郎”称起于六朝，用法颇多，一般用于年轻貌美、风流潇洒的男子。张易之排行第五，张昌宗排行第六，故武承嗣等称之为五郎、六郎以示亲敬。

【原文】

癸亥㊵，突厥默啜寇胜州，平狄军㊶副使安道买击破之。

甲子㊷，以原州司马娄师德守凤阁侍郎、同平章事。

春，三月戊申㊸，清边道总管王孝杰、苏宏晖等将兵十七万与孙万荣战于东硖石谷㊹，唐兵大败，孝杰死之。孝杰遇契丹，帅精兵为前锋，力战。契丹引退，孝杰追之，行背悬崖，契丹回兵薄㊺之，宏晖先遁，孝杰坠崖死，将士死亡殆尽㊻。管记㊼洛阳张说㊽驰奏其事，太后赠孝杰官爵，遣使斩宏晖以徇，使者未至，宏晖以立功得免。

武攸宜军渔阳㊾，闻孝杰等败没，军中震恐，不敢进。契丹乘胜寇幽州，攻陷城邑，剽掠吏民，攸宜遣将击之，不克。

阎知微、田归道同使突厥，册默啜为可汗。知微中道遇默啜[4]使者，辄与之绯袍、银带㊿，且上言："虏使至都，宜大为供张(51)。"归道上言："突厥背诞(52)积年，方今悔过，宜待圣恩宽宥。今知微擅与之袍带，使朝廷无以复加(53)，宜令反初服(54)以俟朝恩。又，小虏(55)使臣，不足大为供张。"太后然之。知微见默啜，舞蹈，吮其靴鼻(56)。归道长揖不拜。默啜囚归道，将杀之，归道辞色不挠，责其无厌(57)，为陈祸福。阿波达干元珍(58)曰："大国使者，不可杀也。"默啜怒稍解，但拘留不遣(59)。

初，咸亨中，突厥有降者，皆处之丰、胜、灵、夏、朔、代六州(60)，至是，默啜求六州降户及单于都护府之地(61)，并谷种、缯帛、农器、铁，太后不许。默啜怒，言辞悖慢(62)。姚璹、杨再思以契丹未平，请依默啜所求给之。麟台少监(63)、知凤阁侍郎赞皇李峤(64)曰："戎狄(65)贪而无信，此所谓'借寇兵资盗粮(66)'也，不如治兵以备之。"璹、再思固请与之，乃悉驱六州降户数千帐(67)以与默啜，并给谷种四万斛，杂彩五万段，农器三千事，铁四[5]万斤，并许其昏(68)，默啜由是益强。

田归道始得还(69)，与阎知微争论于太后前。归道以为默啜必负约，不可恃和亲，宜为之备。知微以为和亲必可保。

【语译】

正月二十五日癸亥，突厥阿史那默啜侵犯胜州，平狄军副使安道买打败了他。

二十六日甲子，以原州司马娄师德代理凤阁侍郎、同平章事。

春，三月十二日戊申，清边道总管王孝杰、苏宏晖等率兵十七万，与孙万荣在东硖石谷交战，唐军大败，王孝杰战死。王孝杰遇到契丹兵，率精兵做先锋，奋力作战。契丹兵撤退，王孝杰追击，走到背靠悬崖的地方，契丹回兵迫近他，苏宏晖先逃走，王孝杰坠崖身亡，将士几乎全都战死。管记洛阳人张说急奏此事，太后追赠王孝杰官爵，派使者前去斩杀苏宏晖示众，使者还未到达，苏宏晖因立功得以免死。

武攸宜驻军渔阳，听说王孝杰等战败覆灭，军中震惊害怕，不敢前进。契丹乘胜侵扰幽州，攻陷城镇，劫掠官吏百姓，武攸宜派将领去攻击他们，未能取胜。

阎知微、田归道一同出使突厥，册封阿史那默啜为可汗。阎知微在半路上遇到默啜的使者，即送他红袍、银带，并且上奏说："突厥使臣抵达京城，应大设帷帐、大摆酒食。"田归道上奏说："突厥背叛妄为多年，现在才悔过，应等圣上的恩典来宽恕他。而今阎知微擅自给他红袍银带，使朝廷无法再加封赏，应当让他穿原来的服装，以等待朝廷的恩赐。另外，小国的使臣，不值得大加款待。"太后同意他的意见。阎知微入见阿史那默啜，行舞蹈礼仪，吻他的靴尖。田归道只拱手鞠躬，不跪拜。阿史那默啜囚禁田归道，将要杀他，田归道的言辞神态毫不屈服，指责阿史那默啜贪得无厌，为他陈述祸福利害。阿波达干元珍说："大国的使臣，不能杀害。"阿史那默啜怒气稍消，但拘留他不放还。

当初，在咸亨年间，突厥有来投降的人，都安置在丰、胜、灵、夏、朔、代六州。到这时，阿史那默啜要求得到六州的降户以及单于都护府的地方，还要谷种、绢帛、农具、铁，太后不答应。阿史那默啜很生气，言语傲慢无礼。姚璹、杨再思认为契丹尚未平定，请求依照阿史那默啜的要求给予他。麟台少监、知凤阁侍郎赞皇人李峤说："戎狄贪心而不守信用，这叫作'资助敌人兵器，供应敌人粮食'，不如整顿军队来防备他。"姚璹、杨再思坚持请求给予阿史那默啜，于是把六州降户几千帐全给了阿史那默啜，并且给谷种四万斛，各种帛五万段，农具三千件，铁四万斤，并且应允通婚，阿史那默啜因此更加强大。

田归道这时才得以回国，他和阎知微在太后面前争论。田归道认为阿史那默啜一定会背约，不可依赖和亲，应作防备。阎知微认为和亲必定可保证他不背约。

【段旨】

以上为第三段，写北方突厥势力再起，武周羁縻应之。

【注释】

㊵癸亥：正月二十五日。㊶平狄军：胡三省注，“代州北有大武军，调露元年改曰神武军，天授二年改曰平狄军”。当在今山西代县北。㊷甲子：正月二十六日。㊸戊申：三月十二日。㊹与孙万荣战于东硖石谷：此事《旧唐书》卷六系于二月条，无具体日期；《新唐书》卷四系之于三月庚子，即三月初四日。岑仲勉曾据《伯玉集》卷七《国殇文》进行辨析，只得出推测性结论。见《通鉴隋唐纪比事质疑》。㊺薄：迫近。㊻将士死亡殆尽：《朝野佥载》上说，“孝杰将四十万众，被贼诱退，逼就悬崖，渐渐挨排，一一落涧，坑深万丈，尸与崖平，匹马无归，单兵莫返”。司马光在《考异》中引用了这段话，认为言过其实，没有全部采录。㊼管记：官名，据《旧唐书》之《王孝杰传》，此处管记为“节度管记”。掌文书，多由文学之士担任。㊽张说（公元六六七至七三一年）：字道济，又字说之，河南洛阳（今河南洛阳）人，弱冠应制举，得武则天奖拔。唐中宗、睿宗、玄宗朝皆为宰相。“前后三秉大政，掌文学之任凡三十年。”为文俊丽，用思精密，尤长于墓志碑文。曾参与《三教珠英》《今上实录》的编写，有文集二十卷。传见《旧唐书》卷九十七、《新唐书》卷一百二十五、《国秀集》卷上、《唐才子传》卷一。㊾渔阳：县名，属幽州，县治在今天津市蓟州区。㊿与之绯袍银带：给突厥使者四品以下服饰。唐制，四品服绯，五品服浅绯，皆金带；六品服深绿，七品服浅绿，皆银带。(51)供

【原文】

夏，四月，铸九鼎成[70]，徙置通天宫。豫州鼎高丈八尺[71]，受千八百石[72]，余州高丈四尺，受千二百石，各图山川物产于其上，共享铜五十六万七百余斤[73]。太后欲以黄金千两涂之，姚𫌀曰：“九鼎神器，贵于天质[74]自然。且臣观其五采焕炳[75]相杂，不待金色以为炫耀[76]。”太后从之。自玄武门曳入[77]，令宰相、诸王帅南北牙宿卫兵十余万人并仗内大牛、白象共曳之[78]。

前益州长史王及善[79]已致仕，会契丹作乱，山东不安，起为滑州[80]刺史。太后召见，问以朝廷得失，及善陈治乱之要十余条。太后

张：亦作“供帐”，指陈设帷帐等物以供宴会之需。㊾背诞：叛逆作乱。《旧唐书》之《田归道传》作“背恩”。㊿使朝廷无以复加：使朝廷恩泽无以复加。即国家没有办法再行赏赐。54反初服：穿原来的服装。55小虏：此处指突厥。56吮其靴鼻：吻其靴尖。嗅靴鼻是突厥最卑逊的礼节。57责其无厌：斥责他贪得无厌。58阿波达干元珍：即阿史德元珍。阿史德元珍投降骨咄禄后，被封为“阿波达干”，专统兵马。见《旧唐书》卷一百九十四上《突厥传上》。59不遣：不遣送田归道回朝。60丰、胜、灵、夏、朔、代六州：地当今宁夏东部、内蒙古中部、陕西及山西北部一带。61单于都护府之地：相当于今内蒙古阴山、河套一带。62悖慢：悖谬傲慢。63麟台少监：官名，即秘书少监，从四品上，协助麟台监掌邦国经籍图书之事。64李峤（公元六四四至七一三年）：字巨山，赵州赞皇（今河北赞皇）人，才思精敏，二十岁中进士，又举制策甲科。武则天、唐中宗朝，位至宰相。曾参与《三教珠英》的撰写，著有《军谋前鉴》十卷，另有文集五十卷，杂咏诗十二卷。传见《旧唐书》卷九十四、《新唐书》卷一百二十三、《唐才子传》卷一等。65戎狄：泛指西北少数民族。此处指突厥默啜。66借寇兵资盗粮：资助敌人兵器，供给敌人粮食。借，资助。资，供给。67数千帐：犹数千户。68昏：通“婚”。69田归道始得还：田归道与阎知微奉命册封默啜为可汗，反为默啜所拘，至此放还。

【校记】

［4］默啜：原作“突厥”。据章钰校，十二行本、乙十一行本皆作“默啜”，张敦仁《通鉴刊本识误》同，今据改。［5］四：据章钰校，十二行本、乙十一行本皆作“数”。

【语译】

夏，四月，铸成九鼎，移置在通天宫。豫州鼎高一丈八尺，容一千八百石，其余的州鼎各高一丈四尺，容一千二百石，各鼎铸有山川物产的图像，共享铜五十六万七百多斤。太后想用千两黄金涂鼎，姚璹说：“九鼎是神圣的器物，贵在本质自然。而且我看它五彩交相辉映，不需再涂金色使它光彩夺目。”太后依从他的意见。九鼎从玄武门拖入，命令宰相、各王率南北牙的宿卫兵十多万人，以及仪仗内的大牛、白象一同拖拽。

前益州长史王及善已退休，适逢契丹作乱，山东动荡不安，起用他出任滑州刺史。太后召见，询问朝政得失，王及善陈述治乱的要点十多条。太后说：“外州之事

曰："外州末事，此为根本，卿不可出。"癸酉[81]，留为内史[82]。

癸未[83]，以右金吾卫大将军武懿宗为神兵道行军大总管，与右豹韬卫将军何迦密[84]将兵击契丹。五月癸卯[85]，又以娄师德为清边道副大总管，右武威卫将军沙吒忠义[86]为前军总管，将兵二十万击契丹。

先是，有朱前疑[87]者上书云："臣梦陛下寿满八百。"即拜拾遗。又自言"梦陛下发白再玄[88]，齿落更生。"迁驾部郎中[89]。出使还，上书曰："闻嵩山呼万岁。"赐以绯算袋[90]，时未五品，于绿衫[91]上佩之。会发兵讨契丹，敕京官出马二[6]匹供军，酬以五品。前疑买马输之，屡抗表[92]求进阶，太后恶其贪鄙[93]。六月乙丑[94]，敕还其马，斥归田里。

【段旨】

以上为第四段，写武则天铸成九鼎。

【注释】

⑩铸九鼎成：据《新唐书》之《则天纪》，时在四月戊辰，即四月初三日。⑪豫州鼎高丈八尺：约合今五点五八米。⑫受千八百石：约容粟十四万四千斤。⑬用铜五十六万七百余斤：约合今六十六万八千斤。⑭天质：本质；自然质地。⑮焕炳：光芒焕发。⑯炫耀：光彩炫目。⑰自玄武门曳入：从玄武门外作坊曳入宫城。玄武门，在东都上阳宫寿昌门北。⑱曳之：拖曳九鼎。武则天作《曳鼎歌》，令众人唱和。⑲王及善（公元六一八至六九九年）：洺州邯郸（今河北邯郸）人，唐高宗时官至右千牛卫将军。曾为相，死后陪葬乾陵。传见《旧唐书》卷九十、《新唐书》卷一百十六。⑳滑州：州名，治所白马，在今河南滑县东。㉑癸酉：四月初八日。㉒内史：中书令，宰相之一。佐天子，执大政，

【原文】

右司郎中冯翊乔知之[95]有美妾曰碧玉[96]，知之为之不昏。武承嗣借以教诸姬，遂留不还。知之作《绿珠怨》[97]以[7]寄之，碧玉赴井死。

为末节，朝廷之事是根本，你不可出任外职。”四月初八日癸酉，留他做内史。

四月十八日癸未，任命右金吾卫大将军武懿宗为神兵道行军大总管，与右豹韬卫将军何迦密领兵攻打契丹。五月初八日癸卯，又任命娄师德为清边道副大总管，右武威卫将军沙吒忠义为前军总管，领兵二十万攻打契丹。

在此之前，有个叫朱前疑的人上书说：“臣梦到陛下寿满八百岁。”当即拜为拾遗。又自称“梦见陛下白头发又黑了，牙齿脱落又长了出来。”朱前疑升迁为驾部郎中。他出使回来，上书说：“听到嵩山呼万岁。”太后赐给他绯算袋，他当时官不到五品，便佩戴在绿色官服上。遇上发兵讨伐契丹，敕命京官出二匹马供给军用，赏赐五品官。朱前疑买马捐献后，屡次上表直言要求提升官阶，太后讨厌他贪婪鄙陋。六月初一日乙丑，敕令退还他的马，把他斥逐回乡。

掌军国政令。㊸癸未：四月十八日。㊹何迦密：事迹不详。其名又见于《新唐书》卷四《则天纪》。㊺癸卯：五月初八日。㊻沙吒忠义（？至公元七〇七年）：《元和姓纂》卷五作“沙陀忠义”。两《唐书》无传，事散见于《则天纪》《高宗纪》及《突厥传》等。㊼朱前疑：事见《朝野佥载》卷四、《元和姓纂》卷二及《唐郎官石柱题名考》卷六。㊽玄：黑。㊾驾部郎中：官名，或称驾部郎，为兵部驾部司长官，从五品上，掌邦国舆辇、车乘、传驿、厩牧、官私马牛杂畜簿籍。㊿算袋：贮笔砚用的口袋。胡三省注：“唐初职事官三品以上赐金装刀、砺石，一品以下则有手巾、算袋。开元以后，百官朔望朝参，外官衙日，则佩算袋，各随其所服之色，余日则否。”(91)绿衫：六品、七品服色。(92)抗表：上表直言。(93)贪鄙：贪婪鄙陋。(94)乙丑：六月初一日。

【校记】

［6］二：原作“一”。据章钰校，十二行本、孔天胤本皆作“二”，张敦仁《通鉴刊本识误》同，今据改。

【语译】

右司郎中冯翊人乔知之有个名叫碧玉的美妾，乔知之为了她而不结婚。武承嗣借了她来教导自己的姬妾，于是留下不放她回去。乔知之作《绿珠怨》诗寄给她，

承嗣得诗于裙带，大怒，讽酷吏罗告，族诛[8]之[98]。

司仆少卿[99]来俊臣倚势贪淫，士民妻妾有美者，百方[100]取之。或使人罗告其罪，矫称敕[101]以取其妻，前后罗织诛人，不可胜计。自宰相以下，籍其姓名而取之[102]。自言才比石勒[103]。监察御史李昭德素恶俊臣，又尝庭辱秋官侍郎皇甫文[9]备。二人共诬昭德谋反，下狱。

俊臣欲罗告武氏诸王及太平公主，又欲诬皇嗣[104]及庐陵王[105]与南北牙[106]同反，冀因此盗国权，河东人卫遂忠[107]告之。诸武及太平公主恐惧，共发其罪，系狱，有司处以极刑[108]。太后欲赦之，奏上三日，不出。王及善曰："俊臣凶狡贪暴，国之元恶[109]，不去之，必动摇朝廷。"太后游苑中，吉顼执辔，太后问以外事，对曰："外人唯怪来俊臣奏[110]不下。"太后曰："俊臣有功于国，朕方思之。"顼曰："于安远告虺贞反[111]，既而果反，今止为成州[112]司马。俊臣聚结不逞[113]，诬构良善，赃贿如山，冤魂塞路，国之贼也，何足惜哉！"太后乃下其奏。

丁卯[114]，昭德、俊臣同弃市[115]，时人无不痛昭德而快俊臣。仇家争啖[116]俊臣之肉，斯须[117]而尽，抉眼剥面，披腹出心，腾蹋成泥。太后知天下恶之，乃下制数其罪恶[118]，且曰："宜加赤族[119]之诛，以雪苍生之愤，可准法[120]籍没其家。"士民皆相贺于路曰："自今眠者背始帖席[121]矣。"

俊臣以告綦连耀功，赏奴婢十人。俊臣阅司农婢[122]，无可者，以西突厥可汗斛瑟罗[123]家有细婢[124]，善歌舞，欲得以为赏口[125]，乃使人诬告斛瑟罗反。诸酋长诣阙割耳剺面[126]讼冤者数千人[127]。会俊臣诛，乃得免。

俊臣方用事，选司[128]受其属请[129]不次除官者，每铨数百人。俊臣败，侍郎皆自首。太后责之，对曰："臣负陛下，死罪！臣乱国家法，罪止一身。违俊臣语，立见灭族。"太后乃赦之。

上林令[130]侯敏[131]素谄事俊臣[132]，其妻董氏谏之曰："俊臣国贼，指日将败，君宜远之。"敏从之。俊臣怒，出为武龙[133]令。敏欲不往，妻曰："速去勿留！"俊臣败，其党皆流岭南，敏独得免。

太后征于安远为尚食奉御[134]，擢吉顼为右肃政中丞[135]。

以检校夏官侍郎宗楚客同平章事[136]。

碧玉便跳井死了。武承嗣在她的裙带中得到诗，大怒，暗示酷吏罗织罪名告发乔知之，诛灭了他全族。

司仆少卿来俊臣仗势贪淫，士人百姓妻妾有美丽的，千方百计弄来。或指使人罗织其罪，伪传圣旨夺取他们的妻妾，前后被罗织罪名所杀的人，不可胜数。自宰相以下，把姓名记录在册，加以夺取。自称才智可跟石勒相比。监察御史李昭德一向厌恶来俊臣，又曾经在朝堂当众侮辱秋官侍郎皇甫文备。二人一起诬告李昭德谋反，把他关进监狱。

来俊臣想诬告武氏诸王以及太平公主，又想诬陷皇太子及庐陵王与南北牙一同谋反，企图借此窃取国权，河东人卫遂忠把他举告了。武家各王及太平公主很害怕，一同揭发来俊臣的罪状，把他拘系狱中，审判官判处来俊臣死刑，太后想赦免他，奏书呈上去，过了三日都不见批复。王及善说：“来俊臣凶恶奸猾贪吝残暴，是国家的首恶，不除掉他，一定会动摇朝廷。”太后在御苑中游赏，吉顼驾驭车马，太后询问朝廷的事，回答说：“朝臣只对奏杀来俊臣的公文没批下来感到奇怪。”太后说：“来俊臣对国家有功，朕正在考虑中。”吉顼说：“于安远告虺贞谋反，而后果然造反；于安远今天只是成州司马。来俊臣聚集不法的人，诬陷好人，贪赃纳贿如山，冤魂满路，是国家的敌人，哪里值得怜惜！”太后于是批准他们的奏书。

六月初三日丁卯，李昭德、来俊臣同时在闹市被处死，世人无不痛惜李昭德之死，而对来俊臣之死感到快慰，仇家争着吃来俊臣的肉，片刻便光了，挑出眼珠，剥下面皮，开腹掏心，踢踏成泥。太后晓得天下人痛恨来俊臣，于是降诏书指责他的罪恶，而且说：“应诛灭他的全族，以雪民众之恨，可依法抄没全家。”士民百姓都在路上相庆贺，说：“从今天起，睡觉的人背部可以贴着席子安卧了。”

来俊臣因告发綦连耀之功，赏给他奴婢十人。来俊臣看了司农寺中的婢女，没有中意的，知西突厥可汗斛瑟罗家有小婢，擅长歌舞，想得到她作为赏赐的活口，便指使人诬告斛瑟罗造反。各酋长到朝廷以刀划面替他申辩冤屈的有几千人。遇上来俊臣被斩，才得免死。

来俊臣正当权的时候，铨选官署的主事官受到他的嘱托而不按照等次授官的，每次铨选达数百人。来俊臣败露，侍郎全都自首。太后斥责他们，他们回答说：“臣辜负陛下，该当死罪！臣败坏国家法令，惩罚只及本身。违逆来俊臣的话，便会马上灭族。”太后于是赦免了他们。

上林署令侯敏素来谄媚来俊臣，他妻子董氏规劝他说：“来俊臣是国贼，不久将败露，你应疏远他。”侯敏听从了她的意见。来俊臣大怒，调他出任武龙县令，侯敏想不去，他妻子说：“快去不要滞留！”来俊臣败露，他的党羽都流放到岭南，唯独侯敏幸免。

太后征召于安远为尚食局奉御，提升吉顼为右肃政中丞。

任命检校夏官侍郎宗楚客同平章事。

【段旨】

以上为第五段，写武周头号酷吏来俊臣之死，大快人心。

【注释】

⑮乔知之：同州冯翊（今陕西大荔）人，有文才。所作诗篇，多为时人传诵，有集二十卷。官至右司郎中，《旧唐书》本传及《新唐书》之《外戚传》云官至左司郎中。从五品上。传见《旧唐书》卷一百九十中。⑯碧玉：孟棨《本事诗》、《旧唐书》卷一百九十中、《新唐书》卷二百六均作“窈娘”。⑰《绿珠怨》：绿珠本晋人石崇爱妾，善歌舞吹笛。孙秀求之不得，劝赵王伦杀石崇以取之。绿珠悲愤，跳楼自尽。乔知之作诗藉绿珠事以寄情。⑱族诛之：灭乔知之全族。关于乔知之被杀的时间，《唐历》《统纪》及《新唐书》卷四《则天纪》皆系之于天授元年（公元六九〇年）。司马光据卢藏用《陈氏别传》和赵儋《陈子昂旌德碑》，认为乔氏被杀当在神功元年（公元六九七年）后。岑仲勉受赵绍祖《新旧唐书互证》启发，对卢传和赵碑进行研究，认为二者皆不足为据，主张以天授元年八月为是。详见《通鉴隋唐纪比事质疑》。⑲司仆少卿：官名，光宅元年（公元六八四年）改太仆为司仆，太仆掌厩牧车马事务。长官称卿，从三品。副职为少卿，从四品上。⑳百方：犹百计。㉑矫称敕：假称敕旨。㉒籍其姓名而取之：把姓名记录在册，加以夺取。㉓石勒（公元二七四至三三三年）：字世龙，上党武乡（今山西榆社北）人，羯族。十六国时期后赵的建立者。公元三一九至三三三年在位。传见《晋书》卷一百四、《魏书》卷九十五。㉔皇嗣：武则天第四子李旦。㉕庐陵王：武则天第三子李显。㉖南北牙：谓禁军。唐代禁军分为南北牙。南牙，即诸卫兵，北牙，即禁军。牙，通“衙”。㉗卫遂忠：河东（今山西永济西南蒲州镇）人，曾任司刑评事，与来俊臣善。事散见于两《唐书》中的《刑法志》和《酷吏传》。㉘极刑：最重的刑罚。唐代刑名有五：笞、杖、徒、流、死。死刑分绞和斩两种，以斩为极刑。㉙元恶：首恶。㉚来俊臣奏：司法机关请求判处来俊臣死刑的奏折。㉛于安远告虺贞反：时在垂拱四年（公元六八八年）。于安远，籍贯生平不详，以告越王贞谋反出名。官至尚食奉御。见《新唐书》卷一百十七《吉顼传》。虺贞，即越王李贞。垂拱四年八月李贞起兵反叛，九月兵败

【原文】

武懿宗军至赵州[137]，闻契丹将骆务整[138]数千骑将至冀州[139]，懿宗惧，欲南遁。或曰：“虏无辎重，以抄掠为资，若按兵拒守，势必离散，从

被杀。武则天恶之，改其姓为虺氏。⑫ 成州：州名，治所在今甘肃礼县西南。⑬ 不逞：本指不得志。此处指为非作歹的不法之徒。⑭ 丁卯：六月初三日。⑮ 弃市：处死刑。古代在闹市处决死囚，并将尸体暴露在街头示众，故称“弃市”。⑯ 啖：吃。⑰ 斯须：须臾；一会儿。⑱ 下制数其罪恶：制书全文见《全唐文》卷九十五。⑲ 赤族：灭族。因诛灭全族流血甚多，故云“赤族”。⑳ 准法：依法。㉑ 背始帖席：意即始得安眠。㉒ 司农婢：司农司所辖奴婢。唐制，官奴婢隶司农。㉓ 斛瑟罗：阿史那斛瑟罗。㉔ 细婢：姿色美好的小婢。㉕ 赏口：受赏的生口，即抄家后供赏赐为奴婢的人。㉖ 剺面：以刀划脸。此乃突厥、回纥风俗，用以表示悲愁。㉗ 数千人：诸酋长当不至有千人，疑为“数十人”之讹。㉘ 选司：掌管铨选的机关。《新唐书》之《选举志下》，“凡选有文、武，文选吏部主之，武选兵部主之，皆为三铨，尚书、侍郎分主之”。㉙ 属请：嘱咐请托。㉚ 上林令：官名，即上林署令，从七品下，掌苑囿园池之事。㉛ 侯敏：两《唐书》无传，事见《朝野佥载》卷三。㉜ 谄事俊臣：巴结奉承来俊臣。㉝ 武龙：县名，胡三省注：“武龙县属田州，开蛮洞置。《旧书》作‘武笼’，云失废置年月。又涪州有武龙县，武德二年分涪陵置。”〖按〗田州武龙县在今广西百色东，开元中置。涪州武龙县在今重庆市武隆区西北。据《朝野佥载》卷三，侯敏被贬为涪州武龙令。㉞ 尚食奉御：殿中省属官，正五品下，掌供天子之常膳，随四时之禁，适五味之宜。㉟ 右肃政中丞：官名，即右肃政台御史中丞。㊱ 以检校夏官侍郎宗楚客同平章事：据《新唐书》卷四《则天纪》及卷六十一《宰相表》，宗楚客自尚方少监入相，时在六月己卯，即六月十五日。宗楚客（？至公元七一〇年），字叔敖，蒲州河东（在今山西永济西南蒲州镇）人，性明辨，美须髯。进士及第。武则天、中宗朝官至宰相。传见《旧唐书》卷九十二、《新唐书》卷一百九。

【校记】

［7］以：据章钰校，十二行本、乙十一行本、孔天胤本“以”上皆有“诗”字；张敦仁《通鉴刊本识误》“以”作“诗”。［8］诛：原无此字。据章钰校，十二行本、乙十一行本、孔天胤本皆有此字，张敦仁《通鉴刊本识误》同，今据补。［9］文：原作“丈”。据章钰校，十二行本、乙十一行本、孔天胤本皆作“文”，张瑛《通鉴校勘记》同，今据改。〖按〗《旧唐书》之《酷吏传》及《新唐书》之《徐有功传》皆作“文备”。

【语译】

武懿宗的军队到了赵州，听说契丹将领骆务整的几千名骑兵即将到达冀州，武懿宗很害怕，想向南逃。有人说：“敌人没有辎重，靠抢劫作给养，如果我们屯兵坚

而击之，可有大功。”懿宗不从，退据相州[140]，委弃[141]军资器仗甚众。契丹遂屠赵州。甲午[142]，孙万荣为奴所杀[143]。

万荣之破王孝杰也，于柳城[144]西北四百里依险筑城，留其老弱妇女，所获器仗资财，使妹夫乙冤羽守之，引精兵寇幽州。恐突厥默啜袭其后，遣五人至黑沙[145]，语默啜曰：“我已破王孝杰百万之众，唐人破胆，请与可汗乘胜共取幽州。”三人先至，默啜喜，赐以绯袍。二人后至，默啜怒其稽缓[146]，将杀之，二人曰：“请一言而死。”默啜问其故，二人以契丹之情告。默啜乃杀前三人而赐二人绯[147]，使为乡导，发兵取契丹新城[148]，杀所获凉州都督许钦明以祭天[149]，围新城三日，克之，尽俘以归。使乙冤羽驰报万荣。

时万荣方与唐兵相持，军中闻之，恼惧[150]。奚[151]人叛万荣，神兵道总管杨玄基击其前，奚兵击其后，获其将何阿小。万荣军大溃[152]，帅轻骑数千东走。前军总管张九节[153]遣兵邀[154]之于道，万荣穷蹙，与其奴逃至潞水[155]东，息于林下，叹曰：“今欲归唐，罪已大。归突厥亦死，归新罗亦死。将安之乎！”奴斩其首以降，枭之四方馆门[156]。其余众及奚、霫皆降于突厥。

戊子[157]，特进武承嗣、春官尚书武三思并同凤阁鸾台三品。

辛卯[158]，制以契丹初平，命河内王武懿宗、娄师德及魏州刺史狄仁杰分道安抚河北。懿宗所至残酷，民有为契丹所胁从[159]复来归者，懿宗皆以为反[160]，生刳[161]取其胆。先是，何阿小嗜杀人[162]，河北人为之语曰：“唯此两何[163]，杀人最多。”

秋，七月丁酉[164]，昆明[165]内附，置窦州[166]。

武承嗣、武三思并罢政事。

庚午[167]，武攸宜自幽州凯旋[168]。武懿宗奏河北百姓从贼者请尽族之[169]，左拾遗王求礼庭折之[170]曰：“此属素无武备，力不胜贼，苟[171]从之以求生，岂有叛国之心！懿宗拥强兵数十万，望风退走，贼徒滋蔓，又欲移[10]罪于草野诖误之人，为臣不忠，请先斩懿宗以谢河北！”懿宗不能对。司刑卿杜景俭亦奏：“此皆胁从之人，请悉原之。”太后从之。

守，势必会溃散，乘机攻击，可以建立大功。”武懿宗不采纳，退守相州，丢弃军需兵器很多，契丹于是屠戮赵州。六月甲午日，孙万荣被家奴所杀。

孙万荣打败王孝杰时，在柳城西北四百里处依险要筑城，留下老弱妇女及所获的器械财物，让妹夫乙冤羽守护，自带精兵侵扰幽州。他害怕突厥阿史那默啜袭击他的后方，派五个人去黑沙，对阿史那默啜说：“我已打败王孝杰百万军队，唐人吓破了胆，愿与可汗乘胜同取幽州。”三个人先到，阿史那默啜很高兴，赐给他们红袍。两个人后到，阿史那默啜因他们稽留延缓很生气，要杀死他们，那两个人说：“请让我们说一句话再死。”阿史那默啜问他们原因，二人告诉他契丹的情形，阿史那默啜便把先来的三人杀了而赐红袍给那二人，让他们做向导，发兵攻打契丹新城，杀死擒获的凉州都督许钦明用来祭天，包围新城三天，攻了下来，把留守新城的契丹人全部俘虏而回。让乙冤羽急驰报告孙万荣。

当时孙万荣正跟唐军相持，军中听到这消息，惊骇不安。奚人背叛孙万荣，神兵道总管杨玄基攻孙万荣的前面，奚兵攻击孙万荣的后方，俘获他的将领何阿小。孙万荣军队大溃，他率领几千名轻骑兵向东逃去。前军总管张九节派兵中途拦截，孙万荣穷蹙，和奴仆逃到潞水东，在林下休息，叹息说：“现在想归顺唐朝，但罪恶已大。归附突厥也是死，投奔新罗也是死，去哪里呢！”奴仆砍下他的头向唐朝投降，首级被悬挂在京城四方馆门示众。他余下的部众以及奚、霫人都投降了突厥。

六月二十四日戊子，特进武承嗣、春官尚书武三思一起被任命为同凤阁鸾台三品。

二十七日辛卯，下诏书，以契丹刚刚平定，命河内王武懿宗、娄师德及魏州刺史狄仁杰分路安抚河北。武懿宗所到之处处置残酷，有被契丹裹胁又归附的平民，武懿宗都认为是反叛，活活地剖腹取胆。在此之前，何阿小喜杀人，河北人说他们是：“唯此两何，杀人最多。”

秋，七月初三日丁酉，昆明归附朝廷，被设置为窦州。

武承嗣、武三思一同被免除掌管政事的职务。

庚午日，武攸宜从幽州凯旋。武懿宗奏请将河北曾服从契丹的百姓灭族，左拾遗王求礼在朝廷上反驳他说：“这些人一向没有武装，力量上胜不过契丹，苟且依附契丹以求活命，哪有叛国之心！武懿宗拥有几十万强兵，望风败逃，致使贼众滋蔓，又想推卸罪过给草野失误之人，为臣不忠，请先斩武懿宗来向河北百姓谢罪！”武懿宗无言以对。司刑卿杜景俭也上奏说：“这些都是被胁从的人，请全部宽恕他们。”太后听从了。

八月丙戌⑰②，纳言姚璹坐事左迁益州长史，以太子宫尹豆卢钦望为文昌右相、凤阁鸾台三品⑰③。

九月壬辰⑰④，大享通天宫，大赦[11]，改元⑰⑤。

庚戌⑰⑥，娄师德守纳言。

【段旨】

以上为第六段，写契丹之乱被平定，武嗣宗诬良为寇，为祸河北。

【注释】

⑬⑦赵州：州名，治所在今河北赵县。⑬⑧骆务整：契丹人，李尽忠部将。后降唐，官至右武威卫将军。事散见于《旧唐书》卷八十九、卷一百九十九下，《新唐书》卷一百十五、卷二百十九。⑬⑨冀州：州名，治所在今河北衡水市冀州区。⑭⓪相州：州名，治所在今河南安阳。⑭①委弃：抛弃。⑭②甲午：岑仲勉认为六月无甲午，甲午“非壬午即甲申之讹”。〖按〗六月乙丑朔，甲午即六月三十日。然孙万荣被杀亦非甲午，《通鉴》此处确实有误，观下文“辛卯（六月二十七日），制以契丹初平”即知。查《全唐文》卷二百二十五张说《为河内郡王武懿宗平冀州贼契丹等露布》，杨玄基等俘获契丹何阿小等魁首三百余人，击溃契丹主力在六月初一日。从两《唐书》之《契丹传》及本书记载的情况来看，何阿小等被俘后不久，孙万荣就被杀掉了。因此，甲午很可能是“庚午”（六月初六日）之讹。⑭③孙万荣为奴所杀：孙万荣途穷，与家奴轻骑走潞河东，惫甚，卧林下，奴斩其首。⑭④柳城：县名，治所在今辽宁朝阳。⑭⑤黑沙：突厥汗庭。据《旧唐书》之《突厥传》，黑沙为突厥南庭，今址不详。⑭⑥稽缓：稽留延缓。⑭⑦绯：绯袍。⑭⑧新城：指契丹在柳城西北四百里处新修筑的城堡。⑭⑨杀所获凉州都督许钦明以祭天：许钦明万岁通天元年（公元六九六年）九月为默啜所俘。⑮⓪恟惧：亦作“恟惧”“兇惧”，表示震惊恐惧的样子。⑮①奚：东北少数民族之一。居于辽河上游，柳城西北。北魏时自称库莫奚，隋唐时简称为奚。经济以畜牧为主，风俗与突厥相同。⑮②万荣军大溃：关于孙万荣军大溃的原因，司马光在《考异》中说：“《朝野佥载》：‘突厥破万荣新城，群贼闻之失色，众皆溃散。’不云为玄基等所破。《实录》但云为玄基及奚所破，不云突厥取新城。要之，契丹闻新城破，众心已离，唐与奚人击之，遂溃耳。今两取之。”⑮③张九节：事

八月二十三日丙戌，纳言姚璹因事获罪降为益州长史，任命太子宫尹豆卢钦望为文昌右相、凤阁鸾台三品。

九月壬辰日，在通天宫举行大飨祭礼，宣布大赦，更改年号。

十七日庚戌，娄师德代理纳言。

迹不详。两《唐书》之《契丹传》所载与本书略同。⑭邀：截击。⑮潞水：即今经河北、北京市到天津市入海的白河（上游）、潮白河（下游）。⑯枭之四方馆门：枭，悬。张九节把孙万荣的首级送至神都洛阳，武则天令悬挂于四方馆门示众。胡三省注："后魏置诸国使邸，其后又作四馆以处四方来降者。""至隋炀帝置四方馆于建国门外，以待四方使客，各掌其方国及互市事，属鸿胪寺。唐以四方馆隶中书省，通事舍人主之。"〖按〗唐东西两京皆有四方馆。此处指东都四方馆，在应天门外第一横街之南，第二横街之北，中书外省之西，右卫率府之东。⑰戊子：六月二十四日。⑱辛卯：六月二十七日。⑲胁从：胁迫随从。⑳以为反：认为是反叛者。㉑生刳：活活地剖开肚子。㉒嗜杀人：嗜好杀人。㉓两何：指武懿宗与何阿小。武懿宗封河内郡王。"河"与"何"音同，故有"两何"之说。㉔丁酉：七月初三日。㉕昆明：昆明蛮。散居于今云南、贵州、广西部分地区。㉖窦州：州名，治所在今广东信宜南。昆明蛮生活区域与广东相去甚远，"窦州"二字当误。似应作"宾州"。宾州治所领方县，在今广西宾阳。㉗庚午：七月乙未朔，无庚午。八月有庚午，即八月七日。㉘凯旋：奏凯乐振师而还。㉙族之：诛杀全族。㉚庭折之：在殿庭上驳斥武懿宗。㉛苟：苟且。㉜丙戌：八月二十三日。㉝以太子宫尹豆卢钦望为文昌右相句：胡三省注，"天授中改太子詹事为太子宫尹。'凤阁'之上当有'同'字"。关于豆卢钦望担任文昌右相、同凤阁鸾台三品的时间，《新唐书》之《宰相表》先书之于神功元年（公元六九七年），又书之于圣历二年（公元六九九年），且日月完全相同。〖按〗《旧唐书》之《豆卢钦望传》："庐陵王复为皇太子，以钦望为皇太子宫尹。"《新唐书》之《豆卢钦望传》所载略同。庐陵王复为皇太子在圣历元年九月，据此则钦望不可能在神功元年八月以"太子宫尹"的身份入相。《新唐书》卷四《则天纪》、《旧唐书》卷六《则天纪》及两《唐书》之《豆卢钦望传》均载之于圣历二年八月庚子，极是。㉞壬辰：九月甲午朔，无壬辰。《新唐书》卷四作"壬寅"，即九月初九日。《唐会要》卷三亦作九月初九日。"辰"当为"寅"之误。㉟改元：改元神功。㊱庚戌：九月十七日。

【校记】

[10] 移：原作“委”。据章钰校，十二行本、乙十一行本、孔天胤本皆作“移”，张敦仁《通鉴刊本识误》同，今据改。[11] 大赦：据章钰校，十二行本、乙十一行本皆作“赦天下”。

【原文】

甲寅[177]，太后谓侍臣曰：“顷者周兴、来俊臣按狱，多连引朝臣，云其谋反。国有常法[178]，朕安敢违！中间疑其不实，使近臣就狱引问[179]，得其手状[180]，皆自承服[181]，朕不以为疑。自兴、俊臣死，不复闻有反者，然则前死者不有冤邪？”夏官侍郎姚元崇对曰：“自垂拱以来坐谋反死者，率皆兴等罗织，自以为功。陛下使近臣问之，近臣亦不自保[182]，何敢动摇[183]！所问者若有翻覆，惧遭惨毒，不若速死。赖天启圣心，兴等伏诛，臣以百口为陛下保[184]，自今内外之臣无复反者。若微有实状，臣请受知而不告之罪[185]。”太后悦曰：“向时[186]宰相皆顺成其事，陷朕为淫刑之主[187]。闻卿所言，深合朕心。”赐元崇钱千缗。

时人多为魏元忠讼冤者，太后复召为肃政中丞[188]。元忠前后坐弃市流窜者四[189]。尝侍宴，太后问曰：“卿往者数负谤[190]，何也？”对曰：“臣犹鹿耳，罗织之徒欲得臣肉为羹，臣安所[191]避之！”

冬，闰十月甲寅[192]，以幽州都督狄仁杰为鸾台侍郎，司刑卿杜景俭为凤阁侍郎，并同平章事。

仁杰上疏以为“天生四夷[193]，皆在先王封略[194]之外，故东拒沧海，西阻流沙，北横大漠，南阻五岭，此天所以限夷狄而隔中外也。自典籍所纪，声教[195]所及，三代[196]不能至者，国家尽兼[197]之矣。诗人矜薄伐于太原[198]，美化行于江、汉[199]，则三代之远裔，皆国家之域中[200]也。若乃用武方[12]外[201]，邀功绝域[202]，竭府库之实以争不毛之地[203]，得其人

【语译】

九月二十一日甲寅，太后对侍从大臣说："近来周兴、来俊臣审理案件，多牵连朝臣，说他们谋反。国家有固定的法律，朕怎么敢违背！其间怀疑案情不实，派亲信大臣去狱中提审，得到囚犯的亲笔供状，都自己招认服罪，朕不再怀疑。自从周兴、来俊臣死后，不再听到有谋反的人，以前死去的人没有冤枉的吗？"夏官侍郎姚元崇回答说："自垂拱年间以来，犯谋反罪死去的人，大多是周兴等人罗织罪状，为自己求取功劳。陛下派亲信大臣去查问，他们也不能自我保全，怎敢改变原判！所审问的囚犯如果翻供，怕遭酷刑，还不如早些死掉。仰赖上天启迪圣心，周兴等人伏法，臣以全族一百口人的性命向陛下保证，从今以后朝廷内外的臣子不会再有反叛的人。如果稍有谋反的实情，臣愿担当知情不告的罪过。"太后高兴地说："以前宰相都顺应铸就那些诬陷之事，害朕成为滥用刑罚的君主。听到你的话，十分契合朕的心意。"赐给姚元崇一千贯钱。

当时很多人替魏元忠申诉冤屈，太后又召他回来担任肃政中丞。魏元忠前后共被判死刑和放逐四次。他曾侍奉太后宴饮，太后问道："你以前多次受到诽谤，为什么？"回答说："我就像鹿，设置罗网的人想要得到我的肉做羹，我能逃避到什么地方！"

冬，闰十月二十一日甲寅，任命幽州都督狄仁杰为鸾台侍郎，司刑卿杜景俭为凤阁侍郎，一并同平章事。

狄仁杰上疏认为"上天降生四夷，都在先王封疆以外，所以东面有沧海隔离着，西面有流沙阻遏着，北面有沙漠隔绝着，南面有五岭阻隔着，这是上天用来限制夷狄，阻隔中原与外夷。自书籍所载，声威教化所至，夏、商、周三代不能到达的地方，国家都已完全拥有了。诗人夸耀宣王北伐太原，赞美教化推行到江、汉流域，那么三代的边远地方，都在国家的疆域之中。至于向疆域之外用武，谋求功业于绝远的地方，耗尽国库的储备去争夺不毛之地，得到那里的民众不能增加国家的赋税，

不足增赋，获其土不可耕织，苟求冠带远夷之称，不务固本安人之术，此秦皇、汉武之所行，非五帝、三王之事业也。始皇穷兵极武[204]，务求广地，死者如麻，致天下溃叛[205]。汉武征伐四夷，百姓困穷，盗贼蜂起。末年悔悟，息兵罢役，故能为天所祐。近者国家频岁[206]出师，所费滋广[207]，西戍四镇[208]，东戍安东[209]，调发日加，百姓虚弊。今关东饥馑，蜀、汉逃亡，江、淮已南，征求不息，人不复业，相率为盗，本根一摇，忧患不浅。其所以然者，皆以争蛮貊[210]不毛之地，乖[211]子养苍生之道也。昔汉元纳贾捐之之谋而罢朱崖郡[212]，宣帝用魏相之策而弃车师之田[213]，岂不欲慕尚虚名，盖惮[214]劳人力也。近贞观中克平九姓[215]，立李思摩[216]为可汗，使统诸部者，盖以夷狄叛则伐之，降则抚之，得推亡固存[217]之义，无远戍劳人之役，此近日之令典[218]，经边之故事也。窃谓宜立阿史那斛瑟罗[219]为可汗，委之四镇，继高氏绝国[220]，使守安东。省军费于远方，并甲兵于塞上，使夷狄无侵侮之患则可矣，何必穷其窟穴，与蝼蚁校长短[221]哉！但当敕边兵，谨守备，远斥候[222]，聚资粮，待其自致[223]，然后击之。以逸待劳则战士力倍，以主御客则我得其便，坚壁清野则寇无所得，自然二贼[224]深入则有颠踬之虑，浅入必无寇获之益。如此数年，可使二虏不击而服矣”。事虽不行，识者是之。

凤阁舍人李峤知天官选事[225]，始置员外官[226]数千人。

先是历官[227]以是月为正月，以腊月为闰。太后欲正月甲子朔冬至[228]，乃下制以为“去晦[229]仍见月，有爽天经[230]。可以今月为闰月，来月为正月”。

【段旨】

以上为第七段，写姚元崇抨击酷吏政治；狄仁杰上奏安边之策。

获取那里的土地也无法耕织，暂时求得使远方夷人归附认同的称誉，而不致力于巩固根本、安定民众的措施，这是秦始皇、汉武帝所践行的，不是五帝、三王的事业。秦始皇穷兵黩武，追求开疆拓土，杀人如麻，致使天下叛乱，国家崩溃。汉武帝征伐四夷，百姓困顿，盗贼蜂起。晚年悔悟，休战免役，所以能得到上天保佑。近来国家连年出兵，费用日益增长，西方戍守四镇，东方戍守安东，征调日益加多，百姓财空力弊。现在潼关以东闹饥荒，蜀、汉民众逃亡，江、淮以南，征役索税不止，百姓不再从事生业，结伙为盗，根基一旦动摇，忧患不浅。造成这种局势，都是因为争夺蛮貊的不毛之地，违背爱抚养育百姓的道理。从前汉元帝采纳贾捐之的谋略而废弃朱崖郡，汉宣帝采用魏相的计策而放弃车师屯田，他们难道不想崇尚虚名，只是怕劳苦民力。近期贞观年间平定突厥九姓，立李思摩为可汗，让他统领各部落，就是因夷狄叛乱时就讨伐，归顺时就安抚，合于《尚书》推翻行亡道之国、巩固行存道之邦的道理，而没有远戍劳民之役，这是近来的好政令，经略边疆的先例。我以为应立阿史那斛瑟罗为可汗，委托他管辖四镇，使亡国的高句丽建立继统，让它守护安东。我们节省了用于远方的军费，集中兵力于边塞，使夷狄没有侵侮的祸患便可以了，何必穷追到他们的巢穴，跟蝼蚁较量长短呢！只应命令边防士兵，严加守备，向远处派出侦察兵，积聚物资粮米，等敌人自己到来，然后反击他们。以逸待劳则战士的勇力倍增，以主御客则我方获得方便，坚壁清野则敌寇一无所获，自然而然，突厥和高句丽深入我方便有覆灭的顾忌，浅入必定没有寇掠的利益。这样几年下来，就可以使这两个敌人不加征伐便归顺了”。这事虽未推行，但有见识的人都加以肯定。

凤阁舍人李峤掌管天官选官事务，开始设置几千名正式员额以外的官员。

在此之前历法官以本月为正月，以腊月为闰月，太后想定正月初一日甲子为冬至，就下诏书，以为“上月晦日仍见到了月亮，有失天道，可以本月为闰月，下月为正月”。

【注释】

⑰⑦ 甲寅：九月二十一日。⑰⑧ 常法：固定的法律。⑰⑨ 引问：提审。⑱⓪ 手状：亲笔写的材料。⑱① 承服：承认罪行，服从判决。⑱② 不自保：不能自保性命。⑱③ 动摇：改动酷吏的判决。⑱④ 以百口为陛下保：即以全家百口性命作担保。百口，泛指全家或亲近一族。⑱⑤ 受知而不告之罪：据《唐律疏议》，知反而不告者将被处以绞刑。⑱⑥ 向时：以前。⑱⑦ 淫刑之主：滥用刑罚的君主。⑱⑧ 肃政中丞：御史中丞。⑱⑨ 元忠前后坐弃市流窜

者四：魏元忠先后四次被流。所谓“四流”，当指垂拱三年前后为洛阳令，陷周兴狱，因过去讨徐敬业有功，配流贵州；垂拱四年为御史中丞，被来俊臣诬陷，临刑，遇赦，流费州；长寿元年为御史中丞，又为侯思止所陷，流岭表；其后长安三年再为张易之所谮，贬为高要县尉。⑲⓪数负谤：多次被诬陷。两《唐书》之《魏元忠传》作“累负谤铄”。“谤铄”比喻强烈的毁谤。⑲①安所：何所，什么地方。⑲②甲寅：闰十月二十一日。⑲③四夷：旧指东夷、西戎、南蛮、北狄。此处泛指周边少数民族。⑲④封略：封疆；疆界。⑲⑤声教：声威教化。⑲⑥三代：指夏、商、周。⑲⑦尽兼：完全拥有。⑲⑧诗人矜薄伐于太原：《诗经·小雅·六月》有“薄伐猃狁，至于太原”句，以夸尹吉甫辅佐宣王北伐之功。⑲⑨美化行于江、汉：《诗经·周南》有《汉广》，赞美周文王以德治国，教化行于江汉之域。⑳⓪域中：疆域之内。⑳①方外：与“方内”相对，指边远地区。⑳②绝域：极远的地方。⑳③不毛之地：不生长草木五谷的地方。⑳④穷兵极武：犹穷兵黩武。⑳⑤溃叛：崩溃叛乱。⑳⑥频岁：犹连年。⑳⑦滋广：日益增多。⑳⑧四镇：安西四镇。此时的安西四镇为龟兹、于阗、疏勒、碎叶。⑳⑨安东：安东都护府。㉑⓪蛮貊：蛮指南方少数民族，貊为对北方少数民族的称呼。此处泛指周边各族。㉑①乖：违。㉑②昔汉元纳贾捐之之谋而罢朱崖郡：事见本书卷二十八汉元帝初元二年。㉑③宣帝用魏相之策而弃车师之田：事见本书卷二十五汉宣帝元康二年。㉑④惮：惧怕。㉑⑤贞观中克平九姓：见本书卷一百九十唐太宗贞观十三年。㉑⑥李思摩：颉利可汗族人，本姓阿史那氏。事详《旧唐书》卷一百九十四上、《新唐书》卷二百十五上《突厥传》。㉑⑦推亡固存：推翻行亡道之国，巩固行存道之邦。

【原文】

圣历元年（戊戌，公元六九八年）

正月甲子朔，冬至，太后享通天宫，赦天下，改元㉛。

夏官侍郎宗楚客罢政事。

春，二月乙未㉜，文昌右相、同凤阁鸾台三品豆卢钦望罢为太子宾客㉝。

武承嗣、三思营求㉞为太子，数使人说太后曰：“自古天子未有以异姓为嗣者。”太后意未决。狄仁杰每从容言于太后曰：“文皇帝㉟栉风沐雨㊱，亲冒锋镝㊲[13]，以定天下，传之子孙。大帝㊳以二子㊴托陛下。陛下今乃欲移之他族㊵，无乃非天意乎㊶！且姑侄之与母子孰典出《尚书·仲虺之诰》:“推亡固存，邦乃其昌。”㉘令典：宪章法令。㉙阿史那斛瑟罗：阿史那步真之子。事详《旧唐书》卷一百九十四下、《新唐书》卷二百十五下《突厥传》。㉚继高氏绝国：恢复高句丽国号，使高藏子孙继承王位。高句丽王室姓高，其国总章元年为李勣所灭。见两《唐书》之《高丽传》。㉑与蝼蚁校长短：蝼蚁，本指蝼蛄和蚂蚁，后常用以比喻势单力薄，无足轻重的人物，此处指突厥等少数民族。校，意思与“较”相同。长短，指高低、胜负。㉒远斥候：远遣斥候。指侦察延伸到最远之地，目的在于速知敌情，早做准备。斥候，原指侦察、候望。此处指侦察敌情的士兵。㉓自致：自至。㉔二贼：与下文“二虏”同义。胡三省认为指突厥、吐蕃。但从狄仁杰奏文来看，当指突厥、高句丽。㉕知天官选事：主持吏部铨选之事。光宅元年改吏部为天官。㉖员外官：正员以外的官员。据《新唐书》之《百官志一》，太宗贞观时，“已有员外置”。《唐会要》卷六十七《员外官》云:“永徽五年（公元六五四年）八月，蒋孝璋除尚药奉御、员外特置，仍同正员。员外官自此始也。”㉗历官：掌管天文历法的官员，即太史令及其属官司历。㉘冬至：二十四节气之一。在十二月廿二或廿三日。㉙去晦：上个月的晦日。阴历以每月的最后一天，因看不到月亮，称之为“晦”。㉚有爽天经：有失于天之常道。

【校记】

［12］方：据章钰校，十二行本、乙十一行本、孔天胤本皆作“荒”，张敦仁《通鉴刊本识误》同。

【语译】

圣历元年（戊戌，公元六九八年）

正月初一日甲子，冬至，太后在通天宫举行大飨祭礼，大赦天下，更改年号。

夏官侍郎宗楚客被免除掌管政事的职务。

春，二月初四日乙未，文昌右相、同凤阁鸾台三品豆卢钦望免职为太子宾客。

武承嗣、武三思谋求成为太子，多次派人去劝太后说:“自古以来的天子，没有把外姓人作为继承人的。”太后主意未定。狄仁杰常常闲谈时劝太后说:“太宗文皇帝栉风沐雨，亲自冒着刀箭的危险，平定天下，传继子孙。高宗大帝把两个儿子托付给陛下，陛下现在竟想把帝位转交给外姓，恐怕不合天意吧！而且姑侄与母子相比

亲[242]？陛下立子，则千秋万岁[243]后，配食太庙，承继无穷；立侄，则未闻侄为天子而祔[244]姑于庙者也。”太后曰：“此朕家事，卿勿预知[245]。”仁杰曰：“王者以四海为家，四海之内，孰非臣妾[246]，何者不为陛下家事！君为元首[247]，臣为股肱[248]，义同一体，况臣备位宰相，岂得不预知乎！”又劝太后召还庐陵王[249]。王方庆、王及善亦劝之。太后意稍寤。他日，又谓仁杰曰：“朕梦大鹦鹉两翼[250]皆折，何也？”对曰：“武者，陛下之姓，两翼，二子也。陛下起[251]二子，则两翼振矣。”太后由是无立承嗣、三思之意。

孙万荣之围幽州也，移檄朝廷曰：“何不归我庐陵王？”吉顼与张易之、昌宗皆为控鹤监供奉[252]，易之兄弟亲狎[253]之。顼从容说二人曰：“公兄弟贵宠[254]如此，非以德业[255]取之也，天下侧目切齿[256]多矣。不有大功于天下，将[14]何以自全[257]？窃[258]为公忧之！”二人惧，涕泣[15]问计。顼曰：“天下士庶[259]未忘唐德，咸[260]复思庐陵王。主上[261]春秋高[262]，大业须有所付[263]，武氏诸王非所属意[264]。公何不从容劝主[16]上立庐陵王以系[265]苍生之望！如此，非[17]徒[266]免祸，亦可以长保富贵矣。”二人以为然，承间[267]屡为太后言之。太后知谋出于顼，乃召问之，顼复为太后具陈利害，太后意乃定[268]。

三月己巳[269]，托言[270]庐陵王有疾，遣职方员外郎[271]瑕丘徐彦伯[272]召庐陵王及其妃、诸子诣行在疗疾。戊子[273]，庐陵王至神都[274]。

夏，四月庚寅朔[275]，太后祀太庙。

辛丑[276]，以娄师德充陇右诸军大使，仍检校营田事。

【段旨】

以上为第八段，写皇嗣之争，武则天最终弃侄立子，庐陵王李显回到神都洛阳。

谁更亲呢？陛下立儿子为后嗣，那么您千秋万岁后，配祭太庙，代代承继不止；立侄子为后嗣，从没听说过侄儿为天子，而祔祭姑姑于太庙的。”太后说：“这是朕的家事，你不要干预。”狄仁杰说：“帝王以四海为家，四海以内，谁不是他的奴仆，什么事不是陛下的家事！君王是头，臣子是胳膊大腿，理应一体，况且臣位于宰相之位，怎能不参与呢！”又劝太后召回庐陵王。王方庆、王及善也劝太后。太后逐渐醒悟。有一天，她又对狄仁杰说：“我梦见一只大鹦鹉两翼都折断了，是什么意思？”回答说：“武，是陛下的姓，两翼，是两个皇子，陛下起用两位皇子，那么两翼就能振起了。”太后因此打消了立武承嗣、武三思为太子的想法。

孙万荣围困幽州时，传檄文给朝廷说：“为何不召回我庐陵王？”吉顼和张易之、张昌宗都任控鹤监供奉，张易之兄弟和他很亲近狎昵。吉顼闲谈时劝二人说：“你们兄弟这般贵显得宠，不是靠德行功业得来的，天下对你们咬牙怒视的人很多。没有为国家立大功，将来用什么来保全自己？我私下替你们担忧啊！”二人害怕，流着泪询问对策。吉顼说：“天下士人百姓还没忘掉唐朝的恩德，都还在思念庐陵王。皇上年纪大了，帝业必须有所托付，武氏诸王不是她属意的人，你们为何不在闲谈时劝皇上立庐陵王来维系百姓的期望！这样，不仅可以免祸，还可以长久保住富贵。”二人认为很对，乘机多次劝说太后。太后知道是吉顼出的主意，便召他来询问，吉顼又替太后详细陈说利害，太后的主意才定下来。

三月初九日己巳，借口庐陵王生病，派职方员外郎瑕丘人徐彦伯去召庐陵王和他的妃子、儿子们到太后住地医病。二十八日戊子，庐陵王到达神都洛阳。

夏，四月初一日庚寅，太后祭祀太庙。

十二日辛丑，任命娄师德充当陇右诸军大使，仍检校营田事务。

【注释】

㉛改元：改元圣历。㉜乙未：二月初四日。㉝豆卢钦望罢为太子宾客：时在久视元年（公元七〇〇年）二月十五日乙未。㉞营求：谋求。㉟文皇帝：即唐太宗。太宗死后谥曰文。㊱栉风沐雨：以风梳发，以雨洗头。形容奔波劳苦。㊲锋镝：泛指兵器。锋，兵刃。镝，箭镞。㊳大帝：高宗。高宗谥天皇大帝。㊴二子：指庐陵王李显和皇嗣李旦。㊵移之他族：把天下传给异姓。此处异姓指武氏。㊶无乃非天意乎：恐怕不符合天意吧。㊷姑侄之与母子孰亲：姑侄与母子相比，哪一种关系亲密。武则天与武承嗣等是姑侄关系，与李显、李旦是母子关系，故狄仁杰提出这样的问题让武则天考虑。㊸千秋

万岁：帝王死亡的讳辞。㉔④祔：祭名，指新死者与祖先合享之祭。㉔⑤预知：参与。㉔⑥臣妾：古指奴隶，男称臣，女称妾。此处泛指臣民。㉔⑦元首：头。㉔⑧股肱：大腿和胳膊。㉔⑨劝太后召还庐陵王：时庐陵王尚在房州。㉕⓪两翼：两个翅膀。㉕①起：起用。㉕②控鹤监供奉：官名。控鹤监系侍奉宴乐之官署，长官为监，其下有供奉，多为嬖宠，间用文士。圣历二年（公元六九九年）正月甲子，又置控鹤监丞、主簿等官。㉕③狎：亲近而不庄重。㉕④贵宠：富贵宠幸。㉕⑤德业：功德绩业。㉕⑥侧目切齿：表示怨恨之意。㉕⑦自全：自己保全自己。㉕⑧窃：私下。㉕⑨士庶：士人与庶民。㉖⓪咸：皆；都。㉖①主上：犹皇上。指武则天。㉖②春秋高：年龄大。㉖③付：托付。㉖④非所属意：此谓武氏诸王不是太后心意归属的人。属意，归心。㉖⑤系：维系。㉖⑥非徒：不但。㉖⑦承间：趁机。㉖⑧太后意乃定：太后传位于子的想法才确定下来。武则天决意传位于子经历了长期复杂的思想斗争。改唐为周之初，武则天以四子李旦为皇嗣而封武氏诸侄为王。天授二年（公元六九一年），武承嗣使洛阳人王庆之率千余人请废皇嗣而立承嗣为太子；武则天令李昭德杖杀王庆之，尚无立侄之意。但长寿二年（公元六九三年）一月发生了尚方监裴匪躬等人私谒皇嗣的事件，武则天对皇嗣的忠诚产生了怀疑，在立侄还是立子的问题上举棋不定。在这种情况下，其侄武承嗣、武三思加紧了谋求继承权的活动，而朝臣多反对立侄，主张传位于子。据文献记载，最先出来劝说武则天传位于子的是宰相李昭德。李昭德在杖杀王庆之后不久，即上书从血缘关系等方面进行分析，指出武则天应将皇位传给子孙。后来狄仁杰、王方庆、王及善等也从不同的角度劝说武则天，反对以武氏诸侄继位。武则天本来就对武承嗣等不太满意，听了这些大臣的话，越来越对诸侄失去信心。所以，当二张再次提出立子时，武则天便找到他们的谋主吉顼，经过一番详谈，决意将来由儿子继承皇位。在武则天思想转变的过程中，狄仁杰、吉顼等人的政治倾向及其活动起了很大的作用。但史书对狄仁杰、吉顼等人言行的记载不大一致。司马光对《狄梁公传》《谈宾录》《御史台记》《朝野佥载》及《新唐书》之《狄仁杰传》的记载进行了辨析，才做了如此的记载。㉖⑨己巳：三月初九日。㉗⓪托言：假称。㉗①职方员外郎：官名，

【原文】

六月甲午[277]，命淮阳王武延秀[278]入突厥，纳默啜女为妃；豹韬卫大将军阎知微摄春官尚书，右武卫郎将杨齐庄[279]摄司宾卿，赍金帛巨亿[280]以送之。延秀，承嗣之子也。凤阁舍人襄阳张柬之[281]谏曰："自古未有中国[282]亲王娶夷狄女者。"由是忤旨，出为合州[283]刺史。

为尚书省兵部职方司副长官，从六品上。协助尚方郎中掌天下地图、城隍、镇戍、烽堠等事。㉗㉒徐彦伯（？至公元七一四年）：本名洪，以字行，兖州瑕丘（今山东济宁市兖州区东北）人，善为文，与李峤齐名。官至右散骑常侍、太子宾客兼昭文馆学士。曾参与《三教珠英》《则天皇后实录》的撰写，有文集二十卷。传见《旧唐书》卷九十四、《新唐书》卷一百十四、《国秀集》卷上。㉗㉓戊子：三月二十八日。㉗㉔庐陵王至神都：庐陵王李显自房州到达洛阳。关于召还庐陵王一事，《狄梁公传》所载与此不同。该传说武则天偷派十名宫人至房州，以看望庐陵王为名，暗中给他换上宫人服装，把他秘密接回洛阳，朝廷内外一无所知。庐陵王到达神都后，武则天在一座小殿接见狄仁杰，把庐陵王藏在帘后。狄仁杰慷慨陈词，再次要求以庐陵王为储君。武则天嘘唏流涕，遂出庐陵王，并命狄仁杰择日册封。狄仁杰说自古无偷人做天子者。武则天令庐陵王重新回到龙门，“具法驾，陈百僚，就迎之”，储位乃定。《旧唐书》之《狄仁杰传》沿用了这种说法。司马光认为这种说法不大可靠。他在《考异》中说：武后若密召庐陵王，宫人十人既知其谋，洛阳至房州往来道路甚远，难保外人不知。若说此时储位已定，岂可自三月回都九月始立为太子。故而据《实录》记载。㉗㉕庚寅朔：四月初一日。㉗㉖辛丑：四月十二日。

【校记】

［13］镝：据章钰校，十二行本、乙十一行本皆作“镝”。［14］将：原无此字。据章钰校，十二行本、乙十一行本、孔天胤本皆有此字，张敦仁《通鉴刊本识误》同，今据补。［15］涕泣：原作“流涕”。据章钰校，十二行本、乙十一行本、孔天胤本皆作“涕泣”，张敦仁《通鉴刊本识误》同，今据改。［16］主：原无此字。据章钰校，十二行本、乙十一行本、孔天胤本皆有此字，张敦仁《通鉴刊本识误》同，今据补。［17］非：据章钰校，十二行本、乙十一行本皆作“岂”。

【语译】

六月初六日甲午，命令淮阳王武延秀前往突厥，娶阿史那默啜的女儿为王妃。豹韬卫大将军阎知微代理春官尚书，右武卫郎将杨齐庄代理司宾卿，携带巨量金银丝帛送给突厥。武延秀，是武承嗣的儿子。凤阁舍人襄阳人张柬之进谏说：“自古以来没有中国亲王娶夷狄之女的。”因此违背了太后的旨意，调出为合州刺史。

秋，七月，凤阁侍郎、同平章事杜景俭罢为秋官尚书[284]。

八月戊子[285]，武延秀至黑沙南庭。突厥默啜谓阎知微等曰："我欲以女嫁李氏[286]，安用武氏儿邪！此岂天子之子乎！我突厥世受李氏恩，闻李氏尽灭，唯两儿在，我今将兵辅立之。"乃拘延秀于别所，以知微为南面可汗，言欲使之主[287]唐民也。遂发兵袭静难、平狄、清夷[288]等军，静难军使慕容玄崱[289]以兵五千降之。虏势大振，进寇妫、檀[290]等州。前从阎知微入突厥者，默啜皆赐之五品、三品之服，太后悉夺之。

默啜移书[291]数[292]朝廷曰："与我蒸谷种[293]，种之不生，一也；金银器皆行滥[294]，非真物，二也；我与使者绯紫皆夺之，三也；缯帛皆疏恶，四也；我可汗女当嫁天子儿，武氏小姓，门户不敌[295]，罔冒[296]为昏，五也。我为此起兵，欲取河北耳。"

监察御史裴怀古[297]从阎知微入突厥，默啜欲官之，不受。囚，将杀之。逃归，抵晋阳[298]，形容羸悴[299]。突骑[300]噪聚，以为间谍，欲取其首以求功。有果毅[301]尝为人所枉，怀古按直之[302]，大呼曰："裴御史也！"救之，得全。至都，引见，迁祠部员外郎[303]。

时诸州闻突厥入寇，方秋[304]，争发民修城。卫州刺史太平敬晖[305]谓僚属曰："吾闻金汤[306]非粟不守[307]，奈何[308]舍收获而事城郭[309]乎？"悉罢之，使归田，百姓大悦。

甲午[310]，鸾台侍郎、同平章事王方庆罢为麟台监[311]。

太子太保魏宣王武承嗣，恨不得为太子，意快快[312]。戊戌[313]，病薨。

庚子[314]，以春官尚书武三思检校内史，狄仁杰兼纳言。

太后命宰相各举尚书郎[315]一人，仁杰举其子司府丞[316]光嗣[317]，拜地官员外郎[318]，已而[319]称职。太后喜曰："卿足继祁奚[320]矣。"

通事舍人[321]河南元行冲[322]，博学多通，仁杰重之。行冲数规谏仁杰，且曰："凡为家者必有储蓄脯醢[323]以适口[324]，参术[325]以攻疾。仆窃计明公之门，珍味多矣，行冲请备药物之末[326]。"仁杰笑曰："吾药笼中物[327]，何可一日无也！"行冲名澹，以字行。

秋，七月，凤阁侍郎、同平章事杜景俭免职，改任秋官尚书。

八月初一日戊子，武延秀到达黑沙南庭。突厥阿史那默啜对阎知微等说："我想把女儿嫁给李氏，哪里用得着武氏儿郎！他难道是天子的儿子吗！我突厥世代受李氏的恩泽，听说李氏已全都灭绝，只有两个儿子在世，我现在要带兵去辅佐拥立他。"于是把武延秀拘禁在别处，任命阎知微为南面可汗，声称要让他统治唐朝的百姓。便发兵袭击静难、平狄、清夷等军，静难军使慕容玄崱率五千士兵投降。突厥的声势大振，进兵侵犯妫、檀等州。以前跟阎知微进入突厥的人，阿史那默啜都赏赐他们五品、三品的官服，太后全部予以剥夺。

阿史那默啜发来公文指责朝廷说："给我蒸过的谷种，种下去不生长，这是第一；金银器皿都粗劣不堪，不是真东西，这是第二；我赐给使者的红、紫色官服全都被剥夺了，这是第三；送来的丝织品都稀疏粗劣，这是第四；我突厥可汗的女儿应当嫁给天子的儿子，武氏是小姓，门户不相当，却假冒来结姻，这是第五。我为这五事而起兵，只想取得河北而已。"

监察御史裴怀古随从阎知微到突厥，阿史那默啜想让他做官，他不接受。把他囚禁起来，将要杀死他。他逃脱回来，到达晋阳时，身体瘦弱，面容憔悴。突骑呐喊着围住他，以为他是间谍，想取他的头去邀功。有位果毅曾被人诬陷，经裴怀古审讯得以平反，大声呼喊说："这是裴御史！"解救了他使他保全了性命。到达都城，引见给太后，升为祠部员外郎。

当时各州听说突厥入犯，正当秋收季节，竞相征发百姓修筑城池。卫州刺史太平人敬晖对部属说："我听说金城汤池没有粮食也守不住，怎能舍弃收获而致力于修城呢？"敬晖完全免除了修城劳役，让大家回田间收获，百姓非常喜欢。

八月初七日甲午，鸾台侍郎、同平章事王方庆免职，改任麟台监。

太子太保魏宣王武承嗣，怨恨自己不能做太子，心里怏怏不乐。十一日戊戌，病逝。

十三日庚子，任命春官尚书武三思为检校内史，狄仁杰兼纳言。

太后命令宰相各自推荐尚书郎一人，狄仁杰举荐自己的儿子司府丞狄光嗣，授予地官员外郎，不久就能胜任其职。太后高兴地说："你足以继承祁奚了。"

通事舍人河南人元行冲，博学多识，狄仁杰器重他。元行冲屡次规劝狄仁杰，并且说："凡当家的人必储备肉干、肉酱来满足胃口，储备人参、白术来治病。我私下估计您家内，珍膳美味很多，我元行冲愿充当府上的末等药材。"狄仁杰笑着说："你是我药箱中的东西，怎可一日缺少呢！"元行冲名澹，以字行于世。

以司属卿[328]武重规[329]为天兵中道大总管，右武卫将军[330]沙吒忠义为天兵西道总管，幽州都督下邽[331]张仁愿[332]为天兵东道总管，将兵三十万以讨突厥默啜。又以左羽林卫大将军阎敬容[333]为天兵西道后军总管，将兵十五万为后援。

癸丑[334]，默啜寇飞狐[335]，乙卯[336]，陷定州[337]，杀刺史孙彦高[338]及吏民数千人。

九月甲子[339]，以夏官尚书武攸宁同凤阁鸾台三品。

改突厥[18]默啜为斩啜。

默啜使阎知微招谕赵州，知微与虏连手蹋歌[340][19]《万岁乐》[341]于城下。将军陈令英[342]在城上谓曰："尚书位任非轻[343]，乃为虏蹋歌，独[344]无惭乎！"知微微吟曰："不得已[345]，《万岁乐》。"

戊辰[346]，默啜围赵州，长史唐般若[347]翻城应之。刺史高叡[348]与妻秦氏仰药诈死[349]。虏舆之诣默啜，默啜以金狮子带、紫袍[350]示之曰："降则拜官，不降则死！"叡顾其妻，妻曰："酬报[351]国恩，正在今日！"遂俱闭目不言。经再宿[352]，虏知不可屈，乃杀之。虏退，唐般若族诛。赠叡冬官尚书，谥曰节。叡，颎之孙也。

皇嗣固请逊位于庐陵王，太后许之。壬申[353]，立庐陵王哲为皇太子，复名显。赦天下。甲戌[354]，命太子为河北道元帅[355]以讨突厥。先是，募人[356]月余不满千人，及闻太子为元[20]帅，应募者云集，未几，数盈五万。

【段旨】

以上为第九段，写阎知微投敌，招致突厥侵扰河北。

任命司属卿武重规为天兵中道大总管，右武卫将军沙吒忠义为天兵西道总管，幽州都督下邽人张仁愿为天兵东道总管，率兵三十万征讨突厥阿史那默啜。又任命左羽林卫大将军阎敬容为天兵西道后军总管，率兵十五万作为增援。

八月二十六日癸丑，阿史那默啜侵犯飞狐。二十八日乙卯，攻陷定州，杀死刺史孙彦高及官民几千人。

九月初七日甲子，委任夏官尚书武攸宁为同凤阁鸾台三品。

改换突厥阿史那默啜的名字为斩啜。

阿史那默啜派遣阎知微去招抚赵州城，阎知微与突厥人在城下拉着手踏着节拍唱《万岁乐》。将军陈令英在城上对他说："尚书职任不低，竟然为敌人歌舞，难道不惭愧吗！"阎知微低吟说："没办法，《万岁乐》。"

九月十一日戊辰，阿史那默啜包围赵州，长史唐般若越墙出城去接应他。刺史高叡和妻子秦氏吞药装死。敌人抬着他们前往阿史那默啜那里，阿史那默啜拿出金狮子带、紫色官服给他们看，说："投降便授官，不降则处死！"高叡回头看着他妻子，他妻子说："报答国家的恩泽，就在今天了！"于是两人都闭目不说话。过了两天，敌人知道不能使他们屈服，便杀了他们。敌人退去，唐般若的全族被处死。追赠高叡为冬官尚书，谥号为节。高叡，是高颎的孙子。

皇储坚持请求把太子位让给庐陵王，太后答应了他的请求。九月十五日壬申，立庐陵王李哲为皇太子，恢复原名显。赦免天下。十七日甲戌，任命太子为河北道元帅，去征讨突厥。此前，招募军人一个多月还不到一千人，等到听说太子做元帅，应募的人云集，不久，人数满了五万。

【注释】

㉗㉗甲午：六月初六日。㉗㉘武延秀（？至公元七一〇年）：魏王武承嗣次子。尚安乐公主，官至太常卿兼右卫将军。传见《旧唐书》卷一百八十三、《新唐书》卷二百六。㉗㉙杨齐庄（？至公元六九八年）：事见《朝野佥载》卷二及《旧唐书》之《突厥传》。据《考异》，"杨齐庄"之名，《实录》作"杨鸾庄"。查《新唐书》卷二百六及卷二百十五上亦作"杨鸾庄"。㉘⓪巨亿：意同"巨万"，万万。极言数目之大。㉘①张柬之（公元六二五至七〇六年）：字孟将，襄州襄阳（今湖北襄阳）人，进士出身。武则天末年官至宰相，发动宫廷政变，颠覆了武周政权。传见《旧唐书》卷九十一、《新唐书》卷一百二十。㉘②中国：此处指中原。㉘③合州：州名，治所在今重庆市合川区。㉘④杜景俭罢为

秋官尚书：时在七月辛未，即七月十三日。㉘⑤戊子：八月初一日。㉘⑥李氏：李唐子孙。《旧唐书》之《突厥传》作“李家天子儿”，语意与此相同。㉘⑦主：统治。㉘⑧静难、平狄、清夷：军镇名。前二者地望不详，当在今河北怀来西北。清夷军垂拱年间设置，在今河北怀来东南妫水北岸。㉘⑨慕容玄崱：官至左玉钤卫将军。见《旧唐书》卷一百九十四上、《新唐书》卷二百十五上《突厥传》。㉙⓪妫、檀：妫州，州名，治所在今河北涿鹿西南。檀州，州名，治所在今北京市密云。㉙①移书：发送公文。此指突厥默啜发送唐朝的国书。㉙②数：责问；指斥。㉙③与我蒸谷种：送给我的是蒸煮过的谷种。㉙④行滥：假劣；粗恶。行，掺假质劣。胡三省注：“市列为行，市列造金银器贩卖，率殽他物以求赢，俗谓之行作。”滥，恶。㉙⑤不敌：不当。㉙⑥罔冒：欺骗冒充。㉙⑦裴怀古：寿州寿春（今安徽寿县）人，历任监察御史、姚州都督、相州刺史等职，为则天朝著名廉吏。传见《旧唐书》卷一百八十五下、《新唐书》卷一百九十七。㉙⑧晋阳：县名，县治在今山西太原。㉙⑨羸悴：羸弱憔悴。㉚⓪突骑：能够冲锋陷阵的精锐骑兵。㉚①果毅：军官名称，即果毅都尉。唐制，诸卫折冲都尉府置折冲都尉一人，左右果毅都尉各一人，为折冲都尉之副。后来果毅如别将一样，授受颇滥。㉚②按直之：审问后得以平反，澄清了他的冤屈。㉚③祠部员外郎：官名，从六品上，协助郎中掌管祠祀、享祭、天文、漏刻、国忌、庙讳、卜筮、医药及僧尼之事。㉚④方秋：正值秋收季节。㉚⑤敬晖：绛州太平（今山西侯马西北）人，参与张柬之政变，官至侍中。传见《旧唐书》卷九十一、《新唐书》卷一百二十。㉚⑥金汤：“金城汤池”的省语，比喻城池坚固。㉚⑦非粟不守：无粟不能坚守。㉚⑧奈何：怎么；为什么。㉚⑨事城郭：从事城郭的修筑。㉛⓪甲午：八月初七日。㉛①麟台监：官名，即秘书监。㉛②怏怏：因不满意而郁郁不乐的样子。㉛③戊戌：八月十一日。㉛④庚子：八月十三日。㉛⑤命宰相各举尚书郎：当时有五位宰相，即娄师德、狄仁杰、王及善、武三思、杨再思。尚书郎，官名，系对尚书省各部侍郎、郎中的通称。㉛⑥司府丞：官名，即太府丞。㉛⑦光嗣：狄仁杰长子。事见《新唐书》卷一百十五《狄仁杰传》，《唐郎官石柱题名考》卷十一、十二。㉛⑧地官员外郎：即户部员外郎，掌管户口、田亩之事。㉛⑨已而：不久。㉜⓪祁奚：字黄羊，春秋时晋国大夫。告老辞职时，晋悼公让他推荐能够代替他的人选，他推荐了自己的仇人解狐。解狐还未上任就死了，他又推荐了自己的儿子祁午。当时人都说他“外举不避仇，内举不避亲”。事见《左传》襄公三年、《国语》之《晋语》及《史记》之《晋世家》。㉜①通事舍人：中书省属官，从六品上，掌朝臣进退之节，凡军旅之出，则承命慰劳送迎。㉜②元行冲（公元六五三至七二九年）：河南（今河南洛阳）人，官至太子宾客、弘文馆学士。著有《魏典》三十卷、《类礼义疏》五十卷。传见《旧唐书》卷一百二、《新唐书》卷二百。㉜③脯醢：脯，干肉。醢，肉酱。㉜④适口：适合口味。此处指满足食欲。㉜⑤参朮：参，人参。朮，白朮、苍朮。皆为中药名称。㉜⑥药物之末：不重要的药物。㉜⑦吾药笼中物：意为你正是我药笼中之物。㉜⑧司属卿：

官名，即宗正卿。光宅元年（公元六八四年）改宗正卿为司属卿。㉙武重规：蜀节王武士逸之孙，武则天之侄。官至左金吾卫大将军。传见《新唐书》卷二百六。㉚右武卫将军：左右卫，光宅元年已改为左右鹰扬卫，此时无右武卫将军称号。据两《唐书》之《突厥传》，沙吒忠义任右武威卫将军。“武”下当补“威”字。㉛下邽：县名，故治在今陕西渭南市北。㉜张仁愿（？至公元七一四年）：本名仁亶，后改名仁愿，华州下邽人，有文武才略，出将入相。传见《旧唐书》卷九十三、《新唐书》卷一百十一。㉝阎敬容：事见《旧唐书》卷一百九十四上《突厥传》，《新唐书》卷四《则天皇后纪》、卷二百十五上《突厥传》。《新唐书》卷二百六“容”作“客”，疑误。㉞癸丑：八月二十六日。㉟飞狐：县名，县治在今河北涞源。㊱乙卯：八月二十八日。㊲定州：州名，治所在今河北定州。㊳孙彦高（？至公元六九八年）：杭州富阳（今浙江杭州市富阳区）人，曾任尚书左丞。见《元和姓纂》卷四。《朝野佥载》说此人顽愚胆怯，突厥围定州时藏入柜中，嘱咐家奴不要把钥匙交给敌人。两《唐书》本纪及《突厥传》不载此事，只说孙彦高被杀。司马光在读到《朝野佥载》中的这段记载时，认为孙氏不至于此，故在《通鉴》中未取其说。㊴甲子：九月初七日。㊵蹋歌：踏歌。踏地为节，连手而歌。㊶《万岁乐》：歌曲名。㊷陈令英：京兆万年人，曾任右卫将军、岐州刺史、丰安道总管。见《元和姓纂》卷三、《新唐书》卷二百十五上《突厥传》。㊸尚书位任非轻：阎知微出使时摄春官尚书，正三品，位高权重，故有此说。㊹独：岂；难道。㊺不得已：没办法。指被胁迫。㊻戊辰：九月十一日。㊼唐般若（？至公元六九八年）：礼部尚书唐俭之子。《旧唐书》卷一百八十七上、卷一百九十四上及《新唐书》卷四、卷七十四下、卷一百九十一、卷二百十五上俱作“唐波若”。〖按〗《朝野佥载》亦作“唐波若”。《全唐文》卷九十五有《诛唐波若制》。㊽高叡（？至公元六九八年）：京兆万年人，隋初名相高颎之孙。曾任通义县令、桂州都督，颇有善政。传见《旧唐书》卷一百八十七上、《新唐书》卷一百九十一。㊾仰药诈死：服药假死。两《唐书》之《高叡传》皆云自经不死。㊿金狮子带、紫袍：系三品以上章服。㉛1酬报：酬谢报答。㉛2经再宿：过了两天。㉛3壬申：九月十五日。㉛4甲戌：九月十七日。㉛5元帅：官名，即行军元帅，战时最高领兵军官。唐时元帅一般由亲王或皇太子担任。㉛6募人：招募军人。

【校记】

［18］突厥：原无此二字。据章钰校，十二行本、乙十一行本、孔天胤本皆有此二字，张敦仁《通鉴刊本识误》、张瑛《通鉴校勘记》同，今据补。［19］歌：原无此字。张敦仁《通鉴刊本识误》云：“‘蹋’下脱‘歌’字。”今据补。〖按〗下句有“乃为虏蹋歌”，补“歌”字义长。［20］元：据章钰校，十二行本、乙十一行本、孔天胤本皆无此字。

【原文】

戊寅[357]，以狄仁杰为河北道行军副元帅，右丞宋元爽[358]为长史，右台中丞崔献[359]为司马，左台中丞吉顼为监军使。时太子不行，命仁杰知元帅事，太后亲送之。

蓝田令薛讷[360]，仁贵之子也，太后擢为左威卫将军、安东道经略。将行，言于太后曰："太子虽立，外议[361]犹疑未定[362]。苟此命不易[363]，丑虏[364]不足平也。"太后深然之。王及善请太子赴外朝[365]以慰人心，从之。

以天官侍郎苏味道为凤阁侍郎、同平章事。味道前后在相位数岁[366]，依阿取容[367]，尝谓人曰："处事不宜明白，但摸稜持两端可矣。"时人谓之"苏摸稜"[368]。

癸未[369]，突厥默啜尽杀所掠赵、定等州男女万余人，自五回道[370]去，所过，杀掠不可胜纪。沙吒忠义等但引兵蹑[371]之，不敢逼。狄仁杰将兵十万追之，无所及[372]。默啜还漠北，拥兵四十万，据地万里，西北诸夷皆附之，甚有轻中国之心。

冬，十月，制：都下[373]屯兵，命河内王武懿宗、九江王武攸归[374]领之。

癸卯[375]，以狄仁杰为河北道安抚大使。时河[21]北人为突厥所驱逼者，虏退，惧诛，往往亡匿[376]。仁杰上疏，以为"朝廷议者皆罪契丹、突厥所胁从之人，言其迹[377]虽不同，心[378]则无别。诚以山东近缘军机调发伤重[379]，家道[380]悉破，或至逃亡。重以官典[381]侵渔[382]，因事而起，枷杖之下，痛切肌肤，事迫情危[383]，不循礼义。愁苦之地，不乐其生，有利则归，且图赊死[384]，此乃君子之愧辱，小人之常行也。又，诸城入伪[385]，或待天兵[386]，将士求功，皆云攻得，臣忧滥赏，亦恐非辜[387]。以经与贼同，是为恶地，至有[22]污辱妻子，劫掠货财，兵士信知不仁，簪笏[388]未能以免，乃是贼平之后，为恶更深。且贼务招携[389]，秋毫不犯，今之归正，即是平人[390]，翻被破伤，岂不悲痛！夫人犹水也，壅之则为泉，疏之则为川，通塞随流，岂有常性！今负罪之伍[391]，必不在家，露宿草行，潜窜[392]山泽，赦之则出，不赦则狂，山东群盗，缘兹

【语译】

九月二十一日戊寅，任命狄仁杰为河北道行军副元帅，右丞宋元爽为长史，右台中丞崔献为司马，左台中丞吉顼为监军使。当时太子没有成行，命令狄仁杰执掌元帅事务，太后亲自为他送行。

蓝田县令薛讷，是薛仁贵的儿子。太后提升他为左威卫将军、安东道经略。即将出发，他向太后进言说："太子虽已册立，外间的议论仍然犹豫不定。假如立太子的命令不再改变，突厥不难平定。"太后深表赞同。王及善请求让太子到外朝与群臣一起朝谒，以此安定人心，太后听从了。

任命天官侍郎苏味道为凤阁侍郎、同平章事。苏味道前后在相位数年，依顺阿附以求容于人，他曾对人说："处理事情不应明白清楚，只要模棱两可便行了。"当时人称他为"苏摸稜"。

九月二十六日癸未，突厥阿史那默啜将所掠取赵、定等州男女一万多人全部杀光，从五回岭山道离去，经过的地方，杀掠无法详尽记述。沙吒忠义等只是带兵跟在后面，不敢逼近。狄仁杰率兵十万追击，没有赶上。阿史那默啜返回漠北，拥有四十万军队，控制万里地域，西北各族都归附他，心里极为轻视中国。

冬，十月，颁下制书：都城下屯集士兵，命令河内王武懿宗、九江王武攸归统领。

十月十七日癸卯，任命狄仁杰为河北道安抚大使。当时被突厥所驱使逼迫的河北人，在突厥退走后，怕被杀头，往往逃亡藏匿。狄仁杰上疏以为"在朝廷上议政的人，都认为那些被契丹、突厥所胁迫的人有罪，说他们行迹虽有不同，但降敌之心没有区别。这实在是因为山东近年军事征调伤害严重，家业全破败了，有的甚至逃亡。再加上地方官吏的侵夺，因某些事而引发，在枷杖酷刑之下，肌肤痛切，境况危迫，不遵礼义。处在愁苦的地步，不乐意生存，趋求财利，暂求偷生，这是君子的愧辱，却是小人常见的行为。还有，各城投降敌人，有的等待官军到来，而将士们邀功，都说是攻战获取的，臣担心滥行赏赐，还怕无辜受罪。认为曾经沦陷的地方便是恶地，以至有侮辱当地人的妻子，抢劫财物，兵士明知是不仁道的，官吏也不能杜绝，于是贼平以后，作恶更加严重。况且对贼寇要尽力招抚，秋毫不犯，现在他们回归朝廷，就是一般民众，反而被伤害，怎不令人悲痛呢！人像水一样，阻塞它便成泉，疏通它便成河，或通或塞，顺水而流，哪有常性！现在有罪之徒，必定不在家中，露宿于外，行走草野，潜逃山泽，赦免他们就会出来，不赦免他们

聚结。臣以边尘暂[393]起，不足为忧，中土[394]不安，此为大事。罪之则众情恐惧，恕之则反侧[395]自安，伏愿曲赦河北诸州，一无所问”。制从之。仁杰于是抚慰百姓，得突厥所驱掠者，悉递还本贯[396]。散粮运[397]以赈贫乏，修邮驿[398]以济旋师。恐诸将及使者妄求供顿，乃自食疏粝[399]，禁其下无得侵扰百姓，犯者必斩。河北遂安。

以夏官侍郎姚元崇、秘书少监[400]李峤并同平章事。

突厥默啜离赵州，乃纵阎知微使还。太后命磔[401]于天津桥南，使百官共射之，既乃剐[402]其肉，锉[403]其骨，夷其三族[404]，疏亲[405]有先未相识而同死者。

褒公段瓒[406]，志玄之子也，先没于突厥。突厥在赵州，瓒邀杨齐庄与之俱逃，齐庄畏懦[23]，不敢发。瓒先归，太后赏之，齐庄寻至，敕河内王武懿宗鞫之。懿宗以为齐庄意怀犹豫，遂与阎知微同诛。既射之如猬[407]，气殜殜[408]未死，乃决其腹，割心投于地，犹趌趌然[409]跃不止。

擢田归道为夏官侍郎，甚见亲委[410]。

蜀州[411]每岁遣兵五百人戍姚州[412]，路险远，死亡者多。蜀州刺史张柬之上言，以为“姚州本哀牢[413]之国，荒外绝域[414]，山高水深。国家开以为州，未尝得其盐布之税，甲兵之用，而空竭府库，驱率平人，受役蛮夷[415]，肝脑涂地，臣窃为国家惜之。请废姚州以隶嶲州[416]，岁时朝觐[417]，同之蕃国[418]。泸[419]南诸镇亦皆废省，于泸北置关，百姓非奉使，无得[420]交通往来”。疏奏，不纳。

【段旨】

以上为第十段，写狄仁杰击退突厥，招抚河北民众。

就会疯狂，山东的群盗就是因此而聚合在一起。臣认为边塞暂有战事，不足为忧，国内不安定，这才是大事。加罪他们，则众情恐惧；宽恕他们，则反复无常的人也能自安，恳请宽赦河北各州，一概既往不咎”。太后下制书听从这一建议。于是狄仁杰安抚百姓，获得被突厥驱掠的人，全部遣回原籍，散发粮食救济贫乏的人，修整驿馆以助班师。担心各将领及使者妄求供应品，自己便吃粗糙的饭食，约束部下不得侵扰百姓，违犯的一定斩首。于是河北安定了。

任命夏官侍郎姚元崇、秘书少监李峤一并为同平章事。

突厥阿史那默啜离开赵州，便放走阎知微，让他回朝廷。太后下令在天津桥南处以磔刑，让百官一起射他，然后又剐去他的肉，折断他的骨，灭掉他的三族，有不认识他的远亲也一同被处死的。

褒公段瓒，是段志玄的儿子，早先陷没于突厥。突厥军在赵州时，段瓒约杨齐庄一起逃跑，杨齐庄畏惧懦弱，不敢行动。段瓒先回来，太后赏赐他，杨齐庄不久也回来了，敕令河内王武懿宗审讯他。武懿宗认为杨齐庄心怀犹豫，于是与阎知微一同被处死。他身上已中箭矢如刺猬，气息奄奄还未死，又剖开他的肚子，挖出心丢在地上，仍跳动不止。

田归道升为夏官侍郎，很受亲信倚重。

蜀州每年派兵五百人去戍守姚州，路途艰险遥远，死亡的人很多。蜀州刺史张柬之进言，认为“姚州本是哀牢国，荒服以外的绝远地域，山高水深，国家开辟它为州府，不曾得到过它的盐布的税收和士兵的征用，而只是空竭府库，驱使平民，在蛮夷地区受役使，肝脑涂地，臣私下为国家怜惜。请求废除姚州而改属巂州，每年按时朝见天子，如同蕃国。泸水以南各镇也都废除，在泸水北部设关卡，百姓如不是奉命差遣，不准往来交通”。奏疏呈上，未被采纳。

【注释】

㉟⑦戊寅：九月二十一日。㉟⑧宋元爽：一作“宋玄爽”。曾任洛州长史，官至秋官侍郎。事见《元和姓纂》卷八、《全唐文》卷二百十一、《新唐书》卷二百十五上《突厥传》。㉟⑨崔献：据《新唐书》卷二百十五上，“崔献”当为“霍献可”之误。详参岑仲勉《通鉴隋唐纪比事质疑》。㊱⓪薛讷（公元六四九至七二〇年）：名将薛仁贵之子。久当边任，累有战功。官至左羽林大将军，以勇猛寡言著称。传见《旧唐书》卷九十三、《新唐书》卷一百十一。㊱①外议：外间议论。㊱②犹疑未定：犹疑太子尚未确定。㊱③苟此命不易：若以庐陵王为太子的命令不变。㊱④丑虏：对突厥的蔑称。㊱⑤外朝：与内宫相对而

言。指处理政务的殿堂。司马光说，睿宗为皇嗣时，只在宫中朝谒，不出外朝；今王及善始请太子出到外朝与群臣一起朝谒。㊱味道前后在相位数岁：苏味道两度为相，在位凡六年零四个月。㊲依阿取容：依顺阿附，求容于人。㊳时人谓之苏摸稜：当时人把他称作“苏摸稜”。《新唐书》之《苏味道传》作“摸稜手”。关于苏味道这一绰号的来历，本书及两《唐书》本传都说是因为苏味道处事圆滑，说过模棱两可的话。但唐人也有不同的说法。《卢氏杂记》载：“苏味道初拜相，有门人问曰：‘天下方事之殷，相公何以燮和？’味道无言，但以手摸床稜而已。时谓摸稜宰相也。”见《太平广记》卷二百五十九。㊴癸未：九月二十六日。㊵五回道：自五回山通往突厥的道路。五回山在今河北易县之西，《水经注》称之为“五回岭”。山势险要，道路崎岖，五回曲折，才能到达山顶，故称“五回岭。㊶蹑：跟踪。㊷无所及：没有追上。㊸都下：都中，京师。㊹武攸归：楚僖王武士让之孙，武则天之侄。曾任司属少卿、齐州刺史。事见《新唐书》卷二百六《武承嗣传》、《元和姓纂》卷六。㊺癸卯：十月十七日。㊻亡匿：逃亡隐匿。㊼迹：行迹。㊽心：指降贼之心。㊾伤重：失之于重。㊿家道：家计；家产。(381)官典：官吏。(382)侵渔：侵夺吞没。(383)情危：情况危急。(384)赊死：延缓死期。(385)入伪：投降突厥。(386)天兵：天子之兵。即官军。(387)亦恐非辜：也怕无辜受罪。(388)簪笏：本士大夫所用之物，此处为官吏的代称。(389)贼务招携：对敌人尽量进行招抚。(390)平人：平民。(391)伍：徒。(392)潜窜：潜伏逃窜。(393)暂：暂时。(394)中土：本指中原。此处系就国内而言。(395)反侧：反复无常。此指投降突厥的人。(396)递还本贯：逐驿送回故乡。本贯，即原来的籍

【原文】

二年（己亥，公元六九九年）

正月丁卯朔(421)，告朔(422)于通天宫。

壬戌(423)，以皇嗣为相王(424)，领(425)太子右卫率(426)。

甲子(427)，置控鹤监丞、主簿等官(428)，率(429)皆嬖宠(430)之人，颇用才能文学之士以参(431)之。以司卫卿张易之为控鹤监，银青光禄大夫(432)张昌宗、左台中丞(433)吉顼、殿中监(434)田归道、夏官侍郎李迥秀、凤阁舍人(435)薛稷(436)、正谏大夫(437)临汾员半千(438)皆为控鹤监内供奉。稷，元超之从子也。半千以古无此官，且所聚多轻薄之士，上疏请罢之，由是忤旨，左迁水部郎中(439)。

腊月戊子(440)，以左台中丞吉顼为天官侍郎，右台中丞魏元忠为凤阁

贯。㊲粮运：即粮饷。㊳邮驿：传递文书、供应食宿的驿馆。㊴疏粝：粗米。㊵秘书少监：此时秘书省称麟台，秘书少监亦当称麟台少监。两《唐书》之《则天纪》皆作麟台少监。401磔：裂。402剐：割肉离骨。403铩：折。404三族：有四种说法，即父族、母族、妻族；父、子、孙；父母、兄弟、妻子；父昆弟、己昆弟、子昆弟。此处当指父族、母族、妻族。405疏亲：即远亲。406段瓒：唐初功臣段志玄之子，官至左屯卫大将军。事见《旧唐书》卷六十八《段志玄传》。407猬：刺猬。408殜殜：亦作"殗殜"，微弱貌。409趌趌然：形容跳动的样子。410亲委：亲近委任。411蜀州：州名，治所在今四川崇州。412姚州：州名，治所在今云南姚安北，为唐与西南各族往来要地。413哀牢：古国名，在今云南保山市怒江以西。414荒外绝域：地处荒服之外绝远之地。415受役蛮夷：受役于蛮夷之境。416嶲州：州名，治所在今四川西昌。417朝觐：朝见天子。418同之蕃国：使之与蕃国相同。此指藩属地区。419泸：水名，指今雅砻江下游与金沙江汇合后的一段江水。420无得：不得。

【校记】

［21］河：原无此字。据章钰校，十二行本、乙十一行本、孔天胤本皆有此字，张敦仁《通鉴刊本识误》同，今据补。［22］有：原作"于"。据章钰校，十二行本、乙十一行本皆作"有"，今据改。［23］懦：据章钰校，十二行本、乙十一行本皆作"怯"。

【语译】

二年（己亥，公元六九九年）

正月丁卯朔，在通天宫举行告朔礼。

初六日壬戌，册封皇嗣李旦为相王，兼太子右卫率。

正月初八日甲子，设置控鹤监丞、主簿等官职，大抵是嬖爱宠幸之人，少数有才能及文学修养的人也参与其中。任命司卫卿张易之为控鹤监，银青光禄大夫张昌宗、左台中丞吉顼、殿中监田归道、夏官侍郎李迥秀、凤阁舍人薛稷、正谏大夫临汾人员半千，都为控鹤监内供奉。薛稷，是薛元超的侄子。员半千认为古代没有这一官职，而且所收罗的多是轻薄的士人，上奏疏请求裁撤，因此违忤了太后旨意，被降为水部郎中。

腊月初二日戊子，任命左台中丞吉顼为天官侍郎，右台中丞魏元忠为凤阁侍郎，侍郎，并同平章事。

文昌左丞宗楚客与弟司农卿晋卿，坐赃賄满万余缗及第舍过度，楚客贬播州㊹司马，晋卿流峰州㊷。太平公主观其第，叹曰："见其居处，吾辈乃虚生耳。"

辛亥㊸，赐太子姓武氏，赦天下。

太后生重眉，成八字㊹，百官皆贺。

河南、北置武骑团㊺以备突厥。

春，一月庚申㊻，夏官尚书、同凤阁鸾台三品武攸宁罢为冬官尚书。

二月己丑㊼，太后幸嵩山，过缑氏㊽，谒升仙太子庙㊾。壬辰㊿，太后不豫[451]，遣给事中栾城阎朝隐[452]祷少室山。朝隐自为牺牲[453]，沐浴伏俎[454]上，请代太后命。太后疾小愈，厚赏之。丁酉[455]，自缑氏还。

【段旨】

以上为第十一段，写武则天置控鹤监养蓄男宠，以及惩治贪婪的亲信。

【注释】

[421]丁卯朔：两《唐书》本纪不载朔日干支，据日历推算，当为"丁巳"朔。疑"卯"字有误。[422]告朔：西周时，天子每年秋冬之交把次年的历书颁发给诸侯，称之为"告朔"。圣历元年（公元六九八年）闰腊月，武则天依王方庆奏议，恢复告朔之礼。见《唐会要》卷十二。[423]壬戌：正月初六日。[424]以皇嗣为相王：皇嗣，即睿宗李旦，唐高宗第八子。始封殷王，徙封豫王，至是徙封为相王。[425]领：兼领。[426]太子右卫率：官名，掌东宫兵仗、仪卫之政令。[427]甲子：正月初八日。[428]置控鹤监丞、主簿等官：控鹤监为武则天所设机构，豢养男宠，以张易之、张昌宗兄弟为首。此前已设控鹤监，今始置丞、主簿等职。[429]率：大率。[430]嬖宠：嬖爱宠幸。[431]参：参与。[432]光禄大夫：文散官第三阶，从二品。[433]左台中丞：御史中丞，正五品上。[434]殿中监：殿中省长官，从三品。殿中省掌乘舆服御之事。[435]凤阁舍人：中书舍人，掌诏令及监考使，正五品上。[436]薛稷（公元六四九至七一三年）：高宗朝宰相薛元超之侄。著名书画家，官至宰相。有文集三十卷。传见《旧唐书》卷七十三、《新唐书》卷九十八、《历代名画记》卷九、《宣和画谱》卷十

并为同平章事。

文昌左丞宗楚客与弟弟司农卿宗晋卿，犯贪污受贿满一万多贯钱以及府第超越规制之罪，宗楚客被贬为播州司马，宗晋卿被流放峰州。太平公主观看了他们的宅第，叹息说："见了他们的住所，才知我们乃是虚度一生。"

腊月二十五日辛亥，赐给太子武氏姓，赦免天下。

太后眉上又生眉，呈八字形，百官全都拜贺。

河南、河北设置武骑兵团来防备突厥。

春，一月初四日庚申，夏官尚书、同凤阁鸾台三品武攸宁免职，任冬官尚书。

二月初四日己丑，太后驾临嵩山，经过缑氏县，谒见升仙太子庙。初七日壬辰，太后染病，派给事中栾城人阎朝隐去少室山祈祷。阎朝隐自己扮作牺牲祭品，沐浴后伏在俎案上，请求替代太后死。太后病稍好，重赏了他。十二日丁酉，从缑氏县回宫。

五。㊲正谏大夫：门下省谏议大夫，定员四人，正五品上。㊳员半千：本名余庆。因王方义称他是五百年出现一位的大贤，遂改名半千。晋州临汾（今山西临汾）人，历事五君，为官清正，著述颇丰。传见《旧唐书》卷一百九十中、《新唐书》卷一百十二。㊴水部郎中：官名，从五品上。掌天下川渎陂池之政令，具体负责水利、灌溉及水上交通事宜。㊵戊子：腊月初二日。㊶播州：州名，治所在今贵州遵义。㊷峰州：州名，治所在今越南河内山西西北。㊸辛亥：腊月二十五日。㊹成八字：成八字形状。㊺河南北置武骑团：在河南、河北置武骑团兵。关于此次设置武骑团的时间，《唐会要》载为"圣历元年腊月二十五日"，与《通鉴》整差一年。武骑团为地方武装，据《唐会要》卷七十八及《资治通鉴释文》卷二十二，每一百五十户出兵十五人，马一匹；三百人为一团。㊻庚申：一月初四日。㊼己丑：二月初四日。㊽缑氏：县名，县治在今河南洛阳市偃师区东南。㊾升仙太子庙：即王子晋庙。王子晋本为周灵王太子，好吹笙。相传被道士浮丘公接上嵩山后得道成仙，七月七日乘白鹤停于缑山之巅，举手告别时人而去。后人遂在山上建庙祠之。万岁登封元年（公元六九六年），武则天在嵩山封禅后，尊崇嵩山诸神，封王子晋为升仙太子，并令重新建庙奉祭。此次所游即新建成的升仙太子庙。回宫后，武则天写了著名的《升仙太子庙碑》。㊿壬辰：二月初七日。51不豫：生病。古称帝王有病为"不豫"。52阎朝隐：字友倩，赵州栾城（今河北石家庄市栾城区）人，少以文章知名。官至麟台少监，曾参与《三教珠英》的撰写。传见《旧唐书》卷一百九十中、《新唐书》卷二百二。53牺牲：祭祀用的牲畜。54俎：祭祀时盛牛羊的礼器。55丁酉：二月十二日。

【原文】

初，吐蕃赞普器弩悉弄[456]尚幼，论钦陵兄弟用事，皆有勇略，诸胡畏之。钦陵居中秉政[457]，诸弟握兵分据方面，赞婆常居东边，为中国患者三十余年。器弩悉弄浸长[458]，阴与大臣论岩谋诛之。会钦陵出外，赞普诈云出畋[459]，集兵执钦陵亲党二千余人，杀之，遣使召钦陵兄弟，钦陵等举兵不受命。赞普将兵讨之，钦陵兵溃，自杀。夏，四月，赞婆帅所部千余人来降[460]，太后命右[24]武卫铠曹参军[461]郭元振[462]与河源军大使夫蒙令卿[463]将骑迎之，以赞婆为特进、归德王。钦陵子弓仁，以所统吐谷浑七千帐来降，拜左玉钤卫将军、酒泉郡公。

壬辰[464]，以魏元忠检校并州长史，充天兵军大总管，以备突厥。娄师德为天兵军副大总管，仍充陇右诸军大使，专掌怀抚吐蕃降者。

太后春秋高[465]，虑身后[466]太子与诸武不兼容[467]。壬寅[468]，命太子、相王、太平公主与武攸暨等为誓文[469]，告天地于明堂[470]，铭之铁券[471]，藏于史馆。

秋，七月，命建安王武攸宜[472]留守西京，代会稽王武攸望[473]。

丙辰[474]，吐谷浑部落一千四百帐内附。

八月癸巳[475]，突骑施[476]乌质勒[477]遣其子遮弩入见。遣侍御史元城解琬[478]安抚乌质勒及十姓部落。

制："州县长吏，非奉有敕旨，毋得擅立碑[479]。"

内史王及善虽无学术[480]，然清正难夺[481]，有大臣之节[482]。张易之兄弟每侍内宴，无复人臣礼，及善屡奏以为不可。太后不悦，谓及善曰："卿既年高，不宜更侍游宴，但检校阁中可也[483]。"及善因称病，谒假[484]月余，太后不问。及善叹曰："岂有中书令而天子可一日不见乎！事可知矣[485]！"乃上疏乞骸骨[486]，太后不许。庚子[487]，以及善为文昌左相，太子宫尹豆卢钦望为文昌右相，仍并同凤阁鸾台三品[488]。鸾台侍郎、同平章事杨再思罢为左台大夫[489]。丁未[490]，相王兼检校安北大都护，以天官侍郎陆元方为鸾台侍郎、同平章事。

纳言、陇右诸军大使娄师德薨。师德在河陇[491]，前后四十余年，恭勤不怠，民夷安之。性沈厚宽恕，狄仁杰之入相也，师德实荐之；而仁杰不知，意颇轻师德，数挤[492]之于外。太后觉[493]之，尝问仁杰曰：

【语译】

当初，吐蕃赞普器弩悉弄年龄还小，论钦陵兄弟掌权，都有勇力谋略，各部胡人都怕他们。论钦陵在中枢执掌大政，他的弟弟们手握兵权分驻各地，论赞婆常在东边，为患中国三十多年。器弩悉弄渐渐长大，暗中和大臣论岩谋划诛杀他们。适逢论钦陵外出，赞普假称出去打猎，集合军队逮捕论钦陵的亲信党羽二千多人，杀死了他们；派使者去召论钦陵兄弟，论钦陵等起兵不接受命令。赞普率军讨伐他，论钦陵军队溃败，自杀。夏，四月，论赞婆率领部属一千多人前来投降，太后派右武卫铠曹参军郭元振与河源军大使夫蒙令卿率领骑兵迎接他，封论赞婆为特进、归德王。论钦陵的儿子弓仁带所属吐谷浑七千家来降，封他为左玉钤卫将军、酒泉郡公。

四月初八日壬辰，任命魏元忠代理并州长史，充任天兵军大总管，以防备突厥。娄师德为天兵军副大总管，仍充任陇右各军大使，专掌招抚吐蕃来降的人。

太后年事已高，担心死后太子和武家不能相互容纳。四月十八日壬寅，命令太子、相王、太平公主和武攸暨等立下誓词，在明堂祭告天地，把这件事铭刻在铁券上，藏在史馆中。

秋，七月，命令建安王武攸宜留下驻守西京，代替会稽王武攸望。

初四日丙辰，吐谷浑部落一千四百家归附朝廷。

八月十二日癸巳，突骑施乌质勒派他的儿子遮弩入京朝觐。派侍御史元城人解琬去安抚乌质勒以及十姓部落。

颁下制书："州县长吏，不是奉有敕令圣旨，不得擅自立碑。"

内史王及善虽然没有学问，但清廉正直，难夺其志，有大臣节操。张易之兄弟每次侍奉内宫宴饮，不再遵守臣下的礼仪，王及善屡次上奏认为不当。太后不高兴，对王及善说："你年纪已老，不适合再陪侍宴饮游乐，只管检校宫禁中事就行了。"王及善就此告病，请假一个多月，太后也不召问。王及善叹息说："哪有天子可以一日不见中书令呢！我不被重用，其中的事情可以知道了！"于是上奏疏请求退休，太后没有批准。八月十九日庚子，任命王及善为文昌左相，太子宫尹豆卢钦望为文昌右相，仍旧并为同凤阁鸾台三品。鸾台侍郎、同平章事杨再思免职，改任左台大夫。二十六日丁未，相王兼任检校安北大都护，任命天官侍郎陆元方为鸾台侍郎、同平章事。

纳言、陇右诸军大使娄师德去世。娄师德在河陇，前后四十多年，恭敬勤勉不懈怠，汉民蕃夷安宁。他秉性稳重忠厚、宽大仁恕，狄仁杰入朝为相，实际上是由娄师德所推荐，而狄仁杰并不知道，心中有些轻视娄师德，多次排挤外任。太后察

“师德贤乎？”对曰：“为将能谨守边陲，贤则臣不知[494]。”又曰：“师德知人乎？”对曰：“臣尝同僚，未闻其知人也。”太后曰：“朕之知卿，乃师德所荐也，亦可谓知人矣。”仁杰既出，叹曰：“娄公盛德，我为其所包容久矣，吾不得窥其际[495]也。”是时罗织纷纭，师德久为将相，独能以功名终，人以是重之。

戊申[496]，以武三思为内史。

九月乙亥[497]，太后幸福昌[498]；戊寅[499]，还神都。

庚子[500]，邢贞公[501]王及善薨。

河溢[502]，漂济源[503]百姓庐舍千余家。

冬，十月丁亥[504]，论赞婆至都，太后宠待赏赐甚厚，以为右卫大将军，使将其众守洪源谷[505]。

太子、相王诸子复出阁[506]。

【段旨】

以上为第十二段，写贤臣王及善、娄师德辞世。

【注释】

㊹器弩悉弄：仪凤四年（公元六七九年），器弩悉弄立为赞普。事见《旧唐书》卷一百九十六上、《新唐书》卷二百十六上《吐蕃传》。㊺秉政：执政。㊻浸长：渐长。㊼诈云出畋：假称出去打猎。㊽赞婆帅所部千余人来降：《实录》载赞婆及其兄弟莽布支等来降，以莽布支为左羽林卫员外大将军，封安国公。司马光在《考异》中说，赞婆弟名悉多于敷论，非莽布支；久视元年曲莽布支曾侵扰凉州，与唐休璟作战，故删去了莽布支降唐一事。〖按〗莽布支系赞婆之侄，与曲莽布支并非一人。莽布支与赞婆一同降唐又见于《旧唐书》卷九十七《郭元振传》、卷一百九十六上《吐蕃传》，《新唐书》卷二百十六上《吐蕃传》等。《实录》虽误“子”为“弟”，但所载莽布支降唐事还是可信的。㊾右武卫铠曹参军：官名，正八品下，掌戎杖器械及公廨兴造决罚之事。㊿郭元振（公元六五六至七一三年）：本名震，以字行，魏州贵乡（今河北大名东北）人，少有大志；自则天至玄宗朝，多次领兵，官至宰相。传见《旧唐书》卷九十七、《新唐书》卷一百二

觉此事，曾经问狄仁杰："娄师德为人贤德吗？"狄仁杰回答说："作为将领，能够严守边防，是否贤德臣不知道。"又问："娄师德有知人之明吗？"回答说："臣曾和他同事，未听说他能知人。"太后说："朕所以赏识你，就是娄师德推荐的，也可说他是知人的啊！"狄仁杰出宫后叹息说："娄公盛德，我被他包涵容忍很久了，我却连他的涯际都看不到。"当时罗织罪名的事很多，娄师德长期出任将相，能以功名终身的只有他，人们因此敬重他。

八月二十七日戊申，任命武三思为内史。

九月二十四日乙亥，太后驾临福昌县。二十七日戊寅，返回神都。

庚子日，邢贞公王及善去世。

黄河泛滥，冲没济源县百姓房屋一千多户。

冬，十月初六日丁亥，论赞婆到达京城，太后给予的恩遇和赏赐非常优厚，任命他为右卫大将军，让他率领部属驻守洪源谷。

太子、相王各子又可外出宫禁。

十二。㊽⑶ 夫蒙令卿：事见《旧唐书》卷九十七《郭元振传》、《新唐书》卷一百二十二《郭震传》。夫蒙，羌族复姓，或作"不蒙"。见《姓氏寻源》卷七。⑷⑹⑷ 壬辰：四月初八日。⑷⑹⑸ 太后春秋高：时武则天七十六岁。春秋高，年龄大；年老。⑷⑹⑹ 身后：死后。⑷⑹⑺ 容：容纳。⑷⑹⑻ 壬寅：四月十八日。⑷⑹⑼ 为誓文：作誓词。⑷⑺⑽ 告天地于明堂：在明堂祭告天地。即面对天地神灵发誓。⑷⑺⑴ 铭之铁券：把这件事铭刻在铁券之上。铁券，即帝王颁赐功臣授以世代享受某些特权的铁契。⑷⑺⑵ 武攸宜：武则天侄，武惟良子。传见《新唐书》卷二百六。⑷⑺⑶ 武攸望：武则天侄，武怀运子。事见《新唐书》卷七十四上、《元和姓纂》卷六。⑷⑺⑷ 丙辰：七月初四日。⑷⑺⑸ 癸巳：八月十二日。⑷⑺⑹ 突骑施：西突厥别部。西突厥败后，突骑施日益强盛。⑷⑺⑺ 乌质勒：人名，初隶斛瑟罗，号莫贺达。斛瑟罗入朝后，建大牙于碎叶川，建小牙于弓月城及伊丽水，尽有斛瑟罗之地。事见《旧唐书》卷一百九十四下《突厥传》、《新唐书》卷二百十五下《突厥传》。⑷⑺⑻ 解琬（？至公元七一八年）：魏州元城（今河北大名东北）人，长期带兵戍边。官至右武卫大将军，终同州刺史。传见《旧唐书》卷一百、《新唐书》卷一百三十。⑷⑺⑼ 碑：此处指德政碑。见《金石萃编》卷四十一。⑷⑻⑽ 学术：此处指学问。⑷⑻⑴ 清正难夺：清廉正直，难夺其志。⑷⑻⑵ 节：节操。⑷⑻⑶ 但检校阁中可也：只负责中书省内部的事务就行了。阁，省阁，这里指中书省。⑷⑻⑷ 谒假：请假。⑷⑻⑸ 事可知矣：其中的事情可以知道了。所谓"事"，即指得罪了皇上，已不被重用。⑷⑻⑹ 乞骸骨：辞职引退。臣子为官事君，便是委身效命。辞职引退，便是向君乞请骸

骨。[487]庚子：八月十九日。[488]仍并同凤阁鸾台三品:《新唐书》卷四及卷六十一载王及善为同凤阁鸾台平章事，误。[489]左台大夫：官名，即左肃政台御史大夫。[490]丁未：八月二十六日。[491]河陇：地区名，指河西、陇右。[492]挤：排挤。[493]觉：察觉。[494]贤则臣不知：臣不知其贤。[495]不得窥其际：际，涯际。意思是说自己远不知娄师德。《旧唐书》之《娄师德传》作“不逮娄公远矣”。二者说法不一，但意思相同。[496]戊申：八月二十七日。[497]乙亥：九月二十四日。[498]福昌：县名，县治在今河南洛宁东北。[499]戊寅：九月二十七日。[500]庚子：九月无庚子。《新唐书》卷四《则天纪》及卷六十一《宰相表》均作“庚辰”，即九月二十九日。[501]邢贞公：王及善爵号与谥号的合称。[502]河溢：黄河泛滥。[503]济源：县名，县治在今河南济源。[504]丁亥：十月六日。[505]洪源谷：胡三省注，“洪源谷在凉州昌松县界”。昌松县治在今甘肃古浪西北。[506]太子相王诸子复出阁：太子诸子多随父被贬在外，相王诸子幽于宫中。

【原文】

太后自称制以来，多以武氏诸王及驸马都尉为成均祭酒[507]，博士、助教亦多非儒士。又因郊丘[508]，明堂[509]，拜洛[510]，封嵩[511]，取弘文国子生为斋郎[512]，因得选补。由是学生不复习业，二十年间，学校殆废。而向时酷吏所诬陷者，其亲友流离，未获原宥[513]。凤阁舍人韦嗣立[514]上疏，以为“时俗浸轻儒学，先王之道，弛废不讲。宜令王公以下子弟，皆入国学，不听以他岐仕进[515]。又，自扬、豫以来[516]，制狱渐繁，酷吏乘间[517]，专欲杀人以求进。赖陛下圣明，周、丘、王、来[518]相继诛殛，朝野庆泰[519]，若再睹阳和[520]。至如仁杰、元忠，往遭按鞫，亦皆自诬，非陛下明察，则已[25]为菹醢[521]矣，今陛下升而用之，皆为良辅[522]。何乃前非而后是哉？诚由枉陷与甄明[523]耳。臣恐向之负冤得罪者甚众，亦皆如是。伏望陛下弘天地之仁，广雷雨之施[524]，自垂拱以来，罪无轻重，一皆昭洗，死者追复官爵，生者听还乡里。如此，则天下知昔之枉滥，非陛下之意，皆狱吏之辜，幽明[525]欢欣，感通和气”。太后不能从。

嗣立，承庆之异母弟也。母王氏，遇承庆甚酷[526]，每杖承庆，嗣立必解衣请代[527]。母不许，辄私自杖，母乃为之渐宽。承庆为凤阁舍人，

【校记】

［24］右：原作“左”。据章钰校，十二行本、乙十一行本皆作“右”，今据改。〖按〗《旧唐书》之《郭元振传》及《新唐书》之《郭震传》皆作“右”。

【语译】

太后自从临朝以来，多用武氏诸王及驸马都尉为成均祭酒，博士、助教也大多不是儒士。又因祠祭圜丘，享祀明堂，拜谒洛水，登封嵩山，用弘文馆学生为斋郎，因而得以选补为官。从此学生不再研习学业，二十年之间，学校几乎荒废。而以前被酷吏诬陷的人，他们的亲友被流放，没有获得宽赦。凤阁舍人韦嗣立上疏认为“时俗渐渐轻视儒学，先王之道，废弃不讲习。应当命令将王、公以下的子弟，都送进国子学，不许利用其他途径入仕为官。又，从扬州、豫州起兵作乱以来，诏狱逐渐增多，酷吏趁此机会，专想杀人以求升官。仰赖陛下圣明，周兴、丘神勣、王弘义、来俊臣相继被诛杀，朝野庆贺安泰，如同再见和暖的阳光。至于狄仁杰、魏元忠从前遭到审判，也都自诬，不是陛下明察内情，他们已经成为肉酱了，现在陛下提升任用他们，都是好的辅臣。为什么以前否定他们而后来肯定他们呢？实在是因为枉曲诬陷与甄别明察罢了。臣恐怕从前含冤获罪的人很多，也都是这种情形。希望陛下发挥天地一般的仁德，广施雷雨一般的恩泽，将自垂拱以来获罪之人，不论罪名轻重，全部昭雪，死了的追还原官爵，活着的任他返回家乡。这样，天下人就知道从前的枉法滥刑，不是陛下的意旨，都是狱吏的罪恶，死者生者同感欣悦，感通上天而产生和祥之气”。太后不能接受。

韦嗣立，是韦承庆的异母弟。他的母亲王氏，对待韦承庆很苛刻，每次杖打韦承庆，韦嗣立一定解开衣服请求代受责罚。母亲不答应，他便私自杖打自己，母亲

以疾去职，嗣立时为莱芜[528]令，太后召谓曰："卿父尝言：'臣有两儿，堪事陛下。'卿兄弟在官，诚如父言。朕今以卿代兄，更不用他人。"即日拜凤阁舍人。

是岁，突厥默啜立其弟咄悉匐为左厢察[529]，骨笃禄子默矩为右厢察，各主兵二万余人。其子匐俱为小可汗，位在两察上，主处木昆[530]等十姓[531]，兵四万余人，又号为拓西[532]可汗。

【段旨】

以上为第十三段，写韦嗣立与其兄韦承庆之贤，武则天识才任用，兄弟二人相继为相。

【注释】

[507]成均祭酒：国子监祭酒。全国最高教育长官，掌儒学训导之政令。[508]郊丘：祭圜丘于南郊。[509]明堂：指大享明堂。[510]拜洛：拜洛受图。[511]封嵩：封禅嵩山。[512]斋郎：办理祭祀事务的小吏。[513]原宥：赦免。[514]韦嗣立（公元六五四至七一九年）：郑州阳武（今河南原阳）人，名相韦思谦之子。初补双流县令，政绩为蜀中之最。官至宰相。传见《旧唐书》卷八十八、《新唐书》卷一百十六。[515]不听以他岐仕进：不准利用其他途径入仕为官。[516]自扬、豫以来：自徐敬业和越王贞起兵以来。徐敬业于光宅元年（公元六八四年）起兵扬州，越王贞于垂拱四年（公元六八八年）起兵豫州。此处以扬、豫代指两次起兵事件。[517]乘间：趁机；伺隙。[518]周、丘、王、来：即酷吏周兴、丘神勣、王弘

【原文】

久视元年[533]（庚子，公元七〇〇年）

正月戊寅[534]，内史武三思罢为特进、太子少保。天官侍郎、同平章事吉顼贬安固尉[535]。

太后以顼有干略[536]，故委以腹心。顼与武懿宗争赵州之功于太后

才为了他而渐渐宽待韦承庆。韦承庆任凤阁舍人，因病离职，韦嗣立当时做莱芜县令，太后召见，对他说："你父亲曾说：'臣有二子，可堪服事陛下。'你兄弟俩在职，确实像你父亲所说的一样。朕现在任用你代替你哥哥，不再任用别人。"当天就任命他为凤阁舍人。

这年，突厥阿史那默啜立他的弟弟咄悉匐为左厢察，骨笃禄的儿子默矩为右厢察，各统兵二万多人。他的儿子匐俱为小可汗，地位在两察之上，主管处木昆等十姓，士兵四万多人，又称为拓西可汗。

义、来俊臣。天授二年（公元六九一年）周兴流死，丘神勣诛，延载元年（公元六九四年）王弘义诛，神功元年（公元六九七年）来俊臣诛。几人相继被处以极刑。⑲ 庆泰：庆贺安泰。⑳ 阳和：本指春天的暖气。这里指和暖的阳光。㉑ 菹醢：肉酱。㉒ 良辅：贤良的宰辅。㉓ 甄明：甄别明察。㉔ 广雷雨之施：广施雷雨一般的恩泽。㉕ 幽明：死者与生者。㉖ 遇承庆甚酷：对待韦承庆很严酷。㉗ 解衣请代：脱下衣服，请代替韦承庆受杖。㉘ 莱芜：县名，县治在今山东济南市莱芜区东北。㉙ 察：突厥官名，为"杀""设"之异译，指别部统兵之官。㉚ 处木昆：西突厥十姓部落之一，属左厢五咄陆部，在今新疆塔尔巴哈台一带。㉛ 十姓：即指五咄陆及五弩失毕。㉜ 拓西：处木昆十姓，皆西突厥部属，故号拓西。

【校记】

［25］已：原作"以"。据章钰校，十二行本、乙十一行本皆作"已"，其义长，今据改。

【语译】

久视元年（庚子，公元七〇〇年）

正月二十八日戊寅，罢免武三思的内史，改任特进、太子少保。天官侍郎、同平章事吉顼贬为安固县尉。

太后因吉顼有才干谋略，所以委以心腹之任。吉顼在太后面前与武懿宗争平赵州

前。项魁岸辩口[537]，懿宗短小伛偻[538]，项视懿宗，声气陵厉[539]。太后由是不悦，曰："项在朕前，犹卑[540]我诸武，况异时讵可倚邪[541]！"他日，项奏事，方援古引今，太后怒曰："卿所言，朕饫闻之[542]，无[543]多言！太宗有马名师子骢，肥逸[544]无能调驭[545]者。朕为宫女侍侧，言于太宗曰：'妾能制之，然须三物，一铁鞭，二铁楇[546]，三匕首。铁鞭击之不服，则以楇楇其首，又不服，则以匕首断其喉。'太宗壮朕之志。今日卿岂足污朕匕首邪！"项惶惧[547]流汗，拜伏求生，乃止。诸武怨其附太子，共发其弟冒官[548]事，由是坐贬。

辞日，得召见，涕泣言曰："臣今远离阙庭[549]，永无再见之期，愿陈一言。"太后命之坐，问之，项曰："合水土为泥，有争[550]乎？"太后曰："无之。"又曰："分半为佛[551]，半为天尊[552]，有争乎？"曰："有争矣。"项顿首曰："宗室、外戚各当其分[553]，则天下安。今太子已立而外戚犹为王，此陛下驱之使他日必争，两不得安也。"太后曰："朕亦知之。然业已如是，不可何如[554][26]。"

腊月辛巳[555]，立故太孙重润[556]为邵王，其弟重茂[557]为北海王。

太后问鸾台侍郎、同平章事[27]陆元方以外事[558]，对曰："臣备位宰相，有大事不敢不以闻，人间[559]细事[560]，不足烦圣听[561]。"由是忤旨。庚寅[562]，罢为司礼卿[563]。

元方为人清谨[564]，再为宰相[565]，太后每有迁除[566]，多访之，元方密封以进，未尝漏露[567]。临终，悉取奏稿[568]焚之，曰："吾于人多阴德[569]，子孙其未衰乎[570]！"

【段旨】

以上为第十四段，写吉项护佑皇嗣得罪武氏外戚遭贬。陆元方恪尽职守。

的功劳。吉顼魁梧伟岸能言善辩，武懿宗矮小驼背，吉顼看着武懿宗，声音气势陵侵而严厉。太后因此不高兴，说："吉顼在朕面前，尚且小看我武家诸人，将来怎可依赖呢！"一天，吉顼奏事，正援引古今事例，太后生气地说："你所说的，朕已经听腻了，不必多说！太宗有马名叫师子骢，肥大骏逸无人能调教控御它。朕做宫女侍奉在旁，对太宗说：'我能制服它，然而需要三件东西，一是铁鞭，二是铁楇，三是匕首。铁鞭打它不服，便用铁楇打它的头，再不服，就用匕首割断它的喉头。'太宗赞许我的志气。今天你难道值得玷污朕的匕首吗！"吉顼恐惧得流汗，跪伏乞求饶命，太后这才作罢。武家诸人怨恨吉顼依附太子，共同检举他弟弟假冒而得官的事，因此受牵连而贬官。

辞行那天，得到召见，吉顼流着泪说："臣今日远离朝廷，永远没有再见太后的日子了，我希望再说一句话。"太后让他坐下，询问他要说什么，吉顼说："把水和土合成泥，有争斗吗？"太后说："没有。"又说："分一半做成佛像，一半做成天尊像，有争斗吗？"太后说："有争斗了。"吉顼磕头说："宗室、外戚各合其名分，则天下安宁。现今已立太子，而外戚还封为王，这是陛下促使他们将来一定要争斗的，双方都不得安生。"太后说："朕也知道。然而事已如此，无可奈何。"

腊月初一日辛巳，立前太孙李重润为邵王，立他的弟弟李重茂为北海王。

太后问鸾台侍郎、同平章事陆元方朝外的事，回答说："臣充数担任宰相，有大的事情不敢不报告；民间小事，不值得烦劳圣上知晓。"因此违背太后旨意。腊月初十日庚寅，被免职，改任司礼卿。

陆元方为人清廉谨慎，两度为宰相，太后每有升迁任命官员，多询问他，陆元方用密封奏书进呈，未曾泄露。临死，拿出奏章的全部草稿烧掉，说："我对人多有阴德，子孙也许不致败落吧！"

【注释】

㉝久视元年：武则天于圣历三年（公元七〇〇年）五月癸丑改元久视。至十月甲寅，复以正月为十一月，一月为正月。㉞戊寅：正月二十八日。㉟吉顼贬安固尉：吉顼因其弟假冒为官而被贬。初贬琰川尉，后改安固尉。见《旧唐书》卷一百八十六上《吉顼传》。琰川，县名，县治在今贵州贞丰东南。安固，县名，县治在今四川营山县东北。㊱干略：才干谋略。㊲魁岸辩口：身体魁梧伟岸，口才好，善辩论。㊳短小伛偻：身材矮小，驼背弯腰。㊴陵厉：陵侵而严厉。㊵卑：小看。㊶讵可倚邪：岂可依赖呢。讵，岂。倚，依赖。㊷朕饫闻之：我听得多了。饫，饱。㊸无：犹勿。㊹肥逸：肥壮骏逸。㊺调驭：调习驾驭。㊻楇：棰。㊼惶惧：惊惶恐惧。㊽冒官：假冒为官。㊾阙

庭：犹宫阙，京师。550 争：争斗。551 分半为佛：分一半做成佛像。552 天尊：道家对所奉神仙的尊称。此处指天尊像。553 分：名分。554 不可何如：不可又怎么样。意谓无可奈何，无法更改。555 辛巳：腊月一日。556 故太孙重润：李显长子李重照。永淳元年（公元六八二年）立为皇太孙，光宅元年（公元六八四年）中宗被废后，被囚于别所，至此始封为王。后被追谥为懿德太子。557 重茂：李显第四子。后被追谥为殇皇帝。事见《旧唐书》卷八十六《殇帝重茂传》、《唐会要》卷二。558 外事：民间之事。559 人间：即民间。560 细事：小事；琐事。561 不足烦圣听：不值得烦劳皇帝听闻民间小事。562 庚寅：腊月初十日。563 司礼卿：即太常卿。564 清谨：清正谨慎。565 再为宰相：两度为相。566 迁除：升迁拜除。567 未尝漏露：未曾泄露机密，向被迁者炫耀自己的恩德。568 奏稿：奏疏草稿。569 阴德：指暗中施惠于人的恩德。570 子孙其未衰乎：子孙后代大概不会衰落吧。

【原文】

以西突厥竭忠事主可汗斛瑟罗为平西军大总管，镇碎叶。

丁酉[571]，以狄仁杰为内史。

庚子[572]，以文昌左丞[573]韦巨源为纳言。

乙巳[574]，太后幸嵩山；春，一月丁卯[575]，幸汝州之温汤[576]。戊寅[577]，还神都。作三阳宫于告成[578]之石淙[579]。

二月乙未[580]，同凤阁鸾台三品豆卢钦望罢为太子宾客。

三月，以吐谷浑青海王宣超[581]为乌地也拔勤忠[582]可汗。

夏，四月戊申[583]，太后幸三阳宫避暑，有胡僧邀车驾[584]观葬舍利[585]，太后许之。狄仁杰跪于马前曰："佛者夷狄之神，不足以屈天下之主。彼胡僧诡谲[586]，直[587]欲邀致万乘[588]以惑远近之人耳。山路险狭，不容侍卫[589]，非万乘所宜临[590]也。"太后中道而还曰："以成吾直臣之气[591]。"

五月己酉朔[592]，日有食之。

太后使洪州[593]僧胡超合长生药，三年而成，所费巨万[594]。太后服之，疾小瘳[595]。癸丑[596]，赦天下，改元久视，去天册金轮大圣之号。

六月，改控鹤为奉宸府[597]，以张易之为奉宸令。太后每内殿曲

【校记】

［26］何如：据章钰校，十二行本、乙十一行本二字皆互乙。［27］同平章事：原无此四字。据章钰校，十二行本、乙十一行本、孔天胤本皆有此四字，张敦仁《通鉴刊本识误》同，今据补。〖按〗《新唐书》之《则天皇后纪》载圣历二年（公元六九九年）陆元方为鸾台侍郎、同凤阁鸾台平章事。

【语译】

任命西突厥竭忠事主可汗斛瑟罗为平西军大总管，镇守碎叶城。

腊月十七日丁酉，任命狄仁杰为内史。

二十日庚子，任命文昌左丞韦巨源为纳言。

二十五日乙巳，太后驾临嵩山；春，一月十七日丁卯，驾临汝州的温泉。二十八日戊寅，返回神都。在告成县的石淙修建三阳宫。

二月十五日乙未，同凤阁鸾台三品豆卢钦望免职，改任太子宾客。

三月，封吐谷浑青海王宣超为乌地也拔勤忠可汗。

夏，四月二十九日戊申，太后驾临三阳宫避暑，有胡僧邀请太后观看葬舍利子，太后答应了。狄仁杰跪在马前说："佛是夷狄之神，不值得屈身天下之主。那个胡僧狡诈虚妄，只想请到天子来诱惑远近的人罢了。山路艰险狭隘，侍卫不能容身其中，不是天子所应驾临的地方。"太后中途返回，说："以此成全我直谏臣子的气节。"

五月初一日己酉，发生日食。

太后派洪州和尚胡超配制长生药，历经三年完成，花费了巨万钱财。太后吃了，病稍好。初五日癸丑，赦免天下，改年号为久视，除去"天册金轮大圣"的称号。

六月，把控鹤监改为奉宸府，任命张易之为奉宸令。太后每在内殿私宴，往往

宴[598]，辄引诸武、易之及弟秘书监昌宗饮博嘲谑[599]。太后欲掩其迹，乃命易之、昌宗与文学之士李峤等修《三教珠英》[600]于内殿。武三思奏昌宗乃王子晋后身。太后命昌宗衣羽衣，吹笙[601]，乘木鹤于庭中，文士皆赋诗以美之。

太后又多选美少年为奉宸内供奉，右补阙朱敬则谏曰[602]："陛下内宠有易之、昌宗，足矣。近闻左[28]监门卫长史[603]侯祥等，明自媒衒，丑慢不耻，求为奉宸内供奉，无礼无仪，溢于朝听。臣职在谏诤，不敢不奏。"太后劳之曰："非卿直言，朕不知此。"赐彩百段。

易之、昌宗竞以豪侈相胜[604]。弟昌仪为洛阳令，请属[605]无不从。尝早朝，有选人姓薛，以金五十两并状邀[606]其马而赂[607]之。昌仪受金，至朝堂，以状授天官侍郎张锡[608]。数日，锡失其状，以问昌仪，昌仪骂曰："不了事人[609]！我亦不记，但姓薛者即与之。"锡惧，退，索在铨姓薛者六十余人，悉留注官[610]。锡，文瓘之兄子也。

初，契丹将李楷固，善用緆索[611]及骑射、舞槊，每陷陈[612]，如鹘入乌群[613]，所向披靡。黄獐之战[614]，张玄遇、麻仁节皆为所緆。又有骆务整者，亦为契丹将，屡败唐兵。及孙万荣死，二人皆来降。有司责其后至，奏请族之。狄仁杰曰："楷固等并骁勇绝伦，能尽力于所事[615]，必能尽力于我，若抚之以德，皆为我用矣。"奏请赦之。所亲皆止之，仁杰曰："苟利于国[616]，岂为身谋[617]！"太后用其言，赦之。又请与之官，太后以楷固为左玉[29]钤卫将军，务整为右武威卫将军，使将兵击契丹余党，悉平之。

【段旨】

以上为第十五段，写武则天放纵男宠张氏兄弟贪贿，却又能用贤臣如狄仁杰等治事。

召武家人、张易之及弟秘书监张昌宗饮酒博弈，嘲弄戏谑。太后想掩饰此事的痕迹，便派张易之、张昌宗和文学士人李峤等人在内殿修纂《三教珠英》。武三思上奏说张昌宗是王子晋的转世之身。太后教张昌宗穿着羽毛衣，吹笙，在庭中骑着木鹤，文士们都作诗来赞美他。

太后又选了很多俊美少年为奉宸府内供奉，右补阙朱敬则进谏说："陛下的内宠有张易之、张昌宗已足够了。近来听说左监门卫长史侯祥等人，公开自我夸耀，丑恶轻薄不知羞耻，要求任奉宸府内供奉，无礼无仪，传遍朝廷。臣的职责在于谏诤，不敢不上奏。"太后慰勉他说："不是你直言，朕还不知这回事呢。"赐给他彩帛一百段。

张易之、张昌宗争着以豪华奢侈比胜负。他们的弟弟张昌仪任洛阳县令，有人请求嘱托他无不应允。一次早朝，有位薛姓候选官，拿五十两金子连同求职文书拦住他的马来行贿。张昌仪收下金子，到朝廷大堂，把求职文书交给天官侍郎张锡。几天后，张锡丢失了文书，来问张昌仪，张昌仪骂道："不懂事的人！我也不记得，只要见姓薛的便给他。"张锡害怕，告退，找出待铨选的六十多个薛姓的人，全部留下按资历授予官职。张锡，是张文瓘的侄子。

当初，契丹将领李楷固，善于使用套索以及骑马射箭、舞弄槊矛，每次冲入敌阵，像鹰隼飞入乌鸦群中，所向披靡。黄獐谷之战，张玄遇、麻仁节都被他套住。又有叫骆务整的，也是契丹的将领，多次打败唐军。孙万荣死后，二人都来投降。主管官员责怪他们来晚了，上奏要求杀掉他们全族。狄仁杰说："李楷固等都骁勇绝伦，既能竭力侍奉主人，必能尽力为我朝服务。如果用恩德安抚他们，都能为我所用。"上奏请求赦免他们。狄仁杰的亲信都劝阻他，他说："如果对国家有利，难道还为自身打算！"太后听从了他的话，赦免了他们。狄仁杰又请求给他们官职，太后任命李楷固为左玉钤卫将军，骆务整为右武威卫将军，让他们率兵去讨伐契丹剩余的部众，全部平定了。

【注释】

⑸⑺① 丁酉：腊月十七日。⑸⑺② 庚子：腊月二十日。《新唐书》之《宰相表》作正月庚子，误。⑸⑺③ 文昌左丞：《新唐书》卷六《则天纪》及卷六十一《宰相表》作"文昌左相"，误。⑸⑺④ 乙巳：腊月二十五日。⑸⑺⑤ 丁卯：一月十七日。⑸⑺⑥ 幸汝州之温汤：温汤在汝州梁县西南五十里。见《新唐书》之《地理志二》。梁县为汝州治所，在今河南汝州。温汤，温泉。⑸⑺⑦ 戊寅：一月二十八日。⑸⑺⑧ 告成：县名，本名阳城，万岁登封元年因封嵩山而改，

县治在今河南登封东南。⑤⑦⑨石淙：平乐涧，在河南登封东南三十里。“近接嵩岭，俯届箕峰”，是唐代东都地区最著名的风景区之一。详参《全唐文》卷九十七《夏日游石淙诗序》、《说嵩》卷五《太室原》。⑤⑧⓪乙未：二月十五日。⑤⑧①宣超：《旧唐书》卷一百九十八《吐谷浑传》作“宣赵”。姓慕容，吐谷浑第十七世第二十四王。⑤⑧②乌地也拔勤忠：两《唐书》之《吐谷浑传》俱作“乌地也拔勒豆”。〖按〗宣超袭封其父祖可汗之号。据《慕容忠墓志》及昭陵十四国君长石像题名，其祖诺曷钵被封为乌地也拔勤豆可汗，则“勤”字无误，“忠”当为“豆”之讹。⑤⑧③戊申：四月二十九日。⑤⑧④邀车驾：邀请皇帝。⑤⑧⑤舍利：又叫舍利子，佛身火化后结成的珠状物体。共有三种：骨为白舍利，发为黑舍利，肉为赤舍利。一般指佛骨而言。参见《法苑珠林》卷五十三。⑤⑧⑥诡谲：诡诈狡谲。⑤⑧⑦直：但；只是。⑤⑧⑧万乘：古制，天子拥有兵车万乘，后世遂以万乘指代天子。⑤⑧⑨不容侍卫：此谓山路狭窄，容不下侍卫。⑤⑨⓪临：莅临。⑤⑨①气：气节。⑤⑨②己酉朔：五月初一日。⑤⑨③洪州：州名，治所在今江西南昌。⑤⑨④巨万：万万。形容数目之大。⑤⑨⑤小瘳：病情稍微好转。⑤⑨⑥癸丑：五月初五日。⑤⑨⑦改控鹤为奉宸府：即改控鹤监为奉宸府。“奉宸”意为奉侍天子。⑤⑨⑧曲宴：私宴。⑤⑨⑨饮博嘲谑：饮酒博弈，嘲笑戏谑。⑥⓪⓪《三教珠英》：书名，凡一千三百卷，另有目录十三卷。张昌宗、李峤、徐彦伯、薛曜、员半千等二十六人撰。采儒、佛、道“三教”事实，分类编集而成，类似百科全书。开成初改名为《海内珠英》。见《唐会要》卷三十六《修撰》、《新唐书》卷五十九《艺文志》三。⑥⓪①吹笙：两《唐书》之《张昌宗传》作“吹箫”。笙，簧管乐器，由簧片、笙管、斗子三部分组成。箫，用许多竹管编制的管乐器。⑥⓪②朱敬则谏曰：关于朱敬则的这个奏章，两《唐书》本传只字未提。后人疑为伪托。待考。⑥⓪③左监门卫长史：官名，诸卫皆置长史，从六品上，掌府卫事务。⑥⓪④相胜：比胜负。⑥⓪⑤请属：请求嘱托。⑥⓪⑥邀：截；遮拦。⑥⓪⑦赂：贿赂。⑥⓪⑧张锡：贝州武城（今山东武城西）人，高宗朝宰相张文瓘之侄，则天朝宰相李峤之舅。官至同中书门下三品（宰相）。传见《旧唐书》卷八十五、《新唐书》卷一百十三。⑥⓪⑨不了事人：不懂事的人，犹云“糊涂蛋”。⑥①⓪注官：按资历叙授官职。⑥①①絹索：套索。⑥①②陈：通“阵”。⑥①③鹘入乌群：如同鹰隼飞入乌鸦群中。喻所向无敌。鹘，鸟名，即隼。⑥①④黄獐之战：时在万岁通天元年（公元六九六年）八月。⑥①⑤尽力于所事：尽力其主。所事，所侍奉、所辅佐的主人。⑥①⑥苟利于国：只要对国家有利。⑥①⑦岂为身谋：怎么为自身利益考虑。

【校记】

［28］左：原作“右”。据章钰校，十二行本、乙十一行本皆作“左”，今据改。按《旧唐书》之《张行成传附族孙易之、昌宗传》亦载侯祥为左监门卫长史。［29］玉：原无此字。据章钰校，十二行本、乙十一行本皆有此字，今据补。

【研析】

本卷从用人、男宠、立嗣三个方面集中研析武则天双重人性的心路历程，也就是试做心理分析。

第一，武则天用人，善恶并举。为了打击政治上的反对派，武则天任用奸佞、酷吏，一班恶人。酷吏是武则天的爪牙，专以杀害宗室贵族、将相朝臣为己任。武则天改国号为周，称帝君临天下，武氏成为国姓，诸武宵小贵为王侯。酷吏、外戚，既是武则天的政治基础，同时又伤害武则天的名声，使之陷于淫刑之主。武则天为了维护统治，又任用贤才，贤才姚崇、宋璟、郭元振、娄师德、王及善、狄仁杰等，号称贤相。武则天发展科举制，使之成为士人入仕的重要途径。唐太宗一朝，科举入仕二百人，武则天时科举入仕逾千人。武则天还亲自“殿试”选才，又增设“武举”。狄仁杰是武则天最倚重的一位贤相，他文武兼备，是武周朝的栋梁。本卷载狄仁杰献安边之策，领兵击败突厥，安抚河北，入相护持皇嗣，做出了巨大贡献。酷吏滥杀，表现人性恶；贤相治世，表现人性善。武则天贪于权势，性恶；武则天明于治政，性善。武则天对人才善恶并用，表现了她的双重人性。

第二，武则天始终不渝宠幸的男宠是张易之、张昌宗兄弟。兄弟二人，史称“年少，美姿容，善音律”。张昌宗是太平公主为母后物色的男宠。张易之是张昌宗的兄长，由张昌宗推荐得幸于太后。兄弟二人日夜陪伴武则天作乐，人们称其为“二张”。武则天赐给“二张”高官大宅，还特地设置了控鹤监，由“二张”掌管，专门安置男宠。久视元年（公元七〇〇年），武则天改控鹤监为奉宸府，不时从全国选取美少年来充当左右奉宸供奉。武则天晚年的荒淫达到了无以复加的地步。“二张”以美姿容无功荷宠，仗势专权，炙手可热。外戚武承嗣、武三思、武懿宗等都要敬畏三分。史称“诸武常候易之门庭，争执鞭，谓易之为五郎、昌宗为六郎”。公元七〇四年，武则天因病卧床不起，“宰相不得见者累月，惟张易之、昌宗侍侧”。“二张”见武则天疾笃，生恐太后归天后祸及于己，于是结党引援，阴为之备。多次有人奏报武则天说“二张”谋反，武则天一概不信，并为“二张”开脱，以致激起张柬之等五王之变，杀“二张”，用兵谏赶武则天下台，使中宗复位。

武则天设置专门机构安置男宠，并不是单纯的淫乐。武则天感情上对“二张”的依赖，如同昏暴皇帝依赖宦官，与朝臣争权。武则天尽管大权独揽，但她猜疑心极重，要依赖男宠作耳目，所以愈是晚年，愈是纵情声色，特别是对“二张”的依赖，也是武则天一种无可奈何的心理写照。

第三，父死子继，这本是中国古代社会的惯例，但武则天作为一个女皇帝，使这个问题复杂化了。究竟是立武氏子孙还是立李氏子孙，武则天久久迟疑不决。当时，睿宗李旦名义上还是皇嗣，但实际上已久处于被软禁的状态。武承嗣、武三思等人见此情景，都在觊觎储君之位。天授二年（公元六九一年），武承嗣指使凤阁舍人张嘉福让洛阳人王庆之率数百人上表，请立武承嗣为太子。武则天没有同意，她有自己的考虑。如果传位给李姓的儿子，则武周的基业岂不被断送；而如果由武氏的侄儿接班，则自己的子孙将被置于何地?

多数朝臣坚决主张立被废为庐陵王的李显为太子。当王庆之上表请立武承嗣为太子时，凤阁侍郎李昭德就曾“言于太后曰:‘天皇，陛下之夫；皇嗣，陛下之子。陛下身有天下，当传之子孙为万代业，岂得以侄为嗣乎！自古未闻侄为天子而为姑立庙者也！且陛下受天皇顾托，若以天下与承嗣，则天皇不血食矣。’”武则天采纳了李昭德的意见，李昭德杖杀了王庆之。

圣历元年（公元六九八年），武承嗣、武三思又用自古天子没有以异姓人做皇嗣的理由，求为皇嗣。天官侍郎吉顼极力反对，还说服了张昌宗和张易之，让他们向武则天建议立李显或李旦为嗣。但真正使武则天下决心迎立庐陵王李显为太子的乃是一代名相狄仁杰。

有一天，武则天晚上梦见一只鹦鹉折断了双翅，被吓醒，便把狄仁杰找来询问。狄仁杰说:“武者，陛下之姓，两翼，二子也。陛下起二子，则两翼振矣。”狄仁杰巧妙地利用解梦说动了这位十分迷信的女皇。圣历元年三月，武则天下令，迎回了庐陵王。八月，武承嗣因未能被立为太子，怏怏而死。九月，庐陵王李显被重新立为皇太子。

武则天决定立庐陵王为嗣，不仅是由于听了诸人的劝告，还有客观方面的原因。主要是当时人心尚未归附武周，仍然向着李唐。例如，叛变的契丹首领孙万荣围困幽州时，就曾提出口号:“何不归我庐陵王?”又，圣历元年九月，突厥攻破赵州、定州，先前募兵御敌，月余不满千人。九月十七日甲戌，诏命皇太子李显为元帅，应募的人便纷至沓来，仅几天就招募了四五万人，由此可见李唐王室的号召力。

武则天在立侄还是立子为皇嗣的问题上，摇摆了好几年，她的内心也备受煎熬。最终她明白了大势，立子为嗣，才在后来的五王政变中，避免了做刀下之鬼。

卷第二百七　唐纪二十三

起上章困敦（庚子，公元七〇〇年）七月，尽旃蒙大荒落（乙巳，公元七〇五年）正月，凡四年有奇。

【题解】

本卷记事起公元七〇〇年七月，迄公元七〇五年正月，凡四年又七个月，当武则天久视元年到唐中宗神龙元年春正月。这一时期是武则天执政的晚年，酷吏政治已转轨为宽平政治。武则天真正的作为在此时，而以悲剧结局栽倒在政治舞台，亦在此时。这一时期有四大政治事件值得大书。第一件，武则天平反冤状，厚抚被诬家属，最终解禁，被错判重罪的人可以重新入仕，缓解了社会矛盾。第二件，武则天一再起用贤才，狄仁杰、姚元崇、宋璟、张柬之，是众贤的首领，唐代著名的贤臣。此外，朱敬则、张嘉贞、唐休璟、封思业、苏安恒、李迥秀、郭元振、崔玄時、裴怀志，皆一时之选。众贤理政，稳定了社会。第三件，朝官与武则天男宠张易之、张昌宗的三次斗争。第一回合，二张挑起矛盾，诬陷魏元忠谋反，朝官请诛二张，败下阵来，结果魏元忠、张说遭贬。第二回合，朝官以惩治贪贿罪欲扳倒二张，仍未奏效。第三回合，朝官以谋反罪奏请诛除二张，仍未撼动二张受宠的地位，由此激化了朝官与武则天的直接对抗。第四件是以张柬之为首的五王政变，推翻了武周政权，诛除二张，结束了武则天的政治生命，还政李唐，中宗即位。

【原文】

则天顺圣皇后下

久视元年（庚子，公元七〇〇年）

秋，七月，献俘于含枢殿①。太后以楷固为左玉钤卫大将军、燕国公，赐姓武氏。召公卿合宴②，举觞③属④仁杰曰："公之功也。"将赏之，对曰："此乃陛下威灵⑤，将帅尽力，臣何功之有！"固辞不受。

闰月戊寅⑥，车驾还宫⑦。

己丑⑧，以天官侍郎张锡为凤阁侍郎、同平章事。鸾台侍郎、同平章事李峤罢为成均祭酒。锡，峤之舅也，故罢峤政事⑨。

丁酉⑩，吐蕃将麹莽布支⑪寇凉州，围昌松⑫，陇右诸军大使唐休璟与战于洪源谷[1]。麹莽布支兵甲鲜华⑬，休璟谓诸将曰："诸论⑭既

【语译】

则天顺圣皇后下

久视元年（庚子，公元七〇〇年）

秋，七月，李楷固在含枢殿献契丹俘虏。太后任命李楷固为左玉钤卫大将军，授封燕国公，赐姓武氏。她召集公卿会聚宴饮，举杯交给狄仁杰说："这些都是您的功劳。"将要赏赐他，狄仁杰回答说："这次平定契丹余党乃是陛下威武神灵及将帅竭尽力量所致，我又有什么功劳呀！"坚决推辞不受赏。

闰七月初二日戊寅，太后从三阳宫返回洛阳宫。

十三日己丑，太后任命天官侍郎张锡为凤阁侍郎、同平章事。鸾台侍郎、同平章事李峤被罢免降职为成均祭酒。张锡是李峤的舅父，因此免去了李峤掌理的政事。

闰七月二十一日丁酉，吐蕃的将领麹莽布支侵犯凉州，包围昌松县，陇右诸军大使唐休璟与麹莽布支在洪源谷交战。麹莽布支的军队甲胄鲜明艳丽，唐休璟对各

死，麴莽布支新为将，不习军事，诸贵臣子弟皆从之[2]。望之虽如精锐，实易与⑮耳，请为诸君破之。”乃被甲先陷陈，六战皆捷，吐蕃大奔⑯，斩首二千五百级，获二裨将⑰而还。

司府少卿⑱杨元亨⑲，尚食奉御杨元禧⑳，皆弘武之子也。元禧尝忤张易之，易之言于太后：“元禧，杨素之族㉑，素父子，隋之逆臣㉒，子孙不应供奉㉓。”太后从之，壬寅㉔，制：“杨素及其兄弟子孙㉕皆不得任京官㉖。”左迁元亨睦州㉗刺史，元禧资州㉘[3]刺史。

庚戌㉙，以魏元忠为陇右诸军大使，击吐蕃。

庚申㉚，太后欲造大像，使天下僧尼日出一钱以助其功。狄仁杰上疏谏，其略曰：“今之伽蓝㉛，制过宫阙㉜。功不使鬼㉝，止在役人，物不天来㉞，终须地出，不损百姓，将何以求！”又曰：“游僧皆托佛法，诖误生人㉟，里陌㊱动有经坊㊲，阛阓㊳亦立精舍㊴。化诱所急，切于官征；法事所须，严于制敕。”又曰：“梁武㊵、简文㊶舍施无限，及三淮沸浪，五岭腾烟，列刹㊷盈衢，无救危亡之祸，缁衣㊸蔽路，岂有勤王之师！”又曰：“虽敛僧钱，百未支一。尊容㊹既广，不可露居，覆以百层，尚忧未遍，自余廊宇，不得全无。如来㊺设教，以慈悲为主，岂欲劳人，以存虚饰！”又曰：“比来水旱不节㊻，当今边境未宁，若费官财，又尽人力，一隅㊼有难，将何以救之！”太后曰：“公教朕为善，何得相违！”遂罢其役。

阿悉吉㊽薄露㊾叛，遣左金吾将军田扬名㊿、殿中侍御史封思业(51)讨之。军至碎叶，薄露夜于城傍剽掠而去，思业将骑追之，反为所败。扬名引西突厥斛瑟罗之众攻其城，旬余，不克。九月，薄露诈降，思业诱而斩之，遂俘其众。

位将领说："吐蕃那几个论氏兄弟已经死了，麹莽布支刚刚担任将军，不熟悉军旅之事，国内贵族、豪酋子弟都随同前来。看上去吐蕃军队似乎精锐，实际上很容易对付，让我替各位击败他们。"于是披上甲胄，率先攻入敌阵，六战皆捷，吐蕃兵大败逃走。唐休璟军斩下敌人首级二千五百个，俘获了吐蕃两员裨将，然后还师。

司府少卿杨元亨与尚食奉御杨元禧，都是杨弘武的儿子。杨元禧曾经触犯张易之，张易之对太后说："杨元禧，是杨素的族人，杨素父子，是隋朝的叛臣，他们的子孙不应当在皇上左右供职。"太后听从了张易之的建议，闰七月二十六日壬寅，颁布制令："杨素和他兄弟的子孙都不能担任京官。"把杨元亨降职为睦州刺史，杨元禧降职为资州刺史。

庚戌日，太后任命魏元忠为陇右诸军大使，攻打吐蕃。

八月十五日庚申，太后打算建造一尊巨大的佛像，让天下的和尚、尼姑每天每人捐出一文钱来资助这项工程。狄仁杰上疏谏阻，奏疏的大意是："今天的佛寺，在营建规制上已经超出了皇帝的宫室殿堂。营造工程不能役使鬼神，只能役使百姓。物资不会从天而降，终究还是来自土地，不损害百姓，将如何获取这些东西呢！"他又说道："游方和尚都假托佛法，贻误百姓，他们动不动就在里巷街陌营建佛寺，在市场里也盖起了佛堂。化缘所急需之物，超过官府的征敛；僧尼法事活动所需，严于皇上的制令敕书。"他还说："梁武帝、梁简文帝父子对佛事施舍无数，等到三淮叛声沸腾、五岭兵火飞烟，满大街的寺院庙宇，无法挽救身危国亡的灾祸；僧尼布满道路，哪里有勤王救驾的军队！"他又说："陛下即使征收了僧侣所捐助的金钱，但是这笔费用还够不上营造佛像所需的百分之一。佛像已是宏伟，又不能暴露于旷野，即使修建百层楼阁，只怕不能将它完全遮盖，其他的庙宇廊庑，也不能完全没有。如来佛创立佛教，以慈悲为怀，哪里想劳苦百姓，来保存虚而不实的佛事工程！"他又说："近来水旱失调，眼下边境不得安宁，如果为了修建大佛而耗费国库资财，又竭尽民力，一方有难，陛下将拿什么去救济呢！"太后说："您劝我做善事，我怎么能够违背您的意愿呢！"于是停止营建大佛像。

阿悉吉薄露叛乱，太后派遣左金吾将军田扬名和殿中侍御史封思业前往征讨。唐军来到碎叶城时，阿悉吉薄露已趁夜在城边劫掠之后离去。封思业率领骑兵追击，反而被阿悉吉薄露打败。田扬名率领西突厥斛瑟罗部落的军队攻打阿悉吉薄露所据守的城池，历时十多天，未能攻克。九月，阿悉吉薄露假装投降，封思业诱杀了他，于是俘获了他的部众。

【段旨】

以上为第一段，写众贤用事，狄仁杰讨平契丹，唐休璟大破吐蕃，封思业斩西突厥阿悉吉薄露。

【注释】

①含枢殿：在石淙三阳宫（今河南登封境内）中。②合宴：聚宴。③觞：盛酒的器皿，犹今之酒杯。④属：交付。⑤威灵：威武神灵。⑥戊寅：闰七月初二日。⑦还宫：返回洛阳宫。⑧己丑：闰七月十三日。⑨"锡"三句：唐代为官有近亲回避制度，凡同司联事及勾检之官，皆不得注大功以上亲。李峤与张锡为甥舅关系，亲近程度在大功以上，故不能同时担任宰相。以张锡为相，李峤即须回避。⑩丁酉：闰七月二十一日。⑪麹莽布支：吐蕃将领，事见《旧唐书》卷一百九十六上《吐蕃传》、《新唐书》卷一百十一《唐休璟传》。⑫昌松：县名，县治在今甘肃武威东南。⑬鲜华：鲜艳华丽。⑭诸论：论钦陵等。圣历二年（公元六九九年）死。⑮易与：容易对付。⑯大奔：大败；大溃逃。⑰裨将：偏将；副将。⑱司府少卿：即太府少卿，则天光宅元年（公元六八四年）至中宗神龙元年（公元七〇五年）改称司府少卿，为太府次官，从四品。⑲杨元亨：高宗朝宰相杨弘武之子，官至齐州刺史。传见《旧唐书》卷七十七。⑳杨元禧：元亨之弟，官至台州刺史。与元亨同传。㉑"元禧"二句：杨元禧是杨素的族孙。㉒"素父子"二句：杨素在隋朝担任宰相时，参与宫廷阴谋，废太子，拥立炀帝，对隋朝的灭亡有一定影响。素子玄感，官至礼部尚书。隋末，背叛隋炀帝。详见《周书》卷三十四《杨素传》，《隋书》卷四十八《杨素传》《杨玄感传》，《北史》卷四十一《杨素传》。㉓供奉：供奉天子。㉔壬寅：闰七月二十六日。㉕杨素及其兄弟子孙：杨素及其兄弟的子孙。㉖京官：京师之官。与"外官"即地方官相对而言。针对武则天禁锢杨素及其族子孙不得为京官，胡三省批评说："马何罗为逆于汉武之时，而马援贵显于东都再造之日。沈充失身于王敦，而沈劲尽节于司马。恶恶止其身，追罪异代之臣而并弃其子孙，此盖出于一时之爱憎，姑以是说而藉口耳。"㉗睦州：治所雉山，在今浙

【原文】

太后信重内史梁文惠公[52]狄仁杰，群臣莫及，常谓之"国老[53]"而不名[54]。仁杰好面引廷争[55]，太后每屈意从之。尝从太后游幸，遇风

江淳安西。㉘资州：治所盘石，在今四川资中县北。㉙庚戌：闰七月丁丑朔，无庚戌。《新唐书》卷四及卷六十一作“八月庚戌”，即八月初五日。当在庚戌上添“八月”二字。㉚庚申：八月十五日。㉛伽蓝：梵语“僧伽蓝摩”的略称，意为僧众居住的园林。后世遂以为佛寺的代称。此处伽蓝即指佛寺。㉜制过宫阙：规模制度超过宫殿。㉝功不使鬼：工程不能役使鬼建设。㉞物不天来：物资不会从天而降。㉟生人：生民、百姓。㊱里陌：闾里街陌。㊲经坊：诵经之坊，即佛寺。㊳阛阓：阛，市区的墙垣。阓，进入市区的门。二词连用，泛指市廛。㊴精舍：僧侣修行之室。㊵梁武：南朝梁武帝萧衍，是梁的建立者，公元五〇二至五四九年在位，曾三次舍身同泰寺。事见《梁书》卷一至卷三、《南史》卷六与卷七《武帝本纪》。㊶简文：梁简文帝萧纲，梁武帝之子，公元五四九至五五一年在位，亦以佞佛著称。事见《梁书》卷四、《南史》卷八《简文帝本纪》。㊷刹：寺。㊸缁衣：穿黑帛衣的人，即僧徒。㊹尊容：佛像。㊺如来：佛的别名。㊻水旱不节：水旱失节，即风雨不调。㊼一隅：一方。㊽阿悉吉：西突厥五弩失毕部落之一。即两《唐书》之《突厥传》所说的“阿悉结阙部”。㊾薄露：阿悉结阙部俟斤之名。㊿田扬名：官至安西都护，有政绩。事见《旧唐书》卷一百九十八《龟兹传》，《新唐书》卷一百七《陈子昂传》、卷二百二十一上《龟兹传》等。(51)封思业：官至户部郎中、幽州都督。事见《新唐书》卷七十一下、《元和姓纂》卷一。

【校记】

［1］洪源谷：原作“港源谷”。据章钰校，十二行本、乙十一行本、孔天胤本皆作“洪源谷”，今据改。〖按〗两《唐书》之《唐休璟传》、《旧唐书》之《吐蕃传》皆作“洪源谷”。［2］诸贵臣子弟皆从之：此八字原无。据章钰校，十二行本、乙十一行本、孔天胤本皆有此八字，张敦仁《通鉴刊本识误》、张瑛《通鉴校勘记》同，今据补。［3］资州：原作“贝州”。严衍《通鉴补》改作“资州”，今据以校正。〖按〗《旧唐书》之《杨纂传附武子元禧传》、《新唐书》之《杨弘礼传附元禧传》皆作“资州”。其时，左迁之官多在南方，鲜有在河北者。

【语译】

太后信任器重内史梁文惠公狄仁杰，群臣没有人能比得上，太后常常称狄仁杰为“国老”，而不称呼他的名字。狄仁杰喜好当面指出人的过错，在朝廷之上直言谏诤，太后常常曲意相从。狄仁杰曾经陪同太后游幸，遇到风，吹落狄仁杰的头巾，

吹仁杰巾[56]坠，而马惊不能止，太后命太子追执其鞚[57]而系之。仁杰屡以老疾乞骸骨，太后不许。入见，常止其拜，曰："每见公拜，朕亦身痛。"仍免其宿直[58]，戒其同僚曰："自非军国大事，勿以烦公。"辛丑[59]，薨，太后泣曰："朝堂空矣！"自是朝廷有大事，众或不能决，太后辄叹曰："天夺吾'国老'何太早邪！"

太后尝问仁杰："朕欲得一佳士[60]用之，谁可者？"仁杰曰："未审陛下欲何所用之？"太后曰："欲用为将相。"仁杰对曰："文学缊藉[61]，则苏味道、李峤固[62]其选矣。必欲取卓荦[63]奇才，则有荆州长史张柬之，其人虽老，宰相才也。"太后擢柬之为洛州司马[64]。数日，又问仁杰，对曰："前荐柬之，尚未用也。"太后曰："已迁矣。"对曰："臣所荐者可为宰相，非司马也。"乃迁秋官侍郎[65]。久之，卒[66]用为相。仁杰又尝荐夏官侍郎姚元崇、监察御史曲阿桓彦范、太州刺史敬晖等数十人[67]，率[68]为名臣。或谓仁杰曰："天下桃李[69]，悉在公门矣。"仁杰曰："荐贤为国，非为私也。"初，仁杰为魏州刺史[70]，有惠政，百姓为之立生祠[71]。后其子景晖[72]为魏州司功参军，贪暴为人患，人遂毁其像焉。

冬，十月辛亥[73]，以魏元忠为萧关道大总管，以备突厥。

甲寅[74]，制复以正月为十一月，一月为正月[75]。赦天下。

丁巳[76]，纳言韦巨源罢，以文昌右丞韦安石[77]为鸾台侍郎、同平章事。安石，津之孙也。

时武三思、张易之兄弟用事，安石数面折之[78]。尝侍宴禁中，易之引蜀商宋霸子[79]等数人在座同博[80]。安石跪奏曰："商贾贱类，不应得预此会。"顾左右逐出之[81]，座中皆失色。太后以其言直，劳勉之。同列皆叹服。

丁卯[82]，太后幸新安[83]。壬申[84]，还宫。

十二月甲寅[85]，突厥掠陇右诸监[86]马万余匹而去。

时屠禁尚未解[87]，凤阁舍人全节崔融[88]上言，以为"割烹牺牲，弋

而坐骑受惊，不能停下来，太后让太子李显追上惊马，抓住笼头把马拴好。狄仁杰多次以年老多病为由乞求退休，太后都没有应允。在狄仁杰上朝晋见时，太后常常阻止他行跪拜礼，说："每次看到您行跪拜礼，我也感到身痛。"太后还免除了狄仁杰夜间值班的事务，告诫他的同僚说："如果不是军国大事，不要去烦扰狄公。"九月二十六日辛丑，狄仁杰去世，太后哭泣着说："朝廷上空无一人了！"此后每当朝廷有大事，众臣不能决断时，太后就会叹息道："老天为何那么早夺走我的'国老'呀！"

太后曾经询问狄仁杰："我希望能够寻找到一位杰出的士人加以任用，谁能称职呢？"狄仁杰说："不知道陛下打算让他担任什么样的职务？"太后说："我想让他担任将相。"狄仁杰回答说："如果您所要的是善文辞、含蓄宽容的人，那么苏味道、李峤本来就是合适的人选了。如果您一定要找卓越出众的奇才，那么就有荆州长史张柬之，这个人虽然年纪老了，但他具备宰相之才。"太后就提拔张柬之担任了洛州司马。过了几天，太后又询问狄仁杰，狄仁杰回答说："我前几天推举的张柬之，陛下还没有任用呢。"太后说："我已提拔了他。"狄仁杰回答说："臣下所推荐的人可做宰相，不是做司马。"太后这才迁升张柬之担任秋官侍郎。过了很久，终于任命他为宰相。狄仁杰还曾经向太后推荐夏官侍郎姚元崇、监察御史曲阿人桓彦范、太州刺史敬晖等几十个人，后来这些人大都成为有名的大臣。有人对狄仁杰说："天下的桃李，都在狄公您的门下了。"狄仁杰回答说："我举荐贤才是为了国家，不是为了一己之私。"当初，狄仁杰担任魏州刺史，施政仁德宽厚，百姓为他建造了生祠。后来他的儿子狄景晖担任魏州司功参军，贪婪残暴，成为百姓的祸害，于是百姓捣毁了狄仁杰的塑像。

冬，十月初七日辛亥，太后任命魏元忠为萧关道大总管，来防备突厥的侵扰。

初十日甲寅，太后颁布制书，又重新将正月作为十一月，将一月作为正月。大赦天下。

十三日丁巳，太后免去了纳言韦巨源的职务，任命文昌右丞韦安石为鸾台侍郎、同平章事。韦安石，是韦津的孙子。

当时武三思和张易之兄弟专擅朝政，韦安石多次当面驳斥他们。韦安石曾经在宫禁中陪太后宴饮，张易之带来蜀地富商宋霸子等几个人在座席上赌博。他向太后跪拜上奏说："商人是低贱之徒，不应参与这样的宴会。"示意侍臣将这几个人驱逐出去，在座的人都吓得变了脸色。太后因为韦安石说得直率，对他慰劳勉励。他的同僚都感叹佩服不已。

十月二十三日丁卯，太后驾临新安。二十八日壬申，返回宫中。

十二月初十日甲寅，突厥士兵掠走了陇右诸牧监畜养的一万多匹马后离去。

这时屠宰动物的禁令还没有解除，凤阁舍人全节县人崔融进言，认为"宰割烹

猎禽兽，圣人著之典礼，不可废阙。又，江南[89]食鱼，河西[90]食肉，一日不可无。富者未革[91]，贫者难堪。况贫贱之人，仰屠为生，日戮一人，终不能绝，但资恐喝[92]，徒长奸欺。为政者苟顺月令[93]，合礼经[94]，自然物遂其生，人得其性矣。”戊午[95]，复开屠禁，祠祭用牲牢[96]如故。

【段旨】

以上为第二段，写武则天尊礼狄仁杰，任用韦安石、崔融等贤才。狄仁杰荐贤数十人，临终前还荐张柬之为相。

【注释】

㊿梁文惠公：狄仁杰封号与谥号的合称。狄仁杰死后谥曰文惠。因后来被唐睿宗追封为梁国公，人们又称他为“狄梁公”。㊾国老：本指退休还乡的卿大夫。此处系对德高望重的老臣的敬称。㊿不名：不直呼其名。㊿面引廷争：与“面折廷争”意义相近。指能当面指人之过，犯颜直谏。㊿巾：巾帻。㊿鞚：有嚼口的马辔头，俗称“马勒”。㊿宿直：夜间值班。天册万岁元年（公元六九五年）三月，始令宰相每日一人轮流宿值，后遂成制度。见《唐会要》卷八十二《当直》。㊿辛丑：九月二十六日。㊿佳士：品行或才学优秀的士人。㊿缊藉：亦作“蕴藉”，含蓄宽容。㊿固：的确。㊿卓荦：特异。㊿擢柬之为洛州司马：柬之由荆州长史升为洛州司马。司马品位一般低于长史，但京畿司马品秩高于诸州长史。洛州系神都之所在，司马从四品下，荆州长史从五品上。张柬之自荆州长史进为洛州司马，即由从五品上升至从四品下。擢，迁升。㊿秋官侍郎：官名，即刑部侍郎。刑部侍郎正四品下，协助刑部尚书掌天下刑法及徒隶、勾覆、关禁之政令。㊿卒：终于。㊿“仁杰又尝荐夏官侍郎姚元崇”句：桓彦范，字士则，润州曲阿（今江苏丹阳）人，后官至宰相，曾参与张柬之政变。敬晖，绛州太平（今山西侯马西北）人，曾任卫州刺史、洛州长史等职，以精明强干著闻。诛二张有功，官至宰相。桓彦范与敬晖同传，见《旧唐书》卷九十一、《新唐书》卷一百二十。《狄梁公传》称张柬之、桓彦范、敬晖、崔玄暐、袁恕己皆狄仁杰所荐，并详细记叙了狄仁杰临终时托付他

调牲畜和猎取禽兽，圣人写进了礼仪中，不可废缺。再说，江南人吃鱼，河西人吃肉，不能一天没有。富人的这种生活习惯没有改变，穷人也难以忍受。况且贫穷低贱的人家，依靠屠宰作为生计。每天处死一个违禁的人，最终也不可能杜绝，只不过借此威胁恐吓，助长奸邪欺诈。施政的人如果顺应时令，符合礼仪之道，自然会使万物的生长顺应其本身的规律，老百姓也能够体现自己的本性。”十二月十四日戊午，重新解除了有关屠宰捕鱼的禁令，祭祀时仍用牛、羊、猪等牲畜作祭品。

们诛二张、恢复唐室的经过。司马光认为不可信，他在《考异》中说：“此盖作传者因五人建兴复之功，附会其事，云皆仁杰所举，受教于仁杰耳。其言谲怪无稽，今所不取。《旧·传》惟著举柬之、彦范、晖三人姓名，今从之。”⑱ 率：大都；一般。⑲ 桃李：指门生、士子或所荐之士。⑳ 仁杰为魏州刺史：时在万岁通天元年（公元六九六年）。㉑ 生祠：为活着的人所建立的祠庙。㉒ 景晖：应作“光晖”。狄光晖事见《新唐书》卷一百十五《狄仁杰传》。〖按〗《新唐书》卷七十四下《宰相世系表》载仁杰三子，光嗣、光远、光昭，皆无“景晖”。待考。㉓ 辛亥：十月初七日。㉔ 甲寅：十月初十日。㉕“制复以正月为十一月”二句：以十一月为正月在天授元年。永昌元年（公元六八九年）十一月改寅正为子正，至此，复为寅正。㉖ 丁巳：十月十三日。㉗ 韦安石（公元六五一至七一四年）：京兆万年（在今陕西西安）人，隋民部侍郎韦津之孙。曾任永昌县令、并州司马、德州刺史等职，政尚清严，深受武则天奖拔。传见《旧唐书》卷九十二、《新唐书》卷一百二十二。㉘ 数面折之：多次当面折辱他们。㉙ 宋霸子：四川富商，与张易之友善。见《旧唐书》卷九十二、《新唐书》卷一百二十二《韦安石传》。㉚ 博：赌博。㉛ 顾左右逐出之：以目示意，命令侍卫将宋霸子驱逐出去。㉜ 丁卯：十月二十三日。㉝ 新安：县名，县治在今河南新安。㉞ 壬申：十月二十八日。㉟ 甲寅：十二月十日。㊱ 陇右诸监：陇右诸牧监。㊲ 时屠禁尚未解：长寿元年（公元六九二年）下令禁止屠杀动物。㊳ 崔融（公元六五三至七〇六年）：字安成，齐州全节（今山东济南东北）人，中科举高第，官至司礼少卿。善于为文，所作《洛出宝图颂》及《则天皇帝哀册文》最为典雅华丽。有文集六十卷。传见《旧唐书》卷九十四、《新唐书》卷一百十四。诗文主要保存在《全唐文》卷二百十七、《全唐诗》卷六十八中。㊴ 江南：长江以南。㊵ 河西：今河西走廊及湟水一带。㊶ 未革：没有改变。此指未改食肉习惯。㊷ 恐喝：恐吓。㊸ 月令：时令。㊹ 礼经：礼之常道。㊺ 戊午：十二月十四日。㊻ 牲牢：供祭祀的牲畜。

【原文】

长安元年[97]（辛丑，公元七〇一年）

春，正月丁丑[98]，以成州[99]言佛迹见，改元大足[100]。

二月己酉[101]，以鸾台侍郎柏人李怀远[102]同平章事。

三月，凤阁侍郎、同平章事张锡坐知选漏泄禁中语、赃满数万，当斩，临刑释之，流循州[103]。时苏味道亦坐事与锡俱下司刑狱，锡乘马，意气自若，舍于三品院[104]，帷屏食饮，无异平居。味道步至系所，席地而卧，蔬食[105]而已。太后闻之，赦味道，复其位。

是月，大雪，苏味道以为瑞[106]，帅百官入贺。殿中侍御史王求礼止之曰："三月雪为瑞雪，腊月雷为瑞雷乎？"味道不从。既入，求礼独不贺，进言曰："今阳和布气，草木发荣，而寒雪为灾，岂得诬以为瑞！贺者皆谄谀之士也。"太后为之罢朝[107]。

时又有献三足牛者，宰相复贺。求礼扬言[108]曰："凡物反常皆为妖[109]。此鼎足[110]非其人，政教不行之象也。"太后为之愀然[111]。

夏，五月乙亥[112]，太后幸三阳宫。

以魏元忠为灵武道行军大总管[113]，以备突厥。

天官侍郎盐官顾琮同平章事[114]。

六月庚申[115]，以夏官尚书李迥秀同平章事。迥秀性至孝，其母本微贱，妻崔氏常叱媵婢[116]，母闻之不悦，迥秀实时出[117]之。或曰："贤室虽不避嫌疑，然过非七出[118]，何遽如是？"迥秀曰："娶妻本以养亲，今乃违忤颜色，安敢留也！"竟出之。

秋，七月甲戌[119]，太后还宫。

甲申[120]，李怀远罢为秋官尚书。

八月，突厥默啜寇边，命安北大都护相王为天兵道元帅，统诸军击之，未行而虏退。

丙寅[121]，武邑人苏安恒[122]上疏曰："陛下钦先圣[123]之顾托，受嗣子[124]之推让，敬天顺人[125]，二十年矣。岂不闻帝舜褰裳[126]，周公复辟[127]！舜之于

【语译】

长安元年（辛丑，公元七〇一年）

春，正月初三日丁丑，因为成州说出现佛的足迹，所以改年号为大足。

二月初六日己酉，任命鸾台侍郎柏人县人李怀远为同平章事。

三月，凤阁侍郎、同平章事张锡犯了主持铨选而泄漏官中谈话内容以及获取赃款达到数万的罪行，应当斩首，临行刑时免除死罪，流放循州。当时苏味道也因为犯罪而与张锡一起被送往司刑寺狱，路上张锡乘坐在马上，神态自若，住在三品院，帷帐屏风和饮食与平时没有差别。苏味道步行到羁押处所，席地而卧，蔬菜粗食而已。太后听到了这件事情，赦免了苏味道，恢复了他的官职。

这个月，下大雪，苏味道认为是吉祥之兆，带领文武官员入朝祝贺。殿中侍御史王求礼阻止他说："倘若阳春三月降下的雪是瑞雪的话，那么在寒冬腊月打雷便是瑞雷吗？"苏味道没有听从劝阻。入朝后，唯独王求礼不祝贺，向太后进言说："眼下正当春和气暖，草木发芽，而天寒大雪是灾害，怎能歪曲说是吉祥之兆！朝贺的人都是奉承献媚之人。"太后因而停止朝谒。

当时又有人献上一头三条腿的牛，宰相们又入朝祝贺。王求礼大声疾言："凡是反常的东西都是妖孽。出现三足牛，这是三公并非合适的人选，国家的政令教化没有得到施行的象征。"太后因此面容失色。

夏，五月初三日乙亥，太后来到三阳宫。

太后任命魏元忠为灵武道行军大总管，以防备突厥侵扰。

任命天官侍郎盐官县人顾琮为同平章事。

六月十九日庚申，太后任命夏官尚书李迥秀为同平章事。李迥秀性情极其孝顺，他的母亲原本卑微低贱，他的妻子崔氏经常呵斥陪嫁奴婢，他母亲听了很不快，李迥秀便立刻将崔氏休弃了。有人对他说："你的妻子虽有不避嫌疑的地方，但是她的过失并不属于休弃妻子的七条理由，为什么这样匆忙？"李迥秀回答说："娶妻本是为了奉养双亲，现在她竟然忤逆母亲，我怎么还敢将她留在家中呢！"结果还是休弃了崔氏。

秋，七月初三日甲戌，太后返回宫中。

十三日甲申，李怀远被罢免，改任秋官尚书。

八月，突厥阿史那默啜侵扰边塞，太后委派安北大都护相王李旦担任天兵道元帅，统率各路军队攻打默啜，部队还没有出发，突厥便撤退了。

八月二十六日丙寅，武邑人苏安恒上奏说："陛下恭敬地遵奉先帝遗命的嘱托，接受太子的辞让，敬奉天意，恭顺民心，已有二十年了。难道没有听说过帝舜提衣离位而让于大禹，以及周公归政于成王的事情吗！帝舜和大禹之间，只是同宗亲属

禹，事祗族亲[128]；旦与成王，不离叔父[129]。族亲何如子之爱，叔父何如母之恩？今太子孝敬是崇[130]，春秋既壮，若使统临宸极[131]，何异陛下之身[132]！陛下年德既尊[133]，宝位将倦[134]，机务烦重，浩荡心神，何不禅位东宫，自怡圣体！自昔[135]理[136]天下者，不见二姓而俱王也。当今梁、定、河内、建昌诸王[137]，承陛下之荫覆[138]，并得封王。臣谓千秋万岁之后，于事非便，臣请黜[139]为公侯，任以闲简[140]。臣又闻陛下有二十余孙，今无尺寸之封[141]，此非长久之计也。臣请分土而王之，择立师傅，教其孝敬之道，以夹辅周室，屏藩皇家，斯为美矣。"疏奏，太后召见，赐食，慰谕而遣之。

太后春秋高，政事多委张易之兄弟。邵王重润[142]与其妹永泰郡主[143]、主婿魏王武延基[144]窃议其事。易之诉于太后，九月壬申[145]，太后皆逼令自杀[146]。延基，承嗣之子也。

丙申[147]，以相王知左、右羽林卫大将军事。

冬，十月壬寅[148]，太后西入关[149]。辛酉[150]，至京师，赦天下，改元[151]。

十一月戊寅[152]，改含元宫为大明宫[153]。

天官侍郎安平崔玄暐[154]，性介直，未尝请谒。执政恶之，改文昌左丞。月余，太后谓玄暐曰："自卿改官以来，闻令史[155]设斋自庆。此欲盛为奸贪耳，今还卿旧任。"乃复拜天官侍郎，仍赐彩七十段[156]。

以主客郎中[157]郭元振为凉州都督、陇右诸军大使。先是，凉州南北境不过四百余里，突厥、吐蕃频岁[158]奄至城下，百姓苦之。元振始于南境硖口置和戎城[159]，北境碛[160]中置白亭军[161]，控其冲要，拓州境千五百里，自是寇不复至城下。元振又令甘州刺史李汉通[162]开置屯田，尽水陆之利。旧凉州粟麦斛至数千[163]，及汉通收率[164]之后，一缣籴[165]数十斛，积军粮支[166]数十年。元振善于抚御，在凉州五年，夷、夏畏慕，令行禁止，牛羊被野，路不拾遗。

的关系；周公旦和周成王之间，也仅仅是叔侄关系。同宗亲属之间哪里可以与亲生儿子对母亲的敬爱相比？叔父对侄子又怎么比得上母亲对儿子的恩情？当今太子崇尚孝亲敬上之道，年纪已到壮年，倘若让他登临帝位，执掌政事，与陛下亲临帝位又有什么区别呢！陛下的年事与德望都已经非常之高了，将会厌倦帝位，而机要政务繁重，会严重耗费陛下的心神，陛下为什么不将帝位让给太子，而求得自我身心的安逸愉悦呢！自古以来治理天下，还不曾看到过有两个姓氏同时受封王爵的事，现在梁王武三思、定王武攸暨、河内王武懿宗、建昌王武攸宁等人，仰承陛下的荫庇，都被加封为王爵。臣认为在陛下百年之后，事情会非常难办。我请求陛下把他们贬降为公侯，任命他们担任清闲的职务。我还听说陛下有二十多个孙子，至今没有尺寸封地，这不是长久之计。臣请求陛下分土裂地，把他们封为王，为他们挑选师傅，用孝亲敬上之道教育他们，来辅佐大周皇室，藩卫国家，这才是完美的。”奏疏呈上，太后召见了他，赏赐膳食，安慰嘉勉之后送他出宫。

太后年事已高，政事大多委托给张易之兄弟。邵王李重润和他的妹妹永泰郡主、妹夫魏王武延基私下议论此事。张易之把这一情况告诉了太后，九月初三日壬申，太后逼迫邵王李重润、永泰郡主及魏王武延基等自杀。武延基，是武承嗣的儿子。

二十七日丙申，太后命令相王李旦执掌左、右羽林卫大将军的职务。

冬，十月初三日壬寅，太后西行进入潼关。二十二日辛酉，抵达京城长安，大赦天下，更改年号。

十一月初十日戊寅，太后将含元宫改称为大明宫。

天官侍郎安平县人崔玄暐秉性耿直，未曾请托权要。执政者厌恶他，把他改任为文昌左丞。过了一个多月，太后对崔玄暐说：“自从你改任文昌左丞以来，我听说你原来属下令史设斋聚餐以示庆贺，这是他们想大肆作奸贪赃罢了，现在我让你官复原职。”于是重新任命崔玄暐担任天官侍郎，还赏赐给他彩帛七十段。

太后命令主客郎中郭元振担任凉州都督、陇右诸军大使。在此以前，凉州地域南北只有四百多里，突厥和吐蕃连年突然袭至城下，百姓饱受困苦。郭元振首次在凉州南部边境的硖口修筑和戎城，在北部边境的沙漠里设置了白亭军，控制凉州的交通要道，把凉州的地域拓展了一千五百里。从此，突厥、吐蕃没有再来到州城。郭元振又命令甘州刺史李汉通进行屯田，充分利用水利和土地的条件。过去，凉州粟麦一斛价值数千钱，到李汉通集合农民，率众耕作后，一匹细绢可以买到几十斛，储备的军粮可供几十年。郭元振善于安抚治理百姓，在凉州五年，夷人、汉人都敬畏他，有令则行，有禁便止，牛羊牲畜遍山野，路不拾遗。

【段旨】

以上为第三段，写武则天晚年政治趋于宽平，惩贪未动刑诛；又善用人才，李迥秀、苏安恒、崔玄時、郭元振皆一时之选。

【注释】

⑰ 长安元年：公元七〇一年。武则天于久视二年正月改元大足，于十月壬寅改元长安。即长安元年包有大足元年。⑱ 丁丑：正月初三日。⑲ 成州：州名，治所在今甘肃礼县西南。⑳ 改元大足：《朝野佥载》说改元大足的原因是司刑寺的三百名囚徒秋分后在监狱外墙角伪造了一个五尺长的足迹。司马光在《考异》中说：改元在春，不在秋，今不取。〖按〗“大足”本指大足印，用作年号，取大丰大足之意。⑩ 己酉：二月初六日。⑫ 李怀远（？至公元七〇六年）：邢州柏人（即古柏，今河北隆尧西南）人，曾任司礼少卿、同州刺史等职。在职清正，官至宰相，贵而不奢。传见《旧唐书》卷九十、《新唐书》卷一百十六。⑬ 循州：州名，治所归善，在今广东惠州东北。⑭ 三品院：关押三品以上囚犯的高级监狱。⑮ 蔬食：蔬菜粗食。⑯ 以为瑞：认为是祥瑞。⑰ 罢朝：停止朝谒。此事各书记载不一。据《考异》所载，《统纪》系此事于延载元年（公元六九四年），《朝野佥载》则系于大足元年（公元七〇一年）。司马光纪年取《朝野佥载》，本段文字所记事则参考众书。⑱ 扬言：大声疾言。⑲ 妖：妖孽。⑩ 鼎足：指三公之位。三公鼎足承君，故以鼎足为三公之代称。太师、太傅、太保，为唐之三公。⑪ 愀然：脸色变动的样子。⑫ 乙亥：五月初三日。⑬ 以魏元忠为灵武道行军大总管：据《新唐书》之《则天皇后纪》，时在五月丁丑，即五月初五日。⑭ 天官侍郎盐官顾琮同平章事：时在五月丙申，即五月二十四日。顾琮（？至公元七〇二年），杭州盐官（今浙江海宁西南）人，两《唐书》本传云为苏州吴县（今江苏苏州）人。传见《旧唐书》卷七十三、《新唐书》卷一百二。⑮ 庚申：六月十九日。⑯ 媵婢：随嫁的奴婢。⑰ 出：休弃。⑱ 七出：亦作“七去”“七弃”。旧时丈夫遗弃妻子的七种理由：一、无子，二、淫泆，三、不事舅姑，四、口舌，五、盗窃，六、妒忌，七、恶疾。⑲ 甲戌：七月初三日。⑳ 甲申：七月十三日。㉑ 丙寅：八月二十六日。㉒ 苏安恒（？至公元七〇七年）：冀州武邑（今河北武邑）人，曾多次上书言事。官至习艺馆内教。传见《旧唐书》卷一百八十七上、《新唐书》卷一百十二。㉓ 先圣：指高宗。㉔ 嗣子：指相王李旦。㉕ 敬天顺人：敬奉天意，恭顺人情，莅临帝位。㉖ 帝舜褰裳：相传舜见禹，提衣离位，以让于禹。褰裳，提裳。㉗ 周公复辟：成王即位时，年纪尚幼，由周公旦摄政。成王长大后，周公即

归政于成王。复辟，复其旧位。⑫族亲：相传舜为黄帝第八代孙，禹为黄帝玄孙，故称“族亲”。⑫⑨“旦与成王”二句：周公旦系武王之弟，成王之叔。⑬⓪孝敬是崇：崇尚孝敬。崇，崇尚。⑬①宸极：本指北极星，此处借指帝位。⑬②何异陛下之身：何异于陛下亲临帝位。⑬③尊：高。⑬④倦：厌倦。⑬⑤昔：古。⑬⑥理：治。避高宗名讳，改治为理。⑬⑦梁、定、河内、建昌诸王：武三思封梁王，武攸暨封定王，武懿宗封河内王，武攸宁封建昌王。⑬⑧荫覆：恩荫庇覆。⑬⑨黜：贬降。⑭⓪任以闲简：即任以闲散清简之职。⑭①无尺寸之封：没有一点封地。⑭②邵王重润（公元六八二至七〇一年）：中宗长子。后追谥为懿德太子，陪葬乾陵。传见《旧唐书》卷八十六、《新唐书》卷八十一。⑭③永泰郡主（公元六八四至七〇一年）：名仙蕙，中宗第七女。后追封为公主。传见《新唐书》卷八十三。⑭④武延基（？至公元七〇一年）：魏王武承嗣长子。传见《旧唐书》卷一百八十三、《新唐书》卷二百六。⑭⑤壬申：九月初三日。⑭⑥太后皆逼令自杀：关于邵王重润等三人之死，史书上有几种说法。《旧唐书》卷六《则天纪》：“邵王重润为易之谗构，令自死。”《旧唐书》卷七十八《张易之传》：“易之诉于则天，付太子自鞫问处置，太子并自缢杀之。”《旧唐书》卷八十八《李重润传》：“则天令杖杀。”《新唐书》卷四《则天纪》：“杀邵王重润及永泰郡主、主婿武延基。”《新唐书》卷八十一《李重润传》：“杖杀之。”《新唐书》卷一百四《张易之传》：“得罪缢死。”《新唐书》卷二百六《武延基传》：“后怒，令自杀。”从当时的情况分析，《旧唐书》之《张易之传》的记载比较符合情理。至于《大唐故永泰公主志铭》说永泰公主系难产而死，完全是掩饰之词，不足以为证据。⑭⑦丙申：九月二十七日。⑭⑧壬寅：十月初三日。⑭⑨西入关：西入潼关。⑮⓪辛酉：十月二十二日。⑮①改元：改元长安。⑮②戊寅：十一月初十日。⑮③改含元宫为大明宫：长安东内本名大明宫。唐高宗龙朔三年（公元六六三年）改为蓬莱宫，咸亨元年（公元六七〇年）又改为含元宫。现恢复其旧名。⑮④崔玄暐（公元六三八至七〇六年）：博陵安平（今河北安平）人，为政清简，官至宰相。参与张柬之兵变，封博陵郡公。著有《行己要范》十卷、《友义传》十卷、《义士传》十五卷。传见《旧唐书》卷九十一、《新唐书》卷一百二十。⑮⑤令史：官名，唐制，吏部四司有令史八十二人，无品秩，为低级事务人员。⑮⑥赐彩七十段：胡三省注，“唐制，凡赐十段，其率绢三匹，布三端，绵四屯；若杂彩十段，则丝布二匹，绸二匹，绫二匹，缦四匹”。⑮⑦主客郎中：官名，为属礼部主客司长官，从五品上，掌二王之后（酅公、介公）及诸蕃朝聘之事。⑮⑧频岁：连年。⑮⑨和戎城：即今甘肃古浪。⑯⓪碛：沙漠。⑯①白亭军：军镇名，在今甘肃民勤北境。⑯②李汉通：事见《旧唐书》卷九十七、《新唐书》卷一百二十二。⑯③斛至数千：每斛的价格高至数千钱。⑯④收率：集合农民，率其耕作。⑯⑤籴：买进粮食。⑯⑥支：可供支给。

【原文】

二年（壬寅，公元七〇二年）

春，正月乙酉[167]，初设武举[168]。

突厥寇盐、夏二州[169]。三月庚寅[170]，突厥破石岭[171]，寇并州[172]。以雍州长史薛季昶摄右台大夫，充山东防御军大使，沧、瀛、幽、易、恒、定[173]等州诸军皆受季昶节度。夏，四月，以幽州刺史张仁愿专知幽、平、妫、檀[174]防御，仍与季昶相知[175]，以拒突厥。

五月壬申[176]，苏安恒复上疏曰："臣闻天下者，神尧、文武[177]之天下也，陛下虽居正统[178]，实因唐氏旧基。当今太子追回[179]，年德俱盛，陛下贪其宝位而忘母子深恩，将何圣颜以见唐家宗庙？将何诰命[180]以谒大帝[181]坟陵？陛下何故日夜积忧，不知钟鸣漏尽[182]！臣愚以为天意人事，还归李家。陛下虽安天位，殊不知物极则反，器满则倾。臣何惜一朝[183]之命而不安万乘之国哉！"太后亦不之罪。

乙未[184]，以相王为并州牧，充安北道行军元帅，以魏元忠为之副。

六月壬戌[185]，召神都留守韦巨源诣京师，以副留守李峤代之。

秋，七月甲午[186]，突厥寇代州。

司仆卿[187]张昌宗兄弟贵盛，势倾朝野。八月戊午[188]，太子、相王、太平公主上表请封昌宗为王，制不许。壬戌[189]，又请，乃赐爵邺国公。

敕："自今有告言扬州及豫、博余党[190]，一无所问，内外官司无得为理[191]。"

九月乙丑朔[192]，日有食之，不尽如钩，神都见其既[193]。

壬申[194]，突厥寇忻州。

己卯[195]，吐蕃遣其臣论弥萨来求和。

庚辰[196]，以太子宾客武三思为大谷道大总管，洛州长史敬晖为副。辛巳[197]，又以相王旦为并州道元帅，三思与武攸宜、魏元忠为之副；姚元崇为长史，司礼少卿郑杲[198]为司马，然竟不行。

【语译】

二年（壬寅，公元七〇二年）

春，正月十七日乙酉，科举考试中开始设置武举科。

突厥部众进犯盐、夏二州。三月二十三日庚寅，突厥攻破石岭关，侵扰并州。太后任命雍州长史薛季昶代理右台大夫的职事，充任山东防御军大使，沧州、瀛州、幽州、易州、恒州、定州等各处部队都受他节制调度。夏，四月，太后任命幽州刺史张仁愿专门执掌部署幽州、平州、妫州、檀州的军事防御，还让他与薛季昶互相照应，抵御突厥。

五月初六日壬申，苏安恒又上疏说："臣听说这天下，是高祖神尧皇帝和太宗文武皇帝的天下，陛下虽然处于正统地位，但是实际上因袭的是大唐旧有的基业。现在太子召回复位，年龄道德都已臻于鼎盛，陛下贪恋帝位，忘掉了母子之间深厚的恩情，将以何面目面对唐室宗庙？又将以何种文书去拜谒大帝高宗的陵寝？陛下为什么要日夜给自己增添忧愁，不知道自己已经到了晨钟已鸣、夜漏将尽的暮年！愚臣认为天意人情，都仍然归心于唐室李氏。陛下虽然安居皇位，竟没有弄清楚物极必反、器满则倾的道理。臣哪里会怜惜自己短暂的性命而不为保全大唐安宁着想呢！"太后也没有加罪于他。

二十九日乙未，太后任命相王李旦为并州牧，充任安北道行军元帅，任命魏元忠担任他的副手。

六月二十六日壬戌，太后将神都留守韦巨源召往京师长安，委派副留守李峤代替了他的职务。

秋，七月二十九日甲午，突厥进犯代州。

司仆卿张昌宗兄弟位高权大，势倾朝野。八月二十三日戊午，太子李显、相王李旦、太平公主呈上奏表，请求授封张昌宗为王，太后下诏书没有同意。二十七日壬戌，又向太后请求，太后才赐予张昌宗邺国公的爵位。

太后颁布敕书："从现在起有揭发扬州徐敬业谋反案以及豫州李贞、博州李冲父子谋反案残余党羽的事情，全都不再加以过问，朝廷内外各官府不得受理。"

九月初一日乙丑，发生日食，没有食尽，余日如钩，在神都的人都看到了全食。

初八日壬申，突厥侵扰忻州。

十五日己卯，吐蕃派遣大臣论弥萨前来求和。

九月十六日庚辰，太后任命太子宾客武三思为大谷道总管，洛州长史敬晖为武三思的副手。十七日辛巳，太后又命令相王李旦为并州道元帅，武三思、武攸宜和魏元忠三人为李旦的副手；命令姚元崇为长史，司礼少卿郑杲为司马，但最终没有成行。

癸未[199]，宴论弥萨于麟德殿[200]。时凉州都督唐休璟入朝，亦预宴。弥萨屡窥之。太后问其故，对曰："洪源之战[201]，此将军猛厉[202]无敌，故欲识之。"太后擢休璟为右武威、金吾二卫大将军。休璟练习[203]边事，自碣石[204]以西逾四镇[205]，绵亘万里，山川要害，皆能记之。

冬，十月甲辰[206]，天官侍郎、同平章事顾琮薨。

戊申[207]，吐蕃赞普将万余人寇[208]，茂州[209]都督陈大慈[210]与之四战，皆破之，斩首千余级。

十一月辛未[211]，监察御史魏靖[212]上疏，以为"陛下既知来俊臣之奸，处以极法[213]，乞详覆[214]俊臣等所推大狱，伸其枉滥[215]"。太后乃命监察御史苏颋[216]按覆俊臣等旧狱，由是雪免者甚众[217]。颋，夔之曾孙也。

戊子[218]，太后祀南郊，赦天下。

十二月甲午[219]，以魏元忠为安东道安抚大使，羽林卫大将军李多祚检校幽州都督，右羽林卫将军薛讷、左武卫将军骆务整为之副。

戊申[220]，置北庭都护府于庭州[221]。

侍御史张循宪[222]为河东采访使，有疑事不能决[223]，病之[224]，问侍吏曰："此有佳客，可与议事者乎？"吏言前平乡[225]尉猗氏张嘉贞[226]有异才，循宪召见，询以事。嘉贞为条析理分[227]，莫不洗然[228]，循宪因请为奏，皆意所未及。循宪还，见太后，太后善其奏，循宪具言嘉贞所为，且请以己之官授之。太后曰："朕宁[229]无一官自进贤邪！"因召嘉贞，入见内殿，与语，大悦，即拜监察御史。擢循宪司勋郎中[230]，赏其得人也。

【段旨】

以上为第四段，写武则天平反冤狱，宽容直谏，苏安恒上奏还政于李氏的谏言，亦不加罪，超拔人才，任用张嘉贞。

九月十九日癸未，太后在麟德殿宴请吐蕃大臣论弥萨。当时凉州都督唐休璟入京朝见，也参加了宴会。论弥萨数次偷偷地瞧着唐休璟。太后询问论弥萨其中缘故，论弥萨回答说："在洪源谷战役中，这位将军勇猛无敌，因此我想认识他。"太后便提拔唐休璟担任了右武威、金吾二卫大将军。唐休璟十分熟悉边境事务，从碣石往西一直到四镇之外，绵延万里，山川要害，他全能记住。

冬，十月初十日甲辰，天官侍郎、同平章事顾琮去世。

十四日戊申，吐蕃赞普统率部众一万多人入侵，茂州都督陈大慈与吐蕃交战四次，每一次都打败了敌人，斩首一千余级。

十一月初八日辛未，监察御史魏靖上疏，认为"陛下既然已经知道来俊臣的奸邪，处以死刑，臣请求陛下详细复核来俊臣等人所审理的重大狱案，平反冤枉失实的案件"。太后于是命令监察御史苏颋复审来俊臣等人所办的旧案，许多人因此得以昭雪免罪。苏颋，是苏夔的曾孙。

二十五日戊子，太后在南郊祭祀上天，大赦天下。

十二月初二日甲午，任命魏元忠为安东道安抚大使，羽林卫大将军李多祚检校幽州都督，右羽林卫将军薛讷、左武卫将军骆务整担任他的副手。

十六日戊申，在西域的庭州设置北庭都护府。

侍御史张循宪担任河东采访使时，有件疑难的事情不能决断，感到担忧，询问侍立的官吏："这个地方有没有好的宾客，可以与其商议事情的?"属下官吏说前任平乡尉猗氏县人张嘉贞有特别的才智。张循宪召见张嘉贞，向他咨询这件疑难之事。张嘉贞替他逐条解析，依理分辨，无不透彻明晰，于是张循宪请他草拟奏章，所奏皆为自己不曾考虑到的。张循宪回到朝廷，见到太后，太后称赞他的奏章写得好，张循宪就将奏章为张嘉贞所拟的事情全部禀告了太后，并且请求把他自己担任的河东采访使职务授予张嘉贞。太后说："我难道还没有一个官职来自己引进贤能之士吗!"太后于是招来张嘉贞，让他进入内殿接见，和他交谈，大为高兴，当即任命他为监察御史。提升张循宪为吏部司勋郎中，奖励他发现人才的功劳。

【注释】

⑯⑦乙酉：正月十七日。⑯⑧武举：通过比武选拔人才的科目。此为武则天创制。据《唐六典》卷五，武举内容共有七项：射长垛、骑射、马枪、武射、才貌、言语、举重。《新唐书》卷四十四《选举志》上载："其制，有长垛、马射、步射、平射、筒射，又有马枪、翘关、负重、身材之选"，与《唐六典》所说有所不同。⑯⑨盐、夏二州：盐州治

所在今陕西定边，夏州治所在今陕西靖边东北白城子。⑰⓪ 庚寅：三月二十三日。⑰① 石岭：关名，《新唐书》之《地理志三》载，忻州定襄县有石岭关。据此，该关当在今山西定襄境。⑰② 并州：州名，治所在今山西太原西南。⑰③ 沧、瀛、幽、易、恒、定：皆州名。沧州治所在今河北沧州东南，瀛州治所在今河北河间，幽州治所在今北京市城区西南，易州治所在今河北易县，恒州治所在今河北正定，定州治所在今河北定州。⑰④ 平、妫、檀：皆州名。平州治所在今河北卢龙，妫州治所在今河北怀来，檀州治所在今北京市密云。⑰⑤ 相知：相互支援；相互照应。⑰⑥ 壬申：五月初六日。⑰⑦ 神尧、文武：高祖、太宗。高宗上元元年（公元六七四年）八月，改高祖尊号为神尧皇帝，太宗尊号为文武圣皇帝。⑰⑧ 正统：正统帝位。⑰⑨ 太子追回：庐陵王被召回京师，复立为太子。⑱⓪ 诰命：此处指谒陵时所读的文书。⑱① 大帝：唐高宗。高宗谥号为天皇大帝。⑱② 钟鸣漏尽：晨钟已鸣，夜漏将尽。比喻年届迟暮。⑱③ 一朝：一旦。⑱④ 乙未：五月二十九日。⑱⑤ 壬戌：六月二十六日。⑱⑥ 甲午：七月二十九日。⑱⑦ 司仆卿：官名，即太仆寺卿。⑱⑧ 戊午：八月二十三日。⑱⑨ 壬戌：八月二十七日。⑲⓪ 扬州及豫、博余党：徐敬业、越王贞及琅邪王冲余党。徐敬业于光宅元年（公元六八四年）在扬州发动叛乱，越王贞父子于垂拱四年（公元六八八年）分别起兵于豫州、博州。⑲① 无得为理：不得受理。⑲② 乙丑朔：九月初一日。⑲③ 既：蚀尽；全蚀。⑲④ 壬申：九月初八日。⑲⑤ 己卯：九月十五日。⑲⑥ 庚辰：九月十六日。⑲⑦ 辛巳：九月十七日。⑲⑧ 郑杲：事散见《旧唐书》卷六十二、卷八十五及《新唐书》卷一百、卷一百十三。⑲⑨ 癸未：九月十九日。⑳⓪ 麟德殿：在大明宫太液池西侧，由前殿、中殿、后殿组成。唐代帝王常宴蕃臣、外宾于此。⑳① 洪源之战：时在久视元年（公元七〇〇年）闰七月。⑳② 猛厉：勇猛锐厉。⑳③ 练习：谙练；熟悉。⑳④ 碣石：古山名，

【原文】

三年（癸卯，公元七〇三年）

春，三月壬戌朔[231]，日有食之。

夏，四月，吐蕃遣使献马千匹、金二千两以求婚。

闰月丁丑[232]，命韦安石留守神都。

己卯[233]，改文昌台为中台[234]。以中台左丞[235]李峤知纳言事。

新罗王金理洪卒，遣使立其弟崇基[236]为王。

六月辛酉[237]，突厥默啜遣其臣莫贺干[238]来，请以女妻皇太子之子。

在今河北昌黎西北。㉕四镇：安西四镇，包括龟兹、于阗、焉耆与疏勒。㉖甲辰：十月初十日。㉗戊申：十月十四日。㉘吐蕃赞普将万余人寇：下当有脱文。《新唐书》之《则天皇后纪》皆云："戊申，吐蕃寇悉州，茂州都督陈大慈败之。"据此，此句下脱"悉州"二字。悉州治所在今四川阿坝西北。㉙茂州：州名，治所在今四川阿坝。㉚陈大慈：事见《旧唐书》卷一百九十六上《吐蕃传》，《新唐书》卷四《则天皇后纪》、卷二百十六上《吐蕃传》。㉛辛未：十一月初八日。㉜魏靖：事见《旧唐书》卷五十《刑法志》。㉝极法：极刑；死刑。㉞详覆：详细复勘。㉟枉滥：冤枉失实。㊱苏颋（公元六七〇至七二七年）：京兆武功（今陕西武功西北）人，博闻强记，善于为文。政尚清廉，唐玄宗时官至宰相，封许国公。自景龙时起，与燕国公张说俱以文章知名，并称"燕许大手笔"。有文集三十卷。传见《旧唐书》卷八十八、《新唐书》卷一百二十五。㊲雪免者甚众：昭雪免罪的人很多。武则天晚年亲手平反冤狱，是一善政。㊳戊子：十一月二十五日。㊴甲午：十二月初二日。㊵戊申：十二月十六日。㊶庭州：州名，治所在今新疆吉木萨尔北破城子。㊷张循宪：事见《旧唐书》卷九十九和《新唐书》卷一百二十七《张嘉贞传》、《唐郎官石柱题名考》卷七。㊸决：决断。㊹病之：患之。㊺平乡：县名，县治在今河北平乡西南。㊻张嘉贞（公元六六六至七二九年）：蒲州猗氏（今山西临猗）人，为政清廉，善于敷奏，唐玄宗时官至中书令。传见《旧唐书》卷九十九、《新唐书》卷一百二十七、《嘉定赤城志》卷八。㊼条析理分：比喻有条有理，深入细致地进行剖析。㊽洗然：明畅、清晰的样子。㊾宁：岂；难道。㊿司勋郎中：官名，属吏部，从五品上，掌管官吏勋级的授予。张循宪原官侍御史，是从六品下的监察官，现转吏部职事官，从五品上，升了三个品级。武则天重奖荐贤者。

【语译】

三年（癸卯，公元七〇三年）

春，三月初一日壬戌，发生日食。

夏，四月，吐蕃派遣使者前来进献马一千匹、黄金两千两，以此向朝廷求婚。

闰四月十七日丁丑，太后任命韦安石留守神都洛阳。

十九日己卯，把文昌台改称中台，任命中台左丞李峤执掌纳言职事。

新罗王金理洪逝世，太后派遣使者前往册立他的弟弟金崇基为国王。

六月初一日辛酉，突厥阿史那默啜派遣大臣莫贺干前来，请求将他的女儿嫁给皇太子的儿子。

宁州㉓⁹大水，溺杀㉔⁰二千余人。

秋，七月癸卯㉔¹，以正谏大夫朱敬则同平章事。

戊申㉔²，以并州牧[4]相王旦为雍州牧㉔³。

庚戌㉔⁴，以夏官尚书、检校凉州都督唐休璟同凤阁鸾台三品。时突骑施酋长乌质勒与西突厥诸部相攻，安西道绝。太后命休璟与诸宰相议其事，顷之，奏上，太后即依其议施行。后十余日，安西诸州请兵应接，程期㉔⁵一如休璟所画㉔⁶，太后谓休璟曰："恨㉔⁷用卿晚。"谓诸宰相曰："休璟练习边事，卿曹㉔⁸十不当一。"

时西突厥可汗斛瑟罗用刑残酷㉔⁹，诸部不服。乌质勒本隶斛瑟罗，号莫贺达干，能抚其众，诸部归之，斛瑟罗不能制。乌质勒置都督二十员，各将兵七千人，屯碎叶西北，后攻陷碎叶，徙其牙帐居之。斛瑟罗部众离散，因入朝，不敢复还，乌质勒悉并其地。

九月庚寅朔㉕⁰，日有食之，既。

【段旨】

以上为第五段，写西突厥发生内乱。

【注释】

㉓¹壬戌朔：三月初一日。㉓²丁丑：闰四月十七日。㉓³己卯：闰四月十九日。㉓⁴改文昌台为中台：改尚书省为中台。光宅元年（公元六八四年），改尚书省为文昌台。㉓⁵中台左丞：官名，即尚书左丞。李峤长安二年（公元七〇二年）六月以成均祭酒兼检校文昌左丞，三年闰四月十日同凤阁鸾台平章事。至此，又知纳言事。㉓⁶崇基：两《唐书》之《新罗传》皆作"兴光"。学者或以为《通鉴》有误。〖按〗《唐会要》卷九十五，理洪卒，册其弟崇基为王。先天元年（公元七一二年），改名兴光。据此，则崇基、兴光实为一人。㉓⁷辛酉：六月初一日。㉓⁸莫贺干：《旧唐书》卷一百九十四上、《新唐书》卷二百十五上皆作"莫贺达干"。㉓⁹宁州：州名，治所在今甘肃宁县。㉔⁰溺杀：淹死。㉔¹癸

宁州发生大水灾，淹死了两千多人。

秋，七月十四日癸卯，太后任命正谏大夫朱敬则为同平章事。

十九日戊申，任命并州牧相王李旦为雍州牧。

七月二十一日庚戌，太后任命夏官尚书、检校凉州都督唐休璟为同凤阁鸾台三品。当时突骑施酋长乌质勒与西突厥各部落互相攻伐，安西道阻断。太后命令唐休璟与诸位宰相商议此事，不一会儿，奏章就呈报上来，太后随即依照他们议定的办法施行。十多天以后，安西所管辖的各州请求派兵接应，路程和时间与唐休璟事先所预料的完全一样。太后对唐休璟说："遗憾任用你太晚了。"又对各位宰相说："唐休璟熟悉边境事务，你们十个也抵不上他一个。"

当时西突厥可汗斛瑟罗用刑残酷，各个部落不服。乌质勒原本隶属于斛瑟罗，号莫贺达干，能够安抚他的部众，各个部落归附他，斛瑟罗无法加以控制。乌质勒设置了二十名都督，每个人统领士兵七千人，驻扎在碎叶城西北，后来攻陷了碎叶，把他的牙帐迁居碎叶。斛瑟罗的部众离散，于是入朝臣服，不敢再返回，乌质勒便把斛瑟罗原有的地盘全部吞并了。

九月庚寅朔，发生日食，是日全食。

卯：七月十四日。关于朱敬则入相的时间，《新唐书》之《则天皇后纪》及《新唐书》之《宰相世系表》作七月壬寅，即七月十三日。《唐历》作"十四日癸卯"。《通鉴》据后者。㉔² 戊申：七月十九日。㉔³ 牧：官名，唐制，亲王充任京师或陪都地方最高长官者称牧。㉔⁴ 庚戌：七月二十一日。㉔⁵ 程期：里程和日期。㉔⁶ 画：筹划；预料。㉔⁷ 恨：悔恨；遗憾。㉔⁸ 卿曹：卿辈。㉔⁹ 时西突厥可汗斛瑟罗用刑残酷：这段话系追述往事，容易使人产生误解。斛瑟罗天授元年入朝后，其地已渐为乌质勒所并。圣历二年（公元六九九年），以斛瑟罗为左卫大将军兼平西军大总管，令抚镇故土。时乌质勒强盛，斛瑟罗不敢归，复返长安。见《新唐书》卷二百十五下《突厥传》。㉕⁰ 庚寅朔：此月己丑朔。庚寅为九月初二日。

【校记】

［4］并州牧：原无此三字。据章钰校，十二行本、乙十一行本、孔天胤本皆有此三字，今据补。

【原文】

初，左台大夫、同凤阁鸾台三品魏元忠为洛州长史，洛阳令张昌仪[251]恃诸兄之势，每牙[252]，直上长史听事，元忠到官，叱下之。张易之奴暴乱都市，元忠杖杀之。及为相，太后召易之弟岐州刺史昌期，欲以为雍州长史，对仗[253]，问宰相曰："谁堪雍州者？"元忠对曰："今之朝臣无以易薛季昶[254]。"太后曰："季昶久任京府[255]，朕欲别除一官，昌期何如？"诸相皆曰："陛下得人矣。"元忠独曰："昌期不堪！"太后问其故，元忠曰："昌期少年，不闲[256]吏事，向在岐州，户口逃亡且尽。雍州帝京，事任[5]繁剧，不若季昶强干习事。"太后默然而止。元忠又尝面奏："臣自先帝以来，蒙被恩渥，今承乏宰相[257]，不能尽忠死节，使小人在侧[258]，臣之罪也！"太后不悦。由是诸张深怨之。

司礼丞[259]高戬[260]，太平公主之所爱也。会太后不豫，张昌宗恐太后一日晏驾[261]，为元忠所诛，乃谮元忠与戬私议云："太后老矣，不若挟[262]太子为久长。"太后怒，下元忠、戬狱，将使与昌宗廷辨[263]之。昌宗密引凤阁舍人张说，赂以美官，使证元忠，说许之。明日，太后召太子、相王及诸宰相，使元忠与昌宗参对[264]，往复不决。昌宗曰："张说闻元忠言，请召问之。"太后召说。说将入，凤阁舍人南和宋璟[265]谓说曰："名义至重，鬼神难欺，不可党邪陷正以求苟免！若获罪流窜，其荣多矣。若事有不测，璟当叩阁[266]力争，与子[267]同死。努力为之，万代瞻仰，在此举也！"殿中侍御史济源张廷珪[268]曰："朝闻道，夕死可矣[269]。"左史刘知幾[270]曰："无污青史，为子孙累！"

及入，太后问之，说未对。元忠惧，谓说曰："张说欲与昌宗共罗织魏元忠邪！"说叱之曰："元忠为宰相，何乃效委巷[271]小人之言！"昌宗从旁迫趣[272]说，使速言。说曰："陛下视之，在陛下前，犹逼臣如是，况在外乎！臣今对广朝[273]，不敢不以实对。臣实不闻元忠有是言，但昌宗逼臣使诬证之耳！"易之、昌宗遽[274]呼曰："张说与魏元忠同反！"太后问其

【语译】

当初，任命左台大夫、同凤阁鸾台三品魏元忠为洛州长史，洛阳令张昌仪倚仗几个兄长的权势，每次赴府衙都径直走上长史厅，魏元忠到任后，叱令他退下去。张易之的家奴在城中街市上行暴作乱，魏元忠把他们用棍杖处死。等魏元忠入朝担任宰相后，太后召见张易之的弟弟岐州刺史张昌期，打算任命他担任雍州长史。在百官朝参时，太后询问诸位宰相说："谁可以胜任雍州的职事？"魏元忠回答说："当今朝臣之中，没有哪一位能够取代薛季昶的。"太后说："季昶久任京职，我打算另外任命他一个官职，你们认为张昌期这个人怎么样？"各位宰相都说："陛下得到合适的人选了。"唯独魏元忠说："张昌期不能胜任这个职务！"太后询问原因，魏元忠说："张昌期年少，不熟悉为官之事。先前他在岐州任职时，岐州户口逃亡殆尽。雍州是京城所在地，职责繁重，张昌期比不上薛季昶果毅干练，熟悉事体。"太后默不作声，此事作罢。魏元忠还曾经当面向太后启奏："臣下从先帝时到现在，蒙受厚恩，现在补缺备位宰相，不能尽忠死节，使小人在您身边，这是臣下的罪过呀！"太后听了不高兴。由此张易之兄弟深恨魏元忠。

司礼丞高戬乃是太平公主宠爱的人。适逢太后患病，张昌宗害怕太后一旦去世，自己会被魏元忠杀掉，于是诬陷魏元忠曾和高戬私下商议说："太后年纪老了，我们不如挟持太子，作为长久之计。"太后很生气，把魏元忠和高戬捕入狱中，打算让他们与张昌宗在朝廷之上辩明实情。张昌宗私下把凤阁舍人张说找来，用美差肥缺贿赂他，让他作伪证，张说答应了。第二天，太后召见太子李显、相王李旦以及诸位宰相，让魏元忠与张昌宗互相对质，双方你争我辩，事情无法做出决断。张昌宗说："张说听到过魏元忠所说的那些话，请陛下把张说招来问话。"太后宣召张说。张说即将入朝，凤阁舍人南和县人宋璟对张说说："名声和道义是极其重要的，鬼神难以欺瞒，不可党护邪恶，陷害忠正，以求苟且偷生！倘若您因此身负罪名遭受流放，那么这样的荣耀就太大了。如果事情发生意外，我将上殿奋力争辩，与您同死。努力去干吧，万世受人景仰，就在此一举了！"殿中侍御史济源人张廷珪对他说："早晨闻知真理，当晚死去都行。"左史刘知幾也说："不要玷辱了青史，使得子孙后代都受到连累！"

等到张说进入朝堂，太后问他，他没有回答。魏元忠很害怕，对张说讲："你想要与张昌宗一同罗织罪名来陷害我魏元忠吗！"张说大声呵斥他说："你魏元忠作为宰相，怎么效仿陋巷小人之言！"张昌宗在他旁边急忙催促张说，让他赶快说话。张说讲："陛下看到了，在陛下面前，张昌宗还像这样威逼臣下，何况在朝廷之外呢！臣现在面对大庭广众，不敢不据实回答，臣确实没有听见魏元忠有这类言辞，只是张昌宗逼迫臣，要臣为他作诬罔不实的证词而已！"张易之和张昌宗急忙大声喊道："张说与魏元忠共同谋反！"太后询问其中详情，张易之和张昌宗回答说："张说曾经说魏

状。对曰："说尝谓元忠为伊、周[275]。伊尹放太甲[276]，周公摄王位[277]，非欲反而何？"说曰："易之兄弟小人，徒[278]闻伊、周之语，安知伊、周之道！日者[279]，元忠初衣紫[280]，臣以郎官往贺，元忠语客曰：'无功受宠，不胜惭惧。'臣实言曰：'明公居伊、周之任，何愧三品！'彼伊尹、周公皆为臣至忠，古今慕仰。陛下用宰相，不使学伊、周，当使学谁邪？且臣岂不知今日附昌宗立取台衡[281]，附元忠立致族灭！但臣畏元忠冤魂，不敢诬之耳。"太后曰："张说反覆小人，宜并系治之。"他日，更引问[282]，说对如前。太后怒，命宰相与河内王武懿宗共鞫之，说所执如初。

朱敬则抗疏[283]理之曰："元忠素称忠正，张说所坐无名[284]，若令抵罪，失天下望。"苏安恒亦上疏，以为"陛下革命之初，人以为纳谏之主，暮年以来，人以为受佞之主。自元忠下狱，里巷恟恟[285]。皆以为陛下委信奸宄[286]，斥逐[287]贤良，忠臣烈士，皆抚髀[288]于私室而钳口[289]于公朝，畏迕易之等意，徒取死而无益。方今赋役烦重，百姓凋弊，重以[290]谗慝专恣，刑赏失中，窃恐人心不安，别生他变，争锋[291]于朱雀门[292]内，问鼎于大明殿[293]前，陛下将何以谢之，何以御之"？易之等见其疏，大怒，欲杀之，赖朱敬则及凤阁舍人桓彦范、著作郎陆泽魏知古[294]保救得免。

丁酉[295]，贬魏元忠为高要[296]尉，戬、说皆流岭表。元忠辞日，言于太后曰："臣老矣，今向岭南，十死一生。陛下他日必有思臣之时。"太后问其故，时易之、昌宗皆侍侧，元忠指之曰："此二小儿，终为乱阶[297]。"易之等下殿，叩膺[298]自掷[299]称冤。太后曰："元忠去矣！"

殿中侍御史景城王晙[300]复奏申理元忠，宋璟谓之曰："魏公幸已得全，今子复冒威怒，得无[301]狼狈[302]乎！"晙曰："魏公以忠获罪，晙为义所激，颠沛无恨。"璟叹曰："璟不能申魏公之枉，深负朝廷矣。"

太子仆[303]崔贞慎[304]等八人饯元忠于郊外，易之诈为告密人柴明状，称贞慎等与元忠谋反。太后使监察御史丹徒马怀素[305]鞫之，谓怀素曰："兹事皆实，略问，速以闻。"顷之[306]，中使督趣[307]者数四，曰："反状昭然，何稽留[308]如此？"怀素请柴明对质[309]，太后曰："我自不知柴明

元忠是伊尹和周公。伊尹流放了商王太甲，周公摄理了周朝的王位，这不是想造反又是什么?”张说说:“张易之兄弟是小人，仅仅听说过有关伊尹、周公的言辞，又怎么知道伊尹和周公的原则!以前，魏元忠刚穿上紫色朝服，当了宰相，我以郎官的身份前去祝贺，魏元忠对客人说:‘无功受宠，不胜惭愧和惶恐。’我确实向他说起过:‘您处在伊尹、周公的职位上，享有三品的俸禄，有什么可惭愧呢!’那伊尹、周公都是最忠诚的臣子，古今仰慕。陛下任用宰相，不让他们去效法伊尹和周公，要让他们去效法谁呢?何况臣怎么会不知道今日附和张昌宗可立刻获得相位，附和魏元忠会立刻招致灭族!只是我惧怕魏元忠的冤魂，不敢诬陷他罢了。”太后说:“张说是反复无常的小人，应一并关押、加以惩治。”有一天，再次招来张说问话，张说的回答与上一次一样。太后很生气，命令宰相与河内王武懿宗共同审问，张说仍然坚持最初的说法。

朱敬则上疏极谏，申理此事，说:“魏元忠素来以忠诚正直称誉于世，张说受连累获罪没有正当罪名，倘若把他们治罪，就会丧失天下人望。”苏安恒也上疏认为“陛下改朝之初，人们都认为您是采纳谏言的国君，进入老年以来，人们都认为您是听信谗佞的国君。自从魏元忠下狱，街坊间巷扰攘，都认为陛下信用奸邪，贬斥贤德，那些忠臣义士，都在自己家中拍腿叹息，然而在朝廷之上闭口不言，惧怕触犯了张易之等人的意旨，白白取死，于事无补。现在赋税徭役繁重，百姓生计残破，再加上谗佞邪恶之徒专横放纵，刑罚赏赐有失公允，我私下担心民心不安，另生其他变故，若在朱雀门内发生兵戈之事，在大明殿前出现帝位之争，陛下将用什么样的说法来谢罪，又将依靠什么来抵御”?张易之等看见他的奏疏，大怒，想把他杀死。靠着朱敬则和凤阁舍人桓彦范、著作郎陆泽县人魏知古的保护救助才得以幸免。

九月初九日丁酉，太后把魏元忠贬官为高要县尉，把高戬和张说都流放到岭南。魏元忠辞行的那一天，对太后说:“臣老了，这次前往岭南，十死一生。陛下必定会有想念臣的一天。”太后问他原因，当时张易之、张昌宗都侍奉在太后身边，魏元忠指着他们说:“这两个小子，终究会成为导致祸乱的根基。”张易之等走下殿堂，捶胸投地声称冤枉。太后说:“魏元忠快走吧!”

殿中侍御史景城县人王晙又上奏疏为魏元忠申述辩白，宋璟对他说:“魏公已经侥幸保全了性命，现在您又冒犯天子威怒，怎么会不困窘不堪呢!”王晙说:“魏公以忠正获罪，我为大义所激励，即使颠沛倒地，也无恨憾。”宋璟叹息说:“我未能申明魏公的冤枉，实在太辜负朝廷了。”

太子仆崔贞慎等八人在郊外替魏元忠饯行，张易之伪造告密人柴明的检举状纸，告发崔贞慎等人与魏元忠谋反。太后派遣监察御史丹徒人马怀素审讯这个案件，对他说:“这件事全部属实，你大致审问一下，赶快奏报上来。”时间不长，中使催促了好几回，对他说:“谋反的情节非常清楚明白，为什么要这样拖延?”马怀素请求让柴明与崔贞慎等人对质，太后说:“我本不知道柴明在什么地方，你只需依据状子审讯

处，但据状鞫之，安用告者？”怀素据实以闻，太后怒曰：“卿欲纵㉛⓪反者邪？”对曰：“臣不敢纵反者！元忠以宰相谪官，贞慎等以亲故㉛①追送㉛②，若诬以为反，臣实不敢。昔栾布奏事彭越头下㉛③，汉祖㉛④不以为罪，况元忠之刑未如彭越，而陛下欲诛其送者乎！且陛下操生杀之柄，欲加之罪，取决圣衷可矣。若命臣推鞫，臣不[6]敢不以实闻。”太后曰：“汝欲全不罪邪？”对曰：“臣智识愚浅，实不见其罪。”太后意解。贞慎等由是获免。

太后尝命朝贵宴集，易之兄弟皆位在宋璟上㉛⑤。易之素惮璟，欲悦其意，虚位㉛⑥揖之曰：“公方今第一人，何乃下坐㉛⑦？”璟曰：“才劣位卑，张卿以为第一，何也？”天官侍郎郑杲㉛⑧谓璟曰：“中丞奈何卿五郎㉛⑨？”璟曰：“以官言之，正当为卿。足下非张卿家奴，何郎之有㉜⓪！”举坐悚惕㉜①。时自武三思以下，皆谨事易之兄弟，璟独不为之礼。诸张积怒，常欲中伤之。太后知之，故得免。

丁未㉜②，以左武卫大将军武攸宜充西京留守。

冬，十月丙寅㉜③，车驾发西京。乙酉㉜④，至神都。

【段旨】

以上为第六段，写武则天男宠张易之兄弟与朝官的尖锐矛盾，朝官中坚大臣一致奏请诛杀张氏兄弟却败下阵来，魏元忠、张说遭贬，从而激起了朝官与太后武则天的直接对抗。

【注释】

㉕①张昌仪：张易之之弟。《新唐书》之《宰相世系表》云易之之兄。待考。㉕②牙：同“衙”。此处作动词使用。指赴官衙。㉕③对仗：此处意即朝参之时。唐制，皇帝御正殿，设仪仗，百官奏事，御史弹劾，皆面对仪仗，称作“对仗”。㉕④薛季昶：绛州龙门（今山西河津）人，武则天时上书，自平民擢为监察御史。历任御史中丞、定州刺史、雍州长史等职，所在以严肃为政，威名甚著。唐中宗时因参与张柬之政变，加银青光禄大夫，

此案，哪里用得着告状的人?”马怀素根据实际案情上报，太后生气地说：“你打算放掉造反的人吗?”马怀素回答说：“臣不敢放纵造反的人！魏元忠以宰相之职被贬官，崔贞慎等人由于是亲朋故旧的关系赶去送别，如果将他们诬告为谋反，臣实在是不敢。过去栾布冒死在彭越的首级下陈奏彭越的功劳，汉高祖并没有认为栾布有罪，何况魏元忠所受的惩罚比不上彭越，而陛下打算杀掉为他送行的人吗！况且陛下掌握着生杀权柄，打算要加罪于这些人，由您心意决断也就行了。倘若命令臣审理此案，臣不敢不据实上报。”太后说：“你是想全不治罪吗?”马怀素回答说：“臣才智见识愚钝低下，实在没有发现他们的罪过。”太后怒气缓解，崔贞慎等人因此获免。

太后曾命令朝中权贵聚宴，张易之兄弟的席位在宋璟之上。张易之一向忌惮宋璟，想要取悦宋璟，便空出自己的席位向宋璟作揖说：“您是当今第一的人物，为什么竟在下坐?”宋璟说：“本人才智低劣，职位卑微，张卿认为我是当今第一的人物，这是为什么?”天官侍郎郑杲对宋璟说道：“中丞为什么把五郎称为张卿呢?”宋璟说：“就他的官职而言，称他为卿正适合。您本人不是张卿家的奴仆，怎么可以把他称为郎呢!”所有在座的人都为此恐惧。当时从武三思以下的官员，都谨慎地侍奉张易之兄弟，只有宋璟对他们不以礼相待。张易之兄弟积怒在心，常常想中伤他。太后清楚这一点，宋璟因此得以免罪。

九月十九日丁未，太后任命左武卫大将军武攸宜充任西京留守。

冬，十月初八日丙寅，太后从西京出发。二十七日乙酉，到达神都。

拜户部侍郎。传见《旧唐书》卷一百八十五上、《新唐书》卷一百二十。㉟久任京府：长期在京师做官。京府，京畿。此处指神都洛阳。㊱闲：通“娴”，熟悉。㊲承乏宰相：谦辞。补缺宰相。㊳小人在侧：小人在君之侧。小人，指张易之兄弟。㊴司礼丞：官名，即太常寺丞。为太常卿之副，掌判太常事务。㊵高戬：事见《旧唐书》卷七十八《张昌宗传》、卷九十二《魏元忠传》，《新唐书》卷一百四《张昌宗传》、卷一百二十二《魏元忠传》。㊶晏驾：本指銮驾晚出，转为帝王死亡的讳词。㊷挟：挟制。㊸廷辨：在殿廷上申辩。㊹参对：相互对质。㊺宋璟（公元六六三至七三七年）：邢州南和（今河北南和）人，调露年间进士。唐睿宗时入相，力图革除弊政，因触怒太平公主而被贬。唐玄宗开元四年（公元七一六年）冬，继姚元崇为相，主张宽赋徭，省刑法，选用贤才，被称为“贤相”。传见《旧唐书》卷九十六、《新唐书》卷一百二十四。㊻叩阁：叩，敲。阁，指皇帝的内殿或便殿。㊼子：对男子的尊称，相当于现代汉语中的“您”。㊽张廷

珪（？至公元七三四年）：河南济源（今河南济源）人，少时以文学知名。进士及第，历任监察御史、中书舍人、洪州都督、黄门侍郎等职。不畏强权，敢于进谏。又善于书法，为时人所重。传见《旧唐书》卷一百一、《新唐书》卷一百十八、《书小史》卷十。㉖⑨“朝闻道”二句：语出《论语·里仁》。早上领悟了真理，傍晚去死都可以。㉗⓪刘知幾（公元六六一至七二一年）：字子玄，彭城（今江苏徐州）人，进士出身，精通历史。历任获嘉主簿、凤阁舍人等职，预修国史。参与《则天皇后实录》《太上皇实录》的编写。著有《刘氏家史》十五卷、《刘子玄集》三十卷。所撰《史通》二十卷，流传至今，是我国第一部史学评论专著。传见《旧唐书》卷一百二、《新唐书》卷一百三十二。㉗①委巷：僻陋的小巷。㉗②趣：催促。㉗③广朝：广庭。犹大庭广众。㉗④遽：急；骤然。㉗⑤伊周：伊尹、周公。㉗⑥伊尹放太甲：伊尹为商初大臣，曾辅佐卜丙、仲壬二王。仲壬死后，太甲继位。相传太甲破坏商汤法制，被伊尹放逐。㉗⑦周公摄王位：周公姓姬名旦，系周武王之弟，在灭商建周的过程中立有大功。武王死后，成王年幼，由他摄理朝政。后还政于成王。㉗⑧徒：只；但。㉗⑨日者：往日；从前。㉘⓪初衣紫：初为三品官。唐制，三品以上服紫。此处指初入相。㉘①台衡：犹“台辅”。台，三台。衡，玉衡。皆星名。因为这些星位于紫微宫帝座之前，故常被用来喻指宰相。㉘②更引问：重新推引审问。㉘③抗疏：向皇帝上疏极谏。㉘④所坐无名：所坐之罪没有事实。㉘⑤恟恟：亦作“汹汹”“匈匈”，形容喧闹、骚扰的样子。㉘⑥奸宄：亦作“奸轨”，指犯法作乱的人。㉘⑦斥逐：贬斥放逐。㉘⑧抚髀：同“拊髀”，以手拍股，表示激愤。㉘⑨钳口：犹缄口，闭口无语。㉙⓪重以：加以。㉙①争锋：犹争胜。㉙②朱雀门：长安皇城南面正门。胡三省注云“宫城南门”，误。㉙③大明殿：大明宫含元殿。㉙④魏知古（公元六四七至七一五年）：深州陆泽（今河北深州西南）人，进士及第。官至宰相，敢于进谏。传见《旧唐书》卷九十八、《新唐书》卷一百二十六。㉙⑤丁酉：九月初九日。㉙⑥高要：县名，县治在今广东肇庆市高要区。㉙⑦乱阶：祸乱的阶梯，犹“祸根”。㉙⑧叩膺：以拳击胸。㉙⑨自掷：自投于地。㉚⓪王

【原文】

十一月己丑㉜⑤[7]，突厥遣使谢许婚。丙申㉜⑥[8]，宴于宿羽台㉜⑦，太子预焉。宫尹崔神庆上疏，以为“今五品以上所以佩龟㉜⑧者，为别敕征召，恐有诈妄㉜⑨，内出龟合，然后应命。况太子国本㉝⓪，古来征召皆用玉契㉝①。此诚重慎之极也。昨缘突厥使见，太子应预朝参，直有㉝②文

畯（？至公元七三二年）：沧州景城（今河北沧州西）人，体貌雄壮，有古人之风。为官兴利除弊，为百姓所爱。曾一度代张说为相。传见《旧唐书》卷九十三、《新唐书》卷一百十一。㉛得无：又作“得毋”。㉜狼狈：困顿不堪，谓将遭遇危难。㉝太子仆：官名，从四品，掌太子车舆、骑乘、仪仗之政令。㉞崔贞慎：高宗朝宰相崔敦礼之孙。事见《旧唐书》卷八十一《崔敦礼传》、《新唐书》卷七十二下《宰相世系表二下》。㉟马怀素：润州丹徒（今江苏镇江市）人，勤奋好学，进士及第。官至秘书监，兼昭文馆学士。传见《旧唐书》卷一百二、《新唐书》卷一百九十九。㊱顷之：一会儿。㊲督趣：督促。㊳稽留：稽延迟留。㊴对质：当面诘问对证。㊵纵：放。㊶亲故：亲戚故旧。㊷追送：赶去送别。㊸栾布奏事彭越头下：彭越为汉初诸侯王，被告谋反，为汉高祖刘邦所杀。栾布为彭越部属，哭祭彭越，为吏所捕。刘邦问其故，栾布据实以奏，被刘邦赦免。㊹汉祖：即汉高祖刘邦。㊺易之兄弟皆位在宋璟上：当时张易之、张昌宗秩三品，宋璟本阶六品。㊻虚位：空下自己的座位，以示谦卑。㊼下坐：坐于下方。㊽郑杲：事散见《旧唐书》卷六十二、卷八十五，《新唐书》卷一百。两《唐书》之《宋璟传》作“郑善果”，误。㊾奈何卿五郎：为什么把五郎称为卿。㊿“足下非张卿家奴”二句：胡三省注释说，“门生、家奴呼其主为郎”。但当时“郎”称用法颇多，不限于此。女子称丈夫或情人为郎，郎亦被经常用作对一般男子的尊称和对青少年男子的美称。(321)悚惕：震悚惕惧，形容恐惧的样子。(322)丁未：九月十九日。(323)丙寅：十月初八日。(324)乙酉：十月二十七日。

【校记】

［5］任：据章钰校，十二行本、乙十一行本皆作“务”。［6］不：据章钰校，十二行本、乙十一行本皆无此字。

【语译】

十一月初二日己丑，突厥派遣使者前来感谢朝廷同意通婚。初九日丙申，太后在宿羽台宴请突厥使者，太子李显也出席了宴会。宫尹崔神庆上疏，认为“现在五品以上官员佩戴龟符，是因为另外下敕书征召入朝，担心有欺诈虚妄，所以大内中拿出另一半龟符来勘验是否符合，然后才能应召命。况且太子是国家的根本，自古以来征召太子入朝都要使用玉契。这确实是郑重谨慎到了极点。昨日因突厥使者来朝晋见，太子应当偕同入朝参拜陛下，只有文符下发东宫，却没有降下敕书进行安符下宫㉝，曾不降敕处分，臣愚谓太子非朔望朝参、应别召者，望降墨敕及玉契”。太后甚然之。

始安㉞獠㉟欧阳倩拥众数万，攻陷州县，朝廷思得良吏以镇之。朱敬则称司封郎中㊱裴怀古有文武才，制以怀古为桂州都督，仍充招慰讨击使。怀古才及岭上，飞书㊲示以祸福，倩等迎降，且言:“为吏所侵逼，故举兵自救耳。”怀古轻骑赴之。左右曰:“夷獠无信，不可忽㊳也。”怀古曰:“吾仗忠信，可通神明，而况人乎!”遂诣其营，贼众大喜，悉[9]归所掠货财。诸洞酋长素持两端㊴者，皆来款附㊵，岭外悉定。

是岁，分命使者以六条察州县㊶。

吐蕃南境诸部皆叛，赞普器弩悉弄自将击之，卒于军中。诸子争立，久之，国人立其子弃隶蹜赞㊷为赞普，生七年矣。

【段旨】

以上为第七段，写太子入宫制度以及武则天选良吏裴怀古平息岭南之乱。

【注释】

㉕己丑：十一月初二日。㉖丙申：十一月初九日。㉗宿羽台：高宗调露元年（公元六七九年）造，在东都宿羽宫中。㉘佩龟：佩带龟符。百官随身佩带鱼符，以明贵贱，应征召，入宫时要验符。唐姓李，所以用鲤鱼为符。武则天姓武，玄武为龟，故改鱼符为龟符。㉙诈妄：欺诈伪妄。㉚国本：国家的根本。㉛玉契：玉制的符契。㉜直有：只有。㉝下宫：下发东宫。㉞始安：古郡名，治所在今广西桂林。㉟獠：南方少数民族。㊱司封郎中：官名，则天垂拱元年（公元六八五年）改主爵郎中置，为吏部司封司

排。依照臣之愚见，太子若不是在初一、十五入朝参拜和接受别敕的征召，他要入宫时，请陛下向太子颁发墨书敕令和玉契”。太后很赞同他的建议。

始安的獠人欧阳倩拥兵数万，攻陷了州县，朝廷希望得到贤良的官吏前去镇守。朱敬则说司封郎中裴怀古具有文武才略，太后下诏任命裴怀古为桂州都督，并充任招慰讨击使。裴怀古才到五岭境内，就飞速传递书信给欧阳倩，晓示利害祸福，欧阳倩等人出迎投降，并且说“被官吏欺凌威逼，因此起兵自救罢了”。裴怀古轻装骑马前往，身边属吏说：“夷獠部族不守信用，不可疏忽。”裴怀古说：“我仰仗忠信，可与神明相通，更何况是人呢！”于是前往欧阳倩的军营，欧阳倩的部众很高兴，全部归还了所抢劫的财物。各洞酋长平时首鼠两端，此时全都前来归诚，岭外之地完全平定。

这一年，太后分别命令使者根据六条标准考察地方州县政绩。

吐蕃南部边境各个部落都反叛了，赞普器弩悉弄亲自统领军队前去攻打，死于军中。他的儿子们争夺王位，经过了很长时间，国人拥立他的儿子弃隶蹜赞为赞普，此时他出生七年了。

长官，从五品上，掌封爵、命妇、朝会及赐予等事。㊲飞书：飞递书信；递快信。㊳忽：轻率。㊴素持两端：一贯叛降不定。㊵款附：诚心归附。㊶以六条察州县：用六条标准考察州县官吏。六条内容不详。㊷弃隶蹜赞：事详《旧唐书》卷一百九十六上、《新唐书》卷二百十六上《吐蕃传》。

【校记】

［7］己丑：原无此二字。据章钰校，十二行本、乙十一行本、孔天胤本皆有此二字，张敦仁《通鉴刊本识误》、张瑛《通鉴校勘记》同，今据补。［8］丙申：原作“丙寅”。据章钰校，十二行本、乙十一行本、孔天胤本皆作“丙申”，张敦仁《通鉴刊本识误》同，今据改。〖按〗是年十一月戊子朔，无丙寅。［9］悉：据章钰校，十二行本、乙十一行本、孔天胤本皆无此字。

【原文】

四年（甲辰，公元七〇四年）

春，正月丙申[343]，册拜右武卫将军阿史那怀道[344]为西突厥十姓可汗。怀道，斛瑟罗之子也。

丁未[345]，毁三阳宫，以其材作兴泰宫于万安山[346]。二宫皆武三思建议为之，请太后每岁临幸，功费甚广，百姓苦之。左拾遗卢藏用[347]上疏，以为“左右近臣多以顺意[348]为忠，朝廷具僚[349]皆以犯忤[350]为戒，致陛下不知百姓失业，伤陛下之仁。陛下诚能以劳人为辞，发制罢之，则天下皆知陛下苦己而爱人也”。不从。藏用，承庆之弟孙也。

壬子[351]，以天官侍郎韦嗣立[352]为凤阁侍郎、同平章事。

夏官侍郎、同凤阁鸾台三品李迥秀颇受贿赂，监察御史马怀素劾奏之。二月癸亥[353]，迥秀贬庐州[354]刺史。

壬申[355]，正谏大夫、同平章事朱敬则以老疾致仕。敬则为相，以用人为先，自余细务[356]不之视。

太后尝与宰相议及刺史、县令。三月己丑[357]，李峤、唐休璟等奏：“窃见朝廷物议[358]，远近人情，莫不重内官，轻外职[359]，每除授牧伯[360]，皆再三披诉[361]。比来所遣外任，多是贬累[362]之人，风俗不澄[363]，寔由于此。望于台、阁、寺、监[364]妙简[365]贤良，分典[366]大州，共康庶绩[367]。臣等请辍近侍[368]，率先具僚[369]。”太后命书名探之[370]，得韦嗣立及御史大夫杨再思等二十人。癸巳[371]，制各以本官检校[372]刺史，嗣立为汴州[373]刺史。其后政绩可称者，唯常州刺史薛谦光、徐州刺史司马锽[374]而已。

丁亥[375][10]，徙平恩王重福[376]为谯王。

以夏官侍郎宗楚客同平章事[377]。

凤阁侍郎、同凤阁鸾台三品苏味道谒[378]归葬其父，制州县供葬事[379]。味道因之侵毁乡人墓田，役使过度，监察御史萧至忠[380]劾奏之，左迁坊州[381]刺史。至忠，引[382]之玄孙也。

夏，四月壬戌[383]，同凤阁鸾台三品韦安石知纳言，李峤知内史事。

【语译】

四年（甲辰，公元七〇四年）

春，正月初十日丙申，册封右武卫将军阿史那怀道为西突厥十姓可汗。阿史那怀道，是斛瑟罗的儿子。

正月二十一日丁未，拆毁三阳宫，用它的材料在万安山营建兴泰宫。三阳宫和兴泰宫都是由武三思建议修建的，请太后每年亲临游幸，工程费用极为浩大，老百姓为此受苦。左拾遗卢藏用上疏认为“陛下左右的近臣大多认为顺承您的心愿就是忠诚，朝廷上备位的臣僚都把违犯您的旨意作为禁忌，致使陛下不知百姓已失去生业，损害了陛下的仁德。陛下如果能以劳苦百姓为理由，颁布诏书停止营建兴泰宫，那么天下全都会知道陛下自己吃苦而仁爱民众”。太后没有听从。卢藏用，是卢承庆之弟的孙子。

二十六日壬子，太后命令天官侍郎韦嗣立担任凤阁侍郎、同平章事。

夏官侍郎、同凤阁鸾台三品李迥秀有些收受贿赂的行为，监察御史马怀素上奏章弹劾他。二月初八日癸亥，李迥秀被贬为庐州刺史。

十七日壬申，正谏大夫、同平章事朱敬则因为年老多病而退休。朱敬则担任宰相时，把用人放在优先的地位，除此之外的琐碎事务则不去管它。

太后曾经与宰相们讨论过刺史、县令的有关事宜。三月初四日己丑，李峤、唐休璟等人上奏：“臣等听到朝廷中众人的议论，任职或远或近，在人们的心理上，没有哪一个不是看重朝内官，轻视地方官的，每当任命各州长官，人们都要再三陈诉推辞。近来所任命的地方官，大多是被贬黜和牵累入罪之人，风气不得清正，实际上就是这个原因。希望从台、阁、寺、监的官员中精选有德才的人，分别掌管各大州，共同成就各项功业。臣等请求中止选用近侍官员，率先出任地方官。”太后下令写上近臣姓名，让人探取，得到韦嗣立及御史大夫杨再思等二十人。初八日癸巳，诏令韦嗣立等各以本职检校刺史，韦嗣立任汴州刺史。后来政绩可以称道的，只有常州刺史薛谦光和徐州刺史司马锽而已。

三月初二日丁亥，改封平恩王李重福为谯王。

任命夏官侍郎宗楚客担任同平章事。

凤阁侍郎、同凤阁鸾台三品苏味道请求回赵州栾城县安葬亡故的父亲，太后颁下诏书命令当地州县提供丧葬的费用。苏味道趁机侵吞毁坏家乡百姓的墓地和田园，役使过度，监察御史萧至忠上奏弹劾他，苏味道被降职为坊州刺史。萧至忠，是萧引的玄孙。

夏，四月初七日壬戌，太后任命同凤阁鸾台三品韦安石执掌纳言职事，李峤执掌内史职事。

太后幸兴泰宫㊴。

太后复税天下僧尼，作大像于白司马阪㊵，令春官尚书武攸宁检校㊶，糜费㊷巨亿㊸。李峤上疏，以为"天下编户，贫弱者众。造像钱见有一十七万余缗，若将散施，人与一千，济得一十七万余户[11]。拯饥寒之弊，省劳役之勤，顺诸佛慈悲之心，沾圣君亭育㊹之意，人神胥悦㊺，功德无穷。方作过后因缘㊻，岂如见㊼在果报㊽"！监察御史张廷珪上疏谏曰："臣以时政论之，则宜先边境，蓄㊾府库，养人力。以释教㊿论之，则宜救苦厄(396)，灭诸相，崇无为。伏愿陛下察臣之愚，行佛之意，务以理为上，不以人废言。"太后为之罢役，仍召见廷珪，深赏慰之。

凤阁侍郎、同凤阁鸾台三品姚元崇以母老固请归侍，六月辛酉(397)，以元崇行(398)相王府长史，秩、位并同三品。

乙丑(399)，以天官侍郎崔玄暐(400)同平章事。

召凤阁侍郎、同平章事、检校汴州刺史韦嗣立赴兴泰宫。

丁丑(401)，以李峤同凤阁鸾台三品。峤自请解内史(402)。

壬午(403)，以相王府长史姚元崇兼知夏官尚书、同凤阁鸾台三品。

【段旨】

以上为第八段，写武则天惩治贪官，纳谏慎选地方大吏，停建大佛像以纾民困。

【注释】

(343)丙申：正月初十日。(344)阿史那怀道：事见《旧唐书》卷一百九十四下、《新唐书》卷二百十五下《突厥传》。(345)丁未：正月二十一日。(346)万安山：在今河南宜阳南。(347)卢藏用：字子潜，幽州范阳（今北京）人，幼以辞学著称，中举不调，隐居终南山，号"随驾隐士"。工篆隶，擅琴棋，后入仕，官至黄门侍郎，兼昭文馆学士。传见《旧唐书》卷九十四、《新唐书》卷一百二十三。(348)顺意：阿顺旨意。(349)具僚：备位的官僚。(350)犯忤：冒犯违忤。(351)壬子：正月二十六日。(352)韦嗣立（公元六五四至七一九年）：字延构，

太后驾临兴泰宫。

太后再次向天下的和尚、尼姑征税，在白司马阪建造大型佛像，命令春官尚书武攸宁兼管这项工程，耗费巨大。李峤上疏，认为“全国百姓，贫困羸弱的非常多。营建大佛像的钱现有十七万余缗，如果拿来分散施舍，每人给予一千钱，可救济十七万多户。拯救百姓饥寒之困，减少劳役之苦，顺应诸佛慈悲之心，使百姓沾润圣君养育之意，人神皆大欢喜，功德无量。陛下将以建造佛像来续后世的因缘，这又怎么比得上现世的报应呢”！监察御史张廷珪上疏劝谏说：“臣拿当前的政治状况来论说，就应该优先考虑边境事务，充实国库，让百姓休养生息。拿佛教教义来论说，就应该拯救困苦的众生，破灭事物的各种外在形象，崇尚无为。恭敬地请求陛下能够体察臣的愚见，践行佛祖的心意，致力于把治理国家置于首要地位，而不要因人废言。”太后为此而停止了建造大佛像的工程，还召见了张廷珪，对他大加赞赏和抚慰。

凤阁侍郎、同凤阁鸾台三品姚元崇因为母亲老迈，坚持请求回乡侍奉母亲。六月初七日辛酉，太后任命姚元崇代理相王府长史，俸禄、职位均与三品官相同。

十一日乙丑，太后任命天官侍郎崔玄暐担任同平章事。

太后征召凤阁侍郎、同平章事、检校汴州刺史韦嗣立前来兴泰宫。

二十三日丁丑，太后任命李峤担任同凤阁鸾台三品。李峤自己请求解除内史职务。

二十八日壬午，太后任命相王府长史姚元崇兼任夏官尚书、同凤阁鸾台三品。

则天朝宰相韦思谦之子。少以孝友著闻。举进士，补双流县令，政绩为蜀中之最。后历任凤阁舍人、秋官侍郎等职。至此晋升宰相。传见《旧唐书》卷八十八、《新唐书》卷一百十六。㊼癸亥：二月初八日。㊽庐州：州名，治所在今安徽合肥。㊾壬申：二月十七日。㊿细务：琐碎小事。㉛己丑：三月初四日。㉜物议：众人的议论。㉝外职：与“内官”相对，指地方官职。㉞牧伯：州刺史。㉟披诉：倾诉。此处指陈述自己的困难，不愿赴任。㊱贬累：被贬黜和因事被牵累获罪者。㊲不澄：不清。㊳台、阁、寺、监：皆官署名称。㊴妙简：精选。㊵分典：分别知掌。㊶庶绩：各种事功。㊷辍近侍：罢去近侍之职。近侍，亲近侍奉。㊸率先具僚：为群臣之先导，出任地方官。㊹书名探之：分写近臣姓名，置于匣中，用手探拈。㊺癸巳：三月初八日。㊻检校：摄理。㊼汴州：州名，治所开封，在今河南开封。㊽司马锽：洛州温县（今河南温县）人，官至黄门侍郎。传见《旧唐书》卷一百九十中、《新唐书》卷二百二。㊾丁亥：三月初二日。㊿平恩王

重福：太子李显次子。传见《旧唐书》卷八十六、《新唐书》卷八十一。[377]宗楚客同平章事：据《新唐书》卷四、卷六十一，时在三月己亥，即三月十四日。[378]谒：请。[379]州县供葬事：州县供给葬礼所需财物。[380]萧至忠（？至公元七一三年）：沂州丞县（今山东枣庄东南）人，为政清谨，敢纠不法。官至中书令。传见《旧唐书》卷九十二、《新唐书》卷一百二十三。[381]坊州：州名，治所在今陕西黄陵西南。[382]引：萧引，陈朝大臣。传见《陈书》卷二十一、《南史》卷十八。[383]壬戌：四月初七日。[384]太后幸兴泰宫：据《新唐书》之《则天皇后纪》，时在四月丙子，即四月二十一日。[385]白司马阪：在洛阳徽安门外北邙山中。[386]检校：此处指兼知塑造大像之事。[387]縻费：耗费。[388]巨亿：万万。形容数目极大。[389]亭育：抚养培育。[390]胥悦：皆悦。[391]因缘：佛教用语。指形成事物，引起认识和造就业报等现象所依赖的原因和条件。"因"与"缘"略有差别。在生"果"中起直接作用的主要条件叫"因"，起间接辅助作用的条件叫"缘"。《俱舍论》说：

【原文】

秋，七月丙戌[404]，以神都副留守杨再思为内史。再思为相，专以谄媚取容[405]。司礼少卿张同休，易之之兄也，尝召公卿宴集，酒酣，戏再思曰："杨内史面似高丽[406]。"再思欣然，即翦纸帖巾，反披紫袍，为高丽舞，举坐[407]大笑。时人或誉张昌宗之美曰："六郎面似莲花。"再思独曰："不然。"昌宗问其故，再思曰："乃莲花似六郎耳。"

甲午[408]，太后还宫。

乙未[409]，司礼少卿张同休、汴州刺史张昌期、尚方少监张昌仪[410]皆坐赃下狱，命左右台[411]共鞫之；丙申[412]，敕，张易之、张昌宗作威作福，亦命同鞫[413]。辛丑[414]，司刑正[415]贾敬言奏："张昌宗强市人田[416]，应征铜二十斤。"制"可"。乙巳[417]，御史大夫李承嘉[418]、中丞桓彦范奏："张同休兄弟赃共四千余缗，张昌宗法应免官[419]。"昌宗奏："臣有功于国，所犯不至免官。"太后问诸宰相："昌宗有功乎？"杨再思曰："昌宗合神丹[420]，圣躬服之有验，此莫大之功。"太后悦，赦昌宗罪，复其官。左补阙戴令言[421]作《两脚狐赋》以讥再思，再思出令言为长社[422]令。

丙午[423]，夏官侍郎、同平章事宗楚客有罪，左迁[424]原州[425]都督，充因缘合，诸法即生。㊹见：通“现”。㊺果报：佛教语。即因果报应。㊻蓄：充实；蓄积。㊼释教：即佛教。㊽苦厄：苦难厄灾。㊾辛酉：六月初七日。㊿行：唐制，阶高拟卑称为“行”。即让品级高的官员兼低级职务。㊱乙丑：六月十一日。㊲崔玄暐（公元六三八至七〇六年）：博陵安平（今河北安平）人，少以学行著称，为政清廉公正。传见《旧唐书》卷九十一、《新唐书》卷一百二十。㊳丁丑：六月二十三日。㊴解内史：解除内史职务。㊵壬午：六月二十八日。

【校记】

［10］丁亥：原作“丁丑”。据章钰校，十二行本、乙十一行本皆作“丁亥”，今据改。〖按〗是年三月丙戌朔，无丁丑，《新唐书》之《则天皇后纪》亦作“丁亥”。［11］户：据张敦仁《通鉴刊本识误》作“口”。

【语译】

秋，七月初三日丙戌，太后任命神都副留守杨再思为内史。杨再思担任宰相，专门用谄谀献媚来取悦于人。司礼少卿张同休是张易之的兄长，曾召集公卿大员宴饮。酒兴酣畅时，张同休戏弄杨再思说：“杨内史面目像高句丽人。”杨再思显出高兴的样子，当即剪纸作帽，将紫色朝服反披着，跳起高句丽的舞来，满座公卿大笑。当时有人称赞张昌宗的貌美，说：“六郎的面容好像莲花一样。”唯独杨再思说：“不是这样的。”张昌宗问他这么说的缘故，他说：“实在是莲花长得好像六郎啊。”

十一日甲午，太后返回宫中。

七月十二日乙未，司礼少卿张同休、汴州刺史张昌期、尚方少监张昌仪全都因犯下贪污罪行入狱，太后命令左右台一同审理；十三日丙申，太后颁布敕书，说张易之、张昌宗作威作福，也命令与张同休等人的案件一同审理。十八日辛丑，司刑正贾敬言奏言：“张昌宗强买民田，应当要他缴纳黄铜二十斤。”太后颁布诏书说“照办”。二十二日乙巳，御史大夫李承嘉、御史中丞桓彦范上奏说：“张同休兄弟贪赃一共四千余缗。依照法律，应将张昌宗免除官职。”张昌宗奏言：“臣对国家有功劳，所犯的罪行不至于被免除官职。”太后询问各位宰相：“张昌宗有功劳吗？”杨再思说：“张昌宗配制了神丹，陛下服用后有效验，这是莫大的功劳。”太后很高兴，赦免了张昌宗的罪过，恢复了他的官职。左补阙戴令言撰写《两脚狐赋》来讽刺杨再思，杨再思就将戴令言调出改任长社县令。

七月二十三日丙午，夏官侍郎、同平章事宗楚客犯了罪，被降职为原州都督，

灵武道行军大总管。

癸丑㊻，张同休贬岐山㊼丞，张昌仪贬博望㊽丞。

鸾台侍郎、知纳言事、同凤阁鸾台三品韦安石举奏张易之等罪，敕付安石及右庶子、同凤阁鸾台三品唐休璟鞫之，未竟而事变。八月甲寅㊾，以安石兼检校扬州长史[12]。庚申㊿，以休璟兼幽营都督、安东都护。休璟将行，密言于太子曰："二张恃宠不臣，必将为乱。殿下宜备之。"相王府长史兼知夏官尚书事、同凤阁鸾台三品姚元崇上言："臣事相王，不宜典兵马㉛。臣不敢爱㉜死，恐不益于王。"辛酉㉝，改春官尚书㉞，余如故。元崇字元之，时突厥叱列元崇㉟反，太后命元崇以字行㊱。

突厥默啜既和亲，戊寅㊲，始遣淮阳王武延秀还㊳。

九月壬子㊴，以姚元之充灵武道行军大总管。辛酉㊵，以元之为灵武道安抚大使。

元之将行，太后令举外司㊶堪为宰相者。对曰："张柬之㊷沉厚有谋，能断大事，且其人已老，惟陛下急用之。"冬，十月甲戌㊸，以秋官侍郎张柬之同平章事，时年且八十㊹矣。

乙亥㊺，以韦嗣立检校魏州刺史，余如故。

壬午㊻，以怀州长史河南房融㊼同平章事。

太后命宰相各举堪为员外郎㊽者，韦嗣立荐广武令[13]岑羲㊾，曰："但恨其伯父长倩㊿为累。"太后曰："苟或有才，此何所累！"遂拜天官员外郎㉛。由是诸缘坐者㉜始得进用。

【段旨】

以上为第九段，写朝官与武则天男宠张易之兄弟矛盾再起。朝官借贪贿除掉张氏兄弟，但无法撼动二张受宠的地位。武则天再次任用贤才，张柬之入相。

充任灵武道行军大总管。

三十日癸丑，张同休被降职为岐山县丞，张昌仪被降职为博望县丞。

鸾台侍郎、知纳言事、同凤阁鸾台三品韦安石呈上奏疏举报张易之等人的罪行，太后敕令把张易之等人交付韦安石及右庶子、同凤阁鸾台三品唐休璟审讯，审讯没有结案便发生了变化。八月初一日甲寅，太后任命韦安石兼任检校扬州长史。初七日庚申，任命唐休璟兼任幽州营州都督、安东都护。唐休璟即将赴任，暗中对太子说："张易之和张昌宗倚仗太后的恩宠，不遵守为臣之道，必将作乱。殿下应当防范他们。"相王府长史兼知夏官尚书事、同凤阁鸾台三品姚元崇上奏太后说："臣侍奉着相王，就不应该再掌管军队。我不敢贪生怕死，只是担心这样会不利于相王。"初八日辛酉，将姚元崇改任春官尚书，其余的官职仍旧不变。姚元崇字符之，当时由于突厥首领叱列元崇反叛，太后命令姚元崇以字行世。

突厥阿史那默啜已经与唐朝和亲，二十五日戊寅，遣送淮阳王武延秀回朝。

九月二十九日壬子，太后任命姚元之充任灵武道行军大总管。辛酉日，任命姚元之担任灵武道安抚大使。

姚元之即将出发时，太后让他推荐外朝各司官员中可以胜任宰相的人。姚元之回答说："张柬之稳重朴实，胸有谋略，能够决断大事，并且他已老迈，希望陛下赶紧任用他。"冬，十月二十二日甲戌，太后命令秋官侍郎张柬之担任同平章事，这时他的年龄已近八十了。

十月二十三日乙亥，太后任命韦嗣立担任检校魏州刺史，其他官职仍旧不变。

三十日壬午，太后任命怀州长史河南人房融担任同平章事。

太后命令诸位宰相各自推荐能够胜任员外郎职务的人，韦嗣立推荐广武县令岑羲，说："只是遗憾他受其伯父岑长倩的连累。"太后说："倘若他有才干，这事对他又有什么连累呢！"于是任命岑羲担任天官员外郎。从此诸多由于亲友犯罪而受牵连的人才开始受到提拔任用。

【注释】

㊵④丙戌：七月初三日。㊵⑤取容：取悦于权贵。㊵⑥面似高丽：面容像高句丽人。㊵⑦举坐：全座；满座。㊵⑧甲午：七月十一日。㊵⑨乙未：七月十二日。㊶⓪司礼少卿张同休、汴州刺史张昌期、尚方少监张昌仪：皆宠臣张易之的兄弟。㊶①左右台：左右肃政台。则天时改御史台为肃政台，又分置左右。左台专管在京百司，右台按察京外官员。㊶②丙申：七月十三日。㊶③同鞫：一同审讯。鞫，审讯。㊶④辛丑：七月十八日。㊶⑤司刑正：官

名，属司刑寺（即大理寺），从五品下，掌参议刑狱，评正科条之事。⑯强市人田：强买别人田地。⑰乙巳：七月二十二日。⑱李承嘉：事见《新唐书》卷七十二上、《元和姓纂》卷七、《唐尚书省郎官石柱题名考》卷八。⑲法应免官：依法应当免去官职。⑳合神丹：合炼长生之药。神丹，又称仙丹。相传为神仙服用的灵丹，可以延年益寿。㉑戴令言：事见《旧唐书》卷九十、《新唐书》卷一百九。㉒长社：县名，县治在今河南许昌。㉓丙午：七月二十三日。㉔左迁：降职。㉕原州：州名，治所在今宁夏固原。㉖癸丑：七月三十日。㉗岐山：县名，县治在今陕西岐山县。㉘博望：县名，治所在今河南方城西南。㉙甲寅：八月初一日。㉚庚申：八月初七日。㉛典兵马：掌握军队。时姚元崇兼夏官尚书（即兵部尚书），故有此言。㉜爱：惜。㉝辛酉：八月初八日。㉞春官尚书：即礼部尚书。光宅元年（公元六八四年）改礼部为春官。㉟叱列元崇：《旧唐书》之《姚崇传》作“叱利元崇”，《新唐书》则作“叱剌元崇”，人名音译，各不相同。㊱命元崇以字行：据《金石萃编》卷六十五《姚元之造像记》，姚元崇在长安三年（公元七〇三年）九月已用其字。㊲戊寅：八月二十五日。㊳遣淮阳王武延秀还：武延秀于圣历元年（公元六九八年）七月奉命前往突厥，纳默啜女为妃，八月被默啜拘禁，至是始还。㊴壬子：九月二十九日。㊵辛酉：九月甲申朔，无辛酉。《新唐书》之《则天皇后纪》作十月辛酉，即十月九日。㊶外司：外朝诸司官员。㊷张柬之：时任秋官侍郎（即刑部侍郎）。传见《旧唐书》卷九十一、《新唐书》卷一百二十。㊸甲戌：十月二十二日。㊹年且八

【原文】

十一月丁亥[453]，以天官侍郎韦承庆[454]为凤阁侍郎、同平章事。

癸卯[455]，成均祭酒、同凤阁鸾台三品李峤罢为地官尚书。

十二月甲寅[456]，敕大足[457]已来新置官并停。

丙辰[458]，凤阁侍郎、同平章事韦嗣立罢为成均祭酒，检校魏州刺史如故，以兄承庆入相故也。

太后寝疾[459]，居长生院[460]，宰相不得见者累月[461]，惟张易之、昌宗侍侧。疾少闲[462]，崔玄暐奏言：“皇太子、相王，仁明孝友，足侍汤药[463]。宫禁事重，伏愿不令异姓[464]出入。”太后曰：“德卿厚意。”易之、昌宗见太后疾笃[465]，恐祸及己，引用党援，阴为之备。屡有人为飞书[466]及榜[467]其事[14]于通衢[468]，云“易之兄弟谋反”，太后皆不问。

十：年龄将近八十。岑仲勉对此曾提出疑问，见《唐史余渖》卷一《张柬之疑年》。㊹㊺ 乙亥：十月二十三日。㊹㊻ 壬午：十月三十日。㊹㊼ 房融（？至公元七〇五年）：事见《新唐书》卷一百三十九《房琯传》。㊹㊽ 员外郎：官名，本指正员之外的郎官。晋以后指员外散骑侍郎。唐制，尚书省诸司各置员外郎，地位在郎中之下。㊹㊾ 岑羲（？至公元七一二年）：字伯华，进士及第，累迁太常博士，坐岑长倩事被贬。后官至侍中。传见《旧唐书》卷七十、《新唐书》卷一百二。㊺⓪ 长倩：高宗朝宰相岑长倩。因反对在天下建大云寺而为来俊臣所诬，被斩于市。㊺① 天官员外郎：吏部员外郎。㊺② 缘坐者：即连坐者。指因受牵连而被处罪或贬降的人。

【校记】

［12］长史：原作"刺史"。据章钰校，十二行本、乙十一行本皆作"长史"，张敦仁《通鉴刊本识误》同，今据改。〖按〗两《唐书》之《韦安石传》皆作"长史"。［13］广武令：原误作"广武公"。据章钰校，十二行本、乙十一行本、孔天胤本皆作"广武令"，熊罗宿《胡刻资治通鉴校字记》同，今据改。〖按〗《旧唐书》之《岑羲传》亦作"广武令"，《新唐书》之《岑文本传》言岑羲为"汜水令"，据《新唐书》之《地理志》，汜水县于垂拱四年改为广武县，岑羲实为广武县令。

【语译】

十一月初五日丁亥，太后任命天官侍郎韦承庆担任凤阁侍郎、同平章事。

二十一日癸卯，成均祭酒、同凤阁鸾台三品李峤被免职，改任地官尚书。

十二月初三日甲寅，太后颁布敕书，大足年间以来新设置的官职全部废止。

初五日丙辰，凤阁侍郎、同平章事韦嗣立被罢官，改任成均祭酒，检校魏州刺史的官职仍旧不变，这是由于他的兄长韦承庆入朝任宰相。

太后卧病不起，居住在长生院，连续几个月宰相们都见不到她，只有张易之和张昌宗侍奉身旁。在她的病情稍有好转时，崔玄暐上奏说："皇太子和相王，仁厚明德，孝顺友爱，完全可以在陛下身旁侍奉汤药。皇宫禁地之事关系重大，希望陛下不要让皇室以外的异姓人员随意出入。"太后说："非常感谢您的厚意。"张易之、张昌宗见太后病情严重，担心自己遭到灾祸，便举用同党为援，暗地里进行准备。一再有人书写匿名信，以及在交通要道贴榜说"张易之兄弟阴谋反叛"，太后对这些全都不予查问。

辛未[469]，许州人杨元嗣[470]，告“昌宗尝召术士李弘泰占相[471]，弘泰言昌宗有天子相，劝于定州[472]造佛寺，则天下归心”。太后命韦承庆及司刑卿崔神庆[473]、御史中丞宋璟鞫之。神庆，神基之弟也。承庆、神庆奏言：“昌宗款称‘弘泰之语，寻已奏闻’，准法首原[474]。弘泰妖言，请收行法[475]。”璟与大理丞封全祯[476]奏：“昌宗宠荣如是，复召术士占相，志欲何求！弘泰称筮得纯《乾》[477]，天子之卦。昌宗傥[478]以弘泰为妖妄，何不[15]执送有司！虽云奏闻，终是包藏祸心，法当处斩破家。请收付狱，穷理其罪！”太后久之不应，璟又曰：“傥不即收系，恐其摇动众心。”太后曰：“卿且停推，俟更检详文状。”璟退，左拾遗江都李邕[479]进曰：“向观宋璟所奏，志安社稷，非为身谋，愿陛下可其奏[480]！”太后不听。寻敕璟扬州推按，又敕璟按幽州都督屈突仲翔[481]赃污，又敕璟副李峤安抚陇、蜀，璟皆不肯行，奏曰：“故事，州县官有罪，品高则侍御史、卑则监察御史按之，中丞非军国大事，不当出使。今陇、蜀无变，不识[482]陛下遣臣出外何也[483]？臣皆不敢奉制。”

司刑少卿桓彦范上疏，以为“昌宗无功荷[484]宠，而包藏祸心，自招其咎[485]，此乃皇天降怒。陛下不忍加诛，则违天不祥。且昌宗既云奏讫，则不当更与弘泰往还，使之求福禳灾[486]，是则初无悔心。所以奏者，拟[487]事发则云先已奏陈，不发则俟时为逆。此乃奸臣诡计，若云可舍[488]，谁为可刑！况事已再发，陛下皆释不问，使昌宗益自负得计，天下亦以为天命不死，此乃陛下养成其乱也。苟逆臣不诛，社稷亡矣。请付鸾台凤阁[489]三司[490]，考竟其罪”！疏奏，不报。

崔玄玮亦屡以为言，太后令法司议其罪。玄玮弟司刑少卿昪，处以大辟[491]。宋璟复奏收昌宗下狱。太后曰：“昌宗已自奏闻。”对曰：“昌宗为飞书所逼，穷而自陈，势非得已[492]。且谋反大逆，无容首免[493]。若昌宗不伏大刑[494]，安用国法！”太后温言解之。璟声色逾厉曰：“昌宗分

十二月二十日辛未，许州人杨元嗣举报“张昌宗曾经召术士李弘泰给他看相占卜，李弘泰说张昌宗具有天子的容貌，劝他在定州营建佛寺，就会使天下人归心于他”。太后命令韦承庆和司刑卿崔神庆、御史中丞宋璟审理此案。崔神庆是崔神基的弟弟。韦承庆和崔神庆上奏说：“张昌宗招供说‘李弘泰的那些话，我很快就向天子奏明了’，依照法律，犯人自首应该免予处罚。李弘泰制造妖言，请将他逮捕法办。”宋璟与大理丞封全祯上奏说：“张昌宗如此宠幸荣耀，还要召请术士占卜看相，心里希望达到什么目的！李弘泰说他占筮得到纯《乾》卦，此乃天子之卦。倘若张昌宗认为李弘泰妖妄，为什么不把李弘泰逮送官府！虽然他说已将此事呈奏天子，终究还是包藏祸心，根据法律应当对他判处斩刑，没收家产。请求将张昌宗逮捕下狱，严加追究他的罪行！”太后久久不作声，宋璟又说：“倘若不把他立即拘捕，恐怕他动摇人心。”太后说：“你暂且中止审讯，等我详细查看案卷。”宋璟退下，左拾遗江都县人李邕进言说：“方才听了宋璟的奏言，他的想法在于安定国家，不是为自己谋划，希望陛下同意他的奏请！”太后没有同意。过了不久敕令宋璟前往扬州审理案件，又敕令宋璟审讯幽州都督屈突仲翔贪污之案，又敕令宋璟担任李峤的副手安抚陇、蜀，宋璟全都不愿成行，上奏说：“根据惯例，州、县官吏有罪，官品高的要由侍御史来审理，官品低的要由监察御史来审理，不是军国大事，御史中丞不应出使。目前陇、蜀二地没有事变，我不知道陛下派遣我外出是为什么？臣不敢接受您的全部制令。”

司刑少卿桓彦范上疏，认为“张昌宗无功受宠，却包藏祸心，咎由自取，这是上天降下的愤怒。陛下不忍心加以诛杀，则是违背天意，并非吉祥。况且张昌宗既然说他已经奏闻过了，就不应该再与李弘泰交往，让他为自己求福消灾，这表明他原本就没有悔改的意愿。张昌宗之所以把这件事奏闻，是打算事情败露了就说事先已经奏报，事情没有暴露则等待时机作乱。这是奸臣的诡计，如果说连他都可以置之不问，那么什么人才能施以刑罚！何况已经是第二次发生这种事情，陛下皆放纵而不加追究，使得张昌宗越发自以为得计，天下之人也会认为是上天不让他死，这是陛下在酿成祸乱啊。假如对逆乱之臣也不加诛戮，江山社稷就会覆亡了。请把张昌宗交给鸾台凤阁及刑部、大理寺、御史台三法司处置，彻底审理他的罪行”！奏疏呈报上去，太后没有答复。

崔玄暐也屡次上奏这件事，太后便下令三法司讨论张昌宗的罪行。崔玄暐的弟弟司刑少卿崔昪认为应当判处张昌宗死刑。宋璟又奏请将张昌宗逮捕入狱。太后说：“张昌宗自己已经把这件事情奏报过我。”宋璟回答说：“张昌宗是被匿名信所逼迫，穷途末路了才作交代，是势不得已。况且谋反大逆，不容自首免罪。假如张昌宗不被处死，还用国法干什么！”太后语气温和地为张昌宗解释。宋璟声色更加严厉地

外承恩，臣知言出祸从，然义激于心，虽死不恨！”太后不悦[16]。杨再思恐其忤旨，遽㊾宣敕令出，璟曰：“圣主在此，不烦宰相擅宣敕命！”太后乃可其奏，遣昌宗诣台㊾。璟庭立而按之，事未毕，太后遣中使召昌宗特敕赦之。璟叹曰：“不先击小子脑裂㊾，负此恨矣。”太后乃使昌宗诣璟谢，璟拒不见。

左台中丞桓彦范、右台中丞东光袁恕己共荐詹事司直㊾阳峤㊾为御史。杨再思曰：“峤不乐搏击之任㊿如何？”彦范曰：“为官择人，岂必待其所欲！所不欲者，尤须与之，所以长难进⑤之风，抑躁求⑤之路。”乃擢为右台侍御史。峤，休之⑤之玄孙也。

先是李峤、崔玄暐奏：“往属革命之时，人多逆节⑤，遂致刻薄之吏，恣行酷法，其周兴等所劾破家者，并请雪免⑤。”司刑少卿桓彦范又奏陈之，表疏前后十上，太后乃从之。

【段旨】

以上为第十段，写武则天病重，张易之兄弟密谋政变，朝官以谋反罪请诛二张，仍不能撼动其受宠地位，于是朝官与太后的矛盾趋于白热化。

【注释】

㊾丁亥：十一月初五日。㊾韦承庆：字延休，宰相韦思谦之子，韦嗣立之兄。进士出身，属文迅捷，下笔成章。曾任太子司议郎、乌程县令、凤阁舍人、豫州刺史等职，皆有政绩。至此入相，兼修国史，参与《则天皇后实录》的编写，有文集六十卷。传见《旧唐书》卷八十八、《新唐书》卷一百十六、《嘉泰吴兴志》卷十五。㊾癸卯：十一月二十一日。㊾甲寅：十二月初三日。㊾大足：武则天年号（公元七〇一年）。㊾丙辰：十二月初五日。㊾寝疾：卧病。㊾长生院：即长生殿。唐代帝王寝殿皆称长生殿，此处指洛阳寝殿。㊾累月：数月。㊾少闲：稍有好转。㊾汤药：中药加水后煎成的汤剂。泛指汤剂。㊾异姓：与帝王不同姓的人。㊾疾笃：病危。㊾飞书：匿名信。㊾榜：同“榜”，贴榜。㊾通衢：四通八达的交通要道。㊾辛未：十二月二十日。㊾杨元嗣：东

说："张昌宗享受着他名分之外的恩泽，臣明白此话一说出口祸事就会随之而来，但是正义激荡在我的心中，即使死了也没有遗憾！"太后十分不高兴。杨再思担心宋璟违忤太后旨意，急忙宣布敕命让他退下。宋璟说："圣明天子就在这里，用不着麻烦宰相擅自宣谕敕命！"太后这才同意他的奏言，遣送张昌宗前往御史台。宋璟站在大堂中审讯他，审讯尚未完毕，太后就派中使召回张昌宗，特为下诏赦免他。宋璟叹息说："没有先将这小子的脑袋打破，让我抱此遗憾。"太后指令张昌宗前往宋璟那里谢罪，宋璟拒不接见。

左台中丞桓彦范、右台中丞东光县人袁恕己共同推荐詹事司直阳峤为御史。杨再思说："阳峤不乐意担任监察弹劾的职务怎么办？"桓彦范说："为国家职事物色人选，怎么一定要等待他人乐意！对不想接受任命的人，越发要给予这个官职，这样就能助长慎于进取的风气，遏制急图功名的门路。"于是提拔阳峤为右台侍御史。阳峤，是阳休之的玄孙。

在此以前，李峤、崔玄暐曾经上奏道："以前陛下以周代唐的时候，人们多违背操守，因而导致刻薄的官吏肆无忌惮地施行严法酷刑。那些被周兴等酷吏所劾奏而家道破败的，请求全部给予昭雪赦免。"司刑少卿桓彦范又呈上奏疏加以陈述，奏疏前后呈上十次，太后才应允。

平王外孙。事见《新唐书》卷二百十九《契丹传》。㊼¹ 占相：看相；算命。⑫ 定州：州名，治所在今河北定州。⑬ 崔神庆：贝州武城（今山东武城）人，则天朝宰相崔神基之弟。曾任莱州刺史、并州长史等职，有美政。传见《旧唐书》卷七十七、《新唐书》卷一百九。⑭ 首原：自首原罪。⑮ 请收行法：请收捕法办。⑯ 封全祯：事见《元和姓纂》卷一。⑰ 纯《乾》：清一色《乾》卦。⑱ 傥：假若。⑲ 李邕（公元六七八至七四七年）：字泰和，江都（今江苏扬州）人，官至北海守，人称李北海。工书法，擅写碑文。后成为书法家、文学家。有文集七十卷。传见《旧唐书》卷一百九十中、《新唐书》卷二百二、《书小史》卷九。⑳ 可其奏：同意他的奏请。㉑ 屈突仲翔：唐初名将屈突通之孙。见《旧唐书》卷五十九与《新唐书》卷八十九《屈突通传》、《元和姓纂》卷十。㉒ 不识：不知。㉓ 遣臣出外何也：为什么派臣出外。《御史台记》说派宋璟外出是二张之计，欲等宋璟外出时列罪诛之。司马光认为此说不确，故未采用。详见《考异》。㉔ 荷：受。㉕ 咎：罪。㉖ 禳灾：除灾。㉗ 拟：打算。㉘ 若云可舍：如果说可以置之不问。㉙ 鸾台凤阁：门下、中书。㉚ 三司：指尚书省刑部、大理寺和御史台。唐代又以御史大夫、中书与门下为大三司。见《新唐书》卷四十八。大案由三司会审，特大案件由大三司会审。㉛ 大辟：

死刑。㊾②势非得已：势不得已。意即非情所愿。㊾③无容首免：不许以自首免罪。㊾④大刑：此处指死刑。㊾⑤遽：急。㊾⑥诣台：前往御史台。㊾⑦不先击小子脑裂：没有先把这小子的脑袋打裂。㊾⑧詹事司直：官名，属太子詹事府，正七品上，掌弹劾东宫官僚，纠举职事。㊾⑨阳峤：河南洛阳（今河南洛阳）人，历任尚书右丞、魏州刺史等职，以清白著称。官至国子祭酒。传见《旧唐书》卷一百八十五下、《新唐书》卷一百三十。[500]搏击之任：阳峤被擢为右台侍御史，掌纠举按察之任，如鹰隼搏击。[501]难进：慎于进取。[502]躁求：轻躁营求；急于求取功名。[503]休之：阳休之仕北齐为尚书右仆射。传见《北齐书》卷四十二、《北史》卷四十七。[504]逆节：变节，指有叛逆的行为。[505]雪免：昭雪赦免。

【原文】

中宗大和大圣大昭孝皇帝[506]上

神龙元年[507]（乙巳，公元七〇五年）

春，正月壬午朔[508]，赦天下，改元[509]。自文明[510]以来得罪者，非扬、豫、博三州[511]及诸反逆魁首[512]，咸赦除之。

太后疾甚，麟台监张易之、春官侍郎张昌宗居中用事，张柬之、崔玄暐与中台右丞[513]敬晖、司刑少卿桓彦范、相王府司马袁恕己[514]谋诛之。柬之谓右羽林卫大将军李多祚曰：“将军今日富贵，谁所致也？”多祚泣曰：“大帝[515]也。”柬之曰：“今大帝之子为二竖[516]所危，将军不思报大帝之德乎！”多祚曰：“苟利国家，惟相公[517]处分，不敢顾身及妻子。”因指天地以自誓。遂与定谋。

初，柬之与荆府[518]长史阌乡杨元琰[519]相代，同泛江[520]，至中流，语及太后革命事，元琰慨然有匡复之志。及柬之为相，引元琰为右羽林将军，谓曰：“君颇记江中之言乎？今日非轻授也。”柬之又用彦范、晖及右散骑常侍[521][17]李湛皆为左、右羽林将军，委以禁兵。易之等疑惧，乃更以其党武攸宜为右羽林大将军，易之等乃安。

俄而姚元之自灵武[522]至[18]，柬之、彦范相谓曰：“事济矣[523]！”遂

【校记】

［14］事：原作“书”。据章钰校，十二行本、乙十一行本皆作“事”，今据改。［15］不：据章钰校，十二行本、乙十一行本，“不”下皆有“即”字。［16］太后不悦：原无此四字。据章钰校，十二行本、乙十一行本、孔天胤本皆有此四字，张敦仁《通鉴刊本识误》同，今据补。

【语译】

中宗大和大圣大昭孝皇帝上

神龙元年（乙巳，公元七〇五年）

春，正月初一日壬午，太后大赦天下，更改年号。自文明年间以来获罪的人，只要不是扬州、豫州与博州三州起兵案或者其他谋反叛逆案件的魁首，全部赦免。

太后病情极为严重，麟台监张易之和春官侍郎张昌宗在宫中把持朝政。张柬之、崔玄暐与中台右丞敬晖、司刑少卿桓彦范、相王府司马袁恕己谋划诛杀张易之和张昌宗。张柬之对右羽林卫大将军李多祚说：“将军今日享受的富贵，是谁带给你的？”李多祚流着眼泪说：“是高宗大帝。”张柬之说：“现在大帝的儿子遭到张易之和张昌宗这两个小人的危害，将军不想报答大帝的恩德吗！”李多祚说：“只要是对国家有利，我都听您的安排，不敢顾及自己及妻子儿子的身家性命。”于是指着天地发誓。便一同制定了计划。

当初，张柬之与荆州都督府长史阌乡人杨元琰互相调职，二人共同泛舟长江，驶至江心，谈到了太后以周代唐之事，杨元琰慷慨激昂，有匡复李唐天下的志向。等到张柬之做了宰相，引荐杨元琰担任右羽林将军，对他说：“您多少还记得在江心泛舟时所讲的话吧？今天的这项任命可不是随便授予的呀。”张柬之又任用了桓彦范、敬晖以及右散骑常侍李湛，均担任左、右羽林将军，把禁兵交给他们指挥。张易之等人又怀疑又恐惧，张柬之便又任用了张易之的党羽武攸宜为右羽林大将军，张易之等人这才放下心来。

没过多久，姚元之从灵武回来，张柬之和桓彦范相互说：“大事成功了！”于是以其谋告之。彦范以事白其母，母曰："忠孝不两全，先国后家可也。"时太子于北门起居[524]，彦范、晖谒见，密陈其策，太子许之。

癸卯[525]，柬之、玄暐、彦范与左威卫将军薛思行[526]等帅左右羽林兵五百余人至玄武门[527]，遣多祚、湛及内直郎[528]、驸马都尉安阳王同皎[529]诣东宫迎太子。太子疑，不出，同皎曰："先帝以神器[530]付殿下[531]，横遭幽废，人神同愤，二十三年[532]矣。今天诱其衷[533]，北门、南牙[534]，同心协力，以今日[19]诛凶竖，复李氏社稷，愿殿下暂[535]至玄武门以副[536]众望。"太子曰："凶竖诚当夷灭，然上体不安，得无惊怛！诸公更为后图。"李湛曰："诸将相不顾家族以徇社稷，殿下奈何欲纳之鼎镬[537]乎！请殿下自出止之。"太子乃出。

同皎扶抱太子上马，从至玄武门，斩关[538]而入。太后在迎仙宫[539]，柬之等斩易之、昌宗于庑[540]下，进至太后所寝长生殿，环绕侍卫。太后惊起，问曰："乱者谁邪？"对曰："张易之、昌宗谋反，臣等奉太子令诛之，恐有漏泄[541]，故不敢以闻。称兵[542]宫禁，罪当万死！"太后见太子曰："乃汝邪？小子[543]既[544]诛，可还东宫[545]。"彦范进曰："太子安得更归！昔天皇以爱子托陛下，今年齿[546]已长，久居东宫，天意人心，久思李氏。群臣不忘太宗、天皇之德，故奉太子诛贼臣。愿陛下传位太子，以顺天人之望！"李湛，义府之子也[547]。太后见之，谓曰："汝亦为诛易之将军邪？我于汝父子不薄，乃有今日！"湛惭不能对。又谓崔玄暐曰："他人皆因人以进[548]，惟卿朕所自擢[549]，亦在此邪？"对曰："此乃所以报陛下之大德。"

于是收张昌期、同休、昌仪等[20]，皆斩之，与易之、昌宗枭首天津南[550]。是日，袁恕己从相王统南牙兵以备非常，收韦承庆、房融及司礼卿崔神庆系狱，皆易之之党也。初，昌仪新作第[551]，甚美，逾于王主[552]，或夜书其门曰："一日丝能作几日络[553]？"灭去，复书之，如是六七[554]，昌仪取笔注其下曰："一日亦足。"乃止。

甲辰[555]，制太子监国，赦天下。以袁恕己为凤阁侍郎、同平章事，分遣十使[556]赍玺书宣慰诸州。乙巳[557][21]，太后传位于太子。

把他们的计划告诉了姚元之。桓彦范把这件事禀报了他的母亲，他母亲说："忠孝不能两全，先考虑国家后考虑小家就行了。"当时太子李显从北门出入问候起居，桓彦范和敬晖前往拜见，秘密地将自己的计谋告诉了太子，太子同意了。

正月二十二日癸卯，张柬之、崔玄暐、桓彦范与左威卫将军薛思行等人率领左右羽林兵五百余人抵达玄武门，派遣李多祚、李湛及内直郎、驸马都尉安阳人王同皎前往东宫迎接太子李显。太子有所怀疑，没有出宫，王同皎说："先帝将皇位交付给殿下，殿下横遭幽禁废黜，人神同愤，已经二十三年了。而今上天开悟人们的心灵，北门的羽林将士与南牙的大臣同心协力，今日来诛灭凶恶的小人，光复李氏的江山社稷，希望陛下暂时到玄武门去，以满足大家的期盼。"太子说："凶恶的小人确实应当剪除，但是圣上身体欠安，这样做能不让她受惊吗！请诸位以后再图谋此事。"李湛说："诸位将相不顾家族安危而为国尽忠，殿下为什么要将他们置于鼎镬之灾呢！请求殿下亲自前去劝阻他们。"太子李显这才出了东宫。

王同皎将太子扶抱上马，随同太子来到玄武门，破门进入禁城。太后住在迎仙宫，张柬之等人在庑廊里把张易之和张昌宗斩杀了，进到太后起居的长生殿，在她身旁环绕侍卫。太后受惊而起，问道："作乱的是哪一个？"张柬之等回答说："张易之、张昌宗图谋反叛，臣等已奉太子的命令把他们诛杀了，害怕走漏风声，所以不敢向您禀告。臣等举兵宫禁，罪该万死！"太后看见太子李显，便说："这件事可是你让干的？这两个小子已被诛杀，你可以返回东宫了。"桓彦范上前说："太子怎能再次回到东宫去呢！过去天皇将爱子托付给陛下，现在他年纪已大，久居东宫，天意民心，思念李唐天下很久了。群臣没有忘怀太宗、天皇的恩德，因此迎奉太子诛灭逆臣。希望陛下把皇位传给太子，以此来顺天意、从人心！"李湛是李义府的儿子，太后见到他，对他说："你也充当了杀死张易之的将军吗？我待你们父子不薄，想不到竟然会有今天！"李湛羞惭得无言以对。太后又对崔玄暐说："其他人都是通过他人推荐之后才进用的，唯独你是我亲自提拔的，你为什么也在这儿呢？"崔玄暐回答说："这么做正是用来报答陛下的大恩大德。"

于是逮捕了张昌期、张同休、张昌仪等人，把他们全部斩杀，在神都天津桥的南面将他们与张易之、张昌宗二人一道枭首示众。这一天，袁恕己随从相王李旦统领南牙兵马，以防突发事变。他们逮捕了韦承庆、房融及司礼卿崔神庆关进监狱，他们都是张易之的党羽。当初，张昌仪新建起一幢宅第，非常豪华，超过了诸王及诸位公主的宫室规格。晚间有人在他的门上写道："一日的丝能织造几日的络？"刚把字迹除去，又被人写上，这样六七次，张昌仪拿笔在下面批注："快乐一天也足够了。"此后这种事才停止。

正月二十三日甲辰，太后颁布诏书，由太子李显监理国政，赦免天下，任命袁恕己为凤阁侍郎、同平章事，分别派遣十位使者携带加盖天子玺印的文书宣谕安抚各州。二十四日乙巳，太后把皇位传给太子李显。

丙午[558]，中宗即位。赦天下，惟张易之党不原[559]。其为周兴等所枉者，咸令清雪，子女配没者皆免之。相王加号安国相王，拜太尉、同凤阁鸾台三品，太平公主加号镇国太平公主。皇族先配没者，子孙皆复属籍[560]，仍量叙官爵[561]。

丁未[562]，太后徙居上阳宫[563]，李湛留宿卫。戊申[564]，帝帅百官诣上阳宫，上太后尊号曰则天大圣皇帝。

庚戌[565]，以张柬之为夏官尚书、同凤阁鸾台三品，崔玄玮为内史，袁恕己同凤阁鸾台三品，敬晖、桓彦范皆为纳言，并赐爵郡公。李多祚赐爵辽阳郡王，王同皎为右千牛将军、琅邪郡公，李湛为右羽林大将军、赵国公。自余官赏有差[566]。

张柬之等之讨张易之也，殿中监田归道[567]将千骑[568]宿玄武门，敬晖遣使就索千骑，归道先不预谋，拒而不与。事宁[569]，晖欲诛之，归道以理自陈，乃免归私第。帝嘉其忠壮，召拜太仆少卿[570]。

【段旨】

以上为第十一段，写以张柬之为首的五王政变，推倒武周政权，诛除二张，唐中宗李显即位。

【注释】

[506] 中宗大和大圣大昭孝皇帝：唐中宗李显（公元六五六至七一〇年）。高宗第七子，为武则天所生。显庆二年（公元六五七年）封周王。仪凤二年（公元六七七年）改封英王，更名为哲。永隆元年（公元六八〇年）册为皇太子。宏道元年（公元六八三年）十二月即位。次年二月被废为庐陵王。圣历元年（公元六九八年）九月复册为太子，依旧名显，赐姓武氏。神龙元年（公元七〇五年）正月即位。景龙四年（公元七一〇年）六月死。葬于定陵。谥孝和皇帝。天宝十三载（公元七五四年）加尊号为中宗大和大圣大昭孝皇帝。事详《旧唐书》卷七、《新唐书》卷四。[507] 神龙元年：唐中宗第一个年号（公元七〇五至七〇七年）。正月初一改元，二月初四日恢复国号为唐。[508] 壬午朔：正月初一日。[509] 改元：《新唐书》之《中宗纪》载正月二十三日甲辰，皇太子监国，大赦，改元。

正月二十五日丙午，中宗李显即皇帝位。赦免天下，只有张易之的党羽不加赦免。那些被周兴等人冤枉的人，都给予昭雪，子女被发配流放或者被没入官府为奴的全部被赦免。相王李旦加号为安国相王，授予他太尉、同凤阁鸾台三品的职衔；太平公主加封为镇国太平公主。皇族早先被发配或没入官府为奴的，他们的子孙全都恢复家族的名籍，并且酌量封授官爵。

正月二十六日丁未，太后迁居上阳宫，李湛留守宿卫。二十七日戊申，中宗率领文武百官前往上阳宫，上太后尊号为则天大圣皇帝。

正月二十九日庚戌，中宗任命张柬之为夏官尚书、同凤阁鸾台三品，崔玄暐为内史，袁恕己为同凤阁鸾台三品，敬晖和桓彦范皆为纳言，全部赐予郡公的爵位。赐予李多祚的爵位为辽阳郡王，任命王同皎为右千牛将军，赐予琅邪郡公的爵位，任命李湛为右羽林大将军，赐予赵国公的爵位。其他有功人员也受到了不同等级的赏赐。

张柬之等人讨伐张易之时，殿中监田归道统领千骑禁军宿卫玄武门，敬晖派使者到他那里调动千骑，由于田归道事先没有参与这次起兵的计划，便拒绝把千骑交给敬晖。等到事情平息后，敬晖想杀死田归道，田归道据理陈诉，于是免去了田归道的殿中监职务，让他回家。中宗赞赏田归道的忠勇，把他召回，任命他为太仆少卿。

此据《旧唐书》之《则天皇后纪》为正月初一日，壬午改元。《则天皇后实录》《唐历》《统纪》《会要》皆同。⑤⑩ 文明：睿宗第一次即位的年号（公元六八四年），使用不到八个月。⑤⑪ 扬、豫、博三州：此三州是反叛武则天的地区。徐敬业在扬州，越王李贞在豫州，琅邪王李冲在博州。⑤⑫ 魁首：首领。这里指参与徐敬业、越王李贞及琅邪王李冲叛乱的主犯。⑤⑬ 中台右丞：官名，即尚书右丞。光宅元年改尚书省为文昌台，次年改称都台，长安三年又改为中台。⑤⑭ 袁恕己：沧州东光（今河北东光）人，曾任司刑少卿、相王府司马。参与张柬之政变，官至中书令，封南阳郡王。传见《旧唐书》卷九十一、《新唐书》卷一百二十。⑤⑮ 大帝：高宗，为“高宗天皇大帝”之简称。⑤⑯ 二竖：指张易之、张昌宗。竖，即竖子、小子，骂人之语。⑤⑰ 相公：对宰相的称呼。顾炎武《日知录》卷二十四说：“前代拜相者必封公，故称之曰相公。”⑤⑱ 荆府：荆州都督府之略称。⑤⑲ 杨元琰（公元六四〇至七一八年）：字温，虢州阌乡（今河南灵宝西）人，曾任平棘县令、安南副都护等职。官至刑部尚书。传见《旧唐书》卷一百八十五下、《新唐书》卷一百二

十。⑳同泛江：共同泛舟江中。㉑右散骑常侍：魏、晋置散骑常侍、侍郎，与侍中、黄门共平尚书奏事。隋初省侍郎，置常侍，掌陪从朝直。武德初，以为加官。贞观初，置常侍二人，属门下省，为职事官。显庆二年（公元六五七年），又置二员，属中书省，始有左、右之号。㉒灵武：县名，县治在今宁夏灵武西北。时姚元之任灵武道安抚大使。㉓事济矣：事成了。济有成功之意。㉔于北门起居：从北门出入问候起居。北门，即洛阳宫北门，又称玄武门。太子不从端门入而从北门入问太后起居，取近便也。㉕癸卯：正月二十二日。㉖薛思行：事见《新唐书》卷七十三下《宰相世系表三下》、卷一百二十《桓彦范传》、卷一百九十一《忠义传上》。㉗玄武门：指洛阳宫北门。㉘内直郎：东宫内直局官员，二人，从六品下，掌符玺。㉙王同皎（？至公元七〇六年）：相州安阳（今河南安阳）人，尚皇太子女定安郡主。官至光禄卿。谋杀武三思，被斩于都亭。传见《旧唐书》卷一百八十七上、《新唐书》卷一百九十一。㉚神器：帝位；皇权。㉛殿下：对皇太子的称呼。㉜二十三年：唐中宗于光宅元年（公元六八四年）被废，至此时实为二十二年。㉝天诱其衷：语出《左传》。意为上天开导他们的心灵。㉞北门、南牙：此处指北门禁军和南牙百官（主要是宰相）。㉟暂：暂时。㊱副：满足。㊲鼎镬：古代烹饪器。此指用鼎镬烹人的酷刑。㊳斩关：破关；斩断关门之锁。㊴迎仙宫：又名集仙殿。在洛阳宫城宣政殿西北。㊵庑：廊庑。㊶恐有漏泄：害怕走漏风声。㊷称兵：举兵。㊸小子：指张易之、张昌宗。㊹既：已。㊺东宫：太子所居宫殿。洛阳东宫在重光门内，为宫城的一个组成部分。㊻年齿：年龄。㊼“李湛”二句：李义府支持武则天为皇后，甚得宠信，位至宰相。李湛却参与政变，故武则天责之。李义府，传见《旧唐书》卷八十二、《新唐书》卷二百二十三上。㊽因人以进：因别人推荐或提拔而晋升。㊾自擢：亲自选拔。㊿天津南：即天津桥南。天津桥在皇城之南，横跨洛水，为洛阳著名桥梁之一。隋炀帝大业元年（公元六〇五年）始造，贞观十四年（公元六四〇年）加固，行人极多。551第：宅第。552逾于王主：超过了诸王及公主的住宅。553一日丝能作几日络：“丝”“络”为“死”“乐”谐音。意思是死在眼前，还能作乐几日。554如是六七：像这样反复了六七次。555甲辰：正月二十三日。556分遣十使：当时分天下为十道，每道派遣一名使者。557乙巳：正月二十四日。558丙午：正月二十五日。559原：原宥。560复属籍：恢复皇族宗籍。原来宗室成员配没时被削去属籍，故唐中宗有复属籍之举。561量叙官爵：酌量封授官爵。叙，铨叙。562丁未：正月二十六日。563上阳宫：在洛阳禁苑之东，东接皇城西南隅。四面环水，为洛阳重要离宫之一。564戊申：正月二十七日。565庚戌：正月二十九日。566自余官赏有差：其有功人员也赏官不同的等级。567田归道：传见《旧唐书》卷一百八十五上、《新唐书》卷一百九十七。568千骑：禁军的一种。贞观年间，唐太宗择善射者百人，分为两番，轮流守卫宫城北门，称作“百骑”。武则天改之为万骑。569事宁：事情平息。570太仆少卿：官名，属太仆寺，从四品上，地位仅次于太仆卿，协助太仆卿掌全国厩牧车舆之政令。

【校记】

［17］常侍：原作“侍郎”。胡三省注云：“据《旧书》，湛时为右散骑常侍，当从之。”严衍《通鉴补》改作“常侍”，今据以校正。〖按〗两《唐书》之《李湛传》皆作“右散骑常侍”，且唐自贞观以后未再置散骑侍郎。［18］至：据章钰校，十二行本、乙十一行本，“至”下皆有“都”字。［19］今日：原无此二字。据章钰校，十二行本、乙十一行本、孔天胤本皆有此二字，张敦仁《通鉴刊本识误》同，今据补。［20］等：原无此字。据章钰校，十二行本、乙十一行本皆有此字，今据补。〖按〗《新唐书》之《则天皇后纪》载，当时伏诛者尚有张景雄。［21］乙巳：原作“己巳”。据章钰校，十二行本、乙十一行本皆作“乙巳”，熊罗宿《胡刻资治通鉴校字记》同，今据改。〖按〗是年正月壬午朔，无己巳，《旧唐书》之《中宗纪》亦作乙巳。

【研析】

本卷记载武则天晚年执政的四大政治事件。第一，平反冤狱；第二，众贤理政；第三，朝官与二张的三次斗争；第四,五王政变，武则天下台。平反冤狱，标志武则天结束酷吏政治转轨到宽平政治，这是善政。完成政治转轨和武则天启用大批贤才是分不开的。平反冤狱，缓解了社会矛盾，任用众贤理政，稳定了社会，但不能避免武则天倒台。表面看，是朝官倒二张，三次斗争，皆是朝官败北，武则天固执地维护二张，激发了五王政变。但是，武则天不维护二张，任朝官诛除，结果也是一样的，武则天仍然要下台。朝官倒二张目的是剪除武则天维系权力的纽带，如同项庄舞剑，意在沛公。武则天心如明镜，所以要拼死保护。明智的做法，武则天和平让出权力，但是她做不到，最终酿出五王政变之祸，这是历史的必然选择。古往今来，向独裁者要权，只有强力斗争，不是你死，就是我亡，没有和平手段。五王政变与如何评价武则天，是本卷着重研析的两个问题。

五王政变的核心人物是秋官侍郎同平章事张柬之、天官侍郎崔玄時、司刑少卿桓彦范、中台右丞敬晖、相王府司马袁恕己五人组成的核心集团。中宗即位后封五人为王：张柬之封汉阳王，崔玄時封博陵王，桓彦范封扶阳王，敬晖封平阳王，袁恕己封南阳王，所以史称“五王政变”。张柬之是政变的领袖。张柬之长期做一个地方小官，由于宰相狄仁杰、姚元崇多次力荐，才从荆州长史入京，而后入相。年龄已近八十。久视元年（公元七〇〇年），武则天让狄仁杰荐贤，狄仁杰荐张柬之有宰相才，但武则天只用为洛州司马，狄仁杰再荐，才升为秋官侍郎。长安四年（公元七〇四年），宰相姚元崇出为灵武道安抚大使，姚元崇极力向武则天推荐张柬之代己，说：“张柬之沈厚有谋，能断大事，且其人已老，惟陛下急用之。”武则天听后，立即召见，不久即用为相。十月二十二日甲戌，张柬之以秋官侍郎同平章事，三个月后，中宗神龙元年正月二十二日癸卯即发动五王政变，张柬之果然能办大事。狄仁杰、姚元崇都忠心王室，但他们均为武则天所信用，不忍，也不能发动政变来结束武周政权。姚元崇、桓彦范、敬晖等皆狄仁杰所荐。狄仁杰的复唐路线是维护皇嗣，只要武则天传子，武周政权自然结束。但是二张在侧，诸武子侄贼心不死，中宗、睿宗两个皇储都昏懦无能，能否去周复唐，充满变数。狄仁杰荐贤，未必是预谋政变，但只要贤才在位，维护皇嗣就有保证。张柬之入相，不仅因自己年老，而且朝官与二张的斗争公开化、白热化，形势急转，不倒武就不能存唐，不能再走只维护皇嗣就可以复唐的计划。张柬之从入相第一天起，就把政变提上了日程。这时，武则天已经病重，住在迎仙宫养病，身边只有二张侍奉，连宰相也数月见不到她。二张深知诸朝臣对自己深恶痛绝，所以暗地里也在进行应变的准备。双方都在和时间赛跑。控制军队，是政变的第一要着。张柬之首先找到了右羽林卫大将靺鞨族将领李多祚。李多祚掌管禁军二十多年，又把守着玄武门，是一个关键人物。张柬之用高宗旧恩感化他，劝他拥立高宗之子为帝。李多祚指天为誓，愿效死力。然后，张柬之荐同党杨元琰、桓彦范、敬晖为左右羽林将，又联络了左羽林将军李湛、左威卫将军薛思行，基本上掌握了禁军的指挥权。同时，为了掩人耳目，打消对方的疑虑，又特意荐党附二张的武攸宜为右羽林大将军。

军权在握以后，张柬之等五人把政变的实施提上日程。桓彦范与敬晖密见太子李显，李显赞同，太子弟相王李旦与太平公主也表示支持，政变的时机完全成熟。神龙元年（公元七〇五年）正月二十二日，张柬之兵分两路，杀进洛阳皇宫，斩张昌宗、张易之于集贤殿外廊。当政变一行人进入武则天养病的迎仙宫时，武则天才得知乱起，吃惊地从病榻上坐起来问道:“你们为什么要作乱呢?”回答是要诛二张。武则天又说:“现在二张已死，你们该回东宫了吧!”桓彦范说:“太子安得更归！昔天皇以爱子托陛下，今年齿已长，久居东宫，天意人心，久思李氏。群臣不忘太宗、天皇之德，故奉太子诛贼臣。愿陛下传位太子，以顺天人之望!”武则天直到这时才明白，群臣是要自己下台。她狠狠地盯着参加政变的李湛说:“汝亦为诛易之将军邪?我于汝父子不薄，乃有今日!”李湛是李义府的儿子，乃父是拥立武则天的得力干将，于武则天有知遇之恩，而其子却是推翻武则天政变的主要参与者，这真是历史的嘲弄。武则天又对崔玄暐说:“他人皆因人以进，惟卿朕所自擢，亦在此邪?”崔玄暐理直气壮地回答说:“此乃所以报陛下之大德。”因为武则天抢了儿子的政权，现在既然传子，就要还政于儿子，正如桓彦范所说:“太子怎能回东宫呢?”五王政变只是一场兵谏，是维护皇室、忠于皇室的正义事业，武则天无言以对。

政变当天，即将张昌期、张同休、张昌仪斩首，在天津桥南示众，同时，又将二张一党的韦承庆、房融、崔神庆下狱。政变第二天，宣布大赦天下，由太子李显监国。第三天，武则天被迫传位于李显。第四天，李显正式即位，这就是唐中宗。

二月初二日，唐中宗复国号为唐，改神都为东都、北都为并州，并按照永淳元年（公元六八二年，唐高宗的年号）以前的制度重新将宗庙、旗帜、官职名称及服色等改回。

神龙革命成功了，短命的大周王朝陨落了，亲手创建它的武则天又亲眼看到了它的覆灭，其心情是可想而知的。这位从皇帝宝座上跌落下来的女人再也难于忍受凄凉与冷落，她的路走完了。大唐神龙元年（公元七〇五年）十一月二十六日，这位中国历史上唯一的女皇帝病死于洛阳上阳宫仙居殿，时年八十二岁。武则天临死遗制：祔庙、归陵、去帝号，称则天大圣皇后。神龙二年五月，唐中宗力排众议，将武则天与高宗合葬于乾陵，但她的身份已不是武周天子而是李氏之妇了。

武则天走了，一代女皇在历史上谢幕，如何评价，历来是批评的多，赞誉的少。首先，女人干政，还要做皇帝，在封建时代的理念是不合法的，所以在中国古代史上，从来就没有太后干政而有盛世的时代。“牝鸡司晨，惟家之索。”母鸡司鸣，这个家庭就要离散；女人干政，这个国家就要完蛋。当然女人并不是祸水，但女人干政要把非法变为合法，必然要用强力压制人心，颠倒黑白来混淆是非。所以武则天要实行告密制度，要任用酷吏来压制民众。凡酷吏政治，并不是只是镇压反对派，更大的程度是镇压民众。武周政权，是专制政体下出现的一个怪胎，它怎么可能是盛世呢！但武则天时代，总的说来，唐政权与武周政权没有出现大的动乱。武则天当政的前三十年，毕竟唐高宗还在，贞观遗风还在继续。武则天称帝只有十余年，最后又被五王政变赶下了台，说明拥唐的人心还在，国家机器还有贞观政治的遗存，武则天又知人善任，并勇于改过，表现了她的政治智慧和大政治家的胸怀，所以保持了国家的稳定。武周时代，上不及贞观，下不及开元，基本上保持了一个治世，武则天也功过参半，这是总体的评价。

武则天的个人才能是超群的，她能做女皇，掌控国家政权，从皇后参政算起近半个世纪，可以说是一个伟大的政治家。她是一个铁腕女人和成功者。她为了掌握政权，培植亲信，重用酷吏，大设冗官，兴大狱，造冤案，洒向人间都是怒，做尽了恶。但武则天为了保存政权，又重视贤才，她任用了一大批优秀的文臣武将，内修政理，外制四夷，保持了唐朝的强大。内政，武则天主张“劝农桑，薄赋徭”（《新唐书》之《则天武皇后纪》），注意兴修水利，粮食生产受到重视，含嘉仓等储积丰实，人口增长速度较快。据《唐会要》卷八十四《户口数》载，唐高宗永徽三年（公元六五二年）原有三百八十万户，到唐中宗神龙元年（公元七〇五年），增加到六百一十五万户，平均每年增长百分之〇点九一，这在封建社会里，是比较突出的。外患，在武则天时期，西部和西北部的吐蕃和突厥的入侵和骚扰，使唐朝的边疆很不安宁。公元六五〇年，松赞干布病死，吐蕃从此便不断挑起战争。公元六六三年，吐蕃强行吞并与唐朝友好的吐谷浑，并侵占唐西域十八州，唐朝被迫从安西四镇撤兵。公元六七九年，多年依附于唐的东突厥也聚众叛唐，他们并吞了西突厥余部，对唐朝的边疆构成了很大的威胁。武则天坚决打击，毫不妥协。她先后派黑齿常之、程务挺、唐休璟、王孝杰等大将领兵，多次击退了吐蕃、突厥的入侵，收复了安西四镇，并分别设置安西、北庭等都护府，加强了防御力量。正因为有效地击退了外族的侵犯，才保持了一个比较和平的国内环境。武则天还用军队在边疆屯田，既巩固了边防，又减轻了国家的负担。

作为一个政治家，武则天能够纳谏知过，勇于改正，并有大度的气量。武则天纳谏，结束酷吏政治，平反冤狱，整顿吏治，诛杀冗官，表现了她的明智。宰相苏良嗣痛打男宠薛怀义，她没有处罚苏良嗣，而是告诫薛怀义，要回避宰相出入的南衙，进宫只走北门。再有，武则天因爱才而重用上官婉儿，但上官婉儿的祖父上官仪和父亲上官庭芝都是被武则天所杀。武则天长期任用反对派的后裔而不疑，表现了她宽广的政治胸怀。这些也是武则天能够掌握数十年统治权的原因之一。

武则天晚年，政治转轨为宽平，又确立了传位儿子，似乎不应该有“五王政变”，人们可以静静地等待她的死亡。问题是武则天太迷恋权势，不肯和平交班，固执地维护二张，又不肯削弱武氏子侄的权势，造成双方势不两立，激发了五王政变。中宗、睿宗，两个儿子被长期幽囚，懦弱无能，武氏子弟也是一群窝囊废，武则天到头来找不到一个得力的接班人，所以她以悲剧告终。一个成功者，最后又成了一个失败者。悲剧的根本原因是武则天自己创造的。因为她杀子夺权，自我凌驾一切，对任何人都不信任，也不允许任何人比她能干。到头来，她的晚年没有了保证，这是武则天始料未及的。

卷第二百八　唐纪二十四

起旃蒙大荒落（乙巳，公元七〇五年）二月，尽强圉协洽（丁未，公元七〇七年），凡二年有奇。

【题解】

本卷记事起公元七〇五年二月，迄公元七〇七年，凡两年又十一个月，当唐中宗神龙元年二月到景龙元年。唐中宗李显，唐高宗第七子，武则天所生第三子。李显在武周变革之际，历经磨难，两度为皇太子，两度即帝位，在被废为庐陵王贬居房陵时期，时时有杀身之祸，按说应当长智慧、长见识。可是李显却突出地继承了唐高宗昏聩糊涂的基因，他做皇帝比唐高宗还要昏庸。中宗在位六年，本卷记事为初即帝位的头三年。短短三年，发生了许多出人意料的政治大事件，把国家搞得一团漆黑。其一，韦皇后效法武则天干政，中宗即位伊始即成傀儡。其二，中宗猜忌心太甚，不信任政变五王，而引纳武氏外戚控制五王，导致武三思东山再起，五王遭残害。其三，滥封官职，韦氏外戚势力迅速膨胀，并与武氏外戚合流，迫害忠良。中宗竟然容忍韦皇后淫乱，反而杀害直言之士，导致五狗乱政。其四，皇太子李重俊发动兵变诛杀武三思，重演西汉的戾太子事件，非始料所及地为睿宗的上台铺平了道路。本卷还记载了中宗佞佛建寺，买鱼放生，浪费了大量国家资财。无耻小人宋之逊投靠武三思卖友求荣，从另一个侧面反映了中宗时代政治的昏暗。

【原文】

中宗大和大圣大昭孝皇帝中

神龙元年（乙巳，公元七〇五年）

二月辛亥[①]，帝帅百官诣上阳宫问太后起居[②]。自是每十日一往。

甲寅[③]，复国号曰唐[④]。郊庙[⑤]、社稷[⑥]、陵寝[⑦]、百官、旗帜、服色、文字皆如永淳[⑧]以前故事。复以神都为东都[⑨]，北都为并州[⑩]，老君为玄元皇帝[⑪]。

乙卯[⑫]，凤阁侍郎、同平章事韦承庆贬高要[⑬]尉；正谏大夫、同平章事房融除名，流高州[⑭]；司礼卿崔神庆流钦州[⑮]。杨再思为户部尚书、同中书门下三品、西京留守。

太后之迁上阳宫也[⑯]，太仆卿、同中书门下三品姚元之独呜咽[⑰]流

【语译】

中宗大和大圣大昭孝皇帝中

神龙元年（乙巳，公元七〇五年）

二月初一日辛亥，中宗率领百官前往上阳宫向太后问安。从此中宗每十天去问候一次。

初四日甲寅，恢复国号为唐。郊庙、社稷、陵寝、百官、旗帜、服色、文字等礼仪典章制度也都恢复永淳年间以前的旧例。又把神都改为东都，北都改为并州，老君改为玄元皇帝。

初五日乙卯，凤阁侍郎、同平章事韦承庆被贬为高要县尉；正谏大夫、同平章事房融削除做官的身份，流放到高州；司礼卿崔神庆流放到钦州。杨再思担任户部尚书、同中书门下三品、西京留守。

太后被迁往上阳宫的时候，太仆卿、同中书门下三品姚元之独自低声悲泣落泪。

涕。桓彦范、张柬之谓曰："今日岂公涕泣时邪！恐公祸由此始。"元之曰："元之事则天皇帝久，乍此辞违⑱，悲不能忍。且元之前日从公诛奸逆，人臣之义也。今日别旧君，亦人臣之义也，虽获罪，实所甘心。"是日，出为亳州⑲刺史。

甲子⑳，立妃韦氏㉑为皇后，赦天下。追赠后父玄贞㉒为上洛王、母崔氏为妃。左拾遗贾虚己㉓上疏，以为"异姓不王，古今通制。今中兴之始，万姓喁喁㉔以观陛下之政。而先王后族，非所以广德美于天下也。且先朝赠后父太原王㉕，殷鉴不远，须防其渐。若以恩制已行，宜令皇后固让，则益增谦冲之德矣"。不听。

初，韦后生邵王重润，长宁、安乐㉖二公主，上之迁房陵也㉗，安乐公主生于道中，上特爱之。上在房陵与后同幽闭㉘，备尝艰危，情爱甚笃。上每闻敕使㉙至，辄惶恐欲自杀，后止之曰："祸福无常，宁失一死㉚，何遽如是！"上尝与后私誓曰："异时㉛幸复见天日，当惟卿所欲，不相禁制[1]。"及再为皇后，遂干预朝政，如武后在高宗之世。桓彦范上表，以为"《易》称'无攸遂，在中馈，贞吉㉜'，《书》称'牝鸡之辰，惟家之索㉝'，伏见陛下每临朝，皇后必施帷幔坐殿上，预闻政事。臣窃观自古帝王，未有与妇人共政而不破国亡身者也。且以阴乘阳，违天也；以妇陵夫，违人也。伏愿陛下览古今之戒，以社稷苍生为念，令皇后专居中宫，治阴教㉞，勿出外朝干国政"。

先是，胡僧慧范㉟以妖妄游权贵之门，与张易之兄弟善，韦后亦重之。及易之诛，复称慧范预其谋，以功加银青光禄大夫，赐爵上庸县公，出入宫掖㊱，上数微行㊲幸其舍。彦范复表言慧范执左道㊳以乱政，请诛之。上皆不听。

初，武后诛唐宗室，有才德者先死，惟吴王恪之子郁林侯千里㊴，褊躁㊵无才，又数献符瑞，故独得免。上即位，立为成王，拜左金吾大将军。武后所诛唐诸王、妃、主㊶、驸马等皆无人葬埋，子孙或流窜岭表，或拘囚历年㊷，或逃匿民间，为人佣保㊸。至是，制州县求访其

桓彦范、张柬之对他说："今天哪里是您哭泣的时候啊？恐怕您的灾祸由此开始。"姚元之说："元之侍奉则天皇帝日久，突然这样辞别分离，悲痛难忍。况且元之前些日子追随诸公诛除奸臣逆党，乃是作为臣子的本分。今天辞别旧君，也是作为臣子的本分，即便获罪，也确实是心甘情愿。"当天，姚元之被外调为亳州刺史。

二月十四日甲子，中宗册封妃子韦氏为皇后，大赦天下。追赠韦后之父韦玄贞为上洛王、韦后之母崔氏为上洛王妃。左拾遗贾虚己上奏认为"异姓之人不得封王，是从古至今一贯的制度。现在中兴刚刚开始，天下百姓喁喁向慕，注视着陛下的政绩。陛下却首先追封皇后的家族为王，这不是在全国光大贤德仁政的措施。况且高宗赠太后的父亲武士彟为太原郡王，此事的教训距离现在不算遥远，应防微杜渐。如果认为降恩的诏书已经颁行，应当命令皇后坚决推辞，这就更能增加皇后谦和淡泊的美德"。中宗没有接受他的意见。

当初，韦后生育了邵王李重润以及长宁、安乐两公主，在中宗被废迁居房陵时，安乐公主在路途中诞生，中宗特别宠爱她。中宗和韦后在房陵一同被软禁，经历了各种艰辛和危难，两人之间的感情非常深厚。中宗每逢听到奉有敕令的使臣到来，往往惶恐，想要自杀，韦后阻止他说："祸福并非固定不变，最多不过一死，何必这么着急呢！"中宗曾经向韦后私下发誓说："将来我有幸重见天日，一定会让你随心所欲，不加任何限制。"到韦氏再次成为皇后以后，便干预朝政，像武后在高宗时期一样。桓彦范上表，认为"《周易》说'妇女没有什么过失，在家中管好家务，就会吉利'，《尚书》说'只要母鸡司晨报晓，这个家族就要破败了'，我见到皇上每次临朝，皇后必定张起帷帐坐在大殿上，参与对军国大事的决策。臣私下发现古往今来的帝王，没有与妇人共同执政而不国破身亡的。况且让阴凌驾于阳之上，是违背天道的；让妇人凌驾于丈夫之上，是违背人理的。我希望陛下明察古今的教训，将社稷与百姓放在心上，让皇后专守中宫，致力于女子的教化，不要到外朝来干预国家政事"。

在此之前，胡僧慧范凭借妖邪法术在权贵间交游，与张易之兄弟关系友好，韦后也很重视他。等到张易之被诛杀，韦后声称慧范也参与了诛除张易之等人的谋划，慧范因功被加封为银青光禄大夫，赏赐爵位为上庸县公，出入宫闱，中宗多次穿便衣私下到他的住处。桓彦范又上表说慧范使用邪道来淆乱朝政，请求把他处死。中宗对这些意见都没有接受。

当初，武后诛杀唐宗室时，最先死掉的是具有德望和才能的人，只有吴王李恪的儿子郁林侯李千里，心胸狭窄、性情浮躁，没有才能，再加上多次进献符瑞，所以唯独他得以免除死难。中宗即皇帝位，册封李千里为成王，封他为左金吾大将军。武后所诛杀的李唐诸亲王、妃嫔、公主、驸马等全都没有人安葬，他们的子孙有的被流放到岭南，有的多年囚禁在牢房里，有的逃亡隐藏在民间，成为别人的雇工。

柩[44]，以礼改葬，追复官爵，召其子孙，使之承袭，无子孙者为择后置之。既而宗室子孙相继而至，皆召见，涕泣舞蹈，各以亲疏袭爵拜官有差。

【段旨】

以上为第一段，写中宗初即位，就步唐高宗后尘，宠信韦皇后，使其干预朝政，埋下祸根。唐宗室得到平反。

【注释】

①辛亥：二月初一日。②问太后起居：向太后问安。③甲寅：二月初四日。④复国号曰唐：天授元年（公元六九〇年）九月九日改唐为周，至此恢复原来国号。⑤郊庙：郊社宗庙。⑥社稷：土神和谷神。⑦陵寝：陵墓寝庙。⑧永淳：唐高宗年号（公元六八二至六八三年）。⑨复以神都为东都：光宅元年（公元六八四年）九月初六日改东都为神都。现恢复旧名。⑩北都为并州：并州治所太原，天授元年改为北都，现复降为并州。⑪老君为玄元皇帝：老君即老子李耳。乾封元年（公元六六六年）唐高宗封老子为玄元皇帝。武则天改朝换代之后，改玄元皇帝为老君。⑫乙卯：二月初五日。⑬高要：县名，治所在今广东肇庆市高要区。⑭高州：州名，治所在今广东高州东北。⑮钦州：州名，治所在今广西钦州东北。⑯太后之迁上阳宫也：太后被迁往上阳宫的时候。时值此年正月二十六日。⑰呜咽：低声悲泣。⑱乍此辞违：突然这样辞别分离。⑲亳州：州名，治所谯县，在今安徽亳州。⑳甲子：二月十四日。㉑韦氏：京兆万年（在今陕西西安）人，中宗当太子时选为妃子，嗣圣元年（公元六八四年）正月初一立为皇后。不久，与中宗一起被废，安置房州。至此再为皇后，参与朝政。传见《旧唐书》卷五十一、《新唐书》卷七十六。㉒玄贞：韦氏之父。曾任豫州刺史，嗣圣元年被流于钦州而死。传见《旧唐书》卷一百八十三。㉓贾虚己：事见《旧唐书》卷一百八十三《韦温传》、《新唐

【原文】

二张之诛也，洛州长史薛季昶谓张柬之、敬晖曰："二凶虽除，产、禄[45]犹在，去草不去根，终当复生。"二人曰："大事已定，彼犹

到这时，中宗下诏州县，寻访宗室亡人的灵柩，按照礼仪改葬，恢复死者官爵，召回他们的子孙，让子孙们承袭爵位，没有子孙的人就替他们选择后嗣加以安置。不久，宗室的子孙们相继到达东都，中宗全都召见了，大家流着泪行了舞拜礼，各自依据亲疏远近而承袭了级别不等的官职和爵位。

书》卷七十六《中宗庶人韦氏传》。㉔ 喁喁：形容众人向慕的样子，就像鱼儿张口向上一般。㉕ 先朝赠后父太原王：高宗赠武后之父士彟为太原郡王。先朝，指高宗。㉖ 安乐（公元六八四至七一〇年）：唐中宗第七女，韦后所生，小名裹儿。先嫁武崇训，后嫁武延秀。曾自请为皇太女，卖官鬻爵，干预朝政。事详《新唐书》卷八十三《诸帝公主》、《唐会要》卷六《公主》。㉗ 上之迁房陵也：时在光宅元年（公元六八四年）四月。㉘ 幽闭：软禁。㉙ 敕使：犹"制使"，皇帝的使臣。㉚ 宁失一死：最多不过一死。《新唐书》卷七十六《中宗庶人韦氏传》作"早晚等死耳"。㉛ 异时：他日；将来。㉜"无攸遂"三句：语出《周易·家人卦·六二·爻辞》。意思是说妇人居内处中，以阴应阳，尽其职责，不预外事，就会大吉。中馈，本指妇女在家主持饮食之事。后引申为妻子。贞吉，正吉。㉝"牝鸡之辰"二句：《尚书·牧誓》之辞。喻女人掌权及其危害。意思是说雌代雄鸣则家尽，妇夺夫政则国亡。辰作"晨"。牝鸡之晨，指母鸡报晓。索，尽。㉞ 阴教：女子的教化。㉟ 慧范：事见《新唐书》卷八十三《太平公主传》、卷一百二十二《薛登传》等。㊱ 宫掖：宫闱。㊲ 微行：私服出行。㊳ 左道：邪道。㊴ 郁林侯千里：唐太宗之孙，吴王李恪长子。本名李仁，永昌元年（公元六八九年）改名千里。历任唐、庐、许等州刺史。事见《旧唐书》卷七十六《吴王恪传》、《朝野佥载》卷二。㊵ 褊躁：心胸狭窄，性情浮躁。㊶ 王、妃、主：亲王、妃嫔、公主。㊷ 历年：经年。㊸ 佣保：亦作"庸保"，意为雇工。㊹ 柩：装尸体的棺材。

【校记】

［1］制：据章钰校，十二行本、乙十一行本、孔天胤本皆作"御"。

【语译】

张易之、张昌宗被诛杀后，洛州长史薛季昶对张柬之、敬晖说道："张易之、张昌宗这两名元凶虽已被除，但吕产、吕禄这类人仍在，锄草若不铲除草根，最终草还是会重新长出来的。"张柬之、敬晖回答道："大局已定，他们犹如几案上的肉而

机[46]上肉耳，夫何能为！所诛已多，不可复益也。”季昶叹曰：“吾不知死所矣。”朝邑尉武强刘幽求[47]亦谓桓彦范、敬晖曰：“武三思尚存，公辈终无葬地[48]。若不早图[49]，噬脐无及[50]。”不从。

上女安乐公主适[51]三思子崇训[52]。上官婉儿[53]者[2]，仪之女孙也。仪死[54]，没入掖庭，辩慧善属文，明习吏事。则天爱之，自圣历[55]以后，百司表奏多令参决[56]。及上即位，又使专掌制命[57]，益委任之，拜为婕妤[58]，用事于中。三思通焉，故党于武氏，又荐三思于韦后，引入禁中，上遂与三思图议[59]政事，张柬之等皆受制于三思矣。上使韦后与三思双陆[60]，而自居旁为之点筹[61]，三思遂与后通[62]，由是武氏之势复振。

张柬之等数劝上诛诸武，上不听。柬之等曰：“革命之际[63]，宗室诸李，诛夷[64]略尽[65]；今赖天地之灵[66]，陛下返正[67]，而武氏滥官僭爵，按堵[68]如故，岂远近所望邪！愿颇抑损其禄位以慰天下[69]！”又不听。柬之等或抚[70]床叹愤，或弹指出血，曰：“主上昔为英王，时称勇烈，吾所以不诛诸武者，欲使上自诛之以张天子之威耳。今反如此，事势已去，知复奈何！”上数微服幸武三思第，监察御史清河崔皎[71]密疏谏曰：“国命初复，则天皇帝在西宫[72]，人心犹有附会。周之旧臣，列居朝廷，陛下奈何轻有外游，不察豫且之祸[73]！”上泄之，三思之党切齿[74]。

丙寅[75]，以太子宾客武三思为司空、同中书门下三品。

左散骑常侍谯王重福[76]，上之庶子也，其妃，张易之之甥。韦后恶之，谮于上曰：“重润之死[77]，重福为之也。”由是贬濮州[78]员外刺史[79]，又改均州[80]刺史，常令州司防守之。

丁卯[81]，以右散骑常侍安定王武攸暨为司徒、定王。

辛未[82]，相王固让太尉及知政事，许之。又立为皇太弟，相王固辞而止。

甲戌[83]，以国子祭酒始平祝钦明[84]同中书门下三品，黄门侍郎、知侍中事韦安石为刑部尚书，罢知政事。

丁丑[85]，武三思、武攸暨固辞新官爵及政事，许之，并加开府仪同三司[86]。

已，能够有什么作为！诛杀的人已经够多了，不可以再多杀了。”薛季昶叹息说：“我不知葬身何地了。”朝邑县尉武强人刘幽求也对桓彦范和敬晖说：“武三思还活着，你们这些人最终将死无葬身之地。如果不及早谋划，就像嘴咬肚脐够不着一样，后悔也来不及了。”桓彦范和敬晖没有听从。

中宗的女儿安乐公主嫁给了武三思的儿子武崇训。上官婉儿，是上官仪的孙女。上官仪死后，她被没入内宫。上官婉儿聪明善辩，擅长写文章，熟悉官府事务。武则天非常喜欢她，自从圣历年间以后，各衙署所上的表章奏疏大多由她参与决断。等到中宗即位，又让她专门负责拟定皇帝的诏书，更加任用她，封为婕妤，让她执掌宫中事务。武三思私通上官婉儿，因此上官婉儿党护武氏，她又向韦后举荐武三思，把武三思招至宫中，中宗于是与武三思谋划商讨政事，张柬之等人都受制于武三思。中宗让韦后与武三思一起玩一种称为双陆的博弈游戏，自己则坐在旁边为他们计点筹码，武三思于是与韦后私通，从此武氏的势力又振兴起来。

张柬之等屡次劝谏中宗诛灭武氏兄弟，中宗不予采纳。张柬之等人说：“武后改唐为周的时候，李唐宗室，几乎被诛杀光了；现在仰赖天地之神灵，陛下返归正位，但武氏滥受官职、僭越爵位，安居如故，这种情形难道是远近人们所希望看到的吗！请稍加压低他们的俸禄和职位以安慰天下人心！”中宗还是没有听从。张柬之等人有的拍着坐榻叹息感愤，有的弹击手指以致流血，说道：“皇上过去做英王的时候，人们称颂他英勇刚烈，我们之所以没有诛杀武氏家族，是想让皇上自己去诛除他们以便伸张天子的声威。现在反而成了这样，大势已去，知道了又能怎么样呢！”中宗多次身着便服到武三思的府第，监察御史清河人崔皎秘密上疏劝谏说：“国家命运刚刚恢复，则天皇帝还居住在西边的上阳宫，人心仍有依附于她的。武周时期的旧臣们，位列朝廷，陛下怎么能轻易地外出巡游，却不知神龙化鱼而被渔夫豫且射中一目的灾祸！”中宗把此疏泄露了出去，武三思的党羽对崔皎恨得咬牙切齿。

二月十六日丙寅，中宗任命太子宾客武三思为司空、同中书门下三品。

左散骑常侍谯王李重福，是中宗的庶子，他的妃子，是张易之的外甥女。韦后讨厌李重福，便向中宗诬陷他说：“重润之死，是重福所为。”中宗因此把李重福贬为濮州员外刺史，又把他改任为均州刺史，经常命令州官对他加以防范。

二月十七日丁卯，中宗任命右散骑常侍安定王武攸暨为司徒，封为定王。

二十一日辛未，相王李旦坚决推辞太尉及宰相职务，中宗同意了。中宗又立相王李旦为皇太弟，因相王坚决推辞而作罢。

二十四日甲戌，中宗任命国子祭酒始平人祝钦明为同中书门下三品，任命黄门侍郎、知侍中事韦安石为刑部尚书，免去他执掌政事的职务。

二十七日丁丑，武三思、武攸暨坚决推辞新近任命的官爵和政务，中宗答应了他们的请求，并且加封他们为开府仪同三司。

立皇子义兴王重俊为卫王，北海王重茂为温王，仍以重俊为洛州牧。

三月甲申⑧⑦，制："文明已来破家子孙皆复旧资荫⑧⑧，唯徐敬业、裴炎不在免限。"

丁亥⑧⑨，制："酷吏周兴、来俊臣等，已死者追夺官爵，存者⑨⓪皆流岭南恶地。"

己丑⑨①，以袁恕己为中书令。

以安车⑨②征安平王武攸绪于嵩山⑨③，既至，除太子宾客；固请还山，许之。

制："枭氏、蟒氏皆复旧姓⑨④。"

【段旨】

以上为第二段，写五王政变不诛武氏诸王，留下隐患，果然武三思迅速东山再起，卷土重来。

【注释】

㊺产、禄：吕产、吕禄。产为吕后长兄吕泽之子，禄为吕后次兄吕释之之子。二人掌兵权，吕后卒，为乱。此处指武三思等人。㊻机：同"几"。㊼刘幽求（公元六五五至七一五年）：冀州武强（今河北武强西南）人，科举入仕，官至宰相。刘幽求是唐玄宗诛韦皇后的骨干人物。传见《旧唐书》卷九十七、《新唐书》卷一百二十一、《咸淳临安志》卷四十五。㊽葬地：葬身之地。㊾图：谋划。㊿噬脐无及：嘴咬肚脐够不着。比喻醒悟后来不及了，后悔已迟。51适：出嫁。52崇训：武三思次子。传见《旧唐书》卷一百八十三。53上官婉儿（公元六六四至七一〇年）：陕州陕县（今属河南）人，性聪敏，善文章，有才气。幼随母没入内庭为奴，十四岁时被武则天发现，帮助武则天掌管诏命，深得武则天宠信。唐中宗时，进拜昭容。曾建议扩大书馆，增设学士。后为唐玄宗所杀。有文集二十卷，已佚。传见《旧唐书》卷五十一、《新唐书》卷七十六。部分诗作保存在《全唐诗》卷五中。54仪死：上官仪于麟德元年十二月（公元六六五年一月）十三日被杀。见本书卷二百一。55圣历：武则天年号（公元六九八至七〇〇年）。56参决：参与决断。57制命：拟定皇帝的诏书。58婕妤：一作"倢伃"。妃嫔称号。唐制，婕妤亦为内官，正三品。59图议：谋划商讨。60双陆：棋类游戏，相传为曹子建所发明。胡三省说："双陆者，投琼以行十二棋，各行六棋，故谓之双陆。"双陆之法，中国久已失传。日

中宗册立皇子义兴王李重俊为卫王，北海王李重茂为温王，仍让李重俊担任洛州牧。

三月初五日甲申，中宗颁布诏书："文明年间以来被抄的家族的子孙都恢复原有的资历与荫封，唯有徐敬业、裴炎两家不在赦免的范围内。"

初八日丁亥，中宗颁布诏书："酷吏周兴、来俊臣等人，已经死去的要追夺官职爵位，仍然在世的都流放到岭南险恶之地。"

初十日己丑，中宗任命袁恕己为中书令。

用安车到嵩山征召安平王武攸绪，武攸绪到达京师后，任命为太子宾客，他坚决要求返回嵩山，中宗同意了他的要求。

中宗颁布诏书："枭氏、蟒氏都恢复原来的姓氏。"

本称之为飞双陆，下法略如叶子戏。㉑点筹：计点筹码；出谋划策。㉒通：私通。㉓革命之际：武则天改唐为周的时候。㉔诛夷：诛杀；杀戮。㉕略尽：几尽。㉖灵：神灵。㉗返正：返归正位。㉘按堵：安居。㉙以慰天下：以安慰天下人心。㉚抚：通"拊"，拍。㉛崔皎：贝州清河（今河北清河县西北）人。事见《唐御史台精舍题名考》卷一。㉜西宫：即上阳宫。上阳宫在洛阳宫城之西，故称之为西宫。㉝豫且之祸：豫且系神话中的渔夫。相传白龙下清冷之渊化为鱼，被豫且射中一目。㉞切齿：痛恨的样子。㉟丙寅：二月十六日。㊱谯王重福：中宗第二子，后宫所生。传见《旧唐书》卷八十六、《新唐书》卷八十一。㊲重润之死：李重润死于长安元年（公元七〇一年）九月初三日。㊳濮州：州名，治所在今山东鄄城北旧城镇。㊴员外刺史：正员以外的刺史，有名而无实。㊵均州：州名，治所在今湖北丹江口市西北。㊶丁卯：二月十七日。㊷辛未：二月二十一日。㊸甲戌：二月二十四日。㊹祝钦明：字文思，雍州始平（今陕西兴平东南）人，少通"五经"，兼涉众史百家之说。曾任太子率更令、太子少保等职，官至宰相。传见《旧唐书》卷一百八十九下、《新唐书》卷一百九。㊺丁丑：二月二十七日。㊻开府仪同三司：散官名，从一品。在文散官中为第一等。㊼甲申：三月初五日。㊽资荫：资历与荫封。㊾丁亥：三月初八日。㊿存者：此指在世的酷吏。据《旧唐书》之《酷吏传》，武周酷吏至此死亡略尽。存者四人：唐奉一、李秦授、曹仁哲、刘景阳。前三人流岭南恶地，刘景阳被贬为棣州乐单县员外尉。(91)己丑：三月初十日。(92)安车：用一匹马拉的小车。因系坐乘，故称"安车"。(93)征安平王武攸绪于嵩山：武攸绪于万岁通天元年（公元六九六年）隐于嵩山，至此，以安车征召。(94)枭氏、蟒氏皆复旧姓：永徽六年（公元六五五年）改萧淑妃为枭氏，王皇后为蟒氏。

【校记】

［2］者：原无此字。据章钰校，十二行本、乙十一行本、孔天胤本皆有此字，今据补。

【原文】

术士[95]郑普思[96]、尚衣奉御叶静能[97]皆以妖妄为上所信重，夏，四月，墨敕[98]以普思为秘书监[99]，静能为国子祭酒[100]。桓彦范、崔玄暐固执不可，上曰："已用之，无容遽改[101]。"彦范曰："陛下初即位，下制云：'政令皆依贞观故事。'贞观中，魏徵、虞世南[102]、颜师古[103]为秘书监，孔颖达[104]为国子祭酒，岂普思、静能之比乎！"庚戌[105]，左拾遗李邕[106]上疏，以为"《诗》三百，一言以蔽之，曰'思无邪'[107]。若有神仙能令人不死，则秦始皇、汉武帝得之矣。佛能为人福利，则梁武帝得之矣。尧、舜所以为帝王首[108]者，亦修[109]人事而已。尊宠此属[110]，何补于国！"上皆不听。

上即位之日，驿召魏元忠于高要[111]。丁卯[112]，至都，拜卫尉卿、同平章事。

甲戌[113]，以魏元忠为兵部尚书，韦安石为吏部尚书，李怀远为右散骑常侍，唐休璟为辅国大将军，崔玄暐检校益府长史，杨再思检校杨府长史，祝钦明为刑部尚书，并同中书门下三品。元忠等皆以东宫旧僚褒之也[114]。

乙亥[115]，以张柬之为中书令。

戊寅[116]，追赠故邵王重润为懿德太子。

五月壬午[117]，迁周庙七主于西京崇尊庙[118]。制："武氏三代讳[119]，奏事者皆不得犯。"

乙酉[120]，立太庙、社稷于东都。

【语译】

方术之士郑普思和尚衣奉御叶静能都利用邪术被中宗信任和重用。夏，四月，颁下中宗墨敕，任命郑普思担任秘书监，叶静能担任国子祭酒。桓彦范和崔玄暐坚持认为不能这样做，中宗说："我已任用了他们，不容许立刻改授。"桓彦范说："陛下刚即位之时，曾颁布诏书说：'各项政令都依照贞观时期的旧制。'贞观时期，魏徵、虞世南、颜师古担任秘书监，孔颖达担任国子祭酒，哪里是郑普思和叶静能之类所能比拟的啊！"初一日庚戌，左拾遗李邕上奏，认为"《诗经》三百篇，以一句话来概括，叫作'思想纯正'。如果有神仙能使人不死，那么秦始皇、汉武帝早已得到保佑了。如果佛祖能替人造福谋利，那么梁武帝也早就得到满足了。唐尧、虞舜之所以能够成为历代帝王的典范，也不过是治理人世间的事情而已。尊宠郑普思和叶静能这种人，对国家有什么补益！"中宗都没有听从。

中宗即位那一天，用驿车从高要县召回魏元忠。四月十八日丁卯，魏元忠抵达东都，中宗任命他为卫尉卿、同平章事。

二十五日甲戌，中宗任命魏元忠为兵部尚书，韦安石为吏部尚书，李怀远为右散骑常侍，唐休璟为辅国大将军，崔玄暐为检校益府长史，杨再思为检校杨府长史，祝钦明为刑部尚书，均加授同中书门下三品衔。魏元忠等人都因为是东宫旧僚而得到褒奖。

二十六日乙亥，中宗任命张柬之为中书令。

二十九日戊寅，追赠已经死去的邵王李重润为懿德太子。

五月初四日壬午，把东都武周宗庙中的七个牌位移到长安崇尊庙中。颁布诏书："对于武氏祖孙三代人的名讳，上奏言事的人们都不能触犯。"

初七日乙酉，在东都设立太庙和社稷神主。

以张柬之等及武攸暨、武三思、郑普思等十六人皆为立功之人，赐以铁券[121]，自非反逆，各恕十死[122]。

癸巳[123]，敬晖等帅百官上表，以为“五运[124]迭兴，事不两大[125]。天授革命之际[126]，宗室诛窜殆尽，岂得与诸武并封！今天命惟新，而诸武封建[127]如旧，并居京师，开辟[128]以来未有斯理[129]。愿陛下为社稷计，顺遐迩心，降其王爵以安内外”。上不许。

敬晖等畏武三思之谗，以考功员外郎[130]崔湜[131]为耳目，伺其动静。湜见上亲三思而忌晖等，乃悉以晖等谋告三思，反为三思用，三思引为中书舍人。湜，仁师[132]之孙也。

先是，殿中侍御史南皮郑愔[133]谄事二张。二张败，贬宣州[134]司士参军，坐赃，亡入东都，私谒武三思。初见三思，哭甚哀，既而[135]大笑。三思素贵重，甚怪之，愔曰：“始见大王而哭，哀大王将戮死而灭族也。后乃大笑，喜大王之得愔也。大王虽得天子之意[136]，彼五人[137]皆据将相之权，胆略过人，废太后如反掌。大王自视势位与太后孰[138]重？彼五人日夜切齿，欲噬大王之肉，非尽大王之族不足以快其志。大王不去此五人，危如朝露[139]，而晏然[140]尚自以为泰山之安，此愔所以为大王寒心也。”三思大悦，与之登楼，问自安之策，引为中书舍人，与崔湜皆为三思谋主。

三思与韦后日夜谮晖等，云“恃功专权，将不利于社稷”。上信之。三思等因为上画策，“不若封晖等为王，罢其政事，外不失尊宠功臣，内实夺之权”。上以为然[141]，甲午[142]，以侍中齐公敬晖为平阳王[143]，谯公[3]桓彦范为扶阳王，中书令汉阳公张柬之为汉阳王[144]，南阳公袁恕己为南阳王，特进、同中书门下三品博陵公崔玄暐为博陵王，罢知政事，赐金帛鞍马，令朝朔望[145]。仍赐彦范姓韦氏，与皇后同籍。寻又以玄暐检校益州[146]长史、知都督事，又改梁州[147]刺史。三思令百官复修则天之政，不附武氏者斥之，为五王[148]所逐者复之[149]，大权尽归三思矣。

中宗认为张柬之等人以及武攸暨、武三思、郑普思等十六人都是立有功劳的人，向他们颁赐铁券，如果这些人不是犯有谋反大逆之罪，各人可以宽免十次死罪。

五月十五日癸巳，敬晖等人带领百官上奏，认为“五德之运轮流兴起，事势不能两方同时强大。天授年间武周代唐的时候，唐宗室被诛杀流徙殆尽，哪里能够与武氏同列受封！现在上天之命已改易更新，而武氏爵封依旧，与唐宗室一起居住在京师，自开天辟地以来没有这种道理。希望陛下替大唐社稷着想，顺从朝野上下的意愿，贬抑他们的王位和爵位以安定内外”。中宗没有同意。

敬晖等人惧怕武三思的谗言，将考功员外郎崔湜作为自己的耳目，窥探武三思的动静。崔湜见中宗亲近武三思而疑忌敬晖等人，竟把敬晖等人的计谋告诉了武三思，反而被武三思所利用，武三思荐举崔湜担任了中书舍人。崔湜，是崔仁师的孙子。

在此以前，殿中侍御史南皮县人郑愔阿附张易之和张昌宗。二张败死后，他被贬谪为宣州司士参军，因犯贪赃罪，逃入东都，私下拜见武三思。郑愔刚见到武三思时，哭得极为哀伤，一会儿又大笑。武三思向来位尊权重，对郑愔的行为感到十分奇怪，郑愔说：“我刚见到大王时之所以啼哭，是哀伤大王将被杀戮而灭族。后来又大笑，是高兴大王得到了我郑愔。大王您虽然得到天子的厚意，而那五个人都执掌着将相的权柄，胆略过人，废黜太后易如反掌。大王您自己看一下与太后相比哪一个权位更重一些？那五个人日夜咬牙切齿，想吃大王您的肉，若没有将大王灭族，是不足以让他们称心如意的。大王如果不除掉这五个人，便如清晨的露水不能长久，转瞬即逝，然而您却安然自得还以为像泰山一样安稳，这就是我郑愔替大王您感到寒心的缘故。”武三思极为高兴，与郑愔上楼，征询自保平安的策略，举荐郑愔为中书舍人，他与崔湜都成了武三思的谋主。

武三思与韦后日夜向中宗诬陷敬晖等人，说他们“倚仗功劳专擅权柄，将会危害江山社稷”。中宗听信了他们两人的谗言。武三思等趁机替中宗出谋划策，认为“不如封敬晖等人为王，免除他们所执掌的政务，表面上不失为尊宠功臣，内里实际是剥夺他们的权力”。中宗认为可以这样。五月十六日甲午，中宗封侍中齐公敬晖为平阳王，谯公桓彦范为扶阳王，中书令汉阳公张柬之为汉阳王，南阳公袁恕己为南阳王，特进、同中书门下三品博陵公崔玄暐为博陵王，罢免执掌政务的权力，赏赐五人金帛鞍马，命令他们每月于初一、十五日朝见。还赐桓彦范姓韦氏，让他与韦后同宗籍。不久中宗又任命崔玄暐检校益州长史、知都督事，又将他改任为梁州刺史。武三思命令百官重新推行武则天时的朝政，对不趋附武氏的人都加以排斥，那些被张柬之等五王斥逐的人得到重新起用，大权全都归属武三思了。

【段旨】

以上为第三段，写张柬之等与武氏诸王之间的明争暗斗日益激化。中宗听信武三思，封政变中坚张柬之等五人为王，实夺其权。

【注释】

⑮ 术士：方术之士。指从事占卜星相等相关活动的人。⑯ 郑普思：事散见《旧唐书》卷八十八、《新唐书》卷一百二十等。⑰ 叶静能：著有《太上北帝灵文》三卷。⑱ 墨敕：不经过中书门下，由皇帝亲笔书写的敕令。⑲ 秘书监：秘书省最高长官，从三品，掌管国家经籍图书之事。⑽ 国子祭酒：国子监最高长官，从三品，掌国家儒学训导之政令。⑾ 遽改：立即改授。⑿ 虞世南（公元五五八至六三八年）：字伯施，越州余姚（今浙江余姚）人，博学，善文，尤工书法，深受唐太宗称赞。传见《旧唐书》卷七十二、《新唐书》卷一百二。⒀ 颜师古（公元五八一至六四五年）：字籀，京兆万年人，唐初著名训诂学家。著述甚丰，所撰《匡谬正俗》及《汉书注》对后世影响很大。传见《旧唐书》卷七十三、《新唐书》卷一百九十八。⒁ 孔颖达（公元五七四至六四八年）：字冲远，冀州衡水（今河北衡水）人，幼时聪敏，日记千言。唐初成为著名经学大师，曾奉命主编《五经正义》作为学校教材。与颜师古同传。⒂ 庚戌：四月一日。⒃ 李邕（公元六七八至七四七年）：字泰和，江都（今江苏扬州）人，唐代著名书法家、文学家。传见《旧唐书》卷一百九十中、《新唐书》卷二百二、《书小史》卷九。⒄“《诗》三百”三句：孔子名言，见《论语·为政》。《诗》，《诗经》。收诗三百首，故称《诗》三百。蔽，概括、总括。邪，不正派。⒅ 首：首领；榜样。⒆ 修：治。⒇ 此属：这些人。指郑普思等妖妄之士。⑪ 召魏元忠于高要：魏元忠于长安三年（公元七〇三年）九月九日被贬为高要县尉。⑫ 丁卯：四月十八日。⑬ 甲戌：四月二十五日。⑭ 元忠等皆以东宫旧僚褒之也：魏元忠曾兼太子左庶子，韦安石检校左庶子，李怀远兼太子左庶子，唐休璟行右庶子，崔玄暐兼太子左庶子，杨再思兼太子右庶子，祝钦明兼太子侍读。⑮ 乙亥：四月二十六日。⑯ 戊寅：四月二十九日。⑰ 壬午：五月初四日。⑱ 迁周庙七主于西京崇尊庙：把东都武周太庙中的七个牌位移到长安崇尊庙中。垂拱末年，武则天令修崇尊庙于京师长安，以享武氏祖考。天授元年（公元六九〇年）改唐为周，又令立武氏七庙于神都，作为武周的太庙。迁周庙七主，就意味着废武周太庙。⑲ 武氏三代讳：即武则天曾祖武俭、祖父武华及父亲武士彟的名字。⑳ 乙酉：五月初七日。㉑ 铁券：用铁铸成的证件。古代帝王为了笼络功臣，常赐以铁券，授予包括免死在内的特权。参凌扬藻《蠡勺编》

卷四十《铁券》。⑫“自非反逆”二句：除反逆之外，各宽宥其十次死罪。⑬癸巳：五月十五日。⑭五运：五德。金、木、水、火、土五行更迭而兴。⑮事不两大：事势不能两方同时强大。指皇室与外戚不能同时强大。⑯革命之际：武周代唐的时候。革命本指实施变革以应天命。古人认为帝王受命于天，故称改朝换代为“革命”，即变革天命。⑰封建：本指封侯建国，此处指封爵。⑱开辟：开天辟地。⑲斯理：这个道理。⑳考功员外郎：官名，为尚书省吏部考功司副长官，从六品上，主管外官考课之事。㉛崔湜（公元六七一至七一三年）：字澄澜，定州安喜（今河北定州东南）人，少以文辞知名，举进士，曾任左补阙等职。唐中宗时官至宰相。传见《旧唐书》卷七十四、《新唐书》卷九十九。㉜仁师：崔湜之祖崔仁师，太宗时官至给事中。与崔湜同传。㉝郑愔（？至公元七一〇年）：沧州南皮（今河北南皮）人，曾任许州司功参军。中宗时官至吏部侍郎、同中书门下平章事。后贬为汴州刺史，以谋反罪被杀。事散见于《新唐书》卷四、卷五、卷六十一、卷九十九、卷一百三十等。㉞宣州：州名，治所在今安徽宣城。㉟既而：不久；一会儿。㊱得天子之意：得到天子的厚意。㊲彼五人：指张柬之、敬晖、桓彦范、崔玄暐、袁恕己。㊳孰：谁；哪个。㊴危如朝露：如清晨的露水不能长久，转瞬即逝。形容危险之甚。㊵晏然：安然自得的样子。㊶上以为然：唐中宗认为可以这样。关于中宗疏忌张柬之等人的原因，《考异》引《统纪》载有一段重要文字：“太后善自粉饰，虽子孙在侧，不觉其衰老。及在上阳宫，不复栉頮，形容羸悴。上入见，大惊。太后泣曰：‘我自房陵迎汝来，固以天下授汝矣，而五贼贪功，惊我至此。’上悲泣不自胜，伏地拜谢死罪。由是三思等得入其谋。”司马光认为中宗顽鄙不仁，太后虽毁容涕泣，未必能感动其意。其所以疏忌五王，是采用了韦后及武三思的主张。㊷甲午：五月十六日。㊸平阳王：即平阳郡王。下同。㊹张柬之为汉阳王：据《考异》卷十二、《实录》所载张柬之等人地位高低先后不定，诛张易之以张柬之为首，赐铁券以崔玄暐为首，封王及贬谪以敬晖为首，开元复官诏以桓彦范为首。对于这种现象，司马光在《考异》中进行过解释。岑仲勉亦进行过辨析。详见《通鉴隋唐纪比事质疑》。㊺朔望：初一、十五。㊻益州：治所成都，在今四川成都。㊼梁州：治所南郑，在今陕西汉中东。㊽五王：即张柬之、敬晖、桓彦范、袁恕己、崔玄暐等五人。因同时封王而并称五王。㊾复之：得到重新起用。

【校记】

［3］谯公：原无此二字。据章钰校，十二行本、乙十一行本、孔天胤本皆有此二字，张敦仁《通鉴刊本识误》同，今据补。〖按〗余四人皆有官爵冠于前，桓彦范亦当有之。

【原文】

五王之请削武氏诸王也，求人为表⑮⓪，众莫肯为。中书舍人岑羲为之⑮①，语甚激切⑮②；中书舍人偃师毕构⑮③次当读表，辞色明厉。三思既得志，羲改秘书少监⑮④，出构为润州⑮⑤刺史。

易州刺史赵履温⑮⑥，桓彦范之妻兄也。彦范之诛二张，称履温预其谋，召为司农少卿⑮⑦，履温以二婢遗彦范。及彦范罢政事，履温复夺其婢。

上嘉宋璟忠直，累[4]迁黄门侍郎⑮⑧。武三思尝以事属⑮⑨璟，璟正色拒之曰："今太后既复子明辟⑯⓪，王当以侯就第，何得尚干朝政！独不见产、禄之事乎！"

以韦安石兼检校中书令⑯①，魏元忠兼检校侍中，又以李湛为右散骑常侍，赵承恩为光禄卿，杨元琰为卫尉卿。

先是，元琰知三思浸用事⑯②，请弃官为僧，上不许。敬晖闻之，笑曰："使我早知，劝上许之，髡⑯③去胡头，岂不妙哉！"元琰多须类胡⑯④，故晖戏之。元琰曰："功成名遂⑯⑤，不退将危。此乃由衷⑯⑥之请，非徒然也。"晖知其意，瞿然⑯⑦不悦。及晖等得罪，元琰独免。

【段旨】

以上为第四段，写杨元琰见微知著，见中宗昏庸而功成身退，得免武三思之祸。

【注释】

⑮⓪为表：撰写表章。⑮①岑羲为之：岑羲写了《削武氏诸王表》。全文见《旧唐书》卷一百八十三。⑮②激切：激烈深切。⑮③毕构（？至公元七一六年）：字隆择，河南偃师（今河南洛阳市偃师区东南）人，六岁即能作文，进士及第，历任金水县尉、左拾遗、中书舍人、润州刺史、广州都督等职，官至户部尚书。所在兴利除弊，甚有善政。传见

【语译】

张柬之等五王请求削除武氏各王的王爵，找人为他们撰写表章，大家都不愿干此事。中书舍人岑羲起草了表章，辞语非常激烈深切；中书舍人偃师人毕构按次序正轮到宣读表章，语气和神态显得明朗严肃。武三思得志以后，岑羲改任秘书少监，毕构调走外任润州刺史。

易州刺史赵履温是桓彦范的妻兄。桓彦范诛杀张易之、张昌宗，声称赵履温参与了谋划，中宗召他入京任命为司农少卿，赵履温将两个婢女送给桓彦范。等到桓彦范被罢免了宰相职务，赵履温又强行讨回了那两个婢女。

中宗赞赏宋璟的忠诚正直，依功劳将其升至黄门侍郎。武三思曾经将事托付宋璟，宋璟神色严肃地拒绝他说："现在太后已经恢复了儿子的帝位，大王你应当以侯爵的身份返回自己府第，怎么能够还去干预朝政！难道你没有看到吕产、吕禄的故事吗！"

中宗任令韦安石兼任检校中书令，魏元忠兼任检校侍中，又任令李湛担任右散骑常侍，赵承恩担任光禄卿，杨元琰担任卫尉卿。

在此之前，杨元琰知悉武三思逐渐掌权，便请求弃官为僧，中宗没有同意。敬晖听说这件事后，笑着说："假使我早一点得知这件事，劝皇上同意你的请求，剃光你这胡头，岂不是太妙了吗！"杨元琰脸上多须，样子像胡人，所以敬晖开他的玩笑。杨元琰说："功成名就，不求身退，将会遇到危险。弃官为僧是发自内心的愿望，不仅仅是做个样子。"敬晖知道了他的本意，惊奇地看着他，很不高兴。到敬晖等人获罪时，唯有杨元琰一人幸免。

《旧唐书》卷一百、《新唐书》卷一百二十八。⑭秘书少监：秘书省副职，从四品上，协助秘书监掌管经籍图书之事。⑮润州：州名，治所丹徒，在今江苏镇江市。⑯赵履温：事见《元和姓纂》卷七、《唐尚书省郎官石柱题名考》卷十一、《太平广记》卷二百四十。⑰司农少卿：司农司副职，从四品上，地位仅次于司农卿，协助司农卿掌管全国仓库、储积之事。⑱黄门侍郎：即门下侍郎，正四品上，协助侍中主管审议及封驳。⑲属：托付。⑳复子明辟：恢复儿子明位。意即武则天已传位给中宗。㉑以韦安石兼检校中书令：时在五月十六日，与敬晖等封王为同一天。㉒浸用事：逐渐掌权。㉓髡：古代一种剃去头发的刑罚。㉔类胡：像胡人。㉕遂：就。㉖由衷：发自内心。㉗瞿然：惊动的样子。

【校记】

［4］累：原作“屡”。据章钰校，十二行本、乙十一行本、孔天胤本皆作“累”，今据改。

【原文】

上官婕妤劝韦后袭则天故事，上表请天下士庶为出母[168]服丧三年，又请百姓年二十三为丁，五十九免役[169]，改易制度以收时望[170]。制皆许之。

癸卯[171]，制降诸武，梁王三思为德静王[172]，定王攸暨为乐寿王，河内王懿宗等十二人皆降为公，以厌[173]人心。

甲辰[174]，以唐休璟为左仆射，同中书门下三品如故，豆卢钦望为右仆射[175]。

六月壬子[176]，以左骁卫大将军裴思说[177]充灵武军大总管，以备突厥。

癸亥[178]，命右仆射豆卢钦望，有军国重事，中书门下可共平章。

先是，仆射为正宰相，其后多兼中书门下之职，午前决朝政，午后决省事。至是，钦望专为仆射，不敢预政事，故有是命。是后专拜仆射者，不复为宰相矣。

又以韦安石为中书令，魏元忠为侍中，杨再思检校[5]中书令[179]。

丁卯[180]，祔孝敬皇帝[181]于太庙，号义宗。

戊辰[182]，洛水溢，流[183]二千余家。

秋，七月辛巳[184]，以太子宾客韦巨源同中书门下三品，西京留守如故。

特进汉阳王张柬之表请归襄州[185]养疾。乙未[186]，以柬之为襄州刺史，不知州事，给全俸[187]。

河南、北十七州[188]大水，八月戊申[189]，以水灾求直言。右卫骑曹参军西河宋务光[190]上疏，以为“水阴类[191]，臣妾之象，恐后庭有干外朝之政者，宜杜绝其萌[192]。今霖雨不止，乃闭坊门以禳之[193]，至使里巷谓坊

【语译】

上官婕妤劝韦后沿袭则天旧制，向中宗上表请求全国士人百姓为生母服丧三年，又请求规定百姓二十三岁为成丁，五十九岁免除劳役，通过改易制度来笼络人心。中宗下诏对所有建议都加以同意。

五月二十五日癸卯，中宗颁布诏书降低武氏的封爵等级，把梁王武三思降格为德静县王，把定王武攸暨降为乐寿县王，把河内王武懿宗等十二人都降为公爵，以此来满足人们的心愿。

二十六日甲辰，中宗任命唐休璟为尚书左仆射，仍旧为同中书门下三品，任命豆卢钦望为尚书右仆射。

六月初四日壬子，中宗任命左骁卫大将军裴思说充任灵武军大总管，借此防备突厥。

十五日癸亥，中宗命令尚书右仆射豆卢钦望，遇有军国大事，可以在中书省、门下省中与宰相共同商议决策。

在此之前，仆射是正宰相，后来宰相大多兼任中书、门下之职，在中午之前处理朝政，午后处理尚书省的事务。到此时，豆卢钦望专门担任右仆射一职，不能预议政事，因此中宗才有这一命令。从此专任尚书仆射的人，就不再担任宰相职务了。

中宗又任命韦安石为中书令，魏元忠为侍中，杨再思为检校中书令。

六月十九日丁卯，中宗把孝敬皇帝李弘的神主祔祭于太庙，庙号义宗。

二十日戊辰，洛水漫出河岸，洪流冲走两千多户人家。

秋，七月初四日辛巳，中宗命令太子宾客韦巨源担任同中书门下三品，西京留守职务依旧。

特进汉阳王张柬之上表请求返回襄州养病。十八日乙未，中宗任命张柬之为襄州刺史，不主持该州事务，发给全额俸禄。

黄河南北十七个州发大水，八月初一日戊申，中宗因为发生水灾的缘故，要求臣下直言进谏。右卫骑曹参军西河人宋务光上疏，认为“水属于阴类，象征臣妾，恐怕后宫有干预外朝政事的人，应当将其断绝在萌芽状态。眼下久雨不停，于是关

门为宰相，言朝廷使之燮理[194]阴阳也。又，太子国本，宜早择贤能而立之。又，外戚太盛，如武三思等，宜解其机要，厚以禄赐。又，郑普思、叶静能以小技窃大位，亦朝政之蠹也”。疏奏，不省[195]。

壬戌[196]，追立妃赵氏[197]为恭皇后，孝敬皇帝妃裴氏[198]为哀皇后。

九月壬午[199]，上祀昊天上帝、皇地祇于明堂，以高宗配。

初，上在房陵，州司制约[200]甚急[201]，刺史河东张知謇[202]、灵昌崔敬嗣[203]独待遇以礼，供给丰赡。上德之[204]，擢知謇自贝州刺史为左卫将军，赐爵范阳公。敬嗣已卒，求得其子汪，嗜酒，不堪厘职[205]，除五品散官[206]。

改葬上洛王韦玄贞，其仪皆如太原王[207]故事。

癸巳[208]，太子宾客、同中书门下三品韦巨源罢为礼部尚书，以其从父安石为中书令故也。

以左卫将军上邽纪处讷[209]兼检校太府卿[210]，处讷娶武三思之妻姊故也。

冬，十月，命唐休璟留守京师。

癸亥[211]，上幸龙门[212]。乙丑[213]，猎于新安[214]而还。

辛未[215]，以魏元忠为中书令，杨再思为侍中。

十一月戊寅[216]，群臣上皇帝尊号曰应天皇帝，皇后曰顺天皇后。壬午[217]，上与后谒谢太庙，赦天下。相王、太平公主加实封，皆满万户[218]。

己丑[219]，上御洛城南楼[220]，观泼寒胡戏[221]。清源尉吕元泰[222]上疏，以为“谋时寒若[223]，何必裸身挥水[224]，鼓舞衢路以索之[225]”！疏奏，不纳。

闭坊市北门来祈求天晴，以至于让里巷百姓认为坊门就是宰相，说它是由朝廷指派来调和阴阳的。还有，太子是国家的根基，应该尽早选择贤良而有才能的皇子册立为太子。此外，外戚权势太大，像武三思等人，应该罢免他们的重要职务，多给俸禄和赏赐；再者，郑普思、叶静能利用方术小技窃取高位，他们也是侵蚀朝政的蛀虫”。奏疏呈上，中宗不加理会。

十五日壬戌，把妃子赵氏追立为恭皇后，又把孝敬皇帝李弘的妃子裴氏追立为哀皇后。

九月初五日壬午，中宗在明堂祭祀昊天上帝、皇地祇，以唐高宗李治配享。

当初，中宗在房陵时，州衙官署对中宗的管制约束十分严厉，唯独刺史河东人张知謇和灵昌人崔敬嗣对中宗以礼相待，供应的物品十分丰富。皇帝感激他们的恩德，把张知謇由贝州刺史提拔为左卫将军，赐爵范阳公。崔敬嗣已经去世，中宗找到了他的儿子崔汪，崔汪贪杯嗜酒，不能承担治理政事的职务，便任他为五品散官。

改葬上洛王韦玄贞，礼仪规格都依照太原王武士彟的旧例。

九月十六日癸巳，罢免太子宾客、同中书门下三品韦巨源，改任礼部尚书，这是由于他的叔父韦安石担任了中书令。

中宗任命左卫将军上邽人纪处讷兼任检校太府卿，这是因为纪处讷娶了武三思之妻姐。

冬，十月，中宗命令唐休璟留守京师。

十七日癸亥，中宗驾临龙门。十九日乙丑，在新安狩猎之后返还京师。

二十五日辛未，中宗任命魏元忠为中书令，杨再思为侍中。

十一月初二日戊寅，群臣给中宗上尊号为应天皇帝，给韦后上尊号为顺天皇后。初六日壬午，中宗与韦后拜谒告谢太庙，大赦天下。增加相王李旦和太平公主的实封之数，全都满一万户。

十三日己丑，中宗登上洛阳城南楼，观赏泼寒胡戏。清源县尉吕元泰上疏，认为“君主擅长谋划，时寒自然顺畅而至，何必赤裸身体，互相泼水，在大街上击鼓起舞，祈求寒气”！奏疏呈上，中宗没有采纳。

【段旨】

以上为第五段，写中宗昏庸，滥用国家官职酬谢亲故，韦皇后及韦氏外戚势力日益兴起。

【注释】

[168]出母：生母。为出母服丧三年，旨在感动中宗之心，使其思念武则天。[169]“请百姓年二十三为丁”二句：唐制，二十一为丁，六十为老。此改制，缩短成丁的年岁，用以笼络人心。[170]收时望：指笼络人心，满足当时人的愿望。[171]癸卯：五月二十五日。[172]德静王：降格为德静县王。[173]厌：满足。[174]甲辰：五月二十六日。[175]豆卢钦望为右仆射：武德、贞观年间，尚书省左右仆射均为宰相。唐高宗时，左右仆射亦为宰相，但皆加“同中书门下三品”之号。神龙以后，左右仆射不加“同三品”或“同平章事”名号者，不再行宰相之权。[176]壬子：六月初四日。[177]裴思说：《新唐书》卷四、卷七十一上、卷一百九十一，《全唐文》卷二百四十二、《册府元龟》卷九百九十二皆作“裴思谅”。裴思谅为裴德超之子，官至灵武大总管，封河东郡公。[178]癸亥：六月十五日。[179]杨再思检校中书令：唐制，中书令二人。故韦安石、杨再思同时担任此职。[180]丁卯：六月十九日。[181]孝敬皇帝：唐中宗之兄太子李弘。太子弘死于上元二年（公元六七五年）四月二十五日，五月五日赠谥孝敬皇帝。[182]戊辰：六月二十日。[183]流：漂流。[184]辛巳：七月初四日。[185]襄州：州名，治所在今湖北襄阳。[186]乙未：七月十八日。[187]给全俸：发给全额俸禄。唐制，郡王从一品，月俸八千，食料一千八百，杂用一千二百；上州刺史从三品，月俸五千一百，杂用九百。[188]河南、北十七州：《新唐书》卷三十六《五行志三》作“河北州十七”。[189]戊申：八月初一日。[190]宋务光：字子昂，汾州西河（今山西汾阳）人，进士。官至殿中侍御史，曾多次上书直谏。传见《新唐书》卷一百十八。[191]水阴类：水属于阴类。[192]萌：萌芽。[193]闭坊门以禳之：唐制，久雨成灾，闭坊市北门以祈晴。[194]燮理：调和。[195]不省：不察。[196]壬戌：八月十五日。[197]赵氏：京兆长安（今陕西西安）人，中宗为英王时聘为妃。上元二年幽闭而死。传见《旧唐书》卷五十一、《新唐书》卷七十六。[198]裴氏：右卫将军裴居道之女。有妇德，咸亨四年（公元六七三年）二月被太子弘纳为妃。事详《旧唐书》卷八十六、《新唐书》卷八十一《孝敬皇帝弘传》。[199]壬午：

【原文】

壬寅[226]，则天崩于上阳宫，年八十二[227]。遗制：“去帝号，称则天大圣皇后。王、萧二族及褚遂良、韩瑗、柳奭亲属皆赦之[228]。”

上居谅阴[229]，以魏元忠摄冢宰[230]三日。元忠素负忠直之望，中外赖之。武三思惮之，矫太后遗制，慰谕元忠，赐实封百户。元忠捧制，感咽涕泗，见者曰：“事去矣！”

九月初五日。⑳⓪制约：管制约束。⑳①急：严厉。⑳②张知謇：蒲州河东（今山西永济西）人，先后任房、和、舒等十一州刺史，有才干，为武则天所重。传见《旧唐书》卷一百八十五下、《新唐书》卷一百。⑳③崔敬嗣：滑州灵昌（今河南滑县西南）人，嗜酒，长于博戏。事见《旧唐书》卷一百十一、《新唐书》卷一百四十一《崔光远传》。⑳④德之：感其恩德。⑳⑤厘职：治理政事的职务。厘，治理。⑳⑥五品散官：唐制，中散大夫、朝议大夫、朝请大夫、朝散大夫皆为五品文散官。⑳⑦太原王：则天父武士彟。⑳⑧癸巳：九月十六日。⑳⑨纪处讷（？至公元七一〇年）：秦州上邽（今甘肃天水）人，后官至侍中。传见《旧唐书》卷九十二、《新唐书》卷一百九。㉑⓪太府卿：太府寺卿，从三品，主管国家财货之政令。㉑①癸亥：十月十七日。㉑②龙门：此处龙门指伊阙，在今河南洛阳南。㉑③乙丑：十月十九日。㉑④新安：县名，治所在今河南新安。㉑⑤辛未：十月二十五日。㉑⑥戊寅：十一月初二日。㉑⑦壬午：十一月初六日。㉑⑧"相王、太平公主加实封"二句：唐制，亲王食封八百户，公主三百户。高宗时，以相王、太平公主武后所生，食封逾于常制。圣历初，皆加至三千户。至此，又加至万户。㉑⑨己丑：十一月十三日。㉒⓪洛城南楼：东都皇宫西南洛城南门门楼。㉒①泼寒胡戏：由西域康国传入的一种乐舞。又名乞寒胡戏，简称乞寒、泼寒等。鼓舞乞寒，以水交泼为乐。原在十一月进行。长安末年，改为冬季进行。参《新唐书》卷二百二十一《西域传下》、《唐音癸签》卷十四《散乐》。㉒②吕元泰：事见《新唐书》卷一百十八《宋务光传》、《唐御史台精舍题名考》卷二。㉒③谋时寒若：语出《尚书·洪范》。意思是说人君能谋，时寒就会顺应季节而至。㉒④挥水：泼水。㉒⑤索之：索寒；乞寒。

【校记】

［5］检校：原作"为检校"。据章钰校，十二行本、乙十一行本、孔天胤本皆无"为"字，今据删。

【语译】

十一月二十六日壬寅，武则天在上阳宫崩逝，终年八十二岁。武则天留下遗诏说："去掉我皇帝尊号，称为则天大圣皇后。高宗的后妃王氏和萧氏家族以及褚遂良、韩瑗、柳奭的亲属全都予以赦免。"

中宗居丧期间，由魏元忠代理三天冢宰职务。魏元忠一向负有忠诚正直的声望，朝廷内外都很信赖他。武三思对他很忌惮，便伪造武则天的遗诏，晓谕抚慰魏元忠，赐给魏元忠实封百户。魏元忠捧着太后遗命，感动得呜咽流泪，见到这一情景的人说："事势已无法挽回了！"

十二月丁卯[231]，上始御同明殿[232]见群臣。

太后将合葬乾陵，给事中严善思[233]上疏，以为“乾陵玄宫[234]以石为门，铁锢其缝[235]，今启其门，必须镌凿。神明[236]之道，体尚幽玄[237]，动众加功，恐多惊黩[238]。况合葬非古，汉时诸陵，皇后多不合葬，魏、晋已降，始有合者。望于乾陵之傍更择吉地为陵，若神道有知，幽涂[239]自当通会，若其无知，合之何益”！不从。

是岁，户部奏天下户六百一十五万，口三千七百一十四万有畸[240]。

【段旨】

以上为第六段，写武则天之死，以及武周一朝全国最后的户口数。

【注释】

㉖壬寅：十一月二十六日。㉗年八十二:《旧唐书》卷六《则天纪》作“八十三”，《新唐书》卷七十六《则天皇后传》及《唐会要》卷三作“八十一”。误。㉘“王、萧二族”句：武则天立为皇后以后，王皇后、萧淑妃被杀，其母兄、亲族悉流于岭南。褚遂良、韩瑗、柳奭亦因保护王皇后而被贬被杀，其亲属皆被流放恶地。㉙谅阴：亦作“凉

【原文】

二年（丙午，公元七〇六年）

春，正月戊戌[241]，以吏部尚书李峤同中书门下三品，中书侍郎于惟谦[242]同平章事。

闰月丙午[243]，制：“太平、长宁、安乐、宜城、新都、定安、金城公主[244]并开府，置官属。”

武三思以敬晖、桓彦范、袁恕己尚在京师，忌之。乙卯[245]，出为滑、洺、豫三州[246]刺史。

十二月二十一日丁卯，中宗开始亲临同明殿会见群臣。

武则天即将与高宗合葬于乾陵，给事中严善思上疏，认为“乾陵墓室是石头做的门，门缝用铁水封锢，现在要打开石门，就必须凿开。神祇之道，本质是崇尚幽静玄默的；动用众多人力施工，恐怕多有惊动黩犯。况且夫妻合葬并不是古制，汉代皇帝的各个陵墓，皇后多数没有合葬。从魏晋以来，才有合葬的。希望在乾陵旁边另选风水好的地域营建陵墓，假如神灵有知，在阴间的道路上自然会连通相会；如果神灵无知，合葬有什么好处呢”！中宗没有听从他的建议。

这一年，户部奏报，全国户数为六百一十五万，人口为三千七百一十四万有余。

暗”“亮阴”，指居丧之所，即凶庐。㉚冢宰：周代官名，为六卿之首，“掌邦治，统百官，均四海”。此处借指首辅。㉛丁卯：十二月二十一日。㉜同明殿：在东都皇宫含元殿西北。西为亿岁殿，北为九洲池。㉝严善思：名譔，以字行，同州朝邑（今陕西大荔东南朝邑镇）人，通儒术，晓图谶，历官监察御史、太史令、给事中、礼部侍郎。传见《旧唐书》卷一百九十一、《新唐书》卷二百四。㉞玄宫：又称“神宫”“地宫”，即墓室。㉟铁锢其缝：用铁水浇锢石缝。这一点已为考古工作者所证实。㊱神明：神祇。㊲幽玄：幽静玄默。㊳惊黩：惊动黩犯。㊴幽涂：阴间的道路。㊵有畸：有余。畸，通“奇”。

【语译】

二年（丙午，公元七〇六年）

春，正月二十三日戊戌，中宗任命吏部尚书李峤为同中书门下三品，中书侍郎于惟谦为同平章事。

闰正月初一日丙午，颁布诏书：“太平公主、长宁公主、安乐公主、宜城公主、新都公主、定安公主和金城公主全都开立府署，设置僚属。”

武三思因为敬晖、桓彦范和袁恕己三人仍在京师，很嫉恨他们。初十日乙卯，将三人外放为滑、洺、豫三州刺史。

赐阒乡僧万回[247]号法云公。

甲戌[248]，以突骑施酋长乌质勒为怀德郡王。

二月乙未[249]，以刑部尚书韦巨源同中书门下三品，仍与皇后叙宗族。

丙申[250]，僧慧范[251]等九人并加五品阶，赐爵郡、县公[252]；道士史崇恩[253]等三人[6]加五品阶，除国子祭酒，同正[254]；叶静能加金紫光禄大夫[255]。

选左、右台[256]及内外五品以上官二十人为十道巡察使，委之察吏抚人，荐贤直狱[257]，二年一代，考其功罪而进退之。易州刺史魏人姜师度[258]、礼部员外郎马怀素[259]、殿中侍御史临漳源乾曜[260]、监察御史灵昌卢怀慎[261]、卫尉少卿滏阳李杰[262]皆预焉。

三月甲辰[263]，中书令韦安石罢为户部尚书，户部尚书苏瓌[264]为侍中、西京留守。瓌，颋之父也。唐休璟致仕。

初，少府监丞弘农宋之问[265]及弟兖州司仓之逊皆坐附会张易之贬岭南，逃归东都，匿于友人光禄卿、驸马都尉王同皎家。同皎疾武三思及韦后所为，每与所亲言之，辄切齿。之逊于帘下闻之，密遣其子昙及甥校书郎李悛告三思，欲以自赎。三思使昙、悛及抚州司仓冉祖雍上书告同皎与洛阳人张仲之、祖延庆、武当丞寿春周憬[266]等潜结壮士，谋杀三思，因勒兵诣阙，废皇后。上命御史大夫李承嘉[267]、监察御史姚绍之[268]按其事，又命杨再思、李峤、韦巨源参验[269]。仲之言三思罪状，事连宫壸[270]。再思、巨源阳寐[271]不听，峤与绍之命反接[272]送狱。仲之还顾，言不已，绍之命棰之，折其臂。仲之大呼曰："吾已负[273]汝，死当讼汝于天！"庚戌[274]，同皎等皆坐斩[275]，籍没其家。周憬亡[276]入比干庙中，大言曰："比干[277]古之忠臣，知吾此心。三思与皇后淫乱，倾危国家，行当[278]枭首都市[279]，恨不及见耳！"遂自刭[280]。之问、之逊、昙、悛、祖雍并除京官[281]，加朝散大夫[282]。

中宗赐予阌乡和尚万回法云公的名号。

二十九日甲戌，中宗册封突骑施酋长乌质勒为怀德郡王。

二月二十一日乙未，中宗任命刑部尚书韦巨源为同中书门下三品，还让将他列入韦皇后的宗族之中。

二十二日丙申，中宗为僧侣慧范等九人一起加授五品官阶，赐予郡公或县公的爵位；道士史崇恩等三人加授五品官阶，任命为国子祭酒、同正员；叶静能加授金紫光禄大夫衔。

朝廷选拔左、右台及内外五品以上官员共二十人为十道巡察使，委派他们考察官吏、安抚百姓，举荐贤能、申雪冤狱，两年替换一次，考核他们的功绩与过失以决定官职升降。易州刺史魏县人姜师度、礼部员外郎马怀素、殿中侍御史临漳县人源乾曜、监察御史灵昌县人卢怀慎和卫尉少卿滏阳县人李杰均被选上，参与其事。

三月初一日甲辰，中书令韦安石罢职改任户部尚书，户部尚书苏瓌担任侍中、西京留守。苏瓌，是苏颋的父亲。唐休璟退休。

当初，少府监丞弘农县人宋之问和他的弟弟兖州司仓宋之逊，都因依附张易之获罪而谪贬岭南，逃归东都，隐藏在友人光禄卿、驸马都尉王同皎家中。王同皎痛恨武三思及韦后的所作所为，每当他同亲近的人谈到这些事时，往往咬牙切齿。宋之逊在门帘后听到王同皎的话，便暗地里派他的儿子宋昙和外甥校书郎李悛告诉武三思，想以此来赎自己的罪。武三思派宋昙、李悛及抚州司仓冉祖雍上书告发王同皎与洛阳人张仲之、祖延庆、武当丞及寿春人周憬等暗地集结壮士，谋杀武三思，趁机带兵进入皇宫，废黜韦皇后。中宗命令御史大夫李承嘉和监察御史姚绍之审理这桩案件，又命令杨再思、李峤和韦巨源参证勘验。张仲之说武三思的罪状，事情牵连到韦后，杨再思和韦巨源假装睡觉，不予理睬，李峤和姚绍之命令把张仲之反绑起来，送到监牢中关押。张仲之回过头来，还是说个不停，姚绍之下令拷打他，折断了他的手臂。张仲之大声呼叫着说："我已被你背弃亏负，死后定要向上天控告你！"三月初七日庚戌，王同皎等人都被处死，抄没了他们的家。周憬逃亡至比干的庙里，大声说："比干是上古的忠臣，知道我的这颗心。武三思与韦皇后淫乱，倾害国家，行将斩首悬于都市以示众，遗憾的是我看不到这一天了！"说完便自刎了。宋之问、宋之逊、宋昙、李悛、冉祖雍等人皆升为京官，加封朝散大夫。

【段旨】

以上为第七段，写宋之逊等小人投靠武三思，卖友求荣。

【注释】

㉔①戊戌：正月二十三日。㉔②于惟谦：封东海郡公，先为中书侍郎，同中书门下平章事，次年罢知政事，为国子祭酒。事散见《旧唐书》卷七，《新唐书》卷四、卷六十一，《元和姓纂》卷二，《唐郎官石柱题名考》卷十。㉔③丙午：闰正月初一日。㉔④太平、长宁、安乐、宜城、新都、定安、金城公主：太平公主为唐中宗之妹。自长宁以下，皆中宗之女。㉔⑤乙卯：闰正月初十日。㉔⑥滑、洺、豫三州：滑州治所白马，在今河南滑县东。洺州治所永年，在今河北邯郸市永年区。豫州治所汝阳，在今河南汝南。㉔⑦万回：俗姓张，弘农阌乡（今河南灵宝西北文乡）人，生来迟愚，据说八九岁始能说话。因前往安西探望其兄，一日而返，行程万里，被称为万回。后出家为僧，武则天曾赠以锦袍金带。事见《旧唐书》卷九十五《惠庄太子㧑传》、《宋高僧传》卷十八、《太平广记》卷九十二。㉔⑧甲戌：闰正月二十九日。㉔⑨乙未：二月二十一日。㉕⓪丙申：二月二十二日。㉕①慧范：封上庸郡公。事见《旧唐书》卷七十七《柳泽传》、卷九十一《桓彦范传》及《朝野佥载》卷五。㉕②赐爵郡、县公：据《唐六典》卷二，郡公正二品，食邑二千户；县公从二品，食邑一千五百户。㉕③史崇恩：《旧唐书》之《中宗纪》作"史崇玄"。曾参与《道藏音义目录》一书的编写。事见《新唐书》卷五十九《艺文志》三、卷八十三《金仙公主传》及《朝野佥载》卷五。㉕④同正：同正员。㉕⑤金紫光禄大夫：文散官等四等，正三品。㉕⑥左、右台：即左、右肃政台。则天时改御史台为肃政台，分置左右。左台掌在京百司，右台按察京外百官。㉕⑦直狱：理直狱讼；申雪冤狱。㉕⑧姜师度（？至公元七二三年）：魏州魏县（今河北魏县东南）人，勤于为政，尤注重水利建设，官至将作大匠。传见《旧唐书》卷一百八十五下、《新唐书》卷一百。㉕⑨马怀素：润州丹徒（今江苏镇江市）人，谦恭谨慎，手不释卷。官至秘书监，兼昭文馆学士。传见《旧唐书》卷一百二、《新唐书》卷一百九十九。㉖⓪源乾曜（？至公元七三一年）：相州临漳（今河北临漳西南）人，为政宽简，不严而治。玄宗时官至侍中。传见《旧唐书》卷九十八、《新唐书》卷一百二十七。㉖①卢怀慎（？至公元七一六年）：滑州灵昌人，进士出身，官至宰相。为官勤谨清俭，家无余蓄。传见《旧唐书》卷九十八、《新唐书》卷一百二十六。㉖②李杰（？至公元七一八年）：相州滏阳（今河北磁县）人，为官详敏，颇有政绩，官至御

【原文】

武三思与韦后日夜谮敬晖等不已，复左迁晖为朗州[283]刺史，崔玄暐为均州[284]刺史，桓彦范为亳州[285]刺史，袁恕己为郢州[286]刺史，与晖

史大夫。传见《旧唐书》卷一百、《新唐书》卷一百二十八。㉖③甲辰：三月初一日。㉖④苏瓌（公元六三九至七一〇年）：字昌容，雍州武功（今陕西武功西北）人，曾任豫王府录事参军、尚书右丞等职，后官至侍中。明习法律，在职常有善政。传见《旧唐书》卷八十八、《新唐书》卷一百二十五。㉖⑤宋之问（约公元六五六至七一三年）：字延清，虢州弘农（今河南灵宝）人，上元进士，诗人，与沈佺期齐名。传见《旧唐书》卷一百九十中、《新唐书》卷二百二、《国秀集》卷上。㉖⑥周憬（？至公元七〇六年）：寿州寿春（今安徽寿县）人。事见《旧唐书》卷一百八十七上、《新唐书》卷一百九十一《王同皎传》。㉖⑦李承嘉：事见《旧唐书》卷九十一《桓彦范传》、卷一百《尹思贞传》、卷一百八十六《姚绍之传》。㉖⑧姚绍之：湖州武康（今浙江德清）人，为政酷烈。传见《旧唐书》卷一百八十六下、《新唐书》卷二百九。㉖⑨参验：参证勘验；参考验证。㉗⓪宫壸：本指皇后所居之地。此处借指皇后韦氏。㉗①阳寐：假装睡觉。㉗②反接：反绑。㉗③负：亏负，指被你背弃亏负。㉗④庚戌：三月初七日。㉗⑤同皎等皆坐斩：关于王同皎谋杀武三思的前后因果，《御史台记》《朝野佥载》《实录》《唐历》《统纪》及《旧唐书》本传皆有记载，但内容不尽相同。《御史台记》说："张仲之、宋之逊、祖延庆谋于衣袖中发铜弩射三思，伺其便未果。"《实录》则说："同皎与周憬等潜谋诛三思，乃招集将士，期以则天灵驾发引因劫杀三思。"司马光认为这些记载不大可靠，采用了《朝野佥载》的说法。详见《考异》。㉗⑥亡：逃亡。㉗⑦比干：商朝贵族。相传因谏纣王，被剖心而死。㉗⑧行当：行将。㉗⑨枭首都市：斩首悬于都市以示众。㉘⓪自到：自刎。㉘①并除京官：皆升为京官。京官，在京职官。据《新唐书》卷二百二及《朝野佥载》补辑等，宋之问擢鸿胪主簿，之逊为光禄丞，昙为尚衣奉御，悛为太仆丞，祖雍为侍御史。㉘②朝散大夫：文散官名，从五品下。

【校记】

［6］三人：原无此二字。据章钰校，十二行本、乙十一行本、孔天胤本皆有此二字，今据补。〖按〗上句提及僧人九人加爵，下句叶静能仅是一人受赏，当中史崇恩等亦赏，有具体人数。

【语译】

武三思和韦后日夜不停地诬陷敬晖等人，于是中宗又把敬晖贬为朗州刺史，崔玄暐贬为均州刺史，桓彦范贬为亳州刺史，袁恕己贬为郢州刺史。当时与敬晖等一等同立功者薛思行等[7]，皆以为党与坐贬。

大置员外官，自京司及诸州凡二千余人，宦官超迁七品以上员外官者又将千人。

魏元忠自端州还[287]，为相，不复强谏，惟与时俯仰[288]，中外失望。酸枣[289]尉袁楚客[290]致书元忠[291]，以为“主上新服厥命[292]，惟新厥德，当进君子，退小人，以兴大化[293]，岂可安其荣宠，循默[294]而已！今不早建太子，择师傅而辅之，一失也。公主开府置僚属，二失也。崇长缁衣[295]，使游走权门，借势纳赂，三失也。俳优[296]小人，盗窃品秩，四失也。有司选进贤才，皆以货取势求，五失也。宠进宦者，殆满千人，为长乱之阶，六失也。王公贵戚，赏赐无度，竞为侈靡，七失也。广置员外官，伤财害民，八失也。先朝宫女，得自便居外，出入无禁，交通请谒，九失也。左道[297]之人，荧惑[298]主听，盗窃禄位，十失也。凡此十失，君侯[299]不正，谁与[8]正之哉”！元忠得书，愧谢而已。

夏，四月，改赠后父韦玄贞为酆王，后四弟[300]皆赠郡王。

己丑[301]，左散骑常侍、同中书门下三品李怀远致仕。

处士[302]京兆[9]韦月将[303]上书告武三思潜通宫掖，必为逆乱。上大怒，命斩之。黄门侍郎宋璟奏请推按[304]，上益怒，不及整巾，屣履[305]出侧门[306]，谓璟曰：“朕谓已斩，乃犹未邪[307]！”命趋斩之。璟曰：“人言宫中私于三思，陛下不问而诛之，臣恐天下必有窃议。”固请按之，上不许，璟曰：“必欲斩月将，请先斩臣！不然，臣终不敢奉诏。”上怒少解。左御史大夫苏珦、给事中徐坚、大理卿长安尹思贞[308]皆以为方夏行戮，有违时令[309]。上乃命与杖[310]，流岭南。过秋分[311]一日，平晓[312]，广州都督周仁轨[313]斩之。

御史大夫李承嘉附武三思，诋[314]尹思贞于朝，思贞曰：“公附会奸臣，将图不轨，先除忠臣邪！”承嘉怒，劾奏思贞，出为青州[315]刺史。或谓思贞曰：“公平日讷于言[316]，及廷折承嘉，何其敏邪？”思贞曰：“物不能鸣者，激之则鸣。承嘉恃威权相陵[317]，仆[318]义不受屈，亦不知言之从何而至也。”

同立下功劳的薛思行等人，都被视为敬晖等人的同党而受到贬谪。

中宗大量设置员外官，从京师官署到地方各州共有两千余人，宦官被破格提升为七品以上员外官的又有近千名。

魏元忠从端州返京，担任了宰相后，不再强力诤谏了，只是与时俯仰，朝廷内外感到失望。酸枣县尉袁楚客写信给魏元忠，认为“皇上新继大位，要使德政日新，应当进用君子，斥退小人，来弘扬教化，怎么能够安于荣宠，因循常规，缄默无言而已！现在不早立太子，选择师傅加以辅导，这是第一个过失。公主开设府署，设置僚属，这是第二个过失。尊崇僧侣，让他们游走于权贵之家，仗势纳财，这是第三个过失。表演乐舞谐戏的小人，窃取官位俸禄，这是第四个过失。官府选拔进用贤才，都是以贿赂取人，以势力取人，这是第五个过失。受皇帝宠爱而提拔的宦官，几乎达到千人，成为滋长变乱的祸根，这是第六个过失。王公贵戚，赏赐无度，这些人竞相侈靡，这是第七个过失。大量设置员外官，耗费钱财，损害百姓，这是第八个过失。先朝的宫女，可以随便住在宫外，出入宫门不受限制，与外人勾结交往，请托拜谒，这是第九个过失。旁门左道之徒，惑乱皇帝的视听，窃取俸禄职位，这是第十个过失。总计这十个过失，您不去加以匡正，谁来匡正它呢”！魏元忠得到来信，只是羞惭致歉而已。

夏，四月，中宗改赠韦后之父上洛王韦玄贞为酆王，韦后的四个弟弟都被赠为郡王。

十六日己丑，左散骑常侍、同中书门下三品李怀远退休。

处士京兆人韦月将上书告发武三思暗地里与韦后通奸，必定叛逆作乱。中宗大怒，命令把韦月将斩首。黄门侍郎宋璟上奏请求交付法司推究按验，中宗更加愤怒，顾不上整好头巾，拖着鞋从大明宫的偏门出来，对宋璟说：“朕以为已经杀了韦月将，怎么还没有斩呢！”下令赶快把韦月将斩首。宋璟说：“有人告发皇后与武三思有奸情，陛下不追究，却要杀掉上书的人，我担心天下之人一定会私下议论。”宋璟坚持请交付法司审理。中宗不同意，宋璟说：“如果一定要斩杀韦月将，请先把我斩首，不然，臣不敢遵奉诏命。”中宗的怒气这才稍有平息。左御史大夫苏珦、给事中徐坚、大理卿长安人尹思贞都认为时值夏季行诛戮之刑，与时令相违背。中宗便下令处韦月将杖刑，将他流放到岭南。过了秋分一天，天刚拂晓，广州都督周仁轨便把韦月将斩首了。

御史大夫李承嘉依附武三思，在朝廷之上毁谤尹思贞，尹思贞说：“您投靠奸臣，将图谋不轨，所以要先行除掉忠臣吗！”李承嘉动怒，上奏弹劾尹思贞，把他调出外任青州刺史。有人对尹思贞说：“您平时言语迟钝，等到朝廷上指斥李承嘉时，为什么言谈那么敏捷？”尹思贞说：“不能发出声响的东西，冲击它就会发声。李承嘉倚仗权势欺凌我，我秉承大义，不受屈辱，也不知道那些话是从哪里来的。”

武三思恶宋璟，出之检校贝州[319]刺史。

五月庚申[320]，葬则天大圣皇后于乾陵[321]。

武三思使郑愔告朗州刺史敬晖、亳州刺史韦彦范[322]、襄州刺史张柬之、郢州刺史袁恕己、均州刺史崔玄暐与王同皎通谋。六月戊寅[323]，贬晖崖州[324]司马，彦范泷州[325]司马，柬之新州[326]司马，恕己窦州[327]司马，玄暐白州[328]司马，并员外置，仍长任[329]，削其勋封[330]；复彦范姓桓氏[331]。

初，韦玄贞流钦州而卒[332]，蛮酋宁承基[333]兄弟逼取其女，妻崔氏不与，承基等杀之，及其四男洵、浩、洞、泚，上命广州都督周仁轨使将兵二万讨之。承基等亡入海[334]，仁轨追斩之，以其首祭崔氏墓，杀掠其部众殆尽。上喜，加仁轨镇国大将军[335]，充五府[336]大使，赐爵汝南郡公。韦后隔帘拜仁轨，以父事之。及韦后败，仁轨以党与诛。

秋，七月戊申[337]，立卫王重俊[338]为皇[10]太子。太子性明果，而官属率贵游子弟，所为多不法。左庶子姚珽[339]屡谏，不听。珽，璹之弟也。

丙寅[340]，以李峤为中书令。

上将还西京，辛未[341]，左散骑常侍李怀远同中书门下三品，充东都留守。

【段旨】

以上为第八段，写中宗昏庸，容忍韦皇后淫行，杀忠贞直谏之臣，不断贬逐五王，以致魏元忠闭口不言。

武三思憎恨宋璟，把他调出外任检校贝州刺史。

五月十八日庚申，中宗把则天大圣皇后安葬在乾陵。

武三思指使郑愔告发朗州刺史敬晖、亳州刺史韦彦范、襄州刺史张柬之、郢州刺史袁恕己、均州刺史崔玄暐与王同皎串通合谋。六月初六日戊寅，中宗把敬晖贬职为崖州司马，把韦彦范贬职为泷州司马，把张柬之贬职为新州司马，把袁恕己贬职为窦州司马，把崔玄暐贬职为白州司马，一律置于正员官之外，还要长期留在任上，削夺他们的勋爵封邑。恢复韦彦范原来的姓桓氏。

当初，韦玄贞被流放到钦州后去世，蛮人部落酋长宁承基兄弟逼娶韦玄贞的女儿，韦玄贞的妻子崔氏没有把女儿交给宁承基，宁承基等人便杀了她和韦玄贞的四个儿子韦洵、韦浩、韦洞、韦泚，中宗命令广州都督周仁轨率领两万军队讨伐宁承基兄弟。宁承基等人逃亡海上，周仁轨率部追击，把他们斩杀了，用他们的头颅祭奠崔氏的坟墓，把宁承基兄弟的部众杀戮和抢掠得几乎一点不剩。中宗很高兴，加封周仁轨镇国大将军，充任广、桂、邕、容、琼五府大使，赐予他汝南郡公的爵位。后来韦后隔着帘帐对他行礼，像对待父亲那样对待他。等到韦后失败，周仁轨因是韦后的党羽而被杀死。

秋，七月初七日戊申，中宗册立卫王李重俊为皇太子。太子性情聪明果断，但是太子官属大多是权贵之家的游闲子弟，所作所为大都违法犯禁。左庶子姚珽多次进谏，太子不听从。姚珽，是姚璹的弟弟。

二十五日丙寅，中宗任命李峤为中书令。

中宗即将返回西京长安，三十日辛未，任命左散骑常侍李怀远为中书门下三品，充任东都留守。

【注释】

㉘㉓ 朗州：州名，治所在今湖南常德。㉘㉔ 均州：州名，治所在今湖北丹江口市西北。㉘㉕ 亳州：州名，治所在今安徽亳州。㉘㉖ 郢州：州名，治所在今湖北钟祥。㉘㉗ 魏元忠自端州还：时在神龙元年（公元七〇五年）四月十八日。见《新唐书》卷四。端州，治所在今广东肇庆市高要区。㉘㉘ 与时俯仰：犹与时沉浮。逢迎时意，没有主见。㉘㉙ 酸枣：县名，县治在今河南延津西南。㉙⓪ 袁楚客：事见《唐御史台精舍题名考》卷三、《唐登科记考》卷五。㉙① 致书元忠：写信给魏元忠。全文见《新唐书》卷一百二十二《魏元忠传》及《全唐文》卷一百七十六。㉙② 主上新服厥命：皇上新继大位。服，服膺。厥，其。㉙③ 大化：弘扬教化。㉙④ 循默：因循常规，默然无语。㉙⑤ 缁衣：穿黑绸衣的人。即

僧徒。㉖俳优：以乐舞谐戏为职业的艺人。㉗左道：邪道。㉘荧惑：炫惑；惑乱。㉙君侯：对宰相等达官的尊称。㉚后四弟：据《旧唐书》之《外戚传》，韦后四弟即韦洵、韦浩、韦洞、韦泚，为钦州蛮酋宁承基兄弟所杀。㉛己丑：四月十六日。㉜处士：有德有才而隐居不仕的人。㉝韦月将：事见《旧唐书》卷七十七《柳泽传》、卷九十《朱敬则传》、卷九十六《宋璟传》、卷一百《尹思贞传》，《新唐书》卷七十四《宰相世系表四上》及《元和姓纂》卷二等。㉞推按：推究按验。㉟屣履：拖着鞋。㊱侧门：偏门。㊲"朕谓已斩"二句：朕以为已经杀了，怎么还没有斩呢？㊳尹思贞（公元六四〇至七一六年）：京兆长安人，历任十三州刺史，官至工部尚书，皆有善政。传见《旧唐书》卷一百、《新唐书》卷一百二十八。㊴有违时令：时令指四时节令的生长规律，春生、夏长、秋收、冬藏。夏天是生物生长的季节，不应行刑，所以说"有违时令"。㊵与杖：给予木杖，即执行杖刑。㊶秋分：二十四节气之一。即每年夏至后太阳行至秋分点之日，阳历为九月二十三或二十四日。㊷平晓：天刚拂晓。㊸周仁轨：京兆万年人，曾任并州长史。传见《新唐书》卷二百六。㊹诋：诋毁。㊺青州：州名，治所在今山东青州。㊻讷于言：言语迟钝；说话木讷。㊼陵：欺凌。㊽仆：自谓谦辞。㊾贝州：州名，治所在今河北清河县西。㊿庚申：五月十八日。(321)葬则天大圣皇后于乾陵：神龙二年正月二十一日，"则天灵驾还京"。至此，与唐高宗合葬。(322)韦彦范：此时桓彦范赐姓韦，故称韦彦范。(323)戊寅：六月六日。(324)崖州：州名，治所在今海南海口市琼山区。(325)泷州：州名，治所在今广东罗定南。(326)新州：州名，治所在今广东新兴。(327)窦州：州名，治所在今广

【原文】

武三思阴(342)令人疏皇后秽行(343)，榜于天津桥，请加废黜。上大怒，命御史大夫李承嘉穷核其事。承嘉奏言："敬晖、桓彦范、张柬之、袁恕己、崔玄暐使人为之，虽云废后，实谋大逆，请族诛之。"三思又使安乐公主谮之(344)于内，侍御史郑愔言之于外，上命法司结竟(345)。大理丞三原李朝隐(346)奏称："晖等未经推鞫，不可遽就诛夷。"大理丞裴谈(347)奏称："晖等宜据制书处斩籍没，不应更加推鞫。"上以晖等尝赐铁券(348)，许以不死，乃长流晖于琼州(349)，彦范于瀼州(350)，柬之于泷州，恕己于环州(351)，玄暐于古州(352)，子弟年十六以上皆流岭外。擢承嘉为金紫光禄大夫，进爵襄武郡公，谈为刑部尚书，出李朝隐为闻喜(353)令。三思又

东信宜南。㉘ 白州：州名，治所在今广西博白。㉙ 长任：长期留在任上。㉚ 勋封：勋爵封邑。㉛ 复彦范姓桓氏：神龙元年五月，赐彦范姓韦，与皇后同籍。㉜ 韦玄贞流钦州而卒：时在光宅元年（公元六八四年）。钦州治所在今广西钦州东北。㉝ 宁承基：《旧唐书》卷一百八十三、《新唐书》卷二百六并作“宁承”。待考。㉞ 亡入海：逃亡海上。㉟ 镇国大将军：唐代无此官号。《新唐书》卷二百六作“左羽林大将军”。㊱ 五府：指广、桂、邕、容、琼五个都督府。㊲ 戊申：七月初七日。㊳ 卫王重俊（？至公元七〇七年）：唐中宗第三子。事见《旧唐书》卷十六、《新唐书》卷八十一。㊴ 姚珽（公元六四一至七一四年）：武则天朝宰相姚璹之弟。勤苦自立，历任定、汴等六州刺史，以善政闻。官至户部尚书。传见《旧唐书》卷八十九、《新唐书》卷一百二。㊵ 丙寅：七月二十五日。㊶ 辛未：七月三十日。

【校记】

［7］薛思行等：原无此四字。据章钰校，十二行本、乙十一行本、孔天胤本皆有此四字，张敦仁《通鉴刊本识误》、张瑛《通鉴校勘记》同，今据补。〖按〗前诛张易之兄弟，薛思行、李多祚、杨元琰等皆豫其事。［8］与：据章钰校，十二行本、乙十一行本皆无此字。［9］京兆：原无此二字。据章钰校，十二行本、乙十一行本、孔天胤本皆有此二字，今据补。［10］皇：原无此字。据章钰校，十二行本、乙十一行本、孔天胤本皆有此字，张敦仁《通鉴刊本识误》同，今据补。〖按〗两《唐书》之《中宗纪》亦作“皇太子”。

【语译】

武三思暗地里派人罗列韦后的淫秽之行，张贴在天津桥上，请求废黜韦后。中宗大怒，命令御史大夫李承嘉竭尽全力地追究此事。李承嘉上奏说：“是敬晖、桓彦范、张柬之、袁恕己和崔玄暐指使人做的这件事，虽然说是请求废黜皇后，实际上是图谋叛逆，请把这五个人灭族。”武三思又指使安乐公主在宫中对五人进行诬陷，指使侍御史郑愔在外朝对五人散布流言，中宗便命令司法官署结案。大理丞三原人李朝隐上奏说：“敬晖等人没有经过推问审讯，不能骤然将他们诛杀。”大理丞裴谈上奏说：“对敬晖等人最好是按照皇帝的诏书处以斩刑，抄没全家，不应再加审讯。”中宗因曾赐给敬晖等人铁券，答应不对他们处以死刑，于是把敬晖远流到琼州，把桓彦范远流到瀼州，把张柬之远流到泷州，把袁恕己远流到环州，把崔玄暐远流到古州。五人的子弟中年龄在十六岁以上的都流放到五岭以外。提拔李承嘉为金紫光禄大夫，把他的爵位晋升为襄武郡公，裴谈也被提拔为刑部尚书，李朝隐被贬谪为闻讽㉞太子上表，请夷晖等三族。上不许。

中书舍人崔湜说三思曰："晖等异日㉟北归，终为后患，不如遣使矫制杀之。"三思问谁可使者，湜荐大理正周利贞[11]。利贞先为五王所恶，贬嘉州㊱司马，乃以利贞摄右台侍御史，奉使岭外。比至㊲，柬之、玄晗已死，遇彦范于贵州㊳，令左右缚之，曳于竹槎㊴之上，肉尽至骨，然后杖杀。得晖，剐㊵而杀之。恕已素服黄金，利贞逼之使饮野葛㊶汁，尽数升不死，不胜毒愤，掊地㊷，爪甲㊸殆尽，仍捶杀之。利贞还，擢拜御史中丞。薛季昶累贬儋州㊹司马，饮药死。

三思既杀五王，权倾人主，常言："我不知代间㊺何者谓之善人，何者谓之恶人。但于我善者则为善人，于我恶者则为恶人耳。"时兵部尚书宗楚客、将作大匠宗晋卿、太府卿纪处讷㊻、鸿胪卿甘元柬㊼皆为三思羽翼。御史中丞周利贞、侍御史冉祖雍、太仆丞李俊㊽、光禄丞宋之逊、监察御史姚绍之皆为三思耳目㊾，时人谓之五狗。

【段旨】

以上为第九段，写武三思为首的五狗乱政，五王被害。

【注释】

㉞阴：暗中。㉞秽行：淫秽之行。㉞三思又使安乐公主谮之：安乐公主下嫁三思子武崇训，故三思用以谗毁五王。㉞结竟：结其罪，竟其狱；结案。㉞李朝隐（公元六六五至七三四年）：字国光，京兆三原（今陕西三原东北）人，历任临汾尉、大理丞、侍御史、长安令、吏部侍郎等职，公正清廉，颇有政绩。传见《旧唐书》卷一百、《新唐书》卷一百二十九。㉞大理丞裴谈：《旧唐书》卷九十一《桓彦范传》作"大理卿裴谈"。此人后官至宰相，留守东都。事见《新唐书》卷六十一《宰相表》、卷七十一上《宰相世系表一上》，《旧唐书》卷八十五《张文瓘传》、卷八十六《庶人重福传》等。㉞晖等尝赐铁券：时在神龙元年（公元七〇五年）五月。㉞琼州：《实录》先作"嘉州"，后作

喜县令。武三思又暗示太子李重俊上表，请求把敬晖等人夷灭三族。中宗没有同意。

中书舍人崔湜劝武三思说：“他日敬晖等北返回到朝中，终究要成为后患，不如派遣使者伪造皇帝的诏书杀掉他们。”武三思问他谁可以作为使者前去，崔湜推荐了大理正周利贞。周利贞先前曾被敬晖等五王所憎恶，贬官为嘉州司马，武三思便任命周利贞代理右台侍御史，奉命出使岭南。等到周利贞到达时，张柬之和崔玄晤已经死了，他在贵州遇到了桓彦范，就命令手下人把桓彦范捆绑起来，在竹筏之上拖拉，桓彦范肉尽至骨，然后被棍杖打死。抓到敬晖之后，用刀凌剐处死。袁恕己平时服食金石丹药，周利贞逼迫他饮用野葛汁，袁恕己喝了几升之后没有被毒死，由于忍受不住毒性和愤恨，便用手抓地，指甲几乎被磨完了，周利贞才把他杖击致死。周利贞返回朝廷，升任御史中丞。薛季昶多次被贬后担任儋州司马，也服毒药死去。

武三思杀五王之后，权倾人主，常常说：“我不知道世间有什么样的人可称为善人，什么样的人可称为恶人。只要对我好的人便为善人，对我不好的人便为恶人而已。”当时，兵部尚书宗楚客、将作大匠宗晋卿、太府卿纪处讷、鸿胪卿甘元柬都成为了武三思的羽翼。御史中丞周利贞、侍御史冉祖雍、太仆丞李俊、光禄丞宋之逊、监察御史姚绍之都是武三思的耳目，代三思伺察动静，打探消息，当时人们把这伙人称为五狗。

“崖州”。《新唐书》之《中宗纪》作“嘉州”，《旧唐书》之《敬晖传》作“崖州”。《通鉴》据《统纪》《新唐书》本传立说。琼州治所在今海南海口市琼山区东南。㊿瀼州：州名，治所在今广西上思西南。(351)环州：州名，治所在今广西环江西北大环江西岸。(352)古州：州名，故治在今越南谅山东北。(353)闻喜：县名，县治在今山西闻喜东北。(354)讽：用委婉的语言暗示或劝告。(355)异日：他日。(356)嘉州：州名，治所在今四川乐山。(357)比至：及至；等到到达时。(358)贵州：州名，治所在今广西贵港市。(359)竹槎：用竹子编成的筏。(360)剐：剔人肉，置其骨。(361)野葛：亦作“冶葛”，俗称断肠草、胡曼草。是一种毒性很强的草本植物。(362)掊地：用手抓地。(363)爪甲：指甲。(364)儋州：州名，治所在今海南儋州西北。(365)代间：世间。避太宗名讳。(366)纪处讷（？至公元七一〇年）：秦州上邽（今甘肃天水）人。传见《旧唐书》卷九十二、《新唐书》卷一百九。(367)甘元柬：事见《旧唐书》卷一百八十三、《新唐书》卷二百六《武三思传》。(368)李俊：《旧唐书》之《武承嗣传附武三思传》作“李悛”。(369)为三思耳目：代三思伺察动静，打探消息。

【校记】

［11］周利贞：原作"周利用"。严衍《通鉴补》改为"周利贞"，今从改。〖按〗《旧唐书》之《崔仁师附孙湜传》《桓彦范传》《酷吏·周利贞传》及《新唐书》之《崔仁师附孙湜传》《桓彦范传》《外戚·武三思传》《酷吏·周利贞传》皆作"周利贞"。

【原文】

九月戊午[370]，左散骑常侍、同中书门下三品李怀远薨。

初，李峤为吏部侍郎，欲树私恩，再求入相，奏大置员外官，广引贵势亲识。既而为相，铨衡失序[371]，府库减耗，乃更表言滥官之弊，且请逊位[372]。上慰谕不许。

冬，十月己卯[373]，车驾发东都，以前检校并州长史张仁愿检校左屯卫大将军兼洛州长史。戊戌[374]，车驾至西京。十一月乙巳[375]，赦天下。

丙辰[376]，以蒲州刺史窦从一[377]为雍州刺史。从一，德玄[378]之子也，初名怀贞，避皇后父讳[379]，更名从一，多谄附权贵。太平公主与僧寺争碾硙[380]，雍州司户[381]李元纮[382]判归僧寺，从一大惧，亟命元纮改判。元纮大署判后曰："南山可移，此判无动[383]！"从一不能夺。元纮，道广[384]之子也。

初，秘书监郑普思纳其女于后宫，监察御史灵昌崔日用[385]劾奏之，上不听。普思聚党于雍、岐二州，谋作乱。事觉，西京留守苏瓌收系，穷治之。普思妻第五[386]氏以鬼道[387]得幸于皇后，上敕瓌勿治。及车驾还西京，瓌廷争之，上抑瓌而佑[388]普思；侍御史范献忠[389]进曰："请斩苏瓌！"上曰："何故？"对曰："瓌为留守大臣，不能先斩普思，然后奏闻，使之荧惑圣听，其罪大矣。且普思反状明白，而陛下曲为申理。臣闻王者不死，殆谓是乎！臣愿先赐死，不能北面事普思。"魏元忠曰："苏瓌长者[390]，用刑不枉[391]。普思法当死。"上不得已，戊午[392]，流普思于儋州，余党皆伏诛。

十二月己卯[393]，突厥默啜寇鸣沙[394]，灵武军大总管沙吒忠义与战，

【语译】

九月十七日戊午，左散骑常侍、同中书门下三品李怀远去世。

当初，李峤任吏部侍郎，想树立自己的恩德，再求入朝为相，他奏请大量设置员外官，广泛举荐达官权贵和亲朋相识。不久以后担任了宰相，铨选失去次序，国库减损，便重新上表陈述设官太滥的弊端，并且请求让出宰相的职位。中宗对他安慰劝谕，没有同意他的请求。

冬，十月初九日己卯，中宗从东都出发，任命前检校并州长史张仁愿为检校左屯卫大将军兼洛州长史。二十八日戊戌，中宗抵达西京长安。十一月初五日乙巳，大赦天下。

十一月十六日丙辰，中宗任命蒲州刺史窦从一为雍州刺史。窦从一，是窦德玄的儿子，原名窦怀贞，为了避韦皇后之父的名讳，改名为窦从一。他时常谄谀阿附权贵。太平公主与佛寺争夺碾硙，雍州司户李元纮判决归属佛寺，窦从一非常害怕，急忙命令李元纮改判。李元纮在判决书后用大字签署："南山可移，此判无动！"窦从一无法改变原判。李元纮，是李道广的儿子。

当初，秘书监郑普思将自己的女儿送入后宫，监察御史灵昌县人崔日用上奏弹劾他，中宗没有听从崔日用的意见。后来郑普思在雍、岐二州聚集党徒，阴谋作乱。事情暴露，西京留守苏瓌拘捕了郑普思，穷究其罪。郑普思的妻子第五氏利用鬼神邪说受到韦后的宠爱，中宗便下敕书令苏瓌不要治郑普思的罪。等到中宗返回西京长安，苏瓌在朝廷之上争辩此事，中宗压制苏瓌而袒护郑普思，侍御史范献忠进奏说："请斩杀苏瓌！"中宗问道："什么原因？"范献忠回答说："苏瓌身为留守大臣，不能先把郑普思斩首，然后再向陛下奏报，以至于让郑普思惑乱陛下的视听，他的罪过太大了！何况郑普思谋反的情节清楚，而陛下曲为申理。我听说帝王不肯处死臣下，大概说的就是这种情况吧！臣愿意陛下先把我赐死，臣不能够面朝北方侍奉郑普思。"魏元忠说："苏瓌是年长有德之人，他执法未曾有枉滥之处。郑普思依法应当处以死刑。"中宗不得已，十一月十八日戊午，把郑普思流放到儋州，他的余党都被处死。

十二月初九日己卯，突厥阿史那默啜侵犯鸣沙，唐灵武军大总管沙吒忠义与突

军败，死者六千余人。辛巳[395][12]，突厥进寇原、会等州[396]，掠陇右牧马万余匹而去。免忠义官。

安西大都护郭元振诣突骑施乌质勒牙帐议军事，天大风雪，元振立于帐前，与乌质勒语。久之，雪深，元振不移足；乌质勒老，不胜寒，会罢而卒。其子娑葛勒兵将攻元振，副使御史中丞解琬[397]知之，劝元振夜逃去，元振曰："吾以诚心待人，何所疑惧！且深在寇庭[398]，逃将安适[399]！"安卧不动。明旦[400]，入哭，甚哀，娑葛感其义，待元振如初。戊戌[401]，以娑葛袭嗢鹿州都督[402]、怀德王。

安乐公主恃宠骄恣，卖官鬻狱[403]，势倾朝野。或自为制敕，掩其文，令上署[404]之，上笑而从之，竟不视也。自请为皇太女[405]，上虽不从，亦不谴责。

【段旨】

以上为第十段，写中宗优柔寡断，受制于后宫，是非不明，原则不守，无力惩治叛贼。

【注释】

⑰ 戊午：九月十七日。㊲ 铨衡失序：铨选失去次序。㊳ 逊位：让位。㊴ 己卯：十月初九日。㊵ 戊戌：十月二十八日。㊶ 乙巳：十一月初五日。㊷ 丙辰：十一月十六日。㊸ 窦从一（？至公元七一三年）：岐州平陆（今陕西岐山）人，历任清河县令、越州都督、扬州长史，官至侍中，善结交权贵。传见《旧唐书》卷一百八十三、《新唐书》卷一百九。㊹ 德玄：窦从一之父窦德玄，高宗时任左相。传见《旧唐书》卷一百八十三、《新唐书》卷九十五。㊺ 避皇后父讳：皇后父名玄贞。㊻ 碾硙：加工粮食的工具，把谷或麦加工成米或面粉，利用水力使其自然转动，俗称水磨。㊼ 司户：官名，全称户曹司户参军事，从七品下，掌管户籍计账、道路逆旅及婚姻田讼之事。㊽ 李元纮（？至公元七三三年）：字大纲，京兆万年人，以清谨自立，不畏豪强权贵。官至宰相，深受宋璟称赞。传见《旧唐书》卷九十八、《新唐书》卷一百二十六。㊾ 此判无动：这一判决不可动摇。㊿ 道广：李元纮之父李道广，则天朝官至宰相。见《新唐书》卷六十一《宰相

厥部众交战，唐军失败，死亡六千余人。十一日辛巳，突厥部众进犯原、会等州，掠取陇右一万多匹马后离去。朝廷罢免了沙吒忠义的官职。

安西大都护郭元振前往突骑施乌质勒的统军营帐中商讨军事，天降大风暴雪，郭元振站在帐前，与乌质勒交谈。谈话时间长，积雪很深，郭元振双脚不动，乌质勒年事已高，受不了严寒，在这次会面结束后便死去了。乌质勒的儿子娑葛统帅部众，将要攻打郭元振，副使御史中丞解琬获悉这一消息，劝郭元振趁夜色逃离。郭元振说："我拿诚心对待他人，又有什么可疑虑害怕的！况且我们深处敌人牙帐之内，就是想逃走，又能逃往什么地方！"他安静地躺着，没有起身。次日早晨，郭元振前去哭灵吊祭，极为哀伤，娑葛被郭元振的大义所感动，便又像当初那样对待他。十二月二十八日戊戌，册命娑葛承袭嗢鹿州都督、怀德王的官爵。

安乐公主仗恃中宗的宠爱骄横放纵，卖官鬻狱，势倾朝野。有时自己起草诏敕，把文字覆盖着，让中宗签署，中宗笑着听从她，竟然不看诏敕文字。安乐公主请求把自己立为皇太女，中宗虽然没有听从，但也没有责怪她。

表》。㊳㊄ 崔日用（约公元六七三至七二二年）：滑州灵昌人，举进士，历任芮城尉、监察御史、兵部侍郎等职，官至宰相。才辩过人，善于随机应变。传见《旧唐书》卷九十九、《新唐书》卷一百二十一。㊳㊅ 第五：复姓。战国齐诸田之后迁居园陵者以次第为姓，其中第五氏影响最大。㊳㊆ 鬼道：鬼神邪说。㊳㊇ 佑：袒护。㊳㊈ 范献忠：事见《新唐书》卷一百二十五《苏瓌传》。㊴⓪ 长者：年长有德之人。㊴① 枉：枉滥。㊴② 戊午：十一月十八日。㊴③ 己卯：十二月初九日。㊴④ 鸣沙：县名，县治在今宁夏青铜峡市西南。㊴⑤ 辛巳：十二月十一日。㊴⑥ 原、会等州：地当今甘肃靖远至宁夏固原一带。原州治所初在今宁夏固原，后徙甘肃平凉，再徙甘肃镇原。会州治所在今甘肃靖远。㊴⑦ 解琬（？至公元七一八年）：魏州元城（今河北大名东北）人，官至右武卫大将军。在边二十年，务农习战，有治绩。传见《旧唐书》卷一百、《新唐书》卷一百三十。㊴⑧ 寇庭：敌人牙帐。㊴⑨ 适：往。㊵⓪ 明旦：第二天清早。㊵① 戊戌：十二月二十八日。㊵② 嗢鹿州都督：高宗显庆元年（公元六五六年），以突骑施索葛莫贺部置嗢鹿州都督府。治所在今新疆伊宁西伊犁河附近。㊵③ 鬻狱：卖狱，因讼得贿。㊵④ 署：签字。㊵⑤ 皇太女：古来无此名号。安乐公主自请为皇太女，旨在获得像皇太子一样的权力，使自己成为皇帝继承人。

【校记】

［12］辛巳：原作"丁巳"。严衍《通鉴补》改作"辛巳"，今从改。〖按〗是年十二月辛未朔，无丁巳。

【原文】

景龙[406]元年（丁未，公元七〇七年）

春，正月庚戌[407]，制以突厥默啜寇边，命内外官各进平突厥之策。右补阙卢俌[408]上疏，以为"郤縠[409]悦礼乐，敦《诗》《书》[410]，为晋元帅[411]；杜预[412]射不穿札，建平吴之勋[413]。是知中权[414]制谋，不取一夫之勇。如沙吒忠义，骁将之材，本不足以当大任。又，鸣沙之役，主将先逃，宜正邦宪[415]，赏罚既明，敌无不服。又，边州刺史，宜精择其人，使之蒐卒乘[416]，积资粮，来则御之，去则备之。去岁四方旱灾，未易兴师。当理内以及外，绥[417]近以来远，俟仓廪实，士卒练，然后大举以讨之"。上善之。

二月丙戌[418]，上遣武攸暨、武三思诣乾陵祈雨[419]。既而雨降，上喜，制复武氏崇恩庙及昊陵、顺陵[420]，因名酆王庙[421]曰褒德，陵曰荣先；又诏[13]崇恩庙斋郎[422]取五品子[423]充。太常博士杨孚[424]曰："太庙皆取七品已下子为斋郎，今崇恩庙取五品子，未知太庙当如何？"上命太庙亦准崇恩庙。孚曰："以臣准君，犹为僭逆，况以君准臣乎！"上乃止。

庚寅[425]，敕改诸州中兴寺、观为龙兴[426]，自今奏事不得言中兴[427]。右补阙权若讷[428]上疏，以为"天、地、日、月等字[429]皆则天能事[430]，贼臣敬晖等轻紊[431]前规。今削之无益于淳化[432]，存之有光于孝理[433]。又，神龙元年制书，一事以上，并依贞观故事，岂可近舍母仪，远尊祖德"！疏奏，手制褒美[434]。

三月庚子[435]，吐蕃遣其大臣悉薰热[436]入贡。夏，四月辛巳[437]，以上所养雍王守礼女金城公主[438]妻吐蕃赞普。

五月戊戌[439]，以左[14]屯卫大将军张仁愿[440]为朔方道大总管，以备突厥。

上以岁旱谷贵，召太府卿纪处讷谋之。明日，武三思使知太史事迦叶志忠[441]奏："是夜，摄提[442]入太微宫[443]，至帝座[444]，主大臣宴见纳忠于天子。"上以为然。敕称处讷忠诚，彻于玄象[445]，赐衣一袭[446]，帛六十段。

【语译】

景龙元年（丁未，公元七〇七年）

春，正月十一日庚戌，颁布诏书，因为突厥阿史那默啜侵扰边境，命令朝廷内外官员进呈平定突厥的谋略。右补阙卢俌上奏，认为"晋大夫郤縠喜欢礼乐，崇尚《诗经》《尚书》，被晋文公任命为中军元帅；西晋大臣杜预连胄甲的叶片都射不穿，而建立了平定东吴的功勋。由此可知中军统帅的职责在于制定谋略，不在于个人的一夫之勇。比如沙吒忠义，是骁勇的将材，本来就不足以承担大任。还有，在鸣沙战役中，沙吒忠义身为主将却率先逃跑，应当按国法处置，赏罚分明后，没有不可降服的敌人。另外，边塞各州刺史，应当精心挑选称职的人，让这些刺史搜求士卒、车乘，进行军事训练，积贮军资粮食，敌人来了就抵御，敌人离去就加以防备。去年各地发生旱灾，不要轻易兴师动众。应当整饬内部进而治理外患，安抚近边百姓，招徕远方番夷，等到粮仓充实，兵士精练，然后大举发兵讨伐突厥"。中宗认为他的建议非常好。

二月十七日丙戌，中宗派遣武攸暨、武三思前往乾陵求雨。没过多久雨就降下来了，中宗很高兴，颁布诏书恢复武氏的崇恩庙和昊陵、顺陵，因而把供奉韦后亡父的酆王庙改称褒德，陵墓称为荣先。又颁布诏令，崇恩庙的斋郎用五品官员的儿子充任。太常博士杨孚说："太庙的斋郎都是用七品以下官员的儿子充任，现在崇恩庙取五品官的儿子做斋郎，不知道太庙应该如何办呢？"中宗命令太庙也按崇恩庙一样的规格施行。杨孚说："将臣子的礼仪规格比照君王，犹为僭越逆乱，何况是让君主比照臣子的规格呢！"于是中宗才取消了这一项命令。

二月二十一日庚寅，中宗颁布敕书，把各州的中兴寺和中兴观改称为龙兴寺和龙兴观，下令从此以后上奏言事不得说"中兴"这两个字。右补阙权若讷上疏认为"改写天、地、日、月等字，都是武则天的盛事，贼臣敬晖等轻易地紊乱前朝规定。现在若削除这些字无助于淳厚的教化，保存这些字有助于孝道的发扬光大。另外，陛下在神龙元年的诏书中说，处理任何事情一概遵奉贞观时期的惯例，怎么可以近舍母亲的仪范，远尊祖宗的功德呢"！这篇奏疏呈上后，中宗亲笔书写诏书予以褒奖赞美。

三月初二日庚子，吐蕃派遣大臣悉薰热入朝纳贡。夏，四月十四日辛巳，把中宗收养的雍王李守礼的女儿金城公主许配给吐蕃赞普做妻子。

五月初一日戊戌，中宗任命左屯卫大将军张仁愿为朔方道大总管，以防备突厥。

中宗因为当年旱灾，粮价很贵，召见太府卿纪处讷商讨此事。第二天，武三思让执掌太史职事的迦叶志忠上奏说："这天夜晚，摄提星进入太微宫，抵达帝星座，所主之事乃是大臣在皇帝平常召见时进献忠言。"中宗认为他说得对，颁下敕书称赞纪处讷忠诚，上达天象，赏赐他一套衣服，六十段帛。

六月丁卯朔[447]，日有食之。

姚嶲道讨击使、监察御史晋昌唐九徵[448]击姚州叛蛮，破之，斩获三千余人。

【段旨】

以上为第十一段，写中宗命内外官进平突厥之策，佞佛求福，以及武三思借旱求雨扩张势力。

【注释】

⑩⑥景龙：唐中宗的第二个年号（公元七〇七至七一〇年）。于神龙四年九月初五日庚子改元。⑩⑦庚戌：正月十一日。⑩⑧卢俌：临漳（今河北临漳西南）人，官至秘书少监。传见《新唐书》卷二百。⑩⑨郤縠：晋卿大夫。事见《左传》僖公二十七年。⑪⓪敦《诗》《书》：喜爱《诗经》和《尚书》等儒家经典。⑪①为晋元帅：被晋文公任命为中军元帅。晋大夫郤縠尊崇诗书礼乐，被晋文公任用，事见《春秋左传》僖公二十七年。⑪②杜预（公元二二二至二八四年）：字符凯，京兆杜陵（今陕西长安东）人，多谋略，人称"杜武库"。曾任镇南大将军，率兵灭吴。著有《春秋左氏经传集解》等书。传见《三国志》卷十六、《晋书》卷三十四。⑪③建平吴之勋：事见本书卷八十一晋武帝太康元年。⑪④中权：中军。⑪⑤邦宪：国法。⑪⑥蒐卒乘：搜求兵卒、车乘，进行军事训练。⑪⑦绥：安。⑪⑧丙戌：二月十七日。⑪⑨祈雨：求雨。⑫⓪复武氏崇恩庙及昊陵、顺陵：崇恩庙在京师长安，神龙元年十一月武则天死后被废。见《新唐书》卷四《中宗纪》。昊陵，为则天父武士彟之墓，在今山西文水县。永昌元年（公元六八九年）称章德陵。天授元年（公元六九〇年）改为昊陵。圣历二年（公元六九九年）改为攀龙台。顺陵，系则天母杨氏之墓，位于陕西咸阳。永昌元年被尊为明义陵。天授元年改为顺陵。圣历二年改为望凤台。武则天失位后，昊陵、顺陵被废。见《新唐书》卷七十六《则天皇后纪》，《唐会要》卷二十一《诸僭号陵》，《全唐文》卷二百三十九、卷二百四十九等。⑫①酆王庙：韦玄贞庙。神龙二年（公元七〇六年）四月追赠皇后父韦玄贞为酆王。⑫②斋郎：办理祭祀事务的小吏。⑫③五品子：五品官之子。⑫④杨孚：曾官华州司马、大理正。事见《旧唐书》卷二十五《礼仪志五》、卷九十八《杜暹传》，《新唐书》卷七十一下《宰相世系表一下》、卷七十六《则天皇后传》。⑫⑤庚寅：二月二十一日。⑫⑥改诸州中兴寺、观为龙兴：神龙元年，唐中宗复位，敕天下诸州各置大唐中兴寺、观，表示中兴唐业，对武周政权明显持否定态度。现改为龙兴，表明中宗对武周政权的态度已发生了很大变化。⑫⑦奏事

六月初一日丁卯，发生日食。

姚嶲道讨击使、监察御史晋昌县人唐九徵攻打姚州叛蛮，打败了他们，斩杀和俘获三千多人。

不得言中兴：表示继承武则天的事业，不改其政。㊽权若讷：开元间官梓州刺史，有文集十卷。事见《新唐书》卷七十五下《宰相世系表五下》、《唐登科记考》卷二十七、《新安志》卷九。㊾天、地、日、月等字：载初元年（公元六八九年），武则天曾自制天、地等十二字颁行全国。见《全唐文》卷九十五《改元载初赦文》。㊿能事：盛事。431棼：棼乱。432淳化：淳厚的教化。433孝理：孝道。434手制褒美：亲笔书写诏书予以褒奖赞美。此言中宗昏庸，是非不明，既然恢复大唐国号，又不与武周决裂。435庚子：三月初二日。436悉薰热：人名，《旧唐书》卷七《中宗纪》及《新唐书》卷二百十六上《吐蕃传》作"悉董热"。"薰"与"董"形近易误。是非待考。437辛巳：四月十四日。438金城公主：事见《旧唐书》卷九十二《赵彦昭传》、卷一百十二《李暠传》、卷一百九十六上《吐蕃传上》，《新唐书》卷二百十六上《吐蕃传上》等。439戊戌：五月初一日。440张仁愿：两《唐书》之《中宗纪》作"张仁亶"。〖按〗仁愿本名仁亶，因"亶"与"旦"读音相同，避睿宗名讳，改为"愿"。二者实为一人。见两《唐书》本传。441迦叶志忠：迦叶，复姓。迦叶志忠，天竺人，官至镇军大将军、右骁卫将军、兼知太史事。事见《旧唐书》卷七《中宗纪》、卷五十一《中宗韦庶人传》、卷九十二《韦巨源传》，《新唐书》卷一百九《纪处讷传》。442摄提：星官名，属亢宿，共六星，分布于大角星两侧。左边三星称为左摄提，右边三星称为右摄提。443太微宫：即太微垣。星官名，在北斗之南，轸、翼二宿之北。有星十颗，以五帝座为中枢，成藩排列。东藩四星，自南而北依次为东上相、东次相、东次将、东上将。西藩四星，依次为西上将、西次将、西次相、西上相。南藩二星，东为左执法，西为右执法。444帝座：星名，在天市垣内。此处当指五帝座。五帝座在太微宫中。详见《史记·天官书》。445玄象：天象。446一袭：一套。447丁卯朔：六月初一日。448唐九徵：据《新唐书》卷二百十六上《吐蕃传》，唐九徵讨姚州蛮时，官灵武监军、右台御史。事见《旧唐书》卷七《中宗纪》等。

【校记】

［13］诏：据章钰校，十二行本、乙十一行本皆作"制"。［14］左：据章钰校，十二行本、乙十一行本皆作"右"。〖按〗《旧唐书》之《中宗纪》作"左"，《新唐书》之《中宗纪》作"右"，两《唐书》之《张仁愿传》皆言其官至"左屯卫大将军"，未知孰是。

【原文】

皇后以太子重俊非其所生[449]，恶之，特进德静王武三思尤忌太子。上官婕妤以三思故，每下制敕，推尊武氏。安乐公主与驸马左卫将军武崇训常陵侮太子，或呼为奴。崇训又教公主言于上，请废太子，立己为皇太女。太子积不能平。

秋，七月辛丑[450]，太子与左羽林大将军李多祚、将军李思冲[451]、李承况[452]、独孤祎之[15]、沙吒忠义等，矫制发羽林千骑兵三百余人，杀三思、崇训于其第，并亲党十余人。又使左金吾大将军成王千里及其子天水王禧分兵守宫城诸门，太子与多祚引兵自肃章门[453]斩关[454]而入，叩阁[455]索上官婕妤。婕妤大言[456]曰："观其意欲先索婉儿[457]，次索皇后，次及大家[458]。"上乃与韦后、安乐公主、上官婕妤登玄武门楼以避兵锋，使右[16]羽林大将军刘景仁[459]帅飞骑百余人屯于楼下以自卫。杨再思、苏瓌、李峤与兵部尚书宗楚客、左卫将军纪处讷拥兵二千余人屯太极殿前，闭门自守。多祚先至玄武楼[460]下，欲升楼，宿卫拒之。多祚与太子狐疑[461]，按兵不战，冀上问之。宫闱令[462]石城杨思勖[463]在上侧，请击之。多祚婿羽林中郎将野呼利[464]为前锋总管，思勖挺刃[465]斩之，多祚军夺气。上据槛俯谓多祚所将千骑曰："汝辈皆朕宿卫之士，何为从多祚反！苟能斩反者，勿患不富贵。"于是千骑斩多祚、承况、祎之、忠义，余众皆溃。成王千里、天水王禧攻右延明门[466]，将杀宗楚客、纪处讷，不克而死。太子以百骑走终南山，至鄠[467]西，能属[468]者才数人，憩于林下，为左右所杀。上以其首献太庙及祭三思、崇训之柩，然后枭之朝堂。更成王千里姓曰蝮氏，同党皆伏诛。

东宫僚属无敢近太子尸者，唯永和县[469]丞宁嘉勖[470]解衣裹太子首号哭，贬兴平[471]丞。

太子兵所经诸门守者皆坐流。韦氏之党奏请悉诛之，上更命法司推断。大理卿宋城郑惟忠[472]曰："大狱始决，人心未安，若复有改推，则反仄[473]者众矣。"上乃止。

以杨思勖为银青光禄大夫，行内常侍[474]。

【语译】

韦皇后因为太子李重俊不是她自己亲生的，所以讨厌他，特进德静王武三思尤其忌恨太子李重俊。上官婕妤由于武三思的缘故，每次颁下诏书敕令，都尊奉武氏。安乐公主和驸马左卫将军武崇训经常凌辱太子，有时称他为奴才。武崇训还教唆安乐公主向中宗建议，废黜太子，立她自己为皇太女。太子心中郁积，无法平息。

秋，七月初六日辛丑，太子李重俊与左羽林大将军李多祚、将军李思冲、李承况、独孤祎之、沙吒忠义等人，假借中宗的诏令调动羽林千骑兵三百余人，在武三思家中把武三思、武崇训父子及其亲族党徒十余人杀死；又指派左金吾大将军成王李千里和他的儿子天水王李禧分别率兵把守宫城各门，太子和李多祚带兵从肃章门斩断门锁冲入宫中，叩击阁门索要上官婕妤。上官婕妤大声说："看起来他们的意思是想先索要我上官婉儿，其次索要皇后，再次索要皇帝。"中宗便与韦后、安乐公主、上官婕妤登上玄武门门楼躲避兵势，派遣右羽林大将军刘景仁带领飞骑一百多人驻扎在门楼下自卫。杨再思、苏瓌、李峤与兵部尚书宗楚客、左卫将军纪处讷控制两千多名士兵驻扎太极殿前，闭门自守。李多祚先到玄武门楼下，想要登楼，遭到宿卫亲兵的抵抗。李多祚和太子犹豫不决，勒兵不战，希望中宗能询问他们。宫闱局令石城县人杨思勖站在中宗身旁，请求中宗发起攻击。李多祚的女婿羽林中郎将野呼利当时担任前锋总管，杨思勖拔刀杀了他，李多祚的士兵丧失了斗志。中宗倚着玄武楼的栏杆，俯身对城楼下面李多祚所率领的千骑兵说："你们这些人都是我的宿卫士兵，为什么要跟随李多祚造反呢！假如你们能杀掉谋反的人，不必担心得不到富贵。"于是千骑兵斩杀李多祚、李承况、独孤祎之、沙吒忠义，其他的人都溃逃了。成王李千里、天水王李禧攻打右延明门，打算杀死宗楚客和纪处讷，但不胜而死。太子李重俊带领一百多名骑兵逃往终南山，抵达鄠西时，能跟上来的仅有几个人，他在树荫下歇息时，被身边的人杀死了。中宗拿太子李重俊的首级进献于太庙，并用它祭奠武三思和武崇训的灵柩，然后悬挂在朝堂上示众。把成王李千里的姓改为蝮氏，太子的同党都被诛杀。

东宫僚属中没有人敢靠近太子尸体的，只有永和县丞宁嘉勖脱下衣服裹住太子的头颅放声痛哭，他被贬为兴平县丞。

太子的士兵所经过的各个宫门的守卫将士都获罪判处流刑。韦后的党羽奏请把这些人全部处死，中宗改命由法司审讯推问此案。大理卿宋城县人郑惟忠说："这件大案刚刚判决，人心尚未安定，如果再有重审改判，那么辗转不安的人就会非常多了。"中宗这才罢休。

中宗任命杨思勖为银青光禄大夫，兼掌内常侍职务。

癸卯⑮，赦天下。赠武三思太尉、梁宣王，武崇训开府仪同三司、鲁忠王。安乐公主请用永泰公主故事，以崇训墓为陵⑯，给事中卢粲⑰驳之，以为"永泰事出特恩⑱，今鲁王主婿，不可为比"。上手敕曰："安乐与永泰无异，同穴⑲之义，今古不殊。"粲又奏[17]："陛下以膝下⑳之爱施及其夫，岂可使上下无辨㉑，君臣一贯㉒哉！"上乃从之。公主怒，出粲为陈州㉓刺史。

【段旨】

以上为第十二段，写皇太子李重俊发动兵变诛灭武三思。

【注释】

㊾皇后以太子重俊非其所生：太子重俊为后宫所生，史佚其母姓氏。㊿辛丑：七月初六日。㊿李思冲（？至公元七〇七年）：亳州谯（今安徽亳州）人，唐高宗朝宰相李敬玄之子。官至工部侍郎、左羽林军将军。传见《旧唐书》卷八十一、《新唐书》卷一百六。㊿李承况（？至公元七〇七年）：神龙间为右羽林将军。传见《新唐书》卷六十四、《旧唐书》卷七十九。㊿肃章门：在长安宫城太极殿西北。㊿斩关：斩断门锁。㊿叩阁：叩击阁门。㊿大言：大声说。㊿婉儿：上官婕妤之名。㊿大家：亲近侍从对皇帝的称呼。㊿刘景仁：事见《新唐书》卷二百二十五下《黄巢传》。〖按〗刘景仁唐末人，官至左武卫大将军。据两《唐书》之《节愍太子重俊传》，此处当作刘仁景。㊿玄武楼：玄武门楼。㊿狐疑：犹豫。㊿宫闱令：宫闱局令，从七品下，属内侍省，掌侍奉宫闱，出入钥匙。㊿杨思勖（？至公元七四〇年）：宦官，罗州石城（今广东廉江东北）人，本姓苏，为杨氏所养。累迁至骠骑大将军，封虢国公。传见《旧唐书》卷一百八十四、《新唐书》卷二百七。㊿野呼利：人名。见《旧唐书》卷一百九、《新唐书》卷一百十《李多祚传》。㊿挺刃：拔刀。㊿右延明门：太极殿右门。㊿鄠：县名，县治在今陕西西安市鄠邑区。㊿属：连属。指能跟上的人。㊿永和县：县治在今山西永和。㊿宁嘉勖：人

七月初八日癸卯，大赦天下。中宗追赠武三思为太尉、梁宣王，追赠武崇训为开府仪同三司、鲁忠王。安乐公主请求援用永泰公主的旧例，把武崇训的坟墓称为陵，给事中卢粲辩驳此事，认为“永泰公主的事情属于特殊的恩典。现在鲁王武崇训是皇上的女婿，不能同永泰公主相提并论。”中宗亲笔书写敕书说：“安乐公主与永泰公主没有区别，夫妻之义，古今无异。”卢粲又上奏说：“陛下把自己对女儿的宠爱推及女婿，怎么可以使上下无别、君臣相同呢！”中宗这才听从了他的意见。安乐公主很生气，把卢粲调出外任陈州刺史。

名。事见《旧唐书》卷八十六、《新唐书》卷八十一《节愍太子重俊传》。㊼①兴平：两《唐书》之《节愍太子重俊传》均作“平兴”。平兴属端州，县治在今广东肇庆东南。当时尚无“兴平”县名，故当据两《唐书》改正。472 郑惟忠（？至公元七二二年）：宋州宋城（今河南商丘南）人，进士出身，曾任井陉尉、水部员外郎、观阁舍人等职。用法宽平。传见《旧唐书》卷一百、《新唐书》卷一百二十八。473 反仄：同“反侧”，辗转不安。474 内常侍：内侍省官名，正五品下，协助内侍，掌在内侍奉，出入宫掖，宣传诏令之事。475 癸卯：七月初八日。476“请用永泰公主故事”二句：永泰公主死于大足元年（公元七〇一年）九月，神龙二年（公元七〇六年）以主礼改葬，特恩号墓为陵。477 卢粲：幽州范阳（今北京市）人。传见《旧唐书》卷一百八十九下、《新唐书》卷一百九十九。478 特恩：特殊恩赐。479 同穴：本指夫妇死后同葬一个墓穴。此处指夫妻。480 膝下：指儿女。481 无辨：无别。482 一贯：一样；相同。483 陈州：州名，治所在今河南周口市淮阳区。

【校记】

［15］之：原无此字。据章钰校，十二行本、乙十一行本、孔天胤本皆有此字，今据补。〖按〗《旧唐书》之《节愍太子重俊传》亦作“独孤祎之”，且《通鉴》下文亦作“祎之”。［16］右：据章钰校，十二行本、乙十一行本皆作“左”。〖按〗《旧唐书》之《中宗纪》作“左”，《新唐书》之《中宗纪》作“右”，未知孰是。［17］奏：据章钰校，十二行本、乙十一行本“奏”下皆有“以为”二字。

【原文】

襄邑[484]尉襄阳席豫[485]闻安乐公主求为太女[486]，叹曰："梅福讥切王氏[487]，独何人哉[488]！"乃上书请立太子，言甚深切。太平公主欲表为谏官[489]，豫耻之，逃去。

八月戊寅[490]，皇后及王公已下表上尊号曰应天神龙皇帝，改玄武门为神武门，楼为制胜楼。宗楚客又帅百官表请加皇后尊号曰顺天翊圣皇后。上并许之。

初，右台大夫苏珦[491]治太子重俊之党，囚有引相王者，珦密为之申理，上乃不问。自是安乐公主及兵部尚书宗楚客日夜谋谮相王，使侍御史冉祖雍诬奏相王及太平公主，云"与重俊通谋，请收付制狱"。上召吏部侍郎兼御史中丞萧至忠，使鞫之，至忠泣曰："陛下富有四海，不能容一弟一妹[492]，而使人罗织害之乎！相王昔为皇嗣，固请于则天，以天下让陛下[493]，累日[494]不食，此海内所知。奈何以祖雍一言而疑之！"上素友爱，遂寝其事。

右补阙浚仪吴兢[495]闻祖雍之谋，上疏，以为"自文明[496]以来，国之祚胤[497]，不绝如线，陛下龙兴，恩及九族，求之瘴海[498]，升之阙庭。况相王同气[499]至亲，六合无贰[500]，而贼臣日夜连谋，乃欲陷之极法。祸乱之根，将由此始。夫任以权则虽疏必重，夺其势则虽亲必轻。自古委信异姓，猜忌骨肉，以覆国亡家者，几何人矣[501]。况国家枝叶[502]无几，陛下登极未久，而一子以弄兵受诛[503]，一子以愆违远窜[504]，惟余一弟朝夕左右，尺布斗粟之讥[505]，不可不慎，《青蝇》之诗[506]，良可畏也"。相王宽厚恭谨，安恬好让，故经武、韦之世，竟免于难。

【语译】

襄邑县尉襄阳人席豫听说安乐公主请求立为皇太女，叹息说："梅福指斥王氏家族，他是一个多么了不起的人啊！"便上书请求册立太子，言辞十分深沉恳切。太平公主想上表请求命令席豫担任谏官，席豫以此为耻，逃离而去。

八月十三日戊寅，韦皇后及王公以下上表请求中宗加上应天神龙皇帝的尊号，把玄武门改名为神武门，把玄武楼改名为制胜楼。宗楚客又带领文武百官上表请求加封韦皇后的尊号为顺天翊圣皇后。中宗全都同意了。

当初，右台大夫苏珦审讯太子李重俊的党羽，囚犯中有人牵扯到相王李旦的，苏珦秘密地为相王申辩，中宗这才没有加以追究。从此安乐公主和兵部尚书宗楚客便日夜图谋诬陷相王李旦，指使侍御史冉祖雍上奏诬告相王李旦及太平公主，说他们"与李重俊同谋，请求逮捕交付诏狱"。中宗叫来吏部侍郎兼御史中丞萧至忠，让他审理此案，萧至忠流着眼泪说："陛下富有五湖四海，却不能容下一弟一妹，而派人罗织罪名陷害他们吗！相王过去为皇嗣，坚决请求武则天，把天下让给陛下，一连数日没有进食，这是天下人所共知的，怎么可以根据冉祖雍的一句话就猜疑相王呢！"中宗与相王一向友爱，便把这件事搁置下来。

右补阙浚仪人吴兢获悉了冉祖雍的图谋以后，上疏认为"自从文明年间以来，大唐国家的后嗣，不绝如线。陛下重登皇位，恩泽遍及宗室九族，访求流散于烟瘴之地的皇族子孙，让他们重回朝廷。况且相王与陛下是同胞至亲，天地之间没有第二个。然而奸臣日夜勾结策划，竟想把相王置于极刑。国家祸乱的根源，将会从这里开始。如果授以权柄，那么非亲非故的人也必然会举足轻重；剥夺了权势，那么骨肉至亲也一定会无关紧要。从古至今，君王因委任信赖异姓之人，猜忌骨肉同胞，以致国亡家败的，有多少人啊！况且大唐宗室子弟所剩无几，陛下登位时间不长，竟有一个儿子因举兵起事而被杀，一个儿子因过错而流放远方，只剩下相王这么一个弟弟朝夕在身边，民间对汉文帝容不下淮南王而发出的'尺布斗粟'之讥，陛下不能不慎重考虑，呼吁'无信谗言'的《青蝇》之诗，实在是令人敬畏"。相王李旦宽和仁厚，谦恭谨慎，安于淡泊，喜欢礼让，所以历经武则天、韦后之世，竟能幸免于难。

【段旨】

以上为第十三段，写韦皇后党羽借太子兵变事件谋害相王李旦，几至于不保。

【注释】

⑭84 襄邑：县名，县治在今河南睢县。⑭85 席豫（公元六八〇至七四八年）：襄州襄阳（今湖北襄阳）人，进士及第，以词藻见称。官至礼部尚书。传见《旧唐书》卷一百九十中、《新唐书》卷一百二十八。⑭86 太女：皇太女。安乐公主求为皇太女，谋取太子之位，以便继承皇位。⑭87 梅福讥切王氏：梅福，西汉成帝时人，曾上书指斥外戚王凤专权。事见《汉书》卷六十七。⑭88 独何人哉：他是多么了不起的人啊。意思是自己应效法梅福进谏。独，《新唐书》之《席豫传》作"彼"。⑭89 谏官：负责谏诤的官员。唐代散骑常侍、谏议大夫、左右拾遗、补阙等皆属谏官。⑭90 戊寅：八月十三日。⑭91 苏珦（公元六三五至七一五年）：雍州蓝田（今陕西蓝田）人，曾任右台监察御史、给事中等职。后官至户部尚书，赐爵河内郡公。传见《旧唐书》卷一百、《新唐书》卷一百二十八。⑭92 一弟一妹：相王李旦系中宗李显之弟，太平公主为中宗之妹。三人皆为武则天所生。⑭93 以天下让陛下：相王李旦，武则天时为皇嗣，即皇帝继承人，中宗自房陵回到洛阳后，固请

【原文】

初，右仆射、中书令魏元忠以武三思擅权，意常愤郁。及太子重俊起兵，遇元忠子太仆少卿升于永安门⑤07，胁以自随。太子死，升[18]为乱兵所杀。元忠扬言曰："元恶⑤08已死，虽鼎镬何伤⑤09！但惜太子陨没⑤10耳。"上以其有功，且为高宗、武后所重，故释不问。兵部尚书宗楚客、太府卿纪处讷等共证元忠，云"与太子通谋，请夷其三族"。制不许。元忠惧，表请解官爵，以散秩⑤11还第⑤12。丙戌⑤13，上手敕听解仆射，以特进、齐公致仕，仍朝朔望。

九月丁卯⑤14，以吏部侍郎萧至忠为黄门侍郎，兵部尚书宗楚客为左卫将军，兼太府卿纪处讷为太府卿，并同中书门下三品。中书侍郎、同中书门下三品于惟谦罢为国子祭酒。

庚子⑤15，赦天下，改元。

宗楚客等引右卫郎将姚廷筠⑤16为御史中丞，使劾奏魏元忠，以为"侯君集社稷元勋⑤17，及其谋反，太宗就群臣乞其命而不得，竟流涕斩

让位于中宗。㊾累日：一连数日。㊾吴兢（公元六七〇至七四九年）：汴州浚仪（今河南开封）人，官至太子左庶子。长期担任史职，著述甚丰。所撰《贞观政要》流传至今。传见《旧唐书》卷一百二、《新唐书》卷一百三十二。㊾文明：唐睿宗第一次即位的年号（公元六八四年）。㊾祚胤：后嗣。㊾瘴海：烟瘴之地。指岭南地区。㊾同气：原指有血统关系的亲属，后多指同胞兄弟而言。此处即指兄弟。㊿六合无贰：天地之间没有第二个。六合，东西南北四方及上下，代指宇宙、天下。㊿几何人矣：多少人啊。意谓其人甚多。㊿枝叶：亲属。此处比喻宗支。㊿一子以弄兵受诛：节愍太子重俊于神龙三年（公元七〇七年）七月起兵杀武三思，兵败被杀。㊿一子以愆违远窜：谯王重福神龙元年二月遭韦皇后之谮被贬为濮州刺史。愆违，过错。㊿尺布斗粟之讥：汉文帝弟刘长因谋反被徙蜀郡，在路上绝食而死。民间作歌讥讽此事，说："一尺布，尚可缝；一斗粟，尚可舂。兄弟二人不兼容。"见《史记》卷一百十八。㊿《青蝇》之诗：见《诗经·小雅》。诗云："营营青蝇，止于樊。岂弟君子，无信谗言。"周人以此刺周幽王信谗。

【语译】

当初，右仆射、中书令魏元忠由于武三思专擅大权，心中常常愤懑抑郁。等到太子李重俊起兵时，在永安门遇到魏元忠的儿子太仆少卿魏升，便裹胁他跟随自己。太子败死，魏升也被乱兵所杀。魏元忠扬言说："首恶武三思已经死了，即使遭受鼎镬之刑，又有什么关系呢！只可惜太子重俊死了。"中宗因为魏元忠有功，并且被高宗和武后所重用，所以开释了他，没有追究。兵部尚书宗楚客、太府卿纪处讷等人一起证明魏元忠有罪，说他"与太子同谋，请诛灭魏元忠三族"。中宗下诏不同意。魏元忠很害怕，上表请求解除官职和爵位，让他以闲散官员的身份回归宅第。八月二十一日丙戌，中宗亲笔书写敕命，同意魏元忠解除仆射之职，以特进、齐公的身份退休，仍然可以在每月初一、十五两天入朝拜见中宗。

九月丁卯日，中宗任命吏部侍郎萧至忠为黄门侍郎，兵部尚书宗楚客为左卫将军，兼太府卿纪处讷为太府卿，三人都授予同中书门下三品。中书侍郎、同中书门下三品于惟谦被免去相职，改任国子祭酒。

初五日庚子，大赦天下，更改年号。

宗楚客等人引荐右卫郎将姚廷筠为御史中丞，让他上奏弹劾魏元忠，他认为"侯君集是国家元勋，当他谋反时，太宗向诸位大臣请求宽宥他的死罪，没有成功，

之[518]。其后房遗爱、薛万彻、齐王祐等为逆[519]，虽复懿亲[520]，皆从国法。元忠功不逮[521]君集，身又非国戚，与李多祚等谋反，男入逆徒，是宜赤族污宫。但有朋党饰辞营救，以惑圣听，陛下仁恩，欲掩其过。臣所以犯龙鳞，忤圣意者，正以事关宗社[522]耳”。上颇然之。元忠坐系大理，贬渠州[523]司马。宗楚客令给事中冉祖雍奏言：“元忠既犯大逆，不应出佐渠州。”杨再思、李峤亦赞之。上谓再思等曰：“元忠驱使日久，朕特矜容，制命已行，岂容数改！轻重之权，应自朕出。卿等频奏，殊非朕意！”再思等惶惧拜谢。

监察御史袁守一[524]复表弹元忠曰：“重俊乃陛下之子，犹加昭宪[525]。元忠非勋非戚，焉得独漏严刑！”甲辰[526]，又贬元忠务川[527]尉。顷之，楚客又令袁守一奏言：“则天昔在三阳宫[528]不豫[529]，狄仁杰奏请陛下监国，元忠密奏以为不可，此则元忠怀逆日久，请加严诛！”上谓杨再思等曰：“以朕思之，人臣事主，必在一心。岂有主上小疾，遽[530]请太子知事！此乃仁杰欲树私恩，未见元忠有失。守一欲借前事以陷元忠，其可乎！”楚客乃止。元忠行至涪陵[531]而卒。

【段旨】

以上为第十四段，写韦皇后党羽借太子兵变事件谋害魏元忠。

【注释】

[507]永安门：长安太极宫南面三门之一。在承天门之西。[508]元恶：指武三思。[509]虽鼎镬何伤：即使遭受鼎镬之刑，又有什么关系呢？[510]惜太子陨没：可惜太子重俊死了。[511]散秩：闲散而无固定职守的官职。[512]还第：回归宅第。[513]丙戌：八月二十一日。[514]丁卯：九月丙申朔，无丁卯。《旧唐书》卷七《中宗纪》、《新唐书》卷四《中宗纪》及卷六十一《宰相表》均作“丁酉”。丁酉即九月初二日。[515]庚子：九月初五日。[516]姚廷筠：事见《旧唐书》卷九十二、《新唐书》卷一百二十二《魏元忠传》。廷，或作“庭”。[517]社稷元勋：国家元勋；对国家有较大功劳的人。[518]流涕斩之：时在太宗贞观十七年（公元六四三年）。[519]房遗爱、薛万彻、齐王祐等为逆：其事分别见本书卷一

【语译】

银青光禄大夫、上庸公及圣善、中天、西明三寺住持慧范在东都营建圣善寺，在长乐坡修建大佛像，国库储备因此耗费空虚。中宗和韦皇后都很器重慧范，他的权势压倒朝廷内外官员，没有人敢对他手指目视。九月十三日戊申，侍御史魏传弓告发慧范贪赃四十余万，请求把他处以死刑。中宗打算赦免慧范，魏传弓说："刑罚与赏赐是国家大事，陛下赏赐慧范已属妄施，怎么可以对他不施加任何刑罚呢！"中宗这才削夺他的爵位，把他斥逐回家。

宦官左监门大将军薛思简等人受到安乐公主的宠爱，放纵暴虐，不遵法度，魏传弓上奏请求处死他们，御史大夫窦从一很害怕，坚决阻止魏传弓这样做。当时宦官掌权，窦从一担任雍州刺史及御史大夫，见到诉讼人没长胡须，误以为宦官，一定曲法逢迎。

中宗任命杨再思为中书令，任命韦巨源、纪处讷为侍中。

九月二十七日壬戌，中宗把左、右羽林千骑改名为万骑。

冬，十月十三日丁丑，中宗命令左屯卫大将军张仁愿充任朔方道大总管，以进攻突厥。等到张仁愿率部赶到时，突厥已经撤退，张仁愿率军追击，把突厥人打得大败。

习艺馆内教苏安恒，高傲好发奇言。太子李重俊诛杀武三思时，苏安恒自称"这件事是我出的主意"。太子失败后，有人举报了苏安恒。十月十四日戊寅，苏安恒被处以死刑。

十二月初一日乙丑，发生日食。

这一年，中宗派遣使者分道前往长江、淮河赎买鱼鳖放生。中书舍人房子县人李乂上奏劝谏说："江南地区到处都有水，以捕捞为业，鱼鳖之利，是黎民百姓的生活来源。虽然陛下云雨般的私惠，对于微不足道的鱼鳖有所沾润，但养育万物的恩泽毕竟还没有使得平民百姓受其浸润。为什么这样说呢？江湖丰饶，养育万物，国库的财用，支出供给容易竭尽。假如支付赎生的费用太少，那对救助鱼鳖之事又有什么成效！倘若支付得太多，那么经常性的支出便有欠缺。花费钱财来放生拯救鱼鳖，哪里比得上用它来爱恤百姓！况且那些靠出卖放生鱼鳖的人，唯利是图，钱币天天到来，渔网年年增多。陛下放生之令施行一天，百姓捕捞营生就会发展百倍。陛下不如抽回用于救物赎生的钱财，减少对贫穷无业的平民百姓所征发的赋税和徭役，充实国家的活力，爱护百姓，带来的福分超过赎买鱼鳖放生。"

【段旨】

以上为第十五段，写中宗佞佛，建佛寺，买鱼放生，糜费大量国家资财。唐军大败突厥。

【注释】

㉜圣善、中天、西明三寺：据《唐会要》卷四十八，圣善寺在长安城中章善坊，西明寺在延康坊，原为隋越国公杨素宅第。中宗作圣善寺，目的在为武则天追福。㉝长乐坡：又名“浐坡”，在长安城东，即今陕西西安东郊长乐坡。㉞戊申：九月十三日。㉟魏传弓：巨鹿（今河北巨鹿）人，忠謇之士，终司农丞。事见《新唐书》卷一百九《窦怀贞传》、《唐御史台精舍题名考》卷二。㊱置：处置；处以。㊲极法：死刑。㊳薛思简：见《新唐书》卷八十一《谯王重福传》。㊴无须：没有胡须。㊵曲加承接：曲法逢迎。意思是说窦从一偏袒宦官。讼者无须，以为是宦官，故曲加承接。㊶“以杨再思为中书令”二句：据《新唐书》卷四《中宗纪》、卷六十一《宰相表》，时在九月辛亥，即九月十六日。㊷壬戌：九月二十七日。㊸丁丑：十月十三日。㊹左屯卫将军：“左屯卫”下逸“大”字。见《旧唐书》卷九十三、《新唐书》卷一百十一《张仁愿传》。㊺习艺馆内教：官名，掌教习宫人书算众艺。原名内文学馆，置于禁内，设学士一人以教习宫人。㊻戊寅：十月十四日。㊼乙丑朔：十二月初一日。㊽江、淮：长江、淮河。㊾赎生：用钱财赎买动物放生。中宗认为江淮百姓捕鱼伤生，故遣人以钱物赎之。㊿李乂：字尚真，赵州房子（今河北临城）人，曾任监察御史，劾奏无避。官至刑部尚书，时谓“有宰相器”。传见《旧唐书》卷一百一、《新唐书》卷一百十九。551未洽：未周。552平人：平民百姓。553傥：倘若。554钱刀：钱币。古代有的货币形状像刀，故遂以钱刀作为钱币的代称。555网罟：本指捕鱼鳖鸟兽的工具，后常用来比喻法网。556胜彼：超过赎买鱼鳖放生。

【校记】

［19］水乡：原作“乡人”。严衍《通鉴补》改作“水乡”，今从改。〖按〗《旧唐书》之《李乂传》作“水乡”。［20］类：原作“利”。据章钰校，十二行本、乙十一行本、孔天胤本皆作“类”，今据改。〖按〗《旧唐书》之《李乂传》作“类”。［21］与：原作“其”。严衍《通鉴补》改作“与”，今从改。〖按〗《旧唐书》之《李乂传》作“与”。［22］斯：原作“是”。据章钰校，十二行本、乙十一行本皆作“斯”，今据改。〖按〗《旧唐书》之《李乂传》作“斯”。

【研析】

本卷研析五事：第一，韦皇后干政；第二,五王遭残害；第三，中宗滥封职官；第四，中宗放生；第五，太子李重俊诛灭武三思。这一系列事件的发生，主要由唐中宗的昏庸导致，这些事件的影响把唐玄宗李隆基推上了政治舞台，为唐代的开元之治开辟了道路。

第一，韦皇后干政。中宗皇后韦氏，京兆万年县人韦玄贞之女。中宗为太子时，韦氏为妃。嗣圣元年（公元六八四年），中宗即位，立为皇后，不久中宗被废，流放房州，韦氏随从。当时中宗惊魂不安，每当制使到来，惶恐想自杀，都被韦氏劝阻，夫妻共患难，情义深厚。两人发誓，白头偕老。中宗说："如果有重见天日的一天，夫人想干什么就干什么，绝不禁止。"韦氏为中宗生一男，即懿德太子李重润，四女，为永泰公主、永寿公主、长宁公主、安乐公主。安乐公主最幼，又生于流放房州途中，中宗亲自脱衣裹婴儿，取小名为裹儿，特别钟爱。中宗从流放地被召回，重新立为太子，恢复帝位后，便放纵韦氏与安乐公主为所欲为。中宗又纳上官婉儿为婕妤，上官婉儿与武三思私通，又将武三思引入内宫荐与韦氏皇后，两人又私通。上官婉儿、韦皇后与武三思三人以奸情结合为一个特殊的秽行政治集团。上官婉儿与武三思攀附韦皇后图谋执掌朝政，两人教唆韦皇后效法武则天垂帘与中宗共掌朝政。韦皇后听了上官婉儿的邪说，上表请天下士庶为生母服丧三年，又请百姓壮年男子二十三为丁，五十九免役。唐制，二十即为丁，六十老免。韦皇后以此收买人心。安乐公主出嫁为武三思儿媳，驸马为武崇训。韦皇后所生懿德太子因私议武则天行为不检，被武则天杀害。中宗复位后所立太子李重俊不是韦皇后所生，韦皇后像家奴一样对待他。中宗任命武崇训为太子宾客之一，武崇训却导引太子蹋球戏耍，不干正经事。武崇训还在背后教唆安乐公主凌辱李重俊。韦皇后要做武则天第二，安乐公主要当皇太女，武三思要东山再起，上官婉儿要分一杯羹。这样以韦皇后为核心，纠集武三思、安乐公主、上官婉儿成为倒太子的政治集团。唐中宗根本就不是当皇帝的一块料，他继承了唐高宗的懦弱和武则天的猜忌，昏庸糊涂到了极点。韦皇后给中宗戴了绿帽子，中宗也居然心安理得，完全被韦皇后控制在手心里，终于不得善终。将在下一卷韦皇后发动宫廷政变时再研析。

第二,五王遭残害。张柬之等五王诛杀"二张"，洛州长史薛季昶对张柬之、敬晖说："张易之、张昌宗这两名凶恶虽已被除，但吕产、吕禄这类人仍在，锄草若不除根，仍会长出来。"张柬之、敬晖回答说："大事已定，诸武有什么能耐，好比是菜板上的肉，今杀人已多，不能再增加了。"薛季昶叹息说："我不知道死在哪里啊！"朝邑尉刘幽求也对桓彦范、敬晖说："武三思还活着，公等将死无葬身之地。"事定之后，张柬之等劝中宗亲手下令诛杀诸武，中宗不从。张柬之等又劝中宗贬逐诸武，中宗又不从，反而微服私访武三思。张柬之等感叹地说："我不杀诸武，是为了留给皇上亲自诛杀立威，如今是这个样子，没有什么办法了。"

张柬之等五王错过了诛杀武三思的机会，又不听薛季昶、刘幽求之言，确实是犯了一个大错误。张柬之说是留给中宗亲手诛除，以立天子之威，王夫之给予了高度评价，说："以斯言体斯心，念深礼谨，薄一己之功名，正一王之纲纪，端人正士所繇异于功名之士远矣。"(《读通鉴论》卷二十一）张柬之的说法与王夫之的评论，只是一个方面，更主要的原因，张柬之等人投鼠忌器。因为拥护中宗，子夺母权，已犯大忌，武三思与中宗是儿女亲家，既然武三思与中宗争过皇位，按常理，中宗会诛杀武三思，没想到中宗的懦弱与猜忌，事与愿违。中宗不诛武三思，至少有三个原因。其一，性情懦弱，母后之侄，又是亲家翁，下不了手。其二，中宗受到三个女人的包围：韦皇后、安乐公主、上官婉儿。武三思与三个女人结成团伙与共犯（史称四凶），这是新形势的发展。其三，也是更重要的原因，中宗猜忌五王，明知五王无罪，却一头栽到武三思一边，利用武三思来诛除五王。五王之所以被武三思残害，中宗的忌疑是主要原因。

第三，中宗滥封职官。中宗用职官来酬劳亲故，尤其是纵容安乐公主卖官，以手敕斜封官助长其势，不仅把国家政治搞得一团漆黑，也使韦氏势力迅速膨胀，并与武氏外戚合流，迫害忠良，导致国家元气大丧。宋之逊卖友求荣，投靠武氏，五王以崔湜为耳目，崔湜倒戈。殿中侍御史郑愔谄事"二张"，"二张"败亡，也投靠武三思合谋害忠良，皆因中宗滥封官职，假权与外戚，为小人的复聚创造了条件。

第四，中宗放生。中宗佞佛，不仅大办佛事，耗费国家资财。更为荒唐的是，中宗不准江淮之民捕捞鱼虾，并花巨资来买鱼放生，使成千上万靠江河水产为生的渔民失业。足见中宗只为个人祈福，不顾民生，简直是一个残贼之主，又岂止昏庸而已。

第五，太子李重俊诛灭武三思。武三思诛灭五王之后，权倾人主，得意扬扬地说："我不知道人间什么样的人是善人，什么样的人是恶人。我只有一个标准，对我好的人就是善人，对我不好的人就是恶人。"兵部尚书宗楚客、将作大匠宗晋卿、太府卿纪处讷、鸿胪卿甘元柬等都是武三思的羽翼。如今武三思已经是东山再起，安乐公主要做皇太女，韦皇后要做第二个武则天，太子李重俊成了他们的眼中钉，再加上一个武三思的情人上官婉儿，她们轮番在中宗面前打小报告，编排太子的不是，等待废太子。景龙元年（公元七〇七年）秋，七月初六日辛丑，太子起兵杀死武三思及其子武崇训，还突进宫中要杀上官婉儿。中宗组织禁军反击，太子兵败被杀，在唐代上演了一场汉武帝时的巫蛊之祸，太子李重俊成了第二个戾太子。汉朝的江充、唐朝的武三思，均是祸国贼子，但祸乱的产生，却自上起，昏庸的皇帝承担主要责任。汉武帝晚年因患病而昏，唐中宗无疾而昏。汉唐两事相对照，两太子之死，具有共通性。这是集权制度下的产物，不是很能发人深省吗？

卷第二百九　唐纪二十五

起著雍涒滩（戊申，公元七〇八年），尽上章阉茂（庚戌，公元七一〇年）七月，凡二年有奇。

【题解】

本卷记事起公元七〇八年，迄公元七一〇年七月，凡两年又七个月，当唐中宗景龙二年到唐睿宗景云元年七月。中宗是一个儿女情长的昏君，他治国无方，治家无策，忠奸不辨，是非不明。郭元振的安边良策中宗听不进；宗楚客贪赃误国，招致唐军大败，事后不惩奸。中宗滥施封赏，冗官充斥，封邑逾制，选举败坏，贿赂公行，佞佛建寺，穷奢极侈，耗费了无数的国家资财，加重人民负担。灾害发生，不见中宗有赈济措施。中宗还有一特长，喜欢在公众场合逗乐，娱乐、宴会、踢球，纵情言笑，语言粗俗，大失天子体统。中宗在除夕之夜，主婚嫁韦皇后奶母，博取群臣笑乐，天子尊严扫地。中宗纵容长宁、安乐两公主家奴为恶，公开卖官，斜封官员有数千之多。韦皇后助祭南郊，违背礼制，以致朝纲堕坏。尤其是中宗容忍韦皇后淫行，最终导致自己遭毒杀，史称韦后之乱。临淄王李隆基发动兵变，诛除韦后，灭其党羽，睿宗即位。旬日之间两场政变。韦皇后处心积虑要做武则天第二，毒杀亲夫，结果十天之中就败亡了。

【原文】

中宗大和大圣大昭孝皇帝下

景龙二年（戊申，公元七〇八年）

春，二月庚辰①[1]，宫中言皇后衣笥②裙上有五色云③起，上令图④以示百官。韦巨源请布之天下⑤，从之，仍赦天下。

迦叶志忠奏："昔神尧皇帝⑥未受命⑦，天下歌《桃李子》⑧；文武皇帝⑨未受命，天下歌《秦王破阵乐》⑩；天皇大帝⑪未受命，天下歌《堂堂》⑫；则天皇后未受命，天下歌《娬媚娘》⑬；应天皇帝⑭未受命，天下歌《英王石州》⑮；顺天皇后⑯未受命，天下歌《桑条韦》⑰，盖天意以为顺天皇后宜为国母，主蚕桑之事，谨上《桑韦歌》十二篇，请编之乐府⑱，皇后祀先蚕则奏之。"太常卿郑愔又引而申之⑲。上悦，皆受厚赏。

【语译】

中宗大和大圣大昭孝皇帝下

景龙二年（戊申，公元七〇八年）

春，二月十七日庚辰，宫中的人们说韦皇后衣箱中的裙子上有五色祥云升起，中宗命人描画下来给文武百官看。韦巨源请求布告天下，中宗同意了，还因此大赦天下。

迦叶志忠上奏："昔日我大唐高祖神尧皇帝未登基之时，天下歌唱《桃李子》；太宗文武皇帝没有登基时，天下歌唱《秦王破阵乐》；高宗天皇大帝没有即位时，天下歌唱《堂堂》；则天大圣皇后没有即位时，天下歌唱《娬媚娘》；应天皇帝没有受命时，天下歌唱《英王石州》；顺天皇后韦氏还未受命，天下歌唱《桑条韦》，也许上天的旨意认为顺天皇后应当作为国母，主持养蚕植桑的事务。因此臣恭敬地献上《桑韦歌》十二篇，请把这一组歌编入乐府曲目之内，在皇后祭祀先蚕之神的时候便加以演奏。"太常卿郑愔又借题发挥，把这个话题加以引申。中宗听罢很高兴，迦叶志忠和郑愔都受到了丰厚的赏赐。

右补阙[20]赵延禧[21]上言："周、唐一统，符命同归，故高宗封陛下为周王[22]。则天时，唐同泰献《洛水图》[23]。孔子曰：'其或继周者，虽百代可知也。'陛下继则天，子孙当百代王天下。"上悦，擢延禧为谏议大夫。

丁亥[24]，萧至忠[25]上疏，以为"恩幸[26]者止可富之金帛[27]，食以粱肉[28]，不可以公器[29]为私用。今列位[30]已广，冗员[31]倍之，干求[32]未厌，日月增数[33]，陛下降不赀[34]之泽，近戚有无涯之请，卖官利己，鬻法徇私。台寺[35]之内，朱紫[36]盈满，忽事[37]则不存职务，恃势则公违宪章[38]，徒忝[39]官曹，无益时政"。上虽嘉其意，竟不能用。

【段旨】

以上为第一段，写唐中宗鼓励献媚者称扬韦皇后，制造祥瑞舆论。

【注释】

①庚辰：二月十七日。②衣笥：衣箱。③五色云：五种颜色的彩云。古人称之为"祥云"。④图：绘图。⑤布之天下：布告天下。⑥神尧皇帝：唐高祖李渊。⑦未受命：未得天命，即未登基之时。⑧《桃李子》：歌谣名，其词为，"桃李子，莫浪语，黄鹄绕山飞，宛转花园里"。见温大雅《大唐创业起居注》卷一。⑨文武皇帝：唐太宗李世民。⑩《秦王破阵乐》：乐曲名，太宗为秦王时，破刘武周，军中相与作《秦王破阵乐》，后常在宴会上演奏。⑪天皇大帝：唐高宗李治。⑫《堂堂》：乐府曲。相传为陈后主所作，唐高宗时常歌唱。高宗时，京城民谣有"侧堂堂，桡堂堂"之言。太常丞李嗣真说："侧者不正，桡者不安"，非吉祥之言。⑬《娬媚娘》：唐乐曲名，原名《舞媚娘》，南朝陈时即有。高宗永徽年间（公元六五〇至六五五年），许多人为取悦武则天，以"舞"谐"武"，且武氏为唐太宗才人时曾赐号"武媚"，遂改《舞媚娘》为《武媚娘》，又称《娬媚娘》。⑭应天皇帝：唐中宗李显。⑮《英王石州》：歌名，唐中宗曾封英王，迦叶志忠于是附会以此曲为受命之符。⑯顺天皇后：唐中宗皇后韦氏。⑰《桑条韦》：歌名，《新唐书》卷三十五载，永徽末，民歌有"桑条韦也""女时韦也"乐。迦叶志忠于是附为

右补阙赵延禧进言："周、唐国运相同，祥瑞征兆共相归一，因此高宗皇帝把陛下册封为周王。则天太后当政时，唐同泰献上了《洛水图》。孔子讲过：'倘若有继承周朝大统的，即使是往后一百代，也是可以事先知道的。'陛下承袭则天太后，子孙应当世世代代统治天下。"中宗很高兴，把赵延禧提拔为谏议大夫。

二月二十四日丁亥，萧至忠上疏，认为"受宠幸的人只能使他们拥有金钱丝帛之富，食用精美的膳食，不能把朝廷的官位和爵秩交给他们作为谋取私利的工具。当今在职官吏已经很多，职无专司的散官是在职官员的一倍，索取没有满足的时候，存在着日益增加的趋势。陛下颁赐的恩赏无法计算，近臣贵戚怀有无边际的贪求，卖官利己，鬻狱徇私。各官署之内，挤满了身着朱紫朝服的高官，他们玩忽职守而不理公务，凭借权势而公然违抗法令，白白地辱居官署诸曹，对于当世的政务没有任何裨益"。中宗虽对奏疏的内容十分赞赏，但最后没有采纳。

后妃之德，奏上《桑韦歌》十二篇，称扬韦皇后。⑱乐府：国立的音乐机构。民歌采录归乐府。⑲引而申之：由本意推及他意，借题发挥。⑳右补阙：则天垂拱元年（公元六八五年）置补阙，左、右各二人，掌供奉讽谏，分隶门下、中书两省。㉑赵延禧：事见《旧唐书》卷五十一《中宗韦庶人传》、卷九十二《韦巨源传》，《新唐书》卷七十六《中宗庶人韦氏传》、卷一百九《宗楚客传》。㉒封陛下为周王：显庆二年（公元六五七年）二月十二日，封皇子显（即后来的中宗）为周王。㉓唐同泰献《洛水图》：时在垂拱三年（公元六八七年）。㉔丁亥：二月二十四日。㉕萧至忠（？至公元七一三年）：沂州丞县（今山东枣庄东南）人，敢于纠擿不法，官至中书令。传见《旧唐书》卷九十二、《新唐书》卷一百二十三。㉖恩幸：宠幸。㉗金帛：金钱布帛。㉘粱肉：精美的膳食。㉙公器：官位。㉚列位：在职官吏。㉛冗员：职无专司的散官。㉜干求：求取；索求。㉝增数：增加、频繁。数，多。㉞不赀：无量。㉟台寺：犹言官署。㊱朱紫：身着朱紫朝服的高官。指五品以上的大官。㊲忽事：玩忽职守。㊳宪章：法律。㊴忝：辱。

【校记】

［1］庚辰：原作"庚寅"。严衍《通鉴补》改作"庚辰"，今从改。〖按〗是年二月甲子朔，庚寅为二十七日；据《旧唐书》之《中宗纪》："乙酉，帝以后服有庆云之瑞，大赦天下。"则宫中奏事当在乙酉日之前，即二十二日之前。景龙二年二月庚辰为二月十七日。

【原文】

三月丙辰㊵，朔方道大总管张仁愿筑三受降城㊶于河上。

初，朔方军与突厥以河㊷为境，河北有拂云祠㊸，突厥将入寇，必先诣祠祈祷，牧马料兵而后渡河。时默啜悉众西击突骑施，仁愿请乘虚夺取漠南地，于河北筑三受降城，首尾相应，以绝其南寇之路。太子少师唐休璟以为“两汉以来皆北阻大河㊹，今筑城寇境，恐劳人费功，终为虏有”。仁愿固请不已，上竟从之。

仁愿表留岁满镇兵㊺以助其功㊻，咸阳兵㊼二百余人逃归，仁愿悉擒之，斩于城下，军中股栗㊽，六旬㊾而成。以拂云祠为中城，距东西两城各四百余里㊿，皆据津要51，拓52地三百余里。于牛头朝那山53北，置烽候54千八百所，以左玉钤卫将军论弓仁55为朔方军前锋游弈使56，戍诺真水57为逻卫58。自是突厥不敢渡山畋牧59，朔方无复寇掠，减镇兵数万人。

仁愿建三城，不置壅门60及备守之具。或问之，仁愿曰：“兵贵进取，不利退守。寇至[2]，当并力出战，回首望城者，犹应斩之，安用守备，生其退恧61之心也！”其后常元楷为朔方军总管，始筑壅门。人是以重仁愿而轻元楷。

【段旨】

以上为第二段，写朔方道大总管张仁愿筑边塞防御突厥。

【注释】

㊵丙辰：三月二十三日。㊶三受降城：中受降城、东受降城和西受降城。中城在今内蒙古包头西南，东城在今内蒙古托克托南、黄河北大黑河东岸，西城在今杭锦后旗北乌加河北岸、狼山口南。㊷河：黄河。㊸拂云祠：位于拂云堆上，地势较高。位于中受降城内。㊹北阻大河：倚仗黄河作为北方的防线。㊺岁满镇兵：戍边期限已满的士兵。㊻以助其功：协助完成这一工程。㊼咸阳兵：从咸阳去的镇兵。㊽股栗：两腿发

【语译】

三月二十三日丙辰，朔方道大总管张仁愿在黄河岸边修筑中、东、西三个受降城。

当初，唐朔方军与突厥以黄河为边界，在黄河北有拂云祠，突厥部落将要进犯朔方军的时候，必定先前往拂云祠祈祷，牧马阅兵之后才渡过黄河。当时突厥阿史那默啜调集了全部军队西击突骑施，张仁愿请求趁默啜部后方空虚夺取沙漠以南的地域，在黄河北岸修筑三座受降城，首尾呼应，以便断绝突厥默啜南下侵扰的通路。太子少师唐休璟认为“从两汉以来，都倚仗黄河作为北方的防线，现在在敌寇境内修筑城池，恐怕劳苦民众，耗费事功，最终会被突厥所占有”。张仁愿坚持请求筑城之事，中宗终于批准了。

张仁愿上表请求把戍边期限已满的士兵留下协助完成这一工程，但是二百余个从咸阳去的镇兵逃回了家乡，张仁愿全部逮捕了这些人，在城下斩首，军中将士战战兢兢，用了六十天把受降城修筑成功了。把拂云祠作为中城，距离东、西两座受降城各有四百余里，三城都扼守在水陆交通要冲，开拓疆域三百多里。在牛头朝那山以北，设置烽火台一千八百多处，任命左玉钤卫将军论弓仁为朔方军前锋游弈使，驻扎在诺真水执行巡逻守卫任务。从此突厥部众再不敢翻越朝那山打猎放牧，朔方军不再有突厥的侵掠，因而减少镇兵数万人。

张仁愿修建三座受降城时，没有设置遮掩城门的短墙以及用作防备守卫的武器，有人问他原因，张仁愿说:“用兵贵在进取，后退和防守是不利的。当敌军来临之时，将士应当倾尽全力出战，回过头来张望城池的士兵，尚且应当处斩，哪里用得着守备器械，滋生士兵的退缩渐惧之心!”后来常元楷担任了朔方军总管，才开始修筑遮掩城门的短墙。人们因此推重张仁愿而看不起常元楷。

抖。形容十分恐惧。㊾六旬：六十天。旬，十天为一旬。㊿距东西两城各四百余里：一说距东城三百里，距西城三百八十里。(51)津要：水陆交通要冲。(52)拓：开拓。(53)牛头朝那山：在今内蒙古乌拉特中旗与达尔罕茂明安联合旗境内。(54)烽候：即烽火台。(55)论弓仁：吐蕃人，论钦陵之子。圣历二年（公元六九九年）归唐，授左玉钤卫将军，封酒泉郡公。长期镇守边疆，屡立战功。官至左骁卫大将军、朔方副大使。传见《新唐书》卷一百十。(56)游弈使：犹巡逻使。巡候于亭障之外，刺探敌情。(57)诺真水：在今达尔罕茂明安联合旗北。(58)逻卫：巡逻守卫。(59)畋牧：打猎放牧。(60)壅门：遮掩城门的短墙。(61)退恧：退缩惭惧。恧，惭愧。

【校记】

［2］至：据章钰校，十二行本、乙十一行本、孔天胤本“至”下皆有“此”字。

【原文】

夏，四月癸未⑥²，置修文馆⑥³大学士四员，直学士八员，学士十二员，选公卿以下善为文者李峤等为之。每游幸禁苑，或宗戚宴集，学士无不毕从⑥⁴，赋诗属和⑥⁵，使上官婕妤[3]第其甲乙⑥⁶，优者赐金帛。同预宴者，惟中书、门下及长参⑥⁷王公、亲贵数人而已，至大宴，方召八座⑥⁸、九列⑥⁹、诸司五品以上预焉。于是天下靡然争以文华⑦⁰相尚，儒学忠谠⑦¹之士莫得进矣。

秋，七月癸巳⑦²，以左屯卫大将军、朔方道大总管张仁愿同中书门下三品。

甲午⑦³，清源尉吕元泰⑦⁴上疏，以为“边境未宁，镇戍不息，士卒困苦，转输疲弊，而营建佛寺，日广月滋，劳人费财，无有穷极⑦⁵。昔黄帝、尧、舜、禹、汤、文、武惟以俭约仁义立德垂名，晋、宋以降，塔庙⑦⁶竞起，而丧乱相继，由其好尚失所，奢靡相高⑦⁷，人不堪命⑦⁸故也。伏愿回营造之资，充疆埸⑦⁹之费，使烽燧永息，群生富庶，则如来⑧⁰慈悲之施，平等之心，孰过于此”！疏奏，不省。

【段旨】

以上为第三段，写中宗崇尚浮华和佞佛。

【语译】

夏，四月二十一日癸未，设置修文馆大学士四员、直学士八员、学士十二员，选拔公卿以下擅长写文章的李峤等人担任这些职务。每当中宗巡游禁苑，或者是皇族亲戚相聚宴饮，这些大学士、直学士和学士们全部随从，赋诗应和，让上官婕妤排列诗作的高下等第，优等的赏赐金帛。同时参加宴会的，只有中书、门下二省长官以及长期朝参的王公和皇帝宠幸的显贵数人而已。到大规模宴饮聚会时，才召集八座、九卿、各司五品以上官员参加。于是天下靡然成风，争着以辞藻华丽互相推崇，儒学忠贞直言之士得不到进用。

秋，七月初三日癸巳，中宗任命左屯卫大将军、朔方道大总管张仁愿为同中书门下三品。

七月初四日甲午，清源县尉吕元泰上疏，认为"边境地区尚未安宁，戍守之役没有停止，士卒困苦，补给转运导致民疲力尽、国家凋敝，而营建佛寺，天天扩大，月月增多，役使人力，耗费钱财，没有穷尽。过去黄帝、唐尧、虞舜、夏禹、商汤、周文王和周武王等只是凭着他们的勤俭节约和道德仁义来建立功德、垂名后世，两晋和刘宋以来，竞相建筑佛塔寺庙，而丧乱不断，这是由于各朝君主的追求推崇失当，崇尚奢靡，百姓无力承担所造成的。敬请陛下能收回用于营造佛寺的钱财，充当边防的军事费用，使报警的烽火永息，百姓丰足富裕，那么如来佛祖大慈大悲的布施，主张平等的心意，怎么能超过这一功德呢"！奏疏呈上以后，中宗不加理会。

【注释】

㉜癸未：四月二十一日。㉝修文馆：置于武德四年（公元六二一年），在门下省。武德九年（公元六二六年）改为弘文馆。神龙元年（公元七〇五年）改为昭文馆。次年复称修文馆。官员五品以上称学士，六品以上称直学士。上官昭容劝唐中宗置大学士四员，以象四时；直学士八人，以象八节；学士十二人，以象十二时。㉞毕从：全部随

从。65 属和：连属应和。66 第其甲乙：排列诗作的高低等第。67 长参：长期朝参。68 八座：唐人以尚书左右仆射及吏、户、礼、兵、刑、工六部尚书为八座。69 九列：太常、光禄、卫尉、宗正、太仆、大理、鸿胪、司农、太府九寺。70 文华：辞藻华丽。71 忠谠：忠贞直言。72 癸巳：七月初三日。73 甲午：七月初四日。74 吕元泰：曾上疏言时政，反对营建寺塔，反对胡服娱乐，反对索寒之俗。事见《新唐书》卷一百十八本传及《唐御史台精舍题名考》卷二。75 穷极：穷尽。76 塔庙：佛塔寺庙。77 奢靡相高：崇尚奢靡。78 堪命：犹聊生。79 疆埸：本指国界，此处指边防。80 如来：佛的十号之一，为梵文 tathagata 的意译。《大智度论》卷二十四："如实道来，故名如来。"

【原文】

安乐、长宁公主[81]及皇后妹郕国夫人，上官婕妤，婕妤母沛国夫人郑氏，尚宫[82]柴氏、贺娄氏，女巫第五英儿，陇西夫人赵氏[83]，皆依势用事，请谒受赇[84]，虽屠沽[85]臧获[86]，用钱三十万，则别降墨敕除官，斜封付中书，时人谓之"斜封官[87]"，钱三万则度[88]为僧尼。其员外、同正、试、摄、检校、判、知官凡数千人[89]。西京、东都各置两吏部侍郎，为四铨[90]，选者岁数万人。

上官婕妤及后宫多立外第[91]，出入无节[92]，朝士往往从之游处，以求进达[93]。安乐公主尤骄横，宰相以下多出其门。与长宁公主竞起第舍[94]，以侈丽相高，拟于宫掖，而精巧过之。安乐公主请昆明池[95]，上以百姓蒲鱼[96]所资，不许。公主不悦，乃更夺民田作定昆池[97]，延袤数里，累石象华山[98]，引水象天津[99]，欲以胜昆明，故名定昆。安乐[100]有织成裙[101]，直钱一亿，花卉鸟兽，皆如粟粒[102]，正视旁视，日中影中，各为一色。

上好击，由是风俗相尚，驸马武崇训、杨慎交[103]洒油以筑球场。慎交，恭仁[104]曾孙也。

上及皇后、公主多营佛寺。左拾遗京兆辛替否[105]上疏谏，略曰："臣闻古之建官，员不必备[106]，士有完行[107]，家有廉节[108]，朝廷有余俸，百姓有余食。伏惟陛下百倍行赏，十倍增官，金银不供其印[109]，束帛不

【校记】

［3］婕妤：原作“昭容”。胡三省注云：“是年冬方以上官倢伃为昭容。”严衍《通鉴补》改作“婕妤”，今从改。

【语译】

安乐公主、长宁公主、韦皇后的妹妹郕国夫人、上官婕妤、上官婕妤的母亲沛国夫人郑氏、尚宫柴氏、尚宫贺娄氏、女巫第五英儿、陇西夫人赵氏，全都仗势专擅权柄，受请托收贿赂，即使是屠户酒家、奴仆婢女，拿出三十万钱，就能另外颁降墨敕拜官，墨敕斜着缄封交付中书省，当时的人们称之为“斜封官”，拿出三万钱，就能够被剃度为僧尼。由贿赂得到任命的那些员外官、员外同正官、试官、摄官、检校官、判官、知官共有数千人。西京和东都分别设置两员吏部侍郎，进行四次选授官职，每年选任官员数万人。

上官婕妤及宫中的妃嫔们大多在宫外营造了私宅，她们出入宫禁不受约束，朝中的士人常常与她们交游，以求飞黄腾达。安乐公主尤为骄纵专横，自宰相以下的官员大多数通过她的门路得到委任。她与长宁公主竞相营建宅第，以奢侈华丽相攀比，仿拟后宫，而在精巧程度上超过了后宫。安乐公主请求把昆明池赏赐给她，中宗以昆明池乃是百姓赖以种蒲养鱼的地方，没有同意。安乐公主很不高兴，竟另外夺取百姓田地修建定昆池，南北延伸数里，按照华山的样子堆石营造假山，又模仿银河的样子导引水流，想要超过昆明池，所以湖名为定昆池。安乐公主有用名贵的丝织物（或鸟羽）做成的裙子，价值一亿钱，裙子上缀有花卉和鸟兽的图案，全像粟粒一般大小，从正面看或者从侧面看，在日光下看或者在暗影中看，图案的色彩各有不同。

中宗喜欢玩击球的游戏，由此风俗相尚，驸马武崇训、杨慎交洒油建造球场。杨慎交，是杨恭仁的曾孙。

中宗和韦皇后、各位公主大多修建了佛寺。左拾遗京兆人辛替否上疏劝谏，疏文的大意说：“臣听说古代设置官职，员额不一定要求齐备，士人要有完美的德行，家庭要有清廉的操守，朝廷要支俸有余，百姓要有余粮。想到当今陛下上百倍的赏赐，上十倍地增加官员，金银不足以供给铸造官印的需求，绢帛不够陛下的赏赐，

充于锡[110]，遂使富商豪贾，尽居缨冕[111]之流；鬻伎行巫，或涉膏腴[112]之地。”又曰：“公主，陛下之爱女，然而用不合于古义，行不根于人心，将恐变爱成憎，翻福为祸。何者？竭人之力，费人之财，夺人之家，爱数子而取三怨，使边疆之士不尽力，朝廷之士不尽忠，人之散矣，独持所爱，何所恃乎！君以人为本，本固则邦宁[113]，邦宁则陛下之夫妇母子长相保也。”又曰：“若以造寺必为理体[114]，养人[115]不足经邦[116]，则殷、周已往[117]皆暗乱[118]，汉、魏已降[119]皆圣明[120]，殷、周已往为不长[121]，汉、魏已降为不短[122]矣。陛下缓其所急，急其所缓，亲未来而疏见在，失真实而冀虚无，重俗人之为，轻天子之业，虽以阴阳为炭，万物为铜，役不食之人，使不衣之士，犹尚不给，况资[123]于天生地养，风动雨润，而后得之乎！一旦风尘[124]再扰，霜雹荐臻[125]，沙弥[126]不可操干戈[127]，寺塔不足攘[128]饥馑[129]，臣窃惜之。”疏奏，不省。

时斜封官皆不由两省[130]而授，两省莫敢执奏[131]，即宣示所司。吏部员外郎李朝隐前后执破[132]一千四百余人，怨谤纷然，朝隐一无所顾。

冬，十月己酉[133]，修文馆直学士、起居舍人武平一[134]上表请抑损外戚权宠；不敢斥言韦氏，但请抑损己家。上优制不许。平一名甄，以字行，载德[135]之子也。

【段旨】

以上为第四段，写中宗放纵安乐、长宁两公主以及韦皇后和其亲族生活淫侈，公然卖官鬻爵，佞佛建寺，挥霍无度，朝官劝谏，中宗不听。

于是使得富商大贾，全都居于仕宦之流；卖艺行巫之人，或涉肥美之职。”奏疏还说：“公主，是陛下宠爱的女儿，然而她们的享用不符合古代的规矩，所作所为不是植根于民心，恐怕这将会使喜爱变成憎恶，把福泽变为祸患。为什么呢？耗尽民力，靡费民财，夺人家业，陛下为宠爱几个子女而招致三种怨恨，使得边疆的将士不为朝廷尽力，在朝为官的人不为陛下尽忠，人心涣散了，只操持几个自己所宠爱的女儿的事，陛下依靠什么来治理国家呢！君王以人为本，百姓稳定了国家才能安宁，国家安宁了陛下夫妇、母子才能长久得以保全。”又说：“如果认为营造佛寺必定是治理国家的根本，休养黎民不足以经略邦国，那么殷、周以前的政治都该是黑暗混乱的，汉、魏以后的政治全该是圣哲清明的；殷、周以前的国祚不长，汉、魏以后的国运不短促。陛下把治理国家的当务之急当作可以缓办的事，把不急的事当作治理国家的当务之急，偏重来世而忽视当世，放弃真实的事物而把希望寄托于虚无，重视俗人的行事，轻视帝王的功业，即使陛下能够以阴阳二气作为炭火，世间万物为铜，役使不食之人，使用不衣之士，依然无法满足供给；何况陛下只能依靠那些由天地养育、风吹雨润后才能获得的东西呢！一旦战乱风尘再起，霜雹交至，僧徒不能手持兵器，佛塔寺院无法排除灾荒，臣对于广建佛寺的做法私下感到痛惜。”这篇奏疏呈进之后，中宗没有理会。

当时斜封官都没有经过中书、门下两省任命，两省没有人敢对任命坚持上奏表示异议，都是立即向有关官署宣布。吏部员外郎李朝隐前后压下一千四百多名斜封官的任命，对他的怨恨和诽谤纷至沓来，李朝隐一无所顾。

冬，十月二十一日己酉，修文馆直学士、起居舍人武平一上表请求贬抑外戚的权力和荣宠；他不敢直接指斥韦后的家族，只是请求对自己的家族加以裁抑贬损。中宗颁下宽容的诏书，不批准他的请求。武平一名甄，以表字行世，是武载德的儿子。

【注释】

⑧① 长宁公主：唐中宗之女，韦后所生。下嫁杨慎交。传见《新唐书》卷八十三。⑧② 尚宫：内官名，正五品，掌导引中宫，总司记、司言、司簿、司闱四司之官属。⑧③ 赵氏：挟鬼道出入禁宫，深得唐中宗宠信，被封为陇西郡夫人。事见《旧唐书》卷五十一《中宗韦庶人传》，《新唐书》卷一百十二《柳泽传》、卷一百二十三《赵彦昭传》。⑧④ 赇：贿赂。⑧⑤ 屠沽：又作“屠酤”。原指屠户和卖酒的人，后转指职业卑贱或出身寒微的人。⑧⑥ 臧获：对奴婢的贱称。⑧⑦ 斜封官：唐中宗宠信安乐、长宁等七位公主，令其开府

置官属，中宗别降墨敕斜封授之，称斜封官。斜封官非正常途径取得，无定员，多至数千人。屠夫小贩均可纳钱买官。详见《隋唐嘉话》卷下、《新唐书》卷四十五《选举志》下及卷八十三《诸帝公主传》。⑧⑧ 度：剃度。⑧⑨“员外、同正”句：这些是斜封的各种官职，可见当时官制的混乱。员外，指正员以外的官员。同正，指员外同正。试、摄，皆非真除。检校，与摄相似。判，指判某官事。知，指知某官事。⑨⓪ 为四铨：比原来增加一铨。唐制，吏部三铨、三注、三唱。⑨① 外第：外宅。⑨② 无节：不受约束。⑨③ 进达：飞黄腾达。⑨④ 第舍：宅第。⑨⑤ 昆明池：位于今陕西西安西南斗门镇一带。汉武帝元狩三年（公元前一二〇年）准备与昆明作战，为训练水军而凿。周围四十里，广三百三十二顷。十六国时池水枯竭，北魏太武帝时曾进行修浚。⑨⑥ 蒲鱼：种蒲养鱼。⑨⑦ 定昆池：位于长安西南。方四十九里，直抵南山。⑨⑧ 华山：五岳之一，在今陕西华阴南。有莲花、落雁、朝阳、玉女、五云等峰，以险峻著称。⑨⑨ 天津：指银河。⑩⓪ 安乐：安乐公主。⑩① 织成裙：用名贵的丝织物（或鸟羽）做成的裙子。据《旧唐书》之《五行志》，安乐公主的裙子是用百鸟羽毛织成，“正看为一色，旁看为一色，日中为一色，影中为一色，百鸟之状，并见裙中”。⑩② 粟粒：像粟粒一般大小。⑩③ 杨慎交：弘农华阴（今陕西华阴）人，尚长宁公主，官至秘书监，贬绛州司马。事见《旧唐书》卷六十二、《新唐书》卷一百。⑩④ 恭仁：即杨恭仁，杨慎交之曾祖，隋末任吏部侍郎，唐初官至中书令，有廉正之名。传见《旧唐书》卷六十二、《新唐书》卷一百。⑩⑤ 辛替否（约公元六六三至七四

【原文】

十一月庚申[136]，突骑施酋长娑葛[137]自立为可汗，杀唐使者御史中丞冯嘉宾，遣其弟遮努等帅众犯塞[138]。

初，娑葛既代乌质勒统众，父时故将阙啜忠节[139]不服，数相攻击。忠节众弱不能支，金山道行军总管郭元振奏追忠节入朝宿卫。忠节行至播仙城，经略使[140]、右威卫将军周以悌[141]说之曰：“国家不爱高官显爵以待君者，以君有部落之众故也。今脱身入朝[142]，一老胡耳，岂惟[143]不保宠禄，死生亦制于人手。方今宰相宗楚客、纪处讷用事，不若厚赂二公，请留不行，发安西兵及引吐蕃以击娑葛，求阿史那献[144]为可汗以招十姓，使郭虔瓘[145]发拔汗那[146]兵以自助。既不失部落，又得报仇，比于入朝，岂可同日语哉！”郭虔瓘者，历城[147]人，时为西

二年）：字协时，京兆万年（今陕西西安）人，敢于直谏，官至颍王府长史。传见《旧唐书》卷一百一、《新唐书》卷一百十八。⑯员不必备：员额不一定要求齐备。⑰士有完行：士人要有完美的德行。⑱廉节：清廉的操守。⑲供其印：供给铸造官印的需求。印，官印。⑪锡：通“赐”。⑪缨冕：喻仕宦。⑫膏腴：本指土地肥沃。此处与缨冕相对，亦指显赫的官位。⑬本固则邦宁：语出《尚书·五子之歌》。原文为“民为邦本，本固邦宁”，意思是说百姓稳定了国家才能安宁。⑭理体：治体。唐人避高宗讳，改“治”为“理”。⑮养人：休养黎民。⑯经邦：经略邦国。⑰已往：以前。⑱暗乱：黑暗混乱。⑲已降：以下；以后。⑳圣明：圣哲清明。㉑不长：国祚不长。㉒不短：亦就享国时间而言。㉓资：凭借；依靠。㉔风尘：战乱。㉕荐臻：交至。㉖沙弥：本指七岁以上二十岁以下受过十戒的出家男子。这里泛指僧徒。㉗干戈：兵器。㉘攘：除；去。㉙饥馑：灾荒。㉚两省：中书、门下两省。正式途径的职官，由科举、门荫、流外出身等取得参选资格，再经吏部（文官）、兵部（武职）考选，合格者上报，由中书、门下两省任命。㉛执奏：坚持上奏。斜封官是皇帝私授，中书、门下两省有权审议，上奏抗争，但当时的宰相无人敢执奏。㉜执破：阻弃；压下。指吏部员外郎李朝隐扣下一千四百多个斜封官的墨敕，即委任被搁置，遭到破坏。㉝己酉：十月二十一日。㉞武平一：名甄，以字行，博学多识。武后时，畏祸隐居修佛，中宗复位始出，官至考功员外郎。传见《新唐书》卷一百十九、《嘉定镇江志》卷十七。㉟载德：武士逸之孙，封颍川郡王。

【语译】

十一月初二日庚申，突骑施酋长娑葛自立为可汗，杀掉了唐朝使者御史中丞冯嘉宾，派遣他的弟弟遮努等人带领部众进犯唐朝边塞。

当初，娑葛取代其父乌质勒统领部众后，他父亲的旧将阙啜忠节不服从他，多次攻击。阙啜忠节的部众力量弱小，不能招架，唐金山道行军总管郭元振奏请皇帝催促阙啜忠节入朝宿卫。阙啜忠节走到播仙城，经略使、右威卫将军周以悌劝他说：“朝廷不吝啬以高官显爵来授封您，是因为您拥有自己部落的民众。现在您脱离部落独身入朝，只是一年老的胡人而已，恐怕不仅不能保住朝廷给您的荣宠和爵禄，连性命也受制于人手。当今宰相宗楚客、纪处讷执掌权柄，您不如重重地贿赂这两位大人，请求留在西域，不再前往朝廷，征调安西都护府的军队，并招引吐蕃兵马攻击娑葛，找到突厥首领阿史那献，把他立为可汗，以此招引突厥十姓部众，派遣郭虔瓘去调动拔汗那部落的兵马相助。这样做既没有失去自己部落，又能够报仇，与单身入朝相比，怎能同日而语呢！”郭虔瓘是历城县人，当时担任西部边塞的将领。

边将。忠节然其言[148]，遣间使[149]赂楚客、处讷，请如以悌之策。

元振闻其谋，上疏，以为："往岁吐蕃所以犯边，正为求十姓、四镇之地不获[150]故耳。比者[151]息兵请和，非能慕悦[152]中国之礼义也，直以[153]国多内难[154]，人畜疫疠，恐中国乘其弊，故且屈志求自昵。使其国小安，岂能忘取十姓、四镇之地哉！今忠节不论国家大计，直欲为吐蕃乡导，恐四镇危机，将从此始。顷缘[155]默啜凭陵[156]，所应者多，兼四镇兵疲弊，势未能为忠节经略，非怜突骑施也。忠节不体国家中外之意而更求吐蕃，吐蕃得志，则忠节在其掌握[157]，岂得复事唐也！往年吐蕃无恩于中国，犹欲求十姓、四镇之地。今若破娑葛有功，请分于阗、疏勒，不知以何理抑[158]之！又，其所部诸蛮及婆罗门[159]等方不服，若借唐兵助讨之，亦不知以何词[160]拒之！是以古之智者皆不愿受夷狄之惠，盖豫忧[161]其求请无厌[162]，终为后患故也。"

"又，彼请阿史那献者，岂非以献为可汗子孙，欲依之以招怀十姓乎！按献父元庆，叔父仆罗，兄俀子及斛瑟罗、怀道等，皆可汗子孙也。往者唐及吐蕃遍曾立之以为可汗[163]，欲以招抚十姓，皆不能致[164]，寻自破灭。何则？此属非有过人之才，恩威不足以动众，虽复可汗旧种[165]，众心终不亲附，况献又疏远于其父兄乎？若使忠节兵力自能诱胁十姓，则不必求立可汗子孙也。"

"又，欲令郭虔瓘入拔汗那，发其兵。虔瓘前此[166]已尝与忠节擅入拔汗那发兵，不能得其片甲匹马[167]，而拔汗那不胜侵扰[168]，南引吐蕃，奉俀子，还侵四镇。时拔汗那四旁无强寇为援，虔瓘等恣为侵掠，如独行无人之境，犹引俀子为患[169]。今北有娑葛，急则与之并力，内则诸胡坚壁拒守，外则突厥伺隙邀遮[170]。臣料虔瓘等此行，必不能如往年之得志，内外受敌，自陷危亡，徒与虏结隙，令四镇不安。以臣愚揣之，实为非计。"

阙啜忠节认为他说得对，便派遣负有伺机行事使命的使者贿赂宗楚客和纪处讷，请求按照周以悌的计谋来实施。

郭元振得知这一计谋后，上疏认为："往年吐蕃侵犯边塞，正是因为求取突厥十姓和安西四镇而未能得到的缘故，近来吐蕃息兵请和，不是能够向往喜爱中国的礼义，只是因为国家内难多，人畜染上瘟疫，害怕中原会利用他们的弊端，所以暂且屈挠心志，以求亲近唐朝。如果他们国内稍稍安定，吐蕃怎么会忘掉夺取突厥十姓和安西四镇之地呢！现在阙啜忠节不考虑国家大计，只是想为吐蕃军队做向导，恐怕安西四镇的危机，将会从这件事情开始。前不久由于突厥阿史那默啜的侵凌，响应他的部落众多，再加上安西四镇士兵疲困，拥有的力量无法为阙啜忠节进行经营筹划，并不是对突骑施部落有所爱护。阙啜忠节不体察朝廷经营内外的意图，却掉转头去向吐蕃求助，吐蕃得志，阙啜忠节就会被它控制，他怎么能够再来侍奉唐朝呢！往年吐蕃对中国并无恩德，尚且想要索取突厥十姓、安西四镇之地。倘若现在攻破娑葛部有功，吐蕃请求朝廷把于阗、疏勒二镇割让给它，不知朝廷该用什么理由来抑制它！还有，吐蕃统辖的各个蛮族部落以及婆罗门等已开始不服从它的号令，如果吐蕃借用唐兵帮助征讨，也不知道朝廷该用什么言辞拒绝它！因此古代聪明的人都不愿意接受夷狄部落的恩惠，大概是预先忧虑他们日后的求取请托没有厌足，最终会酿成后患的缘故。"

"再说，阙啜忠节请立阿史那献，难道不就是因为阿史那献系可汗的子孙，打算依靠他来招抚十姓部落吗！查得阿史那献的父亲阿史那元庆、叔父阿史那仆罗、哥哥阿史那俀子及阿史那斛瑟罗、阿史那怀道等人，都是可汗的子孙。以往大唐朝廷以及吐蕃曾经把他们一个个地册立为可汗，想要用此举来招抚十姓，都没有把他们招来，不久这些人便各自破败灭亡了。为什么呢？由于这些人都不具备超人的才干，恩德与威望还不足以影响部众，虽然这些人仍然是可汗的旧族，部众之心终究不亲近归附他们，更何况阿史那献与可汗的血缘关系比他的父兄还要疏远一些呢？假使阙啜忠节自己的兵力就能招诱胁迫西突厥十姓部落归附的话，那么他就没有必要请求册立可汗的子孙阿史那献为可汗了。"

"此外，阙啜忠节打算派遣郭虔瓘前往拔汗那部落，征调他的兵马。然而郭虔瓘在此之前就曾经与阙啜忠节一道擅自进入拔汗那征调兵马，却未能得到他的一兵一卒，而拔汗那部落承受不了侵夺骚扰，从南方引来吐蕃军队，拥戴吐蕃所册立的可汗阿史那俀子，回军侵犯安西四镇。当时拔汗那周围没有强大的部落作为援助，郭虔瓘等人肆意侵扰抢掠，如同独行无人之境，拔汗那尚且能招引阿史那俀子制造边患。现在拔汗那北部有娑葛部落，一旦形势紧急就会与娑葛合势连兵，在内则有各部胡人坚壁防守，在外则有突厥伺机拦截阻击。臣料定郭虔瓘等这次前往拔汗那调兵，必然不能像往年那样称心如意，将会腹背受敌，自陷危亡境地，徒然与各个部落结下怨仇，让安西四镇不得安宁。以臣的愚见来猜测，这实在不是好办法。"

楚客等不从，建议“遣冯嘉宾持节安抚忠节，侍御史吕守素[171]处置四镇，以将军牛师奖[172]为安西副都护，发甘、凉[173]以西兵，兼徵吐蕃，以讨娑葛”。娑葛遣使娑腊献马在京师，闻其谋，驰还报娑葛。于是娑葛发五千骑出安西，五千骑出拨换，五千骑出焉耆，五千骑出疏勒，入寇。元振在疏勒，栅[174]于河口，不敢出。忠节逆[175]嘉宾于计舒河口，娑葛遣兵袭之，生擒忠节，杀嘉宾，擒吕守素于僻城，缚于驿柱，冎而杀之。

【段旨】

以上为第五段，写宗楚客等奸臣误国，招致唐军大败于突骑施。

【注释】

[136]庚申：十一月初二日。[137]娑葛：乌质勒长子。事见《旧唐书》卷一百九十四下、《新唐书》卷二百十五下《突厥传下》。[138]塞：边塞。[139]阙啜忠节：又称阿史那阙啜忠节、阿史那忠节。阿史那，姓。阙，部落名。啜，官名。忠节，人名。[140]经略使：官名，为边州军事长官。此指四镇经略使，在安西府。[141]周以悌：事见《旧唐书》卷九十七《郭元振传》，《新唐书》卷一百六《孙佺传》、卷一百二十二《郭元振传》、卷二百十九《奚传》等。[142]脱身入朝：脱离部落，独身入朝。[143]岂惟：恐怕不仅。[144]阿史那献：弥射之孙，元庆之子。事见《旧唐书》卷九十七《郭元振传》、卷一百九十四下《突厥传下》，《新唐书》卷一百二十二《郭元振传》、卷二百十五下《突厥传下》等。[145]郭虔瓘：曾任右骁卫将军、北庭都护、安西副大都护等职。官至右威卫大将军。传见《旧唐

【原文】

上以安乐公主将适左卫中郎将武延秀[176]，遣使召太子宾客武攸绪于嵩山。攸绪将至，上敕礼官于两仪殿[177]设别位，欲行问道[178]之礼，听

宗楚客等人不赞成郭元振的主张，建议“派遣冯嘉宾持节安抚阙啜忠节，派遣侍御史吕守素处理安西四镇的军政事务，任命将军牛师奖为安西都护府副都护，调动甘、凉二州以西的军队，同时征发吐蕃军队，用来讨伐娑葛”。当时娑葛派往朝廷贡献马匹的使者娑腊还待在京师，听说这一计划后，驱马返回向娑葛禀报。娑葛于是派遣五千骑兵出兵安西，五千骑兵出兵拨换，五千骑兵出兵焉耆，五千骑兵出兵疏勒，入侵唐地。当时郭元振驻节疏勒，在河口筑起栅栏，不敢出战。阙啜忠节在计舒河河口迎接冯嘉宾，娑葛调兵袭击他们，生擒阙啜忠节，杀掉了冯嘉宾，在僻城抓获了吕守素，将他绑在驿站的廊柱上，一刀一刀地将他剐死了。

书》卷一百三、《新唐书》卷一百三十三。⑭⑥拔汗那：又称破洛那、钹汗、跋贺那。西域古国，在塔吉克斯坦费尔干纳盆地。⑭⑦历城：县名，在今山东济南。⑭⑧然其言：认为他说得对。⑭⑨间使：负有伺机行事使命的使者。⑮⓪求十姓、四镇之地不获：吐蕃向唐索求十姓、四镇之地遭到拒绝，事在本书卷二百五武后万岁通天元年。⑮①比者：近来。⑮②慕悦：向往喜爱。⑮③直以：只因。⑮④国多内难：指吐蕃赞普南征而死，国中大乱，嫡庶争立，将相争权，自相屠灭。⑮⑤缘：因。⑮⑥凭陵：侵凌。⑮⑦在其掌握：被它控制。⑮⑧抑：抑制。⑮⑨婆罗门：指古印度。⑯⓪以何词：用什么言辞。⑯①豫忧：预先忧虑。⑯②厌：足。⑯③遍曾立之以为可汗：唐立元庆、斛瑟罗、怀道为可汗；仆罗、佞子系吐蕃所立。详见两《唐书》之《突厥传》。⑯④皆不能致：都没有把十姓招来。⑯⑤旧种：旧族。⑯⑥前此：在此之前。⑯⑦片甲匹马：犹一兵一卒。⑯⑧侵扰：侵夺骚扰。⑯⑨犹引佞子为患：指拔汗那而言。⑰⓪邀遮：拦截阻击。⑰①吕守素：事见《元和姓纂》卷六、《旧唐书》卷九十七和《新唐书》卷一百二十二《郭元振传》。⑰②牛师奖：事见《旧唐书》卷七《中宗纪》、卷九十七《郭元振传》，《新唐书》卷一百二十二《郭元振传》、卷二百十五下《突厥传下》。⑰③甘、凉：甘州、凉州。甘州治所在今甘肃张掖，凉州治所在今甘肃武威。⑰④栅：筑起栅栏。⑰⑤逆：迎。

【语译】

中宗因安乐公主将要嫁给左卫中郎将武延秀，派遣使者到嵩山召回太子宾客武攸绪。武攸绪即将到达，中宗颁敕令命令礼官在两仪殿另外设置一个座席，打算举以山服[179]葛巾[180]入见，不名不拜[181]。仗入[182]，通事舍人[183]引攸绪就位[184]，攸绪趋立辞见班[185]中，再拜如常仪。上愕然，竟不成所拟之礼。上屡延之内殿，频烦宠锡，皆谢不受。亲贵谒候，寒温之外，不交一言[186]。

初，武崇训之尚公主也[187]，延秀数得侍宴。延秀美姿仪，善歌舞，公主悦之。及崇训死，遂以延秀尚焉。

己卯[188]，成礼，假皇后仗[189]，分禁兵以盛其仪卫，命安国相王障车[190]。庚辰[191]，赦天下。以延秀为太常卿，兼右卫将军。辛巳[192]，宴[193]群臣于两仪殿，命公主出拜公卿，公卿皆伏地稽首[194]。

【段旨】

以上为第六段，写安乐公主再嫁。

【注释】

⑰⑥安乐公主将适左卫中郎将武延秀：安乐公主原嫁武崇训。景龙元年（公元七〇七年）七月初六日，武崇训为皇太子所杀，故安乐公主再嫁武延秀。⑰⑦两仪殿：在京师宫城之内。为皇帝常日听朝视事之所，相当于古代的内朝。⑰⑧问道：请教大道。⑰⑨山服：穿山人的服装。⑱⓪葛巾：戴用葛布制成的头巾。⑱①不名不拜：不称名，不行拜礼。⑱②仗

【原文】

癸未[195]，牛师奖与突骑施娑葛战于火烧城，师奖兵败没。娑葛遂陷安西[196]，断四镇路，遣使上表，求宗楚客头。楚客又奏以周以悌代郭元

行帝王请教大道的礼仪，听任武攸绪穿着山人服装、戴着用葛布制成的头巾入朝相见，不称名，不行拜礼。仪仗进入指定位置，通事舍人引导武攸绪就座，武攸绪小步疾行，站立在辞见班的行列中，依照通常的礼仪两次下拜行礼。中宗对此十分惊异，竟然没有完成所拟行的帝王问道之礼。中宗多次邀请武攸绪到内殿，频频颁赐恩宠之赏，武攸绪均表示谢意，不肯接受。亲族和显贵们前来拜访问候，武攸绪除了寒暄冷暖之外，与他们没有片言只字的交谈。

当初，武崇训娶安乐公主为妻，武延秀多次陪侍公主饮宴。武延秀仪表风度英俊，能歌善舞，安乐公主十分喜欢他。等到武崇训死后，中宗便让武延秀娶安乐公主为妻。

十一月二十一日己卯，安乐公主与武延秀举行成婚典礼，安乐公主使用了皇后的仪仗，中宗还派出禁兵参加以壮大仪仗和护卫队伍，指派安国相王李旦负责障车仪式。二十二日庚辰，赦免天下，任命武延秀担任太常卿兼右卫将军。二十三日辛巳，中宗在两仪殿设宴招待群臣，让安乐公主出来拜见公卿大臣，公卿大臣全都伏地叩首。

入：仪仗进入指定位置。胡三省注，“自太极殿前唤仗从东、西上阁门入，立于两仪殿前”。⑱③通事舍人：官名，从六品上，掌朝见司仪、承旨传宣等事。⑱④就位：就座。⑱⑤辞见班：胡三省注，“凡百官自中朝出为外官赴朝辞，自外官入朝觐者引入见，其辞见者不与百官序班，自为班立，谓之辞见班”。⑱⑥“寒温之外”二句：除寒暄外，与他们没有片言只字的交流。⑱⑦武崇训之尚公主也：此指武崇训尚安乐公主的时候。中宗从房陵还京后，始以公主适崇训。⑱⑧己卯：十一月二十一日。⑱⑨假皇后仗：使用皇后仪仗。⑲⓪障车：唐人婚俗，新娘将至，众人拥门塞巷，使车不得前行，称为障车。读障车文后始得通过。见封演《封氏闻见记》卷五。⑲①庚辰：十一月二十二日。⑲②辛巳：十一月二十三日。⑲③宴：设宴招待。⑲④稽首：叩首；磕头到地。

【语译】

十一月二十五日癸未，牛师奖率部与突骑施娑葛在火烧城交战，牛师奖的部队战败覆没。于是娑葛攻陷安西都护府，断绝了四镇的通路，派遣使者上表朝廷，索求宗楚客的头颅。宗楚客又上奏请求命令周以悌取代郭元振统领安西部众，征召郭

振统众，征元振入朝，以阿史那献为十姓可汗，置军焉耆以讨娑葛。

娑葛遗元振书[197]，称："我与唐初无恶，但雠阙啜。宗尚书[198]受阙啜金，欲枉破奴[199]部落，冯中丞[200]、牛都护[201]相继而来，奴岂得坐而待死！又闻史献[202]欲来，徒扰军州[203]，恐未有宁日。乞大使商量处置。"元振奏娑葛书。楚客怒，奏言元振有异图，召，将罪之。元振使其子鸿间道具奏其状，乞留定西土，不敢归。周以悌竟坐流白州[204]，复以元振代以悌，赦娑葛罪，册为十四姓可汗[205]。

以婕妤上官氏为昭容[206]。

十二月，御史中丞姚廷筠[207]奏称："比见诸司不遵律令格式[208]，事无大小皆悉闻奏。臣闻为君者任臣[209]，为臣者奉法[210]。万机丛委[211]，不可偏览，岂有修一水窦，伐一枯木，皆取断宸衷[212]！自今若军国大事及条式[213]无文者，听奏取进止，自余各准法处分[214]。其有故生疑滞，致有稽失[215]，望令御史纠弹。"从之。

丁巳晦[216]，敕中书、门下与学士、诸王、驸马入阁守岁[217]，设庭燎[218]，置酒，奏乐。酒酣，上谓御史大夫窦从一曰："闻卿久无伉俪[219]，朕甚忧之。今夕岁除，为卿成礼[220]。"从一但唯唯拜谢。俄而内侍[221]引烛笼、步障、金缕罗扇自西廊而上，扇后有人衣礼衣[222]，花钗，令与从一对坐，上命从一诵《却扇诗》[223]数首。扇却，去花易服而出，徐视[224]之，乃皇后老乳母王氏，本蛮婢也。上与侍臣大笑。诏封莒国夫人，嫁为从一妻。俗谓乳母之婿曰"阿䇅[225]"，从一每谒见及进表状，自称"翊圣皇后[226]阿䇅"，时人谓之"国䇅"，从一欣然有自负之色。

元振入朝，册立阿史那献为十姓可汗，把军队布置在焉耆以讨伐娑葛。

娑葛写信给郭元振，声称："我与唐朝廷最初不曾交恶，仅仅仇恨阙啜忠节。宗尚书收受了阙啜忠节的礼金，就想平白无故地发兵攻破我的部落，冯中丞和牛都护相继领兵前来，我怎么能够坐以待毙！我又听说阿史那献也想前来，这只会白白地骚扰军府州县，恐怕再没有安宁的日子。请求大使商量解决。"郭元振把娑葛的信奏上。宗楚客很生气，上奏说郭元振有叛逆的意图，召他入朝，将加罪于他。郭元振派遣他的儿子郭鸿从小路返回，把实际情况向中宗一一奏报，请求留在西域稳定局势，不敢回到朝中。周以悌最终获罪被流放到白州，中宗又任命郭元振取代他的职务。朝廷赦免了娑葛的罪行，把娑葛册立为十四姓可汗。

中宗把婕妤上官氏封为昭容。

十二月，御史中丞姚廷筠上奏说："近来发现各官署衙门不能遵照规章条例的程序处理公务，事无大小都一概奏报皇帝。臣听说做君王的任用臣下，做臣子的遵奉法规。纷繁的政事丛杂堆积，皇帝不可能全部省览，哪里有挖一个水洞、砍伐一株枯树，都要取决于皇帝之意的道理！从今以后，如果属于军国大事或者是条例程序上没有明文规定的事，可以呈奏听取皇帝裁决，其余的各自依法处理。如果有故意迟疑阻滞，导致稽延愆失的，希望命令御史进行纠举弹劾。"中宗同意了他的建议。

十二月最后一天丁巳日，颁敕召中书、门下与学士、诸王、驸马进内殿守岁，摆好了庭中照明的火炬，设置酒宴，演奏乐曲。在酒兴正酣畅时，中宗对御史大夫窦从一说："听说你长期没有配偶，我很是为你忧虑。今晚是除夕，我打算替你完成婚礼。"窦从一只是连声应诺拜谢。过了不一会儿，内侍领着手持灯笼、步障和金缕罗扇的队列从西廊进殿，罗扇后面有一人身着礼服，头戴花钗，中宗命令这人与窦从一相对而坐，中宗令窦从一吟诵了几首《却扇诗》。罗扇撤下后，这人摘掉花钗换下礼服走出来，人们细细端详，原来是韦皇后的老奶妈王氏，本系蛮族婢女。中宗与侍臣们哄堂大笑。下诏册封王氏为莒国夫人，嫁给窦从一做妻子。当时俗称奶妈的丈夫为"阿䅟"，窦从一每次谒见皇帝或者进呈表状的时候，都自称"翊圣皇后阿䅟"，因此人们也就把窦从一叫作"国䅟"，窦从一反倒欣欣然，显露出自负的神色。

【段旨】

以上为第七段，写郭元振安抚突骑施，唐中宗主婚嫁韦皇后老奶妈。

【注释】

⑮癸未：十一月二十五日。⑯安西：安西都护府，治所即今新疆库车。⑰遗元振书：写信给郭元振。⑱宗尚书：宗楚客。⑲奴：自卑之词。犹清代大臣对皇帝自称奴才。⑳冯中丞：冯嘉宾。㉑牛都护：牛师奖。㉒史献：阿史那献。㉓军州：设有军府的州县。㉔白州：州名，治所在今广西博白。㉕十四姓可汗：胡三省说，西突厥原有十姓，现合咽面、葛逻禄、莫贺达干、都摩支为十四姓。岑仲勉认为“四”字误衍，当作十姓可汗。详见《通鉴隋唐纪比事质疑》。㉖昭容：女官名，九嫔之一，正二品。㉗姚廷筠：一作姚庭筠。事见《旧唐书》卷九十二、《新唐书》卷一百二十二《魏元忠传》。㉘律令格式：属唐代的四种法律形式。律即法律条文。令是政府的有关制度。格是皇帝的敕令。式是各种程序。㉙任臣：任用臣下。㉚奉法：遵奉法规。㉛丛委：堆积；丛杂委积。㉜宸衷：皇

【原文】

三年（己酉，公元七〇九年）

春，正月丁卯㉗，制广东都圣善寺㉘，居民失业者数十家。

长宁、安乐诸公主多纵僮奴掠百姓子女为奴婢，侍御史袁从一[4]收系狱，治之。公主诉于上，上手制释之。从之奏称：“陛下纵奴掠良人，何以理天下！”上竟释之。

二月己丑㉙，上幸玄武门，与近臣观宫女拔河㉚。又命宫女为市肆㉛，公卿为商旅，与之交易，因为忿争㉜，言辞亵慢，上与后临观为乐。

丙申㉝，监察御史崔琬㉞对仗弹宗楚客、纪处讷潜通戎狄㉟，受其货赂，致生边患㊱。故事，大臣被弹，俯偻㊲趋出，立于朝堂待罪㊳。至是，楚客更愤怒作色㊴，自陈忠鲠㊵，为琬所诬。上竟不穷问，命琬与楚客结为兄弟以和解之，时人谓之“和事天子”。

壬寅㊶，韦巨源为左仆射，杨再思为右仆射，并同中书门下三品。

上数与近臣学士宴集，令各效㊷伎艺以为乐。工部尚书张锡舞《谈容娘》㊸，将作大匠宗晋卿舞《浑脱》㊹，左卫将军张洽㊺舞《黄獐》㊻，左金吾将军杜元谈㊼诵《婆罗门咒》㊽，中书舍人卢藏用效道士

帝之意。⑬条式：条例程序。⑭处分：处理。⑮稽失：稽延愆失。⑯丁巳晦：十二月己丑朔，则丁巳为二十九日，戊午为晦日即三十日。《资治通鉴》作“丁巳晦”，疑误。⑰守岁：阴历除夕终夜不眠以待天明，称作“守岁”。入阁守岁之俗，兴于隋炀帝时。胡三省说：“帝之为此，亡隋之续耳。”⑱庭燎：庭中照明的火炬。⑲伉俪：配偶。⑳成礼：完成婚礼。㉑内侍：内侍省最高长官，四员，由宦官充任，从四品上，掌在内侍奉及出入宫掖宣传之事。㉒礼衣：礼服。胡三省注，“礼衣者，内命妇常参、外命妇朝参、辞见礼会之服也。制同翟衣，加双佩、小绶，去舄加履”。㉓《却扇诗》：古代婚礼，新娘行礼时以扇遮面，交拜后去扇，称为“却扇”。唐人习俗，却扇前新郎诵《却扇诗》。㉔徐视：细细端详。㉕阿箸：对乳母的丈夫或父亲的称呼。㉖翊圣皇后：中宗皇后韦氏。景龙元年（公元七〇七年）八月二十一日，尊韦氏为顺天翊圣皇后。

【语译】

三年（己酉，公元七〇九年）

春，正月初九日丁卯，中宗颁布诏书，扩建东都圣善寺，居民丧失生计的有几十家。

长宁、安乐等公主屡次纵容奴仆劫掠百姓子女为奴婢，侍御史袁从一把这些人抓捕关进监狱，治他们罪。公主们上诉于中宗，中宗亲自起草诏书把他们释放出狱。袁从之上奏说：“陛下纵容奴仆抢掠良民，拿什么来治理天下！”中宗最后还是把他们释放了。

二月初二日己丑，中宗亲临玄武门，与亲近的大臣观赏宫女拔河。还命令宫女们摆设店铺，公卿大臣们扮作商人，与她们做买卖，故意以交易不合而发生争执，彼此言辞粗俗无礼，中宗和韦皇后在一旁观看，以此取乐。

二月初九日丙申，监察御史崔琬当庭弹劾宗楚客、纪处讷二人私通戎狄，收受他们的贿赂，导致边塞地区发生祸患。根据惯例，大臣被弹劾时，须弯腰低头快步走出，站在朝堂上听候治罪。这次，宗楚客反而愤怒变了脸色，自己述说自己的忠诚耿直，声称被崔琬所诬陷。中宗竟然没有严加追究，命令崔琬与宗楚客结为兄弟，以此和解两人的关系，当时人们都称中宗为“和事天子”。

十五日壬寅，中宗任命韦巨源为尚书左仆射，任命杨再思为尚书右仆射，均为同中书门下三品。

中宗多次与近臣学士聚会宴饮，让大家各献伎艺取乐。工部尚书张锡表演《谈容娘》舞，将作大匠宗晋卿表演《浑脱》舞，左卫将军张洽表演《黄獐》舞，左金吾将军杜元谈吟诵《婆罗门咒》，中书舍人卢藏用扮作道士给天神上表祈福消灾。唯上章[249]。国子司业河东郭山恽[250]独曰："臣无所解[251]，请歌古诗。"上许之。山恽乃歌《鹿鸣》[252]《蟋蟀》[253]。明日，上赐山恽敕，嘉美其意，赐时服一袭。

上又尝宴侍臣，使各为《回波辞》[254]，众皆为谄语[255]。或自求荣禄[256]，谏议大夫李景伯[257]曰："回波尔时酒卮[258]，微臣职在箴规[259]。侍宴既过三爵[260]，喧哗窃恐非仪[261]！"上不悦。萧至忠曰："此真谏官也。"

【段旨】

以上为第八段，写中宗纵奴为恶，娱乐、宴会纵情违礼，大失天子体统。

【注释】

㉗丁卯：正月初九日。㉘广东都圣善寺：扩建东都圣善寺。圣善寺两京皆有，系中宗为武则天追福所建。㉙己丑：二月初二日。㉚拔河：双方多人各执巨绳一端所进行的角力运动。这项运动起源较早，在唐代颇为流行。参见《荆楚岁时记》《封氏闻见记》等。㉛市肆：市中店铺。㉜因为忿争：故意以交易不合而发生争执。㉝丙申：二月初九日。㉞崔琬：事见《新唐书》卷一百九与《旧唐书》卷九十二《宗楚客传》，以及《唐御史台精舍题名考》卷一、卷二。㉟潜通戎狄：私通戎狄，指暗中与阙啜忠节勾结。㊱致生边患：导致边塞地区发生祸患，指娑葛内侵。关于宗楚客受贿一事，《景龙文馆记》曾予以否认。见《通鉴考异》卷十二。㊲俯偻：弯腰低头。㊳待罪：听候治罪。㊴作色：变脸色。㊵忠鲠：忠诚耿直。㊶壬寅：二月十五日。㊷效：献。㊸《谈容娘》：舞曲名，又作《踏谣娘》。相传北齐时有位姓苏的人，嗜酒成命，醉后总要殴打他的妻子，其妻衔悲诉于乡里。时人便以此为题，创作此曲。先由一男子穿妇女服装，徐步入场，且歌且舞，然后由其父登场，二人作殴斗之状，以为笑乐。见唐崔令钦《教坊记》。㊹《浑脱》：

【原文】

三月戊午[262]，以宗楚客为中书令，萧至忠为侍中，太府卿韦嗣立为中书侍郎、同中书门下三品。中书侍郎崔湜、赵彦昭[263]并同平章事。

有国子司业河东人郭山恽说："臣不曾通晓任何演艺，愿歌咏古诗。"中宗同意了。郭山恽便吟唱了《鹿鸣》和《蟋蟀》。第二天，中宗赐予郭山恽敕书，嘉奖他的好意，赏给他一套时兴的服装。

中宗又曾宴饮侍臣，让大家各自创作《回波辞》，大家都撰写谄媚之词。有的人还向中宗求取高官厚禄，谏议大夫李景伯所作的是："酒波在酒器中回荡的时候，微臣的职责在于箴谏规劝君主。臣僚陪侍陛下饮宴已经超过了三巡，我担心再喧哗下去将会违背礼仪！"中宗不高兴。萧至忠说："这是真正的谏官。"

舞曲名。唐高宗时，赵公长孙无忌以黑羊毛做浑脱毡帽，人多效仿，并演变成舞。见张鷟《朝野佥载》。㉔5张洽：张大安之子。事见《旧唐书》卷一百八十九下《郭山恽传》，《新唐书》卷七十二下《宰相世系表二下》、卷一百九《郭山恽传》。㉔6《黄獐》：舞曲名。武则天如意年间，里巷歌云："黄獐黄獐草里藏，弯弓射尔伤。"由此演变为舞曲。㉔7杜元谈：据《旧唐书》卷一百八十九下《郭山恽传》、《新唐书》卷七十二上《宰相世系表二上》及《元和姓纂》卷六，"谈"当为"琰"之误。㉔8《婆罗门咒》：古代印度的宗教咒语。㉔9上章：道士替人上表给天神，祈求消灾除难。㉕0郭山恽：蒲州河东（今山西永济西）人，精通三礼。传见《旧唐书》卷一百八十九下、《新唐书》卷一百九。㉕1解：习。㉕2《鹿鸣》：《诗经·小雅》篇名。为宴宾乐歌。㉕3《蟋蟀》：《诗经·唐风》篇名，取好乐无荒之意。㉕4《回波辞》：乐府商调曲，又名《回波乐》。每句六言，首句先用"回波尔时"四字。详见《乐府诗集》卷八十《回波乐》解题。㉕5谄语：谄媚之词。㉕6荣禄：高官厚禄。㉕7李景伯：则天朝宰相李怀远之子，官至右散骑常侍。传见《旧唐书》卷九十、《新唐书》卷一百十六。㉕8酒卮：酒器。能容四升。㉕9箴规：箴谏规劝。㉖0三爵：犹三巡。㉖1非仪：违背礼仪。古人认为，臣侍君，宴不过三爵；过三爵，即不合礼仪。

【校记】

［4］袁从一：原作"袁从之"。严衍《通鉴补》改作"袁从一"，当是，今据以校正。

【语译】

三月初一日戊午，中宗任命宗楚客为中书令，萧至忠为侍中，太府卿韦嗣立为中书侍郎、同中书门下三品。中书侍郎崔湜、赵彦昭一起担任同平章事。崔湜与上崔湜通于上官昭容，故昭容引以为相。彦昭，张掖人也。

时政出多门，滥官㉖充溢，人以为三无坐处㉗，谓宰相、御史及员外官也。韦嗣立上疏，以为“比者造寺极多，务取崇丽，大则用钱百数十万，小则三五万，无虑㉘所费千万以上，人力劳弊，怨嗟㉙盈路。佛之为教，要在降伏身心㉚，岂雕画土木，相夸壮丽！万一水旱为灾，戎狄构患，虽龙象㉛如云，将何救哉！又，食封之家㉜，其数甚众，昨问户部，云用六十余万丁，一丁绢两匹，凡百二十余万匹。臣顷在太府㉝，每岁庸㉞调[5]绢，多不过百万，少则六七十万匹，比之封家，所入殊少。夫有佐命之勋㉟，始可分茅胙土㊱。国初，功臣食封者不过三二十家，今以恩泽食封者乃逾㊲百数。国家租赋，太半私门㊳，私门有余，徒益㊴奢侈，公家不足，坐致忧危㊵，制国之方，岂谓为得！封户之物，诸家自徵，僮仆依势，陵轹州县㊶，多索裹头㊷，转行贸易，烦扰驱迫，不胜其苦。不若悉计丁输之太府，使封家于左藏㊸受之，于事为愈。又，员外置官，数倍正阙㊹，曹署典吏，困于祗承，府库仓储，竭于资奉。又，刺史、县令，近年以来，不存简择㊺，京官有犯及声望下者方遣刺州㊻，吏部选人，衰耄无手笔㊼者方补县令，以此理人，何望率化㊽！望自今应除三省㊾、两台㊿及五品以上清望官[289]，皆先于刺史、县令中选用，则天下理矣”。上弗听[290]。

戊寅[291]，以礼部尚书韦温[292]为太子少保、同中书门下三品，太常卿郑愔为吏部尚书[293]、同平章事。温，皇后之兄也。

太常博士唐绍[294]以武氏昊陵、顺陵[295]置守户五百，与昭陵数同，梁宣王、鲁忠王[296]墓守户多于亲王五倍，韦氏褒德庙卫兵多于太庙，上疏请量裁减，不听。绍，临[297]之孙也。

中书侍郎兼知吏部侍郎、同平章事崔湜、吏部侍郎同平章事郑愔俱掌铨衡[298]，倾附[299]势要[300]，赃贿狼籍，数外留人[301]，授拟[302]不足，逆用三年阙[303]，选法大坏。湜父挹为司业[304]，受选人钱，湜不之知，长名放之[305]。其人诉曰：“公所亲受某[306]赂，奈何不与官？”湜怒曰：“所亲为谁，当擒取杖杀之！”其人曰：“公勿杖杀，将使公遭忧[307]。”湜大惭。

官昭容私通，所以上官昭容引荐他担任宰相。赵彦昭，是张掖人。

当时政令出自多门，虚在其位、名不副实的官吏充斥朝廷，人们认为有三处官署已无空席可坐，说的是宰相、御史及员外官。韦嗣立上疏认为“近来建造寺院太多，追求高大华丽，大的工程用钱几十万到百万，小的则用钱三五万，更不要说大约要靡费钱财千万以上的，民力困乏，怨声盈路。佛所制定的教义，要点在于修心定慧，去除嗜欲，哪里是雕画土木，竞相夸耀寺院的壮观华丽！万一发生水旱灾害，夷狄部落制造祸患，即使高僧多如云集，对于陛下的赈灾解难有什么帮助呢！还有，食实封的人家，数量极多，臣昨日询问户部，说是占用了六十多万丁男，一个丁男一年纳绢两匹，一年共计一百二十多万匹。不久前臣在太府寺任职，每年入库的庸绢、调绢，多的时候不超过一百万匹，少的时候就只有六七十万匹，与食实封之家相比，所入实在太少了。大凡只有辅佐帝王创下基业的元勋，才可以分封为诸侯。国家初期，功臣食封户的不过二三十家，现今凭借陛下恩泽食实封的竟超过了一百家。国家的赋税收入，一大半进入私家，私门的财货有余，只会更加奢侈，国家的用度不足，导致忧患危机，这样的治国方略，怎能说是得当的呢！所封食户应当交纳的租赋，由各家自己征收。他们的家奴倚仗主人的权势，欺凌州县，以酬答为名，索取财物，转而拿去买卖交易，烦劳骚扰，驱使逼迫，百姓不胜其苦。不如计算全部丁男的赋税输入太府，让食实封之家在左藏库领取，这样做反而更好一些。另有，员额外设置的官员，比正员多几倍，曹署小吏，困于恭奉，国库蓄积，竭于供养。又有，近年以来，刺史、县令，没有进行选拔，京官犯有过失以及声望低下的才派到各州去做刺史，吏部选任地方官时，衰老不善为文的才补授县令。用这样的官员去治理百姓，天下遵从教化还会有什么指望呢！希望今后授任三省、左右御史台以及五品以上清望官时，都要先在各州县刺史、县令中选拔，那么国家就能得到治理了”。中宗不采纳他的建议。

三月二十一日戊寅，中宗任命礼部尚书韦温为太子少保、同中书门下三品，太常卿郑愔为吏部尚书、同平章事。韦温，是韦皇后的兄长。

太常博士唐绍因为武氏的昊陵、顺陵设有五百户守陵的人家，与太宗皇帝昭陵守户的数目相同，梁宣王武三思和鲁忠王武崇训墓地的守户多出亲王陵墓的守户五倍，韦皇后亡父的褒德庙的卫兵数目超过了太庙的卫兵数目，所以上疏请求酌量裁减，中宗没有采纳。唐绍，是唐临的孙子。

中书侍郎兼知吏部侍郎、同平章事崔湜与吏部侍郎同平章事郑愔一同执掌官吏的选任，他们倾身阿附权势显要的人，贪赃受贿，声名狼藉，在名额以外取人，吏部所拟的授任名额不够，便预先支用以后三年的名额。朝廷选任官员的法规受到极大破坏。崔湜的父亲崔挹担任司业，接受了候选官员的钱财，崔湜不知道这件事，把那个人的名字也写上了公布选官结果的长名榜的落选之列。那人向崔湜申诉说：“您的亲属已经收下了我的贿赂，为什么不给我官职呢？”崔湜大怒，说道：“这个亲

侍御史靳恒[308]与监察御史李尚隐对仗弹之，上下湜等狱，命监察御史裴漼[309]按之。安乐公主讽漼宽其狱，漼复对仗弹之。夏，五月丙寅[310]，愔免死，流吉州[311]，湜贬江州[312]司马。上官昭容密与安乐公主、武延秀曲为申理；明日，以湜为襄州刺史，愔为江州司马。

【段旨】

以上为第九段，写中宗滥施封赏，冗官充斥，封邑逾制，选举败坏，贿赂公行，佞佛造寺，穷奢极侈，给民众带来沉重负担。

【注释】

㉖戊午：三月初一日。㉖赵彦昭：字奂然，甘州张掖（今甘肃张掖）人，进士出身。曾任南部尉、新丰丞、左台监察御史，以权幸官至宰相。传见《旧唐书》卷九十二、《新唐书》卷一百二十三。㉖滥官：虚在其位、名不副实的官吏。㉖三无坐处：意思是说，宰相、御史和员外官极多，衙门已无空席可坐。㉖无虑：大略。㉖怨嗟：怨恨嗟叹。㉖降伏身心：修心定慧，去除嗜欲。㉖龙象：佛家用语，本指修行勇猛、力气最大的罗汉，此处转指高僧。㉗食封之家：即食实封的人家。所谓食实封即指受封爵并领有封地，食其封户租赋。㉗太府：太府寺。太府寺卿掌国家财货，凡四方贡赋、百官俸秩皆属其管理。㉗庸：赋税的一种。唐制，丁男每年服徭役二十天，如不服役，每天输绢三尺或布三尺七寸五分，称作“庸”。㉗佐命之勋：辅佐帝王创业的功勋。㉗分茅胙土：分封为诸侯。古代分封诸侯时，用白茅裹着泥土授予被封者，象征授予土地和权力。胙，赐予。㉗逾：超过。㉗太半私门：大半进入私家。㉗徒益：只会增加。㉗忧危：忧患危机。㉗陵轹州县：欺凌州县。轹，欺凌、凌践。㉘多索裹头：以酬答为名，索取财物。胡三省注：“裹头，谓行橐赍裹以自资者，今谓答头。”㉘左藏：左藏库。唐京师及东都皆有左藏库。京师左藏在长安宫城南部，有东西之分。东左藏库在长乐门内，西左藏库在广运门内。唐初旧制，天下财赋，皆纳于左藏库，太府四时上奏收支数目，尚书比部覆其出入，上下相辖。见《旧唐书》之《杨炎传》。㉘数倍正阙：比正员多几倍。㉘简择：选拔。㉘刺州：州刺史。㉘无手笔：不善于写作，没有文采。㉘率化：遵从教化。㉘三省：尚书、中书、门下。㉘两台：左右御史台。㉘清望官：犹清要官。唐代五品以上清望官除内外三品以上官外，还包括中书黄门侍郎、尚书左右丞、诸司侍郎、太

属是谁，我要将他抓起来用棍杖打死!”那个人说：“您可不能把他用棍杖打死，那样会使您丁忧服丧的。”崔湜大为羞愧。侍御史靳恒与监察御史李尚隐当庭弹劾了崔湜，中宗把崔湜等人下狱，命令监察御史裴漼审讯这桩案件。安乐公主暗示裴漼放宽对崔湜等人案件的审理，裴漼又当庭弹劾了她。夏，五月十一日丙寅，中宗将郑愔免予死刑，流放到吉州，将崔湜贬谪为江州司马。上官昭容私下与安乐公主、武延秀一道为他们两人曲为申辩；第二天，中宗任命崔湜为襄州刺史，郑愔为江州司马。

常少卿、秘书少监、太子少詹事、左右庶子、左右率、国子司业、太子左右谕德、左右千牛卫中郎将、左右副率、率府中郎将、御史中丞、谏议大夫、给事中、中书舍人、赞善大夫、太子洗马、国子博士、诸司郎中、秘书丞、著作郎、太常丞、左右卫郎将、左右率府郎将。见《唐六典》卷二。㉙⓪弗听：不采纳。㉙①戊寅：三月二十一日。㉙②韦温（？至公元七一〇年）：韦后堂兄。曾任宗正卿、礼部尚书。以韦后关系，官至宰相。传见《旧唐书》卷一百八十三、《新唐书》卷二百六。㉙③吏部尚书：《新唐书》卷四《中宗纪》及卷六十一《宰相表》作“吏部侍郎”。“尚书”当为“侍郎”之误。详见严耕望《唐仆尚丞郎表》卷十。㉙④唐绍（？至公元七一三年）：官至给事中兼太常少卿。传见《旧唐书》卷八十五、《新唐书》卷一百十三。㉙⑤昊陵、顺陵：武则天父母陵墓。㉙⑥梁宣王、鲁忠王：武三思封梁宣王，武崇训封鲁忠王。㉙⑦临：唐临历任唐高祖、唐太宗、唐高宗三朝，官至吏部尚书。㉙⑧铨衡：铨选。㉙⑨倾附：倾身阿附。㉚⓪势要：权势显要的人。㉚①数外留人：在名额以外取人。㉚②授拟：除授注拟。㉚③逆用三年阙：预先支用以后三年的名额，使后三年名额成为空阙。㉚④司业：官名，国子司业的简称，为国子监次官。㉚⑤长名放之：唐自高宗总章二年（公元六六九年）起，以长名榜定留放。留者入选，放者不得入选。㉚⑥某：在生疏人面前的自称，犹“我”。㉚⑦“公勿杖杀”二句：公勿杖杀，若杖杀，将使公居忧。㉚⑧靳恒：事见《元和姓纂》卷九、《唐御史台精舍题名考》卷一。㉚⑨裴漼（？至公元七三六年）：绛州闻喜（今山西闻喜东北）人，长于敷奏，与张说友善，官至吏部尚书。传见《旧唐书》卷一百、《新唐书》卷一百三十。㉛⓪丙寅：五月十一日。㉛①吉州：州名，治所在今江西吉安。㉛②江州：州名，治所浔阳，在今江西九江。

【校记】

［5］调：原无此字。据章钰校，十二行本、乙十一行本、孔天胤本皆有此字，张瑛《通鉴校勘记》同，今据补。〖按〗两《唐书》之《韦思谦传附子嗣立传》皆有“调”字，且庸为代役之绢，时输庸代役有多种条件限制，只论庸绢，难以达每岁百万匹。

【原文】

六月[313]，右仆射、同中书门下三品杨再思薨。

秋，七月，突骑施娑葛遣使请降。庚辰[314]，拜归化可汗[6]，赐名守忠。

八月乙酉[315][7]，以李峤同中书门下三品，韦安石为侍中，萧至忠为中书令。

至忠女适皇后舅子崔无诐[316]，成昏[317]日，上主萧氏[318]，后主崔氏，时人谓之“天子嫁女，皇后娶妇”。

上将祀南郊，丁酉[319]，国子祭酒祝钦明、国子司业郭山恽建言：“古者大祭祀，后祼献以瑶爵，皇后当助祭天地。”太常博士唐绍、蒋钦绪[320]驳之，以为“郑玄注《周礼·内司服》，惟有助祭先王先公，无助祭天地之文。皇后不当助祭南郊[321]。”国子司业盐官褚无量[322]议，以为“祭天惟以始祖为主，不配以祖妣，故皇后不应预祭”。韦巨源定仪注[323]，请依钦明议。上从之，以皇后为亚献，仍以宰相女为斋娘[324]，助执豆笾[325]。钦明又欲以安乐公主为终献，绍、钦绪固争，乃止；以巨源摄太尉为终献。钦绪，胶水人也。

乙巳[326][8]，上幸定昆池，命从官赋诗。黄门侍郎李日知诗曰：“所愿暂思居者逸，勿使时称作者劳[327]。”及睿宗即位，谓日知曰：“当是时[328]，朕亦不敢言之。”

九月戊辰[329]，以苏瓌为右仆射、同中书门下三品。

太平、安乐公主各树朋党，更相谮[9]毁[330]，上患之。冬，十一月癸亥[331]，上谓修文馆直学士[332]武平一曰：“比闻内外亲贵多不辑睦[333]，以何法和[334]之？”平一以为“此由谗谄之人阴为离间，宜深加诲谕[335]，斥逐奸险[336]。若犹未已，伏愿舍近图远，抑慈存严，示以知禁，无令积恶”。上赐平一帛而不能用其言。

上召前修文馆学士崔湜、郑愔入陪大礼。乙丑[337]，上祀南郊，赦天下，并十恶[338]咸赦除之；流人并放还；斋娘有婿者，皆改官[339]。

【语译】

六月，右仆射、同中书门下三品杨再思去世。

秋，七月，突骑施娑葛派遣使者请求归降。二十六日庚辰，朝廷封娑葛为归化可汗，赐名为守忠。

八月初一日乙酉，中宗任命李峤为同中书门下三品，韦安石为侍中，萧至忠为中书令。

萧至忠的女儿嫁给了韦皇后舅父的儿子崔无诐，在结婚的那一天，中宗做萧氏的主婚人，韦皇后做崔氏的主婚人，当时的人把此事说成是“天子嫁闺女，皇后娶媳妇”。

中宗将要南郊祭天。八月十三日丁酉，国子祭酒祝钦明、国子司业郭山恽提出建议说：“古代举行大祭礼的时候，王后使用瑶爵献酒灌祭，应该让韦皇后辅助陛下祭祀天地。”太常博士唐绍、蒋钦绪对此予以驳斥，认为“郑玄注释《周礼·内司服》，只讲过王后辅助帝王祭祀先王先公，没有辅助帝王祭祀天地的文字。皇后不应当辅助陛下南郊祭天。”国子司业盐官县人褚无量提出建议，认为“祭天的仪式中只是以始祖为主，不用始祖母配享，因此皇后不应参与祭天”。韦巨源主持制定祭天的礼节制度，他请求按祝钦明的建议去办。中宗同意了他的意见，决定由韦皇后负责第二次献祭，还让宰相之女担任斋娘，帮助摆放豆笾。祝钦明还打算由安乐公主来完成最后的献祭，由于唐绍和蒋钦绪坚决争辩，只好作罢。任命韦巨源代理太尉，执行最后的献祭。蒋钦绪，是胶水县人。

八月二十一日乙巳，中宗驾临定昆池，命令侍从官员作诗。黄门侍郎李日知写诗道：“所愿暂思居者逸，勿使时称作者劳。”等到睿宗即位，对李日知说：“在那个时候，我也不敢像你那样说。”

九月十五日戊辰，中宗任命苏瓌为尚书右仆射、同中书门下三品。

太平公主和安乐公主各自结党，彼此互相进谗言诋毁对方，中宗为此而忧虑。冬，十一月十一日癸亥，中宗对修文馆直学士武平一说：“近来听说朝廷内外的亲戚显贵多不安辑和睦，用什么方法让他们敦和呢？”武平一认为“这是由于谗佞谄媚的人暗中挑拨离间，陛下应当深加训诲晓谕，屏退那些奸佞险恶的小人。如果事态还是没完没了，臣敬请陛下舍弃眼前，图谋久远，抑制慈爱之心，保留严肃之意，明示他们知道法禁，不要使他们交恶日深”。中宗赏赐武平一绢帛，却对他的建议不加采纳。

中宗征召前修文馆学士崔湜、郑愔进京陪同参加祭天大礼。十一月十三日乙丑，中宗到南郊祭天，大赦天下，犯有十恶重罪的要犯也一律赦免；被判处流刑的人全部放还原籍；已有丈夫的斋娘，丈夫都改变现有官爵，予以晋升。

甲戌[340]，开府仪同三司、平章军国重事豆卢钦望薨。

乙亥[341]，吐蕃赞普遣其大臣尚赞咄[342]等千余人逆[343]金城公主。

河南道巡察使、监察御史宋务光，以“于时食实封者[344]凡一百四十余家，应出封户者凡五十四州，皆割上腴之田[345]，或一封分食数州。而太平、安乐公主又取高赀多丁者[346]，刻剥过苦，应充封户者甚于征役。滑州[347]地出绫[348]缣[349]，人多趋射[350]，尤受其弊，人多流亡，请稍分封户散配余州。又，征封使者烦扰公私，请附租庸[351]，每年送纳”。上弗听。

时流人皆放还，均州刺史谯王重福[352]独不得归，乃上表自陈曰：“陛下焚柴展礼[353]，郊祀上玄[354]，苍生并得赦除，赤子[355]偏加摈弃[356]，皇天平分之道，固若此乎！天下之人闻者为臣流涕。况陛下慈念，岂不愍臣栖遑[357]！”表奏，不报。

前右仆射致仕唐休璟，年八十余[358]，进取弥锐，娶贺娄尚宫养女为其子妇。十二月壬辰[359]，以休璟为太子少师、同中书门下三品。

甲午[360]，上幸骊山温汤[361]。庚子[362]，幸韦嗣立庄舍。以嗣立与周高士韦夐[363]同族，赐爵逍遥公。嗣立，皇后之疏属[364]也，由是顾赏尤重。乙巳[365]，还宫。

是岁，关中饥，米斗百钱。运山东、江、淮谷输京师，牛死什八九。群臣多请车驾复幸东都，韦后家本杜陵[366]，不乐东迁，乃使巫觋[367]彭君卿[368]等说上云：“今岁不利东行。”后复有言者，上怒曰：“岂有逐粮天子[369]邪！”乃止。

十一月二十二日甲戌，开府仪同三司、平章军国重事豆卢钦望去世。

二十三日乙亥，吐蕃赞普派遣他的大臣尚赞咄等一千余人迎娶金城公主。

河南道巡察使、监察御史宋务光认为“在今日食实封的总计一百四十余家，应当为他们出封户的州共计五十四个，割取的都是最肥沃的土地，有的一个食封贵族分食数州。而太平公主和安乐公主又占取资财充实、人丁众多的封户，盘剥过于苛刻，应命充作封户的人家比向朝廷纳赋服役的人家的负担还要沉重。滑州地区生产绫缣，人们纷纷赶到那里趋财射利，所受到的弊害尤为深重，百姓大多流离亡命，请将食封贵族所占有的封户数额稍加分散调配到其余的州里去。另外，征收封户租税的使者骚扰州县政府和黎民百姓，希望把应收取的租税附入租庸之中，每年由官府送交”。中宗没有接受这一建议。

当时被流放的人都已放回，唯独均州刺史谯王李重福没能返回京城，他便上表为自己申述说：“陛下焚烧木柴布陈礼仪，郊祭上天，芸芸众生全都得以赦罪免刑，唯独把儿子摈斥抛弃，上天对子民公平施恩的原则，原本就是这样的吗！天下之人知道此事的都在为臣流泪。何况陛下心怀仁慈，为什么不能怜悯一下窘迫无路的子臣呢！”李重福的奏表呈进以后，中宗没有答复。

前任尚书右仆射已退休的唐休璟，年纪已有八十多岁了，进取之心却更加强烈，为他的儿子娶了贺娄尚官的养女作为妻子。十二月初十日壬辰，中宗任命唐休璟为太子少师、同中书门下三品。

十二月十二日甲午，中宗驾临骊山温泉。十八日庚子，中宗驾临韦嗣立的庄园。由于韦嗣立与北周名士韦夐同族，赐爵为逍遥公。韦嗣立，是韦皇后的远房亲属，因此受到的照顾和赏赐尤为厚重。二十三日乙巳，中宗返回宫中。

这一年，关中发生饥荒，米每斗价值一百钱。朝廷从山东、江、淮等地区运送谷物到京师，运粮的牛死去十分之八九。群臣中很多人请求中宗再次驾临东都洛阳，韦后家原本在杜陵，不乐意东迁，便指使巫觋彭君卿等劝中宗说：“今年不利于东行。”后来还有一些大臣建议中宗到东都去，中宗生气地说：“哪有随处乞食的天子啊！”东迁之事这才作罢。

【段旨】

以上为第十段，写中宗治国无方，治家无策。韦皇后助祭南郊，违礼听之；太平、安乐公主各树朋党，束手无策。

【注释】

⑬六月：两《唐书》之《中宗纪》皆作六月癸卯，即六月十八日。⑭庚辰：七月二十六日。⑮乙酉：八月初一日。⑯崔无诐：京兆长安（今陕西西安）人，官至荥阳太守。传见《旧唐书》卷一百八十七下、《新唐书》卷一百九十一。⑰昏：通“婚”。⑱上主萧氏：皇帝为萧氏主婚人。⑲丁酉：八月十三日。⑳蒋钦绪：莱州胶水（今山东平度）人，进士及第，颇工文辞。官至魏州刺史。传见《新唐书》卷一百十二。㉑祭南郊：在圜丘祭天。圜丘地处都城之南，故祭圜丘的活动又被称为祭南郊或南郊大祀。㉒褚无量（公元六四六至七二〇年）：字弘度，杭州盐官（今浙江海宁西南）人，自幼孤贫好学。举明经，曾任国子博士。后官至左散骑常侍兼国子祭酒。主持整理内库图书，对保护古代文化典籍有一定贡献。传见《旧唐书》卷一百二、《新唐书》卷二百。㉓仪注：礼节制度。㉔斋娘：为皇后办理祭祀事务的女子。㉕豆笾：又作笾豆。古代供祭祀或宴会之用的礼器。笾用竹制，盛果脯等；豆用木制，盛齑酱等。㉖乙巳：八月二十一日。㉗“所愿暂思居者逸”二句：希望暂且考虑一下居民的安逸，不要让人们时时感到劳作的辛苦。作者，指被役使劳作的人。劳，辛苦。㉘当是时：在那个时候。㉙戊辰：九月十五日。㉚更相谮毁：互相进谗言诋毁对方。㉛癸亥：十一月十一日。㉜直学士：六品以下的学士，掌详正图籍等。㉝辑睦：安辑和睦。㉞和：敦和。㉟诲谕：训诲告谕。㊱奸险：奸诈险恶的人。㊲乙丑：十一月十三日。㊳十恶：一谋反，二谋大逆，三谋叛，四谋恶逆，五不道，六大不敬，七不孝，八不睦，九不义，十内乱。唐制，凡犯十恶者，不得依议请之例，亦为常赦所不原。见《唐律疏议》及《旧唐书》之《刑法志》。㊴改官：改变现有官爵，予以晋升。㊵甲戌：十一月二十二日。㊶乙亥：十一月二十三日。㊷尚赞咄：《旧唐书》卷七、卷一百九十六上俱作“尚赞吐”。司马光在《考异》云：“《文馆记》云：‘吐蕃使其大首领瑟瑟告身赞咄、金告身尚钦藏以下来迎金城公主。’译者云：‘赞咄，犹此左仆射；钦藏，犹此侍中。’盖赞咄即赞吐也。”㊸逆：

【原文】

睿宗玄真大圣大兴孝皇帝[370]上

景云元年[371]（庚戌，公元七一〇年）

春，正月丙寅夜[372]，中宗与韦后微行观灯于市里[373]，又纵宫女数千人出游，多不归者。

上命纪处讷送金城公主适吐蕃[374]，处讷辞，又命赵彦昭，彦昭亦辞。丁丑[375]，命左骁卫大将军杨矩[376]送之。己卯[377]，上自送公主至始迎。㉞④食实封者：即有封邑的人。唐初食实封者得真户，每户在三丁以上。㉞⑤上腴之田：最肥沃的土地。㉞⑥高赀多丁者：资产多、丁男多的人家。㉞⑦滑州：州名，治所在今河南滑县东。㉞⑧绫：有花纹图案的高级丝织物。㉞⑨缣：双丝细绢。㉟⓪趋射：趋财射利；追逐财利。㉟①请附租庸：希望把应收取的租税附入租庸之中。㉟②谯王重福：中宗次子。神龙元年（公元七〇五年）贬为濮州员外刺史，后徙合、均二州。㉟③展礼：布陈礼仪。㉟④上玄：上天。㉟⑤赤子：犹孺子。重福自称。㉟⑥摈弃：摈斥抛弃。㉟⑦栖遑：忙碌不安，到处奔波。亦有窘迫之意。㉟⑧年八十余：据两《唐书》唐休璟本传，时年八十三岁。㉟⑨壬辰：十二月初十日。㊱⓪甲午：十二月十二日。㊱①骊山温汤：即今陕西西安市临潼区华清池。㊱②庚子：十二月十八日。㊱③韦夐：北周人。淡于荣利，宅第枕带林泉，习玩琴书，萧然自乐，时人称为居士，北周明帝时号之曰“逍遥公”。传见《周书》卷三十一、《北史》卷六十四。㊱④疏属：远亲。㊱⑤乙巳：十二月二十三日。㊱⑥杜陵：地名，本称杜原。因汉宣帝在此筑陵，改为杜陵，位于陕西长安杜陵镇。㊱⑦巫觋：古代称女巫为巫，男巫为觋。巫觋为巫者的合称。㊱⑧彭君卿：《旧唐书》卷七十七、《新唐书》卷一百十二作“彭君庆”。㊱⑨逐粮天子：随处求食的天子。

【校记】

［6］归化可汗：原作“钦化可汗”。严衍《通鉴补》改作“归化可汗”，今据以校正。〖按〗《旧唐书》之《中宗纪》作“归化可汗”。［7］乙酉：原作“己酉”。严衍《通鉴补》改作“乙酉”，今从改。〖按〗两《唐书》之《中宗纪》皆作“乙酉”。［8］乙巳：原作“己巳”。张敦仁《通鉴刊本识误》、严衍《通鉴补》皆作“乙巳”，今从改。〖按〗是年八月乙酉朔，无己巳，《旧唐书》之《中宗纪》亦作“乙巳”。［9］谮：原作“党”。据章钰校，十二行本、乙十一行本皆作“谮”，张敦仁《通鉴刊本识误》、张瑛《通鉴校勘记》同，今据改。

【语译】

睿宗玄真大圣大兴孝皇帝上

景云元年（庚戌，公元七一〇年）

春，正月十四日丙寅夜晚，中宗与韦后身着便服到市肆闾里观赏花灯，还放出几千名宫女到宫外游玩，有很多人没有回宫。

中宗命令纪处讷护送金城公主前往吐蕃与赞普成婚，纪处讷推辞不去，中宗又命令赵彦昭前往，赵彦昭也推辞不去。正月二十五日丁丑，中宗命令左骁卫大将军杨矩去送金城公主。二十七日己卯，中宗亲自把金城公主送到始平。二月初二日癸平[378]。二月癸未[379]，还宫。公主至吐蕃，赞普为之别筑城以居之。

庚戌[380]，上御梨园[381]球场，命文武三品以上抛球[382]及分朋拔河，韦巨源、唐休璟衰老，随絙踣[383]地，久之不能兴[384]。上及皇后、妃、主临观，大笑。

夏，四月丙戌[385]，上游芳林园[386]，命公卿马上摘樱桃[387]。

初，则天之世，长安城东隅民王纯家井溢[388]，浸成大池数十顷，号隆庆池[389]。相王子五王[390]列第于其北，望气者言："常郁郁[391]有帝王气，比日[392]尤盛。"乙未[393]，上幸隆庆池，结彩为楼，宴侍臣，泛舟戏象[10]以厌[394]之。

定州人郎岌[395]上言："韦后、宗楚客将为逆乱。"韦后白上[396]杖杀之。

五月丁卯[397]，许州司兵参军[398]偃师燕钦融[399]复上言："皇后淫乱，干预国政，宗族强盛，安乐公主、武延秀、宗楚客图危宗社。"上召钦融面诘之。钦融顿首抗言，神色不桡，上默然。宗楚客矫制令飞骑扑杀[400]之，投于殿庭石上，折颈而死，楚客大呼称快。上虽不穷问，意颇怏怏[401]不悦，由是韦后及其党始忧惧。

己卯[402]，上宴近臣，国子祭酒祝钦明自请作《八风舞》，摇头转目，备诸丑态，上笑。钦明素以儒学著名，吏部侍郎卢藏用私谓诸学士[403]曰："祝公"五经"扫地[404]尽矣！"

散骑常侍马秦客以医术，光禄少卿杨均[405]以善烹调[406]，皆出入宫掖，得幸于韦后，恐事泄被诛；安乐公主欲韦后临朝，自为皇太女；乃相与合谋，于饼餤中进毒，六月壬午[407]，中宗崩于神龙殿[408]。

韦后秘不发丧，自总庶政[409]。癸未[410]，召诸宰相入禁中，征诸府[411]兵五万人屯京城，使驸马都尉韦捷[412]、韦灌[413]，卫尉卿韦璇[414]，左千牛中郎将韦锜[415]，长安令韦播，郎将高嵩等[11]分领之。璇，温之族弟；播，从子；嵩，其甥也。中书舍人韦元徼巡[416]六街[417]。又命左监门大将军兼内侍薛思简[418]等将兵五百人驰驿戍均州，以备谯王重福。以刑部尚书裴谈、工部尚书张锡并同中书门下三品，仍充东都留守。吏部尚书张嘉福、中书侍郎岑羲、吏部侍郎崔湜并同平章事。羲，长倩之从子也。

未，中宗返回宫中。金城公主抵达吐蕃后，赞普为她另外建造了一座城让她居住。

二月二十九日庚戌，中宗来到梨园球场，命令三品以上文武官员抛蹴球并分队拔河，韦巨源和唐休璟年迈体衰，被粗绳子绊住摔倒在地，长时间爬不起来。中宗和韦皇后、妃子、公主都到场观看，大笑起来。

夏，四月初五日丙戌，中宗到芳林园游玩，命令公卿大臣骑在马上采摘樱桃。

当初，在武则天时期，长安城东头的居民王纯家中的水井往外溢水，逐渐形成几十顷的大池塘，称为隆庆池。相王李旦五个封王的儿子把府第并排建造在隆庆池的北岸，善于望气的人说："这里常有浓厚的帝王之气，近来尤为兴盛。"四月十四日乙未，中宗驾临隆庆池，结彩为楼，宴请侍臣，在池中泛舟戏象，来压制这里的帝王之气。

定州人郎岌上书说："韦后、宗楚客将要谋反作乱。"韦皇后禀告中宗，用棍杖打死了他。

五月十七日丁卯，许州司兵参军偃师人燕钦融又进言："皇后淫乱，干预国政，宗族势力强大，安乐公主、武延秀、宗楚客图谋危害宗庙社稷。"中宗召见燕钦融当面追问他。燕钦融一边磕头一边高声陈词，神色毫不屈服，中宗默然无语。宗楚客假传中宗制命，命令飞骑击杀了燕钦融，摔到宫殿庭前石上，燕钦融折断了脖子死去。宗楚客见状大叫痛快。中宗虽然不加深究，但是心里怏怏不乐，从此以后，韦皇后和她的党羽开始感到担忧害怕。

五月二十九日己卯，中宗宴请近臣，国子祭酒祝钦明自己请求表演《八风舞》，他摇头晃脑、眼珠乱转，丑态百出，中宗发笑。祝钦明向来以通晓儒学闻名，吏部侍郎卢藏用私下里对修文馆各位学士说："祝公擅长"五经"，如今斯文扫地了！"

散骑常侍马秦客依靠医术，光禄少卿杨均依靠善于烹饪，都出入后宫，得到韦皇后的宠幸，他们担心事情泄露出去会被处死；安乐公主希望韦皇后临朝听政，自己成为皇太女。于是，他们一起合谋，在饼里投放了毒药送给中宗吃。六月初二日壬午，中宗在神龙殿驾崩。

韦后保密，不发布中宗的死讯，自己总揽了朝廷的各项政务。六月初三日癸未，韦后把各位宰相召入宫中，征调各折冲府士兵五万人屯驻在京城长安，指派驸马都尉韦捷，韦濯，卫尉卿韦璇，左千牛中郎将韦锜，长安令韦播，郎将高嵩等分别统领这些军队。韦璇，是韦温的堂弟；韦播，是韦温的侄子；高嵩，是韦温的外甥。韦后下令由中书舍人韦元徼巡查城中六街，又命令左监门大将军兼内侍薛思简等人率领五百名士兵乘驿马迅速前往均州戍守，以防备谯王李重福。任命刑部尚书裴谈、工部尚书张锡为同中书门下三品，仍然充任东都留守；任命吏部尚书张嘉福、中书侍郎岑羲、吏部侍郎崔湜为同平章事。岑羲，是岑长倩的侄子。

太平公主与上官昭容谋草遗制，立温王重茂[419]为皇太子，皇后知政事，相王旦参谋政事。宗楚客密谓韦温曰："相王辅政，于理非宜。且于皇后，嫂叔不通问[420]，听朝之际，何以为礼！"遂帅诸宰相表请皇后临朝，罢相王政事[421]。苏瓌曰："遗诏[422]岂可改邪！"温、楚客怒，瓌惧而从之，乃以相王为太子太师。

甲申[423]，梓宫[424]迁御太极殿[425]，集百官发丧，皇后临朝摄政，赦天下，改元唐隆。进相王旦为[12]太尉，雍王守礼为豳王，寿春王成器为宋王，以从人望。命韦温总知内外守捉兵马事[426]。

丁亥[427]，殇帝即位，时年十六。尊皇后为皇太后，立妃陆氏为皇后。壬辰[428]，命纪处讷持节巡抚关内道，岑羲河南道，张嘉福河北道。

【段旨】

以上为第十一段，写韦皇后发难，毒死中宗。

【注释】

[370] 睿宗玄真大圣大兴孝皇帝：即唐睿宗李旦（公元六六二至七一六年）。初名旭轮，封殷王，后徙封豫王、冀王，改名为轮。上元三年（公元六七六年）正月封相王。永隆二年又封豫王，改名为旦。嗣圣元年（公元六八四年）二月七日即位。天授元年（公元六九〇年）九月九日降为皇嗣，仍名轮。圣历元年（公元六九八年）封相王，复名为旦。神龙二年（公元七〇六年）二月改封安国相王。唐隆元年（公元七一〇年）六月二十四日即位。延和元年（公元七一二年）八月二十五日传位于唐玄宗。开元四年（公元七一六年）五月二十日死，葬桥陵。谥大圣玄真皇帝。天宝十二载（公元七五三年）二月，加尊为睿宗玄真大圣大兴孝皇帝。事见《旧唐书》卷七、《新唐书》卷五《睿宗纪》。[371] 景云元年：唐中宗景龙四年六月初二日壬午，中宗被韦后毒杀，温王李重茂即位，改元唐隆，睿宗即位后的七月，改元景云。即景云元年包有景龙四年、唐隆元年。[372] 丙寅夜：正月十四日晚上。[373] 市里：市肆闾里。[374] 适吐蕃：嫁吐蕃赞普。[375] 丁丑：正月二十五日。[376] 杨矩：事见《旧唐书》卷七《中宗纪》、卷九十二《赵彦昭传》、卷一百九十六上《吐蕃传上》，《新唐书》卷一百二十三《赵彦昭传》、卷二百十六上《吐

太平公主与上官昭容商议草拟中宗的遗诏，立温王李重茂为太子，由韦皇后掌理政事，相王李旦参谋政事。宗楚客秘密地对韦温说："相王辅政，从道理上讲不太合适。再说相王之于韦皇后，是叔嫂关系，不能互通音讯，听朝理政时，用什么样的礼仪呢！"于是宗楚客率领宰相们上表，请求韦皇后临朝听政，罢黜相王李旦参与朝政的职务。苏瓌质问说："先帝的遗诏怎么可以更改呢！"韦温和宗楚客很生气，苏瓌十分害怕，顺从了他们，于是任命相王李旦担任太子太师。

六月初四日甲申，韦皇后将中宗的灵柩迁移到太极殿，召集文武百官发布了中宗的死讯，韦皇后临朝摄政，赦免天下罪囚，把年号改为唐隆。提升相王李旦为太尉，雍王李守礼为豳王，寿春王李成器为宋王，以此来顺从人们的愿望。命令韦温全面执掌全国兵权。

六月初七日丁亥，殇帝即位，时年十六岁。殇帝把韦皇后尊为皇太后，把妃子陆氏立为皇后。十二日壬辰，朝廷命令纪处讷持节巡抚关内道，岑羲巡抚河南道，张嘉福巡抚河北道。

蕃传上》。㊴己卯：正月二十七日。㊵始平：县名，县治在今陕西兴平。史载中宗送金城公主至此，改县名为金城。379癸未：二月初二日。380庚戌：二月二十九日。381梨园：教场乐园。在光化门北禁苑之中，约今陕西西安火车站西北。382抛球：抛蹴球。唐人抛球是先用数丈高的竹竿网成球门，然后分两队进行比赛，以进球多少决定胜负，类似今天的足球比赛。383絙踣：被粗绳绊倒。絙，粗绳、大索。踣，倒。384兴：起。385丙戌：四月初五日。386芳林园：在长安宫城西北，芳林门外。西即梨园，北有桃园亭。387樱桃：又名含桃。即今常见的樱桃。《尔雅》称之为楔荆桃。388井溢：井水外溢。389隆庆池：故址在今陕西西安兴庆公园内。因地处隆庆坊而得名。关于此地的成因，《唐六典》《唐会要》所载与本书略同，即由井溢所致。《长安志》则说是垂拱以后因雨水聚积为小池，后又引龙首渠水注入，形成弥亘数顷、深至数丈的大池。玄宗即位后，改隆庆为"兴庆"。又称此池为龙池。390相王子五王：相王李旦之子五人皆封王，为寿春王李成器、临淄王李隆基、衡阳王李成义、巴陵王李隆范、彭城王李隆业。391郁郁：气盛的样子。392比日：近来。393乙未：四月十四日。394厌：压。395郎岌：睿宗即位后，追赠谏议大夫。传见《旧唐书》卷一百八十七上。396白上：告诉皇上。397丁卯：五月十七日。398司兵参军：官名，从七品下，掌武官选举、兵甲器仗、门户管钥、烽候传驿之事。399燕钦融（？至公元七一〇年）：洛州偃师（今河南洛阳市偃师区东南）人。传见

《旧唐书》卷一百八十七上。⑩ 扑杀：击杀。⑪ 怏怏：因不满而郁郁不乐的样子。⑫ 己卯：五月二十九日。⑬ 诸学士：指修文馆学士及直学士。⑭ "五经"扫地：犹言"斯文扫地"。比喻丧尽大儒体面。⑮ 杨均：事见《旧唐书》卷七《睿宗纪》、卷五十一《中宗韦庶人传》，《新唐书》卷五《睿宗纪》、卷七十一下《宰相世系表一下》及卷七十六《中宗庶人韦氏传》。⑯ 烹调：烹饪。⑰ 壬午：六月初二日。⑱ 中宗崩于神龙殿：韦皇后毒杀唐中宗，犯了致命的大错。没了中宗，她就没有了权力保护伞。韦皇后又没有儿子，因为儿子是继存父皇权力的象征。武则天不谋杀高宗，虽然杀了两个儿子，还有两个儿子，最终保护她不做刀下鬼。神龙殿，在长安宫城东北部，东为凌烟阁，西为甘露殿，南为大吉殿，北为凝香阁。⑲ 庶政：各种政务。⑳ 癸未：六月初三日。㉑ 诸府：各折冲府。㉒ 韦捷：尚中宗女成安公主。㉓ 韦濯：尚定安公主。据《唐会要》卷六、《新唐书》卷八十三、《旧唐书》卷一百八十三，"濯"当为"濯"之误。㉔ 韦璇：官至职方郎中。见《元和姓纂》卷二、《新唐书》卷七十四上。㉕ 韦锜：宗正少卿韦令仪之子。㉖ 徼巡：徼遮巡察。㉗ 六街：长安城中左右六条大街。六街巡卫本由左右金吾将所掌，此非

【原文】

宗楚客与太常卿武延秀、司农卿赵履温、国子祭酒叶静能及诸韦共劝韦后遵武后故事㉙，南北卫军㉚、台阁要司㉛皆以韦氏子弟领之，广聚党众，中外连结。楚客又密上书称引图谶㉜，谓韦氏宜革唐命。谋害殇帝，深忌相王及太平公主，密与韦温、安乐公主谋去之。

相王子临淄王隆基㉝，先罢潞州㉞别驾㉟，在京师，阴聚才勇之士，谋匡复社稷。初，太宗选官户及蕃口㊱骁勇者，著虎文衣㊲，跨豹文鞯㊳，从游猎，于马前射禽兽，谓之"百骑"；则天时稍增为"千骑"，隶左右羽林；中宗谓之"万骑"，置使以领之。隆基皆厚结其豪杰。

兵部侍郎崔日用㊴素附韦、武，与宗楚客善，知楚客谋，恐祸及己，遣宝昌寺㊵僧普润密诣隆基告之，劝其速发。隆基乃与太平公主及公主子卫尉卿薛崇简[13]、苑总监㊶赣人锺绍京㊷、尚衣奉御王崇晔㊸、前朝邑尉刘幽求㊹、利仁府折冲麻嗣宗㊺谋先事诛之。韦播、高

常态，中书舍人韦元掌控巡卫。⑱ 薛思简：《旧唐书》卷七《中宗纪》作“薛简”，卷五十一《韦庶人传》作“薛崇简”。待考。⑲ 温王重茂（？至公元七一四年）：唐中宗第四子。后在位十七日，追谥殇皇帝。传见《旧唐书》卷八十六。⑳ 嫂叔不通问：语出《礼记·曲礼》。通问，互相问候、互通音讯。㉑ 罢相王政事：罢黜相王参与朝政的职务。㉒ 遗诏：皇帝临死时所发的诏书。㉓ 甲申：六月初四日。㉔ 梓宫：用梓木为皇帝或皇后做成的棺材。此处指中宗灵柩。㉕ 太极殿：宫城正殿。㉖ 知内外守捉兵马事：执掌全国兵权。㉗ 丁亥：六月初七日。㉘ 壬辰：六月十二日。

【校记】

［10］象：严衍《通鉴补》改作“乐”。［11］等：原无此字。据章钰校，十二行本、乙十一行本、孔天胤本皆有此字，张敦仁《通鉴刊本识误》同，今据补。［12］为：原无此字。据章钰校，十二行本、乙十一行本、孔天胤本皆有此字，今据补。〖按〗下句中雍王守礼、寿春王成器加封时皆有“为”字，此句不当无之。

【语译】

宗楚客与太常卿武延秀、司农卿赵履温、国子祭酒叶静能以及韦氏家族诸多成员一同劝说皇太后韦氏沿袭武则天的先例登基称帝，当时南北禁卫军和尚书省的重要机关，都由韦氏子弟掌管，广聚党徒，在朝廷内外互相勾结。宗楚客又秘密地上书征引图谶，声称韦氏应当废除唐室。宗楚客策划害死殇帝，只是极为顾忌相王李旦与太平公主，于是暗中与韦温、安乐公主谋划除掉他们。

相王李旦的儿子临淄王李隆基，先前已被罢免了潞州别驾的职务，人在京师，他暗地招集智勇之士，图谋匡复李唐社稷。当初，太宗选拔官户和蕃人中骁勇善战的人员，让他们身着饰有虎皮花纹的衣服，骑在配有豹皮花纹马鞍垫的骏马上，随从游猎，在太宗马前射猎飞禽走兽，把这些人称作“百骑”；武则天时期逐渐扩充为“千骑”，隶属于左右羽林军；中宗把他们称为“万骑”，设使统领他们。李隆基与万骑兵中豪杰之士全都深加交结。

兵部侍郎崔日用一向依附韦氏和武氏家族，与宗楚客的关系友善，知道宗楚客的谋划。他担心自己遭遇祸殃，便派遣宝昌寺僧侣普润秘密地去向李隆基告发，劝李隆基赶快举事。李隆基便与太平公主及公主的儿子卫尉卿薛崇简、西京苑总监赣县人锺绍京、尚衣奉御王崇晔、前任朝邑县尉刘幽求、利仁府折冲麻嗣宗商议抢先

嵩数榜捶[446]万骑，欲以立威，万骑皆怨。果毅葛福顺[447]、陈玄礼[448]见隆基诉之，隆基讽以诛诸韦，皆踊跃请以死自效。万骑果毅李仙凫[449]亦预其谋。或谓隆基当启[450]相王，隆基曰："我曹[451]为此以徇社稷，事成福归于王，不成以身死之，不以累王也。今启而见从，则王预危事。不从，将败大计。"遂不启。

庚子[452]，晡时[453]，隆基微服与幽求等入苑中[454]，会锺绍京廨舍[455]。绍京悔，欲拒之，其妻许氏曰："忘身徇国，神必助之。且同谋素定[456]，今虽不行，庸[457]得免乎！"绍京乃趋出拜谒[458]，隆基执其手与坐[459]。时羽林将士皆屯玄武门，逮夜[460]，葛福顺、李仙凫皆至隆基所，请号而行[461]。向二鼓[462]，天星散落如雪，刘幽求曰："天意如此，时不可失！"福顺拔剑直入羽林营，斩韦璇、韦播、高嵩以徇，曰："韦后鸩杀先帝，谋危社稷，今夕当共诛诸韦，马鞭以上皆斩之[463]，立相王以安天下。敢有怀两端助逆党者，罪及三族。"羽林之士皆欣然听命。乃送璇等首于隆基，隆基取火视之，遂与幽求等出苑南门[464]，绍京帅丁匠[465]二百余人，执斧锯[466]以从，使福顺将左万骑攻玄德门[467]，仙凫将右万骑攻白兽门[468]，约会于凌烟阁[469]前，即大噪[470]，福顺等共杀守门将，斩关而入。隆基勒兵玄武门外，三鼓[471]，闻噪声，帅总监及羽林兵而入，诸卫兵在太极殿宿卫梓宫者，闻噪声，皆被甲应之。韦后惶惑走入飞骑营，有飞骑斩其首献于隆基。安乐公主方照镜画眉，军士斩之。斩武延秀于肃章门外，斩内将军[472]贺娄氏于太极殿西。

初，上官昭容引其从母[473]之子王昱[474]为左拾遗，昱说昭容母郑氏曰："武氏，天之所废，不可兴也。今婕妤附于三思，此灭族之道也，愿姨思之！"郑氏以戒昭容，昭容弗听。及太子重俊起兵[475]诛[14]三思，索昭容，昭容始惧，思昱言。自是心附帝室，与安乐公主各树朋党。及中宗崩，昭容草遗制立温王，以相王辅政，宗、韦[476]改之。及隆基入宫，昭容执烛帅宫人迎之，以制草示刘幽求。幽求为之言，隆基不

起兵诛杀韦氏家族。韦播、高嵩多次拷打万骑兵，想借此建立自己的威信，万骑兵全都心怀怨恨。万骑果毅葛福顺、陈玄礼去见李隆基，向他诉说此事，李隆基暗示他们诛除韦氏诸人，两人听后都踊跃地表示愿效死力。万骑果毅李仙凫也参与了这一计划。有人建议李隆基应当把这件事禀报相王李旦，李隆基说："我们这些人是为大唐的江山社稷而献身的，事成则福分归于相王，不成则自己身死，不必因此而连累了相王。如今告诉了相王而他同意了，那么相王也参与了这件危险的事。相王不同意，将会坏了大事。"于是李隆基没有把这件事告诉相王李旦。

六月二十日庚子，傍晚，李隆基身穿便装与刘幽求等人进入禁苑之中，到锺绍京住的官舍里会合。这时锺绍京后悔了，打算把李隆基等拒之门外，他的妻子许氏说："忘却自身安危，献身国家大事，神必相助。再说你平素就与他们共同商定了这件事，即使今天你不去做，怎么能够脱免呢!"于是锺绍京快步跑出门拜谒李隆基，李隆基握着他的手与他一同坐下。当时左右羽林军将士都驻扎在玄武门，到了夜里，葛福顺、李仙凫都来到李隆基处，请令而行。近二更的时候，天空的星辰散落如雪，刘幽求说："天意如此，机不可失!"葛福顺拔剑径直冲进羽林军营，将韦璇、韦播、高嵩三人斩首示众，说道："韦后毒死先帝，图谋危害国家，今晚应该一起诛杀韦氏家族之人，凡是身高比马鞭高的皆予以处决，拥立相王为帝以安天下。倘若有胆敢抱首鼠两端的态度帮助逆党的，他的亲属三族将牵连获罪。"羽林军将士全都欣然从命。于是葛福顺把韦璇等人的首级送交李隆基，李隆基取烛火看过之后，便与刘幽求等人一同出了禁苑南门，锺绍京带领着在官府服役的工匠二百余人，手持斧头锯子跟随在后面。李隆基派遣葛福顺率领左万骑攻打玄德门，派遣李仙凫率领右万骑攻打白兽门，约定在凌烟阁前会合，随即大声鼓噪呐喊。葛福顺等人一同杀掉守门的将领，破关攻入宫中。李隆基在玄武门外统率兵马，三更时分，听到宫中鼓噪之声，便率领总监及羽林兵进入宫中，在太极殿守卫中宗灵柩的南牙卫兵听到鼓噪声，全都披上盔甲响应李隆基。韦后在惶惑之中逃入飞骑营，有一个飞骑兵把韦后斩首，向李隆基献上首级。安乐公主正在对着镜子画眉，士兵杀死了她。武延秀被斩于肃章门外，内将军尚宫贺娄氏被斩于太极殿西。

当初，上官昭容举荐她的姨母之子王昱为左拾遗，王昱劝上官昭容的母亲郑氏说："武氏是被上天废弃的，不可能再复兴了，现在婕妤依附武三思，这是通向灭族的途径，希望姨母考虑一下!"郑氏拿这些话来告诫上官昭容，上官昭容没有听从。等到太子李重俊起兵诛杀武三思时，搜索上官昭容，上官昭容这才感到恐惧，想起了王昱说的话。从此以后，上官昭容便依附中宗，与安乐公主各自收罗党羽。等到中宗驾崩时，上官昭容起草遗诏把温王李重茂立为太子，命令相王李旦辅政，宗楚客、韦皇后把遗诏内容改掉了。等到李隆基率军进入宫中时，上官昭容秉烛率领宫人迎接李隆基，把她起草的中宗遗诏底稿出示给刘幽求。刘幽求替她向李隆基说情，

许，斩于旗下。

时少帝[477]在太极殿，刘幽求曰："众约今夕共立相王，何不早定！"隆基遽止之，捕索诸韦在宫中及守诸门，并素为韦后所亲信者皆斩之。比晓[478]，内外皆定。辛巳[479]，隆基出见相王，叩头谢不先启之罪。相王抱之泣曰："社稷宗庙不坠于地，汝之力也。"遂迎相王入辅少帝。

闭宫门及京城门[480]，分遣万骑收捕诸韦亲党。斩太子少保、同中书门下三品韦温于东市[481]之北。中书令宗楚客衣斩衰[482]、乘青驴[483]逃出，至通化门[484]，门者曰："公，宗尚书也。"去布帽，执而斩之，并斩其弟晋卿。相王奉少帝御安福门[485]，慰谕百姓。初，赵履温[486]倾国资以奉安乐公主，为之起第舍，筑台穿池无休已，攦[487]紫衫[488]，以项挽公主犊车[489]。公主死，履温驰诣安福楼[490]下舞蹈称万岁，声未绝，相王令万骑斩之。百姓怨其劳役，争割其肉立尽。秘书监汴王邕[491]娶韦后妹崇国夫人，与御史大夫窦从一各手斩[492]其妻首以献。邕，凤之孙也。左仆射、同中书门下三品韦巨源闻乱，家人劝之逃匿，巨源曰："吾位大臣，岂可闻难不赴！"出至都街，为乱兵所杀，时年八十。于是枭马秦客、杨均、叶静能等首，尸韦后于市。崔日用将兵诛诸韦于杜曲[493]，襁褓儿[494]无免者，诸杜滥死[495]非一。

是日，赦天下，云："逆贼魁首已诛，自余支党一无所问。"以临淄王隆基为平王，兼知内外闲厩[496]，押[497]左右厢万骑[498]。薛崇简赐爵立节王。以锺绍京守中书侍郎，刘幽求守中书舍人，并参知机务。麻嗣宗行右[15]金吾卫中郎将。武氏宗属，诛死流窜殆尽。侍中纪处讷行至华州[499]，吏部尚书同平章事张嘉福行至怀州[500]，皆收斩之。

壬寅[501]，刘幽求在太极殿，有宫人与宦官令幽求作制书立太后，幽求曰："国有大难，人情不安，山陵未毕[502]，遽立太后，不可！"平王隆基曰："此勿轻言。"

遣十道使赍玺书宣抚，及诣均州宣慰谯王重福。贬窦从一为濠州[503]司马。罢诸公主府官[504]。

李隆基没有答应，上官昭容被斩于旗下。

当时少帝在太极殿，刘幽求说道："大家约好今晚共同拥立相王为帝，为什么不早一点儿定下来呢!"李隆基赶忙制止了他。将士们搜捕宫中及把守宫中各门的韦氏诸人，连同平时被韦后信任重用的人全都斩首。到天亮时，宫内外局势均已平定。六月初一日辛巳，李隆基出宫拜见相王李旦，为举事未能事先禀告而磕头谢罪。相王李旦抱住李隆基，流着眼泪说："大唐宗庙社稷没有坠落于地，是你的力量啊!"李隆基便把相王李旦迎入宫中辅佐少帝。

李隆基下令把宫禁和京城各门关闭，分头派遣万骑兵搜捕韦后的亲属党羽。将太子少保、同中书门下三品韦温在东市之北斩首。中书令宗楚客穿着丧服，骑着一头黑驴逃出，到了通化门，守门的士兵说："您就是宗尚书。"去掉他的布帽子，把他抓起来斩首，一并斩首的还有他的弟弟宗晋卿。相王李旦陪同少帝来到安福门，安抚和晓示百姓。起初，赵履温竭尽国库资财以供给安乐公主，为安乐公主兴建宅第，筑造台榭，穿池引水，永无休止，他用手按住紫色官服，用脖子挽着公主坐的牛车。安乐公主被杀后，赵履温驰马来到安福楼下舞蹈行礼，呼喊万岁，声音还未停歇，相王李旦就命令万骑兵把他杀掉了。百姓怨恨赵履温多次增派劳役，争相割他的肉，转眼间割得一点不剩。秘书监汴王李邕娶了韦后的妹妹崇国夫人，他与御史大夫窦从一分别亲自割下妻子的首级进献给相王李旦。李邕，是李凤的孙子。左仆射、同中书门下三品韦巨源听到变乱的消息，家人劝他外逃躲避。韦巨源说："我位居朝廷大臣，怎么能听到朝廷有难而不赴难!"出家门来到京都大街上，被乱兵杀死，时年八十岁。此时已将马秦客、杨均、叶静能等枭首示众，把韦后暴尸街头。崔日用率兵在杜曲诛杀韦氏家族的其他成员，襁褓中的婴儿也不能幸免，杜氏家族的一些人被滥杀。

在这一天，赦免天下罪囚，少帝诏书说："叛逆贼党的罪魁祸首已经伏诛，其余的支党一概不予追究。"封临淄王李隆基为平王，兼掌内外闲厩，统领左右厢万骑兵。赐予薛崇简立节王的爵位。任命锺绍京兼任中书侍郎，刘幽求兼任中书舍人，二人均参与商讨军国大事。任命麻嗣宗代理右金吾卫中郎将。武氏家族成员，诛杀流放殆尽。侍中纪处讷逃到华州，吏部尚书、同平章事张嘉福逃到怀州，都被逮捕处死。

六月二十二日壬寅，刘幽求在太极殿，有宫女和宦官让他起草立皇太后的诏书，他说："国家有大难，民心不稳定，先帝尚未下葬，急急忙忙地册立太后，是不可以的!"平王李隆基说："不要轻易议论这件事。"

朝廷派出十道使者携带加盖皇帝玺印的诏书进行宣慰安抚，并前往均州宣慰谯王李重福。将窦从一贬谪为濠州司马。罢免各公主府所设置的官属。

【段旨】

以上为第十二段，写平王李隆基诛除韦皇后，安定唐室。

【注释】

㊷㊾ 劝韦后遵武后故事：劝韦后沿袭武则天的先例登基称帝。㊸㊿ 南北卫军：南军，十六卫军。北军，羽林军及万骑军。431 台阁要司：尚书省的重要机关。432 图谶：图，《河图》。谶，谶书。载录帝王受命征兆的隐语。433 临淄王隆基：相王第三子。垂拱元年（公元六八五年）八月五日生于东都别殿。三年正月封楚王。长寿二年（公元六九三年）降封为临淄郡王。时年二十五岁。434 潞州：州名，治所在今山西长治。435 别驾：官名，为刺史的佐吏。上州别驾从四品下，中州别驾正五品下，下州别驾从五品上。436 蕃口：蕃人。437 虎文衣：饰有虎纹的服装。438 豹文韂：画有豹纹、衬托马鞍的垫子。439 崔日用（约公元六七三至七二二年）：滑州灵昌（今河南延津东北）人，进士及第。曾任芮城尉、新丰尉、监察御史，官至宰相。传见《旧唐书》卷九十九、《新唐书》卷一百二十一。440 宝昌寺：在长安外郭城西北部居德坊东南隅，离金光门较近。441 苑总监：官名，唐两京禁苑各置一总监，从五品下，掌宫苑内馆、园池之事，凡禽鱼草木皆其所掌。442 锺绍京：虔州赣县（今江西赣州）人，擅长书法。官至中书令。传见《旧唐书》卷九十七、《新唐书》卷一百二十一、《书小史》卷九。443 王崇晔：生平不详。其名又见于《新唐书》卷五《玄宗纪》。444 刘幽求（公元六五五至七一五年）：冀州武强（今河北武强西南）人，诛韦皇后的中坚人物。后官至宰相。赐铁券，免十死。传见《旧唐书》卷九十七、《新唐书》卷一百二十一。445 麻嗣宗：事见《旧唐书》卷一百六、《新唐书》卷一百二十一《王琚传》等。后赐姓李，名延昌，封凉国公。详见岑仲勉《元和姓纂四校记》卷五、《唐史余渖》卷一。446 榜捶：拷打。447 葛福顺：以讨韦氏之功，官至龙武将军，封耿国公。事见《旧唐书》卷一百九十中、《新唐书》卷一百二十八《齐浣传》等。448 陈玄礼：开元年间长期宿卫宫禁。后发动马嵬兵变，跟随唐玄宗入蜀。封蔡国公。事见《旧唐书》卷一百六、《新唐书》卷一百二十一《王毛仲传》。449 李仙凫：其名又见于《旧唐书》卷八《玄宗纪上》、《新唐书》卷五《玄宗纪》。事迹不详。450 启：禀告；请示。451 我曹：我们。452 庚子：六月二十日。453 晡时：有二意。一指申时，即下午三时至五时。二指傍晚或晚间。此处指黄昏时分。454 入苑中：进入禁苑中。唐禁苑在宫城之北，东抵灞水，西连汉长安故城，北至渭河，东西二十七里，南北三十里，内有离宫亭观二十四所。455 廨舍：官吏办事及居住的处所。时锺绍京任苑总监，此处廨舍即指苑总监公廨。456 素定：平素就已确定。457 庸：岂。458 绍京乃趋出拜谒：锺绍京快步跑出门拜谒李隆基，表示尊奉为主。459 隆基执其手与坐：表示不敢当，以平礼待之，向锺绍京交心。460 逮夜：到了晚上。461 请号而行：请令而行。462 向二鼓：近二更的时候。463 马

鞭以上皆斩之：比马鞭高的皆予以处决。㊻㊹苑南门：即禁苑南门。其南为宫城之玄武门。㊻㊺丁匠：在官府服役的工匠。《旧唐书》之《锺绍京传》作“户奴及丁夫”。二者所载有所不同。㊻㊻斧锯：斧头锯子。㊻㊼玄德门：宫城北面东端诸门之一。其南为承恩殿。㊻㊽白兽门：即白虎门，避李虎讳改。又称白兽闼。亦为宫城北面诸门之一。㊻㊾凌烟阁：表彰功臣的高阁。位于宫城东北。㊼⓪大噪：大声鼓噪呐喊。㊼①三鼓：三更。夜十一时至一时。㊼②内将军：韦后所置女官。㊼③从母：姨母，母亲的姐妹。㊼④王昱：事见《新唐书》卷七十六《上官昭容传》。㊼⑤太子重俊起兵：时在景龙元年（公元七〇七年）七月。㊼⑥宗、韦：宗楚客、韦后。㊼⑦少帝：即李重茂。㊼⑧比晓：到天亮时。㊼⑨辛巳：六月初一日。按，《新唐书》卷五、卷七均作“辛丑”。辛丑，二十一日，在“庚子”（二十日）之后，从事态发展来看，当以“辛丑”为是。㊽⓪闭宫门及京城门：宫门，指宫城诸门。京城门，指外郭城四面诸门。㊽①东市：故址在今陕西西安乐居场与西安交通大学之间。南北长一千余米，东西宽九百二十四米，是唐代最繁华的商业区之一。㊽②斩衰：丧服五服中最重之服。斩，衣裳边不缝。衰，上衣。㊽③青驴：黑色的驴子。㊽④通化门：京城东面北端大门。㊽⑤安福门：皇城西面二门之一。《唐六典》卷七，皇城西面二门，北曰安福，南曰顺义。安福门西与开远门相对。㊽⑥赵履温：官至司农卿。曾主持修建定昆池。事见《新唐书》卷五《睿宗纪》、卷八十三《安乐公主传》、卷一百二十九《裴守真传》、卷二百六《武三思传》，《元和姓纂》卷七，《唐郎官石柱题名考》卷十一等。㊽⑦攊：同“擪”，用手指按捺。㊽⑧紫衫：三品以上官服。时赵履温任司农卿。司农卿从三品，服紫。㊽⑨犊车：即牛车。㊾⓪安福楼：安福门楼。㊾①汴王邕：虢王凤之孙。事见《新唐书》卷七十九《虢王凤传》。㊾②手斩：亲自斩杀。㊾③杜曲：地名，在今陕西西安东南。唐时为大族杜氏聚居之处。㊾④襁褓儿：襁褓中的婴儿。㊾⑤滥死：枉滥而死。㊾⑥内外闲厩：闲、厩，均为养马的地方。因分内外两部分，故李隆基兼知内外闲厩。时有十二闲，即左右飞黄、左右吉良、左右龙媒、左騊駼、左右駃騠、左右天苑。分为二厩，即祥麟厩、凤苑厩。见《唐六典》卷十一。㊾⑦押：犹主管、统领。㊾⑧左右厢万骑：前边提到的左万骑、右万骑。㊾⑨华州：州名，治所在今陕西渭南市华州区。㊿⓪怀州：州名，治所在今河南沁阳。㊿①壬寅：六月二十二日。㊿②山陵未毕：中宗尚未下葬。㊿③濠州：州名，治所在今安徽凤阳东。㊿④罢诸公主府官：中宗时，太平、安乐等七公主皆开府置官。

【校记】

［13］薛崇简：原作“薛崇暕”。严衍《通鉴补》改作“薛崇简”，今从改。下同。〖按〗《旧唐书》之《睿宗纪》《玄宗纪》及《新唐书》之《诸帝公主·太平公主传》皆作“薛崇简”。［14］诛：原作“讨”。据章钰校，十二行本、乙十一行本、孔天胤本皆作“诛”，张敦仁《通鉴刊本识误》同，今据改。［15］右：据章钰校，十二行本、乙十一行本皆作“左”。

【原文】

癸卯[505]，太平公主传少帝命，请让位于相王，相王固辞。以平王隆基为殿中监、同中书门下三品，以宋王成器[506]为左卫大将军，衡阳王成义[507]为右卫大将军，巴陵王隆范[508]为左羽林大将军，彭城王隆业[509]为右羽林大将军，光禄少卿嗣道王微[510]检校右金吾卫大将军。微，元庆[511]之孙也。以黄门侍郎李日知、中书侍郎锺绍京并同中书门下三品。太平公主之子薛崇训为右千牛卫将军。隆基有二奴，王毛仲[512]、李守德[513]，皆趫勇善骑射，常侍卫左右。隆基之入苑中也，毛仲避匿不从，事定数日方归，隆基不之责，仍超拜将军。毛仲，本高丽也。汴王邕贬沁州[514]刺史，左散骑常侍、驸马都尉杨慎交贬巴州[515]刺史，中书令萧至忠贬许州[516]刺史，兵部尚书、同中书门下三品韦嗣立贬宋州[517]刺史，中书侍郎、同平章事赵彦昭贬绛州[518]刺史，吏部侍郎、同平章事崔湜贬华州刺史。

刘幽求言于宋王成器、平王隆基曰："相王畴昔已居宸极[519]，群望所属。今人心未安，家国事重，相王岂得尚守小节，不早即位以镇[520]天下乎！"隆基曰："王性恬淡[521]，不以代事[522]婴怀[523]。虽有天下，犹让于人[524]，况亲兄之子，安肯代之乎！"幽求曰："众心不可违，王虽欲高居独善[525]，其如社稷何！"成器、隆基入见相王，极言其事，相王乃许之。甲辰[526]，少帝在太极殿东隅西向，相王立于梓宫旁，太平公主曰："皇帝欲以此位让叔父，可乎？"幽求跪曰："国家多难，皇帝仁孝，追踪[527]尧、舜，诚合至公[528]。相王代之任重，慈爱尤厚矣。"乃以少帝制传位相王。时少帝犹在御座，太平公主进曰："天下之心已归相王，此非儿座！"遂提之下。睿宗即位，御承天门[529]，赦天下。复以少帝为温王。

【语译】

六月二十三日癸卯，太平公主传达少帝的命令，请求把皇位让给相王李旦，相王坚决推辞。少帝任命平王李隆基担任殿中监、同中书门下三品，任命宋王李成器担任左卫大将军，衡阳王李成义担任右卫大将军，巴陵王李隆范担任左羽林大将军，彭城王李隆业担任右羽林大将军，光禄少卿嗣道王李微担任检校右金吾卫大将军。李微是李元庆的孙子。任命黄门侍郎李日知、中书侍郎锺绍京一同担任同中书门下三品。任命太平公主之子薛崇训担任右千牛卫将军。李隆基有两个奴仆，名叫王毛仲和李守德，都轻捷勇猛，善于骑射，常常侍卫左右。李隆基起兵进入禁苑的时候，王毛仲躲藏起来没有跟随他，在局势平定后好几天才返回，李隆基没有责罚他，仍把他破格任命为将军。王毛仲原来是高句丽人。少帝又把汴王李邕贬谪为沁州刺史，把左散骑常侍、驸马都尉杨慎交贬谪为巴州刺史，把中书令萧至忠贬谪为许州刺史，把兵部尚书、同中书门下三品韦嗣立贬谪为宋州刺史，把中书侍郎、同平章事赵彦昭贬谪为绛州刺史，把吏部侍郎、同平章事崔湜贬谪为华州刺史。

刘幽求对宋王李成器、平王李隆基说："相王过去已居帝位，众望所归。现今人心不安，家事国事繁重，相王怎能还在拘守小节，不早日登基称帝以镇抚天下呢！"李隆基说："相王生性恬静淡泊，不把世事挂在心上。虽然他曾拥有天下，还是把帝位让给了别人，何况当今天子是相王亲哥哥的儿子，怎么肯取代他呢！"刘幽求说："民众的心愿不可违背，虽然相王想超脱世事独善其身，但他将怎样处置大唐的宗庙社稷呢！"李成器和李隆基入宫拜见相王李旦，极力向他陈说其中道理，相王这才答应了。六月二十四日甲辰，少帝在太极殿的东边面向西坐着，相王李旦站在中宗的灵柩旁边，太平公主说："皇帝想将帝位让给他的叔父，可以吗？"刘幽求跪着说："国家多灾多难，皇帝为人仁义孝道，仿效尧、舜，实在是合于至公无私的行为规范。相王取代少帝肩负起治理天下的重任，他的慈爱尤为深厚啊。"于是便根据少帝的诏书把帝位传给相王李旦。当时少帝还坐在皇帝的座席上，太平公主上前对他说："天下人心已经归向相王，这里已经不再是你这小儿的座席了！"于是便把他从御座上拉下来。睿宗登上皇帝位，驾临承天门，大赦天下。又封少帝李重茂为温王。

【段旨】

以上为第十三段，写相王李旦即位，是为睿宗。

【注释】

⑸⒁ 癸卯：六月二十三日。⑸⒃ 宋王成器（公元六七九至七四一年）：相王（睿宗）长子。曾被立为皇太子、皇孙。长寿二年，改封寿春郡王。中宗即位，迁中正员外卿。唐隆元年进封宗王。后进封太尉兼扬州大都督，避昭成皇后尊号，改名宪。死后追谥为让皇帝。⑸⒄ 衡阳王成义（？至公元七二四年）：相王第二子。后官至司徒，改名㧑。死后追谥为惠庄太子。⑸⒅ 巴陵王隆范（？至公元七二六年）：相王第四子。后避玄宗讳，改名范。封岐王，官至太子太傅。好学工书，雅爱文士。死后追谥为惠文太子。⑸⒆ 彭城王隆业（？至公元七三四年）：相王第五子。后避讳改名业，位至司徒。追谥惠宣太子。以上四人同传，见《旧唐书》卷九十五、《新唐书》卷八十一。⑸⑽ 嗣道王微：官至宗正卿。事见《旧唐书》卷六十四、《新唐书》卷七十九《道王元庆传》。⑸⑾ 元庆：李元庆，唐高

【原文】

以锺绍京为中书令。锺绍京少[530]为司农录事[531]，既典[532]朝政，纵情[533]赏罚，众皆恶之。太常少卿薛稷劝其上表礼让，绍京从之。稷入言于上曰："绍京虽有勋劳，素无才德，出自胥徒[534]，一旦超居元宰[535]，恐失圣朝具瞻[536]之美。"上以为然。丙午[537]，改除户部尚书，寻出为蜀州[538]刺史。

上将立太子，以宋王成器嫡长[539]，而平王隆基有大功，疑不能决。成器辞曰："国家安则先嫡长，国家危则先有功，苟[540]违其宜[541]，四海失望。臣死[542]不敢居平王之上。"涕泣固请者累日。大臣亦多言平王功大宜立。刘幽求曰："臣闻除天下之祸者，当享天下之福。平王拯社稷之危，救君亲之难，论功莫大，语德[543]最贤，无可疑者。"上从之。丁未[544]，立平王隆基为太子。隆基复表让成器，不许。

则天大圣皇后复旧号为天后[545]，追谥雍王贤曰章怀太子[546]。

戊申[547]，以宋王成器为雍州牧、扬州大都督、太子太师。

置温王重茂于内宅[548]。

以太常少卿薛稷为黄门侍郎，参知机务。稷以工书[549]，事上于藩

祖第十六子，刘婕妤所生。太宗、高宗时屡任州刺史。传见《旧唐书》卷六十四、《新唐书》卷七十九。⑫王毛仲：高句丽人，自幼随玄宗。善骑射。后官至辅国大将军，检校内外闲厩，知监牧使。传见《旧唐书》卷一百六、《新唐书》卷一百二十一。⑬李守德：本名宜德。事见两《唐书》之《王毛仲传》。⑭沁州：州名，治所在今山西沁源。⑮巴州：州名，治所在今四川巴中。⑯许州：州名，治所在今河南许昌。⑰宋州：州名，治所在今河南商丘。⑱绛州：州名，治所在今山西新绛。⑲相王畴昔已居宸极：畴昔，从前。宸极，本指北极星，此处比喻帝位。嗣圣元年（公元六八四年），武则天曾立相王为皇帝。⑳镇：镇抚。㉑恬淡：恬静淡泊。㉒代事：即世事。避太宗名讳，改“世”称“代”。㉓婴怀：羁绊胸怀；挂在心上。㉔“虽有天下”二句：先将天下让给其母武则天，后又让于其兄中宗李显。㉕独善：独善其身。㉖甲辰：六月二十四日。㉗追踪：效法。㉘至公：至公之道。㉙承天门：京城太极宫（西内）正门。

【语译】

睿宗任命锺绍京担任中书令。锺绍京年轻时做过司农录事，执掌朝政后，任意赏罚，大家都厌恶他。太常寺少卿薛稷劝他上表礼让，锺绍京听从了他的意见。薛稷入朝对睿宗说：“锺绍京虽然有功勋，但一向无才无德，出身于胥吏，一朝被破格提拔到首辅的高位上，恐怕失去圣朝令人共同瞻仰之美。”睿宗认为他说得很有道理。六月二十六日丙午，睿宗改任锺绍京为户部尚书，不久又把他调离京城去担任蜀州刺史。

睿宗打算立太子，因为宋王李成器是嫡长子，而平王李隆基有大功勋，所以他迟疑不决。李成器推辞说：“国家安宁就应先立嫡长子，国家危难就应先把有功的人立为太子，如果违背适当的方案，就会天下失望。臣宁死也不敢位居于平王之上。”接连几天他都流着眼泪向睿宗坚持自己的请求。大臣们大多数也认为李隆基立有大功，应当立为太子。刘幽求说：“臣听说铲除天下祸患的人，应当享有天下之福。平王拯救了宗庙社稷的倾危，救助君亲于灾难之中，论功劳没有哪个比他的功劳更大些，论德行最为贤明，是无可怀疑的。”睿宗听从了刘幽求的建议。六月二十七日丁未，睿宗册立平王李隆基为太子。李隆基又上表请求把太子之位让给李成器，睿宗没有同意。

恢复则天大圣皇后武则天的旧号为天后，追加雍王李贤的谥号为章怀太子。

六月二十八日戊申，睿宗命令宋王李成器担任雍州牧、扬州大都督、太子太师。

睿宗把温王李重茂安置于宫内住宅。

睿宗任命太常少卿薛稷为黄门侍郎，参与讨论军国要务。薛稷因擅长书法，曾

邸[550]，其子伯阳尚仙源公主[551]，故为相。

追削武三思、武崇训爵谥[552]，斫棺暴尸[553]，平其坟墓。

以许州刺史姚元之为兵部尚书、同中书门下三品，宋州刺史韦嗣立、许州刺史萧至忠为中书令，绛州刺史赵彦昭为中书侍郎，华州刺史崔湜为吏部侍郎，并同平章事。

越州长史宋之问、饶州刺史冉祖雍，坐谄附韦、武，皆流岭表。

己酉[554]，立衡阳王成义为申王，巴陵王隆范为岐王，彭城王隆业为薛王，加太平公主实封满万户。

太平公主沉敏[555]多权略[556]，武后以为类己[557]，故于诸子中独爱幸[558]，颇得预密谋，然尚畏武后之严[559]，未敢招权势[560]；及诛张易之[561]，公主有力焉。中宗之世，韦后、安乐公主皆畏之，又与太子共诛韦氏。既屡立大功，益尊重[562]，上常与之图议大政，每入奏事，坐语移时[563]，或时不朝谒[564]，则宰相就第咨之[565]。每宰相奏事，上辄问："尝与太平议否？"又问："与三郎[566]议否？"然后可[567]之。三郎，谓太子也。公主所欲，上无不听，自宰相以下，进退系其一言，其余荐士骤历清显者不可胜数，权倾人主，趋附其门者如市[568]。子薛崇行、崇敏、崇简[569]皆封王，田园遍于近甸[570]，收市[571]营造诸器玩，远至岭、蜀，输送者相属于路，居处奉养，拟于宫掖[572]。

【段旨】

以上为第十四段，写平王李隆基因功立为皇太子，并与太平公主共掌国政，睿宗垂拱而已。

在相王府侍奉过睿宗，他的儿子薛伯阳娶了仙源公主为妻，因此他便被任命为宰相。

追削武三思、武崇训的爵位和谥号，砍毁棺椁，暴露尸体，铲平了他们的坟墓。

睿宗任命许州刺史姚元之为兵部尚书、同中书门下三品，宋州刺史韦嗣立、许州刺史萧至忠为中书令，绛州刺史赵彦昭为中书侍郎，华州刺史崔湜为吏部侍郎，均为同平章事。

越州长史宋之问、饶州刺史冉祖雍因阿附韦氏、武氏获罪，都被流放到岭南。

六月二十九日己酉，睿宗把衡阳王李成义封为申王，巴陵王李隆范封为岐王，彭城王李隆业封为薛王，还把太平公主所食的实际封户增添为一万户。

太平公主沉稳机敏，富于权谋智略，武则天认为她很像自己，因而在众多的子女中唯独偏爱她，经常要她参与秘密谋划，然而她还是惧怕武则天的威严，不敢招揽自己的权势；等到诛杀张易之时，太平公主起到了很大的作用。中宗时期，韦皇后和安乐公主都惧怕她，后来她又和太子李隆基一道诛除了韦氏家族。在屡立大功后，太平公主的地位更加尊贵重要，睿宗常常同她商议国家大政，她每次入朝奏事，都要和睿宗坐在一起谈论很长时间。有时她未去上朝谒见，宰相就到她家中谘问。每当宰相们奏事时，睿宗往往询问："此事曾和太平公主商议过吗？"还问："与三郎商议过吗？"然后才批准施行他们的意见。三郎，说的是皇太子。太平公主打算干的事，睿宗没有不赞同的，朝中百官自宰相以下，进退全在她的一句话，其余经过她的举荐迅速担任要职的士人更是难以计数，权倾人主，趋炎附势奔走于她门下的人，如同市场上的人一样多。太平公主的儿子薛崇行、薛崇敏、薛崇简均封为王。太平公主的田亩园林遍布于长安近郊各处，收购或打造各种珍宝器物，足迹远至岭南及巴蜀地区，运送这些物品的人不绝于路。太平公主的衣食住行，都模仿宫廷的规格。

【注释】

㉚少：年轻时。531司农录事：司农寺及下属各署监多设录事，为低级办事吏员，秩九品，属流外官。532典：执掌。533纵情：随心所欲；任意。534胥徒：胥吏。535元宰：首辅。536具瞻：共同瞻仰。537丙午：六月二十六日。538蜀州：州名，治所晋原，在今四川崇州。539嫡长：正妻所生的长子。540苟：若。541宜：当。542死：至死；虽死。543语德：论德；就德性而言。544丁未：六月二十七日。545则天大圣皇后复旧号为天后：武则天上元元年（公元六七四年）八月十五日称天后。546追谥雍王贤曰章怀太子：雍王李贤于光宅元年（公元六八四年）三月在丘神勣逼迫下自杀。547戊申：六月二十八日。548内宅：宫内住宅。549工书：擅长书法。550藩邸：亲王府邸。551仙源公主：胡三省注，"仙

源公主，帝女也，后封荆山公主”。帝，指睿宗。〖按〗《新唐书》卷八十三《诸帝公主传》载：“凉国公主字华庄，始封仙源，下嫁薛伯阳。”是睿宗第六女。552 追削武三思武崇训爵谥：武三思被杀后赠太尉，复封梁王，谥曰宣。武崇训被杀后追封鲁王，谥曰忠。553 斫棺暴尸：砍毁棺椁，暴露尸体。554 己酉：六月二十九日。555 沉敏：沉稳聪敏。556 权略：权谋智略。557 类己：和自己相似。558 于诸子中独爱幸：在儿女中唯独宠爱太平公主。武则天与唐高宗生四男一女：李弘（孝敬皇帝）、李贤（章怀太子）、李显（唐中宗）、李旦（唐睿宗）、太平公主。559 严：威严。560 招权势：招揽权势。561 诛张

【原文】

追赠郎岌、燕钦融[573]谏议大夫。

秋，七月庚戌朔[574]，赠韦月将宣州刺史[575]。

癸丑[576]，以兵部侍郎崔日用为黄门侍郎，参知机务。

追复故太子重俊位号[577]，雪敬晖、桓彦范、崔玄暐、张柬之、袁恕己、成王千里、李多祚等罪[578]，复其官爵。

丁巳[579]，以洛州长史宋璟检校吏部尚书、同中书门下三品，岑羲罢为右散骑常侍，兼刑部尚书。璟与姚元之协心[580]革中宗弊政，进忠良，退不肖，赏罚尽[581]公，请托不行，纲纪修举，当时翕然[582]以为复有贞观、永徽之风。

壬戌[583]，崔湜罢为尚书左丞，张锡为绛州刺史，萧至忠为晋州[584]刺史，韦嗣立为许州刺史，赵彦昭为宋州刺史。丙寅[585]，姚元之兼中书令，兵部尚书、同中书门下三品李峤贬怀州刺史。

丁卯[586]，太子少师、同中书门下三品唐休璟致仕，右武卫大将军、同中书门下三品张仁愿罢为左卫大将军。

黄门侍郎、参知机务崔日用与中书侍郎、参知机务薛稷争于上前，稷曰：“日用倾侧[587]，向附武三思，非忠臣；卖友邀功，非义士。”日用曰：“臣往虽有过，今立大功[588]。稷外托国姻[589]，内附张易之、宗楚客，非倾侧而何！”上由是两罢之。戊辰[590]，以日用为雍州长史，稷为左散骑常侍。

易之：时在神龙元年（公元七〇五年）正月。562 益尊重：更加尊贵重要。563 移时：历时；经时。指谈话时间较长。564 时不朝谒：有时候未去朝谒。565 就第咨之：到其宅第谘问。566 三郎：指太子李隆基。李隆基在睿宗诸子中排行第三，故称之为三郎。567 可：赞同；批准施行。568 如市：人数像市场上一样多。569 子薛崇行、崇敏、崇简：崇行、崇敏、崇简皆公主之子，但不都姓薛。太平公主先嫁薛绍，后嫁武攸暨。据《元和姓纂》及《新唐书》之《宰相世系表》，崇行、崇敏系太平公主与武攸暨所生，当姓武。570 近甸：近郊。571 收市：收购。572 宫掖：宫廷。

【语译】

朝廷追赠郎岌和燕钦融为谏议大夫。

秋，七月初一日庚戌，朝廷追赠韦月将为宣州刺史。

初四日癸丑，睿宗任命兵部侍郎崔日用为黄门侍郎，参与主持军国大事。

朝廷追复已故太子李重俊的爵位和名号，洗雪敬晖、桓彦范、崔玄暐、张柬之、袁恕己、成王李千里及李多祚等人的罪名，恢复他们生前的官职和爵位。

七月初八日丁巳，睿宗任命洛州长史宋璟为检校吏部尚书、同中书门下三品，岑羲被罢免为右散骑常侍兼刑部尚书。宋璟和姚元之同心协力地革除中宗的各种弊政，进用忠正贤良之士，斥退奸邪不肖之徒，赏罚完全依据公道，拜托说情不得施行，各项法度得以整饬，当时朝廷内外全都认为又恢复了贞观、永徽时期的社会风尚。

七月十三日壬戌，崔湜被免官改任尚书左丞，张锡被贬为绛州刺史，萧至忠被贬为晋州刺史，韦嗣立被贬为许州刺史，赵彦昭被贬为宋州刺史。十七日丙寅，姚元之兼任中书令，兵部尚书、同中书门下三品李峤被贬为怀州刺史。

七月十八日丁卯，太子少师、同中书门下三品唐休璟退休，右武卫大将军、同中书门下三品张仁愿被免官改任左卫大将军。

黄门侍郎、参知机务崔日用与中书侍郎、参知机务薛稷在皇帝面前争执，薛稷说："崔日用人品不端正，过去依附武三思，并非忠臣；出卖朋友宗楚客，邀功请赏，不是义士。"崔日用说："臣过去虽然有过错，今天立了大功。薛稷表面上依托国亲，暗中投靠张易之、宗楚客，这不是为人不正又是什么！"睿宗因此罢免了他们两人的职务。七月十九日戊辰，任命崔日用为雍州长史，薛稷为左散骑常侍。

己巳[591]，赦天下，改元[592]。凡韦氏余党未施行者[593]，咸赦之。

乙亥[594]，废武氏崇恩庙及昊陵、顺陵[595]，追废[596]韦后为庶人，安乐公主为悖逆庶人。

韦后之临朝也，吏部侍郎郑愔贬江州司马，潜过均州，与刺史谯王重福及洛阳人张灵均谋举兵诛韦氏，未发而韦氏败。重福迁集州[597]刺史，未行，灵均说重福曰："大王地居嫡长，当为天子。相王虽有功，不当继统。东都士庶，皆愿王来。若〔16〕潜入洛阳，发左右屯营兵[598]，袭杀留守，据东都，如从天而下也。然后西取陕州[599]，东取河南北，天下指麾[600]可定。"重福从之。

灵均乃密与愔结谋，聚徒数十人。时愔自秘书少监左迁沅州[601]刺史，迟留[602]洛阳以俟重福[603]，为重福〔17〕草制，立重福为帝，改元为中元克复。尊上为皇季叔[604]，以温王为皇太弟，愔为左丞相知内外文事，灵均为右丞相、天柱大将军知武事，右散骑常侍严善思为礼部尚书知吏部事。重福与灵均诈乘驿诣〔18〕东都，愔先供张[605]驸马都尉裴巽第[606]以待重福。洛阳县官微闻其谋[607]。

【段旨】

以上为第十五段，写睿宗平反五王冤狱。韦皇后余党引诱谯王李重福阴谋反叛。

【注释】

[573]追赠郎岌、燕钦融：郎岌、燕钦融因言韦后、宗楚客为乱而被杀。[574]庚戌朔：七月初一日。[575]赠韦月将宣州刺史：韦月将死于中宗神龙二年（公元七〇六年）。[576]癸丑：七月初四日。[577]追复故太子重俊位号：李重俊于景龙元年（公元七〇七年）七月起兵被杀。《唐会要》卷四，"唐隆元年（公元七一〇年）六月二十五日赠太子。景云元年（公元七一〇年）七月谥节愍，十一月陪葬定陵"。[578]"雪敬晖"句：洗雪敬晖等人的罪名。敬晖、桓彦范、崔玄暐、张柬之、袁恕己等于神龙二年以与王同皎通谋等罪被贬、被杀。成王千里、李多祚与李重俊起兵被杀，亦同时被平反。[579]丁巳：七月初八日。[580]协心：同心协力。[581]尽：皆。[582]翕然：统一协调的样子。[583]壬戌：七月十三日。[584]晋州：州名，治所在今山西临

七月二十日己巳，赦免天下罪囚，改换年号为景云。凡是韦氏残余党徒尚未执行惩罚的，全部予以赦免。

二十六日乙亥，废除武氏的崇恩庙及昊陵、顺陵，追废韦后为庶人，安乐公主为悖逆庶人。

韦皇后临朝听政的时候，吏部侍郎郑愔被贬谪为江州司马，郑愔曾暗地里前往均州，与均州刺史谯王李重福及洛阳人张灵均密谋起兵诛除韦氏家族，未等他们发难，韦氏家族已经败亡。其后李重福被提升为集州刺史，尚未赴任，张灵均劝他说："大王您处于先帝嫡长子的地位，应为天子。相王虽然有功，却不应当继承大统。东都的士人百姓，都希望您能够到洛阳来。倘若您潜入洛阳城，调动左、右屯营兵，袭杀东都留守，占据洛阳，如同从天而降。然后西取陕州，东取黄河南北两岸地区，天下指挥可定。"李重福听从了他的建议。

于是张灵均私下与郑愔勾结策划，聚集徒众几十人。当时郑愔从秘书少监被降职为沅州刺史，他逗留洛阳等待李重福，他为李重福起草了诏书，立李重福为帝，把年号改为中元克复。把睿宗尊为皇季叔，把温王李重茂封为皇太弟，郑愔自己担任左丞相职务，执掌朝廷内外文官事务，命令张灵均担任右丞相、天柱大将军，执掌武官事务，命令右散骑常侍严善思担任礼部尚书，执掌吏部事务。李重福与张灵均乔装打扮乘驿马前往东都，郑愔预先布置好驸马都尉裴巽的府第以接待李重福。洛阳县的官吏暗中略知他们的图谋。

汾。585 丙寅：七月十七日。586 丁卯：七月十八日。587 倾侧：此指人品不端正。588 今立大功：指遣宝昌寺僧普润向李隆基告发韦后密谋之事。589 外托国姻：表面上依托国亲。薛稷子伯阳尚仙源公主，故有此说。590 戊辰：七月十九日。591 己巳：七月二十日。592 改元：改换年号为景云。593 未施行者：指还没有处决或流放的人。594 乙亥：七月二十六日。595 废武氏崇恩庙及昊陵、顺陵：中宗景龙元年（公元七〇七年）二月十七日复武氏陵庙，置令、丞、守户如昭陵。至是均加废除。596 追废：废除死人的官爵。597 集州：州名，治所在今四川南江县。598 左右屯营兵：时东都置有左右屯营，以戍卫宫城。599 陕州：州名，治所在今河南三门峡市西。600 指麾：同"指挥"。引申为发令调遣。601 沅州：州名，天授二年（公元六九一年）由巫州改名而来。治所在今湖南怀化西南。602 迟留：逗留。603 俟重福：等待李重福。604 季叔：小叔。古人以伯、仲、叔、季排行时，季为最小。605 供张：陈设帷帐等用具，以供宴会或行旅所需。606 驸马都尉裴巽第：在东都宽政坊，与河南县廨为邻。裴巽尚中宗女宜城公主。事见《新唐书》卷七十一上《宰相世系表一上》、卷八十一《谯王重福传》、卷八十三《薛国公主传》。607 微闻其谋：暗中略知他们的图谋。

【校记】

[16] 若：据章钰校，十二行本、乙十一行本“若”上皆有“王”字。[17] 为重福：原无此三字。据章钰校，十二行本、乙十一行本、孔天胤本皆有此三字，张敦仁《通鉴刊本识误》同，今据补。[18] 诣：据章钰校，十二行本、乙十一行本皆无此字。

【研析】

本卷研析韦后之乱与睿宗登基。

太子李重俊兵败被诛，韦皇后躲过一劫，但她不思悔改，重新集结势力，变本加厉图谋皇权。韦皇后依靠的势力，一是韦氏子弟，二是诸武余孽。韦皇后堂兄韦温，中宗即位后任礼部尚书。武三思死后，韦温入相为同中书门下三品。武崇训死后，安乐公主下嫁武崇训堂弟武延秀。武氏党羽宗楚客，转身投靠韦皇后，任夏官侍郎，入相为同凤台鸾阁平章事。这样，韦氏外戚与武氏外戚再次合流，结成危害唐皇室的政治集团。中宗完全被掌控在韦皇后集团中，成为一个被戏耍的傀儡。

韦皇后导引中宗为乐，以迷其心。景云元年（公元七一〇年）正月十四日夜，中宗与韦皇后微行观灯于街市，又纵宫女数千人出游，许多宫女趁机失踪不回皇宫。二月二十九日庚戌，中宗驾临禁苑梨园球场，命文武百官三品以上抛球作乐，又命分为两队拔河。中宗与韦皇后、嫔妃、公主临观大笑。

韦皇后外诱中宗逸乐，而暗地里加紧了夺权的活动。当神龙三年（公元七〇七年）太子李重俊死后，宗楚客率领百官上表，加韦皇后为顺天翊圣皇后。景龙二年（公元七〇八年）春，宫中传出韦皇后衣箱中有五色云出，中宗居然相信这一骗局，让画匠画出图形，向百官展示，下诏大赦天下。接着，右骁卫将军、知太史事迦叶志忠上表说：“从前我大唐高祖神尧皇帝未受令时，天下歌《桃李子》，太宗文武皇帝还没有登基时，天下传颂《秦王破阵乐》，高宗天皇大帝继位之前，天下歌唱《堂堂》，则天皇后即位前，天下歌《娬媚娘》，应天皇帝陛下您登基前，天下歌唱《英王石州》，顺天韦皇后还没有受命，当今天下歌《桑条韦》，这表明上天要接受顺天韦皇后为国母，主蚕桑之事，臣制作《桑韦歌》十二篇，献上陛下，请求编入乐府，当皇后主持祭祀蚕种时演奏。”这样明目张胆替韦皇后问鼎皇权编造祥瑞的事，中宗竟然兴高采烈，重赏迦叶志忠。

景龙三年（公元七〇九年）八月，中宗将到南郊祭天，国子祭酒祝钦明等上奏，皇后助祭。这一违礼行为，也是效法武则天所为，遭到众多大臣反对，中宗最后仍然依从了韦皇后的意愿，以皇后为亚献。

中宗的昏庸与放纵导致朝政大权完全被韦皇后、宗楚客等人掌控，满朝文武噤若寒蝉。但韦皇后的淫行与政治活动，恶名传扬全国，地方的热血之士，冒死上奏。

景云元年（公元七一〇年）四月，定州人郎岌上奏，指陈“韦后、宗楚客将为逆乱”，韦皇后报告中宗，活活打死了郎岌。接着，五月十七日丁卯，许州司兵参军燕钦融再次上奏，说：“皇后淫乱，干预国政，宗族强盛；安乐公主、武延秀、宗楚客图危宗社。”矛头直指韦皇后政变集团。这一次中宗居然召见燕钦融，当面询问，燕钦融直言骂奸，面不改色。中宗沉默不语。宗楚客假传诏令在朝堂上打杀燕钦融，中宗虽然不加追究，但很不高兴。中宗的反常行为，使韦皇后惶恐不安。散骑常侍马秦客以医术，光禄少卿杨均以善烹调，皆出入宫廷，与韦皇后私通，害怕事泄被诛，安乐公主急于做皇太女，怂恿韦皇后临朝称制。于是，几个人合谋，在六月初二日壬午，在食物中下毒，谋杀了中宗。韦皇后秘不发丧，六月初三日癸未，召宰相入皇宫，进行政变部署。京师戒严，征召五万士兵屯入京师，用韦氏子弟掌握禁军。宰相韦温总知内外兵马，守卫宫掖，韦皇后堂弟驸马都尉韦捷及韦灌、卫尉卿韦璇、左千牛中郎将韦锜、堂兄长安令韦播、外甥高嵩分领禁军，中书舍人韦元巡行六街。六月初四日甲申，韦皇后在太极殿会集百官发丧，临朝称制，立李重茂为皇太子，进相王李旦为太尉。六月初七日丁亥，皇太子即帝位，时年十六岁，尊韦皇后为皇太后。至此，韦皇后完成了毒杀中宗的政变。

韦皇后不满足于临朝称制，她急于做皇帝。安乐公主不甘心公主之位，她急于做皇太女。宗楚客不满足于宰辅地位，他急于做开国元勋。以宗楚客与安乐公主丈夫武延秀为首，与诸韦子弟共劝韦皇后遵武后故事，革命称帝，策划谋害少帝李重茂。安乐公主与太平公主早有嫌隙，韦皇后深忌相王李旦。韦皇后政变集团密谋将相王李旦以及太平公主一起诛除。这一阴谋波及的范围实在太大，政变集团的兵部侍郎崔日用，本是韦武集团的核心人物之一，一贯依附韦武集团，深感事态严重，害怕事败灭族，他倒戈反击，暗中派宝昌寺和尚普润向相王之子临淄王李隆基告密。六月二十日庚子，李隆基抢先发难，诛灭了韦武集团。韦皇后、安乐公主为乱兵所杀，韦、武两姓被灭族。六月初二日中宗被害，六月二十日李隆基诛灭韦武集团，二十天之内，唐王室发生了两场宫廷政变。韦皇后想效法武则天，临朝称制半个月就被诛杀。为何事变如此之速，它带给人们什么思考，这是研析韦后之乱的重心。

如果说武则天是一个杰出的政治家，那么韦皇后只是一个跳梁小丑，两者不可同日而语，因此一个成功，一个失败。比较两人的行事，高下之分，不用评说而有天壤之别。第一，武则天动心忍性，长期经营，她谋皇后、谋干政、谋革命，都是一步一步进行，而韦皇后急于求成，谋害中宗已犯大忌，临朝才十几天，脚跟还没站稳，就想做皇帝。武则天垂帘近三十年，高宗死后，又临朝称制七年，直到天授二年（公元六九一年）才革命称帝。如此，武则天多么有心机，韦皇后与之相比，是多么的粗俗。第二，武则天不冒天下之大不韪，她利用唐王室旗号渐谋革命。武则天可以杀掉女儿和亲生儿子，但她没有谋杀高宗。韦皇后谋害中宗，犯了大忌，人神共愤，怎能不败。第三，武则天上政事十二策，不时褒奖贤臣，猎取声名。称帝后才公然养蓄男宠，是皇帝所为，臣僚不敢攻讦。韦皇后不守妇道，中宗在世，就敢与武三思、马秦客、杨均等多人淫乱，丑声闻于天下，不孚众望。第四，武则天用贤，得人才辅佐，韦皇后信用武三思、宗秦客、韦氏子弟，一帮纨绔子弟与蠢材，不是李隆基的对手。第五，武则天拉一派打一派，韦皇后不懂策谋，不与太平公主结盟，反而敌视太平公主，安乐公主与之争长论短，把太平公主推到了李隆基一边。第六，武则天两手策略，软硬兼施。她用酷吏打击政敌，又用官禄收买人士，民怨沸腾时候就诛杀酷吏，收买民心。武则天严于控制亲信，如太平公主、武三思、男宠薛怀义等，不敢过分犯法。韦皇后十分轻浮，杀太子李重俊后，飘飘然不知所以，肆无忌惮，大卖官爵，安乐公主抢夺民田，修建苑囿，不得民心。武则天用权谋，韦皇后用暴力，她用重兵戒严京师，人人惶恐，韦氏子弟鞭打禁兵立威，四面树敌。李隆基倡义，士兵哗变。韦皇后失败之速，创造了历史的空前。最后，从大势上说，武则天刚退下舞台，人心思唐，人心思安，韦皇后立即重演武皇后故事，不合时宜。韦皇后的失败，是命中注定了。

唐睿宗即相王李旦登基，完全是历史的偶然。睿宗李旦比中宗李显还要懦弱、昏庸，他从来就没有做皇帝的想法和勇气。中宗被废，武则天后来决定传位于子，立李旦为皇太子，李旦坚决让给了中宗李显。这样一个平庸的好人，韦皇后也容不得。如果韦皇后与李旦联手，办事从容不迫，就不会有临淄王李隆基的发难。李隆基是李旦的第三子，有谋略，办事果决。他首任潞州别驾，在潞州募集一批勇士。景龙四年（公元七一〇年），韦皇后政变前夕，李隆基朝于京师，于是滞留京师。他暗地召集勇士，特别在号称“万骑”的羽林禁军中结识雄豪，等待时机救乱。韦皇后弑中宗，矫诏称制，李隆基便与太平公主、前朝邑尉刘幽求、万骑果毅李仙凫、陈玄礼等人密谋。崔日用告密，李隆基立即发动羽林军攻入宫中。这一行动，李隆基没有请示父亲相王李旦。李隆基认为，政变大事，是保卫国家，事成归功于相王，事败，自己承担责任，不牵累相王。如果谋及相王，就把相王拖入了政变危事中，设若相王不同意，就要败坏大事。依相王的懦弱性格，肯定不会同意，一定是败坏大事。李隆基的果敢行动，表现出他有政治权谋与政治远见。李隆基入宫杀了韦皇后、安乐公主、武延秀等。接着大杀韦武集团中人，韦家子弟，连幼儿都杀了，全部族灭，武氏子弟基本杀灭。武则天的余党，只剩下太平公主了。

李隆基诛灭韦武集团，立了大功。李旦即帝位后，是为睿宗。睿宗立李隆基为皇太子，太平公主干政，猜忌李隆基，因此二人水火不容，一场新的斗争又开始了。

韦后之乱，带来了睿宗即位，给李隆基建功创造了机会。可以说韦后之乱为唐开元之治扫清了道路。历史的变局就是这样难以意料。